ROCCAGLORIOSA I

L'ABITATO: SCAVO E RICOGNIZIONE TOPOGRAFICA
(1976-1986)

ISBN 2-903189-36-6

ROCCAGLORIOSA I

L'ABITATO: SCAVO E RICOGNIZIONE TOPOGRAFICA

(1976-1986)

di

MAURIZIO GUALTIERI
e
HELENA FRACCHIA

con la collaborazione di

P. ARTHUR, S. BÖKÖNYI, M. CIPRIANI, L. COSTANTINI,
M. CUCARZI, J. FITT, R.R. HOLLOWAY, A. KEITH,
F. ORTOLANI, S. PAGLIUCA, P. POCCETTI, F. de POLIGNAC

Presentazione di
G. TOCCO SCIARELLI

Ricerche sovvenzionate dal Social Sciences and Humanities Research Council of Canada e pubblicate con un finanziamento della Direction Générale des Relations Culturelles du Ministère des Affaires Etrangères

BIBLIOTHÈQUE DE L'INSTITUT FRANÇAIS DE NAPLES
Deuxième Série - Volume VIII
PUBLICATIONS DU CENTRE JEAN BÉRARD
Naples, 1990

Diffusion des publications:

L'ERMA di Bretschneider
Via Cassiodoro, 19
00193 Roma

R. Habelt
Am Buchenhang, 1
5300 Bonn

Les Belles Lettres
95, bd. Raspail
75006 Paris

M. D'Auria Editore
Calata Trinità Maggiore, 52
80134 Napoli

Per i nostri genitori

PRESENTAZIONE

Le notizie delle fonti letterarie, come è noto, sono assai scarne in proporzione all'ampio ventaglio di problematiche relative alla formazione e allo sviluppo dell'ethnos lucano.

La conoscenza che abbiamo della Lucania antica si è andata perciò formando con il progredire della ricerca archeologica. Questa, però, ha portato essenzialmente alla scoperta di numerose e ricche necropoli, gettando luce non solo su riti e costumi funerari, ma anche sull'organizzazione sociale e politica, sui modi di produzione e sugli scambi culturali con gruppi di popolazioni vicine e in modo particolare con il mondo coloniale, che ha esercitato un ruolo determinante nell'evoluzione della civiltà lucana.

Ben poco invece si è scoperto sui modi di occupazione del territorio e più precisamente sugli abitati. Per quel che è dato di sapere, le forme insediative sono di tipo sparso. Fanno eccezione due centri, gli unici finora esplorati sistematicamente, l'uno nella Lucania nordorientale, nell'alta valle del Basento a Serra di Vaglio e l'altro a Roccagloriosa nella Lucania sudoccidentale.

Non a caso entrambi i centri assumono una struttura più definita e in certo qual modo con caratteri di monumentalità nel IV secolo a. C., quando l'occupazione da parte dei Lucani della quasi totalità delle colonie greche del versante ionico e del versante tirrenico è già avvenuta.

Come è noto le testimonianze archeologiche di tale occupazione sono di eccezionale evidenza nelle necropoli dove alle sobrie sepolture greche di età classica si succedono le ricchissime tombe lucane spesso monumentali, a camera o a grande cassa, dipinte all'interno con scene figurate, e con corredi funerari sovrabbondanti. Viceversa non è possibile apprezzare la presenza dei Lucani nelle città, che conservano le proprie strutture senza subire modifiche significative.

È evidente dunque che, nel momento in cui il coagulo di nuclei abitativi sparsi porta nella Lucania antica alla formazione di alcuni centri emergenti, il modello urbano delle colonie ha avuto la sua rilevanza, ma mentre nell'abitato di Serra di Vaglio tale modello sembra generare una struttura più o meno regolare organizzata su un asse principale da cui si dipartono piccole strade secondarie, molto più complessa e articolata è la forma dell'abitato di Roccagloriosa, così come è stata messa in luce dall'esplorazione sistematica.

In realtà i resti della città erano già noti dal secolo scorso ma solo nell'anno 1971 vennero eseguite da M. Napoli, con la collaborazione di G. Greco, sulla scorta delle rovine emergenti della cinta muraria, le prime ricognizioni e i primi sondaggi.

Nel 1976 e nel 1978 la Soprintendenza Archeologica delle province di Salerno Avellino e Benevento affidò l'esplorazione del sito a M. Gualtieri.

I rinvenimenti eccezionali di quelle prime campagne che riguardarono essenzialmente la necropoli costituirono la fase preliminare di un più ampio programma di indagine affidato, con concessione del Ministero per i Beni Culturali e Ambientali, a partire dal 1982, al Dipartimento di Studi Classici dell'Università di Alberta, sotto la direzione scientifica di M. Gualtieri e attuato con il contributo del Social Sciences and Humanities Research Council di Ottawa, Canada, del Centre Jean Bérard di Napoli, dell'École Française di Roma, del Consiglio Nazionale delle Ricerche di Roma.

Questa seconda fase di ricerche, programmata in tempi lunghi, ha consentito di attivare una serie di indagini complementari e integrative dello scavo vero e proprio.

Le prospezioni elettromagnetiche, eseguite dalla fondazione Lerici, hanno completato il quadro dei nuclei abitativi che non era possibile esplorare integralmente definendone l'estensione e la struttura.

Le analisi geologiche (F. Ortolani) e dei resti botanici (L. Costantini e J. Fitt) e faunistici (S. Bökönyi) hanno consentito di delineare lo sfruttamento delle risorse e le trasformazioni subite dall'habitat naturale con la presenza della città.

Di particolare interesse è stata l'ampia ricognizione territoriale condotta inizialmente da F. de Polignac e da G. Ruffo e proseguita da H. Fracchia.

Se da una parte infatti si è posto in rilievo la notevole densità abitativa dell'ampio territorio circostante l'abitato di Roccagloriosa, dall'altra appare ormai evidente la funzione emergente di quest'ultimo.

È interessante rilevare la rispondenza segnalata da M. Gualtieri tra la strutturazione della necropoli e quella della città: ai gruppi gentilizi di sepolture con le tombe emergenti corrispondono in città i nuclei abitativi con la casa signorile.

L'abitato di Roccagloriosa nel corso della prima metà del IV secolo a.C. assume forme monumentali e si organizza in struttura urbana conservando integra, e questo è uno dei dati di maggior rilievo emersi dalla ricerca, la connotazione lucana dell'insediamento a nuclei sparsi.

L'edizione ricca ampia e completa dei risultati della ricerca dà un quadro esauriente di questa singolare evidenza archeologica.

G. Tocco Sciarelli
Soprintendente Archeologo
delle province di
Salerno Avellino e Benevento

PREMESSA

L'esplorazione sistematica dell'area archeologica di Roccagloriosa (SA) da cui proviene la maggior parte dei materiali qui presentati, è stata iniziata nel 1976 dalla Soprintendenza Archeologica di Salerno, con il contributo finanziario della Cassa per il Mezzogiorno. Grazie alla fiducia e stima del Soprintendente Reggente, Prof. B. d'Agostino, lo scrivente fu incaricato della direzione dello scavo e dello studio dei reperti. L'incarico venne rinnovato dal successivo Soprintendente, Prof. W. Johannowsky, per lo scavo del 1978. Il sostegno e la collaborazione di W. Johannowsky, furono altresì fondamentali per la impostazione di un progetto di scavo delle aree di abitato presentato nel 1982 da una équipe del Dipartimento di Studi Classici della Università dell'Alberta (Edmonton, Canada), sotto la direzione dello scrivente, approvato con concessione di scavo da parte del Ministero dei Beni Culturali (Roma), successivamente rinnovata. Per la continuazione del progetto di esplorazione sistematica delle aree di abitato è stata fondamentale la collaborazione dell'attuale Soprintendente, Dott.ssa G. Tocco Sciarelli e del personale della Soprintendenza stessa. Lo scavo si è avvalso della squadra di operai specializzati della Ditta A. Maiuri di Ascea ed è stato seguito con interesse ed entusiasmo da parte delle Amministrazioni Comunali di Roccagloriosa e di Torre Orsaia e dalla popolazione dei due comuni, cui mi è gradito in questa occasione rinnovare la più viva riconoscenza, anche da parte della équipe canadese.

Il sostegno finanziario del Consiglio delle Ricerche Canadese (Social Sciences and Humanities Research Council of Canada, Ottawa), insieme a quello del Fondo di Ricerca dell'Università dell'Alberta (Central Research Fund, University of Alberta) e del Dipartimento di Studi Classici della stessa università sono stati indispensabili, come pure l'aiuto della École Française di Roma e del Centre Jean Bérard di Napoli. Gruppi di studenti, canadesi ed americani, della Scuola Estiva di Scavo della Università dell'Alberta (grazie al sostegno di Special Sessions, University of Alberta) hanno partecipato con impegno alle campagne successive al 1984, dando un contributo di rilievo alla condotta dello scavo ed alla esplorazione topografica del territorio circostante. Un ringraziamento particolare va alle famiglie di Rocco Romeo e Concetta Bellotti di Roccagloriosa per la loro ospitalità ed il loro contributo organizzativo alle campagne di scavo. Si ringrazia inoltre la famiglia di Ugo Balbi per aver generosamente, per tanti anni, accolto l'équipe di scavo sul Pianoro Centrale, di sua proprietà. I disegni di scavo e le carte di distribuzione sono degli autori (coadiuvati dall'ufficio di Grafica dell'Università dell'Alberta), mentre le piante sono state eseguite dagli architetti J. Rougetet e L. Scarpa, che hanno fornito un ausilio prezioso per la documentazione dello scavo. I disegni della ceramica e gli altri materiali sono stati impaginati da M. Pierobon, che ne ha eseguito una gran parte, unitamente a A. Dekany (per i metalli), W. Elliott e S. Saunders. Le fotografie degli oggetti sono di G. Imparato, mentre quelle di scavo sono degli autori, salvo ove diversamente indicato. Per la composizione del testo M.F. Buonaiuto e A. Brangi, a cui va il mio più vivo ringraziamento, hanno curato con maestria e prontezza il «word-processing». Mi è gradito infine ringraziare O. de Cazanove, Direttore del Centre Jean Bérard di Napoli per aver voluto proporre di pubblicare il volume nella serie dedicata all'Archeologia in Italia Meridionale. Insieme ad un cordiale ringraziamento si esprime l'auspicio che la collaborazione così instaurata fra l'équipe canadese e studiosi ed istituzioni culturali francesi possa continuare al di là di questa pubblicazione.

La dedica del volume vuole essere anche un atto di profondo riconoscimento per il sostegno avuto dai genitori, sempre pronti a rispondere con affetto immutato, soprattutto nei momenti più difficili, ed al loro contributo essenziale alla conclusione di questo progetto decennale.

Napoli, Aprile 1989

M. GUALTIERI

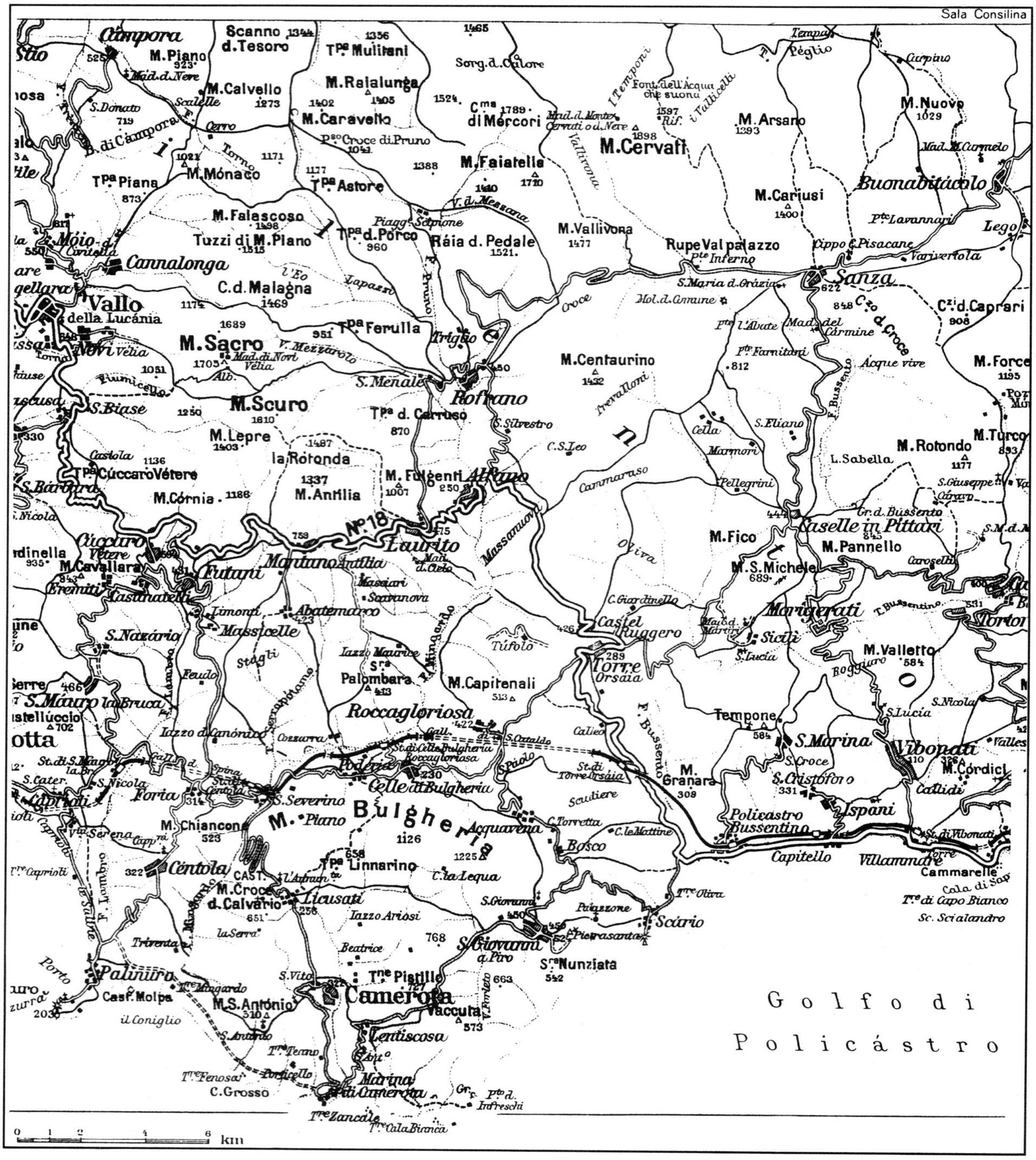

Fig. 1 Cartina geografica del basso Cilento (dalla Guida TCI, Italia Meridionale).

INTRODUZIONE

LA RICERCA ARCHEOLOGICA NEL TERRITORIO DI ROCCAGLORIOSA

1. Nonostante numerosi sopralluoghi e segnalazioni di eruditi e studiosi (in maniera preminente CORCIA 1847 e LA GENIÈRE 1964), una vera e propria esplorazione dell'area archeologica di Roccagloriosa inizia solo a partire dal 1971 con i saggi effettuati da M. Napoli (NAPOLI 1971). La messa in luce di alcuni tratti della cinta muraria e lo scavo di una vasta zona 'abitativa' nell'area all'esterno del muro di fortificazione, nonché alcuni dati topografici fondamentali acutamente evidenziati da M. Napoli, fornivano la documentazione sulla presenza di un insediamento agglomerato, ed almeno in parte fortificato, di notevole rilevanza. L'area centrale dell'insediamento veniva identificata sui terrazzi prospicienti la Valle del Mingardo, immediatamente ad ovest del crinale dei Capitenali, che costituisce una poderosa difesa naturale sul versante est (Valle del Bussento e Golfo di Policastro). La presentazione dei primi dati di scavo all'undicesimo convegno di Studi sulla Magna Grecia, tenuto a Taranto nel 1971[1] fornì peraltro l'occasione per un vivace dibattito sulla natura e funzione del centro, che rimase di stimolo e guida per la ricerca successiva sul sito stesso. M. Napoli, soprattutto in base a considerazioni topografiche, postulava l'esistenza di un centro di raccordo fra costa ed entroterra (Vallo di Diano) che avrebbe servito, fra l'altro, quale intermediario nella diffusione della ceramica calcidese rinvenuta in alcune delle tombe di Sala Consilina, un dato che veniva suggestivamente posto in relazione con gl'interessi reggini nell'area basso-tirrenica (Diod., XI,59,4). Da un lato, tuttavia, fu notato che i dati emersi dalla esplorazione preliminare si riferivano esclusivamente al IV secolo a.C., e particolarmente alla seconda metà del secolo. D'altra parte, si fece notare che alla poderosa cinta muraria ad ovest del crinale dei Capitenali non corrispondeva, almeno in quella fase iniziale della esplorazione, una evidenza abitativa di entità paragonabile. Si sottolineò pertanto che, sia la cronologia del sito che la sua collocazione geografica, non escludevano la possibilità di trovarsi di fronte ad uno dei tanti siti fortificati, in molti casi connessi con insediamenti rurali dispersi nel territorio, che caratterizzano il paesaggio di vaste aree della Lucania interna nel corso del IV secolo a.C.[2] (fig.2).

Sulla base di tali premesse, l'esplorazione sistematica intrapresa nel 1976 si poneva come obbiettivo fondamentale lo studio della cinta fortificata e la effettuazione di saggi di scavo che permettessero di determinare la cronologia e la consistenza dei nuclei abitativi sia all'esterno che, presumibilmente, all'interno del muro di fortificazione. I dati ceramici e l'evidenza strutturale ben presto confermarono l'esistenza di un esteso agglomerato, in parte fortificato ed organizzato in vari nuclei abitativi, inquadrabile nel corso del IV secolo a.C. Inoltre, la scoperta di un'area di necropoli 'monumentale' in località La Scala, la cui fascia superiore è stata esplorata 'a tappeto' nella campagna del 1978, documentandone la pianta e la varietà di tipi di sepolture, rimuoveva ogni dubbio circa l'appartenenza dell'insediamento ad una comunità lucana. Dopo una interruzione di quattro anni, durante i quali la Soprintendenza Archeologica è intervenuta prevalentemente per operazioni di recupero e salvataggio, il progetto di esplorazione affidato alla Missione Archeologica Canadese prevedeva la

---

[1] NAPOLI 1971.

[2] Si vedano in particolare gli interventi di F. COARELLI (1971), W. JOHANNOWSKY (1971), E. LEPORE (1971).

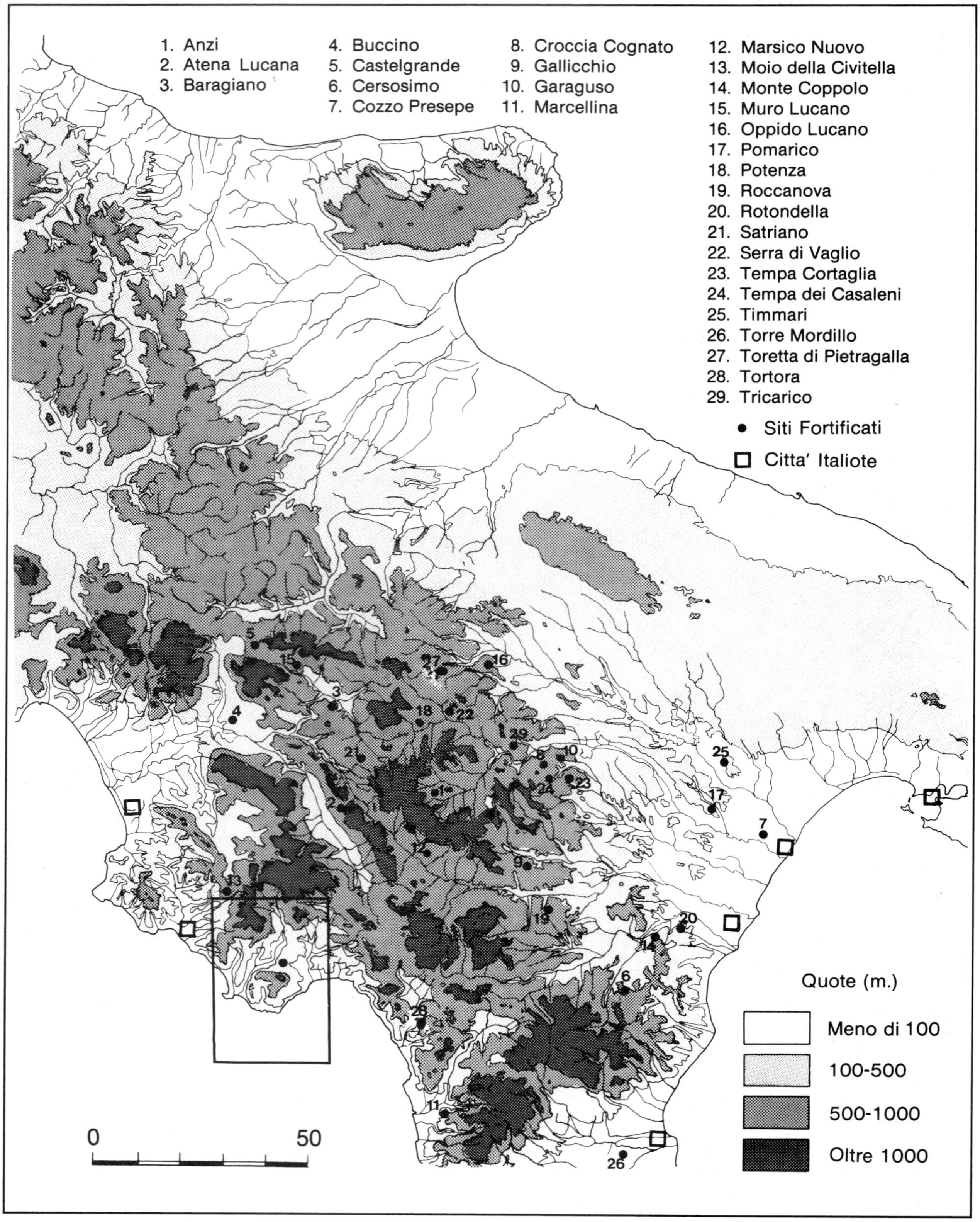

Fig. 2 Carta dei siti fortificati di 4° sec. a.C. in Lucania (il rettangolo si riferisce all'area compresa nella fig. 4).

Fig. 3 La cresta dei Capitenali vista da sud.

esplorazione topografica delle principali aree insediative dell'abitato agglomerato e lo scavo in estensione di uno dei molti nuclei abitativi, con lo scopo di ottenere dati più specifici sulla cronologia ed organizzazione dell'abitato. Dal 1983 a tale ricerca fu affiancata la esplorazione sistematica del territorio circostante mediante ricognizione di superficie, con lo scopo precipuo di ricostruire il 'paesaggio agrario'[3] dell'area intorno al sito agglomerato.

Dopo uno studio topografico delle aree abitative poste immediatamente a ridosso della cresta dei Capitenali, effettuato nelle campagne 1982 e 1983, anche con l'ausilio della prospezione con magnetometro della Fondazione Lerici, le operazioni di scavo sono state concentrate sul c.d. pianoro centrale, (tav. VII fuori testo), dove i primi saggi di scavo effettuati nel 1982 segnalavano l'esistenza di un nucleo abitativo includente edifici di notevole consistenza ed in ottimo stato di conservazione. Come i capitoli che seguono serviranno a mostrare, alcuni degli aspetti salienti del complesso di edifici sul pianoro centrale, sullo sfondo della organizzazione generale dell'insediamento e dei dati sinora emersi dalla necropoli in località La Scala, sono atti ad illustrare in dettaglio l'organizzazione ed il livello di strutturazione di un insediamento lucano in un momento cruciale del suo sviluppo.

A parte i dati fondamentali, e sostanzialmente

[3] Le premesse metodologiche, esposte nella proposta del progetto 1981-82 presentato al Social Sciences and Humanities Research Council of Canada (SSHRCC), Ottawa (non pubblicato), e nella domanda di concessione di scavo presentata al Ministero dei Beni Culturali ed Ambientali, Roma (relazione d'ufficio presentata alla Soprintendenza Archeologica di Salerno) prendono lo spunto dalla più recente problematica della ricerca archeologica in Magna Grecia: si vedano, ad esempio, GRECO E. 1979, GUZZO e LUPPINO 1980, GUZZO 1982, BOTTINI A. 1982. Un esempio dei risultati della ricerca di superficie intensiva per la ricostruzione di un 'paesaggio agrario' pre-romano è presentato da BARKER 1977 e LLOYD e BARKER 1981.

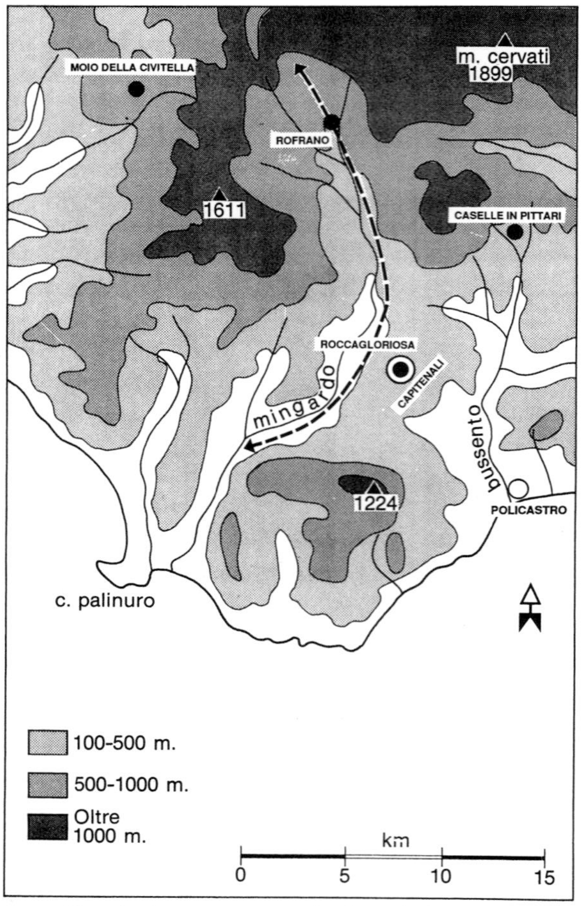

Fig. 4 L'area archeologica di Roccagloriosa nel contesto della regione Mingardo/Bussento.

nuovi, sulle strutture di abitazione e materiali associati, la metodologia di scavo che, a partire dal 1982, ha posto fra gli obbiettivi fondamentali anche la raccolta dei dati relativi alle attività economiche primarie, ci ha permesso di studiare aspetti della cultura materiale solo episodicamente o assai sommariamente documentati in siti coevi.

2. Lo sviluppo della ricerca archeologica a Roccagloriosa, testé delineato, ha comportato una molteplicità di interventi di esplorazione topografica e scavo, nel corso degli ultimi quindici anni in varie condizioni e con obbiettivi diversi. Sembra dunque necessario sottolineare una certa eterogeneità dei dati presentati ed il loro diverso valore documentario. Tuttavia, lo scavo sistematico del nucleo insediativo sul pianoro centrale all'interno del muro di fortificazione, intrapreso nel 1982, ha fornito una griglia cronologica (*infra*, cap. 3) che si è potuta utilizzare quale sistema di riferimento per la notevole quantità di dati derivanti da altri interventi di scavo e dalla ricognizione del territorio circostante. La metodologia stessa dello scavo si è dovuta adattare alle condizioni ed alla natura degli interventi che di volta in volta venivano effettuati sul terreno. Solo a partire dalla campagna del 1982 si è iniziato uno scavo su 'grandi aree' dell'abitato e si è potuto adottare un sistema di registrazione dei dati di scavo basato sulla numerazione consecutiva delle unità stratigrafiche (modellata sul 'matrix' di E.G. Harris) con l'uso di schede per le singole unità stratigrafiche redatte secondo lo schema elaborato dal Ministero dei Beni Culturali (Roma)[4]. Per i saggi precedentemente effettuati si era adottato un sistema di denominazione con lettere alfabetiche e numeri romani, mentre la esplorazione più estensiva di alcuni dei nuclei abitativi era stata effettuata adoperando una griglia di m. 5 x 5, sempre denominando gli strati per ogni quadrato con il numero romano consecutivo a partire da 'I' (humus). Si è ritenuto opportuno, pertanto, inserire per ciascun settore di scavo lo schema di denominazione delle aree scavate, in modo da semplificare la comprensione dei riferimenti contenuti nel catalogo dei materiali e, allo stesso tempo, presentare una visione d'insieme dell'estensione sinora esplorata. Infine, per un gruppo di materiali derivanti dalle aree abitative extra-murane si è potuto indicare solamente la generica area di provenienza, dato che mancano indicazioni sulla ubicazione specifica dei saggi effettuati nel 1971 e 1973.

Come indicato nel sottotitolo, questo studio include preminentemente i risultati relativi al decennio 1976-1986 anche se, ovviamente, non ha escluso dalla discussione i dati acquisiti precedentemente, né ha ignorato i risultati della più recente ricerca, ancora in corso. È stato necessario, tuttavia, assumere la campagna 1986 come data terminale, dato che molti dei dati raccolti nelle campagne 1987 e 1988[5] sono in corso di elaborazione.

---

[4] *Beni Culturali, Catalogo*, pp. 18-26. Nella descrizione dello scavo sul pianoro centrale, come nel catalogo dei materiali, i numeri di strato sono preceduti dalla sigla US mentre per gli elementi (muri ed altre strutture) si è adoperata nel testo la sigla F (cioè 'feature') e, nei disegni, la semplice sottolineatura, secondo l'indicazione usata nelle schede di scavo.

[5] Un progetto di ricerca per la continuazione dello scavo sul pianoro centrale è stato presentato allo SSHRCC, Ottawa nell'ottobre 1986 ed approvato. Un successivo progetto presentato nell'ottobre 1987 per il completamento dello scavo sul pianoro centrale e l'apertura di saggi nelle aree extramurane è stato approvato per il biennio 1988-89 (Grant, n° 410-88-0530). Dati preliminari sono stati pubblicati in *Roccagloriosa* 1988.

Fig. 5 Veduta della bassa valle del Bussento ed il Golfo di Policastro, dalla cresta dei Capitenali.

Dati e riferimenti relativi al periodo successivo al 1986 sono pertanto da considerarsi solo quali indicazioni preliminari e soggetti a modifiche, soprattutto per quanto riguarda le aree extra-murane.

La pubblicazione si riferisce soprattutto ai dati dell'architettura e topografia dell'insediamento 'centrale' e del territorio circostante nonché alle principali classi di materiali associati. Sono stati esclusi, come appare evidente dal sottotitolo, i dati provenienti dalla necropoli scavata nel 1977-78 (con un successivo intervento di 'salvataggio' nel 1980), i cui reperti sono ancora in corso di restauro e che dovrà far parte di una pubblicazione separata. Alcuni dati preliminari[6] ed uno studio recente sulla composizione dei corredi[7] sottolineano l'importanza di quei dati per una più dettagliata analisi del quadro storico della regione nel corso del IV secolo a.C. Si è ritenuto opportuno pertanto presentare una panoramica dei principali elementi relativi alla composizione dei corredi ed alla cronologia e struttura delle sepolture quale sfondo per la discussione della organizzazione generale dell'insediamento inclusa nel cap. 8.

Molti dei dati sulla economia del sito agglomerato recuperati nel corso delle campagne 1982-87 sono stati discussi in via preliminare nel corso delle relazioni annuali e di recente inclusi in una pubblicazione separata[8]. Si è tuttavia inclusa una sintesi dei principali risultati di tali analisi (cap. 10), dato che essi forniscono un supporto fondamentale per la ricostruzione del quadro regionale presentato nel cap. 7.

M. Gualtieri

[6] In *Atti Taranto*, 17, 1977, pp. 353-358; Gualtieri 1984.

[7] Gualtieri 1989b.

[8] M. Gualtieri (ed.) *Fourth Century B.C. Magna Græcia: A Case Study From Western Lucania*, presentato per la pubblicazione nella serie monografica dello *AJA* nel Dicembre 1988.

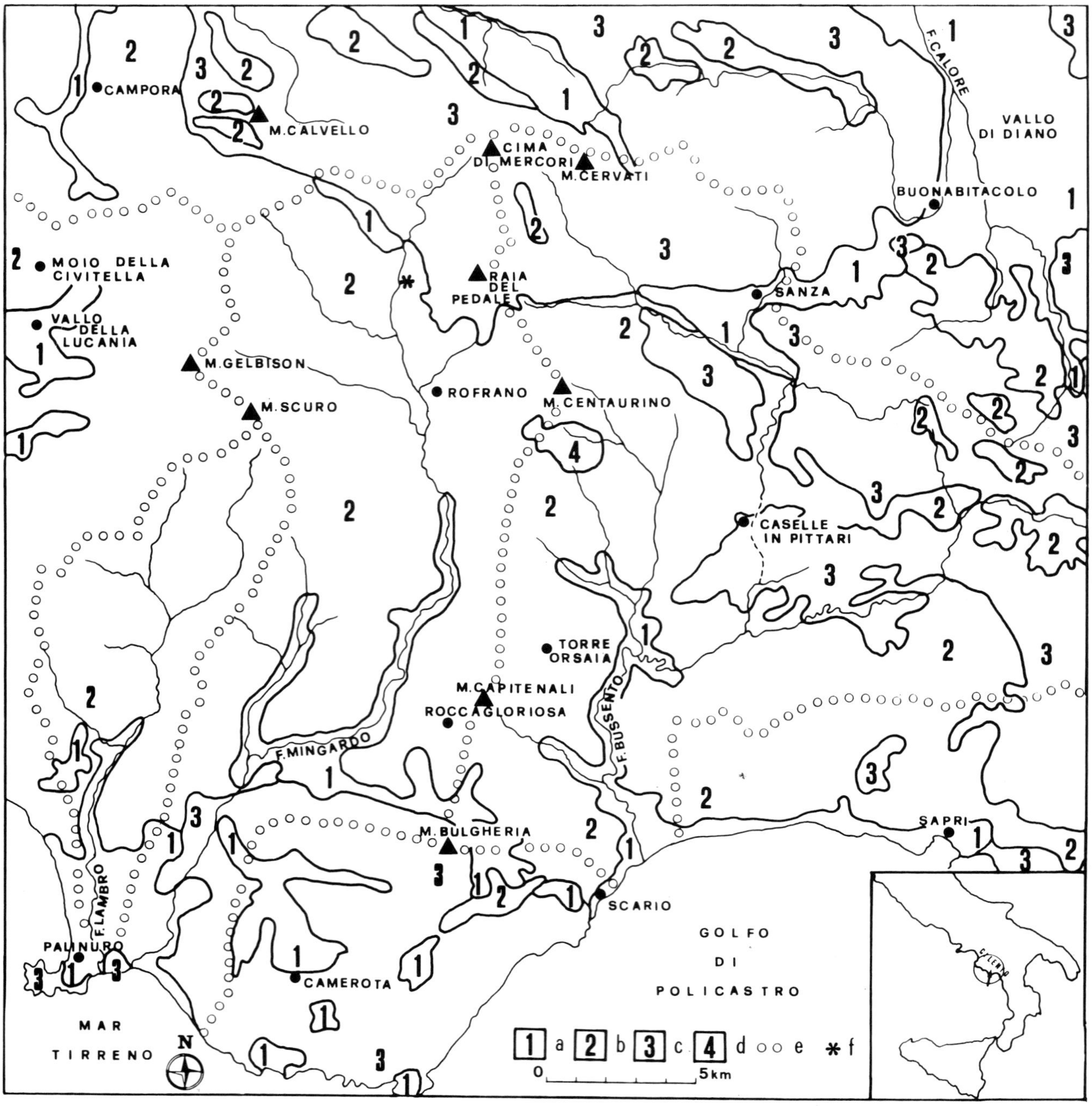

Fig. 6 Caratteristiche geologiche generali dell'area di studio (Cilento, Campania), scala 1:100.000.
a = terreni continentali (detriti di frana e di falda eterometrici ed eterogenei a matrice prevalentemente argillosa, cementati e/o sciolti; alluvioni sabbioso-limose e ghiaiose di fondovalle; eluvioni e colluvioni miste a piroclastiti rimaneggiate) e marini (prevalentemente sabbie di spiaggia e duna a differente granulometria) del Pleistocene-Olocene; b = terreni prevalentemente argilloso-marnosi, arenacei e conglomeratici appartenenti al Flysch del Cilento (Formazioni di Pollica, S. Mauro, S. Venere) ed alla parte terrigena della piattaforma carbonatica campano-lucana (Unità Alburno-Cervati e M. Bulgheria), di età compresa tra il Cretacico medio ed il Miocene inferiore; c = terreni prevalentemente carbonatici (calcari, dolomie, calcari dolomitici, calcari marnosi, calciruditi, calcareniti) della piattaforma campano-lucana (Unità Alburno-Cervati e M. Bulgheria), di età compresa tra il Triassico ed il Miocene inferiore; d = rocce ignee inglobate nella formazione n. 2; e = delimitazione del bacino imbrifero dei fiumi Lambro, Mingardo, Bussento e Calore; f = sorgente "Fistole del Faraone".

CAPITOLO 1

CARATTERISTICHE GEOLOGICO-AMBIENTALI E GEOMORFOLOGIA *

1. Premessa

Nell'ambito di ricerche in corso sull'evoluzione geologica olocenica dell'Italia meridionale sono state rilevate e studiate le caratteristiche stratigrafico-strutturali, geomorfologiche e geologico-tecniche principali dei terreni che costituiscono la dorsale compresa tra le valli del F. Mingardo e del F. Bussento, su cui sono ubicati gli insediamenti urbani e rurali di età compresa tra il IV e III secolo a.C. (Gualtieri 1987; Fracchia *et al.* 1983), nei pressi di Roccagloriosa. Le ricerche sono state eseguite per individuare i lineamenti geologici e morfologici delle aree di antico insediamento che, insieme alle caratteristiche socio-economiche, condizionavano l'antropizzazione del territorio, e per quantizzare alcuni eventi geologici che hanno modellato il paesaggio durante l'Olocene, utilizzando come livello guida anche i reperti archeologici.

Sono stati eseguiti rilevamenti geologici e geomorfologici diretti e mediante aerofotointerpretazione in scala 1:25.000 e 1:5.000; nelle zone di scavo sono stati effettuati rilevamenti di dettaglio in collaborazione con H. Fracchia e M. Gualtieri che hanno consentito una puntuale individuazione dei principali rapporti tra caratteristiche geologiche e geologico-tecniche dei terreni ed ambiente antropizzato in epoca preromana.

2. Assetto geologico, geomorfologico ed idrogeologico generale (fig. 6)

L'insediamento di Roccagloriosa è ubicato a quota di circa 500 m. lungo una dorsale collinare (M. Capitenali), orientata SO-NE, che rappresenta lo spartiacque tra il medio corso del F. Mingardo a NO e del F. Bussento a SE. In particolare, l'insediamento si sviluppa tra lo spartiacque e la parte sommitale del versante nord-occidentale del M. Capitenali. Le valli dei fiumi Mingardo e Bussento hanno andamento sub-parallelo ed orientamento NE-SO; le loro testate iniziano lungo i versanti meridionali del gruppo montuoso del Monte Cervati - cima di Mercori e risultano separate, nel loro percorso verso mare, dal rilievo del M. Centaurino e dalle colline di M. Capitenali fino all'altezza di Roccagloriosa e dal rilievo del M. Bulgheria, successivamente. La valle del F. Mingardo è delimitata a nord dai monti Gelbison, cima di Mercori e Raia del Pedale. La valle del F. Bussento a nord è delimitata dal M. Cervati mentre verso est presenta un valico a bassa quota tra Sanza e Buonabitacolo, verso il contiguo Vallo di Diano. Entrambi i fiumi vengono alimentati nei periodi non piovosi da sorgenti perenni che sgorgano lungo il versante meridionale del M. Cervati; in particolare, le Fistole del Faraone alimentano il F. Mingardo, mentre vari gruppi sorgivi tra Sanza e Caselle in Pittari alimentano il F. Bussento. I terreni che costituiscono la parte alta dei bacini imbriferi sono carbonatici e di età compresa tra il Triassico ed il Miocene inferiore (unità Alburno-Cervati e M. Bulgheria della Piattaforma Campano-lucana, D'Argenio *et al.* 1973; 1987), mentre sono

* Redatto congiuntamente da F. Ortolani (Direttore, Dipartimento di Scienze della Terra, Università di Napoli) e S. Pagliuca (CNR, Napoli).

prevalentemente arenacei, argillosi e marnosi nella restante parte del bacino e di età compresa tra il Cretacico medio ed il Miocene inferiore (unità del Flysch del Cilento, D'ARGENIO *et al.* 1973). L'area è caratterizzata da buona piovosità (variabile da circa 1000 a 2000 mm.) e, per le caratteristiche litologiche, presenta numerose sorgenti ed una generale falda superficiale in corrispondenza degli affioramenti di terreni argillosi superficialmente alterati. I versanti impostati sui terreni prevalentemente argillosi sono interessati da diffusi dissesti profondi e superficiali (GUIDA *et al.* 1980; 1988; LIPPMANN-PROVANSAL 1987); i primi sono del tipo "scorrimento rotazionale" e "colata" e interessano spesso aree di vaste dimensioni (superfici superiori anche a 100 ettari), caratterizzate da zone sub-pianeggianti lungo i versanti (corrispondenti ai terrazzi di frana) e da zone a pendenza medio-alta in corrispondenza di nicchie di distacco di corpi franosi anche secondari e di porzioni di terreni lapidei inglobati nel detrito di frana. Quasi sempre in corrispondenza dei terrazzi di frana si hanno emergenze della falda idrica, che alimenta piccole sorgenti (portata media 0,1 - 0,2 l/sec), o comunque risalita della falda superfi-

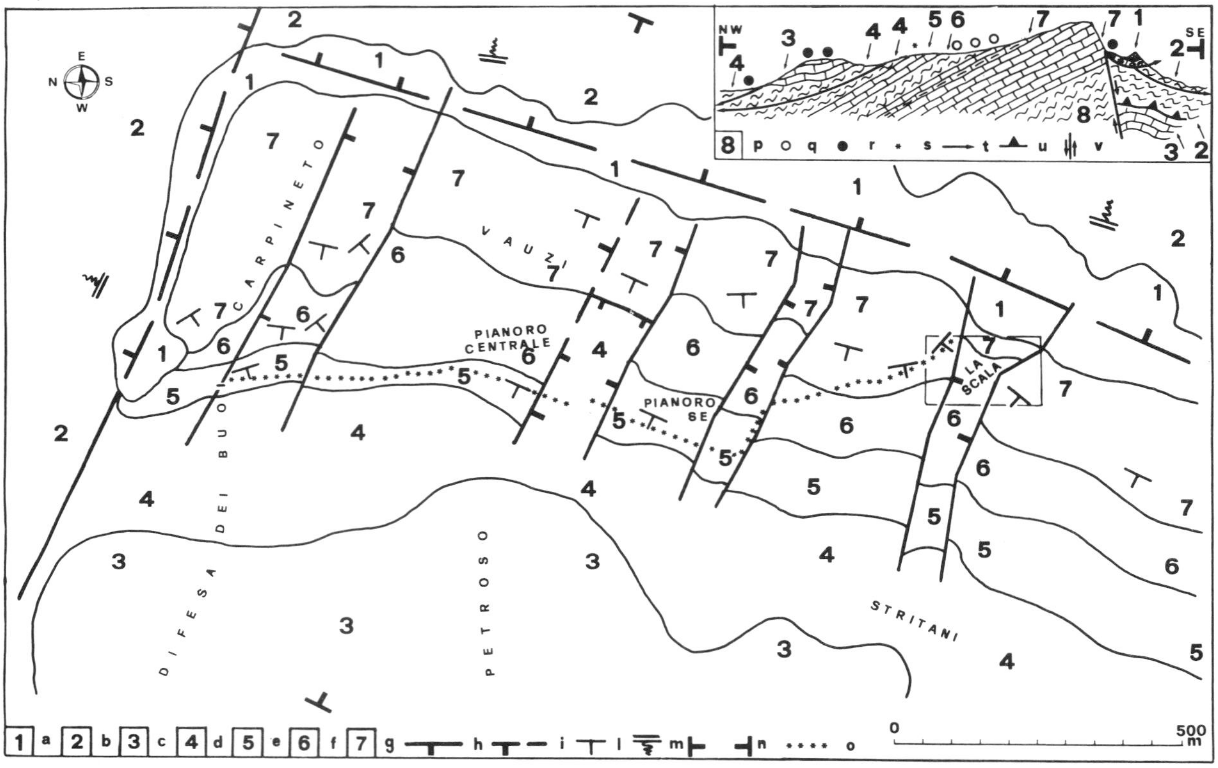

Fig. 7 Schema stratigrafico-strutturale della dorsale M. Capitenali - Vauzi - Carpineto (scala 1:5.000).

a = detriti calcarei di falda e di frana a matrice prevalentemente argillosa, eterogenei ed eterometrici; b = argille con intercalazioni di marne, calcareniti ed arenarie appartenenti al Flysch del Cilento; c = calcareniti e calciruditi, con intercalazioni di marne ed argille (membro calcareo superiore della formazione di Roccagloriosa); d = argille con intercalazioni di marne e siltiti (membro argilloso-marnoso superiore della formazione di Roccagloriosa); e = calcareniti con intercalazioni di marne ed argille (membro calcareo intermedio della formazione di Roccagloriosa); f = argille, marne e siltiti (membro argilloso-marnoso intermedio della formazione di Roccagloriosa); g = calciruditi e calcareniti, con intercalazioni di marne (membro calcareo inferiore della formazione di Roccagloriosa); h = faglie principali (il trattino indica la parte ribassata); i = faglie non affioranti, di ubicazione incerta; l = strati mediamente inclinati; m = strati contorti; n = traccia della sezione geologica schematica ridotta; o = ubicazione dei resti archeologici; p = argille con intercalazioni di marne, calcareniti ed arenarie (membro argilloso-marnoso inferiore della formazione di Roccagloriosa); q = insediamenti lucani; r = insediamenti lucani extramurani; s = cinta muraria; t = scivolamenti gravitativi, a volte profondi; u = sovrascorrimento sepolto; v = faglie principali.

ciale fino a 2-5 m. di profondità dal piano campagna che ne consentono una facile utilizzazione diffusa sul territorio mediante pozzi di grosso diametro (Pagliuca 1987). I rilevamenti eseguiti consentono di valutare che circa il 40-50% del bacino imbrifero è interessato dai grandi fenomeni franosi attualmente quiescenti e quindi tali da far ritenere il territorio momentaneamente stabile (Pagliuca 1987).

3. La dorsale del M. Capitenali: caratteristiche stratigrafico-strutturali, geomorfologiche e geologico-tecniche

Il rilievo di M. Capitenali rappresenta un tratto dello spartiacque tra i bacini imbriferi del Mingardo e Bussento ed è costituito da terreni prevalentemente calcarei con intercalazioni di marne ed argille lungo la cresta e da terreni prevalentemente argillosi, marnosi, arenacei lungo i versanti (formazione di Roccagloriosa) (fig. 7); l'età è compresa tra il Cretacico superiore ed il Miocene inferiore (Sgrosso e Torre, 1967; F° 209; F° 210). Tali terreni affiorano in finestra tettonica solo nella zona di Roccagloriosa e si trovano tettonicamente sottoposti ai circostanti terreni del Flysch del Cilento (F° 209 e F° 210). I terreni della dorsale di M. Capitenali-Vauzi-Carpineto (fig. 7) sono distinguibili in due membri litologici principali: quello geometricamente inferiore (potente circa 100 m.), che forma la cresta del rilievo, è prevalentemente costituito da strati di calcareniti e calciruditi di spessore variabile da circa 30 cm. ad oltre 2 m. con intercalazioni di argille e marne di vario colore; il membro superiore che affiora prevalentemente lungo il versante occidentale, potente circa 40-50 m., è costituito alla base da calcareniti di spessore variabile da circa 80 cm. a circa 15 cm. con intercalazioni di marne ed argille di vario colore ed alla sommità stratigrafica da strati di marne, argille, siltiti ed arenarie (fig. 7).

Alla sommità di tale membro, si rinviene una porzione prevalentemente calcareo-marnosa dello spessore di circa 15-20 m. che costituisce una sottile dorsale morfologicamente più rilevata lungo il versante occidentale.

Tutti i terreni sopra descritti costituiscono una struttura monoclinalica con immersione generale verso ovest, per cui i terreni più antichi e prevalentemente calcarei affiorano lungo il crinale, mentre quelli più recenti e prevalentemente argillosi si rinvengono lungo il versante occidentale di M. Capitenali (fig.7). La struttura ha esplicato un diretto controllo sulla morfologia ed idrogeologia della zona. Il versante orientale, infatti, è sub-verticale in quanto impostato sul piano di faglia che delimita ad est i terreni più lapidei della monoclinale; quello occidentale è mediamente inclinato poiché corrisponde al versante strutturale. La cresta inoltre presenta una serie di culminazioni e depressioni longitudinali; queste ultime corrispondono a zone strutturalmente ribassate da faglie dirette, orientate all'incirca O-E, ed in esse si sono conservati dall'erosione i terreni stratigraficamente più alti e prevalentemente argillosi come ad esempio nell'area della necropoli (fig. 7), in località La Scala.

L'immersione generale degli strati verso ovest e l'alternanza di pacchi di strati calcarei altamente permeabili per fratturazione e pacchi di strati argillosi e marnosi praticamente impermeabili hanno condizionato anche il deflusso delle acque sotterranee prevalentemente verso ovest.

La giacitura monoclinalica ha favorito, inoltre, l'evoluzione del versante occidentale mediante grandi fenomeni franosi profondi e conseguenti assestamenti superficiali. Vi sono varie evidenze di terrazzi di frana di vaste dimensioni, da circa 1 Ha ad oltre 10 Ha, lungo tutto il versante, come ad esempio nella zona del Pianoro Centrale in cui era ubicata una parte dell'antico insediamento (fig. 8). Una caratteristica importante della roccia calcarea di M. Capitenali, in relazione all'uso come materiale da costruzione, è costituita dalla compattezza, dalle alternanze tra strati calcarei ed argillosi e marnosi e dalla presenza, oltre ai giunti di stratificazione, di fratture ortogonali alla stratificazione che interessano tutti i pacchi litoidi. La roccia, quindi, si presenta facilmente lavorabile e già naturalmente suddivisa in blocchi facilmente modificabili per i vari usi costruttivi.

Un'altra caratteristica importante naturale è rappresentata dalla circolazione idrica sotterranea diffusa lungo il versante occidentale e tale da alimentare sorgenti e falde superficiali facilmente raggiungibili con pozzi di limitata profondità (4-8 m.). Un aspetto naturale, che si è presentato di notevole interesse per l'insediamento antico, è costituito dalla morfologia dell'area con pareti sub-verticali verso est, in corrispondenza del versante di faglia, e pianori verso ovest, protetti da M. Capitenali e M. Petroso (fig. 8).

I pianori corrispondono prevalentemente a terrazzi di frana preistorici caratterizzati da periodi più o meno lunghi di quiescenza e da momenti di attività con evoluzione di fenomeni franosi secondari innescati spesso dai principali eventi sismici dell'Appennino (Ortolani e Pagliuca 1984; 1986).

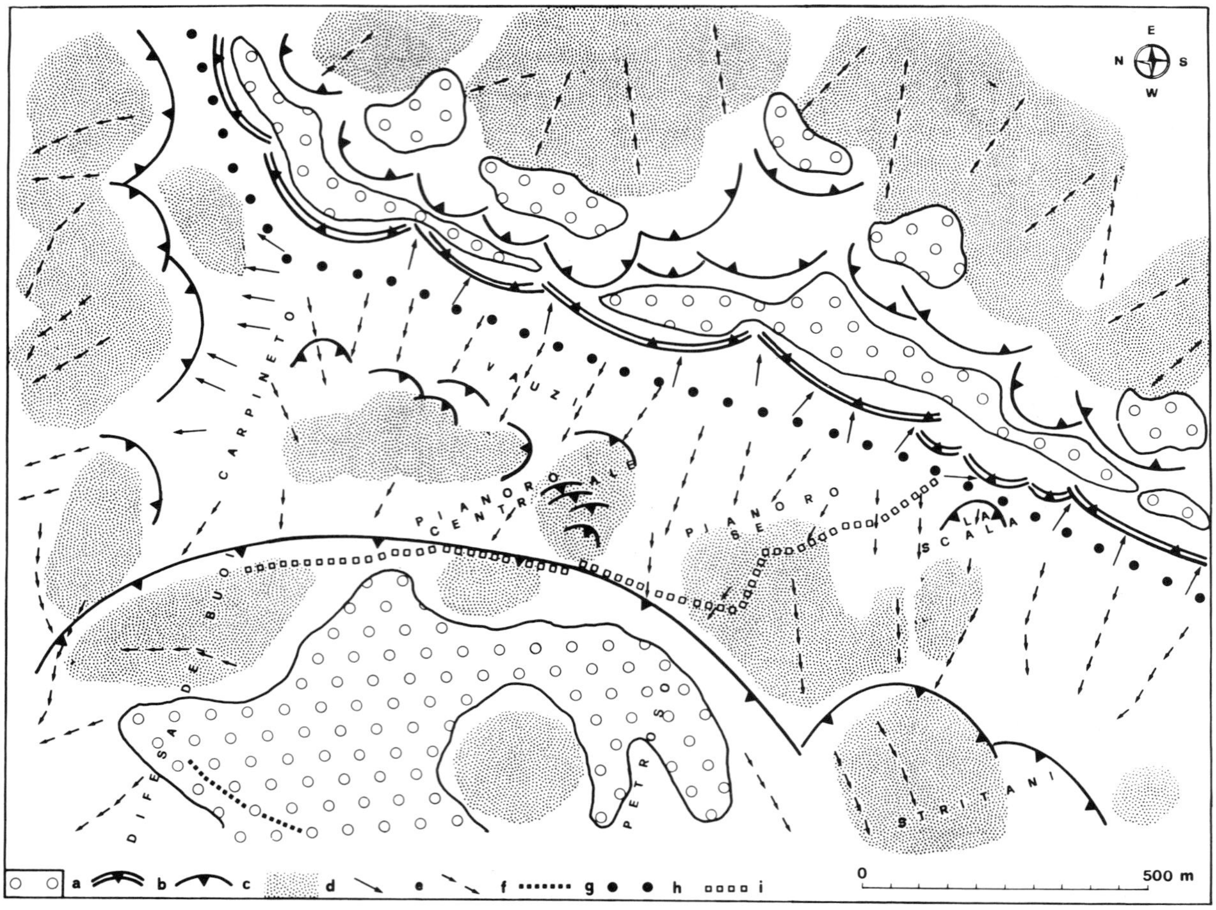

Fig. 8 Schema geomorfologico della dorsale M. Capitenali - Vauzi - Carpineto (scala 1:5.000).
a = terrazzi di frana principali; b = nicchie di frana in terreni prevalentemente calcarei; c = nicchie di frana in terreni prevalentemente argillosi; d = dissesti superficiali diffusi; e = versanti interessati da distacco e rotolio di massi lapidei; f = erosione areale concentrata; g = crepaccio in rocce prevalentemente calcaree coinvolte nei fenomeni franosi, di interesse esplorativo; h = spartiacque superficiale; i = ubicazione dei resti archeologici.

L'evoluzione geomorfologica che ha interessato l'area ad ovest e ad est di M. Capitenali ha determinato modificazioni morfologiche lungo i versanti, che hanno creato le condizioni idonee per l'ubicazione di insediamenti abitativi concentrati e/o sparsi. In particolare, il versante occidentale è stato interessato da grandi fenomeni franosi che hanno coinvolto tutti i terreni compresi tra la località Petroso ed il fiume Mingardo; il fronte a valle dei corpi di frana ha determinato la deviazione verso ovest del corso del fiume stesso (fig. 9). Il versante è caratterizzato da una serie di terrazzi di frana minori che localmente determinano aree sub-pianeggianti in cui quasi ovunque affiora una falda superficiale. In tali terrazzi, quasi sempre, sono stati ubicati gli insediamenti rurali lucani extra-murani. In località Difesa dei Buoi, nelle rocce calcaree coinvolte nei movimenti franosi, si è riscontrato un profondo crepaccio lungo circa 300 m. e largo diversi metri (figg. 8 e 9), che potrebbe anche essere stato utilizzato in passato per "riti sacrificali" e che dovrebbe essere adeguatamente esplorato.

Il versante orientale, alla base della rupe, è caratterizzato da vari terrazzi di frana (che hanno coinvolto anche le rocce calcaree di M. Capitenali), in cui si rinvengono varie sorgenti ed affioramenti di falde diffuse superficiali; anche in essi erano stati ubicati vari insediamenti extra-murani che avevano utilizzato le aree sub-pianeggianti e le locali risorse idriche.

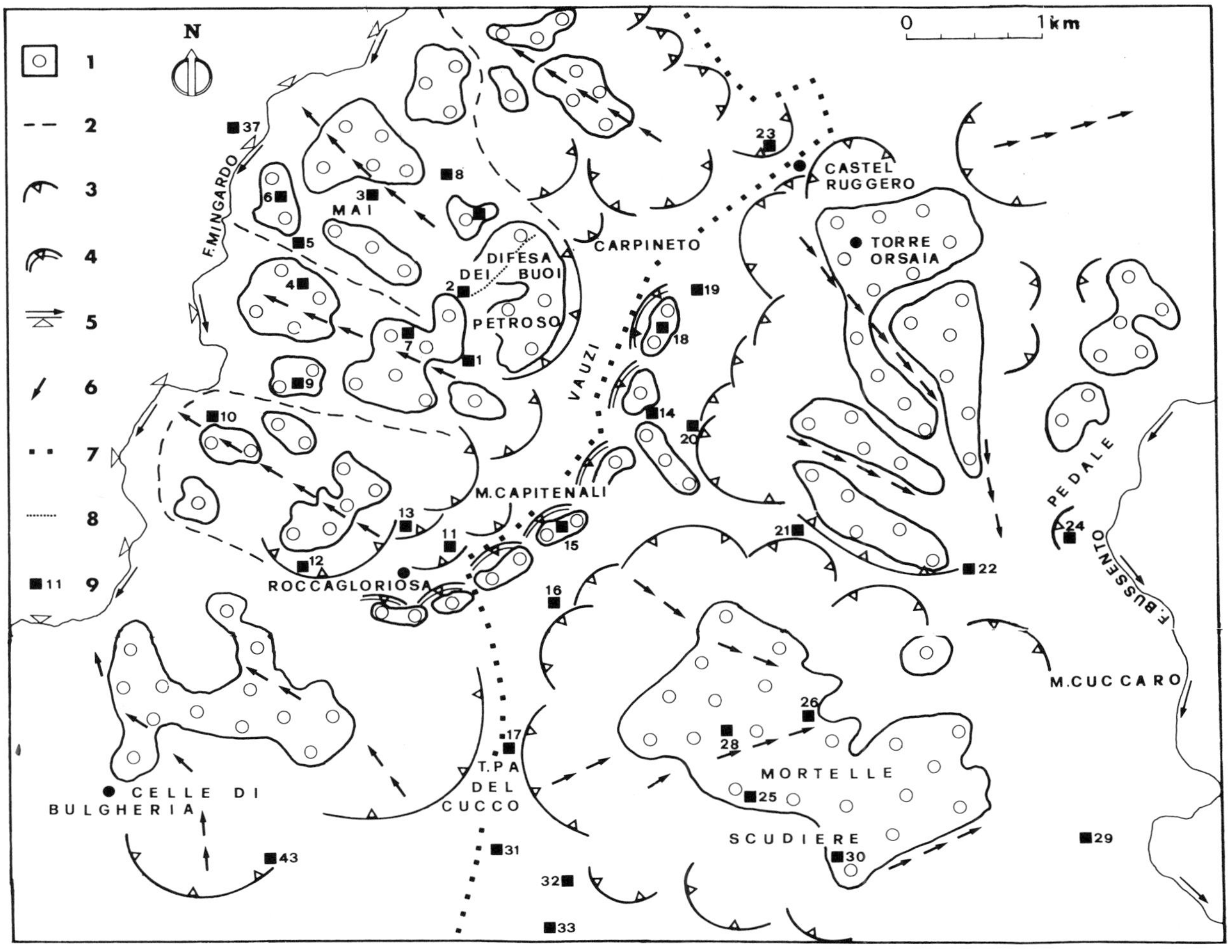

Fig. 9 Schema geomorfologico generale dell'area di studio compresa tra il F. Mingardo ed il F. Bussento (scala 1:25.000). 1 = terrazzi di frana principali; 2 = delimitazione dei corpi di frana principali; 3 = nicchie di frana in terreni prevalentemente argillosi; 4 = nicchie di frana in terreni prevalentemente calcarei; 5 = tratto del F. Mingardo deviato verso O dai corpi di frana del versante occidentale della dorsale di M. Capitenali - Vauzi - Carpineto; 6 = senso di scorrimento dei corpi di frana principali; 7 = spartiacque superficiale dei bacini imbriferi del F. Mingardo (a NO) e del F. Bussento (a SE); 8 = crepaccio in rocce prevalentemente calcaree coinvolte nei fenomeni franosi, di interesse esplorativo; 9 = ubicazione dei siti archeologici (i numeri si riferiscono al catalogo dei siti presentati nel cap. 7).

4. Caratteristiche geologiche delle principali aree esplorate dallo scavo

4.1. Necropoli (fig. 10)

La Necropoli, ubicata in località La Scala, risulta impostata in una zona strutturalmente ribassata, tipo graben, da due faglie dirette parallele ed orientate all'incirca O-E e quindi normali all'allungamento della dorsale di M. Capitenali. Il rigetto verticale è di alcune decine di m. ed ha messo a contatto laterale i terreni prevalentemente argillosi (membro argilloso-marnoso intermedio) con quelli calcarei (membro calcareo inferiore); lungo la zona di faglia, inoltre, si è determinata una fascia cataclastica nella parte calcarea, di spessore variabile da 1 a 3 m. circa. Le tombe rinvenute sono ubicate nella parte strutturalmente e topograficamente ribassata del graben e ricavate nei materiali più facilmente lavorabili, rappresentati dai terreni prevalentemente argillosi e dai calcari cataclastici.

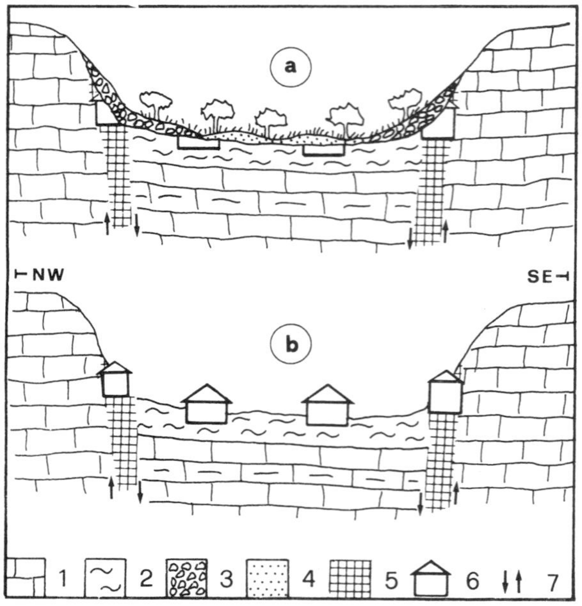

Fig. 10 Sezione geologica semplificata della zona della Necropoli (l'ubicazione è riportata in fig. 7).

1 = terreni prevalentemente calcarei del membro calcareo inferiore della formazione di Roccagloriosa; 2 = terreni prevalentemente argillosi del membro argilloso-marnoso intermedio della formazione di Roccagloriosa; 3 = detriti prevalentemente calcarei a matrice argillosa, derivanti dall'erosione subaerea dei versanti carbonatici; 4 = terreni eluviali e terreno agrario recente; 5 = calcari cataclastici, ad elevata fratturazione; 6 = tombe degli insediamenti lucani; 7 = faglie principali. Nello schema a) è rappresentata la situazione dell'area di studio anteriormente alle ricerche archeologiche e nello schema b) la ricostruzione paleoambientale in epoca lucana.

4.2. Pianoro SE

È ubicato sui terreni calcarei con intercalazioni di marne ed argille che rappresentano i termini di transizione tra i due membri litologici (fig. 8).

I calcari sono di colore grigio chiaro, ben stratificati, e di spessore variabile da circa 20 cm. a 80 cm., interessati da fratture normali alla stratificazione ed intercalati con marne ed argille, di colore prevalentemente rosso. In tali terreni, facilmente lavorabili, era stata ricavata una cava utilizzata per la

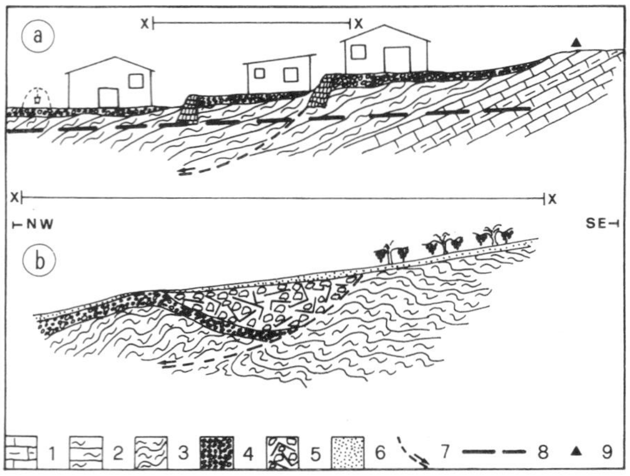

Fig. 11 Sezione geologica e geomorfologica semplificata della zona del Pianoro Centrale (l'ubicazione è riportata in fig. 8).

1 = terreni prevalentemente calcarei del membro calcareo intermedio della formazione di Roccagloriosa; 2 = terreni prevalentemente argillosi del membro argilloso-marnoso inferiore della formazione di Roccagloriosa; 3 = terreni prevalentemente argillosi, come 2, a giacitura caotica e con strati contorti dopo la rimobilizzazione del corpo franoso principale; 4 = paleosuolo; 5 = aree depresse topograficamente includenti terreni superficiali eterogenei e manufatti lucani dopo la rimobilizzazione del corpo franoso principale; 6 = terreni eluviali e terreno agrario ricoprenti i detriti dell'erosione subarea precedente ed i manufatti lucani; 7 = superficie di scorrimento e scivolamento profondo che ha interessato il terrazzo di frana quiesciente ed i vari manufatti lucani (case, opere di contenimento); 8 = ubicazione della falda freatica superficiale sostenuta dai terreni prevalentemente argillosi; 9 = zona di attività estrattiva nell'ambito dei terreni prevalentemente argillosi e calcarei altamente fratturati, facilmente lavorabili ed utilizzabili per la costruzione dei manufatti di epoca lucana.

Nello schema a) è rappresentata la situazione dell'area di studio prima della rimobilizzazione del corpo franoso principale, mentre in b) è rappresentata la situazione dopo l'evento franoso; in particolare, nelle aree sollevate topograficamente, i terreni eluviali risultano di spessore ridotto ed i manufatti poco preservati dall'erosione e/o asportati mentre, nelle aree topograficamente ribassate, si evidenzia la presenza di terreni eluviali di spessore fino a circa 3 m. e dei resti archeologici.

costruzione dei manufatti (vedi fig. 16).

4.3. Pianoro centrale (fig. 11)

Rappresenta un grande terrazzo di frana preistorico ed attualmente si presenta interessato da vari dissesti superficiali anche recenti. Gli scavi hanno evidenziato che il terreno eluviale recente ricopre, occultandola, una morfologia articolata in varie nicchie e terrazzi di frana secondari connessa ad una serie di movimenti franosi che hanno interessato i manufatti. Si riscontra, infatti, che le strutture risultano variamente ruotate (con conseguente perdita della verticalità delle pareti e di orizzontalità dei pavimenti), con i terreni di fondazione e che originariamente dovevano essere attestate su una superficie topografica regolarmente sistemata con opere di contenimento, canali drenanti ecc. In particolare, sono riconoscibili le nicchie di frana e le zone ribassate e sollevate in seguito agli eventi franosi che hanno sconvolto la topografia preesistente. Le evidenze morfologiche indicano che il movimento franoso principale ha determinato uno scorrimento rotazionale all'incirca verso O e scorrimenti secondari verso NE e SE; la rotazione subita dalla fornace, conseguente ad uno scivolamento verso NO e determinata da EVANS (in corso di stampa) con analisi paleomagnetiche, sarebbe connessa, quindi, ad uno scorrimento secondario nell'ambito del fenomeno franoso principale.

La stratigrafia dei terreni, evidenziata dagli scavi, consente di rilevare che, nelle zone in cui il movimento franoso ha determinato depressioni, si è avuto successivamente accumulo di terreni eluviali sui manufatti, di spessore fino a circa 1,50-3 metri mentre, nelle zone in cui il movimento franoso ha determinato un sollevamento nell'andamento topografico, i terreni eluviali risultano di spessore molto ridotto ed i manufatti poco preservati dall'erosione e spesso asportati. Dopo il verificarsi del dissesto e l'abbandono dell'insediamento, si è impostata una normale evoluzione geomorfologica che ha rimodellato il versante determinando l'accumulo di terreno eluviale nelle depressioni ed erosione nelle zone sollevate. L'uso agricolo recente dei terreni, con lavorazioni fino alla profondità di circa 40 cm., ha interessato solo i terreni eluviali nelle zone depresse senza intaccare i manufatti presenti a maggiore profondità; nelle zone sollevate invece, la lavorazione del terreno ha comportato spesso la manomissione dei manufatti con conseguente asportazione del pietrame (fig. 11).

4.4. Porta Centrale e zona ad ovest di Carpineto

In corrispondenza della porta centrale, si riscontrano le evidenze morfologiche di frane recenti che hanno determinato lo scorrimento verso ovest dei terreni superficiali (4-6 metri di spessore) e quindi la probabile deformazione della Porta preesistente con conseguente sua parziale distruzione. Anche nel pianoro ad ovest di Carpineto, si riscontrano chiare evidenze morfologiche (figg. 8-9) di grandi eventi franosi recenti, che hanno determinato consistenti scorrimenti verso ONO dei terreni per spessori anche superiori a 10 m., coinvolgendo i manufatti preesistenti e determinandone la distruzione.

I rilevamenti geologici hanno consentito di riconoscere che le mura di cinta, i cui resti sono stati rinvenuti con continuità ad ovest della cresta di Monte Capitenali in corrispondenza del Pianoro Centrale (figg. 7-8), sono state erette in corrispondenza della protezione naturale calcareo-marnosa (membro calcareo intermedio) che si rinviene nella parte alta stratigrafica dei terreni prevalentemente argillosi (membro argilloso inferiore) e che, morfologicamente, costituisce un alto topografico parallelo al versante, delimitato verso ovest da una parete ripida e quindi adatta per l'ubicazione di strutture difensive (mura) (fig. 7). Dal momento che le mura seguono verso nord l'andamento morfologico della piccola dorsale prima descritta fino all'ultimo rinvenimento (verso nord) finora effettuato, si ritiene che esse continuino a trovarsi sul prolungamento di tale elemento morfologico fino alla località Carpineto dove del resto sono stati da noi segnalati manufatti tipo mura.

5. CONSIDERAZIONI CONCLUSIVE

Le ricerche geologiche finora eseguite mettono in evidenza lo stretto e razionale rapporto tra insediamenti antropici e caratteristiche stratigrafico-strutturali morfologiche, idrogeologiche e geologico-tecniche dei terreni che costituiscono la dorsale di Monte Capitenali (figg. 7-8-9). I fenomeni geomorfologici riconoscibili nella zona indicano che l'insediamento era in parte ubicato su un terrazzo di frana quiescente (Pianoro Centrale) che si è rimobilizzata determinando l'abbandono della città (figg. 10-11). L'evoluzione geomorfologica successiva ha avuto un ruolo fondamentale per la conservazione dei manufatti, determinando il loro ricoprimento con terreni eluviali e detriti dello spessore di alcuni metri nelle zone depresse (figg. 10-11).

L'area della necropoli è andata soggetta a ricoprimento da parte di detriti provenienti dalle scarpate a monte e la sua occultazione deve essere stata favorita dal rapido sviluppo di rovi e cespugli che notoriamente determinano l'instaurarsi della macchia e del bosco in breve tempo (figg. 10-11).

Gli insediamenti rurali extra-murani ad ovest e ad est della dorsale di Monte Capitenali risultano ubicati molto spesso sui terrazzi di frana dove si hanno terreni sub-pianeggianti e l'affioramento di falde idriche (figg. 8-9).

Un elemento naturale, importante per l'impostazione delle mura lungo il versante occidentale, è rappresentato dal livello calcareo-marnoso che costituisce un alto morfologico allungato dal Pianoro Centrale fino a località Carpineto.

Si propone, quindi, di investigare lungo tale alto, a nord delle mura finora rinvenute, per cercare il loro prolungamento fino alla località Carpineto dove la morfologia della dorsale, controllata dalla litologia e dalla struttura, costituisce una valida protezione naturale per la presenza di versanti ripidi a nord e ad est.

In conclusione, lo studio ha consentito di valutare, anche quantitativamente, alcuni processi geologici e geomorfologici che sono caratteristici dell'evoluzione di molti versanti dell'Appennino meridionale impostati su terreni prevalentemente argillosi.

Per quanto riguarda i dissesti, si può affermare che i terrazzi di frana ad ovest e ad est di M. Capitenali, su cui sono impostati gli insediamenti antichi, erano già individuati nel IV sec. a.C. e che quindi era già avvenuto lo spostamento verso ovest del corso del fiume Mingardo, provocato dal corpo di frana multipla che aveva interessato tutto il versante (fig. 9). I movimenti franosi, quindi, avevano già modellato sensibilmente la morfologia dei versanti su vasta scala determinando varie aree a bassa pendenza (terrazzi di frana quiescenti), con falda affiorante, e ritenute idonee per gli insediamenti umani e per le attività agricole dell'epoca (fig. 11).

La giacitura dei manufatti dell'insediamento lucano ha dato informazioni circa l'entità dei processi erosivi e sedimentari connessi alla morfodinamica dei versanti interessati dai dissesti; alla luce dei dati raccolti a Roccagloriosa, verificati anche in altre zone del Cilento, dell'Irpinia, del Sannio e della Basilicata, è possibile affermare che i paleosuoli (preesistenti al momento dell'insediamento del IV secolo a.C., lungo i versanti argillosi), possono essersi conservati solo nei terrazzi di frana in contropendenza, dove successivamente sono stati ricoperti dai terreni eluviali derivanti dall'erosione subaerea (fig. 11). I versanti sono stati caratterizzati da una attiva erosione areale nelle zone più acclivi, che ha determinato la continua asportazione del suolo che si formava a spese del substrato, e da sedimentazione in corrispondenza dei terrazzi di frana con accumulo di terreni eluviali di spessore variabile da 1 m. a 3 m. in circa 2300 anni (figg. 10-11).

F. Ortolani
S. Pagliuca

CAPITOLO 2

IL MURO DI FORTIFICAZIONE

1. Tecniche costruttive

1.1. I resti di una imponente fortificazione in blocchi di calcare a secco, sul versante ovest della cresta dei Capitenali, costituiscono l'aspetto più vistoso dell'insediamento antico nell'attuale territorio di Roccagloriosa. Oggetto di numerose ricognizioni e descrizioni, a partire almeno da Corcia (1847), il muro di fortificazione è stato sterrato in alcuni tratti e parzialmente liberato dalla fitta vegetazione nel corso della esplorazione preliminare del 1971[1]. La campagna del 1976[2] è iniziata con una operazione di ripulitura estensiva di macchia e boscaglia lungo il presumibile percorso del muro in modo da evidenziarne tutti i tratti ancora conservati al di sopra del piano di campagna, unitamente ai resti di crollo che in diversi punti costituivano una chiara prova per la esistenza del muro al di sotto del piano di campagna. Si è riusciti pertanto a delineare il tracciato quasi completo del muro stesso per una lunghezza totale di circa 1200 metri ed a metterne in evidenza la relazione con il crinale dei Capitenali, che costituisce la difesa naturale sui lati est e nord. All'estremità sud-est della fortificazione è stato rinvenuto il tratto di muro che si inerpica sul pendio scosceso del crinale sino ad una quota di ca. 500 m. e si salda in corrispondenza della sella de La Scala allo sperone di roccia che delimita la sella stessa (o 'graben', *supra*, p. 13). È stato invece possibile documentare solo in maniera approssimata la chiusura della estremità nord del muro di fortificazione che, dopo avere abbracciato un piccolo pianoro a nord della porta nord, si dirige verso la conca di Carpineto, saldandosi all'estremità ovest dello sperone che circonda a nord-ovest la conca stessa. Il crollo di blocchi rinvenuto su vari tratti del pendio sottostante il muro (immediatamente ad ovest di esso), si interrompe piuttosto bruscamente ca. 200 metri prima di raggiungere la cresta. Le evidenti tracce di frana su di un pendio molto accentuato e qualche blocco rinvenuto assai più in basso, nel sottostante pianoro coltivato ad oliveto, indurrebbero ad attribuire le cause dell'assenza di muro in questo tratto piuttosto ad un successivo sconvolgimento dell'area che ad una reale interruzione della costruzione stessa. L'ipotesi inizialmente formulata di una fortificazione rimasta incompleta[3] è da scartare sia sulla base dei più recenti rinvenimenti sul versante della cresta che racchiude Carpineto (*supra*, pp. 15-16), sia in considerazione della evidenza successivamente emersa sul notevole livello di strutturazione dell'abitato agglomerato nel suo insieme. La disposizione dei nuclei abitativi all'interno della cinta fortificata, non lascia dubbi sulla esistenza di un piano organizzativo generale alla base del processo di monumentalizzazione dell'insediamento nel corso del IV secolo a.C.

1.2. L'aspetto complessivo del muro di forti-

---

[1] Notizie sommarie in Napoli 1971. Non si è riuscito a localizzare il tratto di muro che M. Napoli riferisce ad una seconda cinta: potrebbe trattarsi di una rampa a difesa della porta centrale (*infra*, p. 29).

[2] L'esplorazione del muro di fortificazione ha costituito l'obbiettivo fondamentale della prima parte della campagna 1976-77 (settembre-novembre 1976 e marzo-maggio 1977).

3 Sostenuta da Johannowsky (1980, p. 411). Lo studioso pensa ad una costruzione 'affrettata' del muro di fortificazione nell'ultimo terzo del IV secolo a.C., in concomitanza con le vicende militari di quel periodo (discussione tenuta ad una giornata di studio su 'Rapports entre la Lucanie interne et la côte Tyrrhénienne' organizzata al Centre Jean Bérard nel giugno 1980, non pubblicata).

Fig. 12 Tratto di muro nel settore nord dell'abitato fortificato (da ovest).

ficazione di Roccagloriosa è pertanto quello di un *epiteichisma,* piuttosto che un circuito murario vero e proprio[4], che si salda con le sue estremità nord e sud al crinale dei Capitenali, venendo così a racchiudere un'area di ca. 15 ettari conformata ad ovale e fortemente allungata in direzione nord-sud (tav. VII fuori testo). Il tratto centrale della fortificazione corre parallelo alla cresta dei Capitenali ad una quota quasi uniforme di 425/430 m. s.l.m., con una lieve sfalsatura altimetrica nel tratto fra la posterula B e la porta nord *(infra).* Nei tratti esplorati in prossimità degli accessi, esso risulta costruito a doppia faccia vista in blocchi rettangolari inframmezzati da *emplekton.* L'estremità sud, invece (e, molto probabilmente, anche quella nord di cui non v'è evidenza) che erano costruite su di un pendio piuttosto accentuato, presentano una sola faccia vista in blocchi squadrati sul lato esterno, con un aggere di controscarpa addossato alla collina. Il tratto di muro che recinge il pianoro sud-est *(infra)* è in gran parte costruito con una sola faccia vista a giudicare dalle aree esplorate in prossimità della porta sud (fig. 20). È stata anche evidenziata, in buono stato di conservazione, l'assisa inferiore della estremità sud del muro (il tratto che si salda al crinale in prossimità della sella de La Scala), con faccia vista in grossi blocchi rettangolari, poggiati immediatamente al di sopra del banco di roccia, opportunamente spianato (si veda il saggio alla posterula C, fig. 38, *infra*). In alcuni punti, dove i

[4] È da tener presente che molte delle cinte fortificate della Lucania interna non costituiscono un vero e proprio circuito murario, ma inglobano vari tratti dell'affioramento della roccia; tale è ad esempio il caso di Croccia Cognato/Oliveto Lucano (Tramonti 1984; Cremonesi 1966, pp. 139-141), Tempa Cortaglia/Accettura (Fracchia 1985; Tramonti 1984; Cremonesi 1966, pp. 138-139), il cui perimetro è stato delineato in maniera sufficientemente completa. Si veda anche la pianta della fortificazione di Moio della Civitella (Greco e Schnapp 1983, p. 390, fig. 3) il cui settore ovest è costituito dal crinale roccioso. Raffronti stringenti per il tipo di *epiteichisma* 'semi-ellittico', che si salda ad un crinale sono da rinvenirsi (in un contesto topografico diverso) nella fortificazione di Roccavecchia presso Egnazia (Tréziny 1987, p. 195, fig. 30). Vi sono vari esempi analoghi di fortificazione di altura dell'area sannitica, fra cui Capracotta (La Regina 1978, p. 423) e Civita Danzica (Chieti) (Schmiedt 1970, p. 20, tav. 29, fig. 6).

blocchi erano scivolati lungo il declivio è stato possibile notare i cavi nella roccia per la posa dei blocchi. In generale, e con rare eccezioni, nei tratti scavati del muro di fortificazione l'assisa inferiore risulta poggiata direttamente sul banco di roccia, che affiora in molti punti, seguendo una tecnica di costruzione che riflette una notevole capacità di utilizzare l'andamento naturale del terreno a fini strategici e difensivi[5]. Solo in un caso è stato possibile riscontrare la esistenza di una vera e propria trincea di fondazione, significativamente in corrispondenza del tratto centrale del muro dove esso corre rettilineo ed a quota uniforme (si veda il saggio alla posterula B, *infra*, figg. 32-33).

La costruzione dei paramenti è in blocchi rettangolari di calcare, di dimensioni variabili, con occasionale uso di tasselli. Alla regolarità, abbastanza frequente, dei filari di blocchi non sempre corrisponde una uniformità della altezza dei filari stessi, anche se può dirsi che nei tratti scavati o visibili al di sopra del piano di campagna, la tecnica pseudo-isodomica è prevalente. È solo in corrispondenza delle porte o posterule, anch'esse per lo più situate in tratti pianeggianti, che si nota una perfetta o quasi perfetta isodomia [segnatamente la porta sud (fig. 14) e la posterula B (fig. 32 *infra*)] ed almeno in un caso la tecnica in blocchi alternati di testa e di taglio (fig. 15). La larghezza costante del tratto costruito a doppio paramento è di circa m. 2,50, riempita da un fitto *emplekton* di piccoli blocchi di calcare di forma irregolare e scaglie di lavorazione dei blocchi (fig. 23).

Quale materiale esclusivo da costruzione per il muro si è adoperato il calcare locale, cavato dal banco di roccia che affiora in vari punti, anche a quote elevate. L'estrazione dei blocchi, che doveva avvenire di preferenza nelle zone più alte del sito[6], è documentata da una cava esplorata al limite set-

Fig. 14 Parete est del corridoio della porta sud con costruzione a filari regolari.

Fig. 15 Angolo sud-est della porta sud con costruzione a blocchi 'di testa e di taglio'.

Fig. 13 Tratto di muro conservato in elevato (oltre 2 m.) fra la posterula B e la posterula C (da ovest).

[5] Lo studio della geomorfologia dei territori immediatamente ad ovest del crinale dei Capitenali ha evidenziato la esistenza di un 'alto' geologico lungo il percorso del muro di fortificazione che crea una base particolarmente solida per la impostazione dei blocchi delle assise inferiori (*supra*, cap. 1). Sono debitore a D. Theodorescu per molte osservazioni sulla tecnica costruttiva e gli aspetti topografici della fortificazione, durante un sopralluogo effettuato nel 1977 all'area archeologica di Roccagloriosa.

[6] Il caso simile di Moio della Civitella è citato da Tréziny 1987, p. 194. Si vedano le osservazioni puntuali di Ortolani e Pagliuca (*supra*, cap. 1 e fig. 7) sull'affioramento del banco di calcare.

Fig. 16 Cava per blocchi di calcare messa in luce all'estremità nord del pianoro sud-est (foto Venturini).

Fig. 17 Costruzione pseudo-isodomica sul lato nord-ovest della posterula C (foto T. Zyla).

tentrionale del pianoro sud-ovest, all'interno della fortificazione (fig. 16). Un ultimo dettaglio tecnico da sottolineare è la costruzione 'a scaletta' o a leggera scarpata della faccia interna del muro, in corrispondenza della porta centrale (fig. 24), quale necessario rimedio alla natura franosa del terreno ed al declivio particolarmente accentuato in questo tratto. La poderosa frana che ha successivamente sconvolto il lato nord-est della porta stessa lascia intravvedere quanto opportuno sia stato l'uso di una tale tecnica costruttiva, per cui non mancano raffronti sia nell'Italia Meridionale che in altre regioni del Mediterraneo[7].

1.3. Una serie di saggi effettuati nel corso della campagna 1976-77 attraverso il muro di fortificazione, in tratti opportunamente selezionati sulla base di considerazioni di natura topografica, hanno permesso di verificarne il tracciato e di metterne alla luce gli accessi principali (tav. VII fuori testo). Nella maggior parte dei casi, i saggi di m. 10 x 3 o 10 x 4 sono stati aperti attraverso il muro stesso in modo da ripulirne la superficie conservata ed esplorarne sia la faccia interna (settore est del saggio) che la faccia esterna (settore ovest del saggio). La stratificazione archeologica è stata indicata volta per volta, per ciascuno dei due settori del saggio stesso, con numeri romani successivi a partire da I (humus). Seguendo una progressione convenzionale da sud a nord, si presentano nei seguenti paragrafi i tratti esplorati di muro, includendo altresì una descrizione della torre che è stata rinvenuta solo parzialmente sterrata da interventi precedenti e non è stata sinora oggetto di esplorazione specifica. L'elenco del contesto con reperti associati accluso in margine alla discussione dei singoli interventi di scavo intende sintetizzare dati ceramici e numismatici fondamentali relativi alla esplorazione complessiva del muro di fortificazione.

2. Saggio G

È stato effettuato con lo scopo di esplorare il settore sud della fortificazione, in un punto immediatamente precedente il tratto terminale (fig. 18), caratterizzato da un'accentuata sfalsatura altimetrica.

Si è messa in luce la faccia esterna (ovest) del muro, conservata per un solo filare, a diretto contatto col banco di scisto argilloso sottostante. Si è potuto anche notare un *emplekton*, abbastanza fitto, di pietre irregolari, mentre non si è rinvenuta chiara evidenza per una vera e propria faccia interna, che probabilmente non esisteva in questa parte della fortificazione, prossima ad un'area di accentuato dislivello e pertanto, come già accennato, caratterizzata dalla sola faccia vista esterna.

Il saggio G non ha restituito una stratificazione rilevante per lo studio della cronologia del muro poiché il sottile strato di humus che lo ricopriva insisteva direttamente sul terreno vergine, su cui poggiava il muro. I rinvenimenti ceramici sono irrilevanti anche a causa del notevole dilavamento.

3. Porta sud (saggi D-D3)

Circa 100 metri a nord-ovest del tratto di muro messo in luce dal saggio G, la fortificazione effettua una sensibile curvatura verso ovest per racchiudere un'area pianeggiante di ca. 2 ettari (cd. piano-

[7] Si veda il tratto del muro di cinta della Neapolis greca sul Corso Umberto, fra via Seggio del Popolo e via Pietro Colletta, scavato da W. Johannowsky (1961, n° 2112), appartenente alla prima fase di costruzione del muro stesso. Tale tecnica è adoperata con maestria nelle mura di Cheronea in Macedonia (devo a H. Fracchia il suggerimento di questo raffronto). Essa costituisce un tipo di costruzione abbastanza diffuso per il rinforzo alla base dei muri di fortificazione, sia lungo la cortina che per le torri, con svariati esempi in un vasto arco cronologico che va dal secondo millennio a.C. (Troia) al periodo Ellenistico (Winter 1971, pp. 171-172, n. 62 le definisce 'battered' o 'stepped faces').

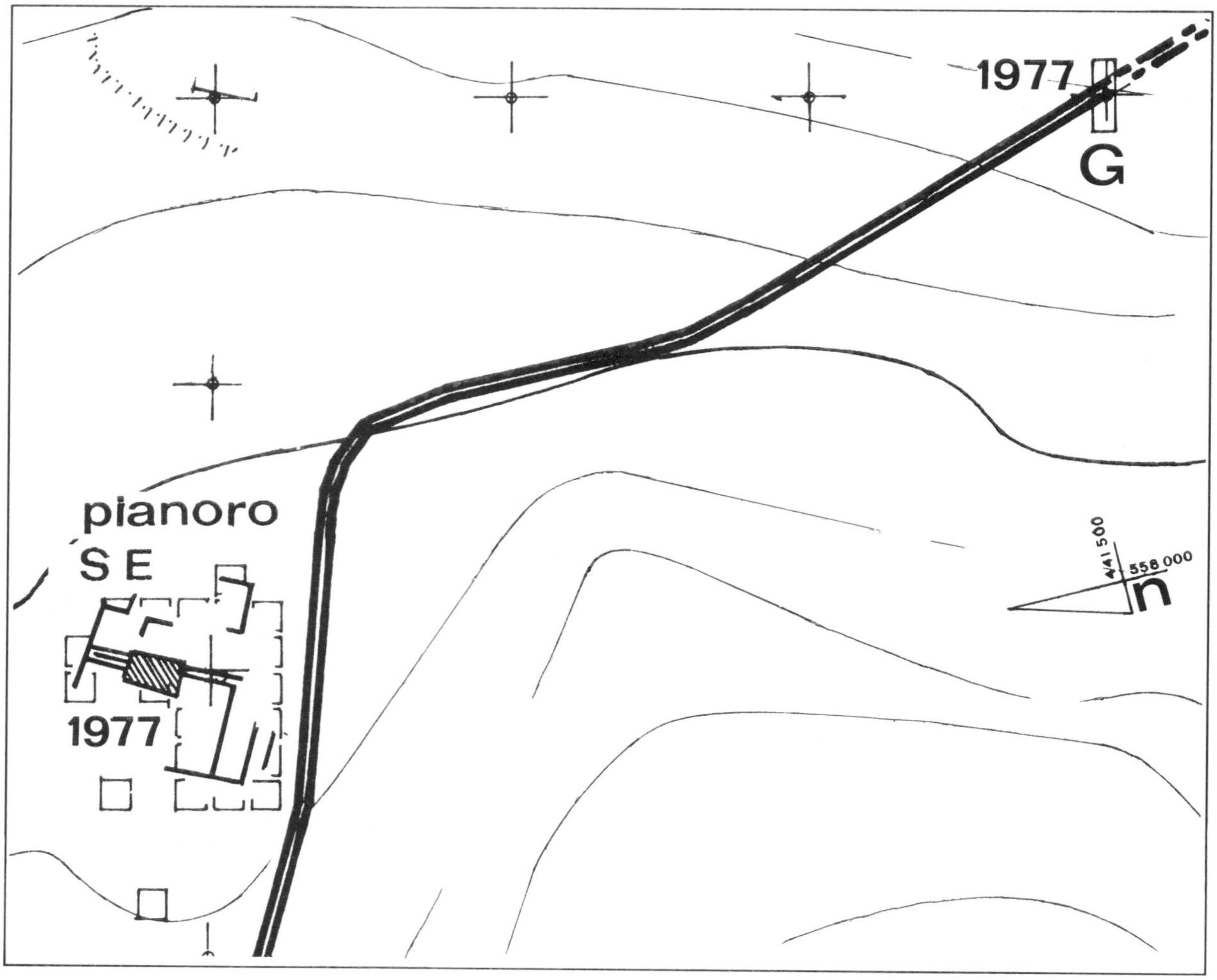

Fig. 18 Collocazione del saggio G nella parte sud del muro di fortificazione.

ro sud-est). In questo tratto la fortificazione è ben conservata ed in alcuni punti sono visibili due o tre filari della faccia esterna (fig. 20).

Un'anomalia riscontrata nell'andamento superficiale dei resti del muro nell'angolo sud-ovest del pianoro (ancora oggi passaggio per gli armenti) ha suggerito l'esplorazione di un'area di ca. 120 m^2 per mezzo dei saggi D-D3 (fig. 19) che hanno messo in luce un accesso principale all'area fortificata (cd. porta sud).

L'interro sul lato interno della porta era assai esiguo ed i pochi materiali rinvenuti derivano prevalentemente da un sottile strato di crollo misto ad humus. Sul lato esterno (sud) e nel corridoio (lato ovest) della porta, al di sotto di un fitto strato di crollo che includeva grossi blocchi e pietre irregolari dello *emplekton*, è stato rinvenuto uno strato di frequentazione (III) che fornisce almeno qualche indicazione sul periodo di uso della fortificazione. La scoperta più interessante è costituita da un livello di acciottolato, largo ca. 2 metri, ben conservato nella parte terminale (sud) del corridoio della porta e seguito per circa 3 m. verso sud, in continuazione della direzione del corridoio stesso (fig. 21).

Resti (invero non molto significativi cronologicamente) di ceramica a vernice nera, ceramica comune e tegole sono stati rinvenuti fra i ciottoli e sulla superficie del ciottolato, che doveva senz'altro rappresentare un piano stradale.

La porta, molto ben conservata nel settore est (fig. 21) e sufficientemente conservata sul lato ovest, in modo tale da poterne ricostruire la pianta completa (fig. 20), è del tipo a corridoio obliquo, con una angolatura del muro appositamente creata

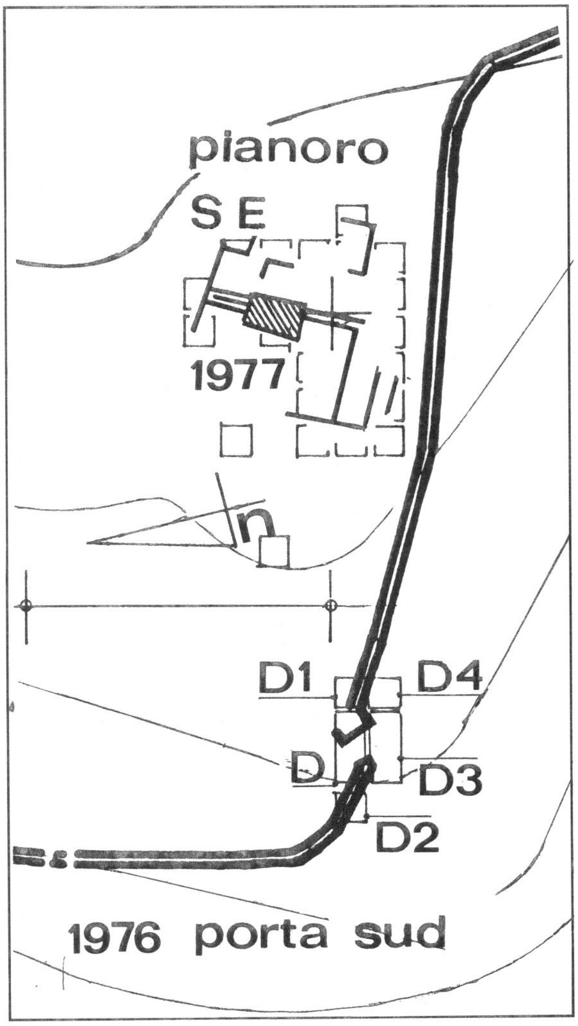

Fig. 19 Schema dei saggi effettuati alla porta sud.

per renderla più facilmente difendibile. Oltre a formare un angolo di ca. 120° rispetto alla direzione del muro che viene da sud-est, il lato est dell'accesso è stato conformato a mo' di 'bastione', in tal modo creando un lungo corridoio di accesso obliquo[8], il cui passaggio potesse essere agevolmente controllato dal 'bastione' stesso. La porta vera e propria doveva trovarsi, pressappoco, a metà lunghezza del corridoio, dove è stato rinvenuto apparentemente *in situ* un blocco quadrato con una tacca di cm. 10 x 10 per l'impostazione del palo. Un frammento di un simile blocco con identica tacca è stato rinvenuto su di un allineamento perpendicolare alla faccia est del corridoio, a ca. 2,50 m. di distanza dal precedente. Sul lato ovest del corridoio, il muro che prosegue verso nord conservato per una sola assisa, è stato notevolmente sconvolto dal passaggio di animali di grosso taglio. È stato nondimeno possibile ricostruire la pianta completa della porta prolungando gli allineamenti del tratto conservato (fig. 20).

Si acclude un elenco dei materiali cronologicamente significativi rinvenuti nello scavo della porta sud.

s. D3 III (ripulitura del ciottolato stradale)

(R 78 a, b, c) orlo, ansa e fondo di skyphos a v.n. Tipo **85.**

s. D II (crollo)

Coppetta a v.n. Tipo **99**.

Moneta di Adrano N. **632.**

s. D (muro)

frammento di base sagomata di 'trozzella' Tipo **48b.**

Lo skyphos a vernice nera, tipo **85,** databile intorno alla metà del IV secolo a.C., rinvenuto sul livello del ciottolato stradale, fa pensare all'esistenza di un impianto (porta-corridoio-ciottolato stradale), già in uso intorno alla metà del IV secolo a.C. Sulla rilevanza cronologica della moneta N. **632** si veda la discussione a p. 43, *infra*.

4. La porta centrale (saggi A ed F)

In una zona che costituisce pressappoco il punto mediano del muro di fortificazione, l'apertura di due saggi di m. 10 x 4 (s. A + A1) successivamente estesi verso nord (s. F, s. F_1 e s. F_2) è stata dettata da considerazioni topografiche piuttosto che dalla presenza di strutture sul piano di campagna. L'area esplorata si trova alla estremità sud-ovest di

---

[8] Raffrontabile, in via generale, all'angolatura del corridoio nella fortificazione di Croccia Cognato (Tramonti 1984) e Moio della Civitella (Greco e Schnapp 1983, pp. 394-395, figg. 5-6). Lo stato frammentario delle strutture non permette tuttavia di ipotizzare l'esistenza di un 'prothyron', come nei due esempi citati. Le dimensioni, leggermente inferiori, della porta sud sembrerebbero piuttosto escludere un tale tipo di pianta. Raffronti generici si rinvengono altresì con gli accessi nella fortificazione sannitica di Monte Vairano (De Benedittis 1978, p. 432, tavv. 254-255; più in generale De Benedittis 1980).

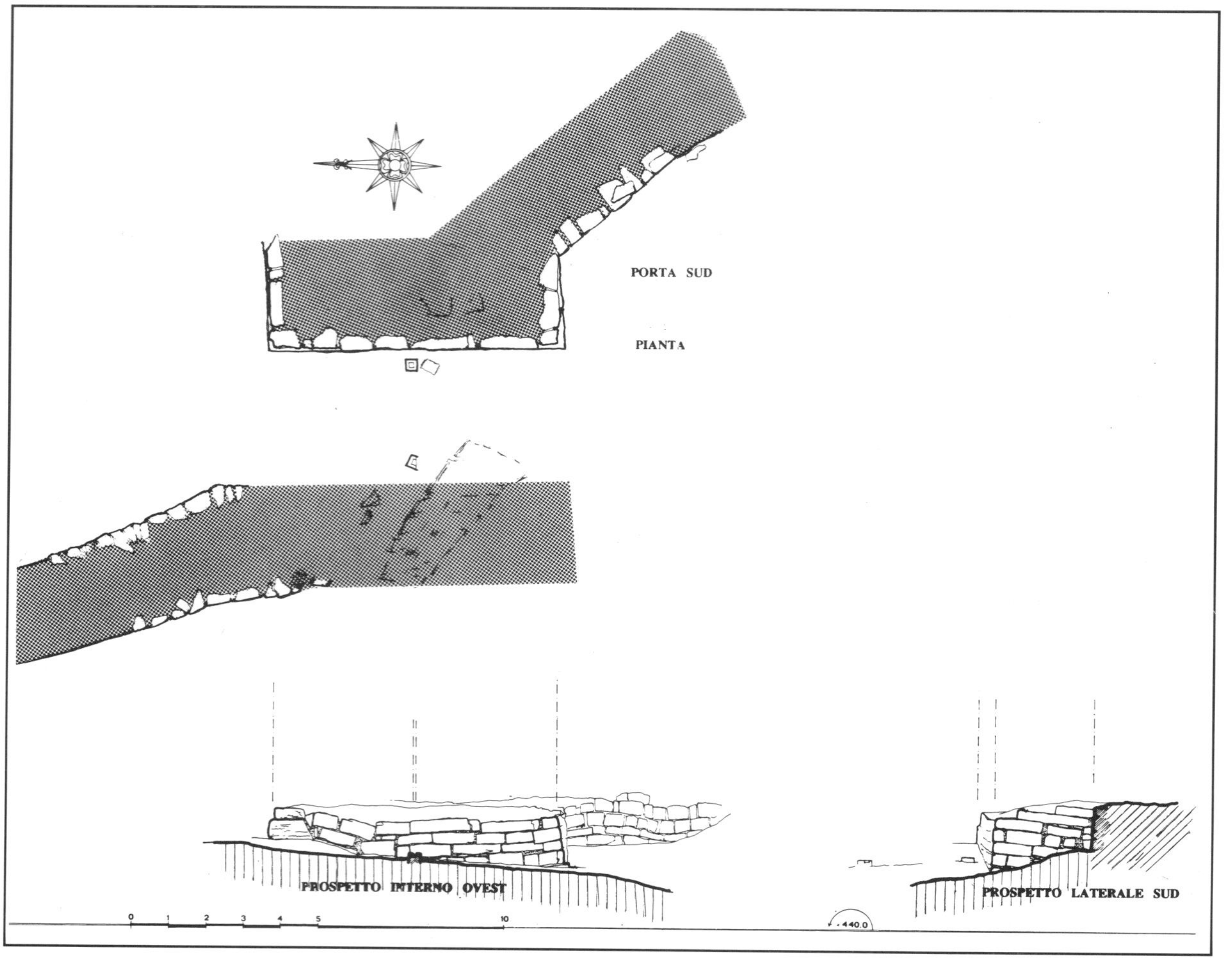

Fig. 20 Pianta e prospetti della porta sud.

una serie di terrazzi di frana (compresi fra le quote di m. 460 e 430 s.l.m.) di cui quello più vasto, il cd. pianoro centrale, è poi risultato costituire il più monumentale e meglio organizzato dei nuclei insediativi all'interno della fortificazione. Lo scavo delle strutture in quest'area ha permesso anche di documentare i movimenti franosi successivi alla costruzione del muro di fortificazione, che hanno alterato sostanzialmente l'angolo nord-est della porta centrale, in corrispondenza della nicchia di frana (fig. 30). Tale movimento franoso è altresì documentato dal potente strato di accumulo di scisto argilloso rinvenuto sulla faccia interna (est) del muro in prossimità della porta (fig. 25). La distruzione di una buona parte del livello di ciottolato, con connesso muretto di terrazzamento, antistante la faccia esterna del muro e del livello pavimentale nel corridoio della porta, sono altre probabili conseguenze del movimento franoso che ha sconvolto quest'area. È stato tuttavia possibile ricostruire le linee generali della pianta della porta centrale e di ricavare dati assai rilevanti sulla tecnica di costruzione e periodo d'uso della fortificazione. La stratificazione più interessante è stata riscontrata nel settore est del saggio, dove uno spesso strato di bruciato (s. A est II) insisteva sullo strato di scisto argilloso (s. A est III) scivolato a ridosso della faccia interna del muro costruita 'a scaletta', ricoprendone le assise inferiori. Che si tratti di una massa di terreno scivolato, piuttosto che di terrapieno artificiale, è mostrato dalla presenza di un livello di frana anche nei saggi immediatamente più a nord (s. $F\text{-}F_1$ est) dove la frana ha causato uno scivolamento verso ovest della parte terminale del muro, in corrispondenza del lato est della porta centrale (fig. 30). Lo strato (II) di bruciato è connesso con la distruzione di una struttura, parzialmente esplorata, che si appoggia alla faccia interna del tratto di muro immediatamente a sud-est della porta centrale e pertanto fornisce un utile *terminus ante quem* per la

Fig. 21 Corridoio della porta sud con livello di acciottolato stradale (da sud). Le frecce indicano i due blocchi con tacca rettangolare per impostazione dei pali della porta (quello di destra rinvenuto *in situ*).

costruzione della fortificazione, piuttosto che rappresentare un livello di distruzione tagliato dalla costruzione della stessa, come inizialmente supposto[9]. Come già accennato, lo scavo della faccia interna di questo tratto della fortificazione ha messo in luce sei assise in grossi blocchi rettangolari disposte 'a scaletta' (fig. 24) senza tuttavia permetterci di raggiungere l'assisa di fondazione a causa della natura franosa del terreno che ha richiesto l'interruzione dello scavo.

Sul lato esterno (ovest), invece, si è potuta ben documentare l'impostazione del muro sul banco di roccia livellato, su cui insiste anche il ciottolato antistante l'ingresso vero e proprio (figg. 23, 31). Nella stratificazione del settore ovest dello scavo è di rilievo il rinvenimento di un livello di tegole (s. A ovest IIB), al di sotto del massiccio strato di crollo di grossi blocchi (IIA), il quale risulta ben conservato soprattutto nella parte sud del saggio (cioè quella meno colpita da sconvolgimenti di frana). In quest'area i livelli di accumulo sul piazzale antistante l'ingresso (s. A III e IV) sono poco spessi ed

[9] Nella relazione preliminare dello scavo 1976-77 pubblicata in *Roccagloriosa* 1978, pp. 397-399. Si vedano anche i commenti a p. 394 sulla già incerta interpretazione del muretto che si 'appoggia' alla faccia interna del muro. Lo studio della geomorfologia dell'area ci ha permesso di qualificare alcune delle considerazioni formulate al momento iniziale dello scavo.

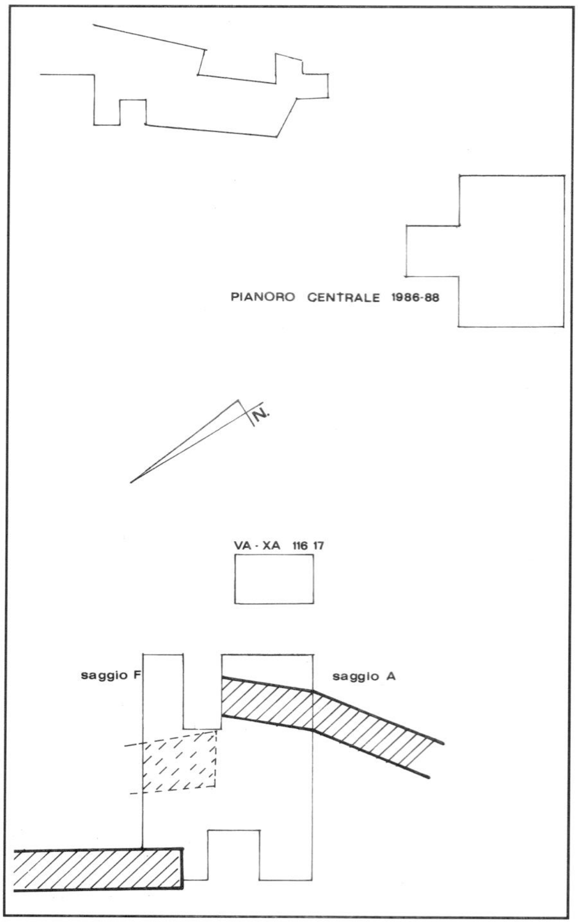

Fig. 22 Schema dei saggi effettuati nell'area della porta centrale.

il crollo di tegole è quasi a contatto della roccia spianata. Sembra dunque che esso si riferisca ad un momento iniziale di crollo della struttura, ed è molto probabilmente relativo ad una tettoia che copriva il muro in prossimità della porta centrale. A sostegno di una tale interpretazione è la situazione assai simile riscontrata sul lato esterno della posterula C (*infra*, p.36). I due strati III e IV, cronologicamente non distinguibili sulla base dei reperti ceramici, sono da considerarsi strati di accumulo successivi all'abbandono dell'area mentre il materiale rinvenuto fra le pietre del ciottolato (s. A ovest IV) è senz'altro relativo al periodo di uso del ciottolato quale piazzuola (o ciottolato stradale) di accesso alla porta centrale, molto probabilmente il tratto terminale di una via di accesso[10]. Il muretto di terrazzamento che limitava ad ovest il ciottolato, in parte anch'esso disturbato dal movimento franoso che ha interessato l'area nord della porta, risulta pressappoco allineato con il corridoio di accesso ed aiuta a ricostruire la pianta della porta stessa. Esso si appoggia allo spigolo del muro che delimita sul lato ovest l'accesso vero e proprio e che, allo stesso tempo, rappresenta la parte terminale del muro di fortificazione che procede verso nord (fig. 27).

L'accesso della porta centrale, pertanto, risulta tipicamente conformato a corridoio e pressappoco parallelo all'andamento della fortificazione (fig. 22). Il settore nord della porta è stato esplorato dai saggi F-F_3 che hanno messo in luce la faccia terminale del muro di fortificazione che prosegue verso nord e la faccia interna del muro stesso costruito con la tecnica 'a scaletta' già evidenziata per il settore sud della stessa porta. Nel corridoio di accesso, il cui lato est come già detto risulta in parte sconvolto da una poderosa frana, è stato possibile documentare alcuni tratti del piano di calpestio in ciottoli (s. F_1 IV), rinvenuto al di sotto di un crollo di tegole (fig. 28).

La pianta complessiva della porta, a scavo terminato, presenta strette analogie con quella della porta sud anche se con aspetti più decisamente monumentali. Tenendo conto dello 'scivolamento' del lato nord-est (s. F), di cui, allo stato attuale della documentazione, è difficile tracciare la pianta, la larghezza del corridoio di accesso doveva essere di almeno 4 metri (rispetto ai 2,50 della porta sud). Inoltre, a giudicare dalla massa di blocchi rinvenuti lungo il lato est del corridoio stesso (fig. 28) il probabile 'bastione' a protezione dell'accesso doveva essere alquanto più massiccio. Riguardo a quest'ultimo elemento della pianta della porta, lo stato di distruzione dell'angolo nord-est non ci permette di definirne le caratteristiche strutturali, anche se è molto probabile che il muro proveniente da sud effettuasse una angolatura verso ovest, resa assai più accentuata dallo sconvolgimento creato dalla frana.

Non è stato possibile sinora esplorare l'area ad ovest di questo ingresso monumentale, al di là dell'area acciottolata immediatamente antistante. Da notizie su rinvenimenti precedenti e da indizi topografici sembrerebbe possibile ipotizzare l'esistenza di un tratto di grosso muro di lunghezza indeterminata (e/o rampa di accesso) ca. 40-50 m. ad ovest in

[10] Come giustamente ipotizzato da GUZZO 1982, p. 228.

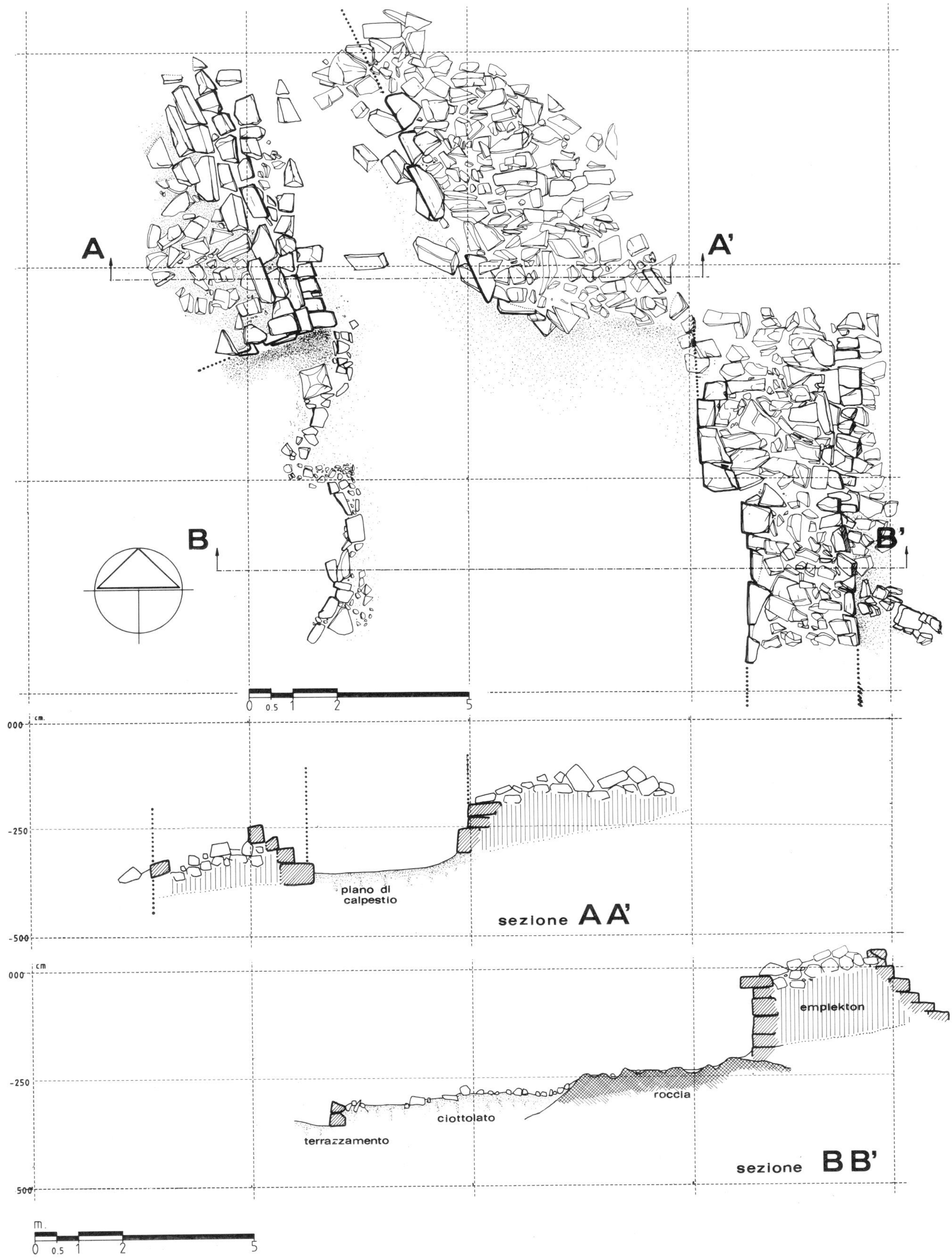

Fig. 23 Pianta e sezioni della porta centrale.

Fig. 24 Veduta del settore est del saggio A (da nord); si noti, sul fondo a sinistra, il tratto di muro di un edificio che si appoggia al muro di fortificazione.

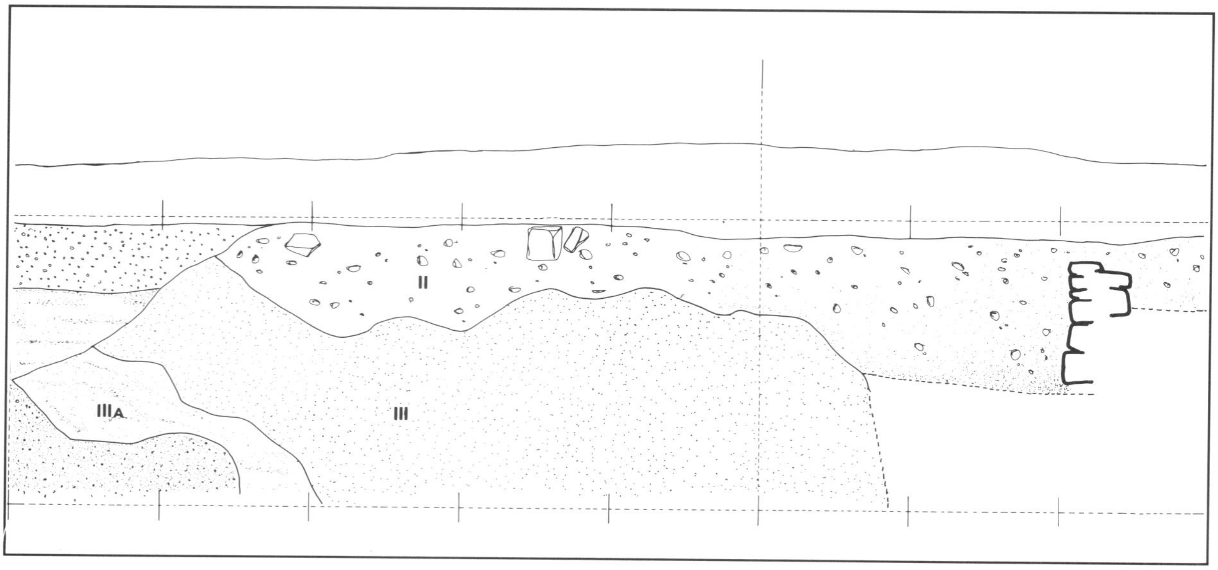

Fig. 25 Sezione della parete est del saggio A.

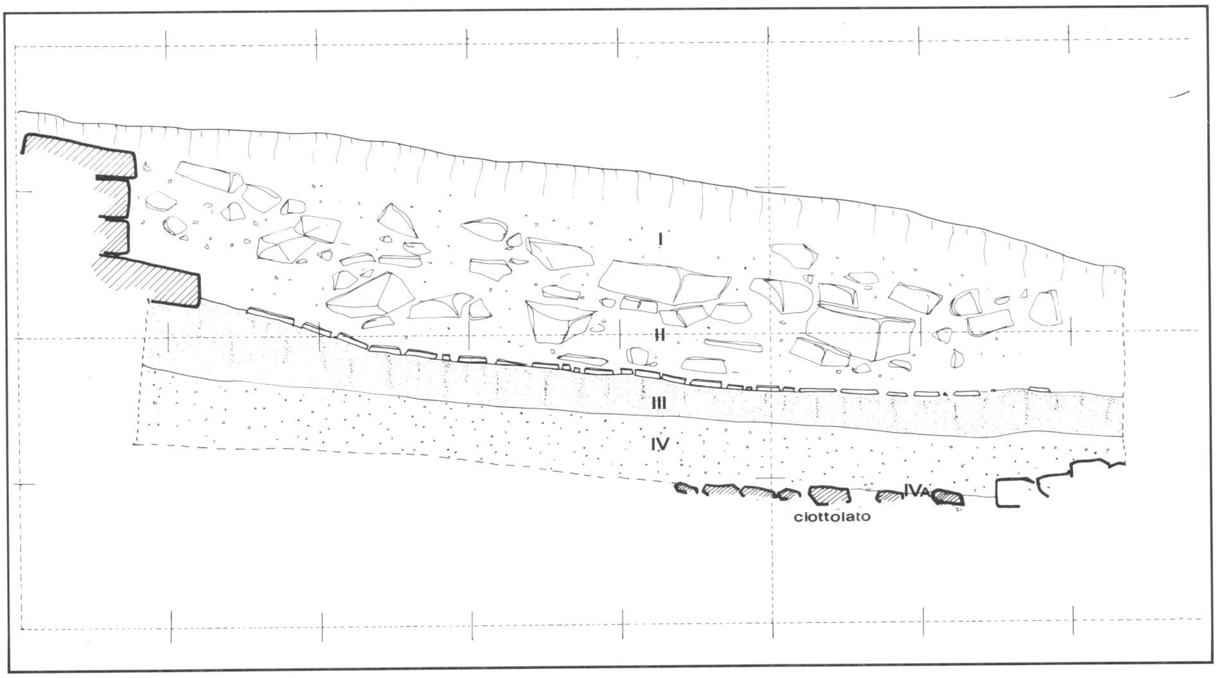

Fig. 26 Sezione della parete sud del saggio A.

Fig. 27 Dettaglio della costruzione dell'angolo sud-est del corridoio della porta centrale. Sono visibili, in primo piano, un tratto del piano di calpestio e l'inizio del muretto di terrazzamento della via di accesso.

Fig. 28 Veduta del corridoio d'ingresso della porta centrale (da nord) prima della rimozione del crollo. È visibile (al centro, in primo piano) parte del crollo di tegole sul piano di calpestio. Sullo sfondo è visibile il ciottolato rinvenuto sul piazzale antistante il corridoio di accesso (per la parete sul fondo cfr. la fig. 26).

corrispondenza dello strapiombo sul pianoro sottostante (il cd. pianoro U. Balbi, ca. 30 m. più in basso, *infra*). Una simile struttura sarebbe da connettersi a quella che Napoli definiva 'secondo circuito' all'epoca dei primi saggi nel 1971[11]. Una sommaria prospezione elettrica effettuata nell'area ha confermato l'esistenza di una linea ben definita di blocchi, della larghezza di ca. 2/3 metri[12].

[11] Napoli 1971, p. 400. Si è già discussa precedentemente la possibilità che una tale "seconda cinta" possa riferirsi ad una monumentale rampa di accesso alla porta centrale.

[12] Cortese comunicazione verbale di D. Gabrielli (Fondazione Lerici Prospezioni Archeologiche, Roma) che mi è gradito ringraziare.

Fig. 29 Veduta del corridoio della porta centrale con piano di calpestio (da sud).

Fig. 30 Veduta del settore ovest dei saggi A ed F: si noti il tratto terminale del lato est della porta centrale 'scivolato' in seguito a frana (da sud-ovest).

Fig. 31 Veduta (da ovest) del piano di acciottolato rinvenuto sulla piazzola antistante l'accesso alla porta centrale (sullo sfondo si vede la parete sud del saggio A, riprodotta graficamente nella fig. 26).

I contesti rilevanti per la cronologia del muro sono caratterizzati dai seguenti materiali:

I) stratificazione all'interno del muro

s. A est II (spesso strato di bruciato)

(R 3)	orlo di coppa a v.n. Tipo **108**
(R 7)	frammento di oinochoe trilobata a v.n. Tipo **154**
(P465)	frammento di orlo ed ansa di skyphos a v.n. Tipo **79**
(P 963)	collo di hydria a v.n. (?) Tipo **145b**
(R 52)	base di skyphos a v.n. Tipo **81b**
(R 57)	frammento di coppa a v.n. Tipo **124**
(R 57 bis)	frammento di coppa a v.n. Tipo **114**
(P 127)	parte di olla con orlo ingrossato Tipo **26**
(P 1006)	parete di skyphos a v.n. (pareti sottili) Tipo **69**

s. A est II A - (interfaccia fra strato di bruciato e scisto argilloso)

(P 963)	frammento di orlo di piccola hydria tipo N. **145b**
(P 4031)	base di skyphos a v.n. Tipo **81b**
(R 11)	frammento di orlo di skyphos a v.n. (con ansa) Tipo **71**
(P 3107)	base di cratere (?) a v.n. (o fig. rosse?) N. **166**

s. A est III (scisto argilloso)

(R 59)	frammento di spalla di lucerna a v.n. N. **417**

II) stratificazione all'esterno della porta e sul ciottolato antistante

s. A ovest II (crollo)

(R 7)	patera a v.n. del Tipo **134**

(P 536) coppetta a v.n. Tipo **96**
(P 915) coppetta a v.n. Tipo **97**

s. A ovest III (accumulo di colluvio, precedente il crollo)

(R 62) frammento di orlo di cratere a fig. rosse Tipo **55b**
(P 332) orlo di coppa a v.n. con solco all'attacco dell'orlo Tipo **144**

s. A ovest IV (strato di accumulo al di sopra del ciottolato)

(R 60) frammento di coperchio di lekane Tipo **67**
(R 60 bis) frammento di coperchio di piccola lekane Tipo **68**
(R 67) fondo di coppa a v.n. (con graffito) Tipo **163d**
(R 30) coppetta a v.n. con piede ad anello, Tipo **100** (P 922)
frammento di coppa con orlo estroflesso a v.n. Tipo **121**
(P 923) frammento di piccola coppa poco profonda a v.n. con orlo estroflesso Tipo **122**
(P 937a) orlo di coppa a decorazione incisa (due solchi paralleli ed ovolo) e sovraddipinta Tipo **210**
(non cat.) coppa emisferica ad orlo ingrossato Tipo **110**

s. A ovest IV A (immediatamente al di sopra del ciottolato)

(P 924) medaglione di guttus a v.n. N. **519**

s. A ovest IV B (ripulitura fra le pietre del ciottolato)

(R 74) coppetta monoansata a v.n. Tipo **110**

III) stratificazione lungo il corridoio della porta

s. F II o s. F ovest II (Crollo)

- coppa emisferica a v.n. Tipo **105**
- coppa carenata a v.n. Tipo **126**
- piatto da pesci Tipo **146**
- piatto da pesci Tipo **147**
- piede di vaso a v.n. Tipo **163a**
- coppa a striature a v.n. Tipo **188**
- coppa a striature a v.n. Tipo **190**

s. F_1 II (crollo)

- skyphos a v.n. Tipo **75b**
- piede sagomato di vaso a v.n. Tipo **182**

s. F_2 II (crollo)

- skyphos a v.n. Tipo **71**
- base di skyphos a v.n. Tipo **89**
- coppetta a v.n. Tipo **98**
- coppa monoansata Tipo **116**

s. F_3 II (crollo)

- coppetta a v.n. Tipo **95**

s. F_2 III (strato di accumulo sul piano di calpestio del corridoio)

- base di cup-skyphos Tipo **90**

5. La posterula B (saggio B)

Situata al limite nord-ovest del pianoro centrale, in un tratto rettilineo della fortificazione, la posterula rappresenta un semplice varco nel muro di fortificazione della larghezza di ca. 1 m., che in questo tratto risulta uniformemente costruito con doppio paramento di grossi blocchi. Conservata per un'altezza di sei assise, la posterula era già parzialmente in vista prima degli interventi di scavo[13]. Vi è stato aperto un saggio di m. 10 x 4 attraverso il corridoio d'ingresso al fine di evidenziarne gli elementi strutturali e, allo stesso tempo, mettere in luce quello che appariva essere uno dei tratti meglio conservati della fortificazione. La stratificazione lungo la faccia interna era ben conservata (fig. 32b) ed ha restituito l'unico tratto di trincea di fondazione connesso con la costruzione del muro (figg. 33-34). Lo scavo della trincea di fondazione

[13] Una prima discussione della posterula è presentata in Natella e Peduto 1973, pp. 505-506, sulla base delle strutture visibili al di sopra del piano di campagna. La posterula era già stata segnalata da La Genière (1964, p. 137 e tav. 29b).

(s. B est III A) ha messo in luce l'esistenza di una risega di fondazione, in questo tratto della faccia interna del muro. Sulla faccia esterna (fig. 36), l'inizio di un declivio assai ripido immediatamente ad ovest del muro non ha permesso di raccogliere elementi significativi oltre al massiccio crollo di blocchi. L'assenza di tegole sul lato esterno lascia sospettare che la ricopertura fosse a semplice architrave rettangolare o in blocchi disposti a doppio spiovente, come in alcuni esempi nel muro di cinta di Pæstum. Il pavimento del corridoio, a tre gradini, era palesemente concepito come un accesso 'di sicurezza' che consentiva solo un traffico assai limitato. La porta vera e propria doveva essere a scivolo con protezione a sbarra sul lato posteriore, come provano le due tacche quadrangolari, a ca. 1 m. di altezza dal piano di calpestio rinvenute su ambo i lati della parete centrale del corridoio (fig. 35)[14].

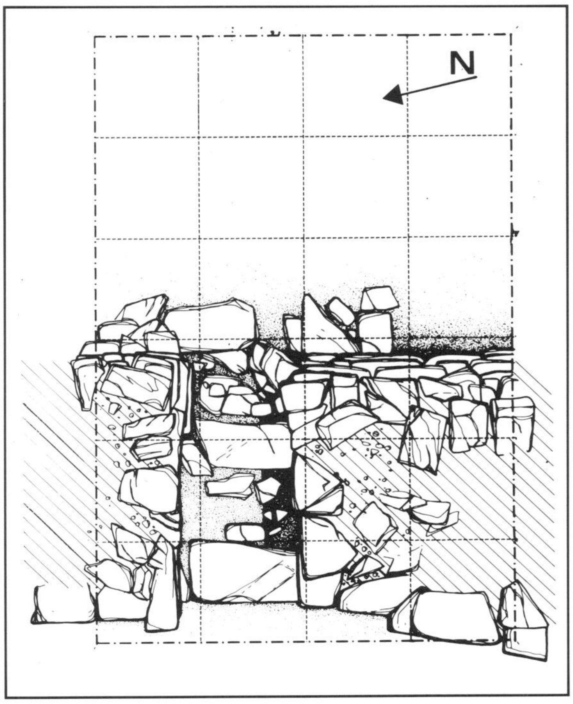

Fig. 32 a) Pianta della posterula B (il lato del quadrato è di m. 1)

La stratificazione sul lato interno della posterula (settore est) ha restituito materiale ceramico cronologicamente significativo per una datazione del muro e la sua distruzione.

s. B est II (strato di crollo) (fig. 32b)

- coppa a v.n. con orlo scanalato Tipo **127**

[14] Per i dettagli strutturali si vedano gli esempi presentati da Winter 1971, pp. 262-264, che discute anche in dettaglio il probabile funzionamento della porta di chiusura. Importanti considerazioni sulla proliferazione delle posterule nelle fortificazioni, a partire dal IV secolo a.C. in Garlan 1984, p. 9 e Garlan 1974, *passim*. Si confronti con la larghezza della posterula nella cinta muraria di Terravecchia di Sepino (La Regina 1978, tav. 224).

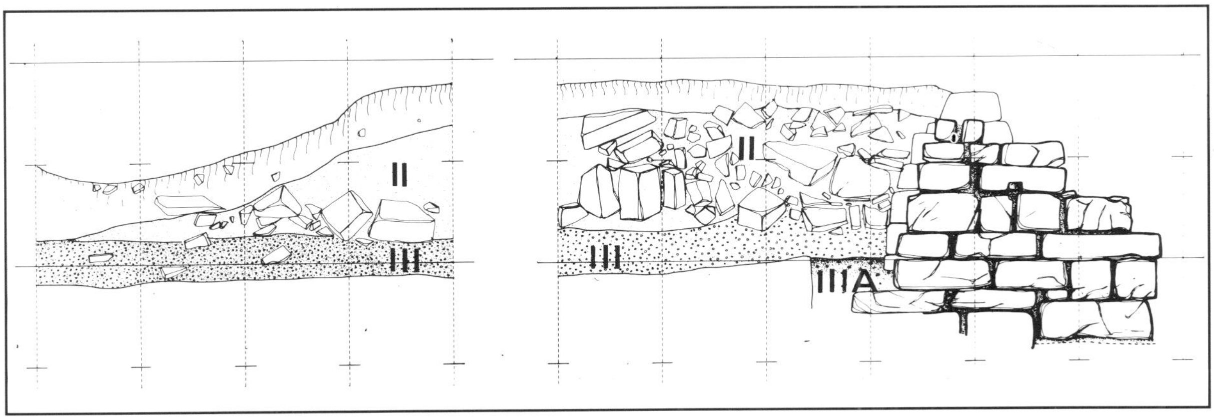

Fig. 32 b) Parete sud del saggio B est.
Settore sud della posterula con sezione della parete sud del saggio B est (da notare la trincea e risega di fondazione).

Fig. 33 Veduta da nord (con grandangolare) della faccia interna della posterula B, in corso di scavo. Si confrontino le figg. 32 a-b per le sezioni delle pareti sud ed est del saggio stesso, visibili nella foto.

- patera a v.n. Tipo **135**
- brocca a v.n. Tipo **161**
- orlo di coppa a striature Tipo **189**

Fig. 34 Posterula B (da nord): dettaglio della trincea e risega di fondazione, a scavo terminato.

- fondo di coppa a v.n. con stampigliatura a rosetta Tipo **202b**

s. B est III (al di sotto del crollo) (fig. 32b)

- frammento di piatto/coppa con orlo estroflesso Tipo **140**
- frammento di coppa con orlo scanalato, malcotto, Tipo **127**

s. B est III A (trincea di fondazione) (fig. 32b)

- frammento di orlo di coppa emisferica Tipo **101**

È da segnalare la presenza di coppe del Tipo **127**, in uno strato di frequentazione (s. B est III) al di sotto del livello di crollo, che indica una fortificazione ancora in funzione intorno, alla metà del III secolo a.C. I reperti dalla trincea di fondazione (s. B est III A) non sono abbondanti ma, significativamente pertinenti alla prima metà del IV secolo a.C.

Fig. 35 Veduta del corridoio d'ingresso della posterula B (da est).

6. 'PORTA'/POSTERULA NEL TRATTO NORD (SAGGIO C)

Fig. 36 Veduta della faccia esterna della posterula B (da ovest).

Circa 80 metri a nord della posterula B, un accesso è stato creato lasciando un corridoio largo m. 1,80 in un punto dove il muro di fortificazione effettua una angolatura accentuata. Nonostante l'impostazione assai semplice della posterula C, anch'essa, in prima approssimazione, formata da un varco nel muro di fortificazione, l'angolo di ca. 120° effettuato dal muro che procede verso nord è stato utilizzato al fine di assicurare una migliore difendibilità dell'accesso stesso (fig. 37). Ciò risulta ancor più evidente quando si consideri l'esistenza di un declivio sul lato sud della posterula e la costruzione di un muretto di blocchi, in continuazione della parete sud del corridoio (fig. 38), che obbliga a fiancheggiare il muro di fortificazione per raggiungere l'accesso, piuttosto che ad accedervi frontalmente. Allo stesso tempo il suddetto mu-

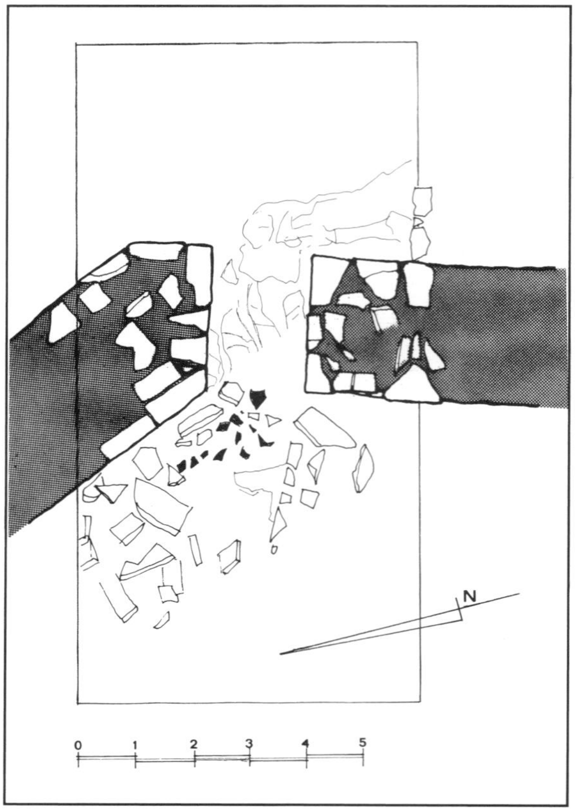

Fig. 37 Pianta della posterula C.

retto (conservato per una lunghezza di cà. 2 metri) serviva quale terrazzamento sul lato sud della piazzola di accesso antistante il corridoio. Un fitto livello di crollo di tegole rinvenuto sul lato nord della piazzola stessa (fig. 39) sembrerebbe indicare la presenza di una tettoia di ricopertura della fronte esterna della posterula, un altro aspetto che la differenzia nettamente dalla posterula B. Il pavimento del corridoio di accesso era costituito dalla roccia, in parte spianata e livellata da tratti di acciottolato. La larghezza del corridoio, di ca. m. 1,80 rappresenta una misura intermedia fra quella di una posterula ed una porta vera e propria, consentendo certamente un limitato traffico animale[15]. Dal punto di vista della tecnica costruttiva, questo tratto eccezionalmente ben conservato del muro di fortificazione (fig. 40) costituisce un ottimo esempio di costruzione pseudo-isodomica anche se la rifinitura dei blocchi è leggermente più rozza di quella della porta sud. Anche in questo caso i blocchi dell'assisa inferiore poggiano direttamente sul banco di roccia e, caso eccezionale, nell'angolo sud-est del corridoio il blocco di calcare è stato sostituito da un affioramento del banco di roccia adeguatamente tagliato (fig. 38).

Un fitto crollo di grossi blocchi derivanti dalla distruzione del muro (s. C II) aveva quasi completamente riempito il corridoio di accesso. È stato quindi rinvenuto un sottile strato di accumulo immediatamente al di sopra del piano di roccia del corridoio e fra i ciottoli posti a livellamento del piano di calpestio. La ceramica recuperata, tuttavia, non è atta a fornire dati di particolare rilievo sulla cronologia del muro.

Reperti da contesti relativi alla posterula C:

s. C I-II (crollo)

(non cat.) fondo di coppa a v.n. sagomato Tipo **180**

s. C ovest II (crollo)

(non cat.) coppetta a v.n. Tipo **96**

7. La porta nord (saggi N-O-P)

È posta all'angolo sud-ovest di un ampio pianoro collegato con l'importante area abitativa documentata nella conca di Carpineto, che si trova poco più a nord-est ad una quota più elevata. L'impostazione della porta, in via generale, è analoga a quella delle altre due porte principali (porta sud e porta centrale) anche se realizzata con una pianta più semplice. Il muro che proviene da sud, con andamento pressappoco rettilineo nord-sud si interrompe, in prossimità di uno sperone di roccia, formando una faccia vista verso nord. Il muro che continua verso nord-ovest forma una accentuata curvatura intorno al pianoro (fig. 41), lasciando un varco largo ca. m. 2,50, con piano di calpestio sulla

[15] È da escludere, in ogni caso, traffico di veicoli data la collocazione topografica delle fortificazioni in esame. Un 'pattern carovaniero' (il mulo quale animale da traino è sufficientemente documentato fra i resti faunistici del sito) è quello più atto a spiegare la natura del traffico che raggiungeva l'area fortificata. Sulla accessibilità di fortificazioni di tal tipo si vedano anche le considerazioni esposte in Holloway 1970, pp. 18-19.

Fig. 38 La posterula C in corso di scavo (da est). Si noti, in primo piano, a sinistra, l'affioramento del banco di roccia adoperato per sostituire il blocco d'angolo dell'assisa inferiore. È visibile, sul fondo, il muro di terrazzamento in continuazione della parete sud del corridoio di accesso.

roccia spianata (fig. 43). La pianta della porta risulta pertanto del tipo a corridoio di accesso trasversale, con una impostazione difensiva simile a quella adottata per la porta sud e la porta centrale, anche se si nota l'assenza di un vero e proprio 'bastione' a difesa dell'accesso, riscontrabile negli altri due casi. Nella parte est della porta, formata dal tratto di muro rettilineo, conservato in questo tratto per cinque assise sulla faccia esterna, il pendio è abbastanza ripido. Lo scavo del settore est dei saggi N e P (aperti attraverso il muro) non è stato completato ed è pertanto incerto se il muro presentasse anche una faccia interna, o se si tratti semplicemente di un aggere di controscarpa, come sembrerebbe più probabile in considerazione del pendio (fig. 42 a). Il tipo di costruzione riscontrato nel lato nord-ovest della porta (il tratto curvo di muro che continua verso nord) conferisce maggiore attendibilità alla seconda ipotesi (si veda la sezione a fig. 42b). Anche se non paragonabile per monumentalità alle altre due porte principali, la porta nord doveva includere un ingresso di una certa pretesa, a giudicare da un enorme blocco (ca. 2 x 1,20 m.) rinvenuto in posizione di crollo all'angolo nord-est del corridoio di accesso e probabilmente adoperato originariamente quale architrave o stipite di porta (fig. 43). Il blocco insiste su di uno strato di scisto argilloso spesso ca. 50 cm., scivolato sul banco di roccia ed è pertanto ragionevole pensare che, almeno nella fase finale di uso della porta il piano di calpestio del corridoio di accesso si trovasse alquanto al di sopra del banco di roccia messo in luce dal saggio N. È sulla superficie di questo strato di scisto argilloso che risultava impostata una struttura di notevole

Fig. 39 La posterula C (da ovest): è visibile, in primo piano al centro, il crollo di tegole della tettoia e, a destra, il muro di terrazzamento.

Fig. 40 La posterula C: veduta (da est) del corridoio di accesso e piano di calpestio.

interesse, rinvenuta nell'area immediatamente all'interno del corridoio, purtroppo solo parzialmente esplorata. In mancanza di un più preciso inquadramento cronologico in base alla ceramica, essa è da collocare genericamente in un periodo successivo alla costruzione del muro, anche se certamente precedente la distruzione del muro stesso. L'aspetto più vistoso della struttura è costituito da un muro di terrazzamento largo ca. m. 1,20 e conservato per una lunghezza di oltre 6 metri, allineato lungo la faccia est del corridoio di accesso (fig. 42a).

Esso serve a delimitare un'area di lavorazione o di attività artigianale, all'interno della porta nord, lasciando un passaggio acciottolato largo ca. 2 metri immediatamente a nord-est del corridoio della porta stessa, verso l'area (abitativa?) presumibilmente esistente più ad est. Due grosse concentrazioni (insieme ad alcune minori) di resti di fusione

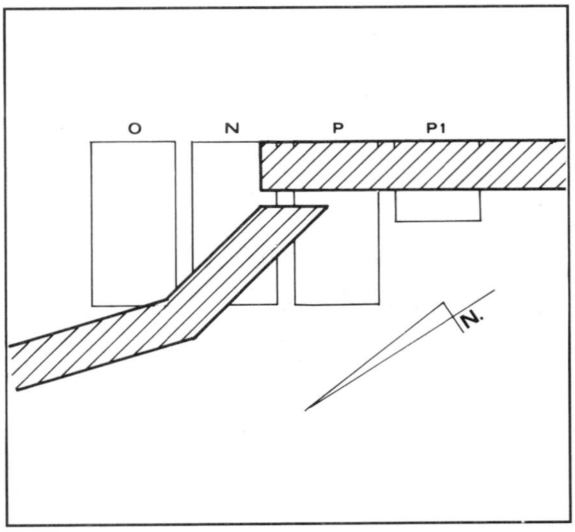

Fig. 41 Collocazione dei saggi effettuati alla porta nord.

di bronzo includenti anche gruppi di oggetti di bronzo spezzettati (tipici dei cosiddetti 'tesoretti di fonditore') (fig. 206, cap. 9) sono state rinvenute al di sotto del livello di crollo (s. N-O II) rispettivamente ad est e ad ovest dell'acciottolato. L'analisi metallurgica di tali resti (WAYMAN *et al.* 1988) non lascia dubbi sulla esistenza di processi di lavorazione del bronzo in quest'area, la cui evidenza strutturale, rappresentata in maniera solo parziale dal muro di terrazzamento e connesso acciottolato, appare, da un punto di vista topografico generale, assai adatta per un tal tipo di impianto.

Come già accennato, a causa dell'interro relativamente limitato in questo settore del muro di fortificazione, i dati ceramici emersi dai saggi N-O-P non aggiungono elementi cronologici particolarmente significativi per la datazione del muro. Gli elementi più interessanti sono stati rinvenuti nello strato di crollo (II) sul fondo del quale sono state rinvenute la maggior parte delle concentrazioni di scorie di fusione ed oggetti frammentati (in particolare s. N II e s. N-O III).

Alcuni materiali di ceramica e metallo rinvenuti nello strato scistoso (III) provano che parte di esso è stato soggetto a fenomeni di accumulo per scivolamento e dilavamento.

Nonostante la scarsa rappresentatività dei reperti ceramici, è tuttavia da sottolineare il rinvenimento della moneta N. **633** in uno strato di frequentazione al di sotto del crollo.

Reperti significativi da contesti relativi allo scavo della porta nord:

s. N-P (sporadico)

(P 912) fondo di grosso skyphos. Non è possibile dire se a v.n. o figure rosse; in ogni caso la forma si avvicina al Tipo **84**

s. O I (humus)

(P 985) frammento di probabile crogiuolo, Tipo **305**

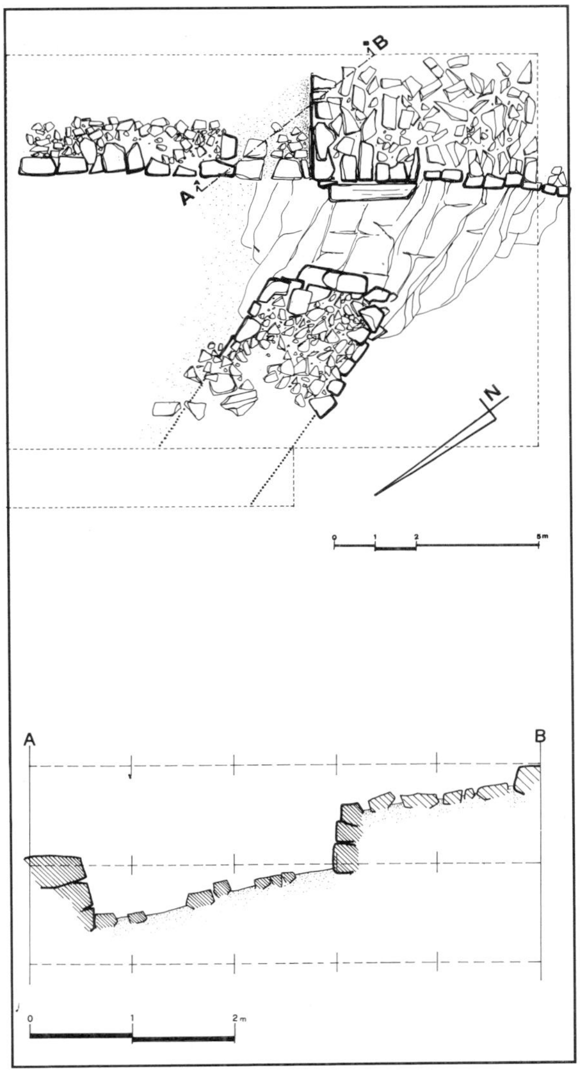

Fig. 42 a) Pianta della porta nord; b) Sezione attraverso il settore est della porta nord.

Fig. 43 Veduta della porta nord (da sud). È visibile, nell'angolo nord-est del corridoio di accesso, l'enorme blocco crollato (da architrave o stipite della porta).

s. N II (crollo)

(P 355) coppetta a v.n. Tipo **100**

s. N-O II (crollo)

- coppetta a v.n. Tipo **100**
- coppa emisferica a v.n. Tipo **107**

s. N + N-O II e *s. N + N-O ovest II* (strati di crollo)

- coppa carenata a v.n. Tipo **126**
- coppa ad orlo scanalato Tipo **127**

s. N + N-O II B (al di sotto del crollo)

- moneta di bronzo di Siracusa N. **633.**

Il reperto più significativo è indubbiamente la moneta di Siracusa, rinvenuta in uno strato di frequentazione dell'area (al di sotto del crollo) che si appoggiava all'angolo nord-ovest dell'ingresso, all'interno della porta. Lo skyphos (N. **84**), proveniente da un contesto purtroppo non meglio specificato del saggio N-P attraverso il muro che limita il settore est della porta, documenta presenza abitativa nell'area intorno alla metà del IV secolo a.C.

8. La Torre

Una torre quadrangolare di m. 5,25 x 7,80 (fig. 44) è inserita nel tratto centrale rettilineo del muro di fortificazione, ca. 100 m. a sud della porta centrale. Essa conferisce un ulteriore elemento di monumentalità alla fortificazione e, allo stesso tempo, costituisce un elemento di diversità rispetto a molte delle fortificazioni lucane di IV secolo a.C., in cui simili apprestamenti non sono generalmente docu-

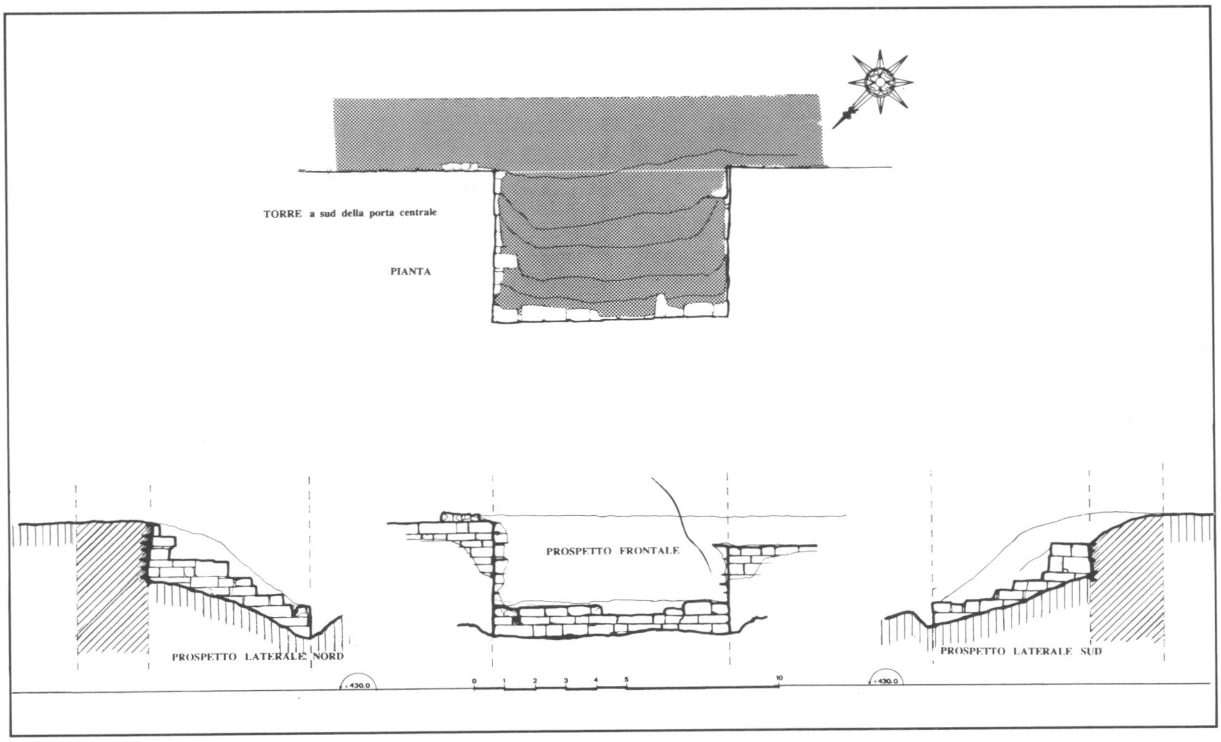

Fig. 44 Pianta e prospetti della torre.

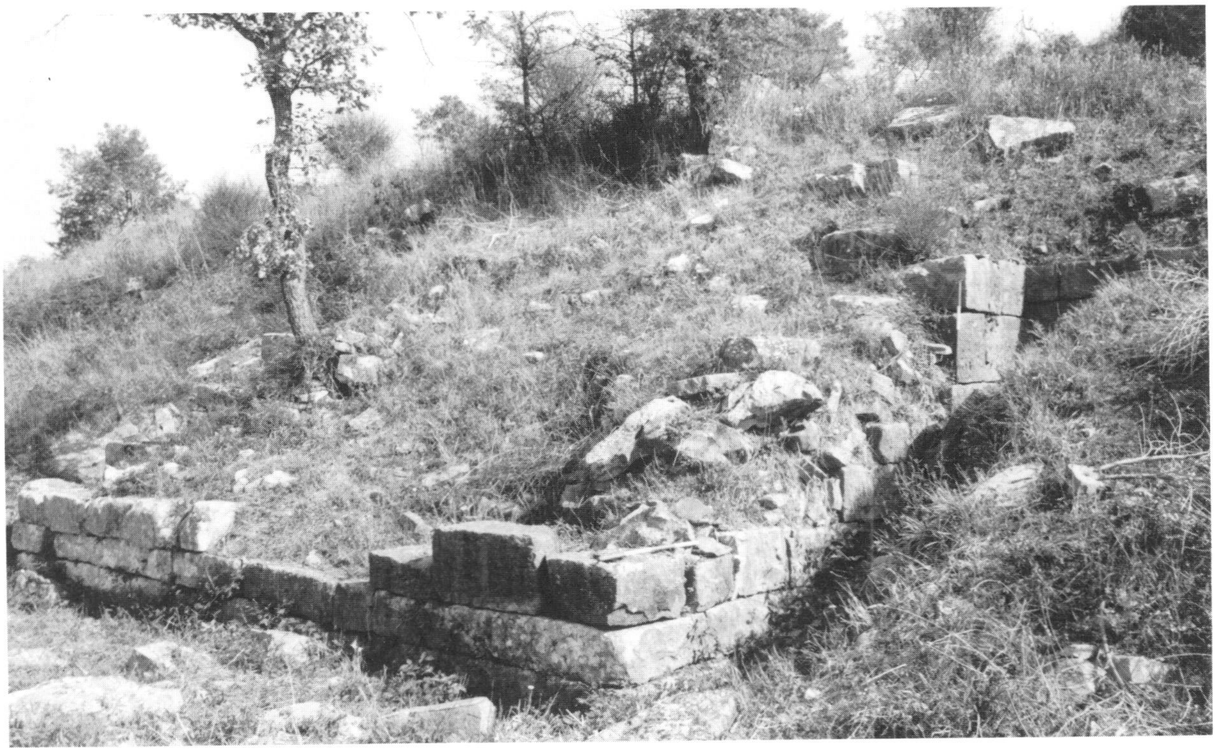

Fig. 45 Veduta della torre (da sud-ovest).

Fig. 46 Dettaglio della costruzione della torre (da ovest). È visibile, sullo sfondo, la faccia esterna del muro di cinta.

mentati[16]. A giudicare dallo stato di conservazione del monumento, è probabile che la torre (come anche la posterula B) sia rimasta sempre visibile sul piano di campagna. Uno sterro di data imprecisata, tuttavia, ne ha messo in luce in maggiore dettaglio il perimetro esterno e, allo stesso tempo, ne ha evidenziato il riempimento in pietrame del piano inferiore. I dettagli strutturali, già in parte rilevati da una ricognizione del 1971[17], acquistano maggiore importanza sullo sfondo dei dati più recenti sul muro di fortificazione derivanti dallo scavo del 1976-77. Il tipo di costruzione pseudo-isodomica della torre, con faccia vista accuratamente squadrata si ricollega indubbiamente ad alcuni dei tratti meglio costruiti della fortificazione (in particolare l'angolo sud-est della porta sud). La faccia interna dei blocchi è solo rozzamente sgrossata (come in vari tratti della cortina) probabilmente anche allo scopo di saldarsi meglio con l'*emplekton* che doveva riempire il piano inferiore, a giudicare dallo stato di conservazione della struttura. Quest'ultimo non consente supposizioni ragionevoli sull'altezza originaria della torre e sul tipo di costruzione dell'elevato. Le dimensioni della torre sembrano rifarsi ad un modulo di 20x30, sulla base di un'unità di misura compresa fra i 26 e 27 cm., che potrebbe corrispondere al piede italico (si considerino, al riguardo, i calcoli di RAININI 1985, pp. 22-23).

9. CARATTERISTICHE GENERALI DELLA FORTIFICAZIONE.

L'esplorazione di tre porte principali, due posterule e la presenza di almeno una torre forniscono un quadro abbastanza completo del muro di fortificazione di Roccagloriosa. Entro certi limiti (tecnica costruttiva, tipo di fortificazione d'altura, collocazione topografica strategica) esso ben s'inquadra nel 'fenomeno' delle fortificazioni dell'entroterra lucano[18] (e brettio[19]). Se ne distingue tuttavia soprattutto per il fatto di appartenere ad un vasto abitato agglomerato, di cui delimita la parte più elevata, conferendole in un certo senso, le caratteristiche di 'arce' fortificata nel contesto dell'abitato nel suo insieme e del territorio immediatamente circostante (si veda LA REGINA 1975, p. 272). Particolarmente la sua connessione con un vasto abitato agglomerato è atta a fornire elementi di discussione nel dibattito sulla natura e ruolo delle fortificazioni lucane di IV secolo a.C., troppo spesso, almeno sino agli inizi degli anni '80, considerate quale un fenomeno unitario, di risposta (quasi diretta ed automatica) a specifici eventi di natura politico-militare. Come è stato messo in evidenza più di recente, è necessario considerarne volta per volta, o per differenti raggruppamenti, la funzione, il contesto socio-politico, le condizioni ambientali[20]. È su questa base che si riuscirà a spiegare la natura estremamente variegata e cronologicamente differenziata del fenomeno.

Ciononostante da un punto di vista strutturale generale v'è una indubbia uniformità nel tipo di fortificazione, che trova ampi raffronti non solo in Italia Meridionale ma in una più ampia area medi-

---

[16] Sono sinora documentate esclusivamente nelle fortificazioni di Torretta di Pietragalla (ADAMESTEANU 1970-1971, p.129-131) e Pomarico Vecchio (*Museo Ridola* 1976, p. 147 e MACCHIORO 1981). Una eccezione sono le torri a pianta circolare a difesa delle porte del muro di fortificazione di Castiglione dei Paludi (GUZZO 1987, pp. 203-204). Le torri sono giustamente considerate un altro evidente elemento di influenza greca da TRÉZINY (1987, p. 194). Ambigua sembra l'affermazione di PAGANO (1986, p. 95) sulla inesistenza di torri nelle fortificazioni lucane.

[17] NATELLA e PEDUTO 1973, p. 516, fig. 30.

[18] Si veda TRÉZINY 1983, con ampia discussione della letteratura precedente. Sempre fondamentale è ADAMESTEANU 1970-1971.

[19] Per le fortificazioni in area brettia è fondamentale la sintesi di GUZZO 1987.

[20] Si vedano in particolare PONTRANDOLFO GRECO 1982, pp. 151-152, ADAMESTEANU 1983b e GRECO E. 1988, p. 168. In GUALTIERI 1987 si discutono alcuni particolari casi di studio, in base alla più recente ricerca sulle aree di abitato.

terranea sotto l'influsso di modelli di architettura militare propri del mondo greco[21]. Il caso specifico di Roccagloriosa è stato a ragione inquadrato nel tipo ad andamento 'seghettato'[22], assai diffuso per le fortificazioni di IV secolo a.C. in una vasta area geografica[23]. Come già indicato nella descrizione dei vari tratti del muro, nonostante l'andamento rettilineo della maggior parte del muro posto a quota uniforme di ca. 420/430 m. s.l.m., si nota l'evidente tendenza a creare accentuate angolature in prossimità delle numerose porte e posterule.

10. Considerazioni sulla cronologia

È necessario sottolineare che, nonostante il numero elevato di saggi effettuati attraverso il muro di fortificazione e la rilevante quantità di reperti ceramici recuperati, il riesame dei dati derivanti dallo scavo della fortificazione, alla luce dei nuovi dati sulla cronologia del sito emersi dalla esplorazione delle aree abitative, non ha fornito elementi sostanzialmente diversi (da quelli già esaminati in via preliminare)[24] per la datazione del muro. Pertanto, sulla sola base dei dati ceramici disponibili, non sembra possibile qualificare ulteriormente la datazione intorno alla metà del IV secolo a.C. già proposta nella presentazione preliminare dei risultati di scavo[25]. I dati, scarsi ma puntuali, derivanti dalla trincea di fondazione all'interno della posterula B e dai frammenti rinvenuti nel riempimento di scisto argilloso sulla parete est della porta centrale, indicano in maniera univoca una costruzione senz'altro anteriore all'ultimo terzo del IV secolo a.C. Parimenti, il materiale di frequentazione dell'area di acciottolato antistante la porta centrale (s. A ovest IV A-B) non lascia dubbi sull'esistenza della porta e la frequentazione dello spazio antistante già nel terzo quarto del IV secolo a.C.

D'altra parte lo spesso strato di distruzione accumulato al di sopra dello scisto argilloso di riempimento (o di frana) addossato alla faccia interna del muro sud della porta centrale (fig. 25) mostra una significativa concentrazione di materiali databili nel terzo quarto del IV secolo a.C. In aggiunta, il riesame della situazione stratigrafica sulla faccia interna (est) della porta ha chiarito che lo spezzone di muro (di abitazione?) nell'angolo sud-est della trincea (fig. 24) si appoggia al muro di fortificazione, piuttosto che esserne tagliato[26], e che molto probabilmente s. A est II si riferisce alla distruzione dell'edificio, fornendo un probabile *terminus ante quem* per la costuzione della fortificazione.

Un ultimo, possibile riferimento cronologico è fornito da una moneta di Siracusa databile nella prima metà del IV secolo a.C. (N. **633**) rinvenuta al di sotto dello strato di crollo nell'angolo nord-ovest dell'ingresso della porta nord (*supra*, p. 40). Se è dato attribuire rilevanza cronologica allo 'smarrimento' della moneta stessa in prossimità della porta nord, si può senz'altro dire che quest'ultima doveva essere in funzione al momento della deposizione della moneta[27].

A tali considerazioni di natura stratigrafica è utile affiancare alcune riflessioni più generali atte a qualificare la cronologia del muro di fortificazione sulla base della sua connessione con il vasto nucleo insediativo esistente sul pianoro centrale. Anticipando dati che verranno analizzati in maggior dettaglio nel capitolo seguente, è opportuno sottolineare che il notevole livello di strutturazione dei complessi abitativi A, B e C sul pianoro centrale ed il sistema di stradine basolate ed intercapedini che ne regola le comunicazioni e separa diversi 'isolati', sottolinea l'esistenza di un 'piano regolatore' alla base del processo di 'monumentalizzazione' dell'abitato nel corso della prima metà del IV secolo a.C. Considerazioni topografiche generali non

---

[21] Si veda la discussione generale del problema in Tréziny 1987, pp. 191-193 e Garlan 1984. Più in generale, per l'area centro-mediterranea, si veda Batovic 1977.

[22] Johannowsky 1981.

[23] Vari esempi del tipo di muro di fortificazione ad andamento 'seghettato' in Winter 1971, p. 240, fig. 233 (Gyphokastro) e p. 235, fig. 223 (Samiko). Si veda anche Garlan 1974, pp. 245-247.

[24] *Roccagloriosa* 1978, pp. 385-403.

[25] Datata intorno alla metà del IV secolo a.C. in *Roccagloriosa* 1978, p. 421.

[26] L'incertezza era già sottolineata nella prima presentazione dei dati in *Roccagloriosa* 1978, p. 394.

[27] Tale considerazione sulla collocazione stratigrafica della moneta citata risulta ovviamente irrilevante qualora si assuma che si trattasse di una moneta volutamente gettata via, dopo che aveva cessato di circolare. Importanti considerazioni su tale aspetto della evidenza numismatica sono state presentate da A. Stazio al Convegno sul Commercio in età Ellenistica (Centro Universitario Europeo, Ravello, gennaio 1988).

lasciano dubbi che il nucleo insediativo sul pianoro centrale e la stessa porta centrale siano in stretta connessione e non sembra casuale l'esistenza di una torre[28] a difesa della porta centrale, in prossimità del più vasto e monumentale dei nuclei insediativi all'interno del muro di fortificazione.

Quando si prenda in considerazione tale stretta connessione esistente fra l'abitato sul pianoro centrale e la fortificazione[29], sembra lecito pensare che il nucleo insediativo sul pianoro centrale e la fortificazione fanno parte di un impianto unico la cui costruzione deve porsi nella prima metà del IV secolo a.C. (*infra*, pp. 51-58)[30].

Meno chiara è invece la relazione con l'abitato extra-murano discusso nel capitolo 6. Nonostante sia evidente che il nucleo insediativo denominato Area Napoli 1971/Pianoro U. Balbi si sviluppi in funzione di una via di accesso verso la porta centrale, non è possibile, sulla base dei dati disponibili, stabilire in maniera univoca se l'abitato extra-murano rappresenti un'estensione dell'abitato fortificato in un'area precedentemente non 'urbanizzata' o solo scarsamente occupata o se invece, ad un certo momento di sviluppo dell'abitato agglomerato la fortificazione venga a recingere l'area più elevata[31] dell'insediamento nel suo insieme.

La notevole uniformità di impianto muro/abitato fortificato, nel quale almeno due dei più articolati e monumentali complessi abitativi sono in diretta corrispondenza topografica con gli accessi principali, lascia optare per la prima ipotesi, cioè quella di un impianto coevo di fortificazione e agglomerato sul pianoro centrale con successiva estensione nelle aree extra-murane. La estrema scarsezza o quasi assenza di materiale ceramico databile alla prima metà del IV secolo a.C. nelle aree extra-murane, nonostante l'ampiezza delle superfici esplorate, sembrerebbe conferire un elemento di conferma a questa ipotesi. Sarà compito di una più sistematica ed estensiva esplorazione delle aree extra-murane (almeno quelle lasciate indenni da sconvolgimenti recenti) addurre nuovi elementi atti a chiarire questo importante aspetto della organizzazione generale del sito.

M. Gualtieri

---

[28] Assai rilevanti al proposito sono le considerazioni di Lévêque (1987, p. 421) sulla rilevanza, anche simbolica, di queste fortificazioni quando vengano considerate in connessione con gli sviluppi socio-politici delle aree italiche nel corso del IV secolo a.C. e con i processi di emergenza e consolidamento di élites locali di cui esse miravano a «renforcer leur prestige dans l'imaginaire collectif».

[29] Acutamente sottolineata da M. Torelli in Gros e Torelli 1988, p. 49.

[30] Sembra rilevante sottolineare che la più recente esplorazione della fortificazione di Serra di Vaglio (con lo scavo di una delle porte principali) da parte di G. Greco ha rialzato la cronologia dell'impianto alla «metà del IV secolo» (comunicazione di A. Bottini al 28° Convegno di Studi sulla Magna Grecia, Taranto, ottobre 1988). Si vedano al riguardo le considerazioni di Luppino (1980, pp. 46-48) e Guzzo (1987, p. 205) sulla citazione straboniana relativa alla probabile esistenza di cinte fortificate nello hinterland Lucano-Brezio, già nella prima metà del IV sec. a.C.

[31] Potrebbe considerarsi tale anche nel senso di una gerarchia sociale (ovviamente in maniera assai sfumata e con notevole cautela) quando si ponga l'evidenza abitativa del pianoro centrale (discussa *infra*, pp. 51-92) sullo sfondo degli aspetti 'simbolici' e di prestigio della fortificazione sottolineati nella n. 28 (*supra*). Si vedano, nuovamente, i modelli formulati per gli *oppida* centro-europei (Collis 1984, pp. 124-132; Drinkwater 1989).

CAPITOLO 3

L'ABITATO FORTIFICATO

A) Il Pianoro Centrale

1. Lo scavo

Lo scavo sistematico del pianoro centrale ha fornito una documentazione di eccezionale importanza sull'abitato di IV secolo a.C., periodo che corrisponde, in via generale, alla fase di uso della fortificazione. Allo stesso tempo, sono emersi dati rilevanti sulla presenza di una fase abitativa precedente la 'monumentalizzazione' dell'abitato e la costruzione del muro di fortificazione anche se, come verrà messo in luce dalla descrizione dettagliata dello scavo, il tipo di organizzazione e la estensione delle strutture appartenenti alla fase più antica rimangono da chiarire. Fatto ancor più notevole, in una ristretta area del pianoro è stato possibile documentare una sequenza di fasi dal V al III secolo a.C. che indubbiamente pongono in maniera assai chiara il problema del ruolo e significato dell'abitato di V secolo rispetto ai successivi e vistosi sviluppi del IV secolo a.C.

Si è ritenuto pertanto opportuno iniziare la presentazione delle aree sinora scavate all'interno del muro di fortificazione con una analisi delle strutture di abitato sul pianoro centrale, in tal modo modificando parzialmente l'ordine topografico da sud a nord seguito per la discussione della fortificazione. Lo scopo è di fornire anzitutto un quadro, il più completo possibile, delle fasi abitative documentate sul sito e della loro cronologia.

È da ribadire che, anche per la fase 'monumentale' di IV secolo a.C., le strutture messe in luce sul pianoro centrale costituiscono il meglio conservato e più esteso dei nuclei sinora esplorati e quello che maggiormente può fornirci un quadro generale del livello di organizzazione dell'abitato fortificato e della tipologia edilizia.

Il pianoro centrale (fig. 47) è situato sul più ampio dei terrazzi di frana che occupano il versante occidentale del crinale dei Capitenali, per una estensione di ca. 4 ettari.

La natura franosa del terreno ha causato, da un lato, fenomeni di abbassamento ('nicchie') e sollevamento di frana di vari tratti del piano antico che hanno in parte modificato l'aspetto originario delle strutture e, dall'altro, l'accumulo di uno spesso strato di colluvio (*supra*, cap. 1).

Il fenomeno di abbassamento di una larga fascia del piano antico in corrispondenza della nicchia di frana (fig. 11), ha peraltro permesso la eccezionale conservazione della metà est del complesso A (con l'elevato dei muri sino ad un'altezza di m. 1.60) lasciandone intatta la stratificazione dei diversi momenti di vita e distruzione, in una maniera che non era sospettabile al momento iniziale della esplorazione.

Lo scavo del pianoro centrale, suggerito da considerazioni topografiche, è stato iniziato nel 1976 (saggi VA-XA 116-117 ad est della porta centrale), in concomitanza con lo scavo del muro di fortificazione (fig. 22). La successiva scoperta fortuita di un angolo di muro, causata da un'aratura profonda, ha suggerito l'apertura di un gruppo di saggi nella parte centrale del pianoro (EB-FB 109-110) nel luglio 1977. Anche se non fu possibile completare lo scavo sino ai livelli inferiori, i risultati ottenuti e lo stato di conservazione dei muri rinvenuti hanno suggerito un'esplorazione sistematica su vasta scala del pianoro stesso a partire dal 1982. La quadrettatura dell'area utilizzata per lo scavo in estensione su grandi aree, che ha interessato una superficie di ca. 2000 m^2, è stata elaborata sulla base della precedente quadrettatura generale impo-

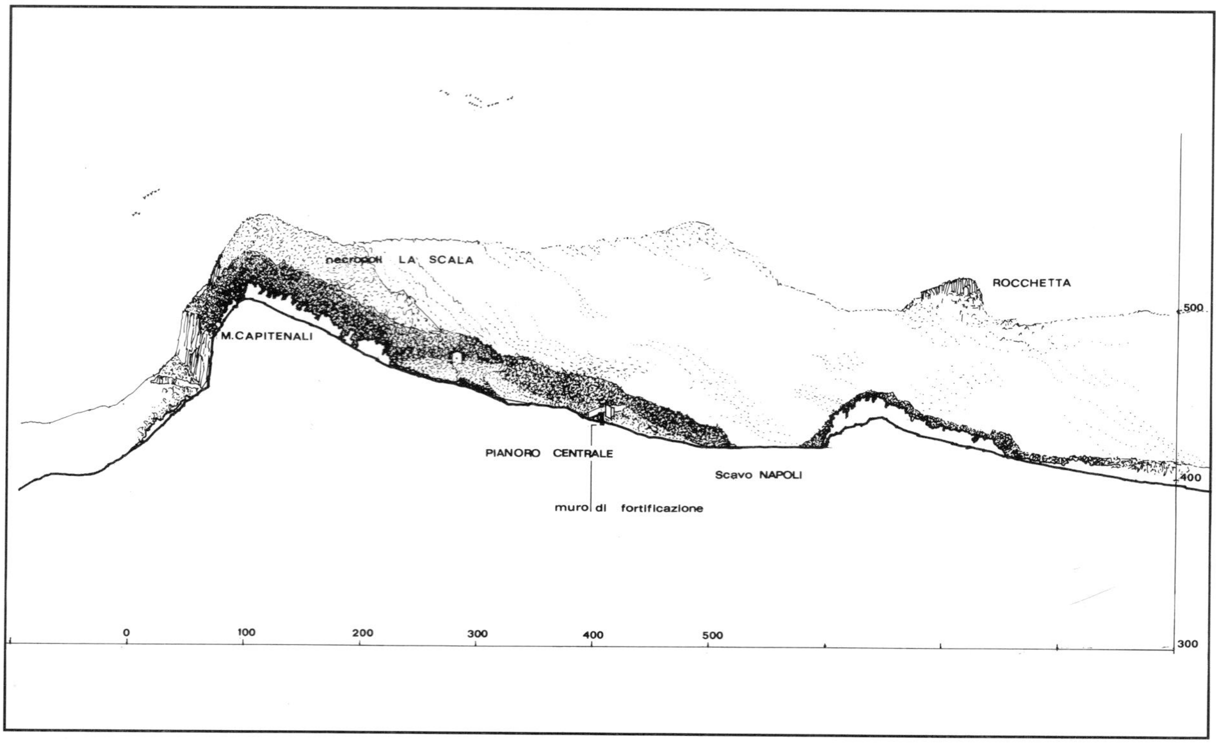

Fig. 47 Sezione topografica dell'area ad ovest del M. Capitenali e posizione dell'abitato.

stata per lo scavo della fortificazione[1]. Il lato del quadrato di base è stato ridotto da 5 a 4 metri, data la eliminazione dei 'testimoni', adottati nella esplorazione iniziale dell'abitato, e si è utilizzato quale punto di riferimento catastale l'edificio rurale attualmente in funzione (Foglio 19, part. 61).

2. *Resti di abitazioni arcaiche (fase IA)* (Tav. IX fuori testo)

Una certa quantità di materiale ceramico ed alcuni manufatti metallici, rinvenuti in giacitura secondaria, non lasciano dubbi sulla frequentazione del sito durante una fase avanzata della seconda età del ferro. Nel caso specifico dell'area immediatamente ad est dei muri di terrazzamento F 26 e F 27 (ad est dei complessi A/B) sono stati rinvenuti dei livelli pavimentali riferibili a strutture sicuramente anteriori alla fase di V secolo a.C., cioè anteriori all'adozione di edifici a pianta rettangolare su zoccolo in pietra. Tali resti più antichi sono costituiti da battuti di argilla sul piano di scisto argilloso, opportunamente livellato. Le evidenti tracce di bruciato e la densità dei resti ceramici (includenti una notevole percentuale di vasi d'impasto) lasciano pensare che si tratti di fondi di capanne, anche se in nessun caso è stato possibile documentare una pianta sufficientemente completa delle strutture originarie.

I) All'estremità nord del tratto conservato di un massiccio muro di terrazzamento del complesso B (F 26) è stata rinvenuta una concentrazione di frammenti di impasto su di un livello di bruciato chiaramente tagliato dalla costruzione del muro stesso (US 96). Assai poco resta dell'originario piano pavimentale a cui presumibilmente appartiene il gruppo di frammenti ceramici recuperati. Tenendo

[1] Mi è gradito ringraziare V. Casagrande, geometra della Soprintendenza Archeologica di Salerno, per tutto l'aiuto fornito al momento della impostazione iniziale dello scavo e per le successive estensioni della quadrettatura adottata quale sistema di riferimento topografico per lo scavo dell'abitato (sia l'area fortificata che le aree extramurane) e della necropoli.

Fig. 48 Veduta generale dell'alto del complesso A (da sud-est).

conto dell'attuale pendio del piano del terreno naturale in questa parte del pianoro, tuttavia, sembra probabile che la concentrazione in questione sia collegata con il più ampio (e meglio conservato) livello di battuto rinvenuto poco più a sud (US 414).

II) La documentazione più chiara di un livello di abitazione dell'età del ferro è stata rinvenuta nel 1988 nell'area ad est di F 26 su di una superficie di ca. m. 2,50 x 1,50 (US 413). Uno spesso strato carbonioso, includente frammenti di ossa, con abbondante ceramica (413) poggia su di un livello di battuto (414) assai compatto, a diretto contatto con la superficie di scisto argilloso che costituisce il terreno naturale. Lo strato 413 si estende fino alla faccia est del muro di terrazzamento più tardo (F 26) ed appare chiaramente tagliato dalla costruzione del muro. Pochissimi sono i materiali più tardi mescolati allo strato mentre si sono raccolte diverse concentrazioni di frammenti d'impasto (includenti fra l'altro i NN. **4a** e **9**).

III) Uno strato di terreno carbonioso (257) su di una superficie di ca. m. 1,20 x 1,50, con un addensamento di frammenti di ceramica d'impasto nell'area centrale è stato rinvenuto immediatamente a sud dello stesso muro di terrazzamento (F 26), in parte tagliato dalla costruzione del muro (chiazze dello stesso strato di bruciato sono state rinvenute lungo la faccia ovest del muro). A scavo terminato è apparso chiaro che le US 257 e 413/414 appartenevano alla stessa fase e, molto probabilmente, alla stessa struttura, data la loro posizione contigua. Il battuto appariva assai più compatto nella US 414 che sul fondo della US 257, soprattutto a causa della natura del terreno naturale sottostante, ma sembra chiaro che una capanna di medie dimensioni (o di dimensioni poco superiori alla media) abbia potuto includere i due spezzoni di battuto rinvenuti, quali parti di un unico pavimento. Incerta è invece l'appartenenza della concentrazione US 96 a nord del muro F 26, che potrebbe appartenere ad un'abitazione separata.

Sui limiti cronologici di questa fase rimangono vari elementi d'incertezza, data l'assenza di ceramica dipinta geometrica che possa fornire una datazione più specifica di quella che può derivarsi dai materiali d'impasto recuperati (ad eccezione del N. **28a** rinvenuto tuttavia in giacitura secondaria). Elementi cronologicamente rilevanti a definire i limiti

Fig. 49 Veduta generale dell'edificio di V secolo a.C. al di sotto degli ambienti A5 e A6 (da est).

superiori di questa fase sono la coppa carenata d'impasto 'buccheroide' (N. **3a**), rinvenuta, in giacitura primaria, nella US 257 ed il frammento di parete di cista a cordoni (N. **15**), da uno strato di colluvio, che ci rimandano ad un generico orizzonte della seconda età del ferro (fine VII/VI secolo a.C.)[2].

3. *Le strutture di V secolo a.C. (fase IB)* (Tavv. VIII e IX fuori testo)

La esistenza di costruzioni rettangolari su zoccolo di pietra, appartenenti ad una fase di V secolo a.C., è stata chiaramente documentata dalla stratificazione rinvenuta nel settore nord del complesso A sul pianoro centrale (fig. 49). Al di sotto del piano pavimentale dell'ambiente A5 sono stati rinvenuti lunghi tratti di muro in pietre irregolari a secco (F178) appartenenti ad un edificio rettangolare con pianta piuttosto allungata (lungh. conservata m. 9; largh. ca. m. 3.50/4.00) di cui è stata rinvenuta anche una partizione interna, che probabilmente divideva un piccolo vano di ingresso, a cui era associata una probabile canaletta in coppi del tipo corinzio (F34). Allo stesso edificio appartengono un tratto di muro (F379 su cui si era sovrapposta la soglia fra gli ambienti A5 ed A6 ed un altro tratto in direzione est-ovest (F297), assai simile per tecnica costruttiva, rinvenuto nell'angolo sud-ovest dell'ambiente A6. Tali resti di muri sono tutti impostati sull'argilla rossa sterile che costituisce il piano naturale, derivante dall'azione di degrado del flysch (o scisto

[2] In mancanza di ceramica geometrica dipinta (del tipo Sala Consilina o Palinuro) che possa fornire elementi precisi di datazione ed in considerazione della scarsa rilevanza cronologica di molte delle forme d'impasto, il cui uso perdura sino al IV secolo, si è preferito assegnare un inquadramento generico all'evidenza suddetta, collocandola nel periodo immediatamente precedente l'apparizione di edifici rettangolari su zoccolo di pietra.

Fig. 50 Stratificazione nell'ambiente A5, con veduta del muro F178 dell'edificio di V sec. a.C. al di sotto del pavimento (in primo piano la fornace F54).

argilloso, come lo si è generalmente denominato)[3]. La costruzione degli edifici di IV secolo a.C. ha in gran parte spianato i muri preesistenti, lasciandone solo lo zoccolo di fondazione rinvenuto al di sotto del piano pavimentale. Nel caso dei tratti di zoccolo rinvenuti nell'ambiente A6 (fig. 49), lo strato 296 identificato al di sotto del piano pavimentale di IV secolo, è da ritenersi senz'altro riferibile all'edificio di V secolo ed includeva frammenti di ceramica fine acroma (molto probabilmente con decorazione a bande, evanida)[4]. Un altro tratto di muro di struttura assai simile (F353), da collocare nella fase di V secolo anche se appartenente ad un edificio di pianta non ricostruibile, è stato rinvenuto al di sotto della parte centrale del pavimento del portico (ambiente A3) del complesso A (fig. 48), tagliato dalla costruzione del cortile basolato. Infine è ipotizzabile che il muretto F311, lungo il lato nord-ovest del cortile, appartenga ad un edificio non identificabile della fase di V secolo data la notevole similarità di

Fig. 51 Stradina basolata connessa con le strutture di V sec. a.C., 'scivolata' lungo la parete del canale F377. Il muro di IV sec. a.C. in grossi blocchi rettangolari (F260) si sovrappone alla stradina stessa (si veda la fig. 78 per la collocazione del canale nel contesto del complesso A).

struttura (manca materiale ceramico che ne permetta una datazione).

Come già accennato, la costruzione degli edifici 'monumentali' di IV secolo a.C. ha in gran parte spianato gli edifici precedenti, cui appartengono le tracce rinvenute in diversi punti del complesso A. Nel caso dei muri F178 e F297, tuttavia, è stato possibile ricostruire una pianta attendibile di un edificio di ca. m. 9 x 3,50, con una partizione interna. Ad esso sono da associarsi alcune buche per pali rinvenute sia a nord-ovest che ad ovest dell'edificio ed una 'stradina' basolata in direzione nord-sud, rinvenuta lungo il lato ovest (F138, al di sotto del muro F260 di IV secolo) ed assai sconvolta dalla frana che ha modificato successivamente il piano antico (fig. 51). L'insieme di edificio rettangolare a pianta allungata e tratto antistante pavimentato a basoli su cui apriva un piccolo porticato (buche per pali) sembrano pertanto riferirsi ad un impianto già di un certo rilievo per questa fase precedente l'edifi-

---

[3] Il tipo di costruzione (zoccoli di pietrame di piccolo taglio, con una larghezza di ca. 30-40 cm.) è ben documentato per costruzioni di edifici abitativi databili nel corso del V secolo a.C. (HOLLOWAY 1970, pp. 27-28 e fig. 48; *Lagonegro* 1981, Tav. VII).

[4] Assimilabili a frammenti di vasi panciuti (olla ed anche probabile trozzella) con decorazione a bande di pittura rossa e bruna, sulla parte più espansa del vaso, quali i nn. **16-19**, databili assai genericamente nel corso del V secolo a.C.

cio monumentale, inquadrabile, purtroppo senza termini ben precisi, nell'ambito del V secolo a.C. A questa fase, se non a questo stesso edificio, potrebbero riferirsi alcuni importanti frammenti di terrecotte architettoniche rinvenute nell'area sud dello scavo, includenti una antefissa a nimbo probabilmente di tipo velino (N. **522**) ed un gorgoneion del tipo 'orrido' (N. **521**) databili intorno alla metà del secolo.

Si acclude una lista dei materiali ceramici più rilevanti riferibili alla fase di V secolo a.C., rinvenuti nello scavo dell'abitato sul pianoro centrale:

Contesti		*Tipo ceramico*
FB 109 III FB 109 III B	scarico ad est del complesso A	**N. 20** - brocca, sec. metà V sec. a.C. **N. 36** - coppa, fine V/inizi IV sec. a.C.
F47 e F54	muro perimetrale e scarico nella fornace (ambiente A5)	**N. 17** - bordo di *kalathos* o piccola coppa, prima metà V sec. a.C.
US 98	crollo, muro perimetrale est del complesso A	**N. 20** - brocca sec. metà V sec. a.C.
US 129	colluvio misto a distruzione complessi B-C	**N. 19** - brocca fine V sec. a.C.
US 147	distruzione (mista a colluvio) ambiente A5	**N. 35** - base di coppa o grosso vaso con bande di pittura rossa all'interno. Fine V sec. a.C.
US 163	fondo dello scarico ad est del complesso B	**N. 49** - 'squat kylix' senza piede - metà V sec. a.C.
US 166	letame/rifiuti misto a colluvio complesso C, Ambiente B6	**N. 69** - orlo di skyphos - fine V sec. a. C.
US 177	colluvio, complesso C	**N. 49** - orlo di coppa (inizi V sec. a.C., o probabile coppa ionica).
US 181	colluvio, complesso B	**N. 205** - fondo di coppa con dec. a palmette, ultimo quarto V sec. a.C
US 195	livello di abitazione. Ambiente A5	**N. 47** - framm. di spalla di vaso con dec. a bande
US 253	scarico ad est dell'ambiente A1 (assimilabile a FB109 III)	**N. 21** - collo di brocca, sec. metà V sec. a.C.
US 284	scarico di ceramica nell'ambiente A6	**N. 27** - coperchio (?) o fruttiera con decorazione a bande
US 290	crollo del tetto nel portico (ambiente A3)	**N. 43** - frammento di parete di grosso vaso con dec. a bande di pittura bruno/matto
US 296	abitazione nell'ambiente A6	vari frammenti di pareti di ceramica fine decorata a bande

US 150	ripulitura a sud della piattaforma in pietre ('altare' F302) al limite ovest dell'area basolata	**N. 30** - framm. di *holkion* con dec. a bande e rosetta di pittura nera/matta. FineV/inizi IV sec. a.C.
US 333	riempimento grosso canale a nord-ovest del complesso A	**N. 18** - orlo estroflesso di grosso vaso con decorazione a bande all'attacco del collo **N. 32** - base con decorazione a bande nere
US 389	colluvio ad ovest del complesso A	**N. 34** - tazza monoansata con fascia di pittura nera all'interno (sec. metà V sec. a.C.)

4. *La fase di IV secolo a.C. (fase II A-B)*

La maggior parte dei reperti ceramici nonché gli altri oggetti d'uso, i materiali votivi e le monete rinvenuti nell'abitato fortificato come del resto la cronologia stessa del muro di fortificazione, discussa nel precedente capitolo, concorrono a datare nell'ambito del IV secolo (con una estensione ai primi decenni del terzo) il periodo di massimo sviluppo dell'insediamento.

Lo scavo in estensione sul pianoro centrale, ed un gruppo di strutture sul pianoro sud-est (*infra*, pp. 92-96), hanno permesso di qualificare ulteriormente la cronologia della fase 'monumentale' dell'abitato, distinguendo nell'ambito di questo periodo due sottofasi (A e B).

Lo stato di conservazione delle strutture e la completezza della pianta recuperata ci permettono di seguire con notevole chiarezza, nel corso del IV secolo a.C. e sino agli inizi del III, successive modifiche nella organizzazione del gruppo di ambienti gravitanti intorno ad un ampio cortile porticato, costruito nella prima metà del IV secolo a.C. (complesso A). Tuttavia, i limiti cronologici posti per le due sottofasi, che segnano i momenti più evidenti di tali trasformazioni (fase IIA = 375-325 a.C.; fase IIB = 325-300 a.C.) sono da considerarsi largamente indicativi e non possono associarsi in maniera univoca con specifici livelli abitativi, a parte una o due possibili eccezioni (le US 184 e 195 che rappresentano il momento più antico e quello più recente di uso dell'ambiente A5 e le US 371 e 372 nell'ambiente A7/A8). Le trasformazioni assai rapide avvenute nel corso di tre quarti del IV secolo a.C. nonché la sostanziale uniformità di utilizzazione del complesso nel corso del IV secolo a.C., non sempre hanno permesso di separare in maniera chiara i livelli di abitazione rinvenuti al di sotto del crollo del tetto o di associarli con tipi ceramici distinti.

La costruzione del complesso A con cortile porticato, avvenuta nel primo quarto del IV secolo a.C., indubbiamente rappresenta un salto qualitativo rispetto alle precedenti abitazioni, sia per la tecnica costruttiva che per le dimensioni stesse degli ambienti. I muri, costruiti con doppia faccia di blocchi squadrati, di media e grossa taglia, rappresentano una tecnica edilizia diffusa per l'abitato di IV secolo a.C. e l'uso abbastanza comune di cortili porticati, almeno per le abitazioni di maggior rilievo, costituisce un elemento nuovo nella strutturazione dell'insediamento[5]. I dati stratigrafici ricavati nell'ambiente A5 e nel portico A3 non lasciano dubbio sul fatto che l'area di cortile (A4) con portico su tre lati costituiva un elemento centrale nella organizzazione del complesso sin dal momento iniziale della sua costruzione, nel corso della prima metà del IV secolo a.C.

Relativi a questa fase iniziale del complesso sono anche i due ingressi F 55 e F 56[6], rinvenuti

---

[5] Raffronti sul tipo di costruzione dei muri non mancano, sia pure nella estrema variabilità del materiale di costruzione. L'uso del cortile basolato è documentato nello hinterland di Heraklea (Quilici 1967, pp. 144-145 e fig. 306); a Gioia del Colle/Monte Sannace (*Gioia del Colle* 1962, p. 103, fig. 87; p. 154) e, con dimensioni più ampie, a Moio della Civitella, dove si è voluto, a ragione, interpretare una vasta area basolata di ca. m. 10 x 10, quale spazio pubblico (Greco e Schnapp 1983, pp. 403-405 e fig. 14). Si paragoni la funzione delle 'courtyard houses' nella organizzazione degli *oppida* nell'ambiente celtico dell'Europa centrale ed occidentale (Collis 1984, pp. 117-120 e figg. 8-21).

[6] Per la fase iniziale del complesso A è da presumersi uno stretto collegamento con le strutture che si trovano ad est di esso, ad una quota più elevata, di cui sono state rileva-

(bloccati con riempimento di pietrame) lungo il muro di fondo (F 17) del portico A3, ad est del cortile, e che danno accesso su di una via pavimentata a basoli (F 271), la quale doveva costituire un asse di comunicazione nord-sud sul pianoro centrale (fig. 72b). Tale via continua, con direzione immutata, anche se priva di acciottolato, lungo il muro perimetrale est dei complessi B e C (F 20 - F 205) (fig. 56). Si è già detto che la vasta area di cortile (A4) ed il cordolo (o 'stilobate') in grossi blocchi rettangolari, rinvenuto su tre lati del cortile e su cui poggiavano le colonne di sostegno del tetto del portico, appartengono alla fase iniziale del complesso A. Tuttavia, non si hanno sinora elementi stratigrafici sicuri per stabilire se anche il pavimento in grossi basoli appartenga alla fase originaria del complesso o sia una realizzazione della fase IIB. Il livello del basolato, notevolmente più elevato di quello della soglia dell'ingresso F 55 (che apre sulla intercapedine F 271) unitamente ad alcune anomalie nella costruzione dell'angolo nord-est (con blocchi di diversa fattura)[7] hanno lasciato non poche perplessità al momento dello scavo. È da considerarsi d'altronde che lo scavo del portico A3 ha chiaramente documentato un accentuato sprofondamento verso est, avvenuto molto probabilmente dopo l'abbandono del sito (fig. 48). Evidenza di un tale 'affondamento' è fornita anche dal canale F 241 nell'ambiente A5, la cui estremità est è ca. 15 cm. più bassa della quota della parte centrale, nonostante che dovesse originariamente sfociare sul basolato (*infra*, fig. 55). Le stesse considerazioni che ci inducono a non dare troppo peso alla differenza di quota fra l'area basolata e le strutture che la circondano a nord e ad est, ci forniscono qualche ulteriore elemento per ipotizzare la contemporaneità del basolato con quelle strutture: è da tener presente infatti che il citato canale F 241 dell'ambiente A5 scaricava sul basolato, nonostante l'attuale dislivello, fatto che induce a pensare ad una contemporaneità del basolato con F 241 (che senz'altro appartiene all'impianto originario del complesso) (*infra*, p. 56 e 74)[8].

Fig. 52 Rocchio di colonna in calcare posato sul cordolo nord del cortile basolato (A4) ed incorporato nel muro in pietre che oblitera il portico nord nel corso della seconda metà del IV secolo a.C. (vi si sovrappone, agli inizi del III secolo il muro di tegole F12) (da nord).

Fig. 53 Veduta dell'ambiente A7/A8 con il muro più antico nord (F 361) spianato al livello del pavimento della seconda metà del IV secolo a.C. (da ovest).

te varie evidenze di superficie. Ciò lascia supporre l'importanza della lunga intercapedine nord-sud lungo il lato esterno dei muri perimetrali dei complessi A e B, quale asse di comunicazione.

[7] È tuttavia da tenersi presente, quale fattore fondamentale di sconvolgimento dell'area, il movimento franoso già discusso nel capitolo 1 (si veda la fig. 11). L'angolo nord-est del basolato che si trova nel punto di massimo sprofondamento dell'area, potrebbe trovarsi in diverso stato di conservazione proprio a causa del più accentuato sprofondamento che ne ha causato il seppellimento sotto uno spesso strato di colluvio.

[8] La presenza di deposizioni in fossette o depressioni naturali nello scisto argilloso, del tipo della US 303 (*infra*, cap. 4), databili nella prima metà del IV secolo a.C., lascia pensare alla possibilità che non tutto il cortile fosse basolato o che, almeno, l'area includente un fossato naturale, lungo il canale 156, fosse stata lasciata senza basoli.

Per ritornare alla fase più antica del cortile porticato, non v'è dubbio che le colonne che sostenevano il tetto del portico poggiavano (senza uso di plinto o altra base di forma particolare) sui blocchi rettangolari del cordolo che delimita il cortile. Che tali colonne di sostegno fossero almeno in parte in pietra[9] (calcare locale) è dimostrato da uno spezzone di colonna (alt. 35 cm.; diam. 29,5 cm.) rinvenuto, apparentemente *in situ*, sulla estremità ovest del cordolo nord (fig. 52) incorporato nel successivo muro di pietre e tegole che viene ad obliterare il portico nord fra la fase IIB e la fase III. L'uso di un diametro uniforme (intorno a 29 cm.) per le colonne in calcare è provato da altri frammenti di colonne riutilizzati nella costruzione del muro di tegole F 12 o rinvenuti crollati nell'angolo nord-est del basolato. Tali rinvenimenti, e soprattutto il frammento di colonna già menzionato (rinvenuto *in situ* sul cordolo nord), forniscono anche specifica evidenza per la esistenza di un ambiente porticato anche sul lato nord del cortile, nella pianta originaria del complesso. Nella sua fase iniziale (IIA), pertanto, il complesso A includeva il cortile A4 in posizione di centralità ed aveva una pianta approssimativamente quadrangolare, leggermente più piccola di quella indicata come complesso A nella pianta ricostruttiva (tav. IX fuori testo), la quale ovviamente include le successive modifiche ed aggiunte apportate nella fase IIB.

Il limite nord del complesso originario, anteriore alle modifiche della fase IIB è molto probabilmente rappresentato da un muro (F 361) rinvenuto nell'ambiente A7/A8, opportunamente spianato al livello del pavimento di seconda metà IV secolo a.C., e tagliato dalla parete est dell'ambiente stesso (F 270), di fase IIB. Si tratta di un largo (ca. 80 cm.) muro a doppia faccia di blocchi accuratamente squadrati, (figg. 49 e 53)[10]. Il limite est del complesso, il muro in grossi blocchi (F 47), è invece rimasto invariato, con l'aggiunta di un poderoso terrazzamento/rinforzo (F 48) e, unitamente, un raccordo in grossi blocchi rettangolari (F 46) posti a colmare un avvallamento creato dal movimento franoso, che ha parzialmente modificato l'andamento rettilineo originario del lungo muro perimetrale F 47-F 17. Il limite sud del complesso di fase IIA, infine, era segnato dal muro F 18 che si lega a F 17, mentre gli ambienti A1 ed A2, le cui pareti nord-sud si appoggiano ad F 18 sono chiaramente una aggiunta successiva, molto probabilmente un ampliamento nel corso della fase IIA o all'inizio della fase IIB. Sul lato ovest, lo stato di conservazione delle strutture non permette di stabilire se siano avvenuti mutamenti sostanziali nella pianta dell'edificio fra la fase IIA e la fase IIB.

Se da un punto di vista strutturale la distinzione fra l'impianto iniziale e le modifiche successive del complesso A appaiono chiare, non altrettanto può dirsi per i livelli di abitazione riferibili alle due sottofasi. Solo nell'ambiente A5, e più specificamente nel settore ovest dello stesso, è stato possibile evidenziare un livello di abitazione relativo alla prima metà del IV secolo a.C. (si è ritenuto pertanto opportuno accludere, in margine alla discussione, una lista di materiali riferibili alla prima metà del IV sec. a.C.). La US 195 è senz'altro relativa all'uso originario dell'ambiente, cioè alla fase precedente la chiusura del portico; si sono riuscite ad isolare, nel settore sud ed ovest di A5, le US 184 e 286, che coprono 195, anche se i fenomeni di abbassamento del piano naturale successivi all'abbandono del sito hanno creato una parziale commistione dei due livelli[11]. Elementi cronologici assai utili, tuttavia, sono forniti da una epichysis con decorazione del tipo Gnathia iniziale (N. **219**) rinvenuta sulla superficie della US 195, riferibile senz'altro ad una funzione 'cerimoniale' dell'ambiente[12], nel periodo in cui era ancora connesso con il cortile mediante un

---

[9] L'uso di pali lignei per la parte superiore è presumibile sulla base di raffronti con altri edifici pressappoco coevi. Si veda, ad esempio, l'edificio porticato sull'acropoli di Alfedena (Mariani 1901, 1902 e La Regina 1976, tav. II). Importanti osservazioni sulla sostituzione di pali lignei con colonne in pietra nel corso del III secolo a.C. in edifici pubblici del Sannio sono incluse in La Regina 1976, pp. 221-223.

[10] Non è da escludere l'ipotesi che il muro F 361, livellato al di sotto del pavimento dell'ambiente A7/A8, sia un muro di V secolo, mentre il limite originario del complesso A nella prima metà del IV sec. a.C. sia costituito dal muro F 28. È da notarsi che F361 continua, in forma di 'vespaio' F368, nell'ambiente A6, ad est del muro F 270, che lo taglia in parte sovrapponendosi ad esso.

[11] Anche in considerazione del lieve divario cronologico fra i due livelli, la distinzione che può farsi in base alla ceramica è assai sfumata. Rilevante, tuttavia, è la notevole concentrazione di ceramica 'indigena' a fasce nella parte inferiore del livello di abitazione sul fondo dell'ambiente A5, la US 195. Attribuibile altresì alla fase IIA è la US 372 (includente la moneta di Metaponto N. **605**) stratificata al di sotto del più tardo livello di abitazione (US 371) di fine IV/ inizio III sec. a.C. nell'ambiente A7/A8.

[12] È senza dubbio da considerarsi in connessione con la epichysis V **31a**, leggermente più tarda, rinvenuta nel deposito votivo F 11 (*infra*, p. 121).

portico. La sua datazione (340-330 B.C.) fornisce pertanto un utile *terminus post quem* per la separazione dell'ambiente A5 dal cortile, mediante la costruzione di un muro sovrapposto al cordolo di blocchi e, quindi, per l'inizio della fase IIB in cui sono da collocarsi queste successive modifiche della pianta del complesso. Un'altra importante indicazione cronologica per le successive modifiche apportate a questa parte del complesso è fornita dalla US 286 nell'angolo sud-ovest dell'ambiente, assimilabile alla US 184, dato che ambedue sono state rinvenute immediatamente al di sotto del livello di crollo delle tegole (US 164), relativo alla distruzione di F 12. La US 286 copriva la parte inferiore di F 12, costruita in pietre, immediatamente al di sopra dell'originario cordolo di blocchi rettangolari, ed è pertanto da riferire all'uso dell'ambiente A5 in un momento senz'altro posteriore alla costruzione di un muro di separazione fra l'ambiente A5 ed il cortile A3. In base alla ceramica rinvenutavi (segnatamente N. **130a**) la US 286 è databile intorno al 300 a.C. e può fornire una utile indicazione cronologica[13] e più specificamente un *terminus ante quem* per la chiusura dell'ambiente A5 sul lato sud, che dev'essere avvenuta in un momento imprecisabile della seconda metà del IV secolo a.C. Altri dati stratigrafici significativi per una distinzione cronologica delle fasi IIA e IIB provengono dal settore est dell'ambiente A5. Si discuteranno in dettaglio, in un successivo paragrafo, gli elementi cronologici emersi dallo scavo della fornace (F 54), la cui costruzione, molto probabilmente intorno al 300 a.C.[14], fornisce una data iniziale per la fase III, dato che certamente la sua presenza accentua la separazione fra settore nord e settore sud del complesso (*infra*, p. 59). È di rilievo, per il momento, un reperto della parte superficiale della US 195, in prossimità dell'angolo sud-ovest della fornace, che è riferibile al periodo finale di uso dell'ambiente quale area porticata sul lato nord del cortile ed è senz'altro precedente la impostazione della fornace. Si tratta di una coppa monoansata a vernice nera, con vasca piuttosto profonda del tipo **112**, databile intorno al 330 a.C., che, in maniera simile alla epichysis N. **219** già menzionata, documenta con eccezionale chiarezza un momento finale di uso dell'ambiente quale area porticata connessa con il cortile.

In concomitanza con la trasformazione del portico nord in ambiente chiuso (A5) [per attività domestiche o artigianali (?)], avvenuta nell'ultimo quarto del IV secolo a.C. (fase IIB), dev'essere anche stato effettuato l'ampliamento dell'ambiente A7/A8, immediatamente a nord, mediante la costruzione del massiccio muro perimetrale nord F 193, in blocchi rettangolari di grossa taglia e largo oltre 1 metro[15] (fig. 54). Assumendo che fattori naturali (movimenti di frana), così ben percepibili dallo stato di conservazione delle strutture in questa parte del complesso (figg. 54 e 78), siano in parte responsabili per una simile massiccia ristrutturazione, è le-

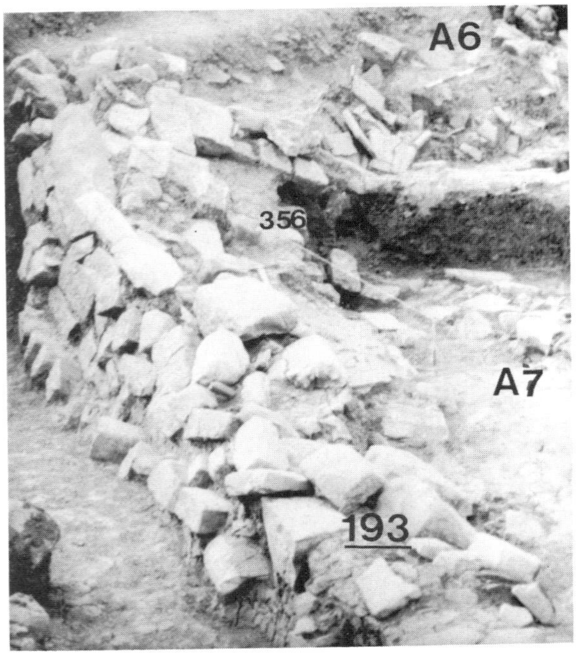

Fig. 54 Veduta del settore nord del complesso A con il muro perimetrale nord F 193.

[13] La US 286 si appoggia alla base del muro di tegole (F 12) e si sovrappone al muro in pietre costruito al di sopra dello stilobate in blocchi rettangolari: pertanto dovrebbe datarsi in un momento immediatamente successivo alla costruzione di F 12.

[14] La datazione archeomagnetica della fornace è stata eseguita da M. Evans (Institute of Earth and Planetary Physics, University of Alberta) (EVANS, in corso di stampa). Essa si colloca fra la fine del IV e gl'inizi del III secolo a.C., sulla base di raffronti con il magnetismo rilevato per una fornace di Metaponto, datata all'ultimo quarto del IV secolo a.C. (*Metaponto* 1975, pp. 362-367). I raffronti tipologici più stringenti sono tuttavia con una fornace da Rivello/Piani di Pignataro, rinvenuta con l'ultimo carico *in situ*, che consente di datarla intorno al 300 a.C. (cortese comunicazione di P. Bottini).

[15] Anche in questo caso, un frammento di colonna in pietra, riadoperato nella costruzione del muro F 193, conferma una costruzione di F 193 nell'ultimo quarto del IV secolo a.C., in concomitanza con la 'ristrutturazione' del portico nord, di cui vengono riadoperate le colonne in pietra.

Fig. 55 Angolo nord-est del cortile basolato A4 con sbocco del canale F241 (da sud).

cito pensare (come già sopra accennato) che i due ingressi (F 55 e F 56) nel muro perimetrale est (F 17) del portico A3 siano stati chiusi parallelamente a tali ristrutturazioni[16].

La chiusura di F 55 ed F 56 è da porsi in relazione con la sopravvenuta impraticabilità della stradina basolata (F 271), a causa del movimento franoso ed il conseguente dilavamento di terreno dal pendio retrostante[17]. Lo strato di uso (US 254) rinvenuto immediatamente al di sopra dei basoli di F 271 non sembra essere in contrasto con una simile datazione per la cessata utilizzazione del passaggio anche se non può fornire indicazioni cronologiche più precise.

Indubbiamente non sono da trascurare, in via generale, fattori economico-sociali quali elementi di stimolo per la trasformazione del complesso nel corso del IV secolo a.C., soprattutto quando si tengano presenti i fenomeni di graduale strutturazione dei ceti emergenti locali riscontrabili attraverso il rituale funerario[18]. Tuttavia, almeno nel caso del complesso A, fattori di ordine naturale, quali i fenomeni di subsidenza ed i movimenti di frana menzionati possono costituire uno sfondo adeguato per specifici elementi di trasformazione del complesso

---

[16] Uno dei due ingressi, quello più a nord (F 56), potrebbe essere stato chiuso in un periodo immediatamente successivo, quando si rese necessaria la costruzione del muro di terrazzamento F 48. È da notarsi che in questa occasione fu anche costruito un addizionale terrazzamento alla base dei muri stessi, in continuazione della stradina basolata F 271 (fig. *72* a, F 255).

[17] L'accumulo di terreno argilloso colluviale, lungo il lato est dello scavo è stato di circa 50 cm. in un solo anno (dall'autunno all'estate successiva).

[18] Si veda la discussione dell'organizzazione generale dell'abitato, sullo sfondo dell'evidenza fornita dall'area di necropoli 'emergente' in località La Scala, presentata nel Capitolo 8, *infra*.

che avvengono in un arco di tempo relativamente ristretto. È tale, ad esempio, il caso dell'elaborato impianto di canalizzazione nell'ambiente A 5. Qui un canale in lastre di calcare (F 241, fig. 68) che, nella fase iniziale del complesso, scaricava sul basolato attraverso un interstizio lasciato fra due blocchi del cordolo lungo il lato nord del cortile (fig. 55) viene sostituito da un canale in coppi capovolti e frammenti di tegole (F 238; F 362), che vi si sovrappone (figg. 68 e 81).

Senza dubbio attribuibili alla presenza di movimenti di frana sono i muri di terrazzamento F 48, già menzionato, F 255 e F 301 (probabilmente, in antico, parte di F 26) ad est del complesso A ed F 26/F 27 ad est del complesso B. Essi sono da inquadrarsi cronologicamente in un momento (imprecisabile) della fase IIB, ma sono senz'altro anteriori all'inizio della fase III, dato che numerosi scarichi di materiale di abitazione effettuati all'inizio della fase III (*infra*, p. 59) sono contenuti fra questi muri di terrazzamento ed i muri perimetrali est dei complessi A e B. Alcuni muri di rinforzo, rinvenuti in vari ambienti dei complessi B e C (fig. 57 a-b) potrebbero far parte di analoghi fenomeni di 'puntellamento' della fase IIB.

Si acclude una lista dei materiali ceramici più significativi della prima metà del IV secolo a.C., utili per un inquadramento cronologico del momento iniziale della fase II (impianto del nucleo abitativo 'monumentale' sul pianoro centrale).

Fig. 57 a) Muretto di rinforzo di III secolo a.C. (F 210) lungo la parete est dell'ambiente B3, nella intercapedine fra complesso A e complesso B (da ovest).

Fig. 56 La intercapedine nord-sud ad est del complesso B, in corso di scavo (da sud).

Fig. 57 b) Muretto di rinforzo (estremità a sinistra della foto) che viene ad obliterare l'intercapedine fra complesso C e complesso 'D'.

Contesti		*Tipo ceramico*	
FB 109 III B	fondo dello scarico ad est del complesso A	**N. 63**	- frammento di parete di vaso proto-italiota primo quarto IV sec. a.C.
EB-FB 110 III	scarico/distruzione ad est dell'angolo sud-est del complesso A	**N. 70**	- orlo di skyphos, fine V/inizio IV sec. a.C.
US 118	scarico ad est del complesso A	**N. 114**	- coppa con parete diritta, assai sottile, metà IV sec. a.C.
US 147	distruzione/colluvio nell'ambiente A5	**N. 70**	- (*supra*)
US 163	scarico ad est del complesso B	**N. 71**	- skyphos, prima metà IV sec. a.C.
US 166	letame/rifiuti, misto a colluvio nell'ambiente B6 (complesso C)	**N. 70**	- (*supra*)

Fig. 58 a) Estremità nord della intercapedine ad est del complesso B: muri di IV secolo a.C. in blocchi squadrati (da sud).

Fig. 58 b) Dettaglio del gradino all'incrocio delle due intercapedini (da est).

US 191	distruzione/misto ad abitazione, ambiente A7	**N. 114** - (*supra*), metà IV sec. a.C.
US 195	livello di abitazione, ambiente A5	**N. 69** - orlo di skyphos, fine V/inizi IV sec. a.C. **N. 72** - orlo di skyphos a pareti finissime, fine V/inizi IV sec. a.C. rilevante concentrazione di ceramica a bande
US 232	riempimento canale a estremità nord-ovest del complesso A	**N. 100** - coppa emisferica, inizi IV sec. a.C.
US 237	abitazione, ambiente B7	**N. 114** - (*supra*)
US 269	abitazione, ambiente A7/A8	**N. 155** - lekythos, metà IV sec. a.C.
US 327	abitazione, portico A3	**N. 198** - fondo di coppa con incisione a palmette e tre cerchi incisi - inizi IV sec. a.C.

5. La prima metà del III secolo a.C. (fase III)

La costruzione della fornace nell'angolo nord-est dell'ambiente A5, che viene destinato ad officina per vasaio, e la costruzione di un muro di tegole piane (F 12) sul limite nord del cortile (in sostituzione di un precedente muro in pietra o mattone crudo), molto probabilmente avvengono in concomitanza con una radicale ristrutturazione del complesso, all'inizio del III secolo a.C. Il fenomeno di ristrutturazione su vasta scala, che si manifesta in modifiche di vari aspetti della pianta del complesso è segnalato in maniera evidente da una serie di scarichi rinvenuti lungo il lato esterno del muro perimetrale (F 17) del complesso A, costituiti dalle US 48/49, 118/119/120 (FB 109 IIIA e IIIB, dello scavo 1977, sono assimilabili alle US 118/119). Ad essi sono correlati, stratigraficamente e cronologicamente, cospicui scarichi di materiale rinvenuti ad est del complesso B, fra il muro perimetrale F 20 ed il muro di terrazzamento F 27 (US 141/148 e 163). La similarità e contemporaneità di questi gruppi di scarichi è dimostrata (almeno per la parte inferiore degli stessi) dal rinvenimento di un'ansa di anfora di tipo punico (P6, N. **391**) in FB 109 IIIA ed un collo di anfora identica (P 4269, N. **391**), verosimilmente appartenente allo stesso esemplare, nella US 163. Corrispondenti scarichi di materiale, nell'area immediatamente ad ovest della strada acciottolata che delimita la fronte ovest del complesso (F 416), sono stati rinvenuti nel 1988 (US 391/429).

Fig. 59 a) Complesso A: scarico dietro il muro perimetrale F17 del portico A3, livellato da tegole e pietrame. È chiaramente visibile il rifacimento più tardo in blocchi rozzamente squadrati.

Fig. 59 b) Dettaglio del rifacimento di III secolo a.C. sul muro F17.

La superficie degli scarichi ad est del muro F 17, immediatamente a sud della porta bloccata F 55, viene altresì livellata con tegole e ciottoli (fig. 59 a) che, molto probabilmente, costituiscono un nuovo piano di calpestio (per la fase III, di prima metà III secolo a.C.) nella parte posteriore del complesso A. A quest'ultimo corrisponde un rifacimento del muro F 17 (un filare di blocchi rozzamente squadrati, fig. 59b), il quale lascia pensare che, anche in questo caso, fattori di ordine naturale abbiano richiesto rifacimenti estensivi.

Alcuni rinforzi di muri sono anch'essi attribuibili alla fase III (si veda ad esempio F 210 nella fig. 57a).

Varie parti del complesso erano senz'altro fuori uso nel corso della fase III (anche in conseguenza di fattori naturali già menzionati) e l'*oikos* votivo F 11 era stato chiuso[19] e, molto probabilmente, in parte interrato (fatto che spiegherebbe il suo eccezionale stato di conservazione). Gli effetti di questa ristrutturazione sono documentati anche nel complesso B, come accennato, dall'enorme scarico ad est del lungo muro perimetrale F 20 (fig. 60) e dal rifacimento dei muri stessi con pietre irregolari, di piccola taglia, al di sopra delle strutture più antiche in blocchi rettangolari (figg. 56 e 58a).

Riferimenti cronologici precisi per questa fase sono forniti da un tipo ceramico a vernice nera (N. **127**), molto diffuso soprattutto nell'ambito del com-

---

[19] Come indicato dalla datazione della ceramica più tarda rinvenuta nel deposito votivo F 11 (*infra*, cap. 4).

Fig. 60 Scarico fra i muri F 20 e F 27, nella intercapedine ad est del complesso B, in corso di scavo (da ovest).

plesso A e senz'altro prodotto *in loco* come dimostrano due frammenti di uno stesso vaso rinvenuti saldati al piano di cottura della fornace (**S3**, *infra, p.* 91). Si tratta di un tipo di coppa con orlo scanalato, in alcuni casi con sovraddipinture, la cui produzione può inquadrarsi nella prima metà del III secolo a.C., come dimostrano anche vari raffronti da Laos, Rivello e probabilmente Pæstum[20]. Oltre a rinvenirsi nella fornace, questo tipo ceramico è diffuso in vari contesti abitativi del complesso A (si veda l'elenco a p. 246 della sezione sulla ceramica) relativi agli ambienti A3, A5, A6, A7/A8 (segnalandone pertanto la fase di uso più tarda) e nella maggior parte dei livelli di crollo e colluvio su di un'ampia superficie al di sopra del sito (in particolare US 38 e 63). Nell'ambiente A3 (portico est), il rinvenimento di una rilevante concentrazione di esemplari di questo tipo ceramico (molti dei quali stracotti o addirittura scarichi di fornace (quali **S3**) appartenenti alla US 98 (crollo) e alla US 323 (cioè il livello di abitazione al di sotto del crollo) fa pensare ad un uso dell'area in stretto rapporto con la fornace F 54, peraltro evidenziata dall'ingresso esistente nella estremità nord del muro di tegole che separa i due ambienti in questa fase più tarda. La chiusura dell'accesso stesso (rinvenuto bloccato con pietre e tegole, fig. 61) dev'essere stata effettuata nel momento finale della fase III o addirittura nel corso della più tarda frequentazione dell'area che interessa il III secolo avanzato.

Il focolare (F 356), nell'angolo nord-est dell'ambiente A7/A8 (a cui sono associate le US 355, 357 e 375), inquadrabile tra l'ultimo quarto del IV e la prima metà del III secolo a.C. (*infra*, cap. 9, "Hearth assemblage"), potrebbe indicare un uso continuato del vasto ambiente in forme più segnatamente 'domestiche'[21].

Fig. 61 Porta nel muro F12, bloccata (da nord).

---

[20] Si veda la discussione dettagliata del tipo, con ampi raffronti, nella sezione sulla ceramica a vernice nera (*infra*, cap. 9).

[21] La continuità di uso dell'ambiente quale vasto atrio/ambiente per attività domestiche, a partire dall'ultimo quarto del IV secolo a.C. è indicata dal grosso focolare, dal rinvenimento di un rilevante numero di pesi da telaio e da una certa pretesa decorativa, unita all'ampiezza (l'abbondante rinvenimento di intonaco nella metà est dell'ambiente A7/A8). Incerta rimane la interpretazione dell'elemento F 40 (fig. 84). È probabile che la struttura stessa, che in un primo momento era stata costruita quale vasca poco profonda al centro del vasto ambiente, venga successivamente utilizzata quale *eschara* (è stata rinvenuta riempita di argilla sterile, con la superficie livellata da pietre e tegole ed un sottile strato di bruciato al di sopra, includente la fibula n. **648** e l'amo di bronzo n. **687**). L'uso dell'ambiente e della 'piattaforma' F 40 è ben documentato per la prima metà del III secolo a.C. È pertanto probabile, data la sua collocazione al centro dell'ambiente, che la struttura venga in parte a rimpiazzare la funzione di F 11 successivamente alla netta separazione della parete nord del complesso effettuata dalla costruzione del muro di tegole F 12 agl'inizi del III sec. a.C.

6. La frequentazione di III secolo avanzato

Per la seconda metà del III secolo a.C. (o anche gli ultimi due terzi del secolo) l'evidenza ceramica sul pianoro centrale induce a postulare una fase di devitalizzazione dell'insediamento e di notevole restringimento dell'area abitativa. Se la presenza diffusa di coppe a v.n. tipo Gnathia tardivo (N. **127**) fanno pensare ad una continuità abitativa di un certo rilievo nel Complesso A e nelle aree adiacenti, l'assenza di ceramica Campana A dalle zone sinora esplorate dell'abitato fortificato in contrasto con la sua presenza nelle aree extra-murane ed in vari siti del territorio circostante, configura il secondo terzo del III secolo come una cesura importante nella vita del sito. A documentare una 'frequentazione' dell'area nel III secolo avanzato, e probabilmente sino agl'inizi del II sono soprattutto nuove forme della ceramica grezza (in particolare i NN. **266b** e **267**) e l'evidenza delle anfore (ad es. il N. **387**, dall'area della porta centrale). Manca completamente sinora l'evidenza numismatica, che in siti raffrontabili segnala la continuità di vita sino alla fine del secolo[22]. È da sottolineare altresì che all'evidenza ceramica sopra menzionata corrisponde una evidenza strutturale assai limitata, che lascia pensare al riutilizzo di un complesso di edifici già in fase di abbandono. La maggior parte della ceramica di III secolo avanzato proviene da strati di crollo o colluvio (US 38 e 63), ma, almeno per quanto riguarda il complesso A, appare significativamente concentrata nelle aree nord ed est del complesso stesso. Solo nel caso dell'ambiente A5, e specificamente dell'elemento F 54 (già adoperato come fornace da vasaio almeno sino al secondo quarto del III secolo), è stata evidenziata un'attività di ristrutturazione, molto probabilmente connessa con questa tarda frequentazione. Un livello di acciottolato, messo in opera con pietre irregolari e scaglie (US 85, immediatamente al di sotto del massiccio crollo US 98) (fig. 98a) nel settore est dell'ambiente A5 e a sud della fornace F 54, potrebbe rappresentare il livello di frequentazione relativo ad un riuso di F 54 quale 'forno' o altra struttura assimilabile. Un riutilizzo della fornace per attività diversa dalla cottura della ceramica è indicata dall'otturamento intenzionale dei fori del piano di cottura originario con argilla (evidentemente dopo il riempimento della camera di combustione avvenuto nel secondo quarto del III secolo a.C., *infra*, p. 90) e, almeno in un caso, da un fondo di vaso rinvenuto incastrato in un foro del piano stesso (fig. 97).

Il rinvenimento di una casseruola (*lopas*) del tipo N. **240** sulla superficie di F 54, immediatamente al di sotto del crollo di tegole del tetto o tettoia[23] ed il riutilizzo di una grossa macina (NN. **591-592**)[24] rinvenuta adagiata al muro F 28, in prossimità della fornace (fig. 50), documentano il riuso dell'ambiente quale forno-cucina[25]. Un notevole scari-

Fig. 62 Complesso B: muretto di III secolo inoltrato (F 185) sovrapposto ai resti di parete in mattone crudo su zoccolo in blocchi squadrati, di IV secolo a.C.

---

[22] In particolare, Laos (Greco e Guzzo 1978, pp. 454-455); Rivello (*Lagonegro* 1981, p. 60); Satriano (*Satriano* 1988, p. 59, include varie monete romane di fine III secolo a.C.); Cozzo Presepe (*Cozzo Presepe* 1977, pp. 383); Torre Mordillo (*Torre Mordillo* 1977, pp. 521 e 525-526, d'altra parte, include molti esemplari di monete brezie e puniche inquadrabili nel periodo della seconda guerra punica).

[23] È possibile che il riuso della fornace come forno, nella seconda metà del III secolo abbia richiesto la costruzione di una tettoia nella parte est dell'ambiente A5.

[24] La macina (NN. **591-592**) potrebbe essere appartenuta al contiguo ambiente A7/A8, già adibito a vano-cucina tra fine IV e prima metà III secolo a.C. Non si può tuttavia escludere l'appartenenza della macina stessa all'ambiente A5 già nella I metà del III secolo a.C., data l'associazione, documentata in altri siti, di macine con ambienti per lavorazione ceramica; si veda, in particolare, *Gioia del Colle* 1962, p. 154. Si veda anche Collis 1984, p. 118, fig. 8/10.

[25] A questa fase di riutilizzo dell'area è altresì da riferire la US 337, rinvenuta nell'angolo sud-est dell'ambiente A5, immediatamente al di sotto del crollo (US 98), che includeva un particolare tipo di marmitta da fuoco (N. **335**) ed un esempio tardo di coppa a v.n. con orlo scanalato (N. **336**).

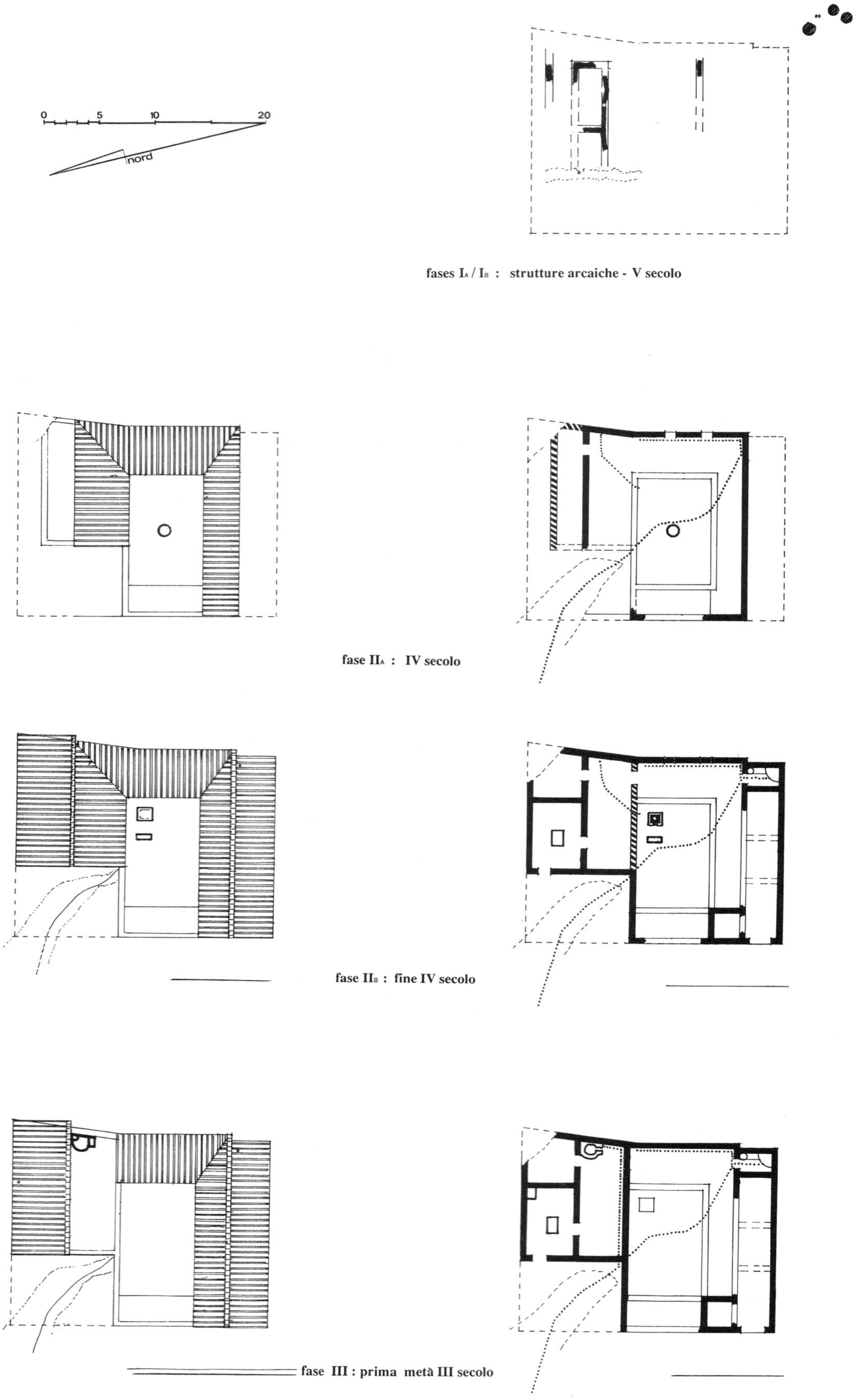

Fig. 63 Ricostruzione delle fasi edilizie del complesso A.

co di ceramica (prevalentemente grezza) sul piano di cottura di F 54 ("kiln assemblage" cap. 9, *infra*) conferma una datazione nella seconda metà del III secolo a.C. per la fase di riutilizzo della struttura stessa. Parallelamente è da segnalarsi il riutilizzo di alcune parti dei complessi B e C, anche se, come già accennato, si tratta di una evidenza strutturale assai limitata. Notevole è il rinvenimento di un muretto (F 185) costruito approssimativamente sull'allineamento delle precedenti strutture di IV secolo a.C. ma circa 25-30 cm. più in alto, su di un livello argilloso compatto, che sembrerebbe derivare dal degrado di mattone crudo adoperato per la costruzione più antica, misto a colluvio (fig. 62). Una frequentazione di III secolo avanzato è altresì evidente nel complesso in PC 86, all'estremità sud-ovest del pianoro (fig. 22, in alto a destra), la cui pianta, tuttavia, è ancora da chiarire.

7) Il complesso A

I) *Organizzazione generale del complesso*

Fra il gruppo di edifici che compongono l'abitato sul pianoro centrale, il Complesso A, come già accennato, è quello che maggiormente ha consentito lo studio della pianta e l'organizzazione degli spazi abitativi e, grazie all'eccezionale stato di conservazione di alcune delle sue parti, ha permesso altresì la interpretazione della specifica funzione dei diversi ambienti. Anche se un calcolo dell'area complessivamente occupata dal complesso non può effettuarsi in maniera univoca, date le modifiche apportate nel corso del IV secolo a.C., appare chiaro che una superficie compresa fra i 300 mq. (per la pianta originaria con portico su tre lati) e i 450 mq. (per la pianta complessiva con aggiunta degli ambienti A1-A2 a sud ed estensione dell'area nord) (fig. 63) risulta assai al di sopra delle dimensioni medie di abitazioni coeve di rilievo[26]. Il grande cortile basolato in posizione di centralità (ancor più evidente nella pianta originaria del complesso della prima metà del IV secolo) costituiva l'elemento architettonico e spaziale fondamentale nella organizzazione dei diversi ambienti del complesso. Allo stato attuale il cortile è conservato su di una superficie di ca. m. 8 x 5 ma è chiaro che in antico esso risultava assai più allungato in direzione est-ovest. Il canale di drenaggio F 156, in direzione sud-est/nord-ovest, che corre lungo il margine dell'area basolata, doveva attraversare diagonalmente l'area di cortile. Nonostante lo stato di sconvolgimento in cui è stata rinvenuta l'area immediatamente ad ovest della superficie basolata[27] che corrisponde ad un massimo di sollevamento di frana (fig. 78), due elementi rinvenuti nel corso dello scavo rendono assai verosimile l'ipotesi che l'area di cortile si estendesse verso ovest su di una superficie almeno equivalente a quella dell'area di A4, ricoperta da pavimento di grossi basoli di calcare.

Il primo dei due elementi è costituito da una piattaforma quadrangolare in pietre irregolari di piccolo taglio (F 302) di ca. m. 1,0 x 0,80, che sembrerebbe connessa con l'attività rituale incentrata su F 11[28]; il secondo dei due elementi è rappresentato da una depressione allungata e poco profonda nel terreno naturale (US 303) evidentemente utilizzata per piccole deposizioni votive e sacrificali, dato che conteneva sul fondo una base di statuetta votiva (V **18**) una lucerna ed ossa di animali ed era poi stata livellata con argilla rossastra[29]. Qualche indizio sulla estensione di quest'area a cielo aperto (di cui non è possibile dire se fosse pavimentata in antico con

---

26 Fra i raffronti più significativi sono l'abitazione rurale/fattoria di Vari in Attica (Graham *et al.* 1973, pp. 366-367, figg. 2-3) e la fattoria di Cersosimo/Madarossa (La Genière 1971, p. 258 e tav. 11), per citare due esempi dal paesaggio rurale tardo-classico di aree rappresentative del mondo Mediterraneo. La fattoria di Montegiordano, purtroppo non pubblicata, anche se paragonabile per dimensioni (ca. 400 m^2) e distribuzione degli ambienti, presenta uno spesso muro perimetrale ed una probabile torre che la avvicinano piuttosto alle fattorie fortificate della *chora* del Chersoneso. Purtroppo è difficile ricostruire, allo stato attuale dei dati disponibili, la pianta più antica della fattoria/villa di Tolve nella Lucania interna (*Tolve* 1982, p. 89) ma è probabile che già nella fase di fine IV secolo a.C. il cortile porticato fosse un elemento centrale dell'impianto. Interessante per raffronti strutturali di carattere generale e per le dimensioni degli ambienti è il coevo 'edificio dei thymiateria' dalla Civita di Artena (Lambrechts e Fontaine 1983, pp. 196-197, fig. 9). Quanto a contesti urbani o 'pseudo-urbani', è da notare che alcune delle case più ricche di Monte Sannace (*Gioia del Colle* 1962, pp. 152-153) presentano vari elementi di raffronto. Le case ellenistiche da Morgantina (De Miro 1980, pp. 724-732 e figg. 16-18; Tsakirgis 1983, Casa dell'ufficiale e Casa di Ganimede) come pure quelle da Locri Epizefirii (Barra Bagnasco 1985; *Locri* 1980), pur presentando alcune analogie di pianta, presentano, in generale, una diversa distribuzione degli spazi.

27 Nell'area immediatamente a sud-ovest del cortile basolato rinvenuto sono stati identificati i solchi da aratura, sul banco di scisto argilloso, a soli 30/40 cm. al di sotto del piano di campagna.

28 Si veda la documentazione su vari esempi di *eschara* da un contesto 'palaziale' coevo, in *Seuthopolis*, 1978, pp. 48-52.

29 Paragonabili tipi di deposizioni votive, sulla 'soglia' di accesso ad un'area di cortile, anche se di datazione più recente, sono documentati nella villa di Posta Crusta (Ordona) (De Boe 1975, fig. 33).

basoli di calcare o semplicemente con argilla battuta, dato l'interro minimo in questo settore dello scavo) è fornito da un grosso blocco di calcare rinvenuto ca. 4 m. ad ovest dell'angolo sud-ovest del basolato, chiaramente appartenente al cordolo in blocchi che delimita, su tre lati, l'area basolata. L'area di sconvolgimento sul lato ovest del complesso si estende su di una fascia larga ca. 6 metri. Tuttavia, il rinvenimento di un allineamento di muro all'estremità ovest dell'area e la presenza di una strada di basoli e ciottoli (F 416), che corre lungo la fronte ovest del complesso, ci consente almeno di ricostruire con un minimo di approssimazione la larghezza (est-ovest) del complesso, cioè circa 18 metri (Tav. IX fuori testo). L'esistenza di un 'vestibolo' fra la strada ed il cortile è opinabile, sulla base del rinvenimento di allineamenti di muri (F 401) anche se piuttosto frammentari. Pertanto è ipotizzabile che l'estensione est-ovest del cortile fosse di almeno 8 m. e probabilmente sino a 10 m. (con una larghezza di ca. 8 m.). Non è dato ricostruire in maniera più precisa la sistemazione del lato ovest dello stesso a causa della frammentarietà dei dati. Ciononostante è possibile affermare che il suddetto cortile, con portico a colonne su tre lati doveva conferire un carattere di notevole monumentalità al

Fig. 65 Veduta dell'ambiente A7/A8 con muro 361 spianato a livello del pavimento di Fase IIB.

complesso nel suo insieme, che non è dato riscontrare nei due altri complessi adiacenti (B e C).

A parte la probabile presenza di un vestibolo e della strada sul lato ovest, la pianta originaria del complesso doveva includere un accesso principale all'area porticata anche da est. Come già detto, una porta d'ingresso (F 55) nel muro perimetrale del portico est (F 17) apriva sulla stradina basolata (F 271) lungo il lato est del complesso (fig. 72a, b). Indirettamente essa prova anche l'esistenza di altre abitazioni sul terrazzo retrostante, poco più a monte (peraltro segnalate da rinvenimenti sporadici di ceramica nei livelli di colluvio e dal rinvenimento recente di un massiccio muro di sostruzione ca. 50 m. ad est) (fig. 64).

Fig. 64 Pianoro centrale: muro di sostruzione in grossi blocchi, a monte del complesso A (Saggio Vauzi 1989: si veda la tav. VII fuori testo).

Allo stesso tempo tali elementi sottolineano la centralità del complesso A nel contesto abitativo del pianoro centrale. L'occlusione dell'ingresso F 55 deve essere avvenuta in connessione con i primi cedimenti del suolo che hanno suggerito la costruzione del muro di terrazzamento F255 il quale ha parzialmente obliterato la via di accesso: è difficile datarne il momento esatto di costruzione, anche se è certo che ciò sia avvenuto prima dell'accumulo degli scarichi (US 118-119-120, FB 109 III A-B e 141-148-163) datati all'inizio del III secolo a.C. (al passaggio fra la fase IIB e la fase III). La chiusura della porta F 55 deve aver senz'altro modificato l'orientamento generale dell'accesso al cortile basolato, conferendo pertanto un'accresciuta importanza all'accesso da ovest, lungo la strada acciottolata F 416. Sembrerebbe pertanto improbabile che l'edicola votiva F 11, così com'è stata rinvenuta con tetto a doppio spiovente, la porta ad ovest ed un minimo di decorazione frontonale (la placca della testata del trave di culmine, probabilmente dipinta, N. **526**), fosse già in esistenza prima di un tale cambiamento nella direzione di accesso al cortile.

Essa deve pertanto costituire un elemento aggiunto all'angolo nord-est del cortile nella seconda metà del IV secolo a.C., come del resto si può dedurre dalla presenza di deposizioni votive, certamente anteriori alla costruzione di F 11, in pozzetti o depressioni naturali del piano di argilla scistosa (ad esempio US 303, *infra*, cap. 4). È altresì da sottolineare al proposito che alcuni dettagli della costruzione dell'angolo nord-est di F 11, quale la presenza di un grosso blocco d'imposta assai più grande dei blocchi normalmente adoperati (fig. 108), fanno pensare che F 11 sia stata costruita su di una superficie basolata già parzialmente inclinata verso nord, e quindi in una fase avanzata d'uso del basolato.

Anticipando un dato che verrà discusso con maggior dettaglio nel capitolo relativo alla descrizione del deposito votivo (*infra*, cap. 4) può pertanto supporsi che in una fase iniziale di utilizzazione del cortile porticato quale area cerimoniale, si sia fatto uso esclusivamente di elementi quali la piattaforma in pietre F 302 e il pozzetto US 303 per l'attività rituale, mentre nella seconda metà del IV secolo è stato costruito un piccolo *oikos* F 11 con relativo altare (F 13), completo di tetto di tegole e con un minimo di decorazione architettonica. L'analisi dettagliata degli apprestamenti cultuali sul cortile basolato è presentata nel cap. 4, *infra*.

Fig. 66 a) Fitta concentrazione di frammenti d'intonaco al di sotto del crollo del tetto nell'ambiente A7/A8 (da est).

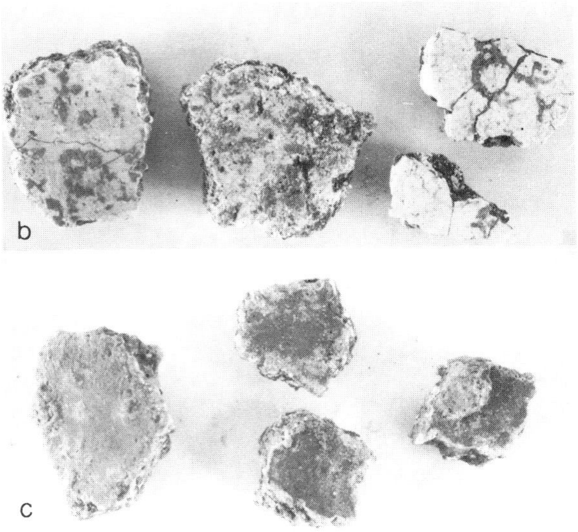

Fig. 66 b) Frammenti d'intonaco bianco nell'ambiente A7/A8.

c) Frammenti d'intonaco rosso dallo stesso ambiente.

Considerando ora le dimensioni generali del Complesso A e la sua collocazione nel contesto 'urbanistico' dell'insediamento fortificato, una sua funzione abitativa è fuori dubbio. Non è dato tuttavia stabilire con precisione dove si trovassero e come funzionassero gli ambienti più propriamente residenziali, soprattutto nella fase iniziale del complesso con portico su tre lati (fase IIA) prima degli ampliamenti di IV secolo inoltrato (fase IIB). La larghezza dell'area compresa fra il cordolo di grossi blocchi rettangolari che limita a nord il basolato ed il probabile muro perimetrale nord della fase IIA (F 361), permette di ipotizzare la presenza di una serie di ambienti lungo il lato nord, al di là del portico. Un livello di abitazione (US 372), rinvenuto nell'ambiente A8 a diretto contatto con l'argilla rossa che ricopre il piano di scisto argilloso, lascia pensare ad un uso dell'area quale vano per attività domestiche (rinvenimenti di pesi da telaio) già nel momento più antico di uso dell'ambiente, che risultava di dimensioni più limitate di quello di IV secolo avanzato (ambiente A7/A8).

Nella fase IIB, come già accennato, il muro F 361 viene spianato al livello del pavimento e viene costruito un massiccio muro perimetrale nord (F 193, largh. m. 1,50), certamente anche a causa dei primi movimenti di frana (fig. 54). Un corridoio di ingresso, a mo' di *fauces*, che includeva una porta di una certa pretesa (una colonnina in calcare, N.

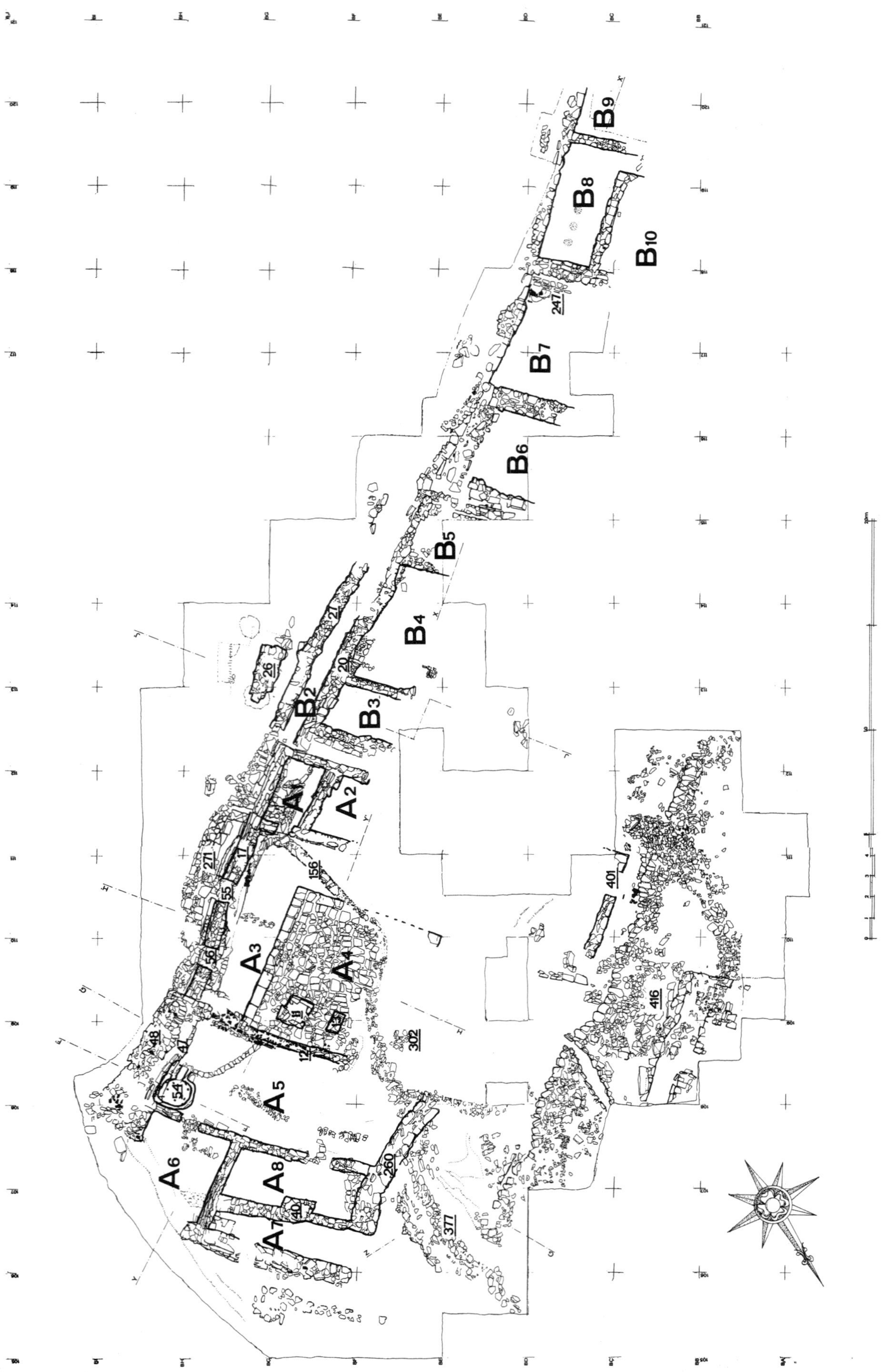

Fig. 67 Pianta degli edifici scavati sul pianoro centrale con denominazione dei vari ambienti e di alcuni degli elementi principali.

585, vi è stata rinvenuta in posizione di crollo[30]), viene creato nell'angolo nord-ovest del più vasto ambiente A7/A8. Una notevole quantità di frammenti di intonaco, sia bianco che rosso (fig. 66 a-c) sembrerebbero attribuibili a ricopertura della parete inferiore dei muri[31]. Complessivamente, dimensioni e struttura dell'ambiente A7/A8 lasciano pensare ad una sorta di prototipo di atrio[32], nonostante la sua posizione decentrata rispetto al corpo centrale porticato ed alcune incertezze sulla ricostruzione dell'angolo sud-ovest, successivamente rimaneggiato. Il massiccio muro F 260, a doppia faccia di grossi blocchi rettangolari, sembrerebbe appartenere alla stessa fase di F 193 (fase II B) venendo pertanto a costituire il muro perimetrale ovest di A7/A8, data la identità di dimensioni e tecnica costruttiva, anche se appare notevolmente alterato e smosso dal movimento del suolo (fig. 78, è stato rinvenuto in parte scivolato lungo la parete del canale F 377).

In un momento imprecisabile della fase IIB l'ambiente A5 viene separato dal cortile mediante un muro divisorio che viene a chiudere il portico su questo lato. L'assisa inferiore di questo muro di fase IIB è visibile sul cordolo in blocchi di calcare lungo il lato nord del basolato (fig. 68)[33], immediatamente al di sotto del muro di tegole (F 12) che vi si sovrappone all'inizio della fase III. Una tale ristrutturazione può essere stata causata da fattori naturali (*supra*, p. 55) ma è certamente alla base di un mutamento di destinazione dell'ambiente A5 che viene riutilizzato quale area di lavorazione, in connessione con alcune delle strutture lungo il lato nord (F 35 e F 36)[34] (fig. 50). Tale separazione verrà probabilmente accentuata nella fase III, con la costruzione della fornace nell'angolo nord-est dell'ambiente stesso (*infra*, p. 86) che crea una più netta distinzione fra la parte nord del complesso e la parte che gravita intorno al cortile basolato.

Il portico est (ambiente A3, fig. 67), che si estende per una lunghezza di ca. 10 m., doveva svolgere un'importante funzione di raccordo fra settore nord e settore sud del complesso A e rimane (almeno parzialmente) in uso nel corso della fase III come indica l'ingresso che metteva in comunicazione A5 con A3, anche dopo la costruzione del muro di tegole (F 12). Come già accennato nel paragrafo precedente, i materiali rinvenuti nello strato di abitazione (US 323 e 393) ne confermano una continuità di uso sino alla fase III avanzata (*supra*, p. 60).

Passando al settore sud del complesso, almeno uno degli ambienti a sud del portico è sufficientemente caratterizzato dai reperti e dal tipo di strutture rinvenutevi, in maniera tale da consentire di ricostruirne la funzione. L'ambiente A1, di ridotte di-

Fig. 68 Muro in pietre al di sopra del cordolo nord del cortile basolato (A4), con muro di tegole (F 12) che vi si sovrappone (cfr. anche figg. 52 e 55).

[30] Il diametro della colonnina (cm. 20) è sensibilmente inferiore a quello delle colonne adoperate per il tetto del portico. Lascia pensare ad una decorazione dell'ingresso (dov'è stata rinvenuta in posizione di crollo), o appartenente alla 'eschara' (?) F 40 al centro della stanza.

[31] L'uso di intonaco (sia bianco che rosso) per ricoprire lo zoccolo dei muri o pilastri e colonne è ben documentato per edifici coevi in siti paragonabili quali Tiriolo (Spadea 1977, p. 144) e la fattoria di Montegiordano (cortese comunicazione di S. Luppino, Reggio Calabria).

[32] Si vedano anche le considerazioni già fatte (*supra*, n. 21) sulla funzione dell'elemento 40 (vasca/piattaforma) nel contesto della organizzazione del vasto ambiente.

[33] Dato il tipo di costruzione assai caratteristico ed omogeneo del muro di tegole F 12, con grosse tegole piane poste con i margini verso le due facce del muro, per cui esistono raffronti puntuali da altri siti, la presenza di un filare di blocchi di media e grossa taglia, fra la base del muro stesso e lo stilobate del basolato, non lascia dubbi sulla esistenza di un muro in pietre al di sopra del cordolo precedentemente alla costruzione di F 12 che si data all'inizio della fase III.

[34] La interpretazione cronologica del gruppo di strutture nella parte nord di A5, lungo il muro F 28 è incerta. In un caso almeno, rappresentato da una piattaforma di tegole con uno strato di bruciato al di sopra (F 35), è possibile pensare ad un'area di lavorazione, che si può genericamente inquadrare nell'ultimo quarto del IV secolo a.C., quindi ancora nella fase IIB. Più probabilmente collegato con l'uso della fornace è invece l'elemento F 36 (vaschetta costruita con tegole poste di taglio, per cui si vedano i raffronti da Locri, in Barra Bagnasco 1985 e Medma in *Medma* 1981, p. 105). Una 'base di armadietto', costruita con tegole capovolte (F 35 bis) potrebbe essere invece riferibile, unitamente alla caduta di pesi da telaio (NN. **465**, **466** e **469**), ad una più tarda utilizzazione domestica (riuso della fornace quale forno) dell'ambiente A5.

Fig. 69 a) Veduta generale dell'ambiente A1, in corso di scavo (da nord).

mensioni (ca. m. 3 x 2), apre sul lato sud del portico ed occupa l'angolo sud-est del complesso. Unitamente all'ambiente A2, contiguo ad ovest, e di altri ambienti allineati lungo il portico sud, non chiaramente identificabili (eccezion fatta per l'angolo sud-ovest, F 404, dell'ambiente all'estremità ovest) esso costituisce parte di un ampliamento del complesso, verso la fine della fase IIA o all'inizio della fase IIB, che viene ad aggiungere un gruppo di ambienti per uso abitativo. Una diramazione del lungo canale che attraversa il complesso (F 156) rinvenuta immediatamente al di sotto del pavimento in argilla battuta, costituisce un elemento caratterizzante dell'ambiente A1 (fig. 69 b). Inoltre, lungo la parete est si trovano (da nord a sud): una piattaforma quadrangolare (F 281) (ca. m. 1,0 x 0,80) costruita con tegoloni capovolti ed adoperata come focolare, su cui è stata rinvenuta *in situ* una pietra arrotondata e piatta (usata come base) e frammenti di pithos (fig. 70); una piattaforma, contigua al focolare, costituita da un massiccio blocco di calcare, su cui è stato rinvenuto un grosso contenitore in terracotta con lo skyphos (N. **75a**) all'interno; ed infine un bacino a settore circolare, limitato da blocchi di calcare, con il fondo tappezzato da tegole piane (F 200, fig. 71). Un piccolo saggio stratigrafico effettuato nella parte sud del bacino ha evidenziato che la parte inferiore di esso è costituita da un riempimento di piccole pietre irregolari e scaglie di calcare di piccole dimensioni, identico a quello del canale F 156 e quindi relativo alla funzione di deflusso della struttura. È altresì evidente che la dira-

Fig. 69 b) Canalizzazione nell'ambiente A1, collegata con il canale di drenaggio principale (F 156) nel portico A3 (da ovest).

mazione del canale principale F 156, che attraversa l'ambiente in direzione nord-sud, si connette al fondo del bacino (F 200) stesso, non lasciando dubbi sul fatto che esso venisse utilizzato quale vasca/drenaggio. I grossi contenitori in terracotta rinvenuti sia sul focolare (F 281) che sulla piattaforma di calcare adiacente fanno pensare al riscaldamento di rilevanti quantità di acqua come funzione del focolare nell'angolo nord-est (la base di pietra doveva essere opportunamente utilizzata quale 'fornello'). Sembra altresì significativo il rinvenimento dello skyphos, all'interno di un dolio *in situ* sulla piattaforma calcarea, evidentemente adoperato quale attingitoio. L'associazione funzionale del focolare, grossi contenitori per liquido e, in modo particolare, la vasca con drenaggio nell'angolo sud-est suggerisce una destinazione dell'ambiente a vano per 'abluzioni' o forma rudimentale di bagno, di un tipo che precede lo sviluppo del bagno a semicupio con infissi in terracotta, esemplarmente documentato nella fattoria di Tolve/Moltone [35] nel corso del III secolo (per rimanere nell'area indigena della Magna Grecia).

Le dimensioni stesse dell'ambiente [36] possono aggiungere elementi in favore di una simile interpretazione per A1. Una identificazione del genere rafforza altresì l'impressione, fornita dalla pianta, della esistenza di una serie di ambienti residenziali contigui lungo il lato sud del complesso A. È difficile, d'altra parte, ipotizzare la funzione dell'ambiente A2, immediatamente ad ovest di A1, i cui muri nord e sud si interrompono bruscamente su di un rialzamento di frana, ricoperto da soli 25/30 cm. di humus. È notevole che, sulla base del rinvenimento dell'angolo sud-ovest di questo allineamento di ambienti e di un ingresso sulla strada F 416, con probabile vestibolo di accesso, la rimanente lunghezza di 12 metri può ipoteticamente dividersi in almeno due ambienti lunghi ca. 6 metri ciascuno (su di una larghezza di 3 metri, rilevata per A1 ed A2) (fig. 63).

Per il resto del complesso, il settore ovest è assai frammentariamente conservato e non risulta, neppure ipoteticamente, possibile formulare la funzione dei diversi ambienti, eccezion fatta per la presenza di una probabile estensione del cortile verso ovest già discussa in precedenza. La strada in ac-

Fig. 71 'Vasca' a settore circolare nell'angolo sud-est dell'ambiente A1 (da nord).

Fig. 70 Ambiente A1: piattaforma con focolare (F281) nell'angolo nord-est e grosso contenitore di terracotta, *in situ* (da ovest).

[35] Sul bagno a semicupio da Tolve, G. Tocco in *Tolve 1982*, p. XIV. Alcuni ambienti di case da Monte Sannace sono stati interpretati quali bagni sulla base dei materiali rinvenuti e la canalizzazione (*Gioia del Colle* 1962, p. 142-143. Le dimensioni della stanza da bagno da Monte Sannace sono di ca. m. 3x2). Per un esempio coevo o immediatamente successivo di bagno pubblico si veda il complesso da Velia recentemente scavato (GANGEMI 1987, p. 84).

[36] Le dimensioni del bagno da Tolve sono di m. 3,50 x m. 2,50; si raffrontino anche con le dimensioni del bagno da Monte Sannace (*Gioia del Colle* 1982, p. 142) di ca. m. 3x2 e del bagno di una casa repubblicana da Megara Hyblæa (VALLET *et al.* 1983, p. 14-15).

ciottolato (F 416), con 'marciapiede' in blocchi rettangolari, di larghezza compresa fra 2 e 3 metri, rinvenuta lungo la fronte ovest del complesso (fig. 76) costituisce il limite dello stesso almeno nella sua sistemazione finale. Tuttavia, non è da trascurare il fatto che il drenaggio naturale, profondo oltre 1 metro, all'angolo nord-ovest del complesso (F 377), in cui si immette il lungo canale F 156, doveva costituire un certo elemento di discontinuità nella sistemazione di questa parte del complesso A (fig. 78). È pertanto presumibile che il massiccio muro F 260 rinvenuto scivolato lungo la parete est del canale di drenaggio, oltre a rappresentare il muro perimetrale, costituisse altresì un poderoso terrazzamento ai limiti del canalone. L'accesso al vano A7/A8 ed al settore nord del complesso doveva pertanto avvenire dall'area nord, sinora non esplorata.

II) *Tecniche edilizie*

L'eccezionale stato di conservazione di un vasto settore del complesso A ci permette di discutere con abbondanza di dati sia le tecniche di costruzione dei muri che il tipo di ricopertura degli edifici, come pure altri aspetti raramente documentati in siti coevi, quale il sistema di canalizzazione di edifici particolarmente esposti all'azione di infiltrazioni di acque superficiali. Tale documentazione, come appare chiaro dalla precedente discussione del complesso A, si riferisce prevalentemente al IV secolo a.C. La documentazione di V secolo a.C., d'altra parte, è limitata ad un tipo di muro su zoccolo (larghezza ca. 40 cm.) di pietre irregolarmente tagliate, con elevato in mattone crudo, che trova riscontro in siti coevi ed aree geografiche contigue[37]. Il tetto era quasi certamente in tegole, anche se non sono stati rinvenuti crolli attribuibili con certezza ad edifici di V secolo a.C. ed il tipo di coppi più comunemente adoperati per questa fase era del tipo pentagonale (o 'corinzio') il cui uso è peraltro documentato per i resti di un canale di scolo rinvenuto al di sotto del pavimento dell'ambiente A5[38], probabilmente relativi all'edificio di V secolo (F 34).

Per il IV secolo a.C., invece, disponiamo di una ricca documentazione di diversi tipi di strutture murarie, e per alcune tecniche edilizie si può anche postulare una rilevanza cronologica. Il tipo più comune di costruzione adoperato per il complesso A è costituito da due facce di blocchi rettangolari (o almeno con faccia vista accuratamente tagliata) di medie dimensioni, con riempimento di pietre, scaglie e, a volte, frammenti di tegole. Si riscontrano, soprattutto nella fase IIB finale e fase III, ripiani di tegole fra le assise del muro. In alcuni dei muri ca-

Fig. 72 a) Tecnica di costruzione del muro perimetrale del portico A3 (muro F 17), con ingresso (F 55) rinvenuto bloccato (da nord-est).

ratterizzati da una tecnica costruttiva più accurata (come ad esempio F 17) i filari sono costruiti con una doppia faccia di blocchi perfettamente rettangolari composti in assise di eguale spessore (fig. 72 a). Per i muri perimetrali in zone particolarmente accidentate i blocchi adoperati sono assai più massicci e sono paragonabili a quelli adoperati per il muro di

[37] L'uso di elevato in mattone crudo per edifici coevi viene generalmente postulato, anche se assai scarsamente documentato (per una possibile documentazione sul sito in esame, si veda il caso del muretto 185, discusso *supra*, F 185 p. 63).

[38] Si è ipotizzato per un sito pressappoco coevo (BENCIVENGA TRILLMICH 1988) che i coppi di tipo corinzio vadano fuori uso agli inizi del IV secolo a.C. A Roccagloriosa l'evidenza delle tombe è a sostegno di una tale ipotesi (si veda la t. 6, datata 400-390 a.C. in GUALTIERI 1984, pp. 305-309). Una tale considerazione non può tuttavia adottarsi quale criterio specifico di datazione per i coppi (presumibilmente riadoperati) inclusi nelle opere di canalizzazione, anche se non si può escludere a priori che i canali costruiti esclusivamente con coppi di tipo corinzio possano essere anteriori a quelli che usano coppi a sezione semi-circolare.

fortificazione. Un simile tipo di costruzione è particolarmente evidente nel muro perimetrale nord di fase IIB (F 193, fig. 54) e nel muro perimetrale ovest (F 260, fig. 51, *supra*), che probabilmente aveva la duplice funzione di parete ovest dell'ambiente A8 e terrazzamento ad est del profondo canale naturale di drenaggio (F 377). Di rilievo, in almeno un caso (F 17), è un tipo di costruzione 'a scaletta' della faccia esterna del muro in corrispondenza di un accentuato declivio (fig. 72a), tecnica simile a quella riscontrata nella costruzione del muro di fortificazione in prossimità della porta centrale (*supra*, p. 21). Il muro di fondo del portico A3, conservato sino ad un'altezza di ca. m. 1,60, molto probabilmente costituisce anche un caso (raro) di un muro completamente costruito in blocchi di calcare, come sembra indicare il massiccio crollo (US 98) rinvenuto lungo tutta la faccia interna del muro stesso e nell'angolo sud-est dell'ambiente A5[39]. Nelle altre parti del complesso A, almeno parte dell'elevato potrebbe essere stata costruita in mattone crudo, anche se molti dei muri sono conservati per almeno 3 o 4 assise. Il potente strato argilloso, assai compatto e con molti residui carboniosi (US 38 e 38') che ricopriva la maggior parte del settore est del complesso è in parte attribuibile ad accumulo di argilla derivante dal degrado del mattone crudo, mescolato con colluvio. Un breve tratto di elevato di muro in mattone crudo è documentato in un ambiente del Complesso B, dove un muretto tardo (F 185 di fase III o più tarda frequentazione) è stato costruito su di uno spesso strato argilloso che insiste su di un filare di blocchi di II fase (F 205), rispettandone l'allineamento (fig. 62, *supra*).

Per i muri di terrazzamento, come pure per i rifacimenti di III fase ed i muri di rinforzo, la tecnica edilizia è assai più approssimata. In un caso (F 48) il muro di terrazzamento, costruito per proteggere il muro perimetrale F 47 e riempire uno spanciamento creato dallo scivolamento del terreno, aveva l'aspetto di un vero e proprio muro ad aggere (fig. 73). Per i muri di rifacimento di varie parti del Complesso A durante la fase III, o nella frequentazione di III secolo avanzato, viene adoperato un tipo di costruzione con singolo filare di blocchi piuttosto massicci e rozzamente squadrati, come ad esempio il rifacimento del muro F 17 (fig. 59a-b) ed il muretto F 23 (di III secolo inoltrato), al di sopra della fornace. Un caso unico nelle aree abitative sinora scavate è rappresentato dal muro F 12, largo ca. 40 c.m, costruito molto accuratamente con assise di embrici (fig. 74), occasionalmente cementate con

Fig. 72 b) Dettaglio dell'ingresso bloccato.

Fig. 73 Muro di contenimento (F 48) lungo la parete est dell'ambiente A5, costruito con pietrame irregolare.

[39] A giudicare dalla posizione di caduta del pietrame del massiccio muro, tutto ad ovest del muro stesso, non è da escludere la possibilità che il crollo stesso sia stato dovuto a fenomeno sismico, non estraneo alla geomorfologia della zona (*supra*, capitolo 1).

Fig. 74 Muro di tegole di III Fase (F 12) che separa l'ambiente A5 da A3/A4.

Fig. 75 Resti del piano pavimentale in argilla battuta nell'angolo sud-est del portico A3 (da est).

argilla. I migliori raffronti per un tale tipo di costruzione provengono da Rivello/Piani di Pignataro e Tiriolo, anche se non mancano ottimi raffronti nell'impianto ellenistico di Heraclea[40]. Significativamente, i raffronti da Rivello si riferiscono ad un vano che includeva alcune fornaci per ceramica, di cui una è stata rinvenuta con l'ultimo carico di cottura *in situ*, e pertanto datata con precisione intorno al 300 a.C.[41]. I muri dell'abitato di Tiriolo[42], che includono anche un laterizio raffrontabile ai mattoni velini, provengono da un 'edificio signorile' datato nel corso del III secolo a.C. e sembra rilevante il fatto che lo scavatore ritenne che «ragioni sismiche... o necessità termiche presiedessero al progetto di questi muri»[43].

I cedimenti del suolo e la natura argillosa del terreno hanno alterato la maggior parte dei piani pavimentali all'interno degli edifici. In quei casi in cui esistono elementi di canalizzazione all'interno degli ambienti, uno strato di terreno compatto, immediatamente al di sopra della copertura del canale (in lastre di calcare o tegole), costituisce un chiaro indizio del pavimento antico. È questo il caso del canale F 241 nell'ambiente A5, appartenente alla fase IIA. Parimenti il canale principale F 156 presenta l'estremità sud-est, che attraversa diagonalmente il portico sud, ricoperta da basoli di calcare (figg. 69b, 75). Negli altri casi il pavimento era costituito da un battuto di argilla, spesso direttamente a contatto con il flysch scistoso, come è indicato da un tratto ben conservato di piano pavimentale alla estremità sud del portico A3 (fig. 75). Per le aree a cielo aperto la pavimentazione a basoli di calcare è eccezionalmente ben documentata per un vasto tratto del cortile A4. Non è possibile invece dire se la parte del cortile ad ovest del canale F 156 fosse anch'essa basolata o se fosse semplicemente costituita dalla superficie del flysch spianato con argilla, come nel caso delle aree di cortile dei Complessi B e C. L'assenza di una sia pur minima trac-

---

[40] Il muro in tegole piane che delimitava l'ambiente per officina da vasaio a Rivello/Pignataro è mostrato in diapositiva nell'Antiquarium di Rivello (cripta di S. Nicola). I raffronti da Heraklea sono sommariamente discussi in *Atti Taranto,* 9, 1969, p. 236-237. Da considerarsi anche il muro in coppi scavato da J.-P. Morel a Cozzo Presepe (*Cozzo Presepe* 1970, figg. 7-8) anche se più massiccio e adoperato quale muro di terrazzamento/fortificazione.

[41] Dati cortesemente comunicati dallo scavatore, P. Bottini. Si veda anche una sommaria presentazione in Bottini P. 1984, p. 482, tav. 82a.

[42] Su Tiriolo, in generale, Ferri 1927, pp. 339-340, fig. 3 e Spadea 1977, pp. 144-152.

[43] Ferri 1927, p. 337. Si vedano anche le considerazioni generali di Spadea 1988.

cia di basoli nello scavo estensivo effettuato nel settore ad ovest del canale lascia pensare che la seconda ipotesi sia più attendibile. Una pavimentazione a basoli di calcare è altresì adoperata, in almeno due casi, per le aree di calpestio all'esterno degli edifici, quali F 271 lungo la faccia esterna del muro F 17 (all'esterno del portico A3) e F 138, molto probabilmente relativa all'edificio di V secolo, dato che vi si sovrappone il muro perimetrale F 260 datato nel IV secolo. La tecnica adoperata per F 271, che costituisce l'esempio meglio conservato di una stradina basolata, si avvale di grossi basoli di calcare lungo il lato che costeggia il muro (particolarmente in corrispondenza delle soglie degli ingressi F 55 e F 56), mentre invece il restante piano di calpestio è ottenuto con piccoli blocchi e pietre irregolari (fig. 72b). Una tecnica analoga, con modifiche richieste dalla conformazione del piano naturale è adoperata per la 'strada' (F 416) lungo la fronte ovest del Complesso A (fig. 76).

Questa struttura, ancora non completamente scavata, mostra un chiaro allineamento di blocchi lungo il lato est (quello lungo l'edificio) mentre la parte centrale è composta da un piano di acciottolato con pietre irregolari, eccetto per il tratto centrale, probabilmente in corrispondenza di una porta di accesso al complesso, dove si notano due file di basoli.

Fig. 76 Strada acciottolata (F416) lungo la fronte ovest del complesso A (da nord): è visibile, all'estremità sinistra nel centro, un tratto conservato del muro perimetrale ovest del complesso A.

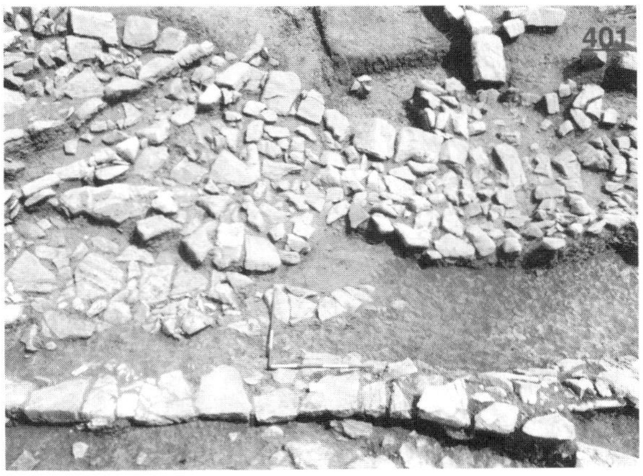

Fig. 77 Estremità nord della strada F416 (da ovest) con canale di drenaggio.

Una simile pavimentazione in grossi basoli e ciottoli era adoperata, almeno in parte, per la pavimentazione della intercapedine fra il complesso A ed il complesso B (fig. 58b).

III) *Sistemi di canalizzazione*

Il carattere di monumentalità ed il ruolo preminente del complesso A nell'ambito del pianoro centrale sono sottolineati anche dall'elaborato sistema di drenaggio rinvenuto nei principali ambienti ed imperniato sul lungo canale F 156 che attraversa diagonalmente il complesso.

Esso sfocia in un canale di drenaggio naturale costituito da un profondo fossato (F 377) esistente nell'angolo nord-ovest del complesso che era stato opportunamente rinforzato sul fondo da una linea di blocchi di calcare (F 343) in modo da terrazzarlo e, allo stesso tempo, facilitarne la funzione di scolo principale (fig. 78). Il canale F 156, che si snoda per una lunghezza di ca. 18 metri lungo la diagonale sud-est/nord-ovest è formato da un taglio ad 'U' nel flysch (tav. X fuori testo, sez. HH'), profondo ca. 50 cm. e riempito da pietre irregolari di piccola taglia. Più eterogenea è la struttura del canale che costituisce la continuazione del canale principale F 156 lungo la parte est del portico A3. La sua estremità nord (F 350) è costruita con lastre di calcare poste di taglio, ricoperta da lastre simili poste orizzontalmente (fig. 79). La parte centrale e quella sud,

Fig. 78 Veduta dell'angolo nord-ovest del complesso A, con canale F377 e muretto di puntellamento F 343. Si nota il sollevamento di frana ad ovest di A 4 e l'interro minimo in quell'area.

invece, sono costruite con tegole poste di taglio ed un tratto di probabile ricopertura in frammenti di tegole è stata rinvenuta all'estremità sud (fig. 80). La parte in tegole del canale (F 351) potrebbe peraltro rappresentare un rifacimento coevo alla chiusura dell'ingresso F 55, considerando il fatto che il canale F 156 (di cui F350/351 rappresenta l'estensione ad est) appartiene all'impianto originario del complesso. La funzione di un tale canale lungo il muro di fondo del portico A3 era evidentemente quella di far defluire l'acqua di infiltrazione, proveniente dal declivio retrostante, nel canale principale (F 156). Una più chiara distinzione di due diversi momenti di costruzione dell'impianto di canalizzazione è stata documentata nell'ambiente A5. In questo caso il canale più antico (F 241) appartenente alla costruzione originaria dell'ambiente, è costruito con doppia fila di lastre di calcare poste di taglio, ricoperta da lastre poste orizzontalmente (fig. 81). Esso aveva evidentemente la stessa funzione assegnata al canale dell'ambiente A3, già discusso. Come già menzionato, lo sbocco di F 241 sul cortile è stato individuato nel cordolo di blocchi rettangolari che limitava il cortile sul lato nord (fig. 55, *supra*). Nel corso della fase IIB, o anche all'inizio della fase III, in cui l'abbassamento del livello del suolo su questo lato del complesso ha reso impraticabili i suddetti canali, un nuovo canale (F 238/F 362)[44] viene costruito con tecnica più rozza, adoperando coppi e fram-

[44] È incerto, invece, se il canale F 362 si congiungesse con il più lungo canale F350 nell'ambiente A3, lungo la base del muro F 17, come apparirebbe dalla pianta ricostruttiva (fig. 63) che, nella fase IIA non mostra alcuna separazione fra l'ambiente A3 e la parte est dell'ambiente A5. In mancanza di evidenza specifica (le più tarde modifiche hanno nettamente separato i due ambienti), sembra più probabile che F 362 servisse a drenare la parte est dell'ambiente A5, defluendo in F 238, mentre F 350-351 costituiva il drenaggio principale dell'area portico/cortile basolato (A3-A4).

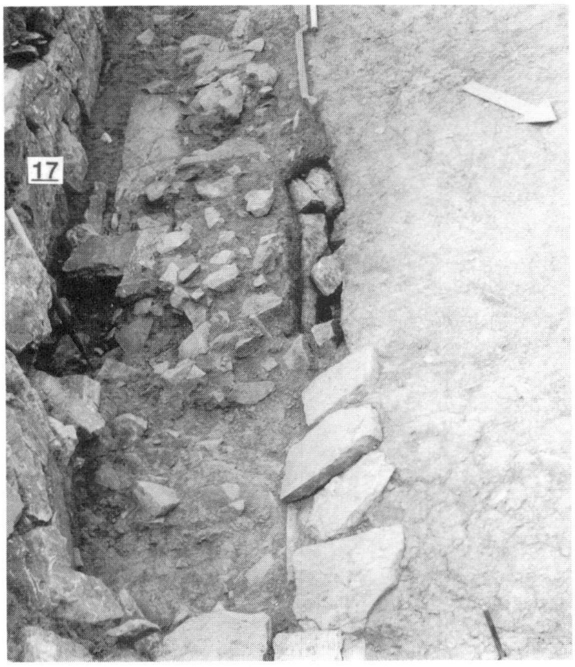

Fig. 79 Il canale F350 nel portico A3 (da nord).

menti di tegole misti a pietrame in maniera assai simile a quello meglio conservato sul pianoro sud-est (*infra*, p. 95). Il canale F 238, che sostituisce la canalizzazione precedente e vi si sovrappone (co-

Fig. 80 Settore sud del canale F 350 (da ovest), costruito con tegole poste di taglio (probabile rifacimento).

Fig. 81 Due fasi di canalizzazione nell'ambiente A5: il canale 241 (della Fase IIA), in primo piano, ed il canale F 238-362, in tegole (della Fase IIB/III).

m'è stato chiaramente documentato nella parte centrale dell'ambiente, figg. 68 e 81), attraversa A5 longitudinalmente lungo la parete sud e doveva defluire direttamente nel canale principale F 156 anche se non è stato possibile documentare quest'ultimo aspetto a causa del rialzamento di frana che ha profondamente modificato le quote pavimentali nel settore ovest dell'ambiente.

IV) *Sistema di ricopertura degli edifici*

In tutto il settore est del complesso A i tetti (di tegole piane e coppi) sono eccezionalmente ben conservati al di sotto dello strato di crollo dei muri o, in altri casi, sotto uno spesso strato di colluvio, probabilmente includente i resti argillosi derivanti dai mattoni crudi.

Lo stato di conservazione dei crolli, rinvenuti generalmente all'interno degli ambienti, lascia pensare che gli spioventi del tetto fossero relativamente poco inclinati. Una simile considerazione può essere valida anche per il tetto a spiovente unico del portico (la documentazione è conservata soltanto per il portico est A3), il quale è stato recuperato nella parte nord dell'ambiente, all'interno del cordolo di blocchi su cui poggiavano le colonne (fig. 82), mentre appaiono quasi insignificanti i frammenti rinvenuti sulla superficie del basolato[45]. Nonostante l'assenza di documentazione, un simile tipo di tetto è ipotizzabile per il portico a sud del cortile (conservato solo in minima parte) e, molto probabilmente, per il portico nord, la cui documentazione tuttavia è stata modificata dal riuso successivo dell'ambiente.

Probabili acroteri a disco, con scanalature concentriche (NN. **528-529**), rinvenuti in diverse parti del sito, potrebbero appartenere sia alla decorazione della testata del *columen* che agli spigoli laterali (a quest'ultimo sembrerebbe appartenere un frammento di acroterio rinvenuto in strato di crollo fra l'ambiente A3 e l'ambiente A1 (N. **528** nella US 335).

Due dei frammenti di antefisse, uno dei quali (N. **522**) è stato rinvenuto in livello di crollo nell'angolo sud-est del portico A3 e l'altro (N. **521**) incorporato in un muro più tardo del complesso B, sembrerebbero appartenere alla fase di V secolo. Il frammento di antefissa a palmetta (N. **523**), d'altra parte, sembrerebbe più direttamente collegato con la decorazione architettonica dell'edificio di IV secolo a.C. In ogni caso, non è da escludere il riutilizzo di tipi di decorazione architettonica più antica per il monumentale edificio di IV secolo.

Per la ricopertura della trave centrale era comunemente usato un tipo di *kalypter* (diam. ca. 30-35 cm.) con triplice rigrosso al margine[46] o con singola costolatura sul bordo esterno di cui sono stati rinvenuti esemplari in diverse parti dell'abitato sul pianoro centrale.

La distribuzione dei frammenti rinvenuti, come pure i dati quantitativi sui crolli di tegole (rilevati sulla base di un quadrato di scavo di m. 2 x 2) hanno permesso di ricostruire con notevole attendibilità il tipo di ricopertura dei singoli ambienti ed i principali settori ricoperti da tetto a doppio spiovente di maggiore imponenza[47] (fig. 63).

Fig. 82 Crollo del tetto nella parte nord del portico A3 (da ovest). È visibile, in primo piano, lo stilobate in blocchi rettangolari del cortile basolato A4.

[45] La maggior parte di queste sembra in ogni caso relativa al crollo del muro di tegole (F 12), di cui massicci resti crollati sono stati rinvenuti anche sul lato sud (US 50), fra F 12 e F 11

[46] Assai diffuso in siti coevi, su di una vasta area geografica: si vedano in particolare i raffronti dallo Heraion di Foce Sele (Capaccio, *Heraion* 1937, p. 288, fig. 58) e da Satriano (Holloway 1970, pp. 112-113, fig. 174). Più in generale si vedano i raffronti in area etrusca (Andrèn e Berggren 1969, p. 62, fig. 9)

[47] Una più completa e dettagliata analisi della distribuzione spaziale dei crolli di tegole del complesso A, includente ovviamente i crolli scavati nelle ultime due campagne di scavo è in corso di elaborazione. La ricostruzione dei tetti per singole fasi, presentata nella fig. 63 è pertanto da considerarsi quale proposta preliminare di ricostruzione, sulla base dell'evidenza sinora considerata.

Fig. 83 Crollo del tetto nell'ambiente A6 (da est).

Un interessante dettaglio sulla ricopertura dei tetti in prossimità di aree di focolare è dato dal rinvenimento di tegole 'a camino' (NN. **551**-**552**) e tegole ad 'opaion' (NN. **553**-**556**). Soprattutto per le prime, la localizzazione dei rinvenimenti è assai significativamente connessa con aree di focolare degli ambienti A3 ed A5 (fig. 199, infra)[48].

Nel caso dei complessi B e C, per cui i dati di scavo sono assai meno completi, e poco è possibile dire sulla copertura dei singoli ambienti, è da presumere l'esistenza di un sistema di copertura analogo a quello delineato per il complesso A, sulla base dell'evidenza sinora raccolta. Una simile considerazione è valida anche per il complesso di edifici sul pianoro sud-est, che verrà discusso in un successivo paragrafo. Unicamente nel caso dell'ambiente VA-XA 116-17, parzialmente scavato, la completa assenza di tegole nei livelli superficiali e nello strato di distruzione dell'edificio, lascia pensare alla possibilità di un tetto stramineo. Lo zoccolo dei muri adoperati per l'edificio, in pietre assai irregolari, caso piuttosto raro per una struttura di IV secolo a.C., sembrerebbe fornire ulteriore supporto ad una simile ipotesi.

8. *Il Complesso B*

Molte delle osservazioni sulla distribuzione degli ambienti, tecniche costruttive e pianta generale del complesso A costituiscono un valido punto di riferimento per la discussione degli edifici adiacenti (a sud), anche se lo stato di conservazione assai lacunoso di questi ultimi non ne consente una specifica interpretazione in termini funzionali, salvo poche eccezioni. Degli edifici scavati a sud del complesso A, su di una superficie di ca. 400 m^2, sono conservati esclusivamente gli ambienti lungo il muro perimetrale est (F 20 ed il suo prolungamento F205) che continua con allineamento uniforme verso sud la direzione del muro perimetrale est del complesso A. È stato possibile distinguere almeno due spigoli formati dal lungo muro perimetrale est con i muri perpendicolari che delimitano i diversi ambienti e vi sono stati identificati almeno due altri complessi (B e C) a sud del complesso A, con orientamento invariato. La uniformità nella logica organizzativa dei complessi finora identificati, non lascia dubbi che si tratti di un nucleo insediativo impostato con un criterio unitario dettato da un 'piano regolatore' prede-

Fig. 84 Crollo nell'ambiente A7 e dettaglio della 'vasca/piattaforma' (F 40) (da est).

[48] Particolarmente significativa è la collocazione degli esemplari NN. **555-556** nello strato di crollo all'interno dell'ambiente A1, immediatamente a sud della piattaforma di tegole con focolare (F 381) e l'esemplare N. **554**, rinvenuto fra il crollo di tegole nel settore nord dell'ambiente A5. Per una discussione generale dei rinvenimenti si veda *infra*, cap. 9.

terminato[49]. Ne costituisce prova ulteriore l'esistenza di un asse di comunicazione nord-sud lungo il lato esterno del muro perimetrale F 20-205, in continuazione della 'strada' basolata F 271 (fig. 85). Tale asse di comunicazione nord-sud, con fondo in argilla battuta[50], è stato in un secondo momento ristretto ad una intercapedine di larghezza poco inferiore al metro a causa della sopravvenuta necessità di puntellamento dell'area dai cedimenti del terreno, come dimostra la costruzione di due muri di terrazzamento (F 27 e F 26) nell'area immediatamente ad est di F 20. La natura cedevole del terreno in quest'area è indicata da un certo numero di muri costruiti in un momento successivo all'impianto del complesso, a rinforzo delle pareti di alcuni degli ambienti. I rinforzi appaiono particolarmente evidenti nell'ambiente B6, il quale, non a caso, è collocato nell'area di massimo sprofondamento del terreno, ad una quota inferiore di circa un metro rispetto a quella dell'angolo nord-est del complesso B. Ritornando più specificamente alla pianta di quest'ultimo, esso risulta separato dal muro perimetrale sud del complesso A mediante una intercapedine larga ca. m. 1,20[51], successivamente resa più angusta dalla costruzione di un muretto di rinforzo. La estremità est della intercapedine è molto ben conservata ed oltre a mostrare la pavimentazione in grossi basoli e ciottoli, indica anche che già al momento della costruzione del complesso doveva esservi un dislivello fra l'area del complesso A e l'area a sud-est di esso, dato che viene creato un gradino (mediante un grosso blocco di calcare F 218) all'incrocio della intercapedine est-ovest con l'asse di comunicazione nord-sud[52] (fig. 58b, *supra*). L'ambiente B5 (complesso B) risulta abbastanza nettamente separato dal contiguo ambiente B6 del complesso C[53].

I rinforzi dei muri, richiesti dalla natura particolarmente cedevole del terreno in quest'area, corrispondente ad un massimo di sprofondamento, hanno successivamente obliterato l'intercapedine. Per quanto riguarda la distribuzione degli ambienti,

Fig. 85 Lunga intercapedine sul lato est del complesso B (da nord). È visibile, sul fondo, il complesso C (ambienti B6 e B7).

[49] Al proposito è altresì da sottolineare che la pianta ricostruttiva lascia intravvedere, nonostante la frammentarietà della maggior parte degli ambienti, una organizzazione 'modulare' della parte centrale del nucleo abitativo includente i complessi A-B-C, con evidenti analogie di organizzazione degli spazi all'interno dei tre principali complessi. La identità di larghezza dei complessi B e C è un dato che risalta in maniera evidente. Nonostante la superficie complessiva alquanto più ampia, la parte centrale del complesso A mostra una larghezza simile e, soprattutto, una analoga sistemazione degli ambienti, allineati sui lati lunghi del cortile.

[50] Anche se la larghezza osservata della intercapedine tra il muro perimetrale est del complesso B (F20) ed il muro di terrazzamento F 27 è di appena 1 metro, essa doveva essere più ampia inizialmente, prima della costruzione di F 27. Un saggio stratigrafico ha mostrato che F 27 è stato costruito quale terrazzamento in un momento successivo alla impostazione del complesso.

[51] Anche questa intercapedine doveva essere assai più larga nell'impianto iniziale del nucleo abitativo, effettuato, come già accennato sopra, secondo un piano prestabilito. L'aggiunta della serie di ambienti A1-A2 e quelli che seguivano verso ovest, lungo il lato meridionale del complesso A (ampliamento effettuato in un momento avanzato della fase IIA o anche all'inizio della fase IIB) deve aver notevolmente ridotto quello che doveva originariamente costituire un 'asse' principale est-ovest.

[52] Un tale elemento rafforza l'impressione, già discussa (*supra*, n. 50), dell'incrocio di due assi principali di comunicazione esistenti originariamente ai limiti fra il complesso A ed il complesso B. Per una sistemazione 'a gradino' paragonabile, si veda *Marzabotto* 1978, p. 158, fig. 13.

[53] Almeno due muri perimetrali risultano chiaramente distinti fra B5 e B6 (fig. 67) e divisi da una stretta intercapedine, anche se al momento dello scavo sono stati considerati come un unico elemento. È probabile che successivi movimenti e sprofondamenti del terreno abbiano contribuito a ravvicinarli.

Fig. 86 Piano pavimentale in argilla battuta nell'ambiente B3 (da ovest). È visibile nell'angolo, sul fondo a destra, un tratto del crollo di tegole del tetto.

Fig. 87 Vasca (?) nell'angolo nord-est dell'ambiente B4 e sostruzione in ciottoli del muro F 20.

nonostante lo stato frammentario dei rinvenimenti, sono chiaramente identificabili una serie di vani di ca. 3 m. di larghezza, di cui quello all'estremità nord (B3) è stato recuperato per una superficie complessiva di m. 3 x 4 (fig. 86). Vi è stato rinvenuto il livello pavimentale in argilla battuta ed una struttura di dubbia interpretazione costituita da un cumulo di ciottoli e pietrame con abbondanti tracce di bruciato (probabile focolare rudimentale[54], nel qual caso potremmo essere in presenza del vano-cucina).

L'ambiente immediatamente a sud (B4) rappresenta una vasta area di cortile con una vasca (?) delimitata da muri di pietrame nell'angolo nord-est (fig. 87). Anche se non sono ricostruibili le relazioni di quest'area con la serie di ambienti a nord di essa, la sua posizione di centralità sembra sufficientemente indicativa. L'ambiente B6 (largo m. 3) solo in parte esplorato, fornisce anche un interessante indizio per una disposizione quasi modulare degli ambienti di questo complesso ai due lati (nord e sud) del cortile (tav. IX fuori testo). Inoltre, pur nella totale mancanza di dati sul settore ovest del complesso in esame, sembrerebbe ragionevole estendere verso sud l'allineamento della strada (F 416) rinvenuta lungo il lato ovest del complesso A. Si verrebbe pertanto a calcolare una larghezza del complesso, compresa fra i due 'assi stradali', di ca. m. 16, per una superficie complessiva di m. 16 x 12, ovvero approssimativamente 200 m^2.

La stratificazione nell'area del complesso B, come pure lo stato di conservazione delle strutture, non erano tali da consentire una distinzione in fasi simile a quella operata per il complesso A. Tuttavia una certa quantità di materiali significativi ci permettono di intravvederne una continuità di vita fra gl'inizi del IV secolo a.C. e la prima metà del III. Si acclude una lista delle US e dei materiali associati più significativi derivanti dallo scavo dei complessi B/C.

---

[54] Si considerino, quale raffronto, i focolari delle case di IV secolo a.C. da Oppido Lucano (LISSI CARONNA 1984, figg. 3-4)

US 129	colluvio misto a distruzione	N. **19**	- brocca, fine V secolo a.C.
US 163	fondo dello scarico ad est del complesso B	N. **49**	- coppa appiattita, metà V sec. a.C.
		N. **105**	- coppa emisferica, seconda metà IV secolo a.C.
		N. **106**	- coppa emisferica, seconda metà IV secolo a.C.
US 166	rifiuti/letame misto a colluvio nell'ambiente B6	N. **69**	- skyphos, fine V secolo a.C.
		N. **70**	- skyphos, prima metà IV secolo a.C.
		N. **73**	- skyphos, inizi IV secolo a.C.
US. 170	rifiuti/abitazione ambiente B6	N. **162**	- brocca, prima metà IV secolo a.C.
US 177	colluvio, complesso C	N. **50**	- orlo di coppa (probabile coppa ionica), inizi V secolo a.C.
		N. **200**	- fondo di coppa con finissima decorazione a palmetta e cerchi incisi, ultimo quarto V secolo a.C.
US 237	abitazione, ambiente B6	N. **110**	- coppa emisferica, seconda metà IV secolo a.C.
		N. **113**	- coppa biansata, metà IV secolo a.C.
US 249	abitazione, ambiente B8	N. **109**	- coppa emisferica, metà IV sec. a.C.
		N. **218**	- coppa con orlo scanalato, prima metà III sec. a.C.

9. Il complesso C

Di dimensioni paragonabili è il complesso C, immediatamente più a sud, anche se non risulta chiara la connessione degli ambienti B8 e B9 con quello che viene presentato come complesso C nella pianta ricostruttiva. Incerte risultano la struttura e destinazione dell'ambiente B6, fortemente rimaneggiato nel quarto secolo avanzato con muri di rinforzo. Molto ben definita è invece, in questo caso, la funzione dell'ambiente B7 quale area di cortile, benchè non sia di facile né univoca interpretazione lo spesso strato di bruciato US 227/229 rinvenuto nella sua metà sud[55]. Un'area rettangolare di ca. m. 2 x 0.50 nell'angolo sud-est del cortile, costruita con basoli di calcare di media grandezza (fig. 88) fa pensare all'esistenza originaria di un basolato sull'intero cortile, che potrebbe essere stato sconvolto dalla frequentazione più tarda. L'elemento più interessante, tuttavia, che fornisce qualche indizio sulla destinazione del cortile, è costituito dalla struttura F 244, nell'angolo nord-est, e F 247, nell'angolo sud-est, nonché dal rinvenimento di ceramica miniaturistica fra cui la *hydriska* (N. **411**), sul piano di

[55] Data la presenza di ceramica miniaturistica (N. **411**) sul piano pavimentale e di una probabile *eschara* (F 247) nell'angolo sud-est del cortile, questo strato carbonioso sembra da riferirsi ad un livello di sacrificio. Per un generico raffronto sul tipo di *eschara*, in contesto coevo anche se in una diversa area culturale, si veda *Seuthopolis*, 1978 pp. 48-49 e fig. 74.

scisto argilloso che doveva costituire il pavimento del cortile. La struttura F 244 ha forma circolare (diam. ca. m. 40) ed è costituita da una fossetta la cui superficie è chiusa da ciottoli e frammenti di tegole. Nessun reperto ceramico di un qualche valore diagnostico è stato rinvenuto all'interno, ma la presenza della *hydriska* lascia supporre che F 244 potesse essere correlata con attività cultuale (fig. 113). L'altro elemento, F 247, situato nell'angolo sud-est, è costituito da una piattaforma rettangolare di pietre e grosse tegole piane, con uno strato di bruciato immediatamente al di sotto delle tegole. Vi sono chiare analogie con i focolari rinvenuti nel complesso A (F 281 e 356). Lo scavo della metà ovest della struttura F 247 (fig. 89) non ha contribuito in maniera significativa ad evidenziarne la funzione; tuttavia, la sua particolare collocazione nell'area di cortile, senz'altro in relazione con F 244, ed associata a ceramica miniaturistica, sembrebbe qualificare F 247 quale *eschara*, legata anch'essa ad una attività rituale di cui ci sfuggono i dettagli.

Fig. 88 Il focolare/'*eschara*' 247, nell'angolo sud-est dell'ambiente B7 (da sud).

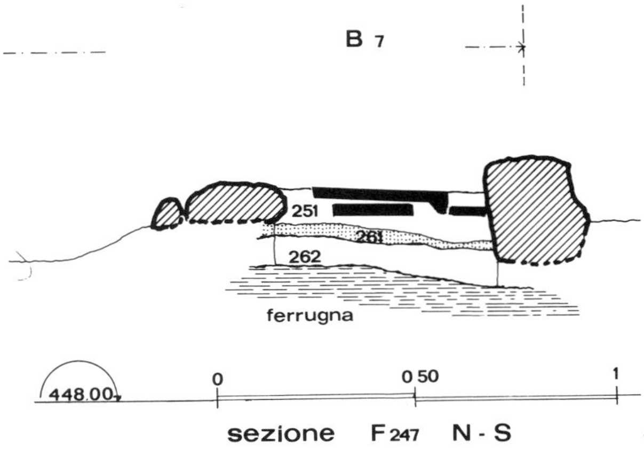

Fig. 89 Sezione della struttura F 247.

Un problema che rimane aperto allo stato attuale della esplorazione del sito, è la organizzazione di alcuni ambienti all'estremità sud, fra cui l'ambiente B8, l'unico nel settore sud dell'agglomerato la cui pianta ci sia giunta completa (fig. 67). L'assenza di una intercapedine (anche se sono chiaramente identificabili due diversi muri appoggiati l'uno all'altro), lascia vari dubbi sulla pianta del complesso e, allo stesso tempo, pone l'interrogativo se esso possa costituire un quarto, ipotetico complesso D, come si è ipotizzato nella pianta ricostruttiva (tav. IX fuori testo). Tuttavia, qualunque sia l'appartenenza dell'ambiente B8 e degli ambienti adiacenti (B9 a sud e B10 ad ovest), è certo che nel caso di B8 ci troviamo in presenza di un'abitazione di notevole livello. I tre pozzetti rinvenuti sul pavimento (US 280 A, B, C, fig. 114) ed alcuni dei reperti dello spesso livello di abitazione (US 249), unitamente ad un frammento di statuetta in bronzo di Ercole (N. **693**) indicano l'esistenza di un tipo di culto domestico negli ambienti adiacenti B8 e B10. Di rilievo è altresì la presenza di un'altra *eschara* (F 252) assai simile a quella già descritta in B6, in un angolo del passaggio fra B8 e B10, che fra l'altro farebbe pensare alla possibilità che B10 rappresentasse un'area di cortile a ovest di B8.

L'interro minimo delle strutture in questo settore dell'agglomerato, che corrisponde ad un'area di rialzamento di frana (solo 25-30 cm. di humus al di sopra del livello archeologico), ci induce tuttavia alla massima cautela nell'interpretazione degli ambienti B9 e B10.

Cronologicamente, i reperti delle US più significative, sopra elencati, segnalano il periodo fra l'inizio del IV e prima metà del III secolo a.C. come periodo di vita del complesso.

10. Area PC 86

Con tale denominazione si è indicata un'area di strutture in apparenza collegate all'agglomerato sopra discusso, localizzate mediante un saggio effettuato nel 1986 (fig. 22 e tav. VII fuori testo) all'estremità sud-ovest del pianoro centrale (da cui la denominazione), circa 50 m. a sud dell'ambiente B10. Si tratta di un'area pianeggiante, di terreno più stabile, in cui la parte delle strutture alla estremità orientale sembra continuare lungo l'allineamento dei complessi A-B-C.

L'esplorazione, ancora in corso, ha rivelato una estesa area di strutture appartenenti ad almeno due fasi distinte, sinora inquadrabili cronologicamente nell'ambito del periodo di massimo sviluppo del sito (inizio IV/prima metà del III secolo a.C.). Il tipo di costruzione, in pietre assai irregolari, sembra porre le strutture in PC 86 in relazione con l'ambiente VA-XA 116-17 (*infra*), scavato nel 1977 e lascia pensare ad un complesso di ambienti, collocato al limite meridionale del pianoro centrale, più direttamente connesso con la monumentale porta centrale (fig. 22). Meno chiara, al momento attuale, è la relazione (anche in termini generali di sistemazione 'urbanistica') delle strutture in PC 86 con l'agglomerato includente i complessi A-B-C, nella parte centrale del pianoro.

Sinora, l'unico elemento databile, entro limiti cronologici significativi, è un piccolo pavimento basolato, che si appoggia al banco di flysch, inquadrabile fra la fine del IV e gl'inizi del III secolo a.C. Al di sotto di un livello di crollo, vi sono state rinvenute alcune coppette a v.n. (Tipo **98**) ed un dischetto in terracotta decorato ad effigie femminile (N. **529**) con foro di sospensione e relativo chiodino in bronzo. Tale pavimento sembrerebbe appartenere ad un vasto edificio con caratteri di monumentalità, in corso di scavo, di cui si sono recuperati alcuni elementi architettonici ed un probabile acroterio a disco con scanalature[56].

11. Ambiente in VA-XA 116-17

Molto probabilmente connesso con le strutture della fase più antica in PC 86, è un ambiente messo in luce a ca. m. 10 ad est della porta centrale. La pianta dell'area scavata (fig. 90) include due muri esterni ed una probabile partizione interna, con una apparente anomalia rappresentata dalla saldatura dei due muri esterni ad angolo acuto. La parzialità del dato, tuttavia, induce alla cautela nella interpretazione della pianta dell'ambiente, dato che l'andamento anomalo del muro est potrebbe essere dovuto ad un cedimento del terreno nella direzione del declivio est-ovest[57]. Il tipo di costruzione dei muri, in pietre assai irregolari (fig. 91) è simile a quello degli ambienti della fase più antica in PC 86, fatto che lascia pensare ad un collegamento delle due aree. Considerazioni dettate dall'allineamento dei muri, d'altra parte, fanno intravvedere una continuità fra lo spezzone di muro rinvenuto addossato alla faccia interna della porta centrale (*supra*, cap. 2) ed il muro sud di questo ambiente. La cronologia della fase principale di abitazione dell'ambiente è fornita da una rilevante quantità di materiale ceramico rinvenuta sul piano pavimentale in argilla battuta, includente fra l'altro una coppetta del Tipo **97** ed una

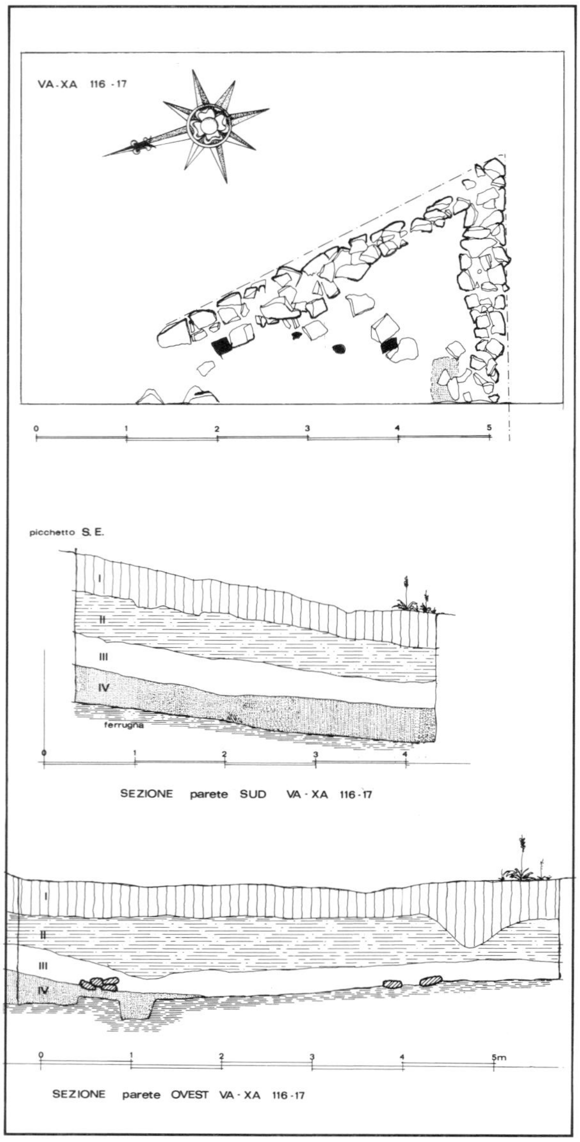

Fig. 90 Pianta e sezioni dell'ambiente in VA-XA 116-17.

coppa Tipo **110** che indicano un intervallo di tempo compreso fra gl'inizi del IV secolo e l'ultimo terzo dello stesso. Sull'assenza di tegole nel livello di crollo si vedano le considerazioni già fatte (*supra*, p. 77).

---

[56] Il tipo è quello più comune sul sito, discusso nel cap. 9.

[57] Il movimento di frana, particolarmente intenso in quest'area, è ben documentato dallo stato di rinvenimento del settore nord-est della porta centrale (*supra*, fig. 30).

Fig. 91 Veduta dell'ambiente in VA-XA 116-17 (da nord).

L'ambiente scavato in VA-XA 116-17 è pertanto più specificamente raffrontabile con il tipo di abitazione (includente, in generale, non più di due stanze) documentato in altri siti coevi dell'area lucana e, allo stesso tempo, sembrerebbe meno rigorosamente inserito nell'impianto abitativo riscontrato sul pianoro centrale. La divisione degli spazi è indicata da una partizione interna di cui rimane una fila di piccoli blocchi che delimita un vano/cucina[58] caratterizzato da un esemplare di macina (l'unico rinvenuto del tipo tradizionale 'a mano', N. **590**) ed un tipo di pozzetto nell'angolo sud-ovest (potrebbe trattarsi di un tipo di fossa granaria (?), sinora non identificato in altre parti del sito). La fusaiola, N. **506**, ancora di tipo arcaico, farebbe pensare ad un elemento residuo di V secolo.

12. Area VA-XA 85-86

In un'area all'interno della posterula B ed all'estremità opposta del pianoro centrale è stato rinvenuto un gruppo di strutture in stato di conservazione abbastanza lacunoso ad una distanza di ca. 100 metri dall'estremità nord del complesso A (fig. 92 e tav. VII fuori testo). Lo scavo ha restituito una notevole quantità di materiali, in via generale associabili ad alcune strutture di pianta assai incerta e di difficile interpretazione nella loro specifica funzionalità. Tuttavia, alla luce delle caratteristiche organizzative e della funzione del rimanente agglomerato sul pianoro centrale, successivamente esplorato, le strutture in VA-XA 85-86 acquistano un significato assai maggiore. Non sembra pertanto arbitrario discuterne alcune caratteristiche specifiche, sullo sfondo della presentazione appena fatta dei vari aspetti dell'abitato sul pianoro centrale, anche se to-

[58] È quello che, per dimensioni ed utilizzazione dello spazio, può meglio raffrontarsi con le case di IV secolo a.C. di Oppido Lucano (Lissi Caronna 1984, pp. 206-207, fig. 4).

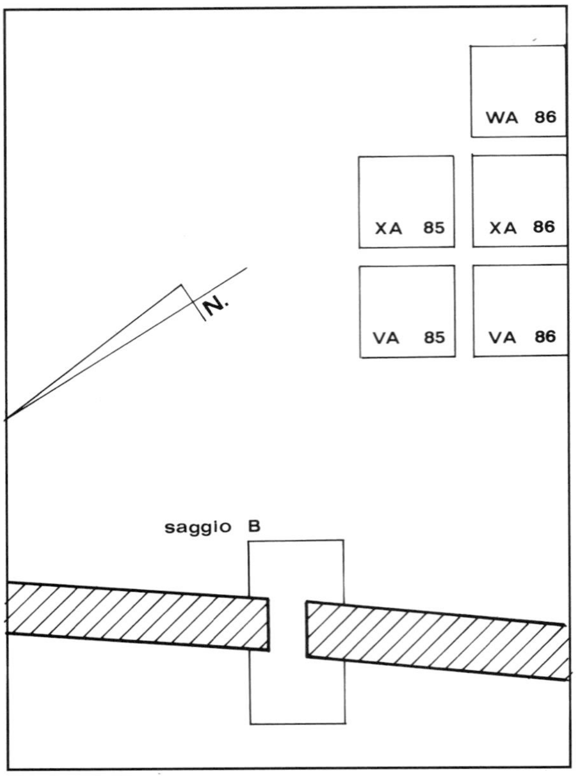

Fig. 92 Collocazione dei quadrati VA-XA 85-86 in relazione al muro di fortificazione e la posterula B.

pograficamente esse sono da collocarsi al margine nord del pianoro e nulla può dirsi circa una eventuale continuità di strutture abitative fra questi resti di strutture ed i complessi A-B-C più a sud.

L'evidenza strutturale (fig. 94), come accennato, risulta assai alterata dai cedimenti del terreno successivi all'abbandono del sito, ma lascia almeno intravvedere due massicci muri (larg. ca. m. 1), paralleli e ad una distanza di ca. m. 4,50, che dovevano svilupparsi in direzione nord-sud (fig. 93). La notevole quantità di crolli di blocchi di grandi e medie dimensioni e di tegole, lascia pensare ad un edificio di una certa imponenza. Due grossi scarichi ('pit a' e 'pit b') a nord-ovest dei resti di muri sono molto probabilmente da attribuire all'inizio della fase III identificata per il complesso A.

In netto contrasto con la frammentarietà dell'evidenza strutturale, è da sottolineare la ricchezza dei materiali associati, i quali forniscono suggerimenti per una più specifica interpretazione di questo nucleo insediativo. Uno degli elementi più appariscenti è la presenza di armi (in un caso, un probabile trofeo), del tutto assenti sia negli altri complessi abitativi che nelle tombe sinora scavate (ad eccezione della t. 6).

Notevole è il rinvenimento del *sauroter* in bronzo con asta in ferro, recante il graffito ⊲H (*infra*, N. **661**), nell'ambiente all'estremità est. Sotto il livello di crollo, due punte di giavellotto in ferro (N. **668** e N. **670**), rinvenute nell'area ad ovest, sono tanto più significative in quanto appartenenti allo stesso complesso che ha restituito il *sauroter*. Altrettanto eccezionali sono un grosso frammento di lamina di bronzo, N. **667** (probabilmente appartenente ad un pezzo di armatura) ed un notevole numero di appliques in bronzo (NN. **674-679**). Egualmente significativi appaiono i rinvenimenti ceramici, includenti quasi esclusivamente esemplari a vernice nera (prevalentemente coppette, skyphoi e paterӕ) fra cui una concentrazione di tre skyphoi in uno degli ambienti[59]. Con la dovuta cautela richiesta dal disastroso stato di conservazione delle strutture, il quadro complessivo che ne emerge lascia pensare ad un edificio di rilievo, sotto certi aspetti collegato con l'agglomerato, assai meglio conservato, scavato nella parte centrale del pianoro, che tuttavia sembrerebbe mostrare caratteristiche e funzione assai particolari[60].

La presenza di armi all'interno dell'ambiente centrale e del *sauroter*/trofeo nell'angolo dell'ambiente in WA 86, potrebbe essere connessa ad una funzionalità pubblica di questo complesso[61]. Ulteriori qualifiche per questo importante complesso all'estremità nord del pianoro centrale dovranno essere fornite da una più ampia esplorazione che

---

[59] Nonostante il fatto che lo scarico sia numericamente assai più limitato, non sembra fuori luogo sottolinearne alcune analogie nella associazione funzionale dei tipi di vasi con lo scarico di ceramica a vernice nera da Serra di Vaglio associato all'ambiente A78 e datato fra fine V ed inizi del III secolo a.C. (Greco G. 1982, pp. 76-78).

[60] È suggestivo, per alcuni versi (armi, spiedini, vasi per bere), il raffronto con l'ambiente per banchetti recentemente messo in luce nel santuario extra-murano di Satriano (*Satriano* 1988, p. 14).

[61] È da tener presente, da un lato la significativa concentrazione di armi (e possibile trofeo) e, dall'altro la posizione di centralità all'interno del muro di fortificazione, in diretto contatto con la posterula B, agevolmente connessa con le principali aree extra-murane.

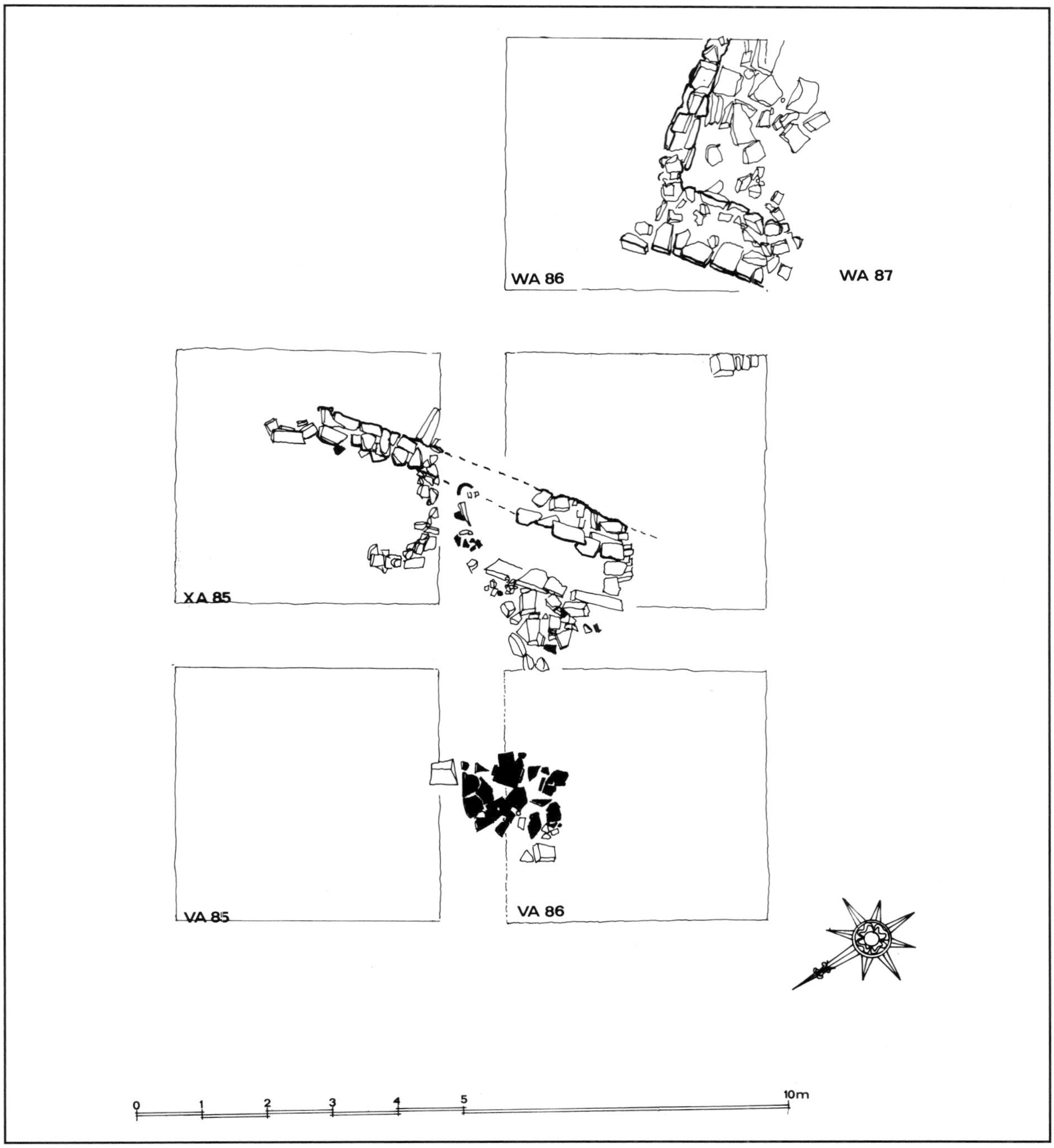

Fig. 93 Pianta delle strutture messe in luce in VA-XA 85-86.

consenta di documentare in maggior dettaglio gli elementi architettonici dei vari ambienti del complesso stesso.

13. Fornace nel complesso A (F 54)

Il rinvenimento di una certa quantità di scarti di lavorazione in varie aree del pianoro centrale, fra cui è preminente la coppetta su alto piede Tipo **98** (**S 12**, *infra*), aveva già fornito chiara evidenza sulla esistenza di un'attività di produzione ceramica all'interno dell'abitato fortificato. Lo scavo della fornace F 54 nell'angolo nord-est dell'ambiente A5 ha permesso di documentare, con ricchezza di dettagli, una di queste officine, che si è installata nel settore nord del complesso A al momento di passaggio

Fig. 94 Veduta dello scavo in VA-XA 85-86 (da ovest).

fra la fase II e la fase III, momento che coincide con un mutamento di destinazione di vari ambienti del complesso stesso (*supra*, p. 54 e n. 14).

Allo stesso tempo, l'eccezionale stato di conservazione della fornace (fig. 97), con parte dell'elevato della camera di cottura, ci ha permesso di ricavare dati assai rilevanti sul tipo di installazione, il suo funzionamento ed il tipo di attività produttiva, inquadrabili fra la fine del IV e la prima metà del III secolo a.C.

Si tratta di un tipo di fornace a pianta circolare, assai diffuso in diverse aree della Magna Grecia fra il IV ed il III secolo a.C. Non a caso, il raffronto più stringente è da rinvenirsi nella fornace recentemente scavata a Rivello/Piani di Pignataro[62], nel Lagonegrese. Nell'ambito della categoria a pianta circolare la fornace appartiene più specificamente alla classe con corridoio centrale ed una serie di archetti laterali, che sostengono il piano forato di cottura. L'aspetto più interessante, che si è potuto chiaramente documentare in sede di rilievo grafico della struttura[63], concerne la costruzione della camera di combustione (fig. 96). Sia i pilastri di sostegno del piano forato (usati nella costruzione del corridoio a volta centrale e degli archetti laterali) che il piano forato sono costruiti con mattoni di materiale refrattario di dimensioni standardizzate di ca. m. 0.50 x 0.25. Il piano forato, più in particolare, è formato da tre file di due mattoni, successivamente smussati agli ango-

[62] Per un'ampia discussione del tipo, sullo sfondo delle fornaci sinora documentate nella penisola italiana, si veda Cuomo di Caprio 1972 e, più specificamente in relazione alla Magna Grecia, *Ead.* 1979, pp. 75-82. Per la fornace di Rivello/Piani di Pignataro, la cui documentazione è esposta nell'Antiquarium di Rivello (cripta di S. Nicola), i dati preliminari sono stati presentati in Bottini P. 1986.

[63] Mi è gradito ringraziare l'Arch. L. Scarpa per la discussione sui dettagli tecnici della fornace, nel corso del rilievo della struttura da lui effettuato. Per i dettagli tecnici di fornaci paragonabili si veda la discussione in Cuomo di Caprio 1984 e, per vari aspetti generali, Swan 1984, cap. 3.

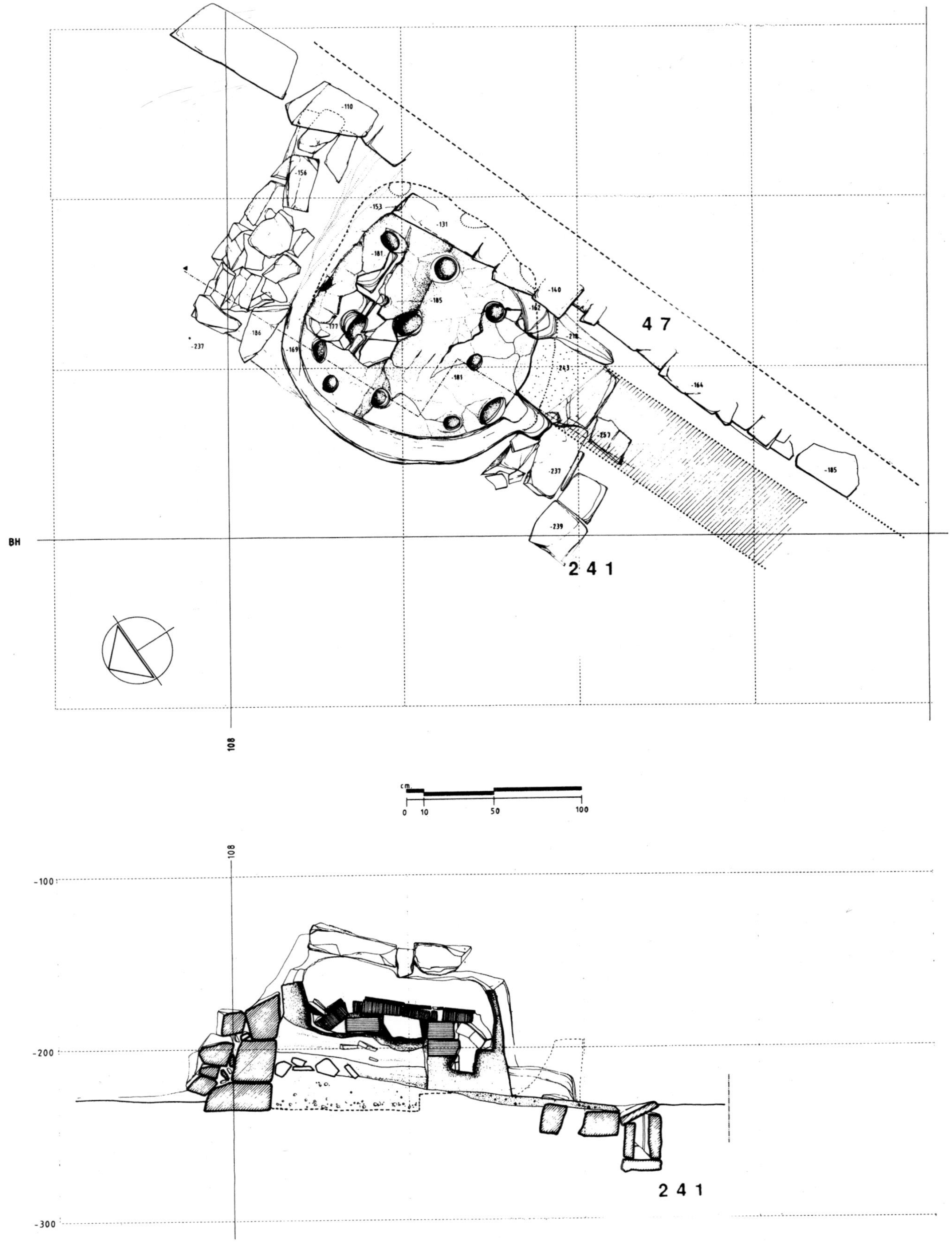

Fig. 95 Pianta e sezione della fornace F 54.

li per ottenere la forma circolare. Tre file di quattro fori del diametro di 10 cm. e quattro fori ovali più grandi alle due estremità nord e sud del piano di

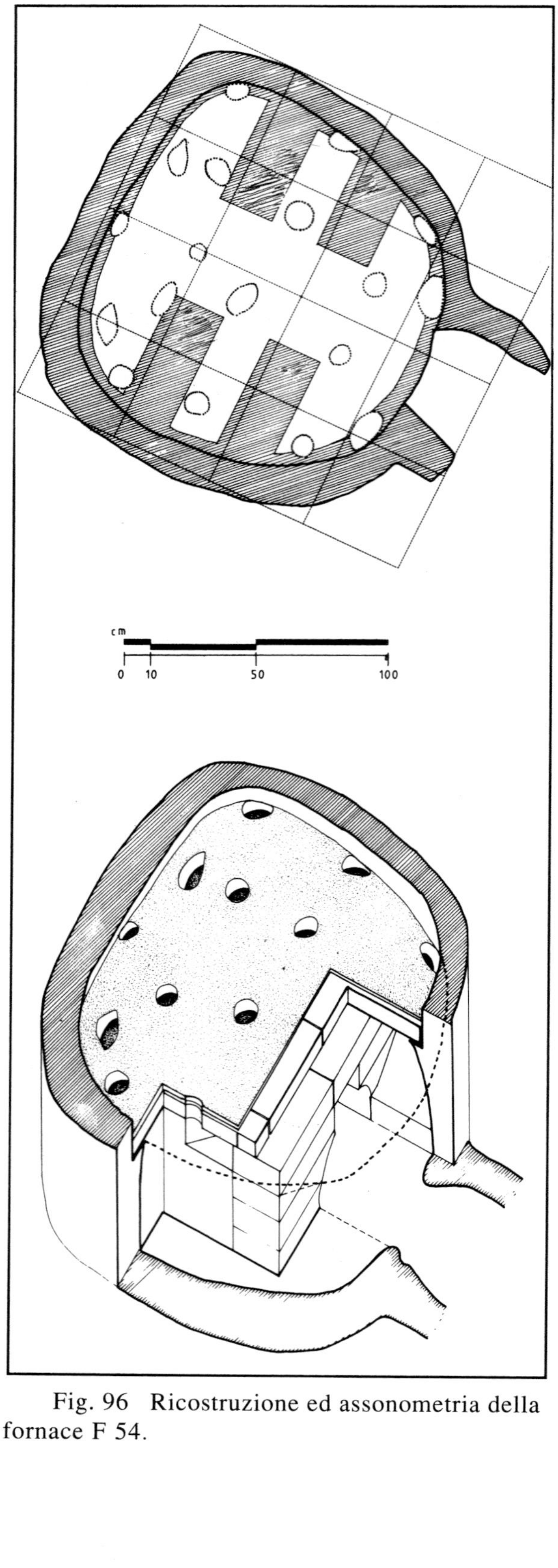

Fig. 96 Ricostruzione ed assonometria della fornace F 54.

cottura (fig. 97) alla sommità terminale di condotti attraverso il corridoio centrale e gli archetti laterali, servivano ad immettere il calore nella camera di cottura.

La documentazione assai scarsa per quanto riguarda la tecnica costruttiva di fornaci coeve di piccole dimensioni[64], non ci permette di presentare raffronti specifici per il tipo di costruzione della camera di combustione, anche se la fornace di Rivello/Piani di Pignataro, già citata, appare assai simile in tecnica costruttiva e dimensioni, a giudicare dai dati preliminari sinora resi noti.

La fornace F 54 presenta un piano di cottura rialzato rispetto al pavimento[65] e si appoggia con il fondo sul piano naturale di scisto argilloso (in parte sui resti pavimentali della fase II A-B). Risulta chiaro dallo scavo in sezione della estremità ovest (in parte danneggiata) che la fornace si era appoggiata sul piano pavimentale (fig. 98), piuttosto che esservi scavata all'interno (come, ad esempio, in quelle rinvenute a Locri in cui il piano di cottura coincide pressappoco con il piano pavimentale). Solo il corridoio centrale della camera di combustione ed il prefurnio risultano scavati attraverso il piano di scisto argilloso. Una tale posizione stratigrafica del piano della fornace è confermato dallo spesso livello di ceneri (fondo della camera di combustione)

---

[64] Ad eccezione di quella da Rivello già citata. Per i tipi più grandi, una documentazione dettagliata, ed in perfetto stato di conservazione, è fornita dall'esemplare di Velia (Mingazzini 1954, pp. 22-23, fig. 1). Gli esemplari da Locri (Barra Bagnasco 1985, pp. 194-202) ed Heraklea (Adamesteanu in *Atti Taranto* 9, 1969, pp. 236-237; *Atti Taranto* 15, 1975, tav. 28) non sono stati sinora presentati in sufficiente dettaglio per poterne trarre elementi utili di raffronto sulla tecnica costruttiva.

[65] Si distingue pertanto chiaramente dal tipo con piano di cottura a livello pavimentale che sembra costituire il tipo più comune o addirittura esclusivo nelle officine ceramiche di Locri Centocamere (*Locri* 1983, p. 21-22, tav. 5). C. Sabbione (*Medma* 1981, p. 104, n. 9) sembra sostenere che quest'ultimo costituisca il tipo di gran lunga più comune in Magna Grecia. Si vedano tuttavia le considerazioni di Cuomo di Caprio 1984, pp. 80-82, sulle rappresentazioni di fornaci su vasi greci, sollevate rispetto al piano del pavimento.

Fig. 97 Veduta (dall'alto) del piano di cottura della fornace ed il prefurnio in corso di scavo.

rinvenuto sul lato ovest che si appoggia al pavimento (di fase IIA) immediatamente al di sopra del canale F 241 (fig. 98). Un muretto di rinforzo o d'imposta in grossi blocchi di calcare (F 369) rinvenuto immediatamente a nord del canale stesso è d'incerta datazione. Esso potrebbe appartenere alla

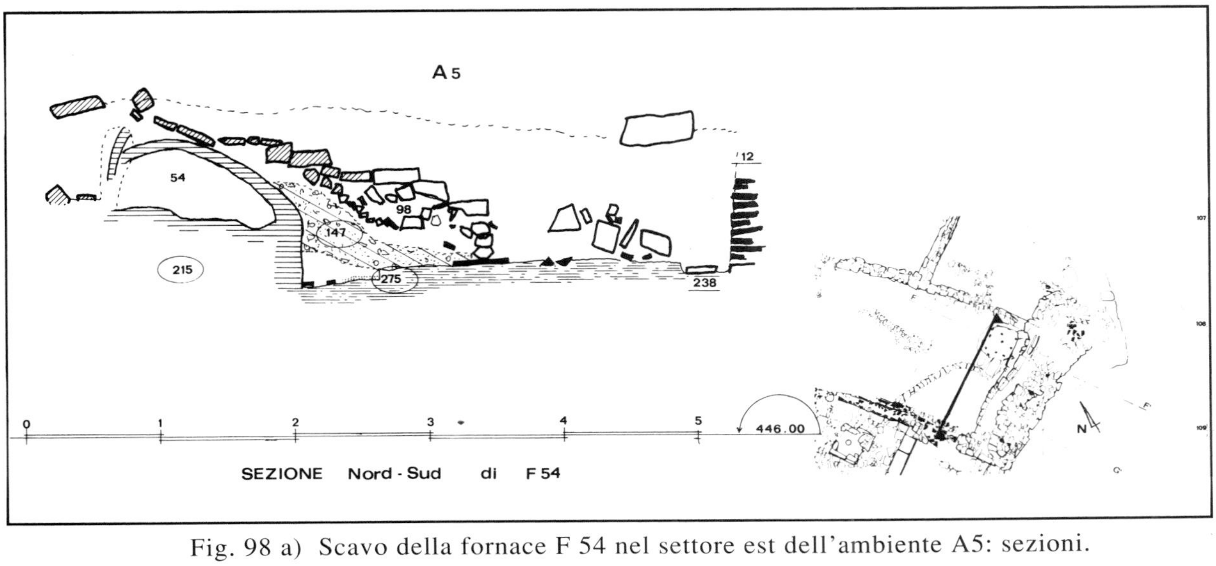

Fig. 98 a) Scavo della fornace F 54 nel settore est dell'ambiente A5: sezioni.

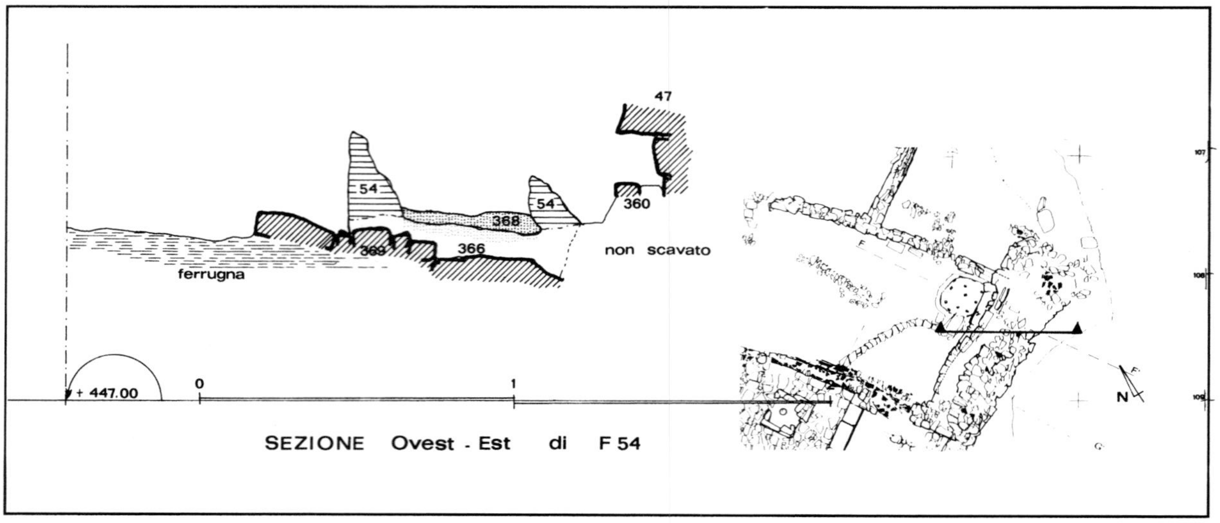

Fig. 98 b) Scavo della fornace F 54 nel settore est dell'ambiente A5: sezioni.

costruzione originaria del canale o essere stato posto quale piattaforma di sostegno al momento della costruzione della fornace.

Il prefurnio (larghezza ca. cm. 40), era del tipo allungato (ca. m. 1,50), ed era scavato nel terreno naturale.

Ai suoi lati, e soprattutto all'estremità sud, sono stati rinvenuti vari cumuli di carbone (o legno carbonizzato) e, almeno in un caso, una fossetta per la conservazione del combustibile ('stoking pit', US 292).

È da notare che le pareti laterali del prefurnio erano state consolidate con materiale refrattario e che la copertura veniva effettuata con tegole piane alcune delle quali sono state rinvenute ammucchiate (quattro tegole intere, sovrapposte due a due) all'estremità nord del prefurnio stesso.

La datazione della fornace, già sommariamente discussa in precedenza, è stata ottenuta seguendo due diversi criteri d'indagine.

Purtroppo non è stato rinvenuto uno scarico consistente che possa porsi in diretta relazione con l'uso della fornace stessa. Tuttavia, alcuni resti ceramici direttamente associati con la fornace (due frammenti di coppe con scanalature, Tipo **127**, rinvenute saldate sul piano di cottura, ed una brocchetta in ceramica grezza, S. 11, *infra*, rinvenuta all'interno della camera di combustione) concordano nel fornire una datazione nella prima metà del III secolo a.C.

D'altra parte l'analisi archeomagnetica effettuata da M. Evans (in corso di stampa) ha sottolineato l'analogia di orientamento del magnetismo rilevato nella fornace di Roccagloriosa con una fornace da Metaponto, datata nell'ultimo quarto del IV secolo a.C., con alcune varianti dovute al movimento di subsidenza del suolo antico, dopo l'abbandono del sito[66]. Sulla base di tali indicazioni e di una certa quantità di scarti di cottura rinvenuti in varie aree del complesso A e del pianoro centrale, sembra ragionevole collocare il periodo di attività della fornace stessa fra la fine del IV ed il primo terzo o la prima metà del III secolo a.C.

Si acclude, in margine alla discussione sulla fornace, un elenco di scarichi di cottura rappresentativi, rinvenuti nello scavo sul pianoro centrale, che sono associabili con l'attività di produzione della fornace stessa o anche di altre simili.

[66] Lo studio di M. Evans (Institute of Earth and Planetary Physics, University of Alberta) è in corso di pubblicazione (EVANS, in corso di stampa) La fornace da Metaponto è pubblicata in *Metaponto* 1975, pp. 362-370, figg. 7-12.

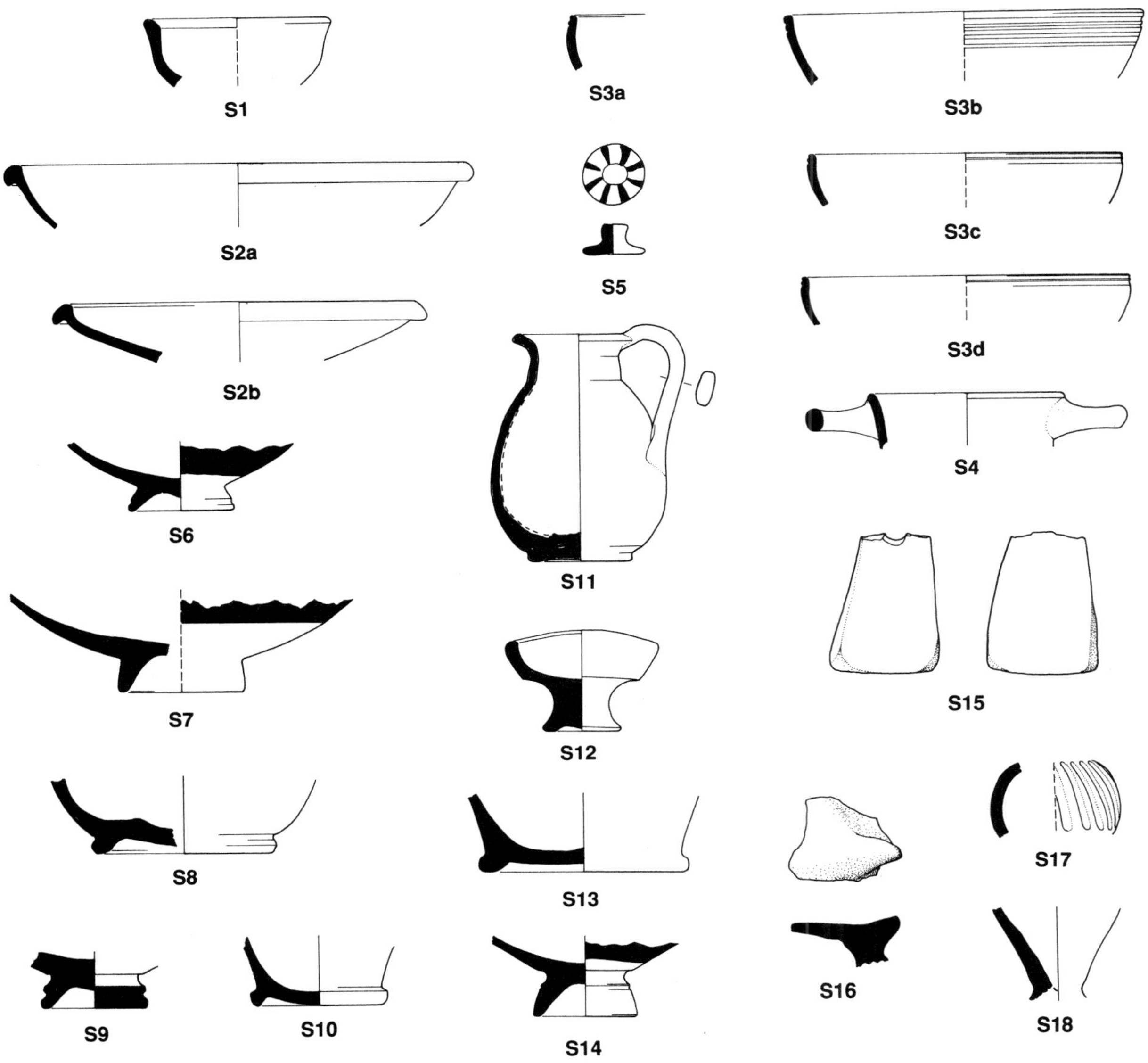

Fig. 99 Scarti di fornace dal pianoro centrale (scala 1/3).

Scarti di cottura, da vari contesti sul pianoro centrale (fig. 99)

S 1	P 4048		Piccola coppa
S 2	a P 4225	US 147	coppa con orlo arrotondato
	b P 7153	US 393	frammento di simile coppa
S 3	a P 4054	US 98	frammento di coppa con scanalature. Tipo N. **127**
	b P 4526	US 167	simile

	c P 6228	US 323	simile
	d P 6526	US 98	simile
S 4	P 2176	US 49	orlo di skyphos tipo N. **74**
S 5	P 5005	Ambiente B8	coperchio cer. grezza
S 6	P 5022	US 249	base di coppa con piede sagomato, tipo N. **109** tracce di anello di distanziatore intorno al fondo. decorazione ad ovolo sul fondo
S 7	P 4451	US 168	base e fondo di una coppa. tracce di distanziatore sul fondo
S 8	P 6142	IS 193	base di una grossa brocca o lekythos con una depressione sul fondo
S 9	P 7115	US 393	piede concavo-convesso
S 10	P 4008	US 128	piccolo skyphos del tipo N. **88**
S 11	P 5001	US 215	brocchetta di ceramica grezza, intera, del tipo **V.130** (*infra*, p. 131)
S 12	P 701	Quadrato S1 I	coppetta su piede, intatta, del tipo N. **98**. Si veda anche il tipo 2424a della classificazione Morel (1981a).
S 13	P 589	WA 86-87 II	piccolo skyphos del tipo N. **86**
S 14	P 7	S. B est II	alto piede con sagomatura all'attacco del piede con il vaso, parzialmente verniciato
S 15	P 5001	US 215	peso da telaio
S 16	P 2003	PC 1	frammento di askos a papera
S 17	P 4853	US 254	guttus baccellato

B) Il Pianoro Sud-Est

Il pianoro sud-est include un'area pianeggiante di ca. 2 ettari e si trova 300 m. a sud del pianoro centrale (Tav. VII fuori testo), separato da quest'ultimo da un'ampia zona di affioramento del banco calcareo. Come già accennato il muro di fortificazione costeggia il pianoro lasciando un importante accesso nell'angolo sud-est (la porta sud, discussa *supra*, cap. 2).

Una tale collocazione topografica, di per sé

lascia sospettare l'importanza dell'agglomerato abitativo esistente in questa parte dell'insediamento fortificato. Le strutture, già in parte visibili in superficie, in modo particolare il cortile basolato già sterrato da lavori agricoli o altri interventi precedenti, presentavano un interro minimo e solo in pochi punti è risultato possibile associare ad esse specifici contesti abitativi.

Purtuttavia, la evidente sovrapposizione di muri e, in particolare, il rinvenimento di una notevole fossa di scarico, sigillata da un piano pavimentale (in CB-DB 171)[67] all'estremità sud-est dell'area esplorata, hanno permesso di distinguere almeno tre fasi costruttive, in parte raffrontabili con quelle già proposte per il nucleo agglomerato sul pianoro centrale.

1. *Resti abitativi precedenti l'impianto di IV secolo a.C.*

Nonostante l'interro minimo in questa parte dell'abitato fortificato ed una stratificazione in gran parte sconvolta, è stato possibile distinguere tracce di livelli abitativi relativi ad una fase precedente l'impianto di IV secolo a.C. Un sensibile avvallamento, in direzione nord-sud, lungo il settore sud del pianoro, nei quadrati contigui (da est ad ovest) CB 172, BB 172, AB 172, ZA 172 e YA 172, include uno spesso strato di terreno bruno scuro compatto con abbondanti tracce di bruciato (II e III), che è caratterizzato da abbondante ceramica grezza con forme piuttosto arcaiche[68]. Alcune buche per palo, di cui una ben conservata nell'angolo nord-est di YA 172 III, rafforzano l'idea della presenza di tracce abitative che precedono le strutture su zoccolo di pietra di IV secolo a.C.

Data la scarsa rilevanza cronologica della maggior parte delle forme[69], anche in questo caso sembra rischioso proporre una datazione specifica per questi resti. In via ipotetica un inquadramento vagamente indicativo nel VI-V secolo a.C. appare ragionevole. Tuttavia, l'associazione con ceramica a vernice nera e figure rosse di notevole qualità, databile nei decenni finali del V secolo a.C. (N. **101** N. **61**, N. **74b**) lascia pensare alla possibilità che l'area dell'avvallamento in CB 172-YA 172 con lo strato II-III di terreno bruno scuro compatto con bruciato sia da riferirsi ad uno scarico relativo ad una fase di V secolo a.C. A tale fase potrebbe riferirsi la maggior parte del materiale d'impasto e di ceramica grezza con forme arcaiche, che sembra includere materiali residui, quali forme d'impasto inquadrabili ancora in una *facies* dell'età del ferro (NN. **2, 3, 4, 5, 6b, 8b, 10**).

2. *Il grande edificio quadrangolare*

Nonostante la sovrapposizione dell'impianto con cortile basolato, si può chiaramente distinguere il perimetro esterno di un grosso edificio quadrangolare di ca. m. 10 x 15, che indubbiamente è da riferirsi ad una fase costruttiva precedente. Più difficile invece è stabilire la consistenza di questo impianto precedente e proporne una pianta dettagliata, nonché una cronologia specifica. Lo scavo ha rivelato l'assisa inferiore del muro costruito con doppia faccia di blocchi ed *emplekton*, secondo la tecnica più diffusa per la prima metà del IV secolo a.C. Uno stretto passaggio basolato lungo il lato nord dell'edificio, successivamente incorporato nel complesso con cortile, potrebbe aver fatto parte di questo edificio più antico, inquadrabile nella prima metà del IV secolo a.C. Per dimensioni esso può paragonarsi ad alcuni degli edifici di V secolo inoltrato documentati a Serra di Vaglio, anch'essi purtroppo di incerta destinazione[70]. La mancanza di contesti associati ad esso lascia aperta la possibilità che l'edificio stesso potesse essere stato già in vita nella seconda metà del V secolo a.C. ed essere associato ad alcuni dei

---

[67] Una presentazione preliminare di questo nucleo insediativo, scavato nel 1971, è stata inclusa in *Roccagloriosa* 1978, pp. 403-408. Per una discussione dettagliata del pozzo di scarico si veda Fracchia e Girardot 1986.

[68] Si vedano i commenti già fatti in *Roccagloriosa* 1978, p. 405 sulla derivazione arcaica di molte delle forme della ceramica grezza rinvenute su questo pianoro. Il recente riesame dei materiali ha permesso di distinguere, nell'ambito delle forme di ceramica grezza di tradizione arcaica che rimangono in uso sul sito sino al IV secolo a.C. avanzato, alcune forme più specificamente d'impasto e cronologicamente anteriori, che sembrano costituire i prototipi delle forme della ceramica grezza. Si confrontino in particolare i NN. **9-10** dell'impasto con i tipi NN. **229-230** della ceramica grezza. È da sottolineare, in ogni caso, che vari aspetti dei materiali ceramici rinvenuti sul pianoro sud-est si differenziano da quelli del pianoro centrale.

[69] Assai istruttivi, al riguardo, sono i raffronti da Albanella, dove molte di queste forme 'arcaiche' sono state rinvenute in contesti chiusi di fine V/prima metà IV secolo a.C. Si ringrazia vivamente M. Cipriani per aver gentilmente segnalato all'attenzione dello scrivente i raffronti da *Albanella* 1989.

[70] I raffronti da Serra di Vaglio sono stati discussi da G. Greco in *Atti Taranto*, 18, 1978, pp. 337-338, fig. 1 e Greco G. 1982. Si veda anche l'isolato KLM 70-72 di ca. m. 15 x 15 da Moio della Civitella (Greco e Schnapp 1983, pp. 399-401, fig. 10).

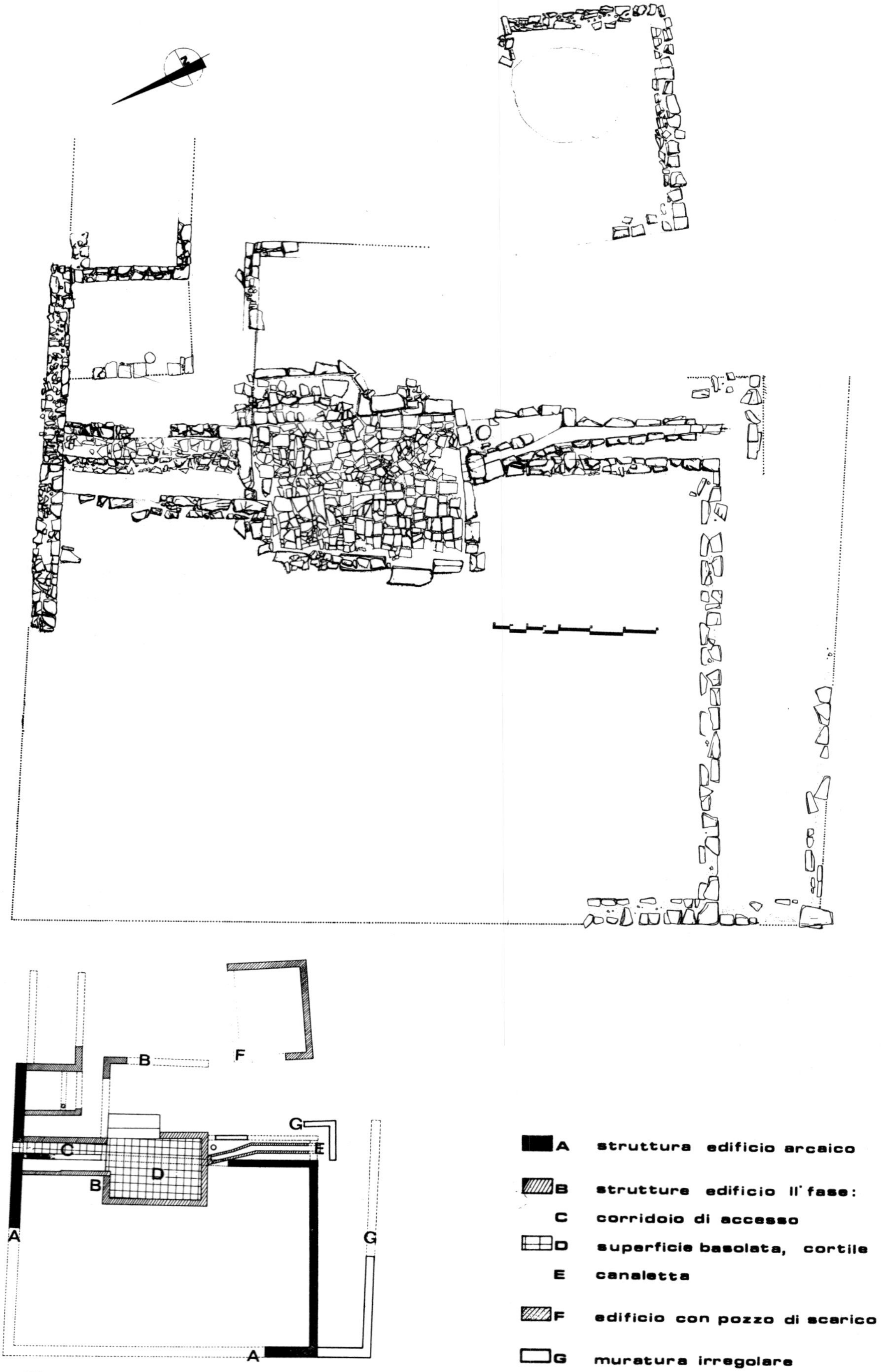

Fig. 100 a) Pianta delle strutture scavate sul pianoro sud-est. b) Ricostruzione schematica in fasi delle strutture scavate sul pianoro sud-est.

materiali rinvenuti nello strato di terreno bruno compatto con bruciato, immediatamente a sud dell'edificio stesso (YA-ZA 172 II e III), sopra menzionati. Alcuni muri a sud del grande edificio quadrangolare, con simile orientamento, in YA-ZA 172, nonostante l'evidenza di rifacimenti, almeno in un caso (fig. 100), sembrerebbero essere connessi con questo impianto più antico e riferirsi, almeno in parte, allo strato II-III con materiali arcaici rinvenuto in quest'area.

3. *Il complesso con cortile basolato (IV secolo a.C.)*

Un'area basolata di ca. m. 6 x 5, delimitata da uno 'stilobate' o cordolo di ortostati (fig. 101), costituisce l'elemento più vistoso del nucleo insediativo sul pianoro sud-est, inquadrabile in una fase successiva alla costruzione del grande edificio quadrangolare. Si è già accennato al fatto che non si dispone di contesti associati all'uso del complesso stesso e che pertanto la sua datazione può farsi solo sulla base di considerazioni generali. Una datazione successiva almeno al primo quarto del IV secolo a.C. è fornita dalla sua sovrapposizione all'edificio quadrangolare discusso nel paragrafo precedente, il cui uso è inquadrabile tra la fine del V ed il primo quarto del IV secolo a.C. D'altra parte, l'esistenza di una importante fase di seconda metà del IV secolo è dimostrata dalla notevole quantità di materiali

Fig. 101 Veduta del settore sud del cortile basolato (da nord) con canale di scarico costruito in piccoli blocchi rettangolari. Si nota, nell'angolo sud-est, l'archetto di deflusso cavato nel blocco dello stilobate dell'area basolata (indicato dalla freccia).

attribuibili a quel periodo rinvenuti nei due principali scarichi individuati sul pianoro:

I) il cosiddetto 'Pozzo' in CB-DB 171[71];

II) lo scarico in fossa poco profonda, livellato da uno strato di pietrame, in XA-YA 171[72] (fig. 100).

Ambedue gli scarichi, chiusi nel periodo 300-280 a.C., sono da riferirsi alla fase principale di abitazione sul pianoro e sono senz'altro da mettersi in relazione con lo sviluppo del complesso con cortile basolato. Una datazione intorno alla metà del IV secolo a.C. per la costruzione del complesso sembra pertanto la più ragionevole, sulla base dei dati disponibili.

In analogia con la pianta del complesso A sul pianoro centrale, sembra che l'area basolata con canaletta di scarico in pietre costruita sul lato sud (che evidentemente defluiva attraverso il muro di fortificazione)[73] rappresentasse l'elemento centrale di un cortile porticato. Un frammento di colonna rinvenuto sull'angolo sud-est dello stilobate (fig. 100a) anche in questo caso fornisce la prova per una simile ricostruzione. Sul pianoro sud-est, tuttavia, non sono state rinvenute tracce di muri paralleli allo stilobate dell'area basolata, che ci permettano di fornire una attendibile ricostruzione del portico. Sul lato est lo stilobate si slarga per lasciare spazio ad un accesso (pavimentato con basoli) sul cortile stesso, probabilmente una sorta di vestibolo, connesso con gli ambienti rinvenuti nell'angolo nord-est. L'ambiente in BB-CB 168, approssimativamente quadrato, di circa m. 4 x 4, includeva un ingresso con base di colonna in pietra ed un canale di drenaggio, costruito in tegole su tre lati dell'ambiente.

Il rinvenimento di una concentrazione di pezzi di argilla concotta ed arrossata dal fuoco in quest'area e la presenza di una certa quantità di scarti di cottura, lasciano pensare all'esistenza di almeno una fornace da vasaio anche sul pianoro sud-est[74].

---

[71] Pubblicato in FRACCHIA e GIRARDOT 1986.

[72] Da notarsi, nel caso del pianoro sud-est, la diversa tipologia dei due principali scarichi. Lo scarico in XA-YA 171, livellato da uno strato di pietre, è il tipo di gran lunga più comune nelle aree sinora esplorate. Di carattere eccezionale, rispetto al resto dell'abitato, rimane invece lo scarico in pozzo perfettamente circolare cavato nel banco di scisto argilloso (profondità oltre m. 3) in CB-DB 171.

[73] Come si ritrova spesso in prossimità della faccia interna delle fortificazioni (WINTER 1971, pp. 150-151, fig.127).

[74] Strettamente connesso con tale evidenza è il rinvenimento di una certa quantità di scarti di cottura e frammenti

Non è possibile in questo caso calcolare le dimensioni del complesso di IV secolo a.C. con cortile basolato e portico. Se si ipotizza che esso abbia riadoperato parte dei muri precedenti esistenti ad ovest del basolato (il grande edificio quadrangolare di fine V - inizi IV secolo a.C.) non è da escludersi una superficie paragonabile a quella del complesso A (ca. m. 20 x 20) (fig. 100).

4. *Presenze di III secolo avanzato*

La chiusura del pozzo di scarico in CB-DB 171 viene eseguita mediante una superficie accuratamente livellata da pietre, tegole e frammenti di *kalypteres* (Fracchia e Girardot 1986, fig. 1). Un ambiente di ca. m. 5 x 4 viene costruito intorno ed utilizza quella superficie quale area pavimentale, successivamente al 300-280 a.C. Non esiste, purtroppo, documentazione sulla durata di questa fase abitativa di III secolo a.C., anche se un frammento di coppa a v.n. con orlo a scanalature (Tipo **127**) rinvenuto in uno strato superficiale lascia pensare ad una continuità di abitazione almeno sino al secondo quarto del III secolo a.C.

Fig. 102 Muro (perimetrale o di terrazzamento) in grossi blocchi, rinvenuto in superficie nell'area di Carpineto (da sud).

C) L'area di Carpineto

Nel settore nord dell'abitato fortificato, tracce di strutture murarie e rinvenimenti di superficie documentano la presenza di almeno un altro nucleo insediativo di rilievo[75]. La situazione geomorfologica, discussa nel capitolo 1, non ha permesso di evidenziare tracce abitative nella vasta area a nord della posterula B, a causa di una profonda nicchia di frana che ha modificato sostanzialmente la conformazione antica dell'area. Rinvenimenti di superficie, fra cui pesi da telaio nell'area a sud-est della porta nord e, non ultima, la presenza di cospicue tracce di un impianto metallurgico (*supra*, cap. 2) nell'area immediatamente ad est della porta nord, lasciano pensare ad un nucleo abitativo (di dimensioni non ipotizzabili sulla base dei dati sinora disponibili) nel settore nord dell'area fortificata. Tuttavia, tra l'area di porta nord, con resti, anche strutturali, della menzionata forgia e la zona propriamente denominata Carpineto sulla carta IGM (allo estremo limite nord del crinale dei Capitenali) non sono stati rinvenuti resti di strutture che possano mettersi in relazione con le presenze abitative sotto elencate.

I) L'esistenza di un complesso di vaste dimensioni, sul più basso dei pianori appartenenti alla conca di Carpineto, ad una quota di m. 420, è documentata da un massiccio muro lungo ca. 10 metri e largo m. 0.80, costruito con doppio paramento di blocchi di grosse dimensioni ed *emplekton* di pietrame e scaglie di lavorazione (fig. 102; indicato quale muro M1 sulla pianta generale, Tav. VII fuori testo). Esso deve senz'altro interpretarsi quale opera di terrazzamento o muro perimetrale per un edificio di notevoli dimensioni, paragonabile, in via generale, ad uno dei complessi maggiori esplorato sul pianoro centrale. Mancano purtroppo dati di scavo (il muro è stato individuato dalla ricognizione di su-

---

di matrici sul pianoro sud-est. Si vedano anche i commenti di M. Cipriani (*infra*, pp. 295-297) relativi alla produzione coroplastica.

[75] Si vedano Fracchia *et al.* 1983 e, soprattutto, La Genière 1964. Sulla localizzazione dell'impianto metallurgico all'interno della porta nord, in posizione di rilievo ed in diretto collegamento con il vasto nucleo extra-murano dell'area DB, si vedano le osservazioni di Coldstream (1984, pp. 5-6) relative all'impianto metallurgico in contrada Mezzavia a Lacco Ameno (Pithecusa).

perficie e successivamente ripulito), ma uno spesso strato archeologico evidenziato da alcuni carotaggi effettuati nella campagna 1982[76] nell'area immediatamente a sud del muro stesso, sembrerebbero indicare un rilevante nucleo abitativo.

II) Circa 100 metri a nord-ovest del muro M1 sopra discusso, un saggio di scavo effettuato nel 1977 (quadrato s. 4) (tav. VII fuori testo) al limite ovest del pendio che limita il pianoro più elevato di Carpineto, ha evidenziato un massiccio crollo di tegole ed un allineamento di blocchi rettangolari di medie dimensioni, che non lasciano dubbi sulla esistenza di edifici di IV secolo a.C. nella parte ovest dell'area di Carpineto. La parzialità del dato e l'esiguità dei dati ceramici recuperati non consentono una più precisa qualificazione della struttura messa in luce, ma l'evidenza cumulativa del muro M1 e del quadrato s. 4 danno l'impressione di un nucleo insediativo di notevole estensione, che potrebbe in parte corrispondere alle tracce rilevate da J. de La Genière proprio in quest'area[77] nel corso della ricognizione effettuata nel 1964.

III) Una notevole concentrazione di vasi miniaturistici, in gran parte dilavati, sono stati rinvenuti sul declivio sovrastante l'estremità est del pianoro più elevato di Carpineto, in prossimità di una piccola 'sella' all'angolo nord-ovest della cresta dei Capitenali, al punto dove essa effettua una curva accentuata verso sud-ovest per racchiudere la conca di Carpineto. In mancanza di chiara evidenza strutturale (resti di blocchi crollati si rinvengono su tutta l'area di Carpineto) non è facile fornire una interpretazione di questo rinvenimento, inquadrabile cronologicamente agl'inizi del III secolo a.C.[78]. Analogie con *oppida* di fine IV-III secolo in Italia centrale e settentrionale[79] non escluderebbero la possibilità dello sviluppo, nella fase più tarda del sito, di un piccolo luogo di culto di sommità, all'interno del recinto fortificato. Per simili luoghi di culto manca sinora la documentazione in area lucana, anche se vi sono indizi per la loro esistenza in area brezia[80] ed è pertanto ammissibile, in via di principio, la loro presenza in uno stadio avanzato di sviluppo dei recinti fortificati.

IV) La parte centrale del pianoro più elevato nell'area di Carpineto è stata oggetto di prospezione magnetica, su di una superficie di 3200 m^2, da parte di R. Linington e la fondazione Lerici di Roma (tav. VII fuori testo). Si acclude il diagramma dei risultati della prospezione stessa con i commenti di R. Linington (tav. IV fuori testo).

V) Un 'test' di anomalia è stato effettuato nell'area di massima intensità magnetica rilevata dalla prospezione, nella parte orientale del pianoro stesso. A giudicare dai risultati del saggio di m. 8 x 3 sembra che questo settore del pianoro sia stato libero da strutture murarie consistenti, anche se non mancano rinvenimenti di ceramica a vernice nera negli strati superiori. Le anomalie rilevate in questa parte del pianoro sembrerebbero tuttavia riferirsi a strutture precedenti l'abitato di IV secolo a.C. Di questa fase, genericamente riferibile ad un orizzonte protostorico, sono stati messi in luce un focolare, con vari residui di argilla concotta, un pozzetto ed uno zoccolo in pietre irregolari che potrebbe appartenere ad una capanna con elevato stramineo. La maggior parte dei reperti proviene da un battuto d'argilla su cui insiste il focolare al di fuori della 'capanna' che dovrebbe costituire un'area di lavorazione. Il saggio di scavo, assai limitato, non consente illazioni più specifiche sull'abitato arcaico di Carpineto, anche se appare logico pensare che esso debba considerarsi congiuntamente con le più ampie tracce abitative di questa fase arcaica del sito rinvenute sul pianoro centrale (*supra*, pp. 46-48).

M. GUALTIERI

---

[76] Da parte dell'équipe diretta da R. Linington. Il posizionamento dei carotaggi è mostrato nella relazione d'ufficio inviata dalla Fondazione Lerici e dalla Missione Archeologica Canadese alla Soprintendenza Archeologica (non pubblicata).

[77] LA GENIÈRE (1964, p. 136) attira l'attenzione soprattutto su quest'area, quale sede di un vasto abitato. Il terreno è purtroppo incolto da vari anni (pascolo magro e boscaglia), fatto che non ha agevolato, nel corso della più recente ricerca, la ricognizione di superficie. Tuttavia, le notizie fornite a voce dalla Sig.ra A. Infantino sui rinvenimenti di materiali ai tempi di coltivazione del grano su alcuni dei pianori sono assai indicative sulla presenza di una vasta area di abitato.

[78] Pubblicati in FRACCHIA *et al.* 1983, pp. 366-368.

[79] In particolare monte Bibele, in area celtica (VITALI 1985) e Ghiaccio Forte in area etrusca (*Ghiaccio Forte* 1976, pp. 15-17 e 35-36).

[80] Si vedano le considerazioni di GUZZO 1984, pp. 210-212.

APPENDICE

ELENCO DELLE UNITÀ STRATIGRAFICHE PIÙ SIGNIFICATIVE DALLO SCAVO SUL PIANORO CENTRALE

A) STRATI

U.S.

38 COLLUVIO. Misto a strato di crollo relativo al complesso A.
Strato argilloso compatto con notevoli residui carboniosi.
38' Strato assai simile al precedente con maggiore densità di residui carboniosi.
45 PAVIMENTO/ABITAZIONE. Battuto argilloso ai due lati del canale F 156 nel portico A2.
48=49 SCARICO. Sommità dello scarico ad est del complesso A.
50 CROLLO. Ad est di F 11.
51 CROLLO/DISTRUZIONE. Nell'ambiente A5.
52 CROLLO di tegole ad est di F 11.
52' ABITAZIONE a nord-est di F 11.
56 COLLUVIO. Complesso B.
63 COLLUVIO. Complesso A.
64 COLLUVIO. Complesso B.
75 COLLUVIO. Area nord del complesso A.
79 COLLUVIO misto con crollo, area nord del complesso A.
82 COLLUVIO. Area est del complesso A.
85 BATTUTO con ciottoli, area est dell'ambiente A5.
86 COLLUVIO. Area est del complesso A.
98 CROLLO. Muro perimetrale est del complesso A.
93 ARGILLA rossa sterile. Area nord del complesso A.
96 BATTUTO con strato carbonioso.
109 CROLLO misto al colluvio. Ambiente A7/8.
112 RIEMPIMENTO di avvallamento nel basolato A4.
118=119=120=121 SCARICO ad est del muro F 17, complesso A.
128=141 COLLUVIO.
134 COLLUVIO misto con crollo. Area nord del complesso A.
145 COLLUVIO. Complesso B.
147 CROLLO con scivolamento di argilla verdastra. Ambienti A5/A6 Complesso A.
148 SCARICO ad est del complesso B.
163 SCARICO. Fondo dello scarico ad est del complesso B.
164 SCISTO ARGILLOSO nel cortile A4. Complesso A.
166 SCARICO di letame. Ambiente B6.
167 CROLLO sul piano di cottura della fornace al di sotto del livello di tegole.
168 CROLLO di tegole. Ambiente A5.
170 SCARICO di letame.
176 BATTUTO con tracce di bruciato.
179 CROLLO all'estremità nord-ovest del complesso A.
181 COLLUVIO. Complesso B.
183 ABITAZIONE, misto con argilla e scisto, angolo sud-est. Ambiente A1.
184 ABITAZIONE. Ambiente A5.
190 COLLUVIO. Ambiente B5-B6.
191 ABITAZIONE. Ambiente A7.
194 ABITAZIONE ad est di ambiente A5. Complesso A.
195=240 ABITAZIONE nell'ambiente A5.
201 COLLUVIO nel complesso C.
204 ABITAZIONE ambiente A6.
206 PAVIMENTO di scisto argilloso nell'ambiente A1.
211 COLLUVIO. Complesso C.
213 ABITAZIONE nel cortile/ambiente B7. Complesso B.
214 ABITAZIONE ambiente B7. Complesso B.
215 RIEMPIMENTO della camera di combustione della fornace F54
216 ABITAZIONE a nord nell'ambiente A5.
232 SCARICO misto a crollo ad ovest di F 260.
233 RIEMPIMENTO fra complesso A e complesso B.
237 ABITAZIONE. Ambiente B7.
239 RIEMPIMENTO del canale F 238 nell'ambiente A5.
240 ABITAZIONE. Ambiente A5.
242 ABITAZIONE mista a colluvio nell'ambiente B7.
243 COLLUVIO nell'ambiente B6/7.
246 COLLUVIO. Estremità sud complesso C.
248 COLLUVIO. Ambiente B8.
249 ABITAZIONE. Ambiente B8.
250 COLLUVIO. Ambienti B8/10.
253 SCARICO ad est dell'ambiente A1.
254 SCARICO ad est dell'ambiente A3.
257 ABITAZIONE, BATTUTO.
261 RIEMPIMENTO del *bothros* o *eschara* F 247.
263 RIEMPIMENTO del prefurnio della fornace F 54.
269 ABITAZIONE. Ambiente A7/8.
280 ABITAZIONE e PAVIMENTO nell'ambiente B8.
282 ABITAZIONE, misto a colluvio.
284 SCARICO di ceramica nell'ambiente A6.
286 ABITAZIONE nell'ambiente A5.
287 ABITAZIONE mista a colluvio nell'ambiente B10.
290 CROLLO del tetto a nord del portico A3.
291 RIEMPIMENTO tra F 241 e F 238.

292 'STOKING PIT' a sud della fornace F 54.
293 CROLLO misto a colluvio tra F 47 e F 48.
295 ABITAZIONE. Ambiente A6.
296 ABITAZIONE. Ambiente A6.
298 ABITAZIONE ad est nell'ambiente A8.
299 CROLLO del tetto ad est, nell'ambiente A7/8.
300 ABITAZIONE ad est nell'ambiente A7/8.
303 RIEMPIMENTO di un avvallamento ad ovest del basolato.
304 FREQUENTAZIONE al di sopra *di* F 271.
307 COLLUVIO. Complesso B.
318 SCARICO misto a crollo. Area nord-est di complesso A.
321 ABITAZIONE. Ambiente A5.
325=155 ABITAZIONE, misto a colluvio nell'avvallamento nell'angolo nord-ovest del basolato complesso A.
326 ABITAZIONE. Ambiente A5.
327 ABITAZIONE nel portico dell'ambiente A5.
327 ABITAZIONE nel portico A5.
333 SCARICO/RIEMPIMENTO nel canale F 377.
334 CROLLO ambiente A1.
335 CROLLO/ABITAZIONE. Ambiente A1.
338 RIEMPIMENTO/SCIVOLO di argilla ad ovest di F 192 e in canale F 377.
339 RIEMPIMENTO/SCARICO in F 377.
340 RIEMPIMENTO canale F 377.
342 POZZETTO area sud-ovest in ambiente A5.
344=168 CROLLO di tegole ad ovest di F 54.
345=184 ABITAZIONE ambiente A5 ad ovest di F 54.
346=195 ABITAZIONE ambiente A5 ad ovest di F 54.
347 CROLLO di tegole. Ambiente A6.
348 COLLUVIO/ABITAZIONE. Ambiente A6.
352 RIEMPIMENTO del canale F 350-351.
355 ABITAZIONE ambiente A7/A8 connessa con focolare F 356.
357 ABITAZIONE A7/A8.
358 SCARICO ad est del complesso A.
359 'STOKING PIT' vicino prefurnio di F 54.
360 CROLLO di tegole ambiente A5.
363 CROLLO di intonaco ambiente A8.
365 ABITAZIONE ad est di F 17 su strada basolata F 271.
366 ABITAZIONE/'STOKING PIT' all'estremità sud del prefurnio di F54.
368 ACCUMULO di cenere su fondo fornace F 54 e su 366.
371 ABITAZIONE in ambiente A7/A8.
372 ABITAZIONE in ambiente A7/A8.
375 ABITAZIONE/FOCOLARE in ambiente A7/A8.
391 SCARICO ad ovest della strada F 416.

B) Elementi

F 11 piccolo edificio votivo nell'angolo NE del cortile basolato (A4).
F 12 muro di tegole piane di fase III lungo il limite nord del cortile basolato (A4).
F 13 altare (frammenti di uno i due grossi blocchi in calcare) ca. 1 m. ad ovest di F 11.
F 17 muro perimetrale est del portico A3.
F 18 muro sud del portico A3.
F 20 muro perimetrale est del complesso B.
F 23 muro di III secolo avanzato rinvenuto al disopra della fornace F54.
F 26 muro di terrazzamento ad est di F 27.
F 27 muro di terrazzamento ad est del complesso B.
F 28 muro nord dell'ambiente A5.
F 34 canale in coppi di tipo corinzio, in direzione N-S, fra F 28 e F 178.
F 35 struttura in tegole piane con pithoi e bruciato (focolare?) lungo la parete nord dell'ambiente A5.
F 36 vaschetta costruita con tegole poste di taglio, lungo la parete nord di A5.
F 40 vasca (?) o piattaforma, al centro dell'ambiente A5.
F 44 struttura in ciottoli con bruciato (focolare?) nell'ambiente B3.
F 46 raccordo in blocchi rettangolari fra F 17 e F 47.
F 47 muro perimetrale nord dell'ambiente A5.
F 48 muro di terrazzamento immediatamente ad est di F 47.
F 51 muro in pietre costruito al disopra del cordolo nord del cortile basolato.
F 54 fornace nell'ambiente A5.
F 55 porta bloccata sulla parete est del portico A3.
F 56 porta bloccata, ca. m. 2 a nord di F 55.
F 138 'stradina' basolata di V sec. a.C. al disotto del muro F 260.
F 156 lungo canale (solco ad 'U' riempito di ciottoli) che attraversa diagonalmente il complesso A.
F 158 vasca (?) rettangolare nell'angolo NE dell'ambiente B4.
F 171 muro fra gli ambienti B6 e B7.
F 172 muro fra gli ambienti B4 e B5.
F 178 muro est-ovest dell'edificio di V secolo, al disotto del pavimento dell'ambiente A5.
F 182 muro fra gli ambienti B5 e B6.
F 185 muretto di III secolo avanzato costruito al disopra di F 205.
F 192 muro sud del corridoio di accesso in A7/A8.
F 193 muro perimetrale nord del complesso A.
F 198 muro sud dell'ambiente A1.
F 199 muro est dell'ambiente A1.
F 200 vasca a settore circolare nell'angolo SE dell'ambiente A1.
F 205 muro perimetrale est del complesso B.
F 209 muro perimetrale nord del complesso B.
F 210 muretto di rinforzo di F 209.
F 212 muro fra gli ambienti B7 e B8.
F 217 muro fra gli ambienti B8 e B9.
F 218 gradino costituito da un grosso blocco rettangolare all'estremità est dell'intercapedine fra complesso A e complesso B.
F 230 piccolo tratto in basoli nell'angolo SE del cortile B7.
F 238 canale in tegole, est-ovest, in A5.
F 241 canale in lastre di pietra, NE-SO, nell'ambienteA5.
F 244 'bothros', 'eschara' nell'angolo NE del cortile B7.
F 247 'eschara' nell'angolo SE del cortile B7.
F 252 focolare in B8.
F 255 muro di terrazzamento ad est di F 17, al disopra di F 271.
F 260 grosso muro perimetrale ovest dell'ambiente A7/A8.
F 266 rifacimento del muro perimetrale ovest dell'ambiente A7/A8.
F 271 stradina basolata lungo la faccia est di F 17 (lato esterno del portico A3).
F 281 piattaforma di tegole (focolare), nell'angolo NE di A1.
F 297 muro est-ovest di V secolo al disotto del pavimento in A6.
F 301 terrazzamento ad est dell'ambiente A1 (distrutto), probabilmente in continuazione di F 26.
F 302 piattaforma rettangolare in ciottoli nel cortile A4.

F 311 muretto (E-O) di V secolo all'angolo NO del cortile A4.

F 343 muretto di terrazzamento in blocchi lungo la parete est del canale F 377.

F 350 canale (in lastre di pietra) lungo il lato interno di F 17, in A3.

F 351 parte di rifacimento (con tegole poste di taglio) dello stesso.

F 353 muretto di V secolo al disotto del pavimento in A3.

F 356 focolare nell'angolo NE di A7/A8.

F 361 muro di V secolo o inizi del IV, nell'ambiente A7/A8, spianato al livello del pavimento.

F 362 canale (N-S) in coppi di tipo corinzio lungo la faccia interna di F 47 nell'ambiente A5.

F 368 Muro di V secolo (parallelo a F 297) nell'angolo NO di A6

F 377 canale/fossato all'estremità NO del complesso A.

F 379 tratto di muro di V secolo sotto la soglia fra gli ambienti A5 ed A6.

F 401 tratto del muro perimetrale ovest del complesso A, lungo la strada F 416.

F 404 spigolo SO del complesso A (conservati due blocchi rettangolari posti ad angolo retto).

F 416 strada NE-SO lungo la fronte ovest dei complessi A e B.

CAPITOLO 4

IL DEPOSITO VOTIVO *

1. Quadro generale

La documentazione di attività cultuali in diversi ambienti del complesso di edifici sul pianoro centrale costituisce un aspetto notevole dell'evidenza archeologica raccolta nell'abitato all'interno del muro di fortificazione soprattutto quando si consideri che l'evidenza sinora disponibile sulla presenza di aree di culto all'interno di abitati di IV secolo a.C. è estremamente scarsa per i territori italici, in generale, e per l'area lucana in particolare[1]. È stato ripetutamente sottolineato da altri che in un tipo di organizzazione insediativa prevalentemente pre-urbana o pseudo-urbana quale quella che si riscontra nella Lucania di IV secolo a.C., gli edifici per le funzioni sacre di carattere collettivo sono generalmente incorporati in santuari extra-murani, cantonali o regionali, ed assai raramente associati ad aggregati abitativi[2]. Il caso specifico della Lucania è esemplarmente documentato dal santuario 'cantonale' di Macchia di Rossano di Vaglio[3] e da numerosi piccoli santuari rurali, collocati in punti nodali di transito (e molto spesso associati con una sorgente), quali ad esempio Colla di Rivello, Serra Lustrante di Armento e Fontana Bona di Ruoti[4]. L'emergere di questa rete di santuari nella seconda metà del IV secolo a.C., con una frequenza che non trova raffronti nel periodo precedente, è senz'altro da mettere in relazione con l'avvenuto consolidamento della entità etnico-regionale lucana, com'è confermato anche dalle più antiche iscrizioni rinvenutevi[5]. Il caso di Roccagloriosa, che cronologicamente precede di un mezzo secolo l'evidenza dei santuari sopra citati, anche se vi si affianca nella seconda metà del IV secolo, affonda tuttavia le sue radici in un fenomeno distinto, con sfumature arcaiche che si esplicita in un tipo di attività cultuale ancora inserita nella struttura dell'*oikos*, sotto il controllo di una *gens* o gruppo aristocratico. Ai complessi 'palaziali' o *anaktora* (com'è ormai norma chiamarli) di Murlo ed Acquarossa dell'Etruria di VI secolo[6], che documentano esemplarmente la molteplicità di valenze della residenza 'principesca', in uno stadio di evoluzione dalla casa al tempio[7], sono stati di recente accostati, con le debite distinzioni, il complesso di

---

* Il capitolo è stato redatto da M. Gualtieri, M. Cipriani ed H. Fracchia. M. Gualtieri ha curato l'inquadramento generale dell'area votiva e la presentazione del contesto architettonico. L'analisi delle terrecotte votive è di M. Cipriani mentre lo studio della ceramica miniaturistica è di H. Fracchia.

1 Un elenco sommario è contenuto in Torelli 1977, p. 55. Si vedano anche i commenti di Guzzo 1984, pp. 209-212 con raffronti fra l'area brezia e quella lucana.

2 Fondamentali a tal proposito sono vari studi sugli insediamenti sannitici presentati in La Regina 1970 e 1975. Per l'area magno-greca più specificamente, si veda Torelli 1977, pp. 56-57. Un quadro generale degli sviluppi insediativi nelle aree italiche è presentato da Torelli 1978.

3 Su Rossano di Vaglio (pubblicato, in via preliminare, da Adamesteanu e Lejeune 1971) la letteratura è ampia. Assai rilevanti sono le considerazioni di Bottini in *PCIA*, 1986, pp. 364-366 e Guzzo 1984, p. 209. Edlund 1987, p. 123 lo considera, in via sommaria, sullo sfondo generale di culti e santuari in Magna Grecia.

4 Colla di Rivello, *Lagonegro* 1981, *passim*; Serra Lustrante/Armento, Adamesteanu 1974, pp. 203-204; Fontana Bona-Ruoti, Fabbricotti 1979, pp. 347-353.

5 Sulle iscrizioni da Rossano di Vaglio, Adamesteanu e Lejeune 1971; quadro generale su queste ed altre iscrizioni pubbliche lucane in Poccetti (in corso di stampa).

6 Raffronti architettonici in Staccioli 1976; discussione recente in Stopponi 1985, pp. 21-40 (M. Torelli).

7 Colonna 1985, pp. 53 e 149.

Fig. 103 Il cortile basolato, con edicola votiva F 11, nel contesto del complesso A (veduta da est).

contrada Braida di Serra di Vaglio[8], ed alcuni esempi posteriori da Lavello ed ancora Serra di Vaglio[9].

Sono soprattutto due complessi da Lavello[10], nell'estremità sud-ovest dell'antica Daunia, a fornire dati assai chiari sulla esistenza di imponenti edifici tardo-arcaici con una molteplicità di funzioni, fra cui è evidente quella cultuale. La documentazione congiunta di abitato e necropoli ha permesso di dimostrare con sufficienti dettagli, nel caso di Lavello/Casino, l'esistenza di «forme di articolazione più complessa e di aggregazione intorno a gruppi familiari elitari»[11], che costituiscono lo sfondo socio-economico per l'emergere di un tal tipo di edificio.

D'altra parte, un complesso dall'abitato fortificato di Serra di Vaglio, datato fra la fine del V ed il IV secolo a.C.[12] può costituire un più adeguato raffronto con l'evidenza da Roccagloriosa quando si considerino l'area geografico-culturale in cui si colloca e la cronologia assegnatagli, benchè risulti sostanzialmente diverso nel tipo architettonico della casa a pianta allungata e nella impostazione planimetrica generale. Una vasta area basolata, connessa con un gruppo di ambienti adiacenti, è stata associa-

[8] Discusso sotto questo profilo da Bottini in *PCIA*, 8, 1986, pp. 199-200; inquadramento generale con raffronti fra area Etrusca ed area Italica in Gros e Torelli 1988, pp. 46-48.

[9] Tocco 1974, pp. 285-288; Greco G. 1982, pp. 75-85; Bottini *et al.* 1989. Sono altresì da considerare quali raffronti più generali, nell'ambito del mondo indigeno della Magna Grecia e in un arco cronologico più ampio, il complesso dell'Aiera Vecchia da Cavallino (Corchia *et al.*, 1982; Tagliente e Corchia 1984, pp. 6-7). e l'edificio arcaico «con molteplici valenze» sull'acropoli di Monte Sannace (*Monte Sannace* 1989, pp. 129-131, tav. 400).

[10] Bottini *et al.* 1989. Ringrazio M. Tagliente per uno scambio di idee sul recente scavo di Lavello avuto nel corso di una sua visita allo scavo di Roccagloriosa.

[11] *Ibid.*

[12] Greco G. 1982, pp. 76-77.

ta dallo scavatore con un ricco deposito di ceramica, databile fra la seconda metà del V e gli inizi del III secolo.

Tale deposito, com'è risultato da una successiva analisi delle forme, include una preponderante quantità di vasi per bere e per versare, evidentemente connessi con cerimonie di libagione[13]. Pertanto, nonostante la incertezza su vari elementi della pianta generale e della organizzazione del complesso nel suo insieme, la 'funzionalità pubblica o sacra' dell'area basolata postulata da G. Greco sembrerebbe collocarlo nell'ambito dei complessi di tipo abitativo ma con pluralità di funzioni, a cui si è già accennato.

Il complesso A sul pianoro centrale a Roccagloriosa può senz'altro affiancarsi agli esempi sopra citati, anche se il suo massimo sviluppo è racchiuso nell'ambito del IV secolo a.C. e quindi, nello stadio in cui ci è meglio documentato, già in gran parte svuotato di quella specifica funzione 'pseudo-pubblica' che caratterizza i precedenti arcaici[14]. Purtuttavia, l'insieme di contesto architettonico, edicola votiva (F 11), statuette, vasi miniaturistici ed offerte sacrificali ci fornisce con dovizia di dettagli la documentazione archeologica dei *gentilicia sacra* di un ambiente italico di IV secolo a.C., aspetto indubbiamente emblematico del ruolo delle *familiæ inlustres* lucane, menzionate da Livio (8.24.4).

2. Contesto architettonico e struttura di F 11

Si è già sottolineato il fatto che il cortile basolato, con portico su tre lati, costituisce un elemento architettonico principale del complesso A sul pianoro centrale. Il cortile porticato, tuttavia, non rappresenta un elemento esclusivo del nucleo insediativo sul pianoro centrale, dato che simili aree basolate sono documentate in altri nuclei insediativi, sia all'interno che all'esterno del muro di fortificazione. È da notarsi, comunque, che l'area basolata del complesso A (ambiente A4, fig. 104) è di gran lunga la più vasta delle aree di cortile sinora rinvenute sul sito, con una estensione di m. 8 x 7 (probabilmente con una continuazione verso ovest dell'area a cielo aperto anche se con semplice battuto senza basoli, *infra*, p. 104) contro i 6 x 5 m. di quella sul pianoro sud-est, 6 x 6 m. di quella sul pianoro nord-ovest (area Napoli 1971) e 5 x 4 m. di quella nell'area DB. Inoltre, l'aspetto di particolare rilievo del cortile basolato A4 è costituito dallo stato di conserva-

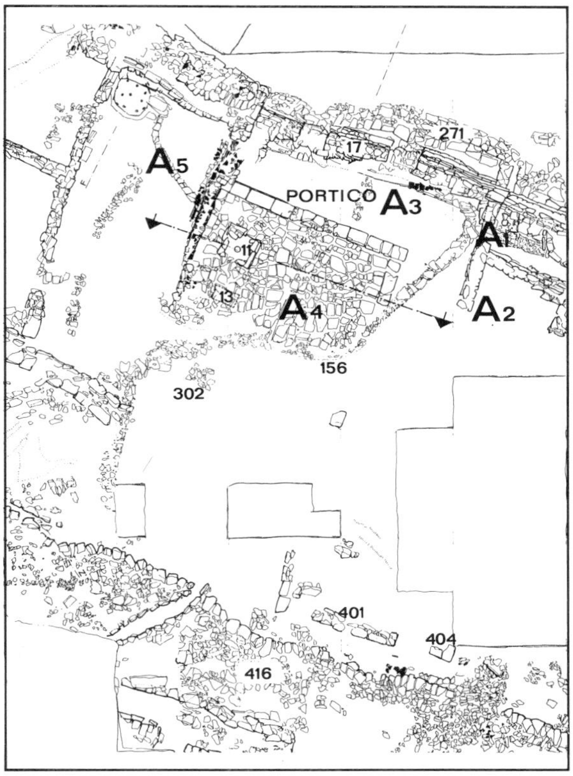

Fig. 104 Pianta dell'area centrale del complesso A, con cortile e portico.

zione dell'intero contesto architettonico in cui esso risulta inserito, che ci permette di ricostruire il portico e parte degli ambienti adiacenti, oltre a fornirci la cronologia delle varie parti.

Come già accennato, il cortile basolato era circondato da un portico su tre lati (nord, est e sud), almeno nella sua pianta originaria di IV secolo a.C. (fase II A, ca. 375-325 a.C.). Lo spiovente del tetto del portico era sostenuto da colonne che poggiavano sul cordolo di grossi blocchi rettangolari, lungo i margini dell'area basolata ed erano, almeno in par-

[13] Sulla libagione in ambiente lucano o come momento di aggregazione in una comunità pre-urbana o pseudo-urbana molto è stato scritto; con riferimento all'ambiente Italico rilevanti sono i commenti di Bottini A. 1987, pp. 203-204 e discussione in Chiranky 1982, p. 85.

[14] Non manca tuttavia l'evidenza per offerte votive risalenti al V secolo a.C. (in particolare la terracotta **V 20**, *infra*) e resti di un edificio coevo alla cui decorazione sono attribuibili il frammento di antefissa a nimbo (TC, N. **522**) ed un frammento di *gorgoneion* del tipo 'orrido' (TC, N. **521**).

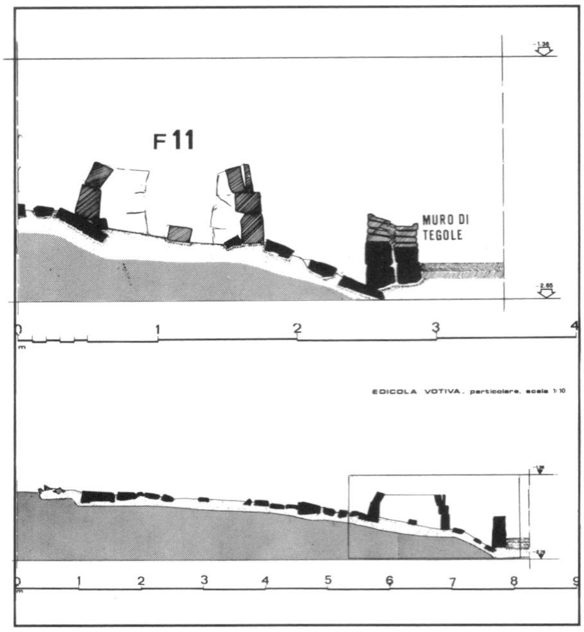

Fig. 105 Sezioni del cortile basolato e della edicola votiva.

te, di calcare con un diametro di ca. 30 cm.[15]. L'estensione del cortile verso ovest rimane incerta, dato che il sollevamento di frana esistente immediatamente ad ovest del canale (F 156) che costeggia l'area basolata (*supra*, fig. 78), ha causato lo sconvolgimento dei resti archeologici su di una fascia larga ca. 6 metri.

Tuttavia, il recente rinvenimento di una strada (F 416) che costituisce il limite ovest del complesso A ci permette di calcolare con un minimo di approssimazione la larghezza del complesso (cioè 18 metri fra le due 'strade' che delimitano il complesso stesso). Quindi, pur ammettendo l'esistenza di un 'vestibolo' o ambiente di accesso al cortile dal lato ovest, a cui potrebbero appartenere gli spezzoni di muri rinvenuti nell'area ovest del complesso (fig. 104, F 401), rimarrebbe ancora una larghezza est-ovest di ca. 8/10 metri per il cortile.

Attestandoci sulla cifra più bassa, un'area stimata di ca. m. 8 x 8 per il cortile A4 risulterebbe leggermente inferiore ai citati raffronti da Serra di Vaglio e Lavello[16]; tuttavia, la sistemazione del portico, non senza aspetti di monumentalità, e soprattutto la presenza di un'edicola votiva (F 11), in blocchi di calcare, con tetto di tegole a doppio spiovente, costituiscono elementi probanti per la sua destinazione ad area 'cerimoniale'.

2.1. L'edicola votiva F 11, rinvenuta nell'angolo nord-est del cortile basolato, è conservata per oltre 60 cm. di altezza, con tre filari di blocchi rettangolari di medie dimensioni, includenti anche un grosso blocco di imposta alla base dell'angolo nord-est. La presenza di quest'ultimo, evidentemente necessario a creare un livello uniforme per le assise dei blocchi superiori, lascia pensare che il piccolo edificio sia stato costruito su di una superficie del basolato già parzialmente in pendenza sud-nord (fig. 108). In ogni caso, l'altezza conservata rappresenta solo una frazione dell'altezza originaria dell'edificio, a giudicare dalla notevole quantità di blocchi crollati sia all'esterno delle pareti che all'interno della struttura, frammisti alle tegole del crollo del tetto (fig. 106). Il tetto, a doppio spiovente, aveva la trave centrale poggiata su di un sostegno verticale (molto probabilmente una colonna lignea) di cui è stata rinvenuta solo la base di calcare del diametro di 20 cm., al centro del pavimento (fig. 111). Una certa pretesa di decorazione architettonica è indicata dal rinvenimento di una placca di terracotta (N. **526**) (molto probabilmente dipinta in antico)[17], a copertura della testata del *columen*. Un ingresso sul lato ovest, largo 50 cm., è stato rinvenuto chiuso da una tegola (fig. 107).

La pianta approssimativamente quadrata della struttura e la sua posizione sul cortile basolato, stabiliscono un vago raffronto con il piccolo *oikos* coevo di Serra Lustrante/Armento[18]. Le ridotte dimen-

---

[15] Per i quattro frammenti di colonne in pietra rinvenuti nell'area del cortile basolato/portico del Complesso A, il diametro oscilla invariabilmente fra i 28 ed i 29 cm. lasciando pensare ad una misura standardizzata.

[16] Per Lavello è data una estensione di m. 7 x 14 per l'edificio recentemente scavato e di dimensioni analoghe per quello scoperto nel 1974. Per Serra di Vaglio il contesto è meno chiaro ed in uno stato di conservazione più frammentario.

[17] I raffronti stringenti delle testate dipinte da Gela (Adamesteanu 1953) lasciano supporre che anche questo esemplare, ancorché di dimensioni inferiori, potesse essere dipinto. L'esemplare è stato discusso in dettaglio da C. Gorrie "A study of gorgoneion antefixes in Lucania" (Tesi di Master of Arts, University of Alberta, non pubblicata).

[18] La pianta del piccolo santuario di Serra Lustrante/Armento, con l'*oikos* nell'angolo nord-ovest (?) è pubblicata (purtroppo senza indicazione di scala) in Adamesteanu 1974, p. 203.

Fig. 106 L'angolo nord-est del cortile con F 11 prima della rimozione del tetto crollato all'interno. È visibile, in primo piano al centro, l'altare F 13 (da ovest).

sioni (m. 1,10 x 1,30), tuttavia, la avvicinano ancor più ad un edificio posteriore, un 'larario' della villa tardo-repubblicana di Banzi/Mancamasone nella

Fig. 107 Veduta dell'edicola F 11 (da ovest). Si noti la tegola posta a chiusura della porta.

Fig. 108 La parte posteriore dell'edicola F 11 (da est). Si noti, a destra, un grosso blocco di 'livellamento'.

Fig. 109 Veduta di F 11 dopo la rimozione di tegole e blocchi caduti all'interno (da ovest).

Lucania interna[19], ma bisogna sottolineare che la documentazione sinora pubblicata per quest'ultimo esempio ed il divario cronologico non ci permettono, per il momento, di andare al di là di un generico raffronto architettonico.

L'eccezionale stato di conservazione della struttura rinvenuta a Roccagloriosa ci ha permesso di documentare in dettaglio l'uso dello spazio interno, la collocazione delle statuette votive (fig. 109), la deposizione di vasi miniaturistici (fig. 110) e la presenza di offerte sacrificali (tav. II fuori testo). Le statuette di terracotta, rappresentanti la dea seduta in trono, due delle quali sembrerebbero essere ancora nella posizione originaria, erano tutte collocate lungo la parete di fondo, rivolte verso l'ingresso (tav. II fuori testo). Quella che è stata ricostruita come una probabile 'statua di culto', alta ca. 35 cm. (**V1**, *infra*) si trovava pressappoco nella parte centrale della parete. La posizione complessiva delle statuette sulla parete di fondo che trova raffronti con depositi votivi di carattere ctonio[20], ricorda altresì la collocazione della statuetta di marmo di dea seduta da Garaguso all'interno del modellino di tempio, rinvenuto separatamente, secondo l'attendibile ricostruzione fattane da Sestieri Bertarelli[21], con la dea posta sul fondo del modellino di *oikos*, rivolta verso l'ingresso.

L'interno della struttura F 11 presentava una conformazione approssimativamente circolare, molto probabilmente ottenuta mediante la rimozione di alcuni dei basoli di calcare del pavimento del cortile, lasciando esposta la superficie del suolo naturale (scisto argilloso), che appariva spianata con argilla

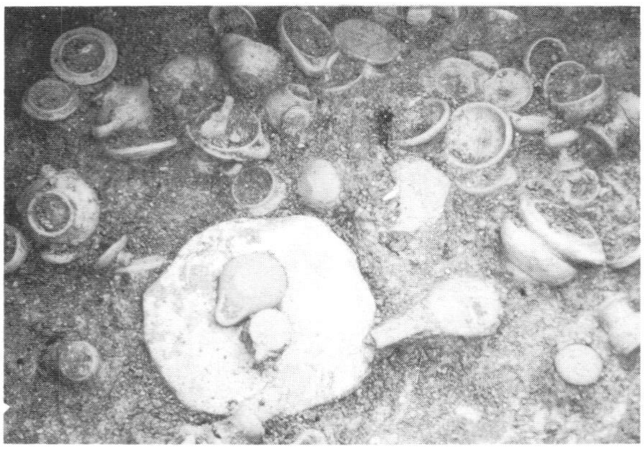

Fig. 110 Offerte di vasi miniaturistici all'interno di F 11 (da ovest).

(fig. 111). Un simile apprestamento conferiva al fondo della edicola l'apparenza di un *bothros*, sulla cui superficie erano state poste le statuette, insieme con i vasetti e le lucerne. Resti cospicui di vittime sacrificali (sono stati identificati almeno dieci capi

Fig. 111 Interno di F 11 a scavo terminato.

---

[19] Bottini A. 1988, p. 80-85. L'edificio non è stato ancora pubblicato. Ringrazio A. Bottini per le informazioni fornitemi sul complesso durante una visita ai depositi del Museo del Melfese. In via largamente indicativa, si consideri anche la casa a cortile da Corinto con annessa edicola votiva, pubblicata da Williams (1981, pp. 416-418, fig. 3).

[20] Cortese comunicazione di P. Orlandini (con raffronti da Gela) nel corso della discussione seguita alla presentazione preliminare del complesso votivo al IV Convegno di Acquasparta ("L'emergere del politico nel mondo osco-lucano") nel maggio 1986. Per la disposizione delle statuine, si veda anche Gabrici 1927, tav. 21.

[21] Sestieri Bertarelli 1958, pp. 67-78.

Fig. 112 Dettaglio dell'altare F 13 rinvenuto ad ovest di F 11.

di ovis/capra, immolati in età non adulta; *infra*, Appendice), unitamente alle abbondanti offerte di vasi miniaturistici, non lasciano dubbi sulla celebrazione di sacrifici periodici nell'ambiente in questione. Oltre alla presenza di un vero e proprio altare (F 13) costruito con uno o due grossi blocchi di calcare immediatamente ad ovest di F 11 (fig. 112), una piattaforma rettangolare (ca. m. 0,80 x 1,20) di pietre irregolari (US 302), rinvenuta a ca. 2 metri ad ovest dell'ingresso di F 11, sembrerebbe anch'essa

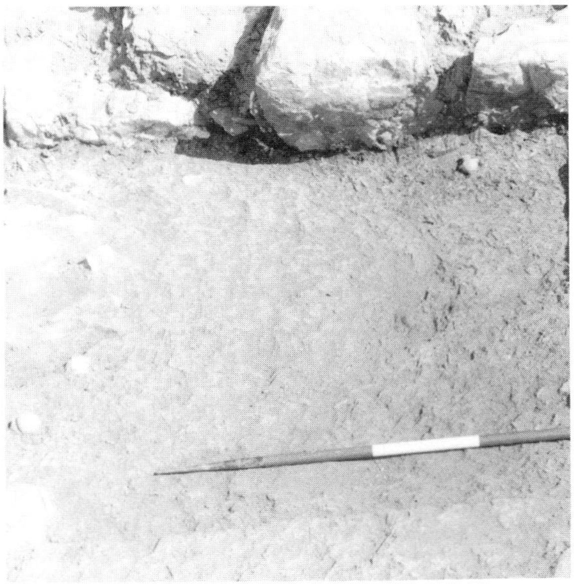

Fig. 113 Il cortile B7 con la struttura F 244 (a sinistra) ed una hydria miniaturistica rinvenuta sul livello pavimentale.

in qualche modo connessa con un tale tipo di attività rituale.

È da notarsi inoltre che la deposizione (US 303) rinvenuta in una depressione naturale del banco di scisto argilloso al limite ovest dell'area basolata, potrebbe rappresentare un analogo tipo di attività rituale riferibile ad un momento precedente la costruzione della edicola in blocchi di calcare. Tale pozzetto (US 303) includeva la terracotta votiva **V 18** (*infra*, p.112) e la lucerna N. **424**.

3. Documentazione di attività cultuale in altri ambienti del pianoro centrale

I dati discussi, che si riferiscono al cortile porticato del complesso A, non esauriscono la documentazione recuperata sulla esistenza di attività di culto negli ambienti sinora scavati sul pianoro centrale.

Come già accennato, le strutture rinvenute più a sud del complesso A sono riferibili ad almeno due complessi, di dimensioni inferiori, ambedue includenti un cortile centrale ed una fila di ambienti su due lati (sono stati denominati complesso B e complesso C).

Anche se lo stato frammentario dei rinvenimenti non ha permesso, in questi altri due casi, di ottenere una ricostruzione completa della pianta e di darne una interpretazione funzionale per i singoli ambienti, il pozzetto circolare (F 244) ricoperto da pietre e frammenti di tegole, rinvenuto nell'angolo nord-est del cortile B6, sarebbe da interpretarsi come *bothros* o *eschara*, qualifica, quest'ultima, che si addice anche alla problematica struttura quadrangolare in tegole (247) con un livello di bruciato, nell'angolo sud-est dello stesso cortile. Una *hydria* miniaturistica (n. **411**), rinvenuta sul piano pavimentale del cortile (fig. 113), non lascia dubbi sulla presenza di un tipo di attività cultuale in questo ambiente del complesso abitativo (denominato sulla pianta quale complesso C).

Poco più a sud, l'ambiente B 8, appartenente probabilmente ad un quarto complesso (anche se non è dato identificare una intercapedine, come negli altri casi, che lo separi dal complesso C), includeva nel livello di abitazione (US 249) un certo numero di reperti assai significativi.

Un coperchio e alcuni frammenti della parte inferiore di una pisside o cofanetto di piombo (N. **692**) probabilmente usato quale contenitore per

Fig. 114 L'ambiente B8 con i tre pozzetti rinvenuti sul pavimento.

gioielli o cosmetici[22], qualifica il livello sociale dell'ambiente stesso e ne lascia intravvedere una destinazione particolare.

D'altra parte, un dischetto in terracotta, del diametro di ca. 5 cm. (n. **517**), rappresentante Ercole che strangola i serpenti di Hera, ben si accoppia ad una clava di bronzo, lunga ca. 8 cm. (N. **693**), appartenente ad una statuetta di Ercole di un tipo del primo Ellenismo[23], rinvenuta lungo la parete che divide l'ambiente B 8 da B 9. Tali reperti, considerati nel loro insieme, sono ancora più significativi quando vengano posti in relazione con tre piccoli pozzetti, purtroppo senza rinvenimenti di significato particolare, rinvenuti sul pavimento di B 8 (fig. 114). È da menzionare infine, nonostante la mancanza di dati sul contesto architettonico, il rinvenimento nell'area PC 86 (poco più a sud) di un dischetto di terracotta (N. **518**) con profilo femminile derivato da un calco di moneta siceliota dei primi anni del III secolo.

Il dischetto era associato con un chiodino di bronzo e, secondo una recente ricostruzione[24], doveva appartenere ad un cofanetto in legno o modello di *naiskos*, per cui sembra ragionevole supporre un uso rituale.

Tale evidenza cumulativa derivante dagli ambienti della parte sud dell'agglomerato sul pianoro centrale, ancorché frammentaria, non lascia dubbi sulla esistenza di forme di culto 'domestico' in diverse aree del nucleo insediativo principale all'interno della fortificazione[25]. D'altra parte appare evidente che, se raffrontati con la documentazione appena discussa su molteplici tipi di attività rituale, nei complessi B/C e PC 86, i materiali derivanti dal complesso A, analizzati in dettaglio nei paragrafi che seguono, acquistano un carattere di maggior rilievo. Sono da sottolineare certi aspetti di monumentalità del complesso A, soprattutto per la presenza della edicola votiva F 11 con tetto a doppio spiovente, l'altare F13, il grande cortile porticato e la quantità e varietà delle offerte votive e degli oggetti di culto.

Si può pertanto supporre che le pratiche cultuali ivi documentate non fossero ristrette ai soli residenti del complesso stesso ma, molto probabilmente coinvolgevano un gruppo più esteso della comunità[26] e pertanto riflettono, almeno in parte, quelle valenze 'pubbliche' originarie dei *sacra gentilicia* arcaici.

M. Gualtieri

---

[22] Tale sembra essere la caratteristica di quelli rinvenuti, più comunemente in contesti funerari, nell'area apula (*Ori Taranto1984*, p. 65; *Ceglie Peuceta* 1982, p. 84). Si veda anche il raffronto dalla necropoli ellenistica di Alessandria (Breccia 1912, p. 174, n. 554). Per l'uso di un simile oggetto, si veda Forti e Stazio 1983, p. 664, fig. 680.

[23] Il tipo è discusso nel catalogo (cap. 9, N. **693**). Di notevole interesse la presenza della statuina di Ercole in questo contesto cultuale quando si consideri la particolare rilevanza del culto di Ercole in ambiente italico (Colonna 1977, e 1980-1981, pp. 173-174).

[24] Fracchia 1987, pp. 87-90.

[25] Incerta, per il momento è l'interpretazione di alcuni esemplari di vasi miniaturistici rinvenuti in aree insediative extra-murane (DB e Area Napoli 1971), data la parzialità del dato. Nel caso del vasetto (N. **412**) rinvenuto nella ripulitura dell'area basolata nell'Area Napoli 1971, non sembra fuori luogo ipotizzare una destinazione analoga a quella del basolato del complesso A.

[26] Ad esempio gli individui adulti di un certo numero di famiglie, come suggestivamente proposto in Bottini *et al.* 1989.

4. Le terrecotte figurate[27]

Interno del deposito votivo (F 11)

Piccola plastica

Gruppo A: Statuette di divinità femminili in trono.

Sono attestati complessivamente 14 esemplari riconducibili a 4 tipi distinti. Il primo, designato con la sigla AI, è attestato con un'unica variante AI al. Degli altri quello indicato con la sigla AII ha due varianti, ciascuna delle quali dà luogo ad una replica; quello contrassegnato dalla sigla AIII presenta invece un'unica variante ed una replica, mentre quello indicato con la sigla AIV, e che sembra avere maggiore diffusione, produce due varianti, la prima delle quali genera una replica, l'altra una replica e due esemplari di prima derivazione.

TIPO AI: genera una sola variante attestata da un unico esemplare molto lacunoso.

V 1) AI a1 (fig. 115)
Quattro gruppi di frammenti solo parzialmente ricomponibili, pertinenti ad una statua di divinità femminile seduta in trono. Si conservano: a) l'estremità superiore sinistra della spalliera del trono decorata da una sfinge accovacciata, di profilo a destra con volto di prospetto e capo coperto dal *polos*; b) il braccio destro coperto dallo *himation* e la mano che regge una *phiale* mesomphalica posta di pieno prospetto; c) la parte di panneggio, chitone a pieghe verticali ed *himation* ad orlo curvilineo, che ricopriva la zona inferiore delle gambe; d) piccole parti del panneggio e del suppedaneo del trono.

Ricavata da un'unica matrice, cava, aperta nella parte posteriore. Argilla 5YR 5/6; a) alt. 9,7; largh. 5. Inv. RG 83 F 11 (35); b) alt. 8,7; largh. 3,6. Inv. RG 83 F 11 (16); c) alt. 9; largh. 6. Inv. RG 83 F 11 (18 bis); d) alt. fr. magg. 3; largh. 4. Inv. RG 83 F 11 (18 bis).

TIPO AII: presenta due varianti AII a e AII b ciascuna delle quali con una replica.

V 2) AII a1 (fig. 115)
Divinità femminile seduta in trono con suppedaneo ed alta spalliera del tipo a sporgenze laterali. Acefala, è vestita di chitone sul quale indossa lo *himation*, dall'orlo nettamente profilato al di sotto delle ginocchia, ed il velo, che dalla testa scende a coprirle le spalle e si dispone in pieghe ondulate ai lati del busto. Nella mano destra appoggiata sulla gamba reca una *phiale* mesomphalica; il braccio sinistro è incurvato appena sotto il petto e la mano regge un cestello di frutti.

Matrice abbastanza fresca. Ricomposta da 7 frammenti e lacunosa. Argilla: 5YR 7/6. Alt. 25; largh. 15. Inv. RC 83 F 11 II (3) (7) (13).

V 3) AII a2 (fig. 115)
È completa del capo, coperto dal *polos* cilindrico e da un velo. La capigliatura è lunga, bipartita al sommo della fronte e ricadente in ciocche ai lati del collo. L'ovale del viso, dai lineamenti appena accennati, è lievemente girato a destra.

Matrice consunta. Ricomposta da 9 frammenti con piccole lacune. Argilla: 5YR 7/6. Alt. 26; largh. 15,1. Inv. RG 83 F 11 II (18).

V 4) AII b1 (fig. 115)
Si differenzia per la presenza dei *gorgoneia* in rilievo alle estremità superiori della spalliera e dei braccioli del trono, che ha i piedi sagomati a zampe leonine, e per il volto pieno e tondeggiante.

---

[27] Nel catalogo delle terrecotte i singoli esemplari, che sono indicati con numeri arabi progressivi, sono stati suddivisi in base ai contesti di rinvenimento. Per questa ragione non è stato ovviamente sempre possibile disporli secondo l'ordine di seriazione delle matrici che è alla base del processo di fabbricazione e della classificazione di tali materiali. Ma, desiderando tenerne conto comunque, si è posposta al numero arabo che designa ciascun pezzo una sigla che lo individua nelle sue caratteristiche di fabbricazione, collocandolo ad un preciso stadio del processo produttivo della serie di appartenenza (cfr. Bonghi Iovino 1965, pp. 16-19). Gli elementi di questa sigla designano rispettivamente il gruppo (A, B), il tipo (I...), le matrici di primo grado (a, b...), la variante e le repliche (1, 2, 3...) e gli esemplari di prima derivazione (numeri arabi in esponente).

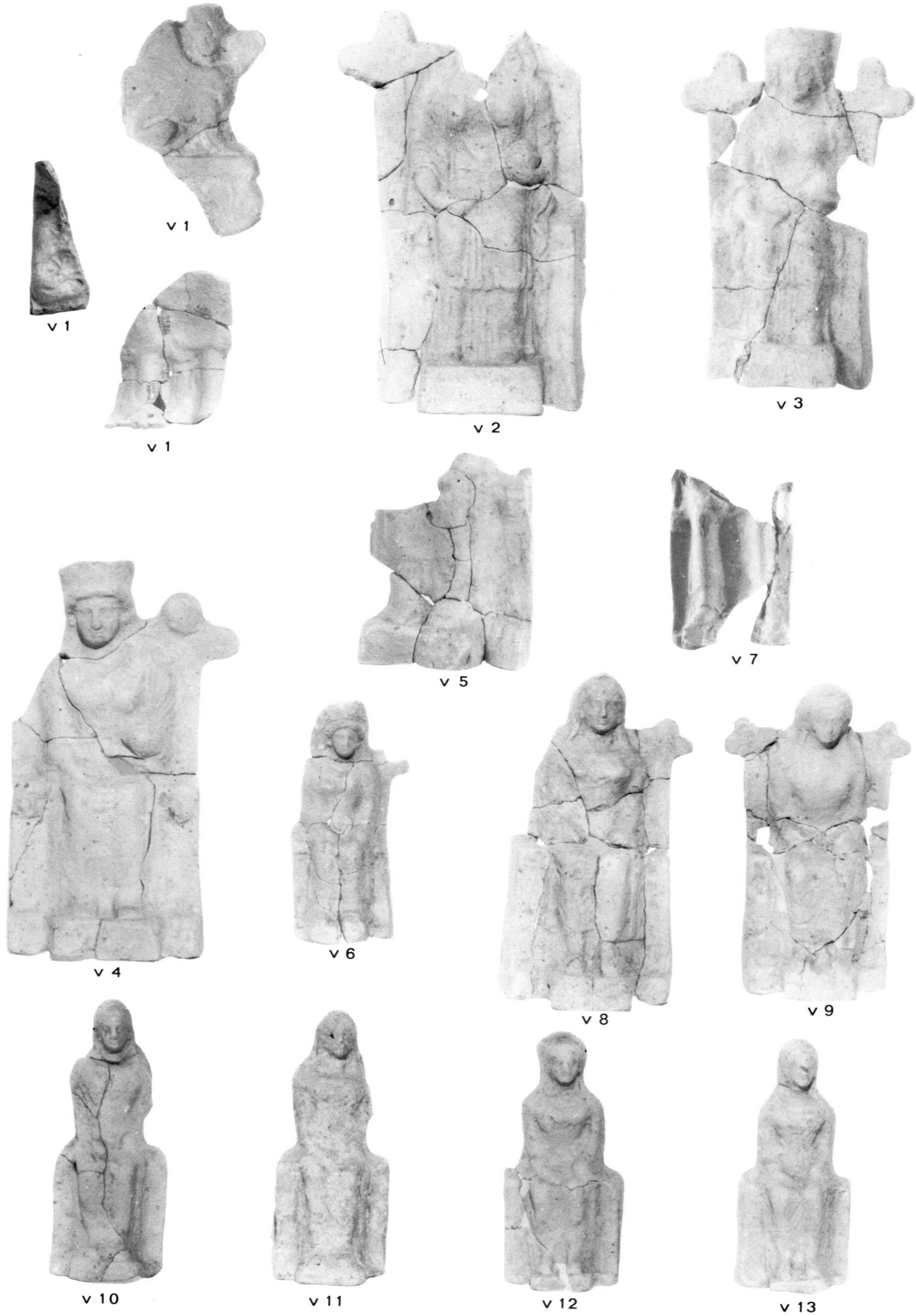

Fig. 115 Terrecotte votive rinvenute nell'area del complesso A (scala 1/3).

Matrice abbastanza consunta; i dettagli del volto sono ravvivati a stecca. Ricomposta da 6 frammenti e lacunosa nella estremità sinistra della spalliera del trono e sul ventre. Argilla: 5YR 6/6. Alt. 23,7; largh. 11,8. Inv. RG 83 F 11 II (5) (6) (7).

V 5) AII b2 (fig. 115)
È conservata nella parte inferiore, dalle ginocchia alla base del trono.

Matrice molto consunta, superfici abrase. È ricomposta da 8 frammenti. Argilla: 5YR 7/6. Alt. 10,4; largh. 9. Inv. RG 83 F 11 II (26).

TIPO AIII: si presenta con una variante ed una replica.

V 6) AIII a1 (fig. 115)
Divinità femminile seduta in trono con basso suppedaneo e spalliera del tipo a sporgenze laterali. Indossa chitone e *himation* aderente al busto ed ha il capo ricoperto dal *polos*, decorato alla base da una doppia linea in rilievo, e dal velo che scende a coprirle le spalle. La capigliatura è rigonfia e raccolta, il volto è ovale, piccolo con i lineamenti poco distinti. Ha entrambe le mani poggiate sulle ginocchia ed in grembo, di prospetto, reca una *phiale* mesomphalica.

Matrice consunta. Ricomposta da 10 frammenti e lacunosa nel lato destro del trono ed all'estremità sinistra della spalliera. Argilla: 2.5YR 7/6. Alt. 15; largh. 6. Inv. RG 83 F 11 II (2).

V 7) AIII a2 (fig. 115)
È conservata limitatamente alla parte inferiore, dal grembo, dove è visibile parte della *phiale*, alla base del trono.

Matrice consunta con particolari ravvivati a stecca. Ricomposta da 2 frammenti. Argilla: 5Y6/1, malcotta. Alt. 7,6; largh. 5,8. Inv. RG 83 F 11 col. w.

TIPO AIV: È presente con 2 varianti. AIV a che dà luogo ad una replica ed AIV b, che dà luogo a 1 replica e a 2 esemplari di prima derivazione.

V 8) AIV a5 (fig. 115)
Divinità femminile seduta in trono con suppedaneo e spalliera del tipo a sporgenze laterali. Indossa chitone e *himation* ed ha la testa coperta da un velo terminante a punta in corrispondenza del sommo del capo.
La capigliatura è bipartita; il volto, di prospetto, è ovale con lineamenti regolari, labbra piene e ben marginate; le orecchie sono adorne di orecchini globulari.
Con la mano destra appoggiata sulla gamba, regge una *phiale*, mentre l'altra mano riposa simmetricamente sulla gamba sinistra.

Matrice abbastanza consunta. Ricomposta e lacunosa nella parte destra della spalliera del trono e sul ventre. Argilla: 5YR 6/6. Alt. 21; largh. 10,9. Inv. RG 83 F 11 II (21).

V 9) AIV a6 (fig. 115)
Matrice logora. Superfici molto consunte. Ricomposta e lacunosa in più punti del trono. Argilla: 5RG 6/6. Alt. 18,3; largh. 11,2. Inv. RG 83 F 11 (13) (14).

V 10) AIV b1 (fig. 115)
Si differenzia unicamente per la più semplice struttura del trono privo di braccioli e spalliera.

Matrice molto consunta. Ricomposta da 6 frammenti. Argilla: 5YR 7/6. Alt. 14; largh. 5,3. Inv, RG 83 F 11 II (24 bis).

V 11)AIV b2 (fig. 115)
Matrice e superfici consunte. Integra. Argilla: 5YR 7/8. Alt. 13,5; largh. 5,4. Inv. RG 83 F 11 II (1).

V 12)AIV $b^1$1 (fig. 115)
Matrice consunta. Ricomposta da 4 frammenti. Argilla: 5Yr 6/8. Alt. 12,4; largh. 5,5. Inv. RG 83 F 11 (15).

V 13) AIV $b^1$2 (fig. 115)
Matrice consunta. Integra. Argilla: 5YR 6/8. Alt. 12,1; largh. 5,6. Inv. RG 83 F 11 (23).

Gruppo B: placchette in rilievo.

TIPO BI: è documentato da una sola variante.

V 14) BI a1 (fig. 116)
Frammento di placchetta raffigurante Nike. Comprende la parte inferiore del corpo, dalla vita in giù. La Nike è rappresentata di pieno prospetto, vestita di un peplo e stante su una piccola base quadrangolare; il panneggio, mosso dal vento si incolla alle gambe con effetto

bagnato e si rapprende in grosse e sinuose pieghe ai lati della vita e delle gambe.

Matrice unica, abbastanza consunta. Retro piatto lisciato a mano. Base modellata a parte e applicata a crudo sulla placca. Ricomposto da due frammenti minori. Argilla: 10YR 7/4. Alt. 9,1; largh. 6,3; Inv. RG 83 F 11 II (85).

Complesso A: materiale rinvenuto nell'area del basolato A4

Piccola plastica

Gruppo A: Statuette di divinità femminili in trono. Sono attestati tre esemplari tutti derivati dalla variante AII b del tipo AII presente nel deposito votivo (cfr. p. 109-111).

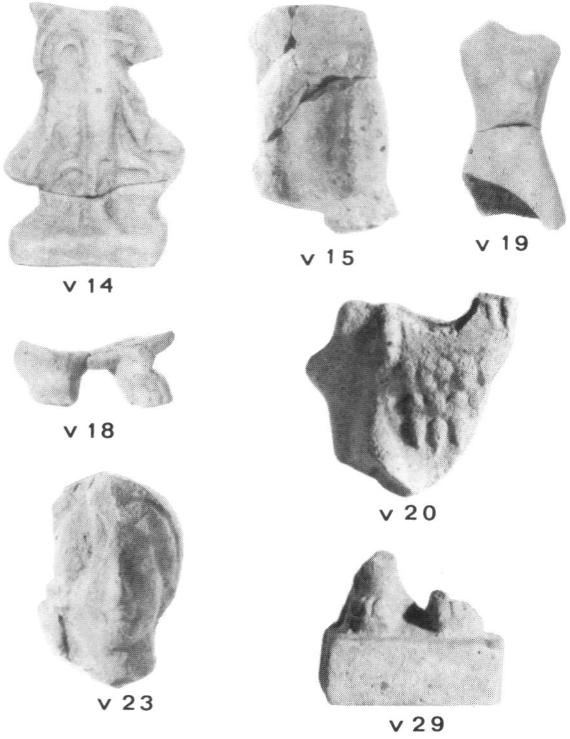

Fig. 116 Terrecotte votive rinvenute nell'area del complesso A (scala 1/3)

V 15) AII b4 (fig. 116)
Testina pertinente a statuetta derivata dalla stessa matrice degli esemplari 4 e 5. Ricomposta da 3 frammenti; lacunosa sul lato sinistro del volto.

Matrice unica. Argilla: 5YR 6/4. Alt. 6,2; largh. 3,7. Inv. RG 83 BF 109/BE 110 (US 38) SF 8082.

V 16) Frammento di statuetta c.s. È conservata la mano destra che sorregge il cestello di frutti.

Matrice unica. Argilla: 7.5YR 7/6. Alt. 4,1; largh. 3,7. Inv. RG 85 BF 108-BG 109 (US 155) TC 4006.

V 17) Frammento di statuetta c.s. Comprende il lato destro del capo coperto dal *polos* svasato ed un orecchino globulare.

Matrice unica. Argilla: 5YR 7/6. Inv. RG 85 BF 108-BG 109 (US 155) TC 4008.

Complesso A: fossa sul limite ovest del basolato

Piccola plastica

Gruppo A: statuette di divinità femminili in trono. È presente un solo esemplare documentato dal frammento di un tipo non determinabile.

V 18) (fig. 116) Frammento di statuetta c.s. Comprende i piedi e parte della veste della dea. Ricomposto da due frammenti minori.

Matrice consunta. Argilla: 5YR 7/6. Alt. 6,5; largh. 2,1. Inv. BE 109 BF 110 (303) TC 5010.

Complesso A: materiale rinvenuto nell'ambiente A5

Piccola plastica

Gruppo A?: Statuette di divinità femminili in trono?

V 18 bis) Frammento comprendente la parte anteriore del volto di divinità. La capigliatura, in origine coperta dal *polos*, di cui resta una piccola traccia, è suddivisa in grosse ciocche bipartite al sommo della fronte. I lineamenti sono consunti; rotta la punta del naso.

Matrice consunta. Argilla: 5YR 7/6. Alt. 4,5; largh. 2,4. Inv. BG 108-BH 109 III (US 147).

Complesso A: terreno superficiale che ricopriva il basolato

Piccola plastica

Gruppo C: bamboline ad arti snodati. È presente un unico Tipo CI, che genera una sola variante, CI a1.

V 19) CI a1 (fig. 116)
Frammento di bambolina nuda, acefala, comprendente il busto dal seno fino al ventre. Nel punto di attacco delle braccia fori per l'inserzione degli arti snodati.

Ricavata da due matrici. Argilla: 5YR 6/6. Alt. 5,7; largh. 3. Inv. RG 83 PC I US 13 TC 100.2.

Complesso A: scarico esterno al muro di fondo del portico (US 118 - 119)

Piccola plastica

Gruppo A: statuette di divinità femminili in trono. È attestato un solo nuovo tipo AV, che genera un'unica variante AV a1; questa costituisce l'esemplare più antico dell'intero nucleo coroplastico sinora proveniente dalla località.

Oltre ad esso sono presenti 2 pezzi (**V. 21-22**) generati dalla variante AIV a. I restanti materiali, pur pertinenti al medesimo gruppo, per la loro lacunosità non si possono ricondurre a prototipi determinabili.

TIPO AV

V 20) AV a1 (fig. 116)
Frammento di statuetta di divinità femminile seduta in trono. Comprende la spalliera destra del trono ed il busto della dea. Sulla spalla si conserva l'estremità della capigliatura acconciata in trecce spioventi; il davanti del busto è ornato da 3 catene orizzontali a cui sono appesi pendenti globulari e ghiandiformi.

Matrice unica. Superfici molto consunte. Argilla: 7.5YR 6/4. Alt. 6; largh. 5,5. Inv. RG 84 BG 110 / BH 109 (US 118) P. 3239.

Variante AII b

V 21) Sette frammenti non componibili pertinenti a statuetta derivata dalla stessa matrice degli esemplari **4** e **5**.
Sono conservati la testa coperta dal *polos*, parte della spalliera ed un elemento laterale del trono.

Matrice poco consunta. Argilla: 7.5YR 7/6-6/6. Dimensioni testina: alt. 6; largh. 3,5. Inv. RG 84 BG 111/BH 110 (US 82) (US 118) (US 119). TC 2116; 3018; 3009; 3020.

V 22) Frammento di statuetta c.s. Si conserva parte della spalliera del trono decorato da un gorgoneion in rilievo.

Matrice consunta. Argilla: 5YR 6/4. Alt. 4; largh. 2,2. Inv. RG 84 BH 111-BT 110 (US 83) TC 3013.

Variante AIV a

V 23) AIV a1 (fig. 116)

Testina di statuetta coperta da *polos* e velo.

Matrice fresca. Argilla: 5YR 6/8. Alt. 7; largh. 3. Inv. RG 84 BH 110-BG 111 (US 49) SF 2169.

V 24) AIV a2
Frammento di testina c.s. Comprende la parte superiore del capo coperto dal velo.

Matrice stanca. Argilla: 5YR 7/6. Alt. 3,5. Inv. RG 83 (US 47) 2978.

V 25) AIV a3
Frammento di testina c.s. Comprende la parte superiore del capo.

Matrice stanca. Argilla: 7.5YR 6/4. Alt. 3,2; largh. 3,4.

V 26) AIV a4
Frammento di statuetta. Comprende il busto acefalo, fino al grembo.

Matrice stanca. Ricomposto da 11 frammenti minori. Argilla: 7.5YR 7/4. Alt. 7,5; largh. 5. Inv. RG 87 BG 109/BH 110 (US 327).

Frammenti di statuette di divinità in trono pertinenti a tipi non determinabili.

V 27) Frammento pertinente a panneggio.

Matrice stanca. Argilla: 5YR 6/6. Alt. 4,7; largh. 3,3. Inv. RG 84 BG 111-BH 110 (US 122) TC 3021.

V 28) Due (a-b) frammenti non componibili pertinenti agli angoli del suppedaneo del trono.

Argilla: 5YR 6/6. Dimensioni: a) alt. 2,5; largh. 3; b) alt. 3; largh. 3,5. Inv. RG 84 BG 111-BH 110 TC 3015.

V 29) (fig. 116) Frammento comprendente il suppedaneo su cui poggiano i piedi calzati nei sandali ad alta suola.

Matrice fresca. Dettagli ravvivati a stecca. Argilla: 7.5YR 7/4-6/4. Alt. 4,5; largh. 4,8. Inv. RG 83 BH 110-BG 111 (US 49) SF 2168.

V 30) Frammento comprendente parte del suppedaneo del trono su cui poggia la punta del piede.

Matrice stanca. Argilla: 5YR 6/6. Alt. 3,6; largh. 2,8. Inv. RG 84 BG 111-BH 110 (US 86) TC 3007.

Il materiale coroplastico proveniente dal deposito votivo è rappresentato, con la sola eccezione di una figurina di Nike planante, esclusivamente da immagini di divinità femminili sedute in trono, che replicano modelli elaborati a Poseidonia nell'arco del V e del IV sec. a.C., la cui fortunata diffusione interessa, sia pure in diversa misura e in differenti contesti di impiego, larghe aree del mondo osco-lucano.

I pezzi, collocati in 3 gruppi, originariamente in piedi contro la parete di fondo del deposito e rivolti verso il suo ingresso (fig. 109), sono in tutto quattordici. Essi sono stati fabbricati nell'argilla del posto, all'infuori della statuetta di dimensioni maggiori (**V 1**), fulcro del gruppo mediano di deposizioni, che pare direttamente importata da Poseidonia, e della placchetta con Nike, di cui non è possibile allo stato attuale definire il luogo di fabbricazione. Si tratta dunque, nella maggioranza dei casi, di esemplari riprodotti sulla base di matrici importate e anche, talvolta, rielaborate sul luogo con la creazione di nuovi modelli pur sempre ispirati ad archetipi pestani.

La loro classificazione ha permesso di ricondurre il gruppo delle divinità in trono a quattro tipi principali. Il primo di questi (AI) è documentato dall'unico esemplare (**V 1**) di fabbricazione poseidoniate, alto circa 35 cm. e superstite solo con quattro frammenti, che costituisce l'unica attestazione qui presente di un prototipo non altrimenti diffuso al di fuori di Poseidonia e del suo più vicino territorio. Esso doveva raffigurare, come è possibile ricostruire dal confronto con esemplari completi della stessa serie, la divinità col capo coperto dal *polos* svasato, accompagnata dalla *phiale* tenuta nella mano destra, seduta su di un trono con le estremità della spalliera decorate da sfingi in rilievo. Da un punto di vista esclusivamente stilistico il pezzo sembra collocarsi tra i più antichi del deposito, derivando da un prototipo formatosi nel corso del V sec. a.C., come sembra dimostrare il trattamento del panneggio ed in specie del volto negli esemplari della medesima serie conservati per intero, e che è documentato da alcuni pezzi rinvenuti nel santuario urbano meridionale di Poseidonia[28] e, con concentrazione degna di nota, in uno dei *bothroi* dell'Heraion di foce Sele[29].

È peraltro del tutto verosimile, e le associazioni ceramiche di contesto stanno a provarlo, che il prototipo da cui è derivato questo esemplare abbia vissuto a lungo anche nel IV secolo, mantenendo immutati elementi quali la rigidità della posa della figura ed il trattamento delle vesti, che sono stati volutamente conservati, trattandosi di un'immagine sacra ai cui tratti tipologici originari si tendeva a restare fedeli. Degno di nota, infine, è che il pezzo in questione rappresenti, sino ad oggi, la prima ed unica attestazione del tipo in un ambito estraneo al territorio della città achea.

Sempre nell'arco del V secolo e specificamente nella seconda metà di questo è possibile collocare l'epoca di elaborazione del Tipo AII qui documentato, con due varianti, dagli esemplari **2-5** (fig. 115)[30]. La sua immagine è la più celebre, ed in assoluto la più diffusa, tra quelle che raffigurano la dea

---

[28] Si tratta di cinque esemplari quasi completi alti fra i 32 e i 35 cm. conservati nei depositi del Museo Nazionale di Pæstum, non inventariati.

[29] *Heraion* 1937, p. 333. Alcuni degli esemplari menzionati dall'autrice, alti fino a 36 cm., sono esposti nella sezione del Museo di Pæstum dedicata all'Heraion del Sele.

[30] La controversa questione relativa all'epoca di elaborazione del tipo è riassunta da Rainini, in *Valle d'Ansanto* 1976, p. 401, nota 114.

in trono nella produzione coroplastica di Poseidonia. Si tratta infatti della divinità, assisa su un trono con spalliera ad alette, vestita di chitone e *himation*, che reca gli attributi della *phiale* nella mano destra e del cestello di frutti nella sinistra, denominata comunemente la "Pestana" e ritenuta, a ragione, «il tipo canonico del V secolo»[31], La sua durata più che secolare (giunge allo scorcio del IV secolo) è testimoniata anche al di fuori di Pæstum dall'amplissimo irradiamento nel mondo osco-lucano[32], che utilizza proprio questo tipo di immagine, a preferenza degli altri, per le proprie esigenze religiose e di rituale funebre, e che, in taluni ambienti, ne produce elaborazioni sue proprie[33].

Procedendo nell'esame di dettaglio dei pezzi si ricava che gli esemplari **2 e 3** derivano dal medesimo prototipo, benché da matrice molto più usurata, che genera una freschissima statuetta dall'Heraion del Sele[34], capostipite di una serie di cento pezzi affini della stessa provenienza, ed un esemplare della Collezione Campana al Louvre[35]. Le statuette **4 e 5** (fig. 115), costituiscono una variante del modello precedente per la più complessa decorazione del trono, ornato di *gorgoneia* in rilievo applicati alle estremità superiori della spalliera e dei braccioli e fornito di piedi sagomati a forma di zampe leonine. Il trattamento del volto, squadrato e pesante, e quello del panneggio le distinguono nettamente dal tipo appena esaminato, che pure è iconograficamente simile, e le avvicinano per caratteristiche di stile a pezzi analoghi, privi però dei *gorgoneia* in rilievo, rinvenuti in contesti tombali pestani dei primi decenni del IV secolo[36], epoca alla quale potrebbe essere ricondotta la maggior diffusione di questa variante. Quanto al problema della sua durata valgono anche qui le stesse considerazioni fatte a proposito dei tipi già trattati, ritenendola provata fino all'inoltrato IV secolo.

Meno noto dei precedenti è il tipo AIII presente nel deposito con due esemplari (**6-7**, fig. 115) e raffigurante una dea, accompagnata dalla sola *phiale*, assisa su un trono dalla bassa spalliera inornata e dal breve suppedaneo. Si tratta, anche in questo caso, di un'ulteriore elaborazione dell'immagine pestana della dea seduta qui riprodotta fedelmente nell'argilla locale in un momento inoltrato del IV secolo.

Gli esemplari numericamente più rilevanti all'interno del *naiskos* e, come si vedrà in seguito, negli altri siti adiacenti che hanno restituito terrecotte figurate, appartengono al tipo AIV e rappresentano l'immagine di una figura femminile seduta in trono con capo velato e *phiale* in grembo, elaborata a Pæstum nel corso del IV secolo, ma diffusa soprattutto negli ultimi decenni di questo. Le caratteristiche stilistiche di questo tipo, che sembrerebbero riportarne ancora al V secolo l'elaborazione, sono in realtà il frutto di quella tendenza classicistica affermatasi a Poseidonia durante il IV secolo e perdurata a lungo e non solo nella produzione di serie delle terrecotte[37]. I pezzi nascono infatti dal medesimo prototipo da cui derivano due esemplari (molto più freschi) provenienti da un deposito votivo attiguo alla cd. Basilica[38], ed un pezzo, ben conservato e con tracce di colore, rinvenuto in un contesto tombale femminile, associato a vasi del pittore Floreale, attivo a Pæstum nell'ultimo terzo del IV secolo[39]. Questo corredo costituisce un utile caposaldo cronologico cui riferire l'epoca di più generalizzata diffusione del tipo. Insieme con l'immagine

---

[31] Sestieri 1955a, p. 38.

[32] La diffusione di questo tipo di immagine divina è attestata lungo quattro direttrici principali; la prima di esse interessa Pontecagnano (*Valle d'Ansanto* 1976, p. 401), Fratte (Sestieri 1952, p. 86), fino alla Mefite d'Ansanto (*Valle d'Ansanto* 1976, pp. 400-403) e Capua (Della Torre e Ciaghi 1983, pp. 13-14, tav. III,1). A Pontecagnano i contesti tombali di cui esso fa parte ne documentano la durata fino all'inoltrato IV secolo (cfr. *Valle d'Ansanto* 1976, p. 501, nota 116); recentemente essi sono stati riesaminati nella tesi di laurea, ancora inedita, di M. Osanna dell'Università di Perugia. La seconda direttrice lungo la quale è attestato il tipo è quella rappresentata dal medio corso dei fiumi Sele e Calore con ampie presenze ad Eboli (Levi 1926, p. 91, fig. 81), specie in contesti tombali infantili della seconda metà del IV secolo [M. Cipriani, *Eboli preromana. I dati archeologici: analisi e proposte di lettura*, in *Italici* (in corso di stampa)], a Serradarce (Sestieri 1955a, p. 41, nota 4) e a Postiglione, lungo le pendici degli Alburni. La terza area di diffusione è quella che interessa Roccagloriosa. La quarta, più interna, riguarda finora Ruoti (Fabbricotti 1979, p. 368, n. 198, fig. 26) e Torre di Satriano (*Satriano* 1988, p. 50, tav. 12, le due statuette in basso).

[33] Come documenta una rielaborazione del tipo in argilla e fattura locali che è alla base di una figura di *Kourotrophos* inedita, proveniente dalla stipe di Mondragone (cfr. *Valle d'Ansanto* 1976, p. 401).

[34] *Heraion* 1937, p. 222, fig. 7 (immagine di centro).

[35] Mollard-Besques 1954, p. 156, C S76, tav. C.

[36] Pontrandolfo Greco 1977, pp. 47 e 76, fig. 8,3.

[37] Zancani Montuoro 1958, pp. 85 ss.; Ead. 1964, pp. 174 ss.

[38] I pezzi, inediti, sono esposti nella sezione del Museo di Pæstum dedicata al Santuario Meridionale.

[39] Si tratta dell'ex n.i. 5256 dalla tomba 16 di Tempa del Prete, scavata nel 1953. Per la ceramica figurata associata alla statuetta cfr. Trendall 1987, pp. 335, 590-592, tav. 219,a-b.

della dea seduta con *phiale* e cestello di frutti, con cui talvolta è associato, esso conosce la maggiore fortuna al di fuori del territorio pestano, dove la sua area di distribuzione, legata fino ad oggi solo a complessi cultuali, interessa oltre a Roccagloriosa, Velia e Palinuro[40], Colla di Rivello[41], ed il santuario recentemente scavato a Torre di Satriano[42]. Anche qui, come all'interno del deposito di Roccagloriosa, colpisce il suo rinvenimento insieme con le immagini della "Pestana", segno evidente e tangibile che i due tipi, pur se elaborati all'origine in epoche diverse, vengono utilizzati contemporaneamente per le esigenze del culto.

I pezzi **10 e 13** (fig. 115), infine, rappresentano una semplificazione del tipo precedente ottenuta eliminando dalla matrice la spalliera e i braccioli del trono. Ne consegue dunque un loro inquadramento cronologico da porsi nel corso dell'avanzato IV secolo. Vale la pena di sottolineare che la modifica da cui derivano queste varianti si produce, probabilmente, nell'ambiente artigiano di Roccagloriosa, non essendo mai, sino ad oggi, attestata né a Pæstum, dove pure nasce il prototipo, né negli altri centri di diffusione testè ricordati. L'unico documento non riferibile all'immagine della divinità in trono che faceva parte del deposito votivo è una figurina di Nike (fig. 116). L'inquadramento del pezzo, certamente importato, è reso più difficile dalla mancanza della parte superiore del corpo. Si tratta comunque di un oggetto di fattura grossolana e modesta derivante da una matrice per appliques ed adattato a stare in piedi con l'aggiunta di una piccola base modellata a mano ed applicata a crudo. Esso presenta comunque, sia pure nella scadente esecuzione a stampo, un riflesso di motivi stilistici nel trattamento del panneggio presenti nell'arte greca dello scorcio del V secolo e ripropone, sia pure a livello modestissimo, mutuandoli attraverso una lunga produzione di serie, modelli iconografici della grande scultura dello stesso periodo[43].

Un cenno va dato, infine e brevemente, al problema dell'interpretazione della dea seduta in trono di derivazione o importazione pestana con riferimento ai "sacra" di Roccagloriosa. Non sembri superfluo farlo, se si tien conto della sua identificazione come Hera proposta e spesso accettata acriticamente, indipendentemente dagli ambienti culturali e dai contesti in cui l'immagine è adottata, finendo per essere un elemento fuorviante nella interpretazione del culto[44]. L'immagine della figura femminile in trono con il cestello di frutti e/o la *phiale*, che viene prodotta all'origine per determinate esigenze religiose dell'ambiente poseidoniate, ma che non è provato raffiguri neppure in esso necessariamente e sempre la dea Hera, viene utilizzata con grande fortuna, proprio per la sua genericità e tuttavia per il suo essere immediatamente riconoscibile come immagine divina[45], nei più diversi ambienti del mondo osco-lucano, tanto in contesti funerari, quanto e soprattutto, in quelli cultuali e, all'interno di questi ultimi, in santuari di diverso livello, dalle grandi aree sacre comuni a più nuclei abitativi, ai piccoli sacelli legati a culti di tipo domestico. Pertanto essa va letta di volta in volta solo e sempre in funzione del suo specifico ambito di impiego. Nel caso fortunato di Roccagloriosa le divinità in trono fanno parte di un contesto chiuso nel quale hanno una suggestiva posizione reciproca in tre gruppi distinti dominati al centro dalla statua più grande e complessa, ciascuno dei quali composto almeno da una statuetta di dea con *polos*, *phiale* e cestello di frutti e da una statuetta di dea, di dimensioni più piccole della prima, semplicemente velata e accompagnata dalla sola *phiale*; oltre a ciò la tipologia delle offerte vascolari di cui H. Fracchia illustra anche il rapporto con le singole immagini votive (p. 119-121) e, infine, la qualità e il tipo delle offerte animali, in specie ovicaprini, che ad esse si accompagnano, rappresentano la pluralità di elementi cui va rapportato qualsiasi tentativo di lettura interpretativa del culto e dunque del valore delle immagini venerate (v. p. 134).

Certamente connessa alle azioni rituali che dovevano svolgersi nel cortile basolato e che avevano per fulcro il piccolo *oíkos* F 11 come fa supporre, tra l'altro, la loro disposizione rispetto a questo (fig. 117) è la presenza su di esso (US 38 e 155) dei resti di almeno tre statuette di divinità femminili in trono (gli esemplari **15-17**) (fig. 116) derivate dalla

---

[40] Greco E. 1975, fig. 51,g, p. 106.

[41] *Lagonegro* 1981, pp. 46 e 91, tav. XXI, fig. 4.

[42] *Satriano* 1988, prima fila in alto, da sin. esemplari 1, 3, 4.

[43] Hölscher 1979, pp. 382 ss., tavv. 9-10.

[44] Cfr. quanto detto in Sestieri 1955a, p. 41 e Sestieri 1955b, p. 152, nota 18. È evidente che lo studioso interpreta la presenza della cd. Pestana nei diversi ambienti come prova della diffusione del culto di Hera, addirittura come segno dell'esistenza di un santuario della dea, nel caso di Fratte. L'identificazione dell'immagine come Hera ritorna anche in lavori recenti, cfr. *Valle d'Ansanto* 1976, p. 401 e Della Torre e Ciaghi 1983, pp. 13-14.

[45] Zancani Montuoro 1931, pp. 169 ss. «non si tratta di ancelle o di offerenti, ma di immagini della divinità».

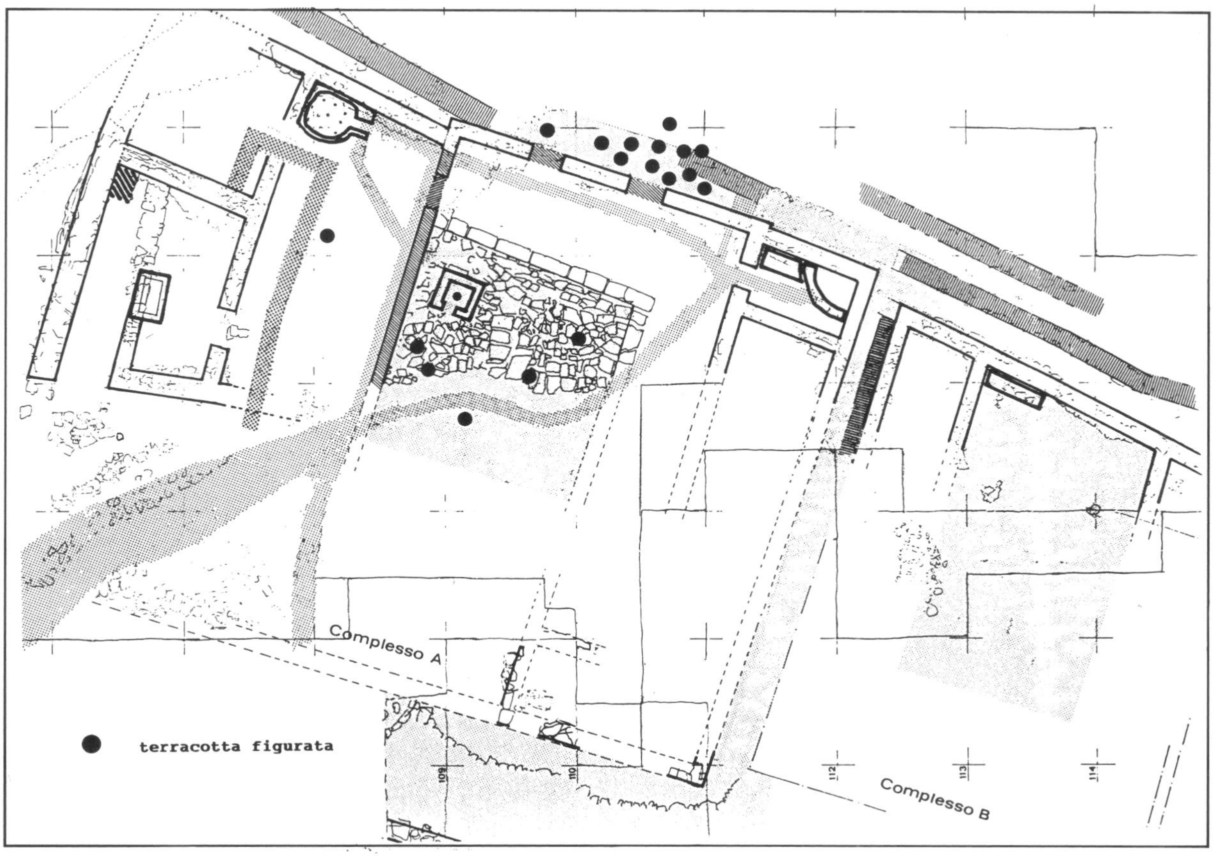

Fig. 117 Cartina di distribuzione delle terrecotte rinvenute al di fuori di F 11.

variante AII b (p. 112) attestata nel deposito votivo. La loro datazione, che per associazioni stratigrafiche si pone nell'avanzata seconda metà del IV secolo, è solidale con l'epoca d'uso più recente del deposito stesso.

A momenti di poco precedenti la monumentalizzazione dell'area sacra del complesso A con la creazione del cortile basolato e dell'*oíkos*, si possono ricondurre altri documenti coroplastici che ne attestano la funzione comunque sacrale. Si tratta, in primo luogo, del resto di una statuetta di divinità in trono di un tipo non determinabile (fig. 116) rotta ritualmente e deposta in parte entro un pozzetto (US 303) praticato sul limite nord-ovest del basolato (fig. 117). Insieme con esso era stata sepolta una lucerna databile al IV secolo (N. **424**). Ciò non solo attesta la continuità di funzioni dell'area ma fornisce indizi preziosi sulla modalità con cui avveniva l'offerta, in questo caso concretizzata nella rottura dell'immagine votiva e nel suo seppellimento insieme con il vaso entro il grembo della terra.

Oltre a questa deposizione va menzionato l'importante nucleo di terrecotte votive concentrate in uno scarico esterno al muro di fondo del portico (fig. 117), anch'esso documento della vita cultuale del complesso prima della sua ultima sistemazione. Si tratta anche stavolta solo di figure di divinità femminili in trono, pertinenti ai medesimi tipi e varianti presenti nel *naiskos* (sono attestate infatti la variante AII b e, prevalentemente, la variante AIV a), ma che derivano da matrici meno usurate e che, nell'ambito del processo produttivo delle serie precedono le statuette rinvenute nel deposito. Si può pertanto pensare per esse ad una datazione anteriore alla metà del IV secolo. L'unica eccezione, non solo all'interno di quest'ultimo nucleo, ma in tutto il panorama della piccola plastica sinora esaminato, è un frammento (**V 20**) anch'esso riconducibile alla figura di una dea in trono, che appartiene ad epoca più antica del restante materiale ed ha origine in un ambiente affatto diverso da Poseidonia. Si tratta di un elemento di statuetta (fig. 116) seduta su un trono ad alette laterali, con i capelli acconciati nell'arcaica foggia delle trecce spioventi sulle spalle e con

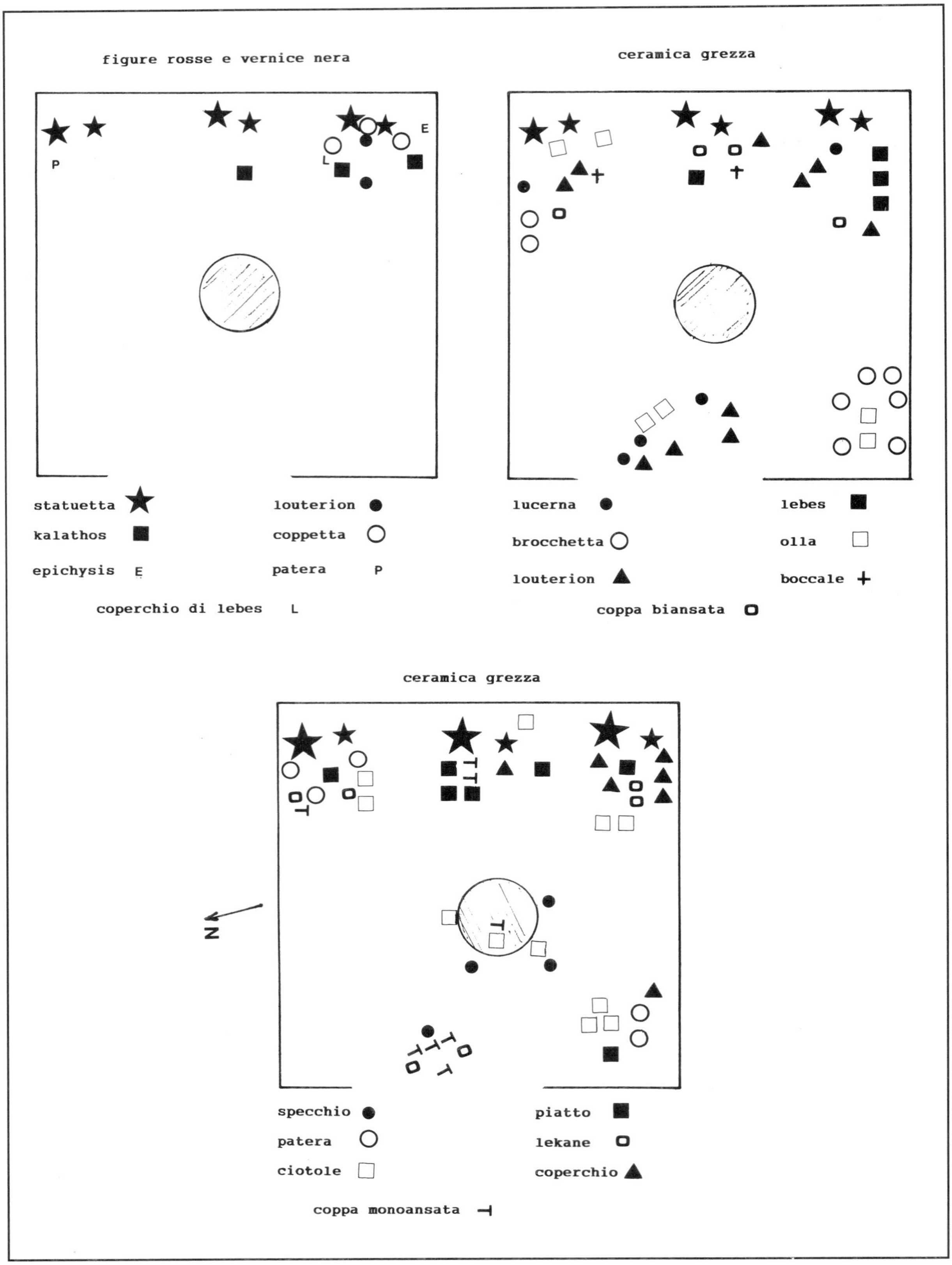

Fig. 118 Cartine di distribuzione di alcune classi di oggetti all'interno di F 11.

il petto adorno di collane multiple. I possibili confronti, tenuto conto della lacunosità del pezzo, conducono ad inquadrarne il tipo tra la fine del VI e i decenni iniziali del V secolo ed a collocarne l'origine in ambito siceliota e, più specificamente, geloo [46]. Il pezzo, assai più dilavato e consunto degli altri, rappresenta al momento la sola traccia superstite di manifestazioni religiose concretizzate attraverso l'offerta votiva, che forse già avvenivano nell'area, dove nel corso del IV secolo il culto, di tipo domestico e gentilizio, avrebbe conosciuto una propria sistemazione strutturale, con l'ampliamento e la ridefinizione dell'intero complesso abitativo (v. p. 103).

Degno di nota è il fatto che l'esemplare in questione, pur derivando da modelli sicelioti[47], è prodotto nell'argilla locale ed implica quindi l'esistenza a Roccagloriosa ai primi del V secolo, di un'attività artigiana specializzata e funzionale alle esigenze del culto.

M. Cipriani

5. Le offerte vascolari

Il deposito votivo è stato rinvenuto, come si vede nella figura 106, con il *naiskos* completo ed il tetto crollato all'interno. Al momento dell' apertura si rinvennero le statuette poco mosse dalla posizione originaria (fig. 109). La presunta 'statua' centrale, quella del culto, con un'altezza stimata di circa 35 cm. era la più danneggiata (essendo più alta) e, di conseguenza, senz'altro gli oggetti minori che la circondavano avranno subito spostamenti. Comunque, nonostante il movimento di pochi centimetri, sembra ragionevole di esaminare, nel contesto della catalogazione, la disposizione dei vasi miniaturistici e votivi con riguardo alle statuette. Le statuette erano disposte in tre gruppi: il gruppo nell'angolo nord-est è composto da una dea di dimensioni inferiori, velata, al fianco della dea con *polos* e patera seduta in trono, il gruppo centrale consisteva di una dea, velata, e la ricostruita statuetta di culto con le sfingi sul trono, *polos*, patera e cestino di frutta mentre il terzo nell'angolo sud-est comprendeva di nuovo una dea velata ed una più grande che portava un *polos*, cestino di frutta e patera. È tuttavia chiaro che erano disposte in coppie, e ogni coppia consisteva di una dea di dimensioni inferiori, senza gioielli e senza attributi specifici tranne il velo e di una dea grande in trono con gli attributi diversi. Si nota che spesso la disposizione dei vasi è in gruppi di due per due e, fatto ancora più interessante, spesso i tipi di vasi disposti intorno ai gruppi sono collegati con gli attributi portati dalla statuetta più grande nei tre gruppi.

In genere, il deposito votivo va collegato con il tipo 'meridionale', il quale consisteva soprattutto di offerte in ceramica e terracotta[48]. Nel deposito di Roccagloriosa c'era anche un pendaglio di argento della forma di un baccello di seme, unica offerta di oggetto metallico (V **158**).

Le offerte di vasi a figure rosse e a vernice nera costituiscono l'aspetto più ellenizzato del deposito insieme alle statuette, assai diffuse nella Magna Grecia. Con la eccezione della patera mesomphalica, questi vasi di ceramica fine sono stati trovati vicino al gruppo centrale o a quello sud-est delle statuette. Si accordano assai bene ad una simile collocazione con i loro attributi diffusissimi e piuttosto generici che appartengono al culto Locrese, particolarmente nella associazione di *kalathoi* e *louteria,* che insieme rappresentano un simbolo importantissimo per il bagno nuziale[49].

Le offerte in ceramica grezza sono senza dubbio l'aspetto più indigeno o più indicativo del culto specifico e delle sue origini. Si trovano confronti soprattutto con il santuario della Dea Marica sul Garigliano e con quello di Mefitis nella Valle di

---

[46] Higgins 1954, p. 301, nn. 1099, 1102, tav. 151; nn. 1109 e particolarmente 1111, tav. 152.

[47] L'evidenza archeologica inizia a porre in modo netto un nuovo capitolo storico, quello della presenza siceliota, commerciale ed anche culturale, nel basso Tirreno nel corso del V sec. a.C. Il fenomeno accomuna le piccole fondazioni del Golfo di Policastro e la stessa Poseidonia, ed è documentato da diverse produzioni artistiche, oltre che dalla chiara derivazione da modelli sicelioti di alcune classi della coroplastica pestana. Non pare di poter scorgere in ciò un ruolo privilegiato di una particolare città della Sicilia. Siamo piuttosto davanti alla copertura di un mercato che, per molti versi, più che dalle città dello Ionio è raggiungibile dallo stretto di Messina, tanto che, per questa penetrazione, non è azzardato ipotizzare un tramite delle città dello stretto, e soprattutto di Reggio, naturale *trait d'union* tra il mondo siceliota e quello italiota. Del resto non mancano altre tracce di un ruolo attivo di Reggio nel basso Tirreno, in direzione delle coste enotrie e campane. È a Reggio che viene organizzata la *ktisis* di Velia, e Reggio è frequentata, in modo verosimilmente non episodico, da Poseidoniati (cfr. Herod., I, 167).

[48] Comella 1981.

[49] Torelli 1987, pp. 603-607, figg. 530-531, 533.

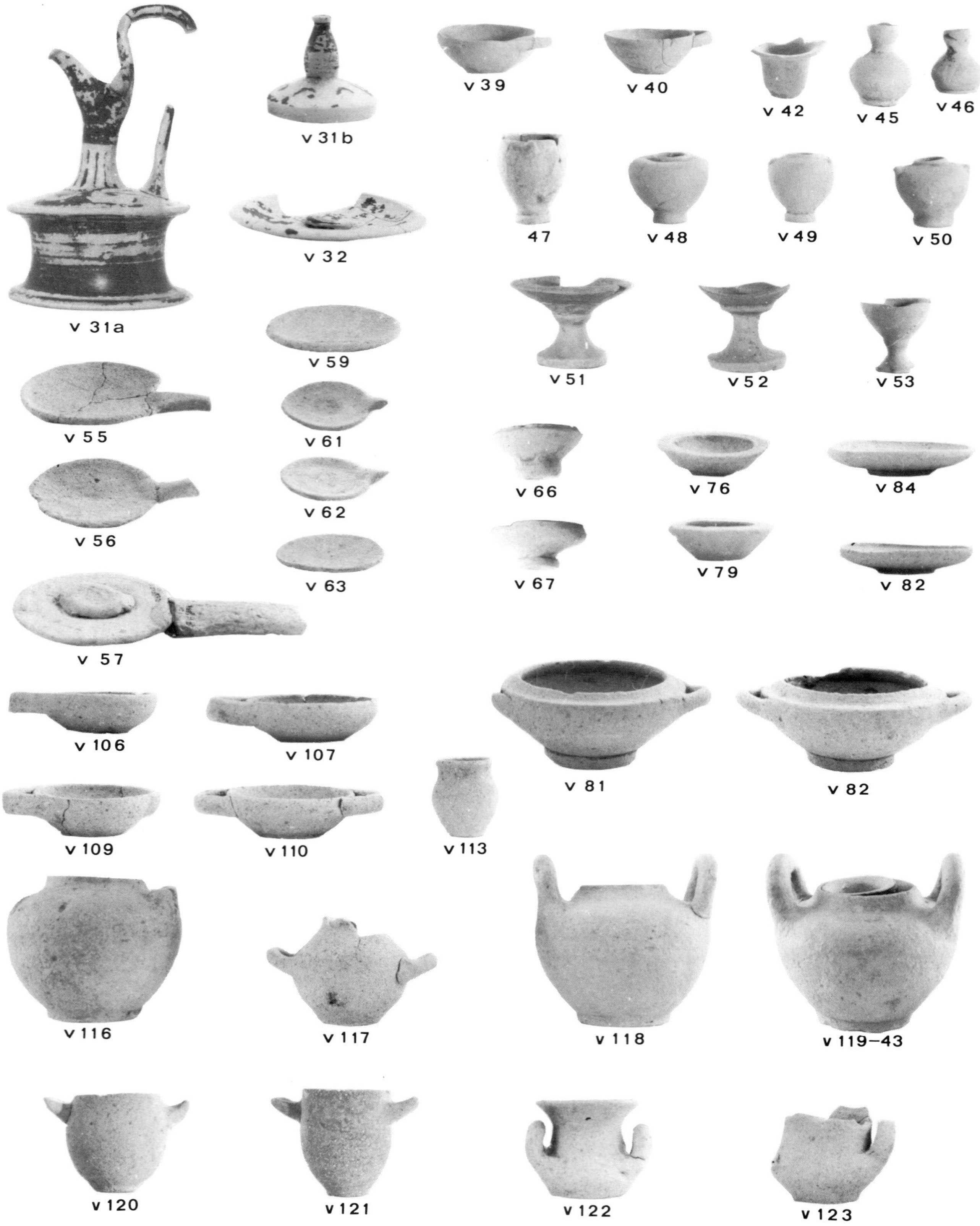

Fig. 119 Ceramica rinvenuta all'interno di F 11 (scala 1/3).

Ansanto. Gli specchi, per cui non si sono trovati confronti, sono particolarmente interessanti perché anch'essi fanno parte del rito locrese nelle scene del sacrificio prenuziale, ossia in questo contesto si possono considerare come un generico rito di passaggio. Le forme delle offerte in ceramica grezza sono molto specifiche, fatte con molta cura ed una certa standardizzazione. Sembrano lavorate da un nucleo d'argilla posato sul tornio, fatto che può spiegare le tracce del distacco dal nucleo d'argilla, i cerchi di spago al di sotto della base, che sono comuni nella maggior parte dei vasi miniaturistici. Si può notare che il tipo di argilla dei vasi con questi circoli di spago è solitamente 7.5YR 7/6-8/6 (10 esemplari), meno abbondanti sono quelli di 5YR 5/8-6/8 (4 esemplari), e solo due sono fatti in argilla 2.5YR 6/8: è comunque possibile che le differenze siano dovute alle variazioni di cottura.

Le designazioni sia dei nomi delle forme sia delle forme stesse sono solo indicazioni generiche, per esempio la differenza tra patera e piatto è basata sull'altezza come per le *lekanides* e coppe o ciotole dove si nota una forma più angolare sia dell'interno che dell'esterno.

Vasi a figure rosse

V 31a) (F 11, 24) Epichysis. Sulla spalla, teste femminili. Alt. 14.5, diam. base 8.9. Argilla 7.5YR 7/6 rossastro giallo. Rassomiglia alle tre epichysis dallo Heraion (*Heraion*, 1966, tav. XXXI, a, 2, p. 134, 1). Le teste femminili sulla spalla del vaso trovano confronti stretti con quelle del Pittore dei vasi di Padula, particolarmente per il ciuffo con il centro nero e un circolo risparmiato intorno (cf. TRENDALL 1962). Il Pittore dei vasi di Padula è datato all'ultimo terzo del IV secolo.

V 31b) (F 11, II 26) Coperchio di lebes o pyxis. Prese completamente verniciate, motivo ad onda sul coperchio. Alt. 5.1, diam. dell'orlo 5.5. Argilla 7.5YR 7/8 rossastro giallo (cf. *Heraion* 1966, tav. XXXVI a,2 e 121,4).

Vasi a vernice nera

(Va precisato che la 'vernice nera' di solito è molto mal conservata e in realtà consiste di pochi puntini o talvolta tracce più larghe di vernice)

V 32) (F11 II (2 bis)) Phiale mesomphalica. Alt. 1.0, diam. orlo 9.6, diam. dell'omphalos 2.3; diam. della base 7.5. Argilla 7.5YR 6/6 rossastro giallo. *Metaponto* 1981, p. 312, nn. 204-206, *Heraion* 1966, tav. XVIII,a per esempi molto più elaborati.

V 33) (F 11 36 ter) Coppetta. Alt. 2.1, diam. orlo 4.1, diam. base 2.1. Argilla 5YR 7/6-7/8 rossastro giallo.

V 34) (F 11 33) Coppetta. Alt. 2.4, diam. orlo 4.4, diam. base 2.1. Argilla 5YR 7/6-6/6 rossastro giallo.

V 35) (F 11 II 7) Coppetta. Alt. 2.2, diam. orlo 3.65, diam. base 1.8. Argilla 7.5YR 7/6-6/6 rossastro giallo. Cf. MINGAZZINI 1938, tav. XXXVII,4 per un esemplare più grande.

V 36) (F 11 27) Coppetta. Alt. 2.0, diam. orlo 4.3, diam. base 1.5. Argilla 7.5YR 7/6-6/6 rossastro giallo.

V 37) (F 11 22) Coppetta. Alt. 2.6, diam. orlo 4.0, diam. base 1.9. Argilla 5YR 7/6 rossastro giallo. Cf. MINGAZZINI 1938, tav. XXXVII,18.

V 38) (F 11 22 bis) Coppetta. Alt. 1.9, diam. orlo 3.5, diam. base 2.0. Argilla 5YR 7/6 rossastro giallo. Cf. Morel 2971 c, per un esempio più grande dal deposito votivo di Mefitis d'Aquinium.

V 39) (F 11 33 bis) Coppetta monoansata. Alt. 2.0, diam. orlo 4.5, diam. base 1.9. Cf. argilla 5YR 6/6 rossastro giallo. Cf. *Monte Irsi* 1977, nn. 193, 194.

V 40) (F 11 33 ter) Coppetta monoansata. Alt. 2.0, diam. orlo 2.9, diam. base 2.4. Argilla 5YR 7/6 rossastro giallo. La base è più alta e il corpo più carenato degli altri esempi. Rassomiglia a *Valle d'Ansanto* 1976, n. 650. Questo è un esemplare più piccolo di quello dell'*Heraion* 1966, tav. XXXIX,e,4, p. 137,5.

V 41) (F 11 36) Coppetta monoansata. Alt. 2.4, diam. orlo 2.2, diam. base 1.9. Argilla 5YR 6/6 rossastro giallo. I confronti sono quelli della coppetta precedente.
Le tazze monoansate o miniaturistiche a vernice nera son comuni nelle tombe di Taranto (*Taranto-Dibattito* 1986).

V 42) (F 11 20) Kalathos. Alt. 2.8, diam. orlo 3.9,

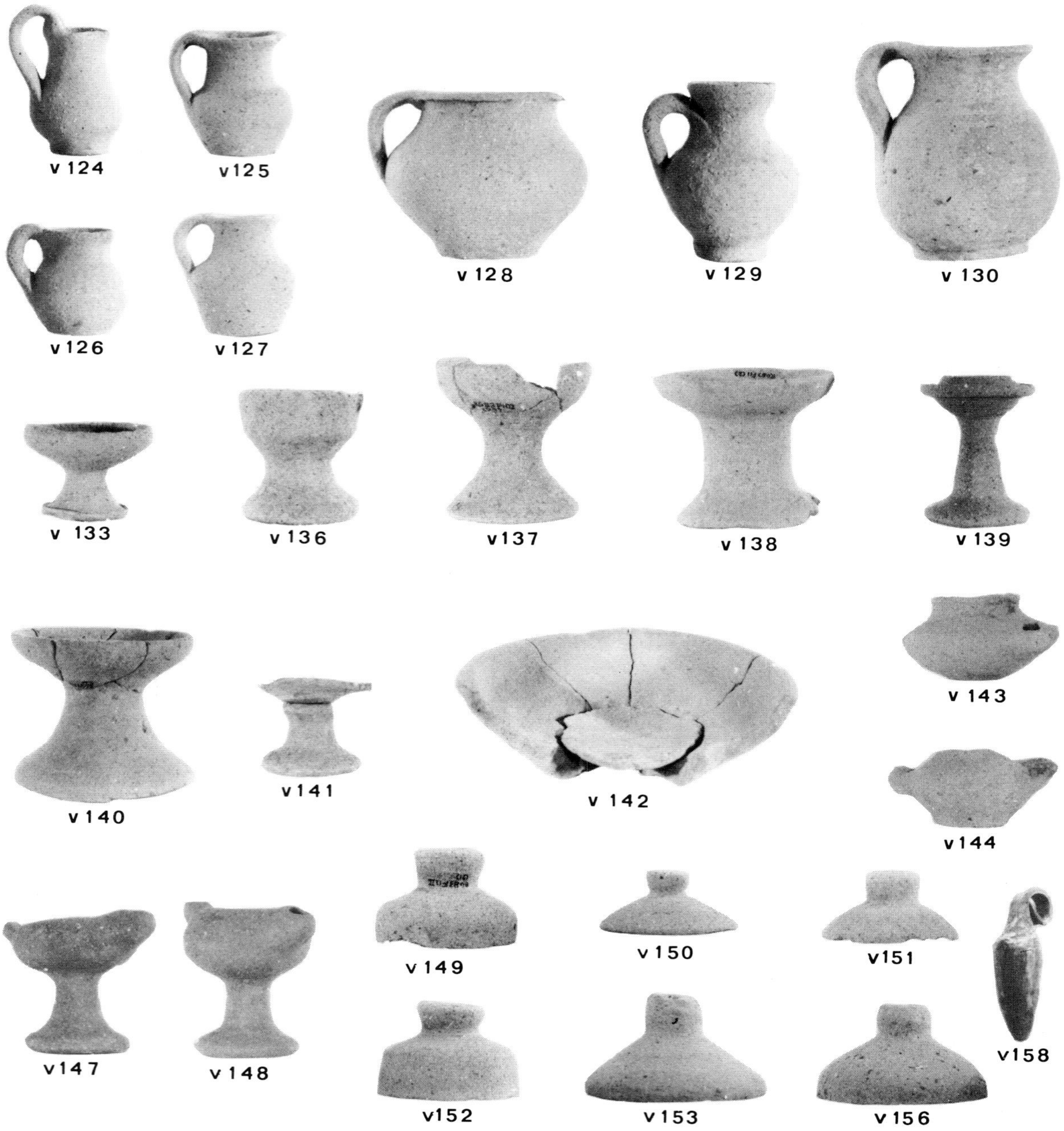

Fig. 120 Ceramica rinvenuta all'interno di F11 (V**158** scala 1/1, tutti gli altri pezzi scala 1/3).

diam. base 1.2. Argilla 5YR 7/8 rossastro giallo. Simile al precedente.

V 43) (F 11 28) Kalathos. Alt. 2.6, diam. orlo 3.5, diam. base 1.6. Argilla 7.5YR 7/6-8/6 rossastro giallo.

V 44) (F 11 37) Kalathos? Olla? Solo la parte inferiore che è molto tondeggiante è conservata. Alt. 2.2, diam. base 1.5. Argilla 7.5YR 6/6 rossastro giallo.
Evidentemente i kalathoi sono inclusi nel deposito di *Rosarno* 1913, p. 134.

V 45) (F 11 36 bis) Brocchetta monoansata, pancia arrotondata. Alt. 4.0, diam. orlo 1.0, diam. base 1.7. Argilla 5YR 7/6-6/6 rossastro giallo. Cf. *Heraion* 1966, tav. XXXIX,d,3, p. 127,20; un vaso simile da *Santa Maria d'Anglona* 1967, p. 352, fig. 26.

V 46) (F 11 33 bis) Brocchetta monoansata, pancia ovoide, bocca meno espansa che la brocchetta precedente. Alt. 3.1, diam. orlo 1.1, diam. base 2.1. Per un esempio ancora più piccolo, cf. *Heraion* 1966, tav. XXXIX,d,3, p. 127,20. Cf. le tombe di *Taranto-Dibattito* 1986, dove sono inclusi tipi molto simili alle brocchette del deposito votivo.

V 47) (F 11 33 quater) Olletta con due bugne/prese. Verniciata dentro. Alt. 4.2, diam. orlo 2.9, diam. base 1.9. Argilla 5YR 7/6 rossastro giallo. Derivata dalle antichissime olle/ollette di impasto trovate nei depositi votivi dall'ottavo secolo in poi, cf. MINGAZZINI 1938, 869 ff.

V 48) (F 11 36 ter) Lebes con due prese. Alt. 3.3, diam. orlo 1.3, diam. mass. con prese 3.7, diam. base 2.0. Argilla 7.5YR 7/4 rossastro giallo. La forma si trova in un esempio di un coperchio per un lebes: *Heraion* 1966, tav. XXXVII,c, p. 122.

V 49) (F 11 11) Lebes con due prese. Alt. 3.3, diam. orlo 1.0, diam. mass. con le prese 3.1, diam. base 1.6. Argilla 5YR 7/6 rossastro giallo.

V 50) (F 11 36 bis) Lebes con due prese. Alt. 3.4, diam. orlo 1.4, diam. mass. 3.8, diam. base 1.6. Argilla 5YR 8/4 rosa.
Vasi molto simili, definiti 'stamnos', con anse verticali invece delle prese, si trovano nelle tombe ellenistiche a Taranto (*Taranto-Dibattito* 1986).

V 51) (F 11 22 ter) Louterion. Alt. 3.8, diam. orlo 5.5, diam. base 3.3. Argilla 5YR 7/6 rossastro giallo. Un confronto piuttosto stretto si trova al santuario di Dea Marica, MINGAZZINI 1938, tav. XXXVII,13 e un tipo simile, *Valle d'Ansanto* 1976, n. 657.

V 52) (F 11, dentro F 11 25) Louterion. Incompleto. Manca l'orlo. Alt. cons. 4.0, diam. cons. del bacino 4.5, diam. base 3.4. Argilla 7.5YR 8/6 rossastro-giallo. C'è il solco dei circoli di spago sotto il piede, che è comunque perfettamente diritto.

V 53) (F 11 II 8) Calice o coppetta su alto piede. Alt. 3.3, diam. orlo 3.4, diam. base 2.0. Argilla 7.5YR 6/6 rossastro giallo. Per vari tipi miniaturistici a vernice nera del genere, cf. *Taranto-Dibattito* 1986.

Da aggiungere a questi pezzi ben conservati ci sono 15 frammenti di due coppette, una monoansata, e frammenti di un altro alto piede.

I tipi di vasi, che sono sia a figure rosse sia a vernice nera, si dividono in 4 gruppi: 14 esemplari (6 coppette, 2 brocchette, 3 lebetes, 2 louteria e 1 olletta) si trovano dispersi in una concentrazione generale, senza ovvia associazione nella deposizione ad un gruppo particolare delle statuette. D'altro canto, questo raggruppamento generale include almeno un esempio di ogni importante tipo di vaso come indica l'olletta con le anse a linguetta. Il gruppo sud-est delle statuette è associato con 9 vasi: l'epichysis, il coperchio del lebes (?), 3 coppette, 2 kalathoi e 2 louteria. Epichysis, lebetes, kalathoi e louteria sono stati associati con la fertilità e molto probabilmente con il matrimonio, com'è chiaro per i kalathoi e louteria dei *pinakes* Locresi. Il gruppo nord-est, in cui è compreso il singolare esempio della statuetta con l'attributo unico della patera in grembo, è associato con un solo ex-voto in vernice nera, significativamente quello della patera mesomphalica. Il gruppo centrale, cioè quello della statuetta di culto, si trova vicino ad un solo *kalathos*. Non è per caso che il gruppo sud-est comprende il tipo più diffuso nella Magna Grecia ed è, nel contesto del nostro deposito votivo, associato con la produzione ceramica più ellenizzata rappresentata nella stipe.

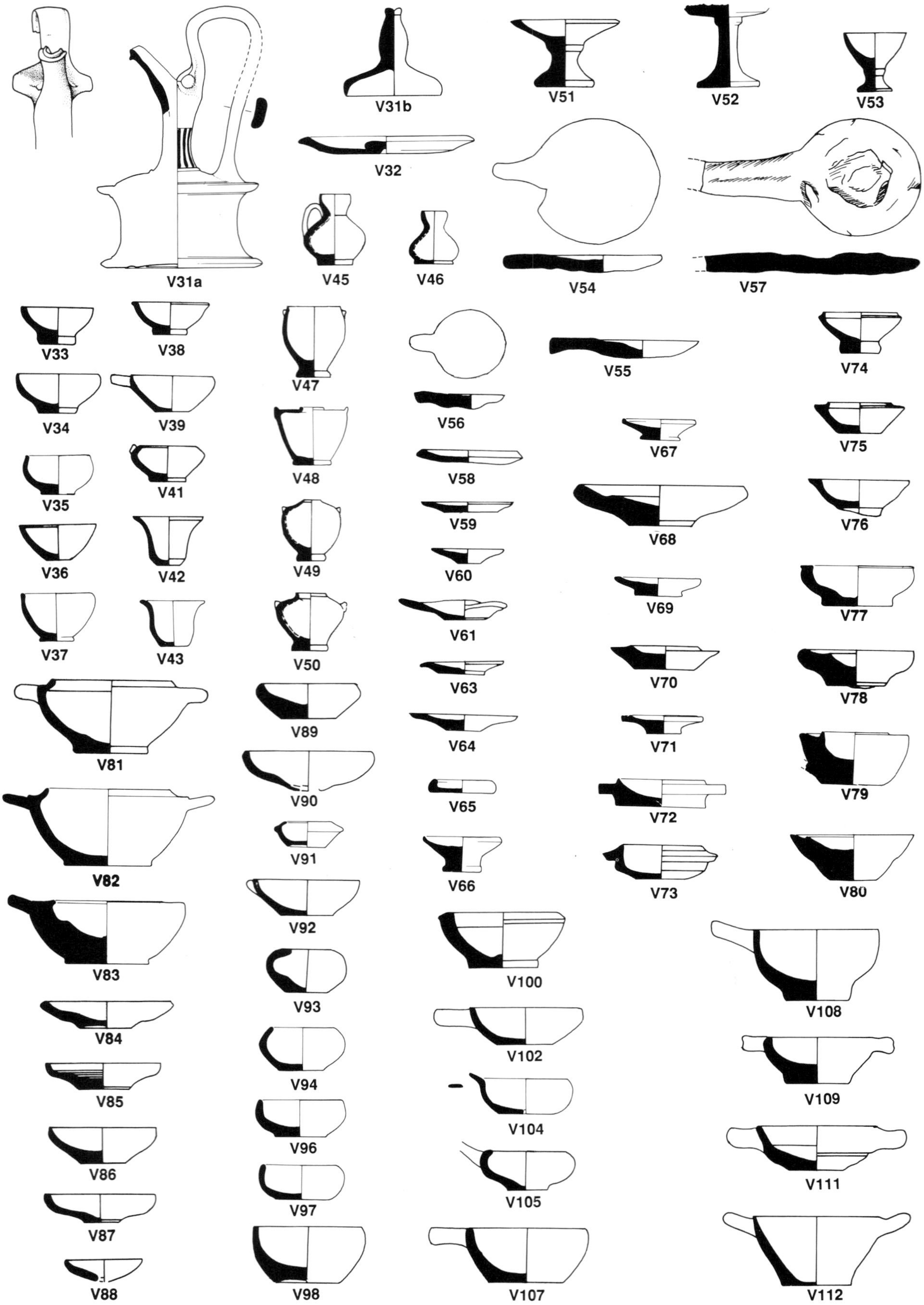

Fig. 121 Profili della ceramica di F 11 (scala 1/3).

Ceramica grezza

Specchi

V 54) (F 11 II 25) Specchio con ansa. Diam. 7.0, max lungh. 9.0, alt. 0.9. Argilla 7.5YR 7/6 rossastro giallo.

V 55) (F 11 II general concentration) Specchio con ansa. Diam. 6.3, max lungh. 6.9, alt. 1.3. Argilla 7.5YR 6/6 rossastro giallo.

V 56) (F 11 II 9) Specchio con ansa. Circoli di spago di sotto. Diam. 3.9, max lungh. 5.1, alt. 0.7. Argilla 7.5YR 6/8.

V 57) (F 11 II 11) Specchio con manico su un 'piede'. Diam. 6.6, max lungh. 12.0, alt. 1.5. Argilla 7.5YR 7/6 rossastro giallo.

I quattro oggetti sono stati considerati specchi invece che piattini votivi con focacce per la mancanza di buchi sulla superficie (*Tivoli* 1927, p. 234, fig. 13,3-4) e per la mancanza assoluta di votivi commestibili nella stipe.

Gli specchi erano disposti tutti sulla terra battuta del fondo del *naiskos*. È tuttavia da considerare se la posizione sul fondo vada collegata con l'uso comune degli specchi nelle tombe e cioè se possano avere un significato ctonio anche nei depositi votivi. Si ricorda la frase di Pindaro (*N*. 7,14) che impiegava lo specchio come un simbolo dei momenti di riflessione e verità personale come il matrimonio o qualsiasi 'rito di passaggio'. Non è sempre facile distinguere tra specchi in terracotta e *pateræ*; si veda, per esempio, *Coroplastica Daunia* 1979, fig. 25.

Piattini apodi

V 58) (F 11 II 31) Piattino basso. Diam. orlo 5.7, diam. base 4.0, alt. 0.65. Argilla 7.5YR 7/8 rossastro giallo.

V 59) (F 11 20 bis) Piattino con la parete piuttosto diritta e l'orlo leggermente estroflesso. Diam. orlo 4.6, diam. base 3.0, alt. 0.6. Argilla 5YR 7/8 rossastro giallo.

V 60) (F 11 II 8) Piattino molto simile al precedente ma più piccolo. Forse in coppia con il precedente. Diam. orlo 3.8, diam. base 1.5, alt. 0.6. Argilla 7.5YR 6/8 rossastro giallo.

V 61) (F 11 20 ter) Piattino con anse. Diam. orlo 4.3, diam. orlo con l'ansa 5.5, diam. base 2.3, alt. mass. 0.9. Argilla 5YR 6/6 rossastro giallo.

V 62) (F 11 16 ter) Piattino con anse simile al precedente. Diam. orlo 4.5, diam. orlo con anse 5.6, diam. base 2.3. Argilla 5YR 6/8 rossastro giallo.
Questi ultimi due sembrano formare una coppia per le misure, le forme (con l'ansa) e per l'argilla.

V 63) (F 11 4 bis) Piattino deformato con parete sporgente. Diam. orlo 4.6, diam. base 2.6, alt. 0.8. Argilla 5YR6/8 rossastro giallo. Cf. *Monte Irsi* 1977, nos. 195, 196, 197.

V 64) (F 11 II general concentration) Piattino con parete molto sporgente. Diam. orlo 5.8, diam. base 1.8, alt. 0.6. Argilla 7.5YR 7/4-6/4, rosa a marrone chiara.

Dei sette esempi, quattro (comprendono anche i due piattini con anse) erano posti ai piedi del gruppo centrale, uno vicino al gruppo sud-est, un altro vicino al gruppo nord-est, e l'ultimo vicino alla porta.

Pateræ

V 65) (F 11 II 39) Pateretta (?) (Piattino?) bassa, apoda, colle pareti molto introflesse. Diam. orlo 3.6, diam. mass. 4.2, diam. base 3.4, alt. 1.0. Argilla 7.5YR 7/8 rossastro giallo.

V 66) (F 11 30 bis) Patera alta, con piede sagomato, parete sporgente e labbro diritto. Diam. orlo 4.5, diam. base 2.0, alt. 2.1. Argilla 7.5YR 7/6 rossastro giallo. Rassomiglia vagamente a *Valle d'Ansanto* 1976, no. 656.

V 67) (F 11 11) Patera simile alla precedente, più bassa. Diam. orlo 4.0, diam. base 2.2, alt. 1.2. Argilla 7.5YR 8/4 rosa.

V 68) (F 11 10) Patera con uno spigolo all'interno, 1.5 cm. al di sotto dell'orlo, che crea un fondo elevato. Diam. orlo 7.7, diam. base 3.7, alt. 2.3. Argilla 7.5YR 6/4 marrone chiara. Tranne che per l'aspetto molto angolare e quindi metallico, il fondo rassomiglierebbe ad un omphalos.

V 69) (F 11 14) Patera con piede semplice, parete sporgente. Diam. orlo 4.6, diam. base 2.6, alt.

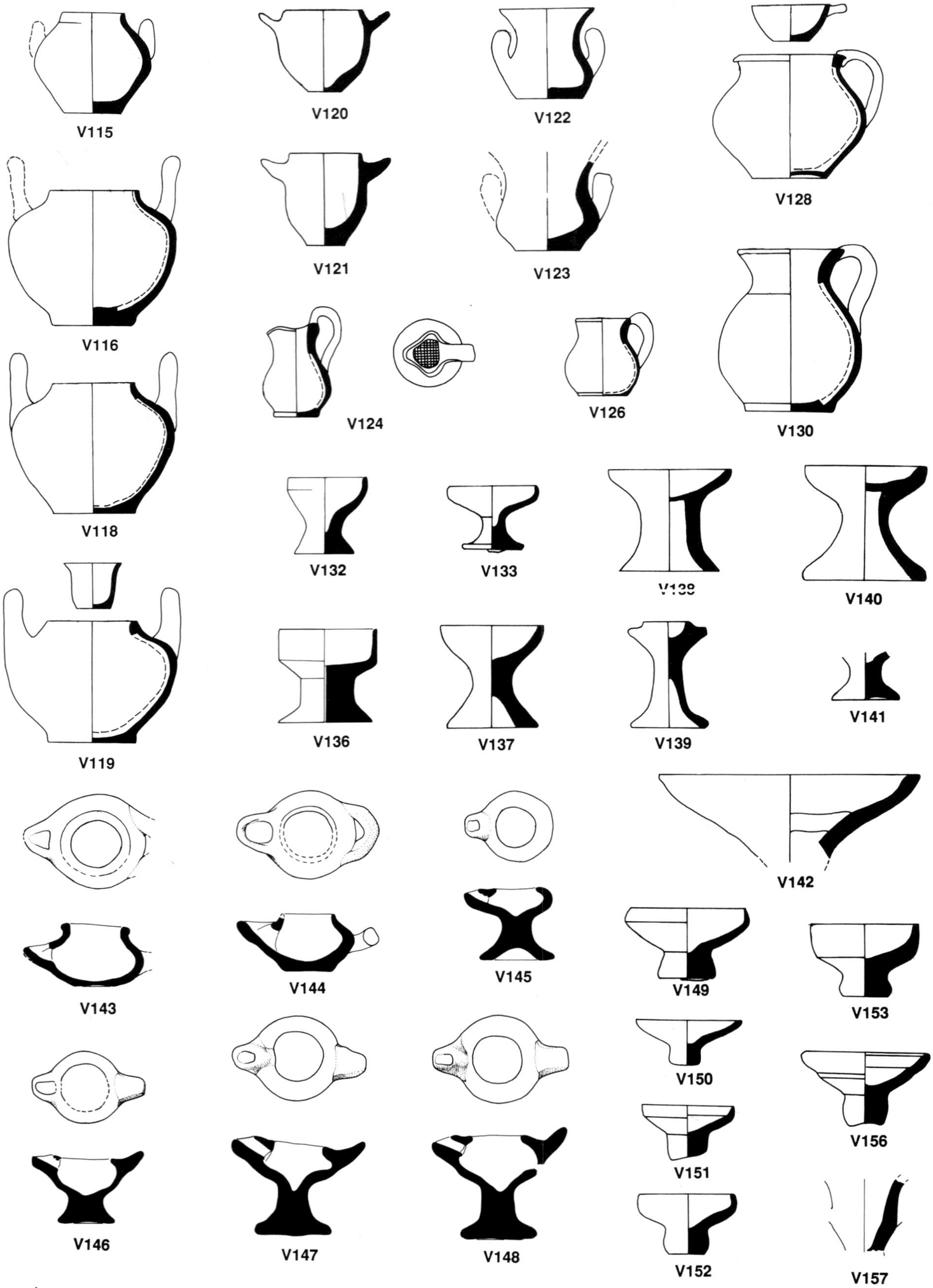

Fig. 122 Profili della ceramica di F 11 (scala 1/3).

0.9. Argilla 5YR 6/8 rossastro giallo.

Delle (cosiddette) paterette tre sono state rinvenute vicino al gruppo nord-est, dove si trova anche la patera mesomphalica a vernice nera che è paragonabile con l'attributo tenuto dalla dea in trono. Le altre due erano nell'angolo sud-ovest e quindi non associate in modo particolare con gruppi di statuette.

Lekanides

V 70) (F 11 32) Lekanis bassa. Diam. orlo 5.9, diam. base 3.4, alt. 0.9. Argilla 5YR 7/4-7/6 rosa-rossastro giallo.

V 71) (F 11 33) Lekanis con piede alto. Diam. orlo (est.) 4.5, diam. base 1.9, alt. 0.9. Argilla 7.5YR 8/6 rossastro giallo.

V 72) (F 11 II 5) Lekanis molto squadrata con una spalla grande e molto angolare. Diam. orlo 4.7, mass. diam. con le spalle 7.0, diam. base 5.0, alt. 1.6. Argilla 7.5YR 8/6 rossastro giallo. Un esempio un po' più complesso nel profilo si veda al santuario della Dea Marica, MINGAZZINI 1938, tav. XXXVII,20.

V 73) (F 11 II 19) Lekanis relativamente profonda, con parete carenata. Diam. orlo 4.5, diam. con le spalle 6.6, diam. base 3.2, alt. 2.0. Argilla 7.5YR 7/6 rossastro giallo.

V 74) (F 11 22 bis) Lekanis alta e profonda, con pareti molto diritte. Diam. orlo 3.9, diam. con le spalle 4.4, diam. base 2.3, alt. 2.2. Argilla 5YR 7/6 rossastro giallo. Una forma meno angolare si trova in MINGAZZINI 1938, tav. XXXVII,20.

V 75) (F 11 20) Lekanis con le pareti curvate. Diam. orlo 3.5, diam. con spalle 5.2, diam. base 2.5, alt. 1.8. Argilla 5YR 5/8-6/8 giallastro rosso-rossastro giallo. Di nuovo si raffronti MINGAZZINI 1938, tav. XXXVII,20.

V 76) (F 11 16 bis) Simile alla precedente ma con una base irregolare. Diam. orlo 4.2, diam. con spalle 5.6, diam. base 2.3, alt. 2.0. Argilla 5YR 5/8-6/8 giallastro rosso-rossastro giallo. Il nostro esemplare è una versione miniaturistica di quello del santuario della Dea Marica, MINGAZZINI 1938, tav. XXXVII,18.

V 77) (F 11 II 22) Lekanis più alta e profonda e arrotondata con una depressione nel fondo. Diam. orlo 5.8, con spalle 6.3, diam. mass. 8.0, diam. base 3.8, alt. 3.2. Argilla 7.5YR 7/8 rossastro giallo. La base, con una spirale lasciata dallo spago, è irregolare.

V 78) (F 11 II 31) Lekanis con una base molto spessa, una spalla molto grande e parete tondeggiante. Diam. orlo 3.6, diam. con spalla 6.4, diam. base 3.4, alt. 1.9. Argilla 7.5YR 7/8 rossastro giallo. Sotto il piede, spirale lasciata dallo spago.

V 79) (F 11 II 6) Lekanis con prese vicino al piede. Diam. orlo 3.7, con spalle 5.9, diam. base 3.5, alt. 2.0. Argilla 7.5YR 7/8 rossastro giallo.

V80) (F 11 II 6) Lekanis molto pesante, con parete sporgente, una scanalatura 1.5 cm. sotto l'orlo. Diam. orlo 5.0, con spalle 6.9, diam. base 2.5, alt. 2.6. Argilla 5YR 7/8 rossastro giallo. Spirale lasciata dallo spago sotto la base.

V 81) (F 11 II 35) Lekanis con due anse orizzontali sotto le spalle. Diam. orlo 7.0, con le spalle 9.0, diam. base 4.5, alt. 4.5. Argilla 7.5YR 7/6 rossastro giallo. Molto simile ad un esempio da *Messina* 1969, p. 203, fig. 4,f e fig. 5,g che sono più grandi. Si confrontino due esemplari da *Akrai* (1970, fig. 53 d-f), nonché quelli da *Siracusa* (1955, fig. 19, n. 5 a-b e fig. 31 nn. 6-10). Si vedano anche alcuni raffronti da *Lipari* (1965, p. 256, tavv. 217, 2 f e 220, 3 e 6), senza anse.

V 82) (F 11 II 35) Lekanis esattamente come quella precedente. Diam. orlo 7.0, con le spalle 9.0, diam. base 4.4, alt. 4.4. Argilla 7.5YR 7/6 rossastro giallo.
Queste ultime due sono considerate una coppia per le misure, le forme, per l'argilla e per la loro posizione contigua nel deposito votivo.

V 83) (F 11 24 ter) Lekanis con anse orizzontali, parete carenata leggermente sotto le anse e carenata vicino al piede. All'interno, il profilo è molto sagomato: 1.1 cm. sotto l'orlo una 'scaletta', poi il fondo con un circolo d'argilla sporgente nel centro. Il circolo sporgente è molto regolare. Diam. orlo 6.0, con spalle 8.0, diam. base 4.6, alt. 3.5. Argilla 2.5YR 5/6 rosa. Spirale lasciata dallo spago sotto il piede.

Le *lekanides* sembrerebbero un'offerta abbastanza generica: tre si trovano molto vicino al gruppo sud-est, due vicino al gruppo nord-est. Le rimanenti erano incluse nella concentrazione generale (quattro), e due vicino alla porta. Si nota un certo aspetto metallico in molti degli esemplari; vi sono raffronti di carattere generale con gli esemplari del santuario della Dea Marica ed un confronto specifico con la Sicilia per la coppia più grande.

Ciotole

Le prime due forse possono essere considerate paterette. Abbiamo impiegato come punto critico di divisione le misure che sono più grandi per le ciotole.

V 84) (F 11 II 16) Ciotola bassa. Diam. orlo 7.1, diam. base 3.1, alt. 1.4. Argilla 7.5YR 7/8 rossastro giallo.

V 85) (F 11 II 15) Ciotola bassa. Il profilo interno è molto sagomato e sembra 'a scaletta'. Le tracce non sono del tornio, essendo molto angolari e precise. Diam. orlo 6.5, diam. base 2.7, alt. 1.5. Argilla 5YR 7/8 rossastro giallo.

V 86) (F 11 II 20) Ciotola semplice. Diam. orlo 5.9, diam. base 2.6, alt. 2.3. Argilla 7.5YR 6/8 rossastro giallo. Spirale lasciata dallo spago sotto il piede.

V 87) (F 11 II 40) Ciotola con l'orlo interno ingrossato. Diam. orlo 7.0, diam. base 2.1, alt. 2.0. Argilla 7.5YR 7/6 rossastro giallo. Rassomiglia a MINGAZZINI 1938, tav. XXXVIII,14 che è più grande.

V 88) (F 11 II 15) Ciotola semplice con un buco nel fondo che sembra intenzionale (libagione?). Diam. orlo 4.5, diam. base 1.0, diam. buco 0.8, alt. 1.4. Argilla 5YR 7/6-6/8 rossastro giallo.

V 89) (F 11 II 28) Ciotola con la parete leggermente carenata. Diam. orlo 5.8, diam. base 2.8, alt. 1.8. Argilla 7.5YR 6/6 rossastro giallo.

V 90) (F 11 II 28) Ciotola con labbro diritto, carenata. All'interno, uno spigolo a 1.0 cm. dal fondo, che è bucato. Diam. dell'orlo 7.3, diam. base 1.5, diam. buco 1.4, alt. 2.1. Argilla 5YR 7/6 rossastro giallo. Anche questa è forse per libagione, però il buco è piuttosto grezzo.

V 91) (F 11 II 4) Ciotola (?) o lekanis (?) Le pareti sono curvate verso l'interno con un collarino. Diam. orlo 4.2, diam. mass. 4.5, diam. base 3.0. Argilla 7.5YR 8/6-7/6 rossastro giallo. Molto simile al n. **75** che è stata classificata come una lekanis perché sembra più probabile che abbia avuto un coperchio mentre il collarino qui non risulta così. La manifattura però è molto simile per le misure, l'argilla ed un aspetto particolare, cioè che i due vasi hanno una base concava all'esterno.

V 92) (F 11 29) Ciotola con due prese all'orlo. Diam. orlo 6.0, diam. base 3.0, alt. 2.2. Argilla 7.5YR 6/6 rossastro giallo.

V 93) (F 11 14) Ciotola emisferica con un labbro molto introflesso che crea una spalla. Una carena al punto di diametro mass. Diam. orlo 1.8, con spalle 3.5, diam. mass. 4.3, diam. base 2.0, alt. 2.4. Argilla 5YR 7/8 rossastro giallo.

V 94) (F 11 20) Simile alla precedente, senza la spalla. Diam. orlo 3.5, diam. mass. 4.8, diam. base 2.5, alt. 2.4. Argilla 5YR 6/8-5/8 rossastro giallo-giallastro rosso. Si trovano forme più pesanti ma egualmente incurvate nel deposito a *Valle d'Ansanto* 1976 nn. 645, 647, 648, 649.

V 95) (F 11 II 13) Come la precedente. Diam. orlo 3.7, diam. mass. 4.7, diam. base 2.8, alt. 2.5. Argilla 7.5YR 7/6-6/6 rossastro giallo.

V 96) (F 11 II 34 bis) Simile alla precedente, più aperta e meno emisferica. Diam. orlo 4.6, diam. mass. 5.0, diam. base 2.8, alt. 2.2. Argilla 7.5YR 6/4 marrone chiaro. Rassomiglia ad un esemplare del santuario della Dea Marica, MINGAZZINI 1938, tav. XXXVII,4 che è leggermente più grande.

V 97) (F 11 9) Ciotola più o meno emisferica. Diam. orlo 4.1, diam. mass. 5.5, diam. base 2.3, alt. 2.0. Argilla 5YR 7/8 rossastro giallo.

V 98) (F 11 II 3 bis) Ciotola semplice. Un'ansa è stata trovata vicino ma un punto d'attacco sulla parete non è molto evidente. Diam. orlo 6.2, diam. base 3.2, alt. 3.0. Argilla 7.5YR 6/6-5/6 rossastro giallo-marrone scuro.

V 99) (F 11 3) Simile alla precedente. Più aperta. Diam. orlo 6.5, diam. base 3.9, alt. 2.5. Argilla 7.5YR 6/6 rossastro giallo.

V 100) (F 11 II 37) Ciotola con l'orlo interno molto ingrossato. Diam. orlo 6.7 (mass.), diam. dell'orlo interno 5.4, diam. base 3.8, alt. 3.2. Spirale lasciata dallo spago sotto il piede.

Le ciotole sono divise quasi egualmente tra le varie aree del deposito. Tre sono vicino alla base circolare, tre nella concentrazione generale, due vicino al gruppo sud-est, due vicino al gruppo nord-est, una vicino alla statua centrale, tre alla porta. Si nota che le ciotole bucate sono rinvenute nella zona centrale della porta: indubbiamente appartengono ad un atto di libagione.

Coppe monoansate

V 101) (F 11 II 34) Coppa monoansata. Diam. orlo 5.2, diam. base 2.8, alt. 2.8. Argilla 5YR 7/8 rossastro giallo.

V 102) (F 11 II 10) Coppa monoansata fortemente carenata. Diam. orlo 5.6, diam. mass. 6.4, diam. base 3.1, alt. 2.3. Argilla 7.5YR 6/8 rossastro giallo.

V 103) (F 11 9) Come la precedente, meno carenata. Diam. orlo 4.3, diam. base 2.8, alt. 2.2. Argilla 5YR 5/8 giallastro rossa.

V 104) (F 11 16) Coppa monoansata, ansa leggermente elevata. Emisferica. Buco al centro. Diam. orlo 4.9, diam. base 3.1, diam. buco 0.2, alt. 1.9. Argilla 5YR 7/8 rossastro giallo.

V 105) (F 11 19) Molto simile alla precedente senza buco ma con una depressione profonda al centro. Diam. orlo 3.9, diam. base 2.4, diam. depressione 0.9, alt. 3.0. Argilla 5YR 5/6. Cf. MINGAZZINI 1938, tav. XXXVII,19.

V 106) (F 11 II 9) Coppa monoansata. Carenata. Diam. orlo 6.2, diam. base 3.3, alt. 2.9. Argilla 6YR 6/8 rossastro giallo. Cf. *Metaponto* 1975, fig. 230,b.

V 107) (F 11 II 41) Coppa monoansata. Diam. orlo 6.5, diam. base 4.0, alt. 3.0. Argilla 7.5YR 7/6-6/6 rossastro giallo.

V 108) (F 11 1) Coppa monoansata. Diam. orlo 6.8, diam. base 3.4, alt. 3.6. Argilla 5YR 6/6-6/8 rossastro giallo. Molto simile a *Monte Irsi* 1977, nn. 193, 194.

Delle coppe monoansate, quattro sono vicino alla porta, una sulla base centrale, due vicino al gruppo centrale delle statuette, una in prossimità del gruppo nord-est.

Coppe biansate

V 109) (F 11 II 34) Coppa biansata, orlo leggermente estroflesso ed ingrossato. Diam. orlo 5.2, diam. base 3.5, alt. 2.5. Argilla 7.5YR 6/6-5/6 rossastro giallo - marrone scuro.

V 110) (F 11 II 21) Coppa biansata. Orlo leggermente estroflesso. Diam. orlo 6.0, diam. base 3.3, alt. 2.5. Argilla 7.5YR 6/6 rossastro giallo.

V 111) (F 11 II 18) Coppa biansata, pareti dritte con una scanalatura angolare, profonda e larga sotto le anse. Diam. orlo 6.3, diam. base 3.2, larghezza delle scanalature 0.8, profondità 0.5, alt. 2.5. Argilla 5YR 5/8 giallastro rosso.

V 112) (F 11 II 3 bis) Alta coppa biansata. Diam. orlo 6.6, diam. base 3.5, alt. 4.0. Argilla 5YR 6/8 rossastro giallo.

Le coppe biansate sono rarissime (si veda *Taranto-Dibattito* 1986). Le due più semplici sono copie di un tipo conosciuto in vernice nera (Morel F4121). Per le altre due non si trova confronti, e sembra possibile che si tratti di vasi con prototipi in metallo. Sono meno generiche che le altre coppe o ciotole: una (copiata dalla vernice nera) appartiene al gruppo sud-est, due erano vicino al gruppo centrale, e la forma più particolare, quella conica, appartiene al gruppo nord-est. Le coppe, nelle varie forme, sono molto frequenti nel deposito votivo. Più facilmente si trovano confronti per le monoansate che chiaramente sono copie miniaturistiche della forma indigena che è diffusissima in Magna Grecia. Si vedano gli esemplari dell'insediamento stesso dove sono spesso dipinte (Ceramica NN. **31-37**). Molto probabilmente, questa è una delle due forme più antiche nel deposito (l'altra, ancora più antica, è l'olletta con due prese a linguetta) ed è riprodotta in un esemplare a vernice nera nel deposito stesso (*supra*, **V 39**).

Boccali

V 113) (F 11 14) Corpo ovoide, bocca estroflessa. Diam. orlo 2.6, diam. base 1.8, alt. 4.0. Argilla 5YR 7/6 rossastro giallo.

V 114) (F 11 20) Boccale? Resta solo la base che per la somiglianza in misura e argilla è inclusa qui. Alt. 1.5, diam. base 2.0. Argilla 5YR 6/6 rossastro giallo.

I due esemplari erano posti uno tra il gruppo nord-est e quello centrale, e l'altro tra quello centrale e il gruppo sud-est.

Lebetes

V 115) (F 11 II 22) Corpo molto tondo, due anse verticali sul punto di diametro massimo. Diam. orlo 3.5, diam. mass. 5.5, diam. base 3.4, alt. 6.0. Argilla 7.5YR 7/4 rosa. Cf. *Santa Maria d'Anglona* 1967, p. 352, fig. 26, per l'idea generica, ma le anse sono diverse.

V 116) (F 11 25) Corpo più ovoide, due anse verticali alle spalle carenate, orlo dritto. Diam. orlo 5.0, diam. mass. 9.0, diam. base 4.6, alt. 7.7, con le anse 9.3. Argilla 5YR 6/8 rossastro giallo.

V 117) (F 11 II 17) Corpo molto tondo, due anse orizzontali sotto le spalle. Orlo rotto. Diam. conservato del collo 2.6, diam. mass. del vaso 5.9, diam. base 3.0, alt. 5.4. Argilla 5YR rossastro giallo.

V 118) (F 11 26) Corpo ovoide, due anse verticali attaccate sotto le spalle. Diam. orlo 4.5, diam. mass. 9.0, diam. base 4.4, alt. 7.5. Argilla 5 YR giallastro rossa. Spirale lasciata dallo spago sotto la base.

V 119) (F 11 28) Corpo angolare, carenato fortemente alle spalle, due anse verticali sulle spalle. Diam. orlo 4.8, diam. mass. 8.5, diam. base 4.8, alt. del vaso 6.8 con anse 8.5. Argilla 2.5YR 5/6 rossa. Conteneva un kalathos. (**V 43**).

I lebetes chiaramente appartengono al matrimonio ed è pertanto logico che quattro dei cinque esemplari si trovino associati con il gruppo sud-est. L'altro era vicino al gruppo centrale.

Ollette con prese a linguetta

V 120) (F 11 14) Corpo ovoide, due prese a linguetta sotto l'orlo. All'interno, una depressione profonda nel tondo. Diam. orlo 3.9, diam. base 2.0, alt. 4.6. Argilla 7.5YR 6/6 rossastro giallo.

V 121) (F 11 4) Olletta slanciata, due linguette vicino alla bocca. Diam. orlo 4.3, diam. base 2.0, alt. 5.0. Argilla 5YR 5/8 giallo rossastro.

Questo tipo risale ai vasi d'impasto datati al VII secolo che sono più comuni sul versante tirrenico. Ve ne sono numerosissimi esempi nel santuario della Dea Marica, e MINGAZZINI 1938 (col. 863-865) fornisce una bibliografia ampia per il tipo. Cominciano con bugne, spesso tre o quattro, e poi pian piano le prese sono sostituite nel corso del V secolo. I nostri esemplari rientrano nei gruppi 3 e 5 di MINGAZZINI 1938, col. 865.

Tutte e due le ollette sono state rinvenute vicino al gruppo nord-est con una tra il gruppo nord-est e quello centrale.

Olle stamnoidi

V 122) (F 11 II 23) Forma grossolana, con corpo basso e grosso, orlo estroflesso, due anse verticali attaccate al punto del massimo diametro della pancia. Diam. orlo 5.3, diam. mass. 6.0, diam. base 3.9, alt. 4.9. Argilla 5YR 7/6-7/8 rossastro giallo.

V 123) (F 11 II 18) Manca l'orlo. Corpo carenato, collo alto. Due anse verticali alla carenatura. Diam. mass. del collo 5.1, diam. mass. 5.9, diam. base 3.0, alt. conservata 5.2. Argilla 7.5YR 7/6-6/6 rossastro giallo.

Ambedue si trovano nella concentrazione generale. Un tipo simile, ma non esattamente, si trova al santuario della Dea Marica, MINGAZZINI 1938, tav. XXXII, 6, 7, 10 e 12.

Brocchette

V 124) (F 11 II 3 bis) Brocchetta trilobata. Diam. orlo 1.0-2.35, diam. mass. del corpo 3.8, diam. base 2.4, alt. 5.2. Argilla 7.5YR 7/6-6/6 rossastro giallo. Un esemplare a vernice nera si trova al santuario della Dea Marica, MINGAZZINI 1938, tav. XXXVIII,10 che è però molto più grande.

V 125) (F 11 II 38) Brocchetta con la pancia molto tonda, collo alto, orlo estroflesso. Diam. orlo 3.7, diam. mass. 4.3, diam. base 2.9, alt. 5.0. Argilla 7.5YR 7/6-6/6 rossastro giallo. Cf. MINGAZZINI 1938, tav. XXXV,7 a vernice nera.

V 126) (F 11 17) Brocchetta con il corpo molto tondo, collo basso. Diam. orlo 3.0, diam. mass. 3.8, diam. base 2.6, alt. 4.4. Argilla 5YR 6/6 rossastro giallo. Cf. MINGAZZINI 1938, tav. XXXV,12 a vernice nera. Simile anche a *Valle d'Ansanto* 1976, n. 617.

V 127) (F 11 II 2 bis) Brocchetta con la spalla fortemente carenata, collo alto, orlo estroflesso. Diam. orlo 2.9, diam. mass. 4.6, diam. base 3.0, alt. 5.0. Argilla 5YR 7/8 rossastro giallo. Un esempio più slanciato si trova in MINGAZZINI 1938, tav. XXXV,3. Molto simile a *Valle d'Ansanto* 1976, n. 622.

V 128) (F 11 27) Brocchetta molto tonda, collo corto, un labbro sporgente. Diam. orlo 5.1, diam. mass. 7.8, diam. base 4.1, alt. 7.2. Argilla 5YR 7/6-6/6. Cf. MINGAZZINI 1938, tav. XXXVIII,9. Conteneva una coppa monoansata.

V 129) (F 11 30 quater) Brocchetta. Corpo tondo, spalla carenata, collo alto e bocca estroflessa. Diam. orlo 5.1, diam. mass. 6.3, diam. base 4.5, alt. 8.0. Argilla 5YR 7/6-6/6 rossastro giallo. Cf. MINGAZZINI 1938, tav. XL,6 e *Valle d'Ansanto* 1976, n. 619.

V 130) (F 11 31) Simile alla precedente, corpo più ovoide, scanalatura tra il collo e la pancia. Diam. orlo 4.8, diam. mass. 7.2, diam. base 4.7, alt. 9.0. Argilla 5YR 7/8 rossastro giallo. Cf. MINGAZZINI 1938, tav. XXXV,1 e *Valle d'Ansanto* 1976, n. 619.

V 131) (F 11 30 ter) Brocchetta, più slanciata, punto di diametro mass. molto alto. Diam. orlo 3.6, diam. mass. 5.5, diam. base 3.1, alt. 7.5. Argilla 7.5YR 6/6 rossastro giallo. Cf. MINGAZZINI 1938, tav. XXXVIII,10.

Le brocchette sono piuttosto offerte di carattere generale, trovate, per lo più, nell'angolo sud-ovest. Tuttavia sembra notevole che due di esse fossero associate con il gruppo nord-est, colle patere e le ollette e che tutti i confronti siano stati trovati nelle regioni della Campania del nord e Irpinia, ovviamente connessi con riti che hanno da fare con acqua o altro liquido.

Louteria

V 132) (F 11 2) Bacino profondo su un alto piede. All'interno, una depressione profonda al fondo. Diam. orlo 4.3, diam. base 3.3, alt. 4.2. Profondità del bacino 2.2, della depressione 1.0. Argilla 5YR 6/8 rossastro giallo. Tipi simili a *Valle d'Ansanto* 1976, nn. 655, 656, 657, 658, però il profilo interno è diverso.

V 133) (F 11 II concentrazione generale) Bacino profondo su un alto piede. Depressione centrale nell'interno. Diam. orlo 4.4, diam. base 3.1, alt. 3.4. Argilla 2.5YR 6/8 rosso chiaro. Spirale di spago al di sotto. Molto simile a *Valle d'Ansanto* 1976, nn. 656, 657, con confronti inediti citati da Mondragone e Teano.

V 134) (F 11 II 25) Bacino molto tondo con collarino sotto l'orlo su alto piede. Diam. orlo 2.3, con collarino 4.2, diam. base 4.2, alt. 5.7. Argilla 5YR 6/6 rossastro giallo. Cf. un esempio meno elaborato da *Medma* (1981, p. 134, fig. 176).

V 135) (F 11 II 31) Bacino molto squadrato su alto piede. Piccola depressione centrale. Diam. orlo 5.8, diam. base 1.5, alt. 4.0. Argilla 7.5YR 7/6.

V 136) (F 11 II 34 bis) Bacino molto squadrato su un alto piede. Supporto bucato dal fondo della vasca alla base. Diam. orlo 4.6, diam. base 4.5, alt. 5.1, lunghezza del canale 3.1. Argilla 7.5YR 6/6 rossastro giallo.

V 137) (F 11 II 29) Bacino su un alto piede, piccolissima depressione nel centro. Diam. orlo 5.1, diam. base 4.9, alt. 5.8. Argilla 7.5YR 7/6 rossastro giallo.

V 138) (F 11 2) Bacino più tondeggiante su alto piede. Orlo leggermente estroflesso. Diam. orlo 7.0, diam. base 5.5, alt. 5.6. Argilla 5YR 7/8 rossastro giallo.

V 139) (F 11 14) Molto frammentario. Simile al precedente. Diam. orlo 4.5, diam. base 3.3. Argilla 7.5YR 6/6 rossastro giallo.

V 140) (F 11 12) Grande *louterion*. Diam. orlo 6.5, diam. base 6.8, alt. 6.4. Argilla 5YR 6/8 rossastro giallo.

V 141) (F 11 II concentrazione generale) Solo l'alto piede e la parete inferiore sono conservati. Alt. 2.6, diam. base 3.8. Si veda la piccola depressione centrale. Argilla 7.5YR 7/4-6/4 rosa marrone scuro.

V 142) (F 11, angolo sud-est sul crollo del tetto) Solo il bacino è conservato. Diam. orlo 13.0, alt. dall'orlo al collo 6.8.

Il gruppo dei *louteria* è molto importante, anche in considerazione della loro collocazione nel contesto del deposito votivo. Di particolare rilevanza è la presenza di un esemplare in prossimità del tetto o, probabilmente, sul tetto (rinvenuto fra le tegole crollate). Questo aspetto rituale è attestato anche al santuario della Malophoros a Selinunte da una iscrizione ancora inedita, che menziona una libagione attraverso il tetto[50].

Tre *louteria* (di cui uno a vernice nera) erano vicino al gruppo sud-est. Due *louteria* (di cui uno a vernice nera) erano vicino al gruppo nord-est. Quattro (di cui uno a vernice nera e un altro bucato dal bacino al piede) erano vicino alla porta. Il *louterion* più grande è stato trovato tra la statuetta di culto e il gruppo sud-est.

Interessanti sono quelli vicino alla porta che sembrano segnalare un tipo di 'catharsis' prima di entrare in presenza delle divinità. Si nota che le ciotole bucate si trovano al fondo, soprattutto vicino alla base centrale, e un esempio monoansato bucato si trova vicino alla statuetta grande.

Lucerne

V 143) (F 11 34 bis) Lucerna apoda. Corpo molto tondo. Ansa. Diam. foro centrale 2.9, diam. mass. beccuccio incluso 7.3, diam. base 2.0, alt. 4.0. Argilla 5YR 7/6-6/6 rossastro giallo. Tracce annerite sul beccuccio. Sono comuni, cf. *Assoro* 1966, p. 246, fig. 25; *Messina* 1969, p. 202, fig. 3,c.

V 144) (F 11 30) Più alta, apoda. Corpo meno tondo. Ansa. Diam. foro centrale 2.8, diam. mass., con beccuccio 7.5, diam. base 2.8, alt. 3.5. Argilla 7.5YR 6/4-6/6 marrone chiaro - rossastro giallo. Tracce annerite sul beccuccio. Molto simile a un esemplare da *Garaguso* 1971, 426, fig. 5 e *Metaponto* 1966, Tav. III,6.

V 145) (F 11 II 30) Lucerna su alto piede. Senza ansa. Diam. foro centrale 2.0, diam. mass. con beccuccio 5.5, diam. base 4.0, alt. 4.0. Argilla 10YR 7/4 marrone molto chiaro. Beccuccio appena annerito.

V 146) (F 11 16) Lucerna rotonda con prese, su alto piede. Diam. foro centrale 2.2, diam. mass. con prese e beccuccio 3.9, diam. base 2.8, alt. con prese 4.0. Argilla 7.5YR 7/6-6/6 rossastro giallo. Non è annerita.

V 147) (F 11 8) Lucerna su alto piede, con prese. Diam. foro centrale 2.9, diam. mass. con beccuccio e prese 7.2, diam. base 4.1, alt. 5.1. Argilla vicino a 5R 6/2-5/12 grigio-rosso. Non è annerita.

V 148) (F 11 20) Lucerna su alto piede, con prese. Corpo tondo. Diam. foro centrale 2.7, diam. mass. con prese e beccuccio 7.3, diam. base 4.0, alt. con prese 6.6. Argilla 5YR 5/6 giallastro rosso. Annerita. Spirale di spago sotto il piede.

Si nota che gli esemplari apodi, ed uno su alto piede, sono stati trovati vicino alla porta come pure i *louteria*. Notevole il fatto che gli esemplari su alto piede erano disposti uno ai piedi del gruppo nord-est, uno ai piedi della statua del culto, e l'ultimo ai piedi del gruppo sud-est.

Coperchi

(Poiché spesso si reggono sia sul pomello che sull'orlo, possono essere considerati anche come *pateræ*. Nessun esemplare è stato rinvenuto nella posizione di coperchio. Però si veda fig. 120).

V 149) (F 11 II 31) Coperchio o patera. Diam. orlo 5.3, diam. pomello/piede 2.3, alt. 2.7. Argilla 7.5YR 7/8 rossastro giallo.

V 150) (F 11 II 24) Coperchio o patera. Diam. orlo 5.6, diam. pomello/piede 1.8, alt. 2.5. Argilla 5YR 6/8 rossastro giallo.

---

[50] Cortese comunicazione verbale da parte del Prof. M. Jameson (Stanford University) che è in procinto di pubblicare la iscrizione, conservata nel Getty Museum. In seguito ad una discussione intrattenuta all'Accademia Americana, Roma, nel febbraio 1989 Jameson pensa che debba trattarsi di un piccolo *oikos* o 'tempietto' del tipo documentato a Roccagloriosa per il rituale descritto nella iscrizione stessa. Si ringrazia la Dott.ssa M. Miles per aver portato all'attenzione degli autori la iscrizione stessa in corso di studio da parte di M. Jameson.

V 151) (F 11 II 27) Coperchio. Diam. orlo 5.0, diam. pomello 2.0, alt. 2.9. Argilla 7.5YR 7/6 rossastro giallo. Cf. *Heraion* 1966, tav. XXXIX, b, 3.

V 152) (F 11 II 28) Coperchio o patera. Diam. orlo 4.8, diam. pomello/piede 2.1, alt. 3.3. Argilla 7.5YR 7/4 rosa.

V 153) (F 11 II 37) Coperchio/patera. Diam. orlo 5.8, diam. pomello/piede 2.8, alt. 4.0. Argilla 7.5YR 6/6 rossastro giallo.

V 154) (F 11 34) Coperchio (molto probabilmente) o patera. Diam. orlo 6.6, diam. pomello/piede 1.9, alt. 3.7. Argilla 5YR 7/8-6/8 rossastro giallo.

V 155) (F 11 II 33) Coperchio o patera. Diam. orlo 7.2, diam. pomello/piede 2.1, alt. 4.5. Argilla 5YR 5/8 rossastro giallo.

V 156) (F 11 II 32) Coperchio o patera. Diam. orlo 7.2, diam. pomello/piede 2.3, alt. 4.1. Argilla 7.5YR 7/8 rossastro giallo.

Il problema di considerare o classificare questi vasi come coperchi è legato alla grandezza degli esemplari e alle dimensioni ridotte dei tipi dei vasi che possono servire come fondi per coperchi di questa altezza. Tutti i coperchi hanno un'altezza tra 2.5-4.5 cm., colla maggioranza intorno ai 2.5-3.7. Le lekanides sono spesso intorno ai 2.0-2.2 centimetri di altezza. Non sembra né ragionevole né esteticamente accettabile aggiungere un coperchio più alto che il vasetto stesso. I lebetes sono certamente più alti ma solo in due casi il coperchietto può entrare tra le anse del lebes.

Comunque è possibile che F 11 II 23 o F 11 II 37 siano serviti come coperchio per F 11 27, un lebes. Dobbiamo considerare inoltre che le dimensioni dei vasetti miniaturistici sono molto precise e ben proporzionate.

La collocazione dei 'coperchi' li associa strettamente (tranne un esemplare) alla parte sud-est del deposito: due nell'angolo, cinque ai piedi del gruppo sud-est, e uno ai piedi del gruppo centrale.

Olletta d'impasto

V 157) (F 11 33) Olletta con parete carenata, orlo svasato ed una bugnetta (conservata). Argilla molto grezza. La manifattura d'impasto e la presenza della bugna indicano che si tratta del vaso più antico nel deposito. Alt. (conservata) 4.5, diam. (conservato) 4.0. Argilla 7.5YR 7/6 marrone scuro.

Oggetti di metallo

V 158) (F 11 II) Pendente di argento a forma di ghianda o baccello. Alt. cm. 1,5. Si veda l'esemplare da Medma (*Rosarno* 1913, p. 138, fig. 183). Paragonabile al pendente rinvenuto in F 11 è anche un pendente di collana a maglie di argento «a forma di anforetta» rinvenuto nella tomba 137 della necropoli sannitica di Cuma (Gabrici 1914, col. 607, fig. 219). Per la illustrazione di **V 158** si veda la fig. 204 con i reperti di metallo.

H. Fracchia

6. Osservazioni sulla natura del culto

L'evidenza del culto documentato in F 11 include tre aspetti principali: quello delle statuette in terracotta, quello dei vasetti votivi e, il più indicativo, quello dei resti sacrificali.

Per le statuette si può osservare che, generalmente, sono spiccatamente ellenizzate nella forma e, allo stesso tempo, indicano che si trattava palesemente di una divinità femminile. Quest'ultima, molto probabilmente includeva due componenti: una più giovane (sulla panchina, senza attributi né gioielli e con il velo sulla testa) ed una seconda componente rappresentata dalle statuette con *polos*, patera e cesto di frutta, cioè la bontà della terra già fertile e produttiva.

Dai vasetti votivi possiamo derivare suggerimenti più specifici, in cui ci sono elementi non dissimili dal culto locrese di Demetra e Persephone, come ad esempio *kalathoi*, *louteria* e specchi. Sull'altra parte del bilancio è da porre il fatto che i *kalathoi* ed i *louteria* si trovano vicino a statuette molto comuni in ambiente magno-greco e sono circondati dai vasetti a vernice nera e dal vaso a figure rosse. In ambiente lucano questi elementi costituiscono un 'segno' di ellenizzazione, non molto indicativo per la specificità del culto. D'altra parte, le offerte di vasi miniaturistici, rappresentate da *lekanides*, brocchette, coppette con foro ed ollette, sono soprattutto comuni nei santuari di divinità associate con le acque (sia 'odorifere' che non) come Marica e Mefite.

Alla luce di queste considerazioni, è da tener

presente la statuetta, nell'angolo nord-est, con la sola patera e si può forse avanzare l'ipotesi che l'acqua e la libagione sono elementi molto significativi del culto (in particolare il *louterion* rinvenuto fra le tegole del tetto[51]). L'idea del bagno rituale segnalata dai *louteria* è forse intesa genericamente, senza dover essere direttamente collegata con il culto locrese.

È da sottolineare, infine, che i resti sacrificali sono costituiti esclusivamente da caprovini immolati in età non adulta[52]. Questa particolare caratterizzazione delle offerte sacrificali può collegarsi con un aspetto di Mefitis attestato a Rossano di Vaglio, quello di Mefitis Caprina[53], che indubbiamente include aspetti di fertilità della terra e delle greggi.

L'identità delle statuette si deve considerare alla luce di tutti questi aspetti particolari e sarebbe pertanto difficile sostenere che si riferisca ad un culto di tipo greco, quale potrebbe essere indicato dal solo aspetto esteriore delle statuette. È opportuno a questo proposito ricordare la diffusione della statuetta di tipo siceliota/geloo (presente sia nel santuario di Persephone a Camarina che in quello di Athena Lindia a Gela)[54] di cui un esemplare è stato rinvenuto a Roccagloriosa (**V 20**, *supra*).

Un'ultima osservazione riguarda la distribuzione dei vasetti e delle statuette all'interno del deposito votivo, già sopra discussa. Spesso i vasetti (come pure le statuette) sono in numero pari, il che potrebbe indicare una associazione in gruppi di due per due e quindi, se andiamo un poco oltre con le ipotesi, una dedica da parte di coppie o famiglie. Considerando i raggruppamenti di sepolture osservati nella necropoli (interpretabili quali appartenenti a più gruppi elitari)[55] ed il fatto che l'*oikos* votivo è situato in un complesso di natura abitativa, una tale osservazione è atta a fornire ulteriori qualificazioni sul contesto sociale delle pratiche rituali documentate in F 11, già menzionato nella prima parte del capitolo[56].

H. Fracchia
M. Gualtieri

---

[51] Si considerino gli aspetti rituali legati a tale rinvenimento discussi alla nota precedente.

[52] Più specificamente i resti ossei rinvenuti all'interno di F 11 appartengono ad almeno dieci individui sub-adulti di cui tre identificabili come *capra vel ovis* ed i rimanenti come *ovis*. Si veda l'analisi dei resti faunistici effettuata da S. Bökönyi (nell'Appendice, *infra*).

[53] Su Mefitis Caprina si veda Lejeune 1967, pp. 195-202; 1969, pp. 292-293; 1975, pp. 326-339. Ulteriore commento filologico in Keaney 1982, p. 246. Su Mefitis, più in generale, Poccetti 1982.

[54] Giudice 1979, p. 312 n. 36 e pp. 343-346.

[55] Come risulta dalla più recente analisi dei gruppi tombali presentata in Gualtieri 1989b.

[56] Una discussione dettagliata di questo aspetto del deposito votivo è stata recentemente presentata in Fracchia e Gualtieri 1989.

APPENDICE

Animal Remains from the votive deposit (F11) in complex A *

In the course of the excavations on the central plateau there was found a sacrificial place that contained among other objects a small amount of animal bones too (*supra*, p. 106). All but one (a pig metapodial fragment that could be hardly considered as a remnant of a sacrifice as it is completely meatless) were caprovine remains. In fact, they originated from 9 or 10 individuals, three of them were surely sheep, six or seven were sheep or goats (the difficulties of the distinction between fragmented sheep or goat bones are well-known, therefore it is needless to explain why the latter individuals cannot be identified by species).

Jameson (1988, p. 87) supposed in a thorough study on Greek animal sacrifices that the Greeks derived all their meat from the ritual of animal sacrifice. This obviously has some overstatement. However, it is undoubtedly true that sacrificing procedures produced sometimes huge amounts of meat for the local human population (Boessneck *et al.* 1968, p. 4; Bökönyi 1979, p. 69; etc.).

Sacrifices as such belong to the religious rite, nevertheless, it must be connected with the material world as well: such animal species can only be sacrificed which live in a domesticated or wild form in the given area (Bökönyi 1974, p. 15). This is so obvious that it does not need any further explanation.

Of course, people of the early periods started the animal sacrifices with wild animals and gradually switched over to domesticated ones (Behrens 1964, p. 9). In such a highly civilized society as the classical Greek was, people only sacrificed domestic animals (Jameson 1988, p. 87). The most common sacrificial animals were the caprovines and pigs in classical Greece (Jameson 1988, p. 89): this is connected with their lower price on the one hand, and with the high frequency of caprovines on the other. Their bones made up almost half of the domestic bone sample in Roccagloriosa and pigs were quite common too. In Greece cattle were only sacrificed by people on a high social level and rich or large towns.

The animal sacrifices of Roccagloriosa consist of large skeletal parts with bones in an anatomical order, thus big chunks of meat with bones in them. The bones found in the sacrificial place don't show either marks of burning or those of butchering (cut marks), although cut marks done with knives or axes are not rare in bones of the site which are kitchen remnants. The animals used as sacrifices were killed in their first or second year, thus in their prime age when their meat was at its best. The only exception in this respect was the third lower molar of a mature caprovine; it is possible that this tooth was not from a real sacrifice but from the fill of the spot.

The sacrificial bones found in Roccagloriosa don't reveal anything about the preparation (e.g. cooking) or the consumption of their meat, just as they don't show any signs concerning the removal of the meat from them. At any rate, the lack of cut marks and gnawing marks on them is an indirect evidence against it.

---

* The appendix is by S. Bökönyi, Director, Archaeological Institute, Hungarian Academy of Sciences, Budapest.

Occurring bone kinds and their frequencies

bone	number
skull	3
maxilla	3
mandible	4
tooth	1
vertebra	2
rib	4
scapula	3
radius	3
ulna	5
carpal bone	7
metacarpus	2
tibia	4
tarsal bone	3
metatarsus	2
phalanx	15
total	61

As the table demonstrates, the sacrificial bones represent almost all parts of the animal's carcasses. It is conspicuous, however, that bones of the vertebral column are very rare, and humerus, pelvis and femur are entirely missing. Since the rare or missing bones are from regions where the most precious meat can be found (cutlet, shoulder and ham regions), one can suppose that these parts were not sacrificed but consumed by the persons who offered the sacrifices or the priests who carried them out.

Another thing that can be revealed by the table is the conspicuously high number of phalanges (toe bones). It is probable that the sacrificed meat came through killing animals owned or bought by the persons who offered the sacrifices and not purchasing meat in a butcher's shop (if it existed at all at the site) because who would buy meat pieces with worthless toe bones and hooves at their ends?

And finally an interesting observation: with the exception of a third lower molar tooth (that was probably not part of a sacrifice) all bones in whose case the side could be determined were from the right side. This was in all probability the result of some religious prescription. There can be found a good parallel of this custom in the temple of Apollo at Halieis, Argolid where the bones of the at least 12 caprovines sacrificed there are primarily from the right side (pers. comm. from J. Watson to M. H. Jameson in Jameson 1988, p. 93).

S. Bökönyi

CAPITOLO 5

LAMINETTA DI PIOMBO CON ISCRIZIONE DAL COMPLESSO A*

A) Contesto archeologico

1. La compilazione dell'inventario generale dei reperti dall'abitato sul pianoro centrale nei mesi di novembre-dicembre 1986[1] ha portato alla identificazione di un oggetto di piombo sfuggito in un primo momento all'attenzione dello scrivente e della persona addetta ad una preliminare schedatura dei materiali[2] e genericamente etichettato quale "frammento di oggetto di lamina di piombo". La ispezione effettuata nel 1986 identificò immediatamente il pezzo quale laminetta di piombo arrotolata, purtroppo frammentaria ed in cattivo stato di conservazione, e ne ridefinì le caratteristiche quali pertinenti ad un probabile testo scritto, ipoteticamente di *defixio* sia sulla base delle dimensioni che del materiale adoperato, ipotesi che fu poi confermata dallo svolgimento della laminetta effettuato nel 1987[3].

Fig. 123 La laminetta con testo di *defixio*, come rinvenuta (1/1).

La laminetta era visibilmente frammentaria in due diversi punti sia a causa della corrosione del piombo (di spessore assai sottile) che aveva purtroppo asportato gran parte della penultima ripiegatura esterna, sia a causa di un forte impatto che ne aveva tagliato un angolo superiore (fig. 123). Non sembra che la rimozione dell'angolo del 'rotolo' fosse stata causata nel corso dello scavo dato che la frattura appariva stabilizzata e, come il resto della superficie della laminetta, ricoperta da una sottile patina da ossidazione. Si esclude questa possibilità soprattutto per il fatto che, trattandosi di un angolo abbastanza grosso dell'intero 'rotolo', esso sarebbe stato raccolto insieme con il resto dell'oggetto,

---

* Il capitolo è stato redatto da M. Gualtieri e P. Poccetti. La discussione del contesto archeologico è di M. Gualtieri, mentre lo studio del testo della laminetta qui presentata è di P. Poccetti (Istituto Universitario Orientale, Napoli).

[1] Si coglie l'occasione per ringraziare la Dott.ssa G. Tocco, per aver gentilmente concesso il permesso di effettuare la campagna di studio sui materiali conservati nel Deposito/Antiquarium di Roccagloriosa nell'autunno 1986, successivamente alla breve campagna di scavo della estate 1986.

[2] La sig.na A. Pinto di Ascea, ora restauratrice nella Soprintendenza Archeologica (Ufficio Scavi di Velia), che in questa occasione mi è gradito ringraziare.

[3] Eseguito da K. Spirydowicz, docente nello Art Conservation Program, Queen's University, Kingston, Ont., Canada, nell'ambito dell'attività di restauro dei materiali dall'abitato, in collaborazione con la Soprintendenza Archeologica di Salerno (secondo le direttive incluse nella concessione di scavo Ministeriale e nell'ambito del progetto di ricerca dell'Università dell'Alberta).

come negli altri casi (numerosi) di manufatti rinvenuti in strato di crollo e, assai spesso, toccati dal piccone. Dato il contesto dell'oggetto, descritto più oltre, sembra invece assai più probabile che la frattura sia stata causata o dall'impatto/pressione di una pietra del crollo/scarico o dalla attività di scarico dell'oggetto stesso. In tal caso sembra assai probabile che l'angolo, ulteriormente frammentato dall'azione di accumulo o scarico di detrito, sia stato perduto nello scavo a causa della mancanza di setacciatura in questo stadio iniziale dello scavo[4].

2. Il contesto e la data di rinvenimento indicati sulla targhetta che accompagna l'oggetto (FB 109 II-III, 29.7.1977) si riferiscono ad uno dei primi giorni di scavo nell'angolo sud-est del complesso A[5]. Gli ulteriori commenti inclusi nel giornale di scavo descrivono il contesto come uno «strato di terra scura sciolta con molta ceramica al di sotto di uno strato argilloso e dell'humus»[6]. È da precisare che in questa fase iniziale dello scavo dell'abitato i reperti senza una più specifica misurazione nell'ambito del quadrato sono qualificati nella loro distribuzione spaziale unicamente dalle coordinate del quadrato stesso di m. 4 x 4. Il quadrato FB 109 si trova al limite sud-est del portico del complesso A (*supra*, cap. 3) e, più specificamente, ad est del muro di fondo del portico stesso (F 17), che si colloca alla estremità ovest del quadrato stesso. Sembra quasi certo, pertanto, che la laminetta sia stata rinvenuta ad est del muro perimetrale del portico, piuttosto che all'interno dell'angolo sud-est del portico, come precedentemente supposto[7]. Una tale considerazione è senz'altro di aiuto a ricostruire la natura specifica del contesto stratigrafico in cui la laminetta fu rinvenuta. Due attività, che non si escludono necessariamente l'un l'altra, sono da considerarsi alla base del processo di formazione del contesto di rinvenimento della laminetta. Da un lato, l'attività di accumulo di una notevole quantità di materiali di scarico ad est del muro perimetrale est del complesso A (inclusi soprattutto nelle US 118 e 119, scavate poco più a nord di FB 109, nel 1982-86). Tali scarichi includono una notevole quantità di materiale riferibile all'uso del complesso A e, più in particolare, degli ambienti cortile basolato/portico. Il rinvenimento di una notevole quantità di ceramica fine ed un rilevante numero di frammenti di terrecotte votive (*supra*, pp. 113-114), contribuisce a riferire gran parte dei materiali scaricati in quell'area alla attività 'cerimoniale' che si svolgeva nel complesso stesso, secondo l'attendibile ricostruzione fattane nel capitolo precedente. D'altra parte, il successivo crollo (US 98) del massiccio muro perimetrale est del complesso, anche se rinvenuto prevalentemente ad ovest del muro stesso, a causa del pendio del terreno, ha lasciato tracce anche ad est del muro, in parte commiste con i materiali dello scarico. Il successivo dilavamento del terreno lungo il declivio accentuato, può aver ulteriormente contribuito al fenomeno di commistione scarico/materiali dalla distruzione del muro. Sembra pertanto assai probabile che lo strato di 'distruzione' II-III in cui è stata rinvenuta la laminetta includesse la parte superficiale dello spesso strato di scarico (118/119) esistente ad est del muro perimetrale. Per aggiungere altri utili indizi sulla natura del contesto in cui è stata rinvenuta la laminetta, è opportuno sottolineare che lo strato III nella stessa area (FB 109 III, scavato nei giorni immediatamente successivi) includeva alcuni fra i più significativi frammenti di ceramica a figure rosse (N. **56** e, soprattutto N. **63** e N. **66** nella parte inferiore dello strato, FB 109 IIIB), nonché frammenti di *louteria* (NN. **558**-**560**) e di terrecotte architettoniche (N. **523**). Tutte queste considerazioni, in mancanza di più specifici dati di contesto, contribuiscono ad una collocazione stratigrafica della laminetta nell'ambito dello scarico di materiali connesso con l'uso del complesso area basolata/portico. Una tale appartenenza della laminetta, d'altra parte, soprattutto in considerazione del contenuto della iscrizione che vi è incisa (analizzata nei successivi paragrafi) sembra indubbiamente essere in accordo con l'uso 'cerimoniale' (*supra*, cap. 4)

---

[4] La setacciatura sistematica dei terreni da strati di abitato è stata iniziata, con maglia di 2,5 mm., a partire dallo scavo del 1982, su campioni opportunamente selezionati. È da tener presente che nello stadio iniziale della esplorazione dell'abitato, effettuata parallelamente allo scavo della necropoli, non è stato possibile assicurare la supervisione costante di un archeologo o assistente di scavo ad ogni squadra di operai.

[5] L'area scavata nel 1977-78 coincide con l'angolo sud-est del portico, ivi inclusi l'ambiente A1 e l'area ad est e sud degli ambienti stessi (si veda la piantina di scavo in *Roccagloriosa* 1978, p. 409, fig. 45).

[6] Con tutta probabilità la descrizione stessa si riferisce allo strato di distruzione o accumulo di scarico, dato che, sembra opportuno sottolineare, è in relazione con la superficie dei muri conservati, i quali, a tale stadio della esplorazione, non erano ancora visibili.

[7] In Fracchia e Gualtieri 1989, p. 225.

della parte centrale del complesso e ben si associa con la attività rituale che vi è documentata.

3. La laminetta qui presentata e discussa in dettaglio non costituisce l'unico esemplare di laminetta di piombo arrotolata rinvenuto nello scavo del nucleo abitativo sul pianoro centrale. È stato possibile, anche sulla base di analogie con la laminetta in questione, raggruppare un certo numero di reperti in piombo che, sia pur assai frammentari (salvo un caso), sono con buona probabilità da considerarsi altre tabelle di *defixiones*, utilizzate nell'area del complesso A ed in aree adiacenti. Se ne allega l'elenco, anche se non siano state ancora oggetto di un'analisi specifica, con lo scopo di fornire ulteriori indizi atti a qualificare il contesto della laminetta esaminata in dettaglio più oltre.

L1) SF 3023. US 63, area BG 108/BH 107 III
(strato di distruzione misto a colluvio sulla parte centrale dell'ambiente A5)
Frammento di laminetta di piombo arrotolata, visibilmente spezzata
alt. cm. 1,3; il diametro è paragonabile a quello di un grosso chiodo.

L2) SF 3028. US 63, area BG 108/BH 107 II
(strato di distruzione misto a colluvio, sull'angolo nord-est dell'ambiente A5)
Frammento di laminetta di piombo arrotolata
alt. cm. 2,2, largh. max cm. 0,9.

L3) SF 3036. US 79, area BG 107/BH 108 III
(strato di distruzione che insiste sulla parte centrale dell'ambiente A5)
Frammenti (il più grande misura ca. cm. 3,0 x 2,5) di una laminetta di piombo di spessore e dimensioni assai simili a quella iscritta presentata in questo capitolo. La laminetta, frammentaria, risulta in parte deformata dalla pressione dello strato ma certamente non arrotolata. Non vi sono tracce di lettere sulla superficie: potrebbe trattarsi di un 'blank', prima della incisione.

L4) SF 4131. US 269, area BF 106/BG 107 III-IV
(strato di abitazione nell'ambiente A7/A8)
Tre frammenti di una sottile fascetta di piombo della larghezza di ca. cm. 1,0 due dei quali (lunghezza complessiva cm. 3,5) mostrano un attacco. Leggibili alcune lettere incise. Sembra probabile che potesse appartenere ad una laminetta più larga (ma senza tracce di avvolgimento) del tipo di quelle già descritte (fig. 124a).

L5) SF 7038. US 391, area BA 110/BB 111 II
(scarico di materiale ad ovest della strada F 416 che corre lungo la fronte ovest del com-

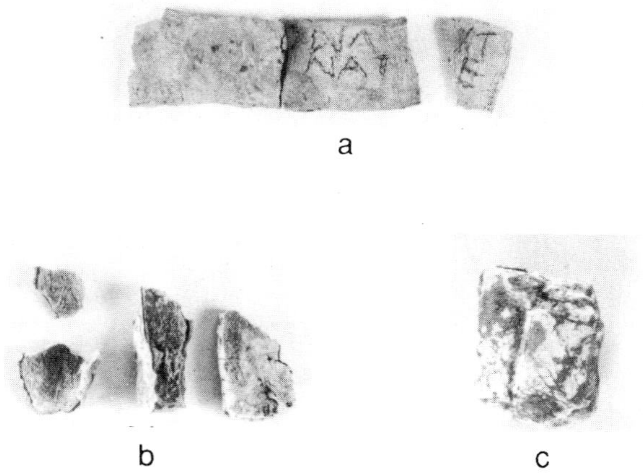

Fig. 124 a) fascetta in piombo con iscrizione L4; b) frammenti della laminetta L6 con lettere leggibili; c) laminetta di piombo ripiegata ed arrotolata (L5), rinvenuta nello scarico (391) ad ovest del complesso A. (Si veda anche la fig. 204).

plesso A)
Laminetta di piombo ripiegata in due nel verso della larghezza e poi arrotolata. Intatta (fig. 124 c), non ancora srotolata (si vedano anche figg. 201 e 204, per il disegno).

L6) SF 7710. US 64, area BG 113/BH 114 I
(strato di colluvio misto a materiale di scarico, nell'angolo nord-est del complesso B)
Vari frammenti, di cui tre di dimensioni maggiori (alt. rispettivamente di cm. 1,4, 1,3 e 0,9) di laminetta di piombo arrotolata. La laminetta non è stata ancora ripulita né srotolata; tuttavia lo stato di frammentarietà in cui si trova permette di leggere alcune lettere all'interno di un frammento (fig. 124 b).

L7) SF 7005. US 390, area PC 86
(materiale di accumulo - abitazione mista a colluvio - su una piccola superficie basolata del complesso in PC 86)
Vari frammenti di piccole dimensioni di una laminetta di piombo arrotolata, di cui il più grande misura cm. 1,4 in altezza.

È da sottolineare innanzitutto (come si può osservare dalla cartina di distribuzione, fig. 125) che i primi cinque esemplari sono tutti da riferirsi al complesso A, tre dei quali (**L 1-3**) rinvenuti in strati che insistono sull'ambiente A5. Incerta è la funzione della 'fascetta' **L 4** che, pur includendo alcune lettere incise, sembrerebbe appartenere ad una

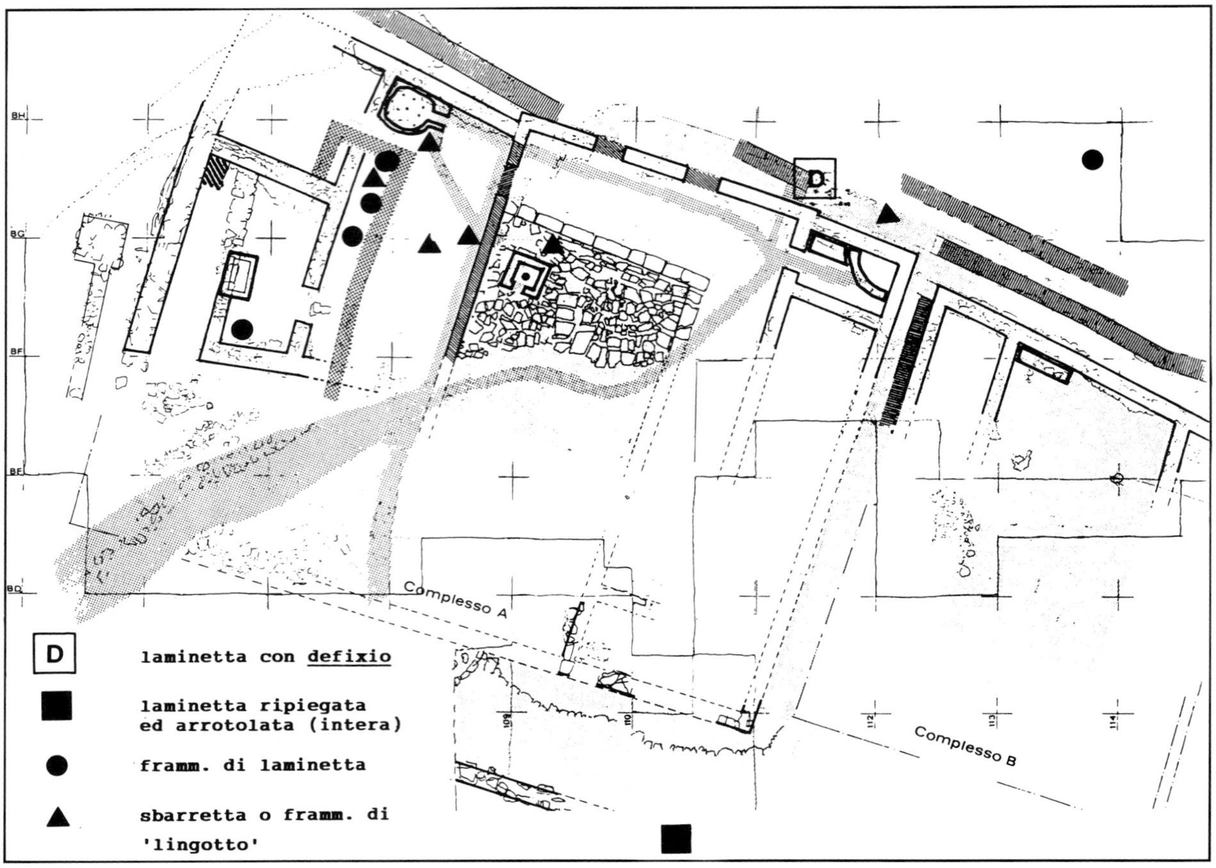

Fig. 125 Cartina di distribuzione delle laminette in piombo rinvenute sul pianoro centrale.

placchetta non arrotolata.

Il rinvenimento più interessante è senz'altro costituito da **L 5**, intatta, che esemplifica un diverso tipo di avvolgimento della laminetta[8] e, significativamente, proviene da un contesto analogo a quello ricostruito per la laminetta con iscrizione presentata in dettaglio più oltre.

L'esemplare **L 6** è stato rinvenuto ai limiti fra complesso A e complesso B, in contesto di scarico misto a colluvio. Data la sostanziale affinità dei materiali di scarico rinvenuti ad est dei muri perimetrali dei complessi A e B (*supra*, p. 59), sembra possibile vederne una provenienza analoga a quella dei precedenti esemplari (cioè l'attività rituale che si svolgeva intorno al basolato/portico del complesso A). Diverso è il caso della **L 7**, relativo al complesso in PC86, alla cui architettura imponente non corrisponde, sinora, una chiara funzione nel contesto dell'abitato fortificato. Una più approfondita esplorazione di quest'ultimo complesso è necessaria prima di poter discutere il significato della associazione con una probabile *defixio*.

4. Ad ampliare il quadro, contribuisce il rinvenimento di un certo numero di oggetti in piombo (concentrati nell'area del complesso A) che, pur di incerta interpretazione (anche a causa dello stato di conservazione), possono in vari casi essere posti in relazione con la lavorazione (o distruzione) delle laminette di cui si è sopra elencata la consistenza.

L8) SF 326. Strato III, area EB-FB 109
(scarico ad est del muro perimetrale est del portico nel complesso A)
Frammento di piombo, alterato dal calore, che sembra composto da due lamine sovrapposte
alt. cm. 3,2.

[8] Come in alcuni esemplari dalla Grecia, pubblicati in Ziebarth 1934 (in particolare si veda quello della Tav. IA). Ringrazio P. Poccetti per aver cortesemente segnalato alla mia attenzione i raffronti per questo tipo di avvolgimento della laminetta.

L9) SF 2078. US 38', area BG109/BH108 IV
(strato di distruzione misto a colluvio sulla parte centrale dell'ambiente A5)
Frammento di piombo approssimativamente quadrangolare, di cm. 2,4 x 2,0; spessore max cm. 0,3. Potrebbe essere piegato in due.

L10) SF 2080. US 38', area BF 110/BG 109 I
(strato di distruzione misto a colluvio sulla parte nord-est dell'area basolata, in prossimità dell'*oikos* votivo F 11)
Sbarretta rettangolare di piombo (cm. 2,7 x 0,8; spessore max 0,4) con tre solchi incisi. È da notarsi l'associazione con la parte inferiore di un piccolo scalpello o bulino in ferro (SF 2080B), probabilmente adoperato per la incisione. Non è da escluderne l'uso per riparazione di vasi in terracotta.

L11) SF 2086. US 38, area BG 109/BH 108 I
(colluvio misto a strato di distruzione nell'angolo nord-est dell'ambiente A5)
Sbarretta simile alla precedente, ma più stretta (largh. cm. 0,4).

L12) SF 2091. US 38', area BG 109/BH 108 III
(strato di distruzione misto a colluvio sulla parte centrale dell'ambiente A5)
Frammento di laminetta di piombo di ca. cm. 2,5 x 1,5. Non si notano incisioni sulla superficie.

L13) SF 3005. US 63, area BG 108/BH 107 II
(strato di distruzione misto a colluvio sull'angolo nord-est dell'ambiente A5)
Frammento di laminetta di piombo di ca. cm. 2,0 x 1,4. Non si notano incisioni sulla superficie.

L'incertezza sulla natura specifica di questo secondo gruppo di oggetti in piombo rinvenuti nell'area del complesso A nonché il loro stato di conservazione assai precario, suggeriscono la massima cautela per ogni considerazione di carattere generale sul gruppo nel suo insieme. Sembra tuttavia opportuno sottolineare il fatto che, con una sola eccezione (**L 10**), i rinvenimenti si raggruppano nell'ambiente A5. La stessa **L 10**, d'altronde, è stata rinvenuta sull'angolo nord-est del cortile basolato, adiacente l'ambiente A5.

La funzione dell'ambiente A5 è duplice, ed in parte si modifica nel corso del IV secolo a.C. Inizialmente connesso con la funzione cerimoniale del cortile basolato (*supra*, cap. 3) viene, alla fine del secolo stesso trasformato in officina per vasaio. Una serie di elementi lungo la parete nord dell'ambiente (F 35, 36), indubbiamente utilizzati per attività di lavorazione, sono di incerta datazione. Una interpretazione genericamente 'utilitaria' e di natura pratica di questa notevole frequenza di resti di piombo negli strati di distruzione che insistono sull'ambiente, tenderebbe a farli considerare (soprattutto nel caso delle due sbarrette **10-11**) quali materiali utilizzati per la lavorazione e riparazione della ceramica, funzione preminente dell'ambiente nella fase più tarda del sito. D'altra parte, alcuni degli oggetti sopra elencati (decisamente conformati a laminetta) mal si prestano ad una simile interpretazione. Con tutta la cautela già sottolineata, v'è la tentazione di ipotizzare un'area di manifattura e preparazione di simili laminette nell'ambiente A5, significativamente adiacente il cortile basolato con area votiva.

M. GUALTIERI

B) IL TESTO DELLA LAMINETTA

L'opportunità di inserire la discussione sul testo della laminetta iscritta da Roccagloriosa nel quadro della pubblicazione organica dei materiali relativi al contesto specifico ed alle strutture del sito in cui è stata rinvenuta, se rappresenta un'operazione sempre apprezzabile e proficua per l'effettiva interdisciplinarietà, appare in questo caso specifico particolarmente indispensabile. Poiché, infatti, il contenuto dell'iscrizione non si palesa di immediata evidenza all'esegesi, la classificazione del documento in base alla tipologia testuale abbisogna fatalmente del concorso di elementi extralinguistici, costituiti in prima istanza dal contesto archeologico di rinvenimento sopra analizzato in dettaglio e dalle caratteristiche del manufatto.

La laminetta è stata rinvenuta ripiegata su se stessa nel senso della lunghezza, così da formare un blocchetto, all'incirca di mm. 38 x 24 con uno spessore medio di mm. 8, privo di un angolo calcolabile approssimativamente in mm. 18 nel senso dell'altezza e mm. 8 nel senso della larghezza (fig. 123, *supra*). La perdita di questo angolo sembra risalire ad epoca antica, almeno a giudicare dalla patina di ossidazione che ricopre il punto di frattura. L'asportazione ha le caratteristiche di un taglio netto operato in senso obliquo: ciò è verificabile dal fatto che le dimensioni della lacuna si riducono sensibilmente man mano che questa interessa le ripiegature più interne della laminetta e la faccia opposta a quella da cui è partito il taglio. Parimenti non attribuibile ad incidenti connessi al recupero è il cospicuo danneggiamento della faccia della ripiegatura più ester-

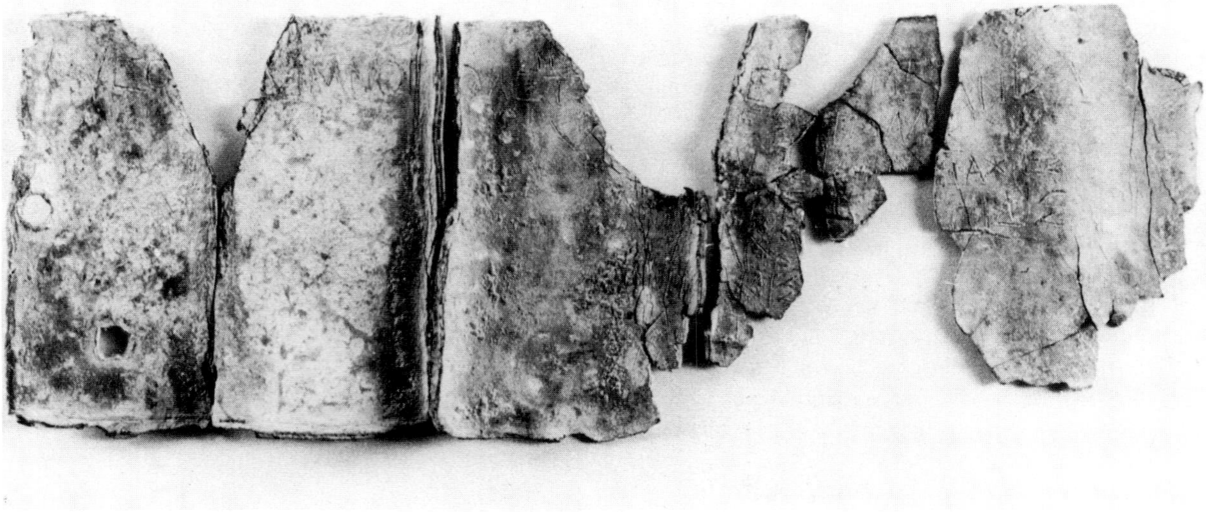

Fig. 126 La laminetta con testo di *defixio* dopo lo svolgimento.

na da dove è iniziato il taglio che ha portato la mutilazione dell'angolo. La laminetta sembra, pertanto, aver subìto in ogni caso una forte pressione o impatto dall'alto, verso cui in posizione di giacitura la faccia gravemente danneggiata era rivolta.

A seguito dello svolgimento, la laminetta si è spezzata lungo le linee delle quattro ripiegature che individuano i cinque segmenti di cui si componeva il blocchetto arrotolato. Di questi cinque segmenti quattro sono conservati quasi integralmente, salvo l'intermittente mancanza dell'angolo superiore conseguente alla frattura di cui si è già detto. Del penultimo segmento, corrispondente alla faccia esterna dell'avvolgimento gravemente danneggiata, sono superstiti soltanto due frammenti, i quali sono purtroppo lontani dal permettere di ricomporne l'integrità (fig. 126). Dunque, la determinazione della lunghezza complessiva della laminetta è legata al calcolo delle presumibili dimensioni della porzione frammentaria. Tale calcolo è agevolato dalla regolarità dell'avvolgimento, operato procedendo da sinistra verso destra (secondo, cioè, la direzione della scrittura), così che si rende possibile ricostruire con discreta approssimazione l'entità della superficie andata perduta. La lunghezza massima di ciascuno dei segmenti, qui numerati in base alla loro sequenza della ricomposizione della lamina, si dilata progressivamente in ragione dell'ispessirsi della piegatura, di cui le volute esterne comportano ovviamente superfici più ampie di quelle interne: *1* = 18 mm.; *2* = 19 mm.; *3* = 24 mm.; *4a* = 9 mm.; *4b* = 11 mm.; *5* = 24 mm. Ora, poiché la congiunzione dei frammenti *4a* e *4b* dà una somma di 20 mm., sufficiente a coprire da sola la superficie esterna del rotolo, occorre supporre che la distanza minima da coprire perché i due frammenti potessero congiungersi con il segmento terminale della laminetta è grosso modo corrispondente allo spessore occupato dall'ultima piegatura, valutabile nel punto di massimo avvicinamento in circa 5-6 mm. L'addizione di queste dimensioni porta ad attribuire al segmento 4, in cui appunto doveva rientrare lo spessore dell'ultima piegatura andata perduta, un'estensione lineare di circa mm. 26. Questa misura, sommata a quella degli altri segmenti, permette di evincere una lunghezza totale della laminetta intorno a cm. 11. L'altezza, invece, è conservata integra e costante in cm. 3,8 (fig. 127).

Il primo segmento presenta due fori di 3 mm. di diametro, la cui disposizione reciproca induce ad escludere l'ipotesi che servissero allo scopo di tener appesa la laminetta. L'uno, infatti, si trova lungo il margine sinistro circa a mezza altezza, mentre l'altro è situato inferiormente più al centro a mm. 7 dal lato di base e a mm. 8 dal lato dell'altezza. Entrambi sono stati praticati prima della ripiegatura della laminetta, in quanto vengono a ricadere nella sezione più interna dell'avvolgimento.

L'iscrizione si dispone sulla superficie lungo linee abbastanza regolari ed ordinate, con altezza delle lettere pressoché costante intorno a mm. 3. Solo la lettera isolata sovrapposta ad evidente scopo

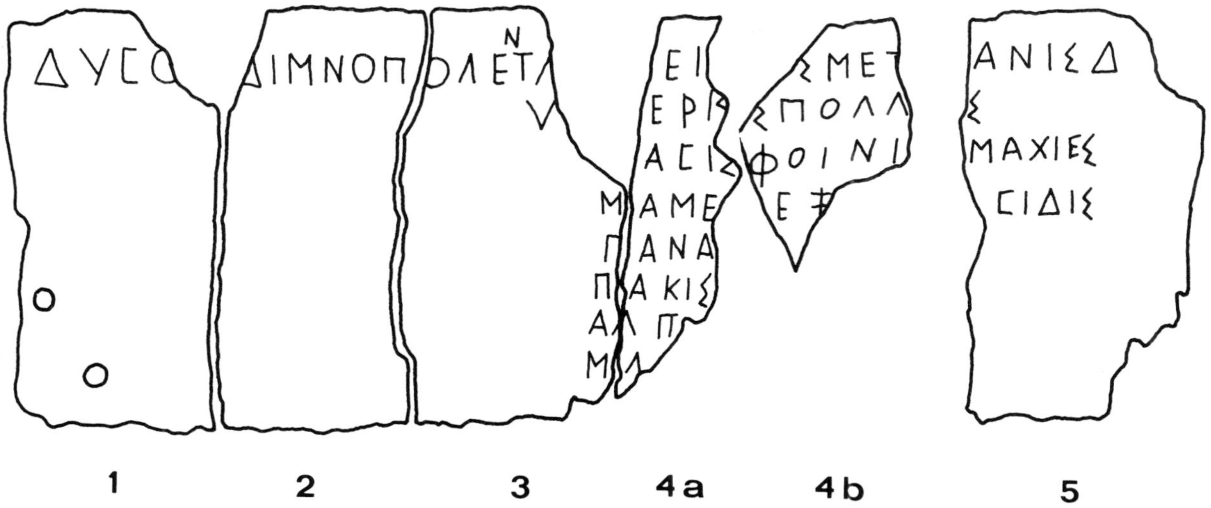

Fig. 127 Disegno dell'iscrizione sulla laminetta.

di correzione tra il tredicesimo ed il quattordicesimo segno della prima linea di scrittura è di dimensioni più piccole delle altre (altezza: mm. 2).

Fino quasi a metà della lunghezza la superficie è occupata da un'unica linea di scrittura. Nella seconda metà sottostanno a questa altre sette linee, delle quali la prima è prominente di 10 mm. rispetto all'incolonnamento iniziale in cui sono state ordinate le successive sei. Sul margine opposto, invece, le linee non rispettano alcun principio di impaginazione terminando in maniera vistosamente irregolare, pur tuttavia nello stesso tempo non del tutto esente da simmetrie. Sotto questo riguardo alcuni particolari sono meritevoli di specifico rilievo e suscettibili di caricarsi di qualche significato in sede ermeneutica. La seconda linea termina rientrando rispetto al limite segnato dalla precedente e dalle due seguenti all'incirca dello stesso spazio con cui fuoriesce dall'incolonnamento iniziale, sì da conferire l'impressione di una eccentricità non casuale. Delle ultime quattro linee, invece, non è possibile determinare l'estensione, in quanto esse sicuramente si concludevano nel penultimo segmento che è mutilo della parte inferiore. La mancanza di lettere nella porzione terminale della lamina ne fa pertanto solo presumere una lunghezza minore delle precedenti.

Una sorte infausta ha, dunque, voluto che la parte più gravemente danneggiata della laminetta fosse proprio quella dove maggiormente si concentrava l'iscrizione. Di conseguenza, mentre l'estensione delle lacune nelle prime tre linee è quantificabile e ne è presuntivamente calcolabile il numero delle lettere mancanti (il corpo di ciascuna lettera occupa uno spazio variabile da 2 a 3 mm.), la perdita di segni nelle linee successive è del tutto irrimediabile. Paleograficamente la scrittura è assegnabile al IV secolo a.C. ed è in coerenza, pertanto, con la stratigrafia archeologica: i caratteri presentano assoluta regolarità, senza inclinazioni all'incurvamento dei tratti o all'impiccolimento delle lettere tonde (fig. 127). Non sono presenti i segni per le vocali lunghe, la forma del sigma è regolarmente a quattro tratti, mentre i cosiddetti segni "complementari" (φ,χ,ξ) hanno gli stessi valori "azzurri" dell'alfabeto ionico d'età post-classica.

Il testo viene qui presentato secondo i criteri di edizione proposti da Krummrey e Panciera[9].

δυℱο[2-3]διμνοπολε`ν´τ[6-7]ει [3-4] σμετ [2-3]ανισδ
υ[3-4]εριστολλ [2-3]σ
[γ] αℱι̣σφοινι[2-3] μαχιεσ
μαμε[ρ]εξ[3-4] ℱιδισ
γανα [_ _]
πακισ [_ _]
αν̣τ [_ _]
μα [_ _]

Per la classificazione del documento, se si par-

[9] Krummrey e Panciera 1980, pp. 205 ss.

te, come ipotesi di lavoro, dalle caratteristiche esterne dell'oggetto (consistenza e dimensioni del manufatto, presenza di forature di chiodi, ripiegatura) la laminetta iscritta si configura tipologicamente assegnabile alla categoria delle *tabellæ defixionum*. Poiché tutti questi elementi di ordine fattuale, insieme all'unico dato testuale che è di immediata evidenza, cioè la presenza di un cospicuo numero di antroponimi, convergono concordemente nell'attribuzione a questa tipologia di documenti, spetterà ad indizi altrettanto cogenti l'onere di provare una diversa pertinenza.

L'incidenza simultanea di tali elementi ha naturalmente un valore puramente statistico, giacché le *tabellæ defixionum* non sono definite sempre in maniera costante ed univoca dalla loro concomitanza, tuttavia il peso testimoniale di questa simultaneità si accresce in rapporto alla quota cronologica a cui appartiene il documento. Se si restringe, infatti, la campionatura al repertorio delle *tabellæ defixionum* non esorbitanti dal limite del IV secolo a.C., entro il quale è archeologicamente e paleograficamente databile il reperto di Roccagloriosa, il numero degli esemplari che condividono in tutto o in larga parte le caratteristiche formali e materiali della laminetta qui presentata ricopre la quasi totalità delle attestazioni[10].

L'accertamento del contesto archeologico offre dati di primaria importanza e decisivi per sciogliere le prudenti riserve imposte dall'eccezionalità di una testimonianza sulla quale grava il peso di costituire la prima voce documentaria per quanto riguarda la scrittura e la lingua del centro indigeno preromano. Riserve tanto più doverose per la circostanza che l'iscrizione è legata ad un oggetto facilmente assoggettabile a rimozioni, intenzionali o fortuite, dalla propria sede originaria.

Occorre premettere che, in generale, i raffronti con i contesti di rinvenimento delle *tabellæ defixionum* sono resi alquanto disagevoli proprio dalle condizioni editoriali in cui è nota gran parte di questi documenti. Uno sguardo statistico alla letteratura su questo genere epigrafico rivela immediatamente la rarità di casi di cui sono perfettamente descritti il contesto ed i dettagli del ritrovamento. Di tale difetto è in larga misura responsabile la natura stessa di questi documenti facilmente asportabili e trafugabili, recuperati spesso in condizioni fortunose o segnalati solo allorché si aprono le collezioni private[11]. Inoltre il prevalente interesse linguistico-culturale sollevato da questa categoria di testi ha, in generale, soverchiato l'attenzione per i dati di ordine contestuale, sì che di tale genere di informazioni sono piuttosto avari non solo i *corpora* specialistici (ormai invecchiati) e le rassegne informative di base[12], ma anche numerose pubblicazioni di testi più recentemente acquisiti.

Del contesto precedentemente descritto, a cui appartiene la laminetta con iscrizione, spiccano due dati di notevole rilievo: *a*) l'identificazione di un'area con caratteristiche monumentali che svolgeva un ruolo primario nelle strutture organizzative dell'insediamento; *b*) la presenza in quella stessa area di più laminette di piombo ripiegate (per la maggior parte frammentarie, salvo una ancora da svolgere e da restaurare). Dalla concomitanza dei due dati discendono implicazioni reciproche: infatti, non solo si dissolvono i dubbi sulla non casualità dell'attestarsi della laminetta in quell'ambito, ma emergono anche elementi atti a qualificare ulteriormente la natura e le funzioni dell'area di rinvenimento.

Un computo recente formulato sul dossier delle *tabellæ defixionum* greche[13], con l'esclusione di quelle rinvenute nell'agorà di Atene, ne fa ascendere a poco più della metà la provenienza da contesti sepolcrali. La restante quota si suddivide per un rapporto di circa due terzi contro un terzo tra l'immersione in corsi o bacini di acqua e la deposizione presso luoghi di culto dedicati a divinità ctonie. Di norma, mentre ciascuna tomba non restituisce più di una singola laminetta, le altre sedi di rinvenimento sono caratterizzate da una concentrazione più o meno alta di reperti. Sul piano cronologico è da rilevare, però, la seriorità della documentazione di tavolette esecratorie immerse in corsi d'acqua: fino al IV secolo a.C. si conoscono soltanto provenienze da ambiti sepolcrali e da aree di santuari[14].

---

[10] Manca purtroppo un'aggiornata campionatura delle *tabellæ defixionum* classificate cronologicamente in base alle caratteristiche dei manufatti, agli aspetti redazionali ed ai contesti di rinvenimento. I riferimenti generali si rifanno pertanto ai vecchi *corpora* di Wünsch 1897 e di Audollent 1904.

[11] Per avere una dimensione adeguata del fenomeno è sufficiente osservarne l'incidenza nelle pubblicazioni di testi successive ai *corpora* del Wünsch e dell'Audollent.

[12] Cfr., per esempio, Cesano 1910; Preisendanz 1972; Guarducci 1976, pp. 240 ss.

[13] Jordan 1985, p. 207 ss.

[14] Per la discussione di questo dato, cfr. ancora Jordan 1985, p. 207 e 1980, pp. 231 ss.

Ora i dati relativi al contesto della laminetta da Roccagloriosa, già analizzati nella prima parte del capitolo, trovano piena convergenza con questo quadro statistico. Sembra, infatti, da escludersi un'origine sepolcrale, a meno di non percorrere l'ipotesi di un'assoluta accidentalità, collegabile, per esempio, agli effetti del dilavamento del terreno o ad altre cause ignote, che troverebbe, in ogni caso, difficoltà nell'attestarsi di più reperti nello stesso ambiente. Improbabile appare, altresì, l'eventuale provenienza da corsi o bacini d'acqua, sia per la non documentabile esistenza in quell'area di sorgenti e di strutture di convogliamento o di raccolta di acque (salvo normali canali di drenaggio), sia per l'incompatibilità cronologica tra il diffondersi di tale pratica di 'immersione' delle *tabellæ defixionum* e la datazione dei reperti di Roccagloriosa, dando credito all'ipotesi di collegamento tra il concentrarsi di questi documenti e le pertinenze cultuali dell'area specifica di rinvenimento. Tale soluzione ben si adatta alle accertate funzioni cerimoniali del complesso, di cui l'ambiente del cortile basolato-portico, a cui appartiene la laminetta, costituisce la struttura architettonica precipua che ha fornito elementi più circostanziati per accertarne la destinazione cultuale.

Circa la natura del culto merita ricordare che i santuari del mondo greco che hanno restituito *tabellæ defixionum* sono legati a culti ctonii (prevalentemente Demetra)[15]. Nel dossier delle *defixiones* osche non si hanno finora esempi provenienti da aree sacre: la laminetta plumbea da Cirò, attribuita erroneamente all'area del tempio di Apollo Aleo, è stata recuperata, invece, in una tomba insieme ad altro corredo databile alla prima metà del III secolo a.C. [16].

Preme, altresì, sottolineare che nell'ambito di questo genere di contesti di rinvenimento, l'insieme delle laminette di Roccagloriosa dovrebbe costituire il dossier documentario, certamente più cospicuo nell'ambito italico, ma essere anche tra i più antichi, collocandosi cronologicamente subito dopo il corpus delle *defixiones* provenienti dall'area del santuario di Demetra Malophoros a Selinunte (tutte non più recenti del V secolo a.C.)[17].

La pertinenza testuale del documento accertata indipendentemente attraverso i dati di ordine extralinguistico trova conferme negli aspetti redazionali e in quanto consente l'analisi ermeneutica.

La duplice foratura del piombo, attribuibile verosimilmente ad un unico chiodo, si iscrive nel ben noto rituale magico connesso alla pratica stessa delle *defixiones*, di cui definisce la dimensione pragmatica segnalata dalle forme verbali più ricorrenti del tipo gr. δέω, καταδέω, lat. *defigo, obligo*, ecc.[18]. I due fori sono stati praticati nella stessa estremità della laminetta antecedentemente alla piegatura, così che essi si sono venuti a trovare nella spira più interna dell'avvolgimento. La scelta di tale procedura è stata difficilmente affidata alla casualità, che è di solito bandita dalle pratiche di magia, dove qualsiasi atto si carica di una precisa funzione rituale. La perforazione del piombo mediante chiodi sembra, invece, essere stata concepita nella fase di progettazione testuale, dal momento che entrambi i fori sono decentrati nel settore anepigrafo della laminetta ed il senso dell'avvolgimento segue la direzione della scrittura.

Il testo si presenta disposto sulla superficie secondo un criterio che ha l'apparenza di rispecchiare esigenze di ordine contenutistico. Tale realizzazione risalta con più immediata evidenza dal fatto che le righe successive alla prima, che si trovano tutte spostate nella metà destra della laminetta, contengono esclusivamente antroponimi. Inoltre, malgrado la consistente lacunosità di queste righe, si riceve l'impressione che, almeno dalla terza in poi, ciascuna linea non fosse occupata da più di una designazione personale. Questa deduzione si fonda innanzitutto su considerazioni di natura meramente grafica.

Le righe 3-8 presentano un rigoroso incolonnamento delle rispettive lettere iniziali, ma hanno una lunghezza vistosamente disuguale. All'inizio delle righe 3, 4, 6 si leggono antroponimi di larga diffusione nel repertorio osco e nei frammenti delle restanti righe 5, 7, 8 sono identificabili altrettanti elementi onomastici.

Queste circostanze concorrono a segnalare la palese rinuncia alla consuetudine della *scriptio continua*, adottata nella prima linea, in favore di un criterio che sembra privilegiare la distribuzione su ciascun rigo di elementi legati dall'unità della designa-

---

[15] La rassegna di questi testi è in Jordan 1980, p. 231, n. 23.

[16] Una revisione di lettura di questa laminetta con l'identificazione di una copia falsificata è stata fatta in Poccetti 1984, pp. 73 ss. Si rettificano qui i dati relativi al contesto di rinvenimento, precedentemente comunicati, per i quali si ringraziano i sigg. Palopoli e Malena.

[17] Cfr. Gabrici 1927, pp. 384 ss.; per gli aspetti epigrafici, Jeffery 1955, pp. 72 ss.

[18] Per il numero e la disposizione dei chiodi infissi nelle laminette, cfr. Audollent 1904, p. LVI.

zione. Siamo, in pratica, di fronte ad un modulo di seriazione di singole unità di significato lungo una scala verticale, anziché in una sequenza orizzontale. Tale accorgimento grafico conferisce maggiore risalto all'elenco, rendendone più immediata ed agevole la visualizzazione: nell'ambito dell'enunciato si produce così lo stesso risultato di una vera e propria topicalizzazione.

Il ricorso a strumenti della scrittura allo scopo di mettere ulteriormente in risalto il tema (*topic*) dell'enunciato è un procedimento in genere largamente impiegato nelle *tabellæ defixionum* fin da alta antichità. In questa categoria testuale il tema è di norma costituito dalle designazioni delle persone, oggetto di maledizione o di esorcismo, siano esse nominate o indicate mediante perifrasi, mentre il rema (*comment*) è rappresentato da quel formulario più o meno complesso ed elaborato, con cui si invoca la loro esecrazione e il loro annientamento fisico e morale. Il nucleo informativo nuovo è di volta in volta portato in ciascun testo dalle designazioni personali: il rema ha, invece, una portata informativa assolutamente minima, in quanto implicito nelle presupposizioni pragmatiche e culturali indotte dal contesto storico-istituzionale in cui si cala questa categoria di documenti. A dimostrazione di ciò sta il fatto che, mentre sono numerosi i testi di *tabellæ defixionum* composti unicamente da antroponimi senza alcuna formula esecratoria[19], di estrema rarità sono le situazioni opposte in cui le espressioni di maledizione sono prive dell'indicazione dei destinatari.

L'effetto della topicalizzazione dei dati onomastici dei defissi rispetto al resto che ne costituisce il predicato è affidata ora a strumenti linguistici, ora a espedienti grafici o ad entrambi simultaneamente. Sul piano linguistico lo scopo della messa in risalto del tema è assolto da una molteplicità di costrutti sintattici che privilegiano anacoluti ed anafore, variazioni dell'ordine basico dei costituenti, forti opposizioni tra i casi (specialmente tra nominativo ed accusativo). Le procedure grafiche utilizzate allo stesso scopo si risolvono, invece, talora nel contrasto tra le dimensioni dei caratteri[20], talora nella distribuzione di tema e rema su opposte estremità della stessa superficie[21] o sulle rispettive facce di una lamina opistografa[22], talora sulla disposizione in colonna delle unità onomastiche, ripartite ciascuna o a coppie per ogni singola linea[23].

Queste considerazioni di ordine generale si caricano di importanti implicazioni per l'esegesi specifica del testo di Roccagloriosa. La lunghezza e la disposizione delle righe 2-8, in cui sono elencate in successione verticale le denominazioni personali, marcano un netto distacco dalla consistenza della prima linea iscritta che sicuramente almeno per metà non è occupata da antroponimi. Dall'impaginazione' della scritta emerge così una bipartizione della struttura dell'enunciato in una formula introduttiva di presumibile contenuto imprecatorio (rema) e in un elenco di persone presumibili vittime del maleficio (tema).

La consistente lacunosità della seconda parte del primo rigo impedisce di determinare l'estensione e il contenuto della formula iniziale. Naturalmente l'ipotesi che nel primo rigo sia contenuta una formula magica o un'espressione di maledizione si fonda sul presupposto che l'intera iscrizione risponda ad un unico ed identico progetto testuale. In una diversa direzione porterebbe, invece, l'eventualità che il primo rigo (almeno nella sua parte iniziale) facesse parte di un testo diverso (per esempio una lettera commerciale di tipo ampiamente conosciuto nel mondo greco, gallico, iberico, ecc.) rispetto alla sottostante sequenza di antroponimi italici, la cui testualità non può essere altrimenti giustificata se non nell'ambito di una *defixio*. In altre parole, in base a tale possibilità, la laminetta di piombo sarebbe stata riutilizzata come *defixio* successivamente ad una diversa destinazione iniziale. Non si può far mistero a questo proposito che proprio nella formula del primo rigo si possono isolare anche elementi lessicali greci (δυϝο [με]διμνō πōλēν). Sul ventaglio di soluzioni che aprirebbe quest'ultima ipotesi di lettura, con importanti implicazioni sul versante linguistico e culturale è forse preferibile dilungarsi altrove, concentrando, invece, qui l'attenzione sulla sequenza onomastica, che dà la garanzia della tipologia testuale di *defixio* (anche nell'ipotesi di reimpiego) e della pertinenza linguistico-culturale italica.

---

19 Tale struttura testuale presentano le prime 37 laminette della raccolta del Wünsch (1897). Per i dati della silloge dell'Audollent, vedi: Audollent 1904, pp. XLIX ss. Una schematica rassegna è stata fatta da Kagarow 1922, p. 494.

20 Cfr. per esempio la *defixio* Ve 7: l'apografo in Knobloch 1978, p. 164.

21 Un esempio nella lamina pubblicata da Jentoft-Nilssen 1980, pp. 199 ss.

22 Un esempio in Marcillet-Jaubert 1979, pp. 185-186 e in Couilloud 1967, p. 515.

23 Questa disposizione è la più frequente nelle tabelle plumbee dell'Attica (Wünsch 1897, nn. 1-40; Ziebarth 1899, pp. 106 ss.; 1934, p. 1023).

Ripartendo dall'aspetto epigrafico due considerazioni fanno presumere che la lunghezza della formula iniziale (non importa, al momento, se pertinente o meno in prima istanza al progetto testuale della *defixio*) non valicasse di molto la metà del rigo stesso. La prima riguarda l'attitudine dei frammenti superstiti nella parte terminale ad essere agevolmente integrati in una sequenza di antroponimi, di cui più avanti saranno esaminate le possibili combinazioni. La seconda muove ancora da una riflessione di carattere puramente grafico. L'ordinamento delle linee successive nello spazio sottostante la seconda metà della prima sembra trovare la motivazione più logica solo nella volontà di rispettare un rigoroso incolonnamento delle denominazioni personali. Secondo tale criterio gli antroponimi vengono a trovarsi elencati in successione nella seconda metà della laminetta, mentre la prima metà della superficie iscritta è riservata all'informazione non onomastica che occupa la porzione iniziale del primo rigo. Diversamente riesce difficile spiegarsi perché le linee successive alla prima abbiano una collocazione così decentrata in rapporto all'intera superficie disponibile.

I dati più certi sono offerti dall'onomastica ed è su questi che si appoggiano, di conseguenza, le deduzioni sulla pertinenza linguistica e culturale del documento. Innanzitutto la morfologia degli antroponimi, laddove è conservata integra o è ricostruibile con buona probabilità, rivela la ricorrenza costante del caso nominativo. L'attestarsi di questo costrutto, tuttavia, potrebbe non avere alcuna relazione diretta con la reggenza sintattica della formula di maledizione. Non sono rari, infatti, i casi di *tabellæ defixionum* in cui i nomi dei defissi si presentano in una costruzione sintattica diversa da quella richiesta dalla locuzione imprecatoria[24]. Quasi sempre accade che è proprio il nominativo a sostituirsi agli altri casi che ogni contesto di volta in volta richiederebbe. E ciò per la duplice ragione che il nominativo è il caso zero (ed in quanto non marcato più estensibile), ma è nello stesso tempo anche il caso che generalmente meglio si presta ai procedimenti di topicalizzazione degli antroponimi. In altri termini, dunque, l'attestarsi delle denominazioni personali in nominativo non è di per sé utilizzabile come argomento per l'agnizione del costrutto sintattico dell'intero enunciato. Gli antroponimi di cui si conserva integra la lettura (salvo perdita di una lettera facilmente sanabile) sono prenomi di larga diffusione nel repertorio osco: [γ]αϜις (linea 3), qui documentato per la prima volta in grafia *plena* al nominativo, ma ben noto attraverso sigle e abbreviazioni (e per esteso al genitivo) in Campania e nel Sannio; μαμε[ρ]εξ (linea 4) già documentato al nominativo dall'iscrizione mamertina Ve 197 (μαμερεκς) ma ampiamente conosciuto dall'epigrafia greca e italica, oltre che dalle fonti letterarie: tutto il dossier indizia verso una particolare arealità campana dell'antroponimo; πακις (linea 6), le cui attestazioni osche si concentrano prevalentemente in ambito campano. Alte probabilità di essere completo ha ερις (linea 2) che si presta senza alcuna difficoltà al riconoscimento del prenome attestato nella *defixio* di Cuma Ve 7 e nell'iscrizione brettia (Ve 194 = Po 186), ma presupposto dal derivato gentilizio *Heriis* presente nella *defixio* da Cuma Ve 5[25]: come prenome ricorre, altresì nella denominazione di uno dei comandanti italici nella guerra sociale (*Herius Asinius*) e di un personaggio, originario dall'area italica, ricordato in un'epigrafe a Delo (II-I secolo a.C.)[26]. Per le ragioni di ordinamento grafico sopra esposte è verosimile che i frammenti delle righe 5, 7, 8 siano riconoscibili come lettere iniziali di altrettante designazioni personali. La loro identificazione è resa difficoltosa dal fatto che essi non si propongono immediatamente perspicui nella rosa dei prenomi italici più frequenti e per il motivo che il repertorio delle denominazioni individuali osche costituisce, a differenza, per esempio, di quello romano (di età repubblicana), un sistema aperto, che oltretutto ci è noto solo in minima parte e prevalentemente attraverso i canali dell'epigrafia ufficiale. Comunque, a titolo di ipotesi fondate sul repertorio noto, si può avanzare per μα̣ [...] dell'ultima linea l'alternativa tra i due prenomi oschi ampiamente diffusi, cioè o ancora μα̣[μερεξ] oppure μα̣[ρας].

Per γανα[...] della linea 5 appare proponibile la lettura di un prenome nella forma <ε>γανα[τς] oppure <ε>γανα[τις], la cui esistenza è documentata dalla sigla prenominale *ec.* nella denominazione di un *medix* di Velletri (Ve 222) e da attestazioni letterarie[27], oltre che probabilmente implicata dal gentilizio *Ega(nattiis)* presente in un bollo dal Sannio (Po 80).

[24] Per la casistica generale cfr. WÜNSCH 1897, p. V e AUDOLLENT 1904, p. LI; ulteriori esempi, in ZIEBARTH 1934, *passim*.

[25] Cfr. LEJEUNE 1976, p. 117.

[26] Le attestazioni sono raccolte in SALOMIES 1987, p. 73.

[27] Cfr. SALOMIES 1987, p. 102.

Per αντ[...] della linea 7, invece, è tecnicamente plausibile tanto la possibilità di una base onomastica italica, altrimenti ignota all'epigrafia epicorica, quanto la presa in considerazione di un nome greco assimilabile alla serie degli antroponimi composti con ἀντι– del tipo Ἀντισθένης, Ἀντίμαχος, ecc. Quest'ultima eventualità si rafforza sul piano co-testuale dall'occorrenza di un altro nome grecanico, qual è il pur mutilo φοινι[...] della linea 3, che richiede, però, una discussione più articolata.

Di più sicura agnizione è nella linea 2 l'elemento onomastico πολλ[...]ς che permette un interessante raffronto con il gentilizio Πολλιες attestato nella *defixio* da Cirò dalla formula Στατις Πολλιες[28]. Anche nella nostra laminetta è assai probabile il riconoscimento dello stesso gentilizio attraverso un'agevole integrazione πολλ[ιε]ς, coerente sia con il numero delle lettere presumibilmente mancanti sia con la sequenza sintagmatica, giacché in quanto immediatamente precede, come si è detto, può identificarsi il prenome ερις, che consente, così, di isolare una designazione bimembre (costituita da prenome + gentilizio) ερις πολλ[ιε]ς. Un'analoga formula onomastica bimembre è ravvisabile con ogni probabilità in μαμε[ρ]εξ[...]ϝιδις della linea 4, in cui si conserva quasi integro il prenome μαμε[ρ]εξ, mentre, purtroppo, è incompleto il gentilizio, al quale, in base all'entità della lacuna, ben si adatterebbero soluzioni quali, per esempio, [σαλα]ϝιδις, [καλα]ϝιδις, [hελε]ϝιδις per ricordare soltanto basi di antroponimi assai diffusi nell'area osca[29]. Per motivi di spazio sembra da escludersi l'eventualità di un patronimico interposto tra prenome e gentilizio. I frustuli superstiti della prima linea offrono basi assai più labili all'interpretazione. Se vale, tuttavia, per le ragioni esposte precedentemente, la maggiore probabilità di ravvisare, almeno nella seconda parte, denominazioni personali, la sequenza, facilmente isolabile, ...]ς μετ[...]ανις si presta all'integrazione di μετ[... in μετ[ς oppure μετ[ις[30]: tale base onomastica è, infatti, attestata come gentilizio (*Metiis, Meziis*) nell'epigrafia osca campano-sannita[31] e come prenome attraverso le fonti letterarie. Per la parte terminale ...]ανις si può avanzare, compatibilmente con lo spazio mancante, la suggestione di restituire γρ]ανις, indotta dall'esistenza in età repubblicana del gentilizio *Granius* in Campania (specialmente Pozzuoli) e tra i *negotiatores* italici a Delo[32].

La formula onomastica della linea 3, che ha l'apparenza di essere la più ampia e più integralmente conservata, offre materia per considerazioni in assoluto di maggior rilievo su diversi versanti. Si attesta, infatti, un prenome indiscutibilmente osco quale γαϝις, seguito da un elemento che osco non è e di cui è perduta la veste morfologica, cioè φοινι[... e da un ulteriore elemento μαχιες, che ha una base in apparenza greca, ma una terminazione anellenica. L'apparente pertinenza ellenica o tutt'al più l'assimilazione al lessico ellenico dei due segmenti della sequenza φοινι[...]μαχιες è provata dalla presenza dei segni per le occlusive aspirate φ e χ, finora sconosciuti alla grafia osco-greca.

L'eccezionalità dell'attestazione e la sua frammentarietà proprio nel punto forse più decisivo per chiarire la struttura della designazione personale autorizzano soltanto a disporre lungo una scala di plausibilità soluzioni che si caricano di volta in volta di implicazioni diverse sul piano istituzionale.

La morfologia di ...]μαχιες porta ragionevolmente ad escludere per la sequenza φοινι[...]μαχιες la restituzione italica dell'idionimo greco bimembre Φοινικομαχος, peraltro, a mia conoscenza, non attestato, ma teoricamente possibile sul piano del sistema[33]. Non resta, dunque, che tener separati i due elementi, mantenendone, però, la coerenza con quello immediatamente precedente che concorre a formare un'unica designazione personale. In questa prospettiva occorrerà risolversi per una formula onomastica trimembre ove è ipotizzabile la presenza di un patronimico. Da questo assunto discendono due soluzioni teoriche, condizionate dalla scelta di posizione del nome paterno rispettivamente anteposto o posposto al gentilizio:

a) [γα]ϝις φοινι[κις] μαχιες

b) [γα]ϝις φοινι[κεις] μαχιες

Entrambe le possibilità si prestano ad analisi pariteticamente soddisfacenti ed internamente coerenti. L'attestazione di una forma antroponimica osca tratta dal greco φοῖνιξ è un dato di grande rilevanza linguistico-culturale, che, tuttavia, non costi-

---

[28] Per la lettura di questa *defixio* cfr. nota 16.

[29] Si allude ai gentilizi oschi *Salaviis, Kalaviis, Heleviis*, di cui quelli proposti sarebbero derivati con il suffisso *-idio*, attestati nella forma latina *Salvidius, Calvidius, Helvidius*. Il primo è documentato in un epitafio peligno (II-I secolo a.C.) da Corfinio: *Pac.Salavidies.Pac.* (cfr. Buonocore 1985, p. 294, n° 1).

[30] A seconda che si voglia partire da *Mettus* o *Mettius* come prenome su cui la tradizione letteraria è oscillante: cfr. Salomies 1987, p. 105.

[31] Ve 176; Po 108.

[32] *ILLRP* 289, 518, 749, 808, 1150. Su questa *gens*, cfr. Musti 1980, Castrén 1975, pp. 197 ss.

[33] Per l'antroponimo φοῖνιξ e derivati, cfr. Bechtel 1917, pp. 547, 560.

tuisce una novità assoluta, perché già documentato in un epitafio da Capua (Po 135), che viene, così, a chiarirsi e a complementarsi reciprocamente con l'acquisizione da Roccagloriosa. Nell'iscrizione capuana (non più recente dell'inizio del III secolo a.C., per l'assenza delle vocali diacriticate) il derivato dal greco φοῖνιξ appare in funzione di gentilizio nella formula *Pak. Puinik. Pak.*, con cui verrebbe a coincidere strutturalmente e formalmente l'ipotesi di lettura *a*) [γ]αϝις φοινι[κις] μαχιες.

Nella soluzione *b*) φοῖνιξ si presenta in veste di prenome (in questo caso paterno), la cui esistenza con tale funzione è in ogni caso presupposta dal gentilizio attestato a Capua. Del resto nelle stesse denominazioni personali greche φοῖνιξ ricorre più spesso come idionimo che non come etnico già nel V secolo a.C.[34] ed ancora come idionimo è attestato in un'iscrizione etrusca da Vulci (CIE 5251) nella forma φ*uinis*.

La testimonianza di Roccagloriosa amplia, dunque, in maniera determinante, il quadro documentario della diffusione dell'etnico greco come antroponimo nelle culture anelleniche dell'Italia antica, in quanto ne documenta l'integrazione nel repertorio indigeno. L'ipotesi *b*) denuncerebbe, infatti, l'interessante caso di un personaggio che porta un prenome schiettamente osco come γαϝις contro il nome del padre φοῖνιξ. Il valore della testimonianza risalta dal fatto che, mentre sono ben note (ad Entella, nel Bruzio, a Delo) denominazioni in cui al nome italico del padre si accompagna il nome greco del figlio, non si ha alcuna attestazione del contrario[35].

Sempre dalla soluzione *b*) discende un'ulteriore implicazione sul piano istituzionale. Verrebbe, infatti, acquisito un ulteriore esempio di anteposizione del patronimico al gentilizio, che incrementerebbe il dossier dell'osco meridionale concorrendo a formare un interessante anello di congiunzione geografica tra le attestazioni del Bruzio (Po 186, 187) e quelle del Vallo di Diano (Ve 185; Po 149)[36].

In entrambe le ipotesi di lettura *a*) e *b*) deve naturalmente essere lasciata aperta un'ulteriore possibilità teorica, cioè che il personaggio in questione sia non libero. È noto, infatti, che la menzione di schiavi e liberti in una lamina imprecatoria a fianco di liberi è alquanto usuale, come sembra documentato anche nell'ambito osco dalla *defixio* da Cuma Ve 4. Naturalmente in tal caso occorre pensare ad una designazione personale di natura e struttura diversa in cui è verosimile prevedere l'indicazione del nome del padrone. Una decisione definitiva è, tuttavia, ostacolata dalle scarsissime conoscenze relative alle denominazioni servili in area italica e soprattutto della formula onomastica adottata in caso di manomissione dello schiavo[37].

Alla pertinenza istituzionale della formula onomastica è subordinata l'interpretazione di μαχιες. Nell'ipotesi che si tratti di un libero, il riconoscimento di una pura trasposizione nella corrispondente classe flessionale italica dell'antroponimo greco Μάχιος, riesce innanzitutto di difficile collocazione funzionale in una siffatta struttura. Invece una agile chiave esegetica può essere offerta da quel fenomeno di grecizzazione dell'onomastica indigena mediante assimilazione al lessico ellenico che si riscontra in larga misura proprio laddove l'osmosi tra Greci ed Italici è più intensa, palesandosi in maniera più specifica nell'ambito brettio. Μαχιες riesce così a configurarsi benissimo come risultato dell'attribuzione di una veste greca, quella dell'elemento μαχ- ad un antroponimo osco diffusissimo sia come prenome (Μαις) sia come gentilizio (al nominativo ricostruibile nella forma Μαιες[38]). Si verificherebbe in pratica lo stesso processo paretimologico, indotto evidentemente da una condizione di bilinguismo, che viene documentato, per esempio, dalla restituzione del prenome *Stenis* con Σθενιος o di *Statis* con Στ́ρατιος[39].

Nel caso di μαχιες, l'assimilazione alla serie lessicale di μάχη (con la conseguente attribuzione all'antroponimo italico della trasparenza semantica caratteristica della *Namengebung* ellenica) era agevolata dalla tendenza dell'aspirata χ alla spirantizzazione, che di fatto finiva per dar luogo ad una realizzazione fonica / *mahies* /. Quanto minimo sia lo scarto di questa alterazione è rivelato dall'attestarsi nel Sannio della grafia del gentilizio *Mahiis* (Ve 145) in cui il segno per *h* ha la funzione di indicatore di iato, usuale alla grafia osca campano-sannita e a Rossano di Vaglio[40].

---

[34] Cfr. Bechtel 1917, p. 544; Fraser e Matthews 1987, p. 475.

[35] Per i dati di Entella, cfr. Lejeune 1982, p. 793; per il dossier bruzio si rinvia a Poccetti 1988, pp. 125 ss.

[36] Per lo *status quæstionis*, cfr. Poccetti 1988, pp. 126 ss.

[37] Si consideri, per esempio, la diversa formula onomastica dei liberti nel mondo etrusco e nel mondo romano: nel primo caso lo schiavo liberato usa il proprio nome individuale come gentilizio, nel secondo il liberto assume come gentilizio quello del *patronus*.

[38] In quanto muove da una forma *mayyo-*: cfr. Lejeune 1976, pp. 80, 102.

[39] Per questi procedimenti, cfr. ancora Poccetti 1988, pp. 131 ss.

[40] Per i rapporti tra la grafia campano-sannita e quella osco-greca in ordine a questo segno, cfr. Lazzeroni 1983, pp. 172 ss.

La funzione morfologica di μαχιες si scala in rapporto alle alternative tra le letture *a* o *b*). Nel caso b) μαχιες si configura come gentilizio e, pertanto, perfettamente sovrapponibile sul piano formale a *Mahiis* di Ve 145. Nell'ipotesi *a*) saremmo in presenza del prenome (paterno?) in genitivo: in questo caso non è neppure necessaria una correzione dell'uscita –ες in –ε<ι>ς, dal momento che la terminazione genitivale in *-es* è solidamente documentata nelle iscrizioni osche accanto ad *-eis*. L'attestarsi di *-es* in una *defixio* concorda con il principio generale della sua distribuzione rispetto ad *-eis* in testi connotati da minore elaborazione stilistica, di rango non ufficiale o comunque pertinenti a varietà funzionali-contestuali più basse del repertorio[41].

Questo particolare conferisce all'iscrizione sulla laminetta plumbea da Roccagloriosa un notevole interesse sul piano ortografico, interesse che viene accresciuto anche da altre peculiarità relative alla scrittura suscettibili di più ampie implicazioni per quanto riguarda i processi di alfabetizzazione del mondo lucano.

Innanzitutto la presenza dei segni per le aspirate costituisce una assoluta novità in seno alla documentazione osca in alfabeto greco. In quanto ridondanti al sistema fonologico osco, le due lettere ϕ e χ vengono qui utilizzate nella trascrizione di due elementi, l'uno pienamente greco, l'altro intenzionalmente assimilato ad una serie lessicale greca. È importante il fatto che i due nomi restituiscono fedelmente l'ortografia greca: ciò rivela un'ininterrotta e dinamica catena di rapporti tra scrittura oscogreca e modello alfabetico principale (rappresentato appunto dal greco) in un contesto culturale che presuppone oltre al bilinguismo anche una condizione di 'bigrafismo'.

Un ulteriore elemento di riflessione è offerto dalla grafia del prenome μαμερεξ. La diversità rispetto alla notazione dello stesso prenome nell'epigrafe mamertina Ve 197, cioè μαμερεκς, passa attraverso la resa del nesso consonantico *ks* che a Messina come a Rossano di Vaglio viene restituito dal digramma κσ ispirato al modello della scrittura nazionale campano-sannita. In questo caso, invece, l'adozione del segno ξ, fedele alla consuetudine dell'alfabeto greco coevo, trova solidarietà in area brettia che ha rifiutato o non conosciuto i modelli dell'ortografia campano-sannita[42].

Altri particolari contribuiscono a segnare punti di distacco del documento di Roccagloriosa dai modelli ortografici campano-sanniti recepiti dall'epigrafia osco-greca di Rossano di Vaglio. Uno di questi è rappresentato dalla mancanza di dittografia per indicare le vocali lunghe che sarebbe da aspettarsi in [γ]αϜις rispetto a *Gaav*[...] di Ve 168. Anche nell'assenza di geminazione vocalica, i dati di Roccagloriosa coincidono con la documentazione brettia. Un altro ordine di considerazioni sollecita la stessa grafia di μαχιες. Il raffronto con la registrazione del gentilizio *Mahiis* in area sannitica mette contrastivamente in evidenza, in luogo del segno per *h* come indicatore di iato proprio delle scritture italiche, una diversa scelta ortografica che costituisce il presupposto dell'assimilazione paretimologica dell'antroponimo italico al lessico greco.

Questi indizi, pur labili, sembrano nel loro insieme convergere coerentemente nell'additare un comportamento ortografico che si discosta dalla scrittura greco-osca quale appare codificata dal corpus di Rossano di Vaglio e a Messina. Si palesano, invece, con chiarezza, scelte grafiche comuni con la documentazione brettia che si risolvono in una più stretta adesione ai modelli greci e nell'estraneità ai modelli accessori campano-sanniti.

Queste circostanze si caricano, in maniera ancor più circostanziata, di valore, sia in virtù dell'omogeneità cronologica della laminetta con la maggior parte delle attestazioni brettie, sia a motivo della natura non ufficiale del testo che collima con il livello funzionale-contestuale a cui appartengono le iscrizioni osche del Bruzio. Tutto ciò concorre a enucleare un quadro più ampio ed articolato della cultura italica nelle regioni più meridionali nel IV secolo, confermando quanto emerge dal solo dossier brettio: i moduli della sannitizzazione graficolinguistica ed istituzionale quali si rivelano attraverso il corpus epigrafico di Rossano di Vaglio si configurano con sempre maggiore chiarezza come risultato di un processo maturato lentamente dopo il IV secolo, a cui forse non è man mano estranea la spinta di Roma. Per questo è auspicabile che il rinvenimento di documenti della stessa quota cronologica della laminetta contribuisca a gettare ulteriore luce su quel periodo complesso e cruciale per la strutturazione della cultura italica che è stato il IV secolo a.C.

P. Poccetti

---

41 Per il rapporto tra le uscite *-es* / *-eis* nelle iscrizioni osche, cfr. Lazzeroni 1985, pp. 47 ss.

42 Per questa peculiarità nella resa dei nessi consonantici in seno alla grafia osco-greca, cfr. Poccetti 1988, p. 156.

CAPITOLO 6

NUCLEI INSEDIATIVI EXTRA-MURANI*

Alcuni saggi di scavo e la ricognizione intensiva di superficie hanno evidenziato che l'abitato fortificato costituisce solo una parte (quella più elevata e meglio difesa) dell'insediamento agglomerato nel suo insieme. Le strutture sinora rinvenute all'esterno del muro di fortificazione si estendono, sia pure secondo un modello di occupazione sparsa, adattata alla topografia della zona, su di una superficie complessiva di ca. 20-25 ettari, nelle aree pianeggianti immediatamente ad ovest del muro di fortificazione (ad una quota compresa fra 400 e 350 m. s.l.m.). Tali presenze, purtroppo solo frammentariamente documentate, lasciano dunque intravvedere una estensione complessiva di 30-35 ettari per l'abitato agglomerato, sul versante ovest del Capitenali, naturalmente difeso verso nord ed ovest dagli strapiombi sulla sottostante contrada Difesa dei Buoi, verso sud-ovest dalla collina di Petroso e a sud da una fiumara torrentizia (area Sambuco/Stritani).

L'area di abitato all'esterno del muro di fortificazione, per comodità di presentazione può dividersi, allo stato attuale della documentazione, in tre diversi nuclei. Il nucleo topograficamente più vicino al muro di fortificazione direttamente collegato alla porta centrale, e quindi all'abitato fortificato, è costituito da una fascia di terreno di ca. 3 ettari, che comprende le aree denominate Pianoro U. Balbi inferiore ed Area Napoli 1971 (fig. 128). Ad ambedue i lati di questa fascia di terreno, che forma una specie di sella fra il crinale dei Capitenali e la collina di Petroso, vi sono due ampi pianori, rispettivamente a nord e a sud della sella. Quello a sud (cd. Pianoro Carmine Balbi), sembra costituire null'altro che una estensione della sella stessa, senza soluzione di continuità nella distribuzione dell'abitato antico, come sembra indicare la più recente ricognizione effettuata nell'area, in particolare la prospezione elettrica e con magnetometro dirette da M. Cucarzi (v. Appendice). La viabilità moderna (la via comunale che separa il pianoro U. Balbi dall'area Napoli 1971) e le divisioni catastali (che possono aver accentuato l'avvallamento fra il pianoro C. Balbi e l'area Napoli 1971) hanno certamente contribuito a creare le apparenti divisioni fra i tre nuclei suddetti (fig. 136), che molto probabilmente in antico dovevano costituire un'area insediativa unitaria. Diversa è la situazione dell'ampio pianoro a nord (la cd. Area DB), dove invece una vasta zona in declivio, senza tracce di resti antichi, costituiva un elemento di separazione dell'area DB rispetto al resto dell'area extra-murana, sottolineando ancora una volta la esistenza di spazi 'vuoti' fra i vari nuclei insediativi. L'area DB, sia pur ben collegata con due importanti accessi all'abitato fortificato (la porta nord e la posterula C), è senz'altro in connessione con i tre nuclei sopra citati ed è indubbiamente più distante sia dall'abitato fortificato, da cui la divide un'area scoscesa di affioramento di calcare e scisto argilloso, che dall'altro agglomerato extra-murano. La sua po-

* I dati qui presentati, in via preliminare, sono ancora in corso di elaborazione e saranno oggetto di uno studio separato sulle aree extra-murane. Si è ritenuto opportuno includere in questo volume una sintesi dei risultati sinora acquisiti, per una migliore comprensione dell'organizzazione generale dell'abitato fortificato e dell'insediamento più in generale. Si ringrazia il Dott. M. Cucarzi, che ha diretto il progetto di prospezione geofisica per conto della Fondazione Lerici di Roma, per le discussioni intrattenute e per aver cortesemente anticipato i risultati della esplorazione in corso. Il capitolo è stato redatto congiuntamente da M. Gualtieri ed H. Fracchia. M. Gualtieri è responsabile più specificamente dell'analisi dei dati di scavo mentre H. Fracchia ha diretto la ricognizione intensiva di superficie ed analizzato i dati ceramici.

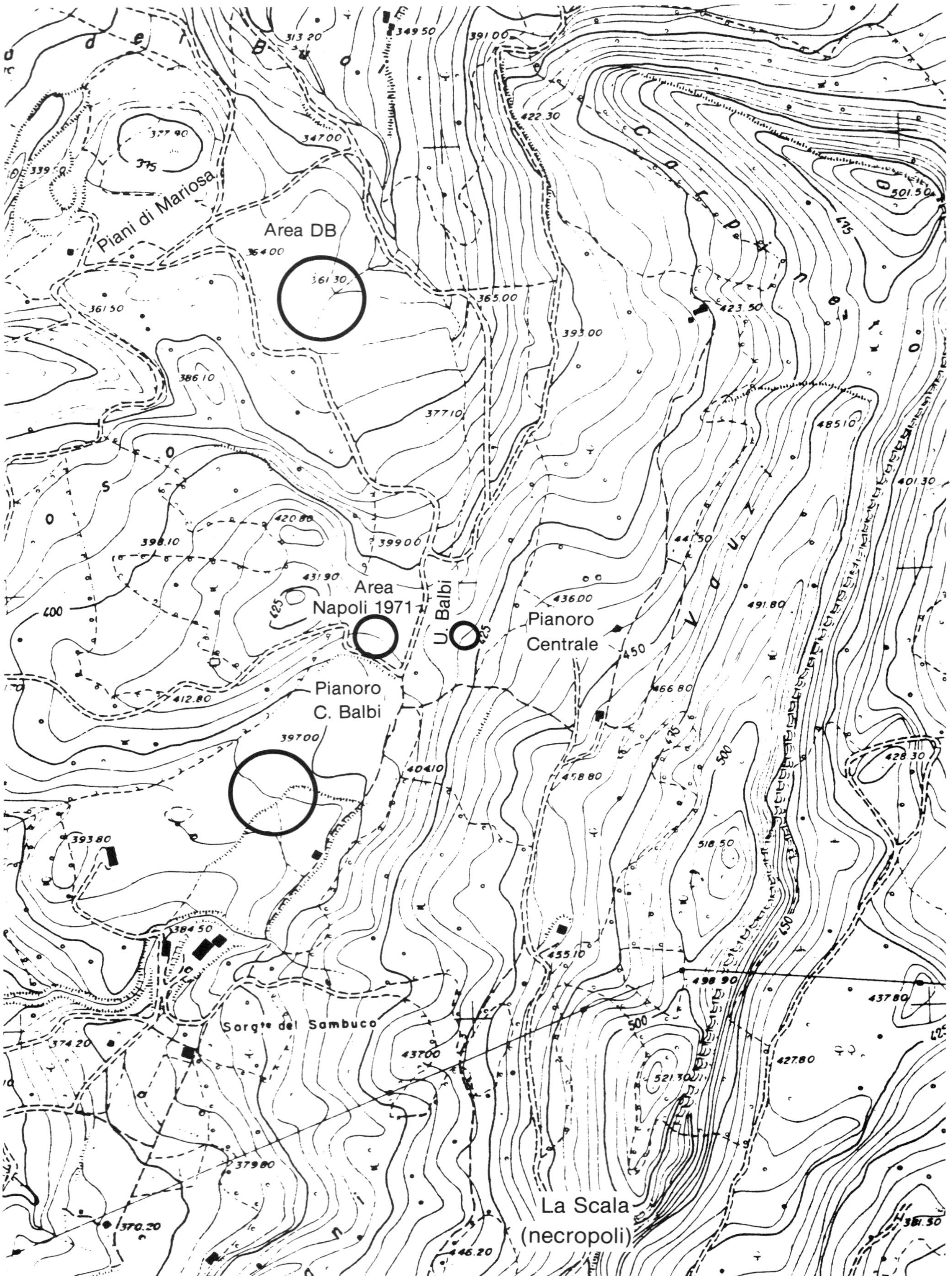

Fig. 128 Carta topografica dell'area nord del monte Capitenali, con indicazione dei nuclei abitativi extra-murani (rilievo aerofotogrammetrico della Comunità Montana Mingardo).

sizione topografica, tuttavia, e l'ampiezza del terrazzo su cui è collocata, ne fanno senz'altro uno dei principali nuclei insediativi, in posizione di comando sulla via proveniente dall'alta valle del Mingardo e dalle pendici del Centaurino.

1. Pianoro U. Balbi (cd. Area 'Cimitero')

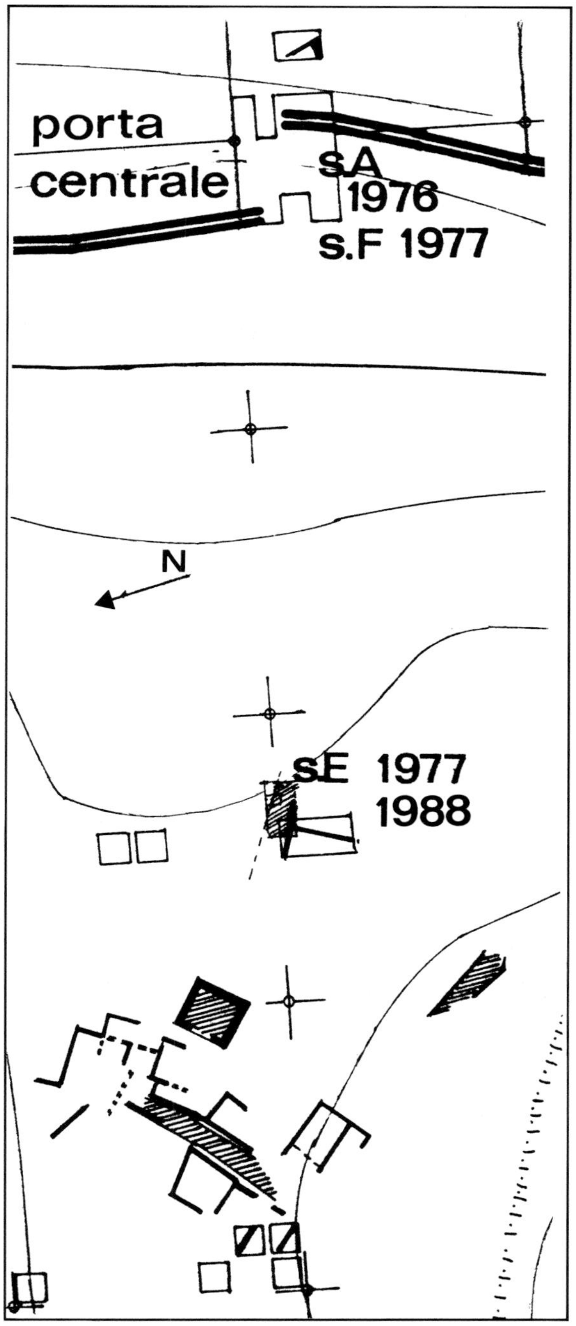

Fig. 129 Collocazione del pianoro U. Balbi sulla pianta generale del sito.

Si è già detto che la parte centrale del muro di fortificazione, lungo il limite ovest del Pianoro Centrale segue pressappoco la curva di livello di 450 m., ai margini di un dislivello altimetrico di circa 40-50 metri esistente ad ovest del muro stesso. Immediatamente a valle di questo dislivello e ca. 50-60 metri ad ovest di esso, un pianoro di ca. un ettaro include un edificio in grossi blocchi di calcare, di dimensioni ragguardevoli (fig. 129). Ne sono stati esplorati sinora due vani, che si dispongono lungo un acciottolato stradale in direzione est-ovest, che sembra attraversare la parte mediana del pianoro, dirigendosi verso la porta centrale (fig. 130). Le dimensioni degli ambienti (scavati su di una estensione di m. 12 x 6) ed il tipo di costruzione in grossi blocchi rettangolari indicano il carattere monumentale dell'edificio, anche se non sia dato indicarne la funzione, in base ai reperti sinora recuperati.

Una colonna di calcare (**N. 587**), rinvenuta ca. 10 m. più ad est (recupero di superficie) sembrerebbe sottolineare il carattere di monumentalità dell'edificio stesso. Lo scavo sinora effettuato ha interessato un'area di ca. 100 m^2, troppo limitata per permettere di formulare ipotesi sulla estensione complessiva e la funzione dell'edificio. È da osservarsi, tuttavia, che i muri scavati continuano almeno su tre lati (nelle pareti della trincea) e che l'orientamento dell'edificio si raccorda assai bene con le strutture messe in luce nell'area Napoli 1971, di cui senz'altro il pianoro in questione deve ritenersi un'estensione. La denominazione tradizionale dell'area qua-

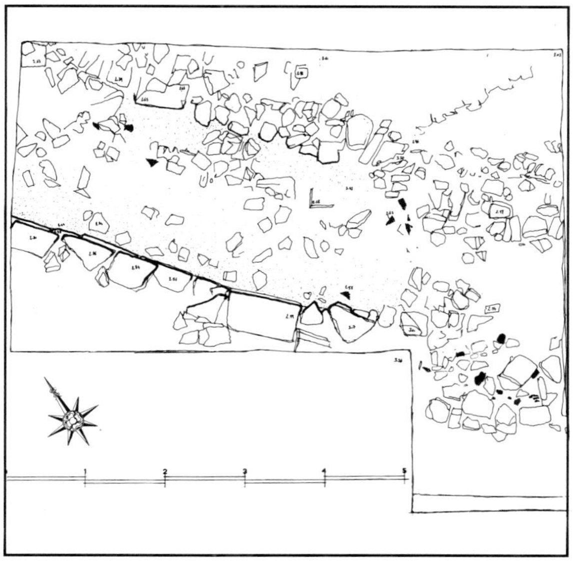

Fig. 130 Pianta delle strutture rinvenute sul pianoro U. Balbi.

le 'Cimitero' lascia pensare alla scoperta fortuita di tombe sul pianoro stesso. Una ispezione sommaria agli elementi recuperati da un precedente scavo nell'area (nonché notizie di recuperi) sembrano confermare una tale supposizione. Dagli scavi del 1971 derivano fra l'altro alcuni unguentari di III secolo a.C., tipo ceramico assai poco diffuso nell'abitato, che potrebbero appartenere a tombe[1]. È interessante la presenza di ceramica di III e II secolo a.C. fra il materiale rinvenuto nel 1971, che in parte conferma l'impressione ottenuta dallo scavo dell'edificio già menzionato circa una continuità di vita nell'area extra-murana almeno sino agli inizi del II secolo a.C.

Ceramica rinvenuta dallo scavo sul pianoro (saggio E)

Frammenti del tipo 'indigeno' con l'orlo molto svasato e grande (tipi **18-21**), frammenti di parete a vernice nera con costolature in un'argilla molto rossa, con le scanalature molto elaborate e metalliche cioè coi lati squadrati e precisi, con vernice lucida (tipo **187**), parecchi esempi di piedi sagomati o semplici (tipi **179, 180**), coperchi di lekanides (tipo **67**), orli di piatti da pesce (tipi **146-147**), ciotole profonde (tipi **117-118**), coppette tipiche dell''atelier des petites estampilles' (tipo **115**), ceramica da cucina (tipi **237-245**). Dagli scavi 1971-73, derivano unguentari, molti frammenti di ceramica campana A, un frammento di ciotola tipo Morel F 2153 datata tra «III (o gl'inizi del II?) verso il primo quarto del II». Si notano anche frammenti di ceramica da cucina del tutto diversi da quelli del Pianoro Centrale, che però si confrontano con esempi da *Cosa* 1976, tipi VD44-45 datati dall'ultimo quarto del secondo secolo in poi. Si nota particolarmente la presenza di lucerne fatte a matrice tra cui una a 'pasta grigia' che sono tipicamente datate nell'ultimo terzo del terzo secolo e nel secondo secolo.

Fig. 131 Veduta delle strutture scavate sul pianoro U. Balbi (da ovest).

2. Area Napoli 1971

Verso ovest il pianoro U. Balbi continua ad una quota pressappoco uniforme, leggermente digradante verso ovest, sino ad addossarsi alla pendice della collina di Petroso. Un gruppo di strutture apparentemente ben organizzate ai due lati di un 'asse stradale' era stato già in parte messo in luce dallo scavo del 1971[2]. Alcuni saggi effettuati alle estremità sud-ovest e nord-ovest dell'area hanno permesso di verificare che l'intera area pianeggiante è occupata da costruzioni. L'orientamento degli edifici è costante (fig. 132) ed il periodo di uso principale si riferisce alla seconda metà del IV secolo a.C. (l'interro minimo - non più di 30 cm. di humus - non ha permesso di recuperare alcuna stratigrafia, al di là dei materiali genericamente associati alle strutture). È da notare, tuttavia, anche in questo caso, la presenza di materiali che lasciano intravvedere un uso continuato sino al II secolo a.C. (in particolare il N. **142**, una grossa patera completa in argilla chiara beige, ver-

[1] Il materiale è conservato nei depositi dell'Ufficio Scavi di Velia, ad Ascea Marina, ed è stato ispezionato durante una visita al deposito stesso nel giugno 1988. Si ringrazia la cortese assistenza del personale dell'Ufficio Scavi nel localizzare i reperti provenienti dai precedenti scavi. La zona è denominata, sulle etichette di scavo, quale 'raccordo Cimitero', seguendo la denominazione tradizionale dell'area.

[2] Purtroppo manca ogni documentazione relativa alla precedente esplorazione del pianoro. Lo scavo successivo al 1976 si è limitato ad esplorare la estremità ovest del pianoro stesso, con alcuni quadrati (I 113-114 ed L 113-114) che hanno confermato una organizzazione regolare degli edifici ai lati dell'asse stradale. Si veda una discussione preliminare dell'area in *Roccagloriosa* 1978, pp. 410-412.

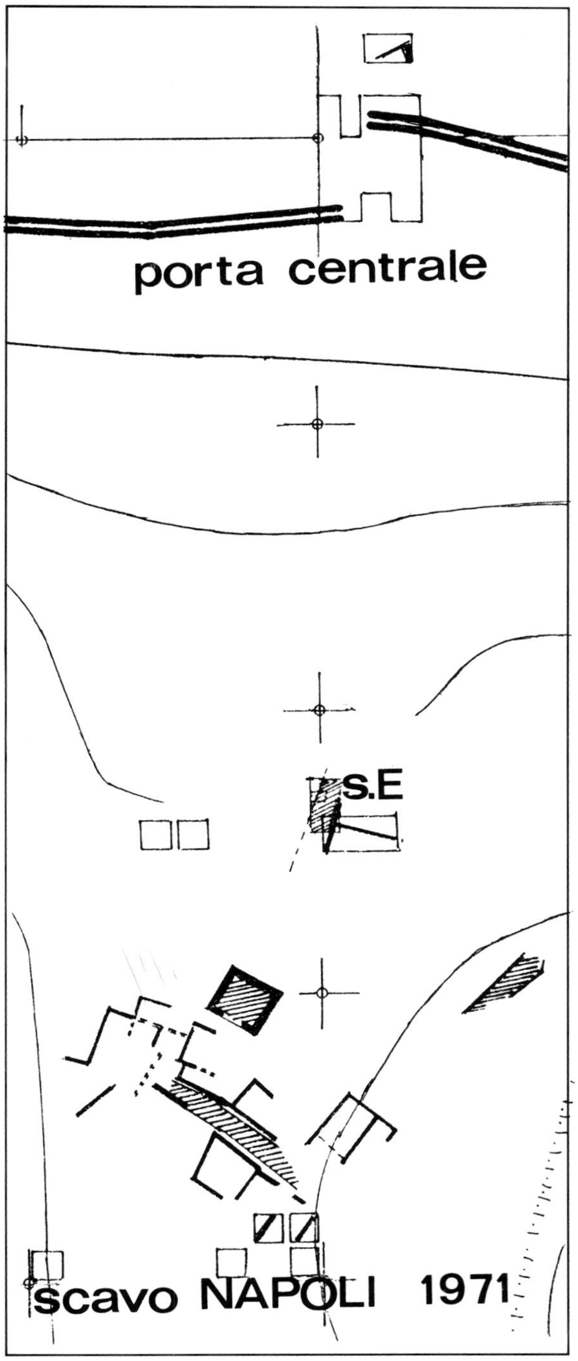

Fig. 132 Collocazione dell'area Napoli 1971 sulla pianta generale del sito.

nice nera non lucida, del tipo Morel F 2286 a 1: "Campana B (?), 150±35 (?)"). Fra le strutture di fine IV secolo a.C. è degno di nota un grosso ambiente quadrangolare di circa m. 10 x 8, con partizione interna allineato lungo l'estremità sud della strada, su cui probabilmente doveva aprire l'accesso principale. A nord-est di esso, un'area basolata di m. 6 x 6 (fig. 133) sembrerebbe anch'essa orientata lungo l'asse stradale, anche se l'assenza di muri circostanti non ci consente una ricostruzione della pianta dell'edificio a cui apparteneva il predetto ambiente basolato. Nonostante il blocco rettangolare con due tacche quadrangolari lungo il lato ovest, originariamente interpretato come appartenente ad una porta d'accesso, la presenza di un cordolo di blocchi con faccia vista accuratamente squadrata verso l'interno dell'area basolata, e solo rozzamente tagliati verso l'esterno, sembrerebbe escludere la presenza di un muro, almeno lungo i tre lati est, nord e sud. Sembra invece molto più probabile che i blocchi del cordolo delimitassero un piano pavimentale, leggermente rialzato rispetto all'area basolata, di un portico con colonnato poggiante sui blocchi stessi, come nell'assai meglio conservato cortile porticato della fattoria di Madarossa/Cersosimo[3]. Allo stato attuale della esplorazione, non è possibile fornire dati più dettagliati sulla pianta del nucleo abitativo in questione. Alcuni canali in pietra, costruiti nella stessa tecnica documentata per gli edifici del pianoro centrale ed il pianoro sud-est, rafforzano l'impressione di un agglomerato abitativo assai bene organizzato. Un tratto di strada basolata (larga ca. 3 m.), rinvenuta nell'angolo sud-est del pianoro sembrerebbe mostrare un andamento perpendicolare al lungo asse stradale identificato dalla prospezione elettrica sul pianoro Carmine Balbi.

Come già accennato, non vi sono livelli abitativi chiaramente associati con le strutture menzionate, anche se è possibile fare alcune considerazioni sulla base dei materiali disponibili. La presenza di vasi miniaturistici (fra cui il N. **412**, rinvenuto nella ripulitura intorno all'area basolata) lasciano pensare che la funzionalità 'sacra' di alcuni degli edifici in questione, postulata da M. Napoli[4] sia da interpretarsi nel senso di deposito votivo connesso con l'uso 'cerimoniale' dell'area basolata sopra

---

[3] In *Roccagloriosa* 1978, p. 410. Si vedano i raffronti per lo stilobate in blocchi con sola faccia vista verso l'interno del cortile, nella fattoria di Madarossa/Cersosimo (La Genière 1971).

[4] Napoli 1971, p. 401.

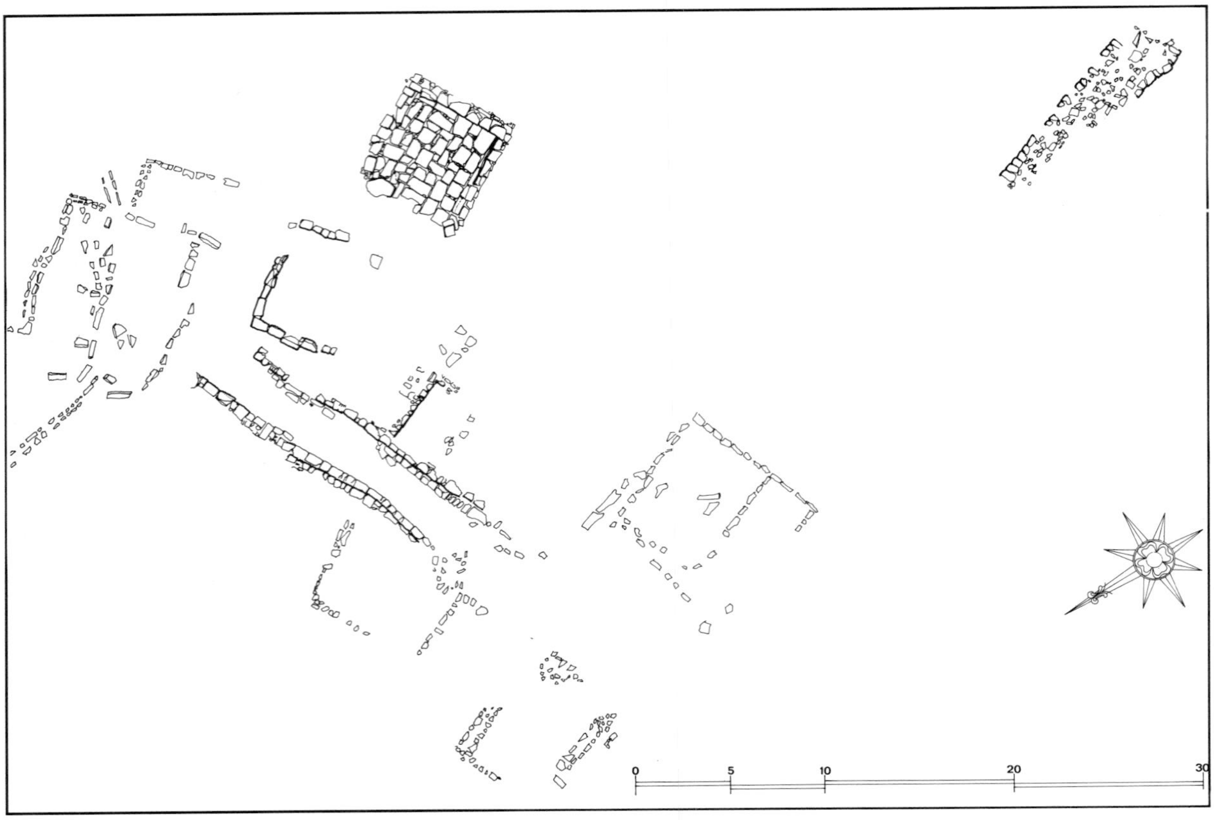

Fig. 133 Pianta degli edifici scavati sul pianoro Napoli 1971.

Fig. 134 Pianta del cortile basolato sul pianoro Napoli 1971.

descritta. In via generale, pertanto, tali considerazioni sembrerebbero indicare la presenza di un nucleo insediativo di notevole consistenza, includente un edificio con molteplicità di funzioni, raffrontabile sotto certi aspetti con quello documentato, con dati puntuali di scavo, sul pianoro centrale.

Materiali cronologicamente significativi recuperati sul pianoro

Zona A: si notano vasi miniaturistici dalle forme aperte, skyphoidi, che rientrano nei tipi degli ultimi decenni del IV. In questo contesto si ricordano i "depositi" di Serra di Vaglio e Lavello.

Zona C: l'evidenza consisteva di una varietà di vasi grezzi da cucina, frammenti di vernice nera, un frammento di un *louterion* di dimensioni non grandi con decorazione incisa 'ad ovolo' e altri vasi miniaturistici: tuttavia, l'insieme non si presenta distinto da quanto si trova nei complessi abitativi del Pianoro Centrale.

N.B. 'Zona A' e 'Zona C' si riferiscono a denominazioni indicate sulle cassette dei rinvenimenti (scavo 1971).

Fig. 135 Veduta dello stesso basolato (da sud-ovest).

Allo stato attuale della documentazione non è possibile collocarle in punti precisi della cd. 'Area Sacra', la quale è stata qui presentata come 'Area Napoli 1971'.

3. Pianoro C. Balbi

Immediatamente a sud dell'area Napoli 1971, un'area pianeggiante di 3/4 ettari, ad una quota leggermente più bassa, ha restituito tracce di strutture in grossi blocchi di calcare, inquadrabili, sulla base di recuperi di superficie di ceramica a v.n., nella seconda metà del IV secolo a.C. Inoltre, una fossa per abbeveratoio scavata alla fine degli anni '70 nell'area nord-est del pianoro, ha messo in luce un angolo di muro ad una profondità di circa m. 1-1,50 dal piano di campagna.

Lo spesso strato di colluvio, così evidenziato al di sopra delle strutture antiche lascia pertanto supporre che lo strato archeologico sia rimasto in buono stato di conservazione.

La prospezione elettrica, unitamente a quella con magnetometro, effettuate su di una superficie di oltre un ettaro ed una serie di carotaggi di verifica hanno evidenziato una vasta area insediativa organizzata ai due lati di un 'asse stradale'. Quest'ultimo, a giudicare dai dati della ricognizione (presentati in dettaglio nell'Appendice, *infra*) potrebbe essere di natura simile a quello messo in luce sul pianoro Napoli 1971 ed attraversa il pianoro diagonalmente da nord-est a sud-ovest. Un edificio di ragguardevoli dimensioni, includente un porticato, è indirettamente documentato sul pianoro stesso dal recupero di un frammento di colonna in calcare (N. **588**), al limite sud-est del pianoro stesso, in un cumulo di massi spostati da aratro o altro mezzo pesante.

Ceramica recuperata sul pianoro

La documentazione ceramica sinora recuperata è assai scarsa. Si nota un piede alto e grande che molto verosimilmente apparteneva ad un cratere di IV sec. a.C., un piede piccolo sagomato molto elaborato con la vernice lucida e ben conservato, che rassomiglia ad *Agora XII*, p. 122, e poi un piede spesso in argilla molto simile a quella della Campana A (tipo **176**), oltre a vari fondi di ceramica grezza non classificabili.

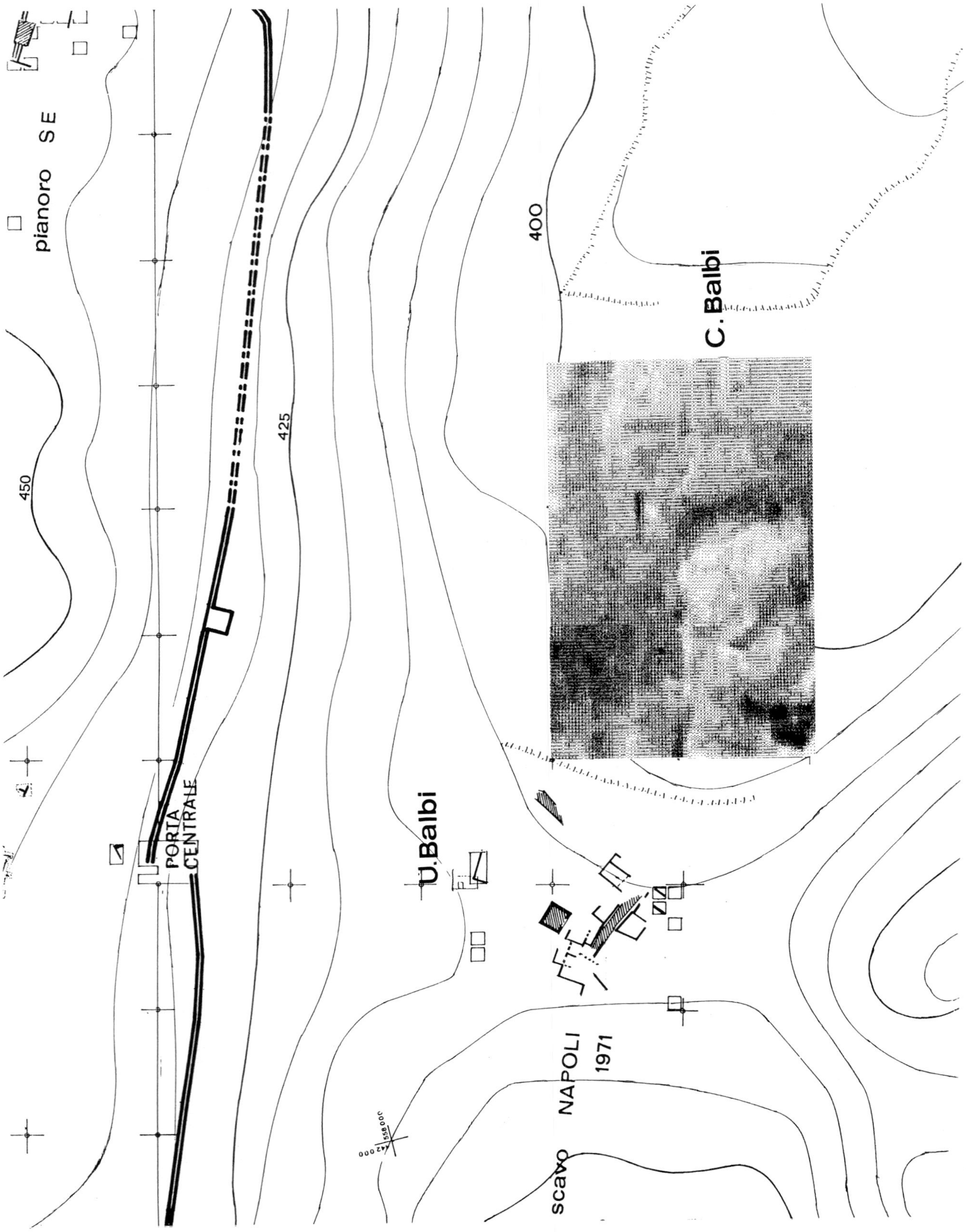

Fig. 136 Il pianoro C. Balbi e l'area circostante, con indicazione delle anomalie riscontrate dalla prospezione magnetica.

4. Area DB (Contrada Piani di Mariosa)

Rinvenimenti di superficie di ceramica a vernice nera e qualche resto sporadico di strutture in grossi blocchi di calcare alla estremità sud-ovest dell'area, avevano segnalato la presenza di una parte dell'abitato agglomerato, connesso con l'area fortificata, sulla vasta area pianeggiante situata a circa 300 m. ad ovest della porta nord, ad una quota compresa fra 400 e 380 m. s.l.m. L'area risulta naturalmente difesa verso nord e verso ovest da uno strapiombo che la separa dalla sottostante contrada Difesa dei Buoi e dai terrazzi inferiori lungo la media valle del Mingardo, mentre a sud è limitata dalla collina calcarea del Petroso. Come già accennato, oltre alla vasta estensione del pianoro, la sua posizione ad un punto di passaggio della via principale proveniente dall'alta valle del Mingardo e dalle pendici del Centaurino (verso Caselle in Pittari/Sanza) nonché la presenza di fonti perenni nelle immediate circostanze, ne segnalavano il ruolo fondamentale nel contesto dell'abitato agglomerato nel suo insieme. Una ricognizione dell'area effettuata alla fine della campagna 1982 identificava sulla superficie del piano di campagna un angolo di edificio costruito con ortostati, per una lunghezza di ca. 8 m. (Muro M5 sulla pianta generale, tav. VII fuori testo), all'estremità sud-ovest dell'area. Vi si è successivamente recuperato un blocco con base, rozzamente sbozzata, per palo o colonna N. **589**.

Resti superficiali di edifici sono stati rinvenuti anche alla estremità sud dell'area, quasi in prossimità della parete rocciosa del Petroso (Muri M4 sulla pianta generale, tav. VII fuori testo). Due muri ad angolo retto (lunghezza m. 2,40 e 1,20 rispettivamente) in grossi blocchi con faccia vista verso l'interno (Tav. VII, M 4) potrebbero costituire uno 'stilobate' per area di cortile, come nei casi già documentati altrove. Di pertinenza incerta è un grosso blocco (m. 2,0 x 0,40 x 0,21), rinvenuto nelle vicinanze. Si nota, tuttavia, una chiara associazione di queste evidenze strutturali con concentrazioni di tegole e ceramica a vernice nera.

Lo scasso profondo (da 60 a 80 cm.) effettuato nell'autunno/inverno 1982-83, nell'ambito di un'opera di rimboschimento dell'area, ha portato drammaticamente alla superficie i resti del nucleo insediativo in esame.

Si è riuscito a documentare, mediante una serie di carotaggi effettuati nel 1983[5], che una parte minima dello strato archeologico è conservato alle estremità nord e sud del pianoro. Parallelamente a tali sondaggi è stato effettuato lo scavo di un'area di ca. 80 m^2 all'estremità nord del pianoro ed una ricognizione intensiva di superficie nella parte centrale del pianoro, su di un'area di oltre un ettaro. Si sono così potute documentare varie concentrazioni di materiale con caratteristiche specifiche che, pur non potendosi correlare con chiare evidenze strutturali, sono atte a fornire indizi sulla organizzazione ed estensione del nucleo insediativo. Si presentano in maniera sommaria e preliminare i risultati del saggio di scavo nell'area nord del pianoro e della ricognizione intensiva con lo scopo di fornire ragguagli topografici su questo importante nucleo insediativo.

I) Saggio di scavo

Lo scavo all'estremità nord del pianoro[6] ha messo in evidenza una notevole concentrazione di strutture (fig. 137) fra cui si può distinguere un'area basolata di ca. m. 5 x 4 delimitata da uno stilobate di blocchi rettangolari lungo i quattro lati (fig. 138). Tipologicamente la costruzione si inquadra molto bene nel tipo di casa con cortile porticato documentata su almeno due dei nuclei abitativi all'interno della fortificazione (pianoro centrale e pianoro sud-est). Sulla base della ceramica associata, ma senza precisi criteri stratigrafici (l'interro era di soli 30 cm.) si può datare l'edificio alla seconda metà del IV secolo a.C. Non è possibile, tuttavia, fornire più ampi dettagli sulla pianta dell'edificio allo stato attuale della documentazione. Un aspetto interessante dello scavo è stato il rinvenimento di alcuni pozzetti con ceramica, argilla bruciata e pochi resti ossei, fra cui F 22 era il meglio conservato, immediatamente al di sotto delle strutture in blocchi di calcare. Essi sono da riferirsi ad una fase abitativa prece-

---

[5] Diretti da R. Linington. È da precisarsi che i carotaggi sono stati effettuati soprattutto nella parte sud dell'area DB, dove l'azione dello escavatore sembrava essere stata meno distruttiva e nelle aree a sud della stradina interpoderale, che erano state lasciate intatte.

[6] Lo scavo in quest'area è stato seguito *in loco* da T. McClintock e F. de Polignac, che mi è gradito ringraziare per tutto l'aiuto prestato.

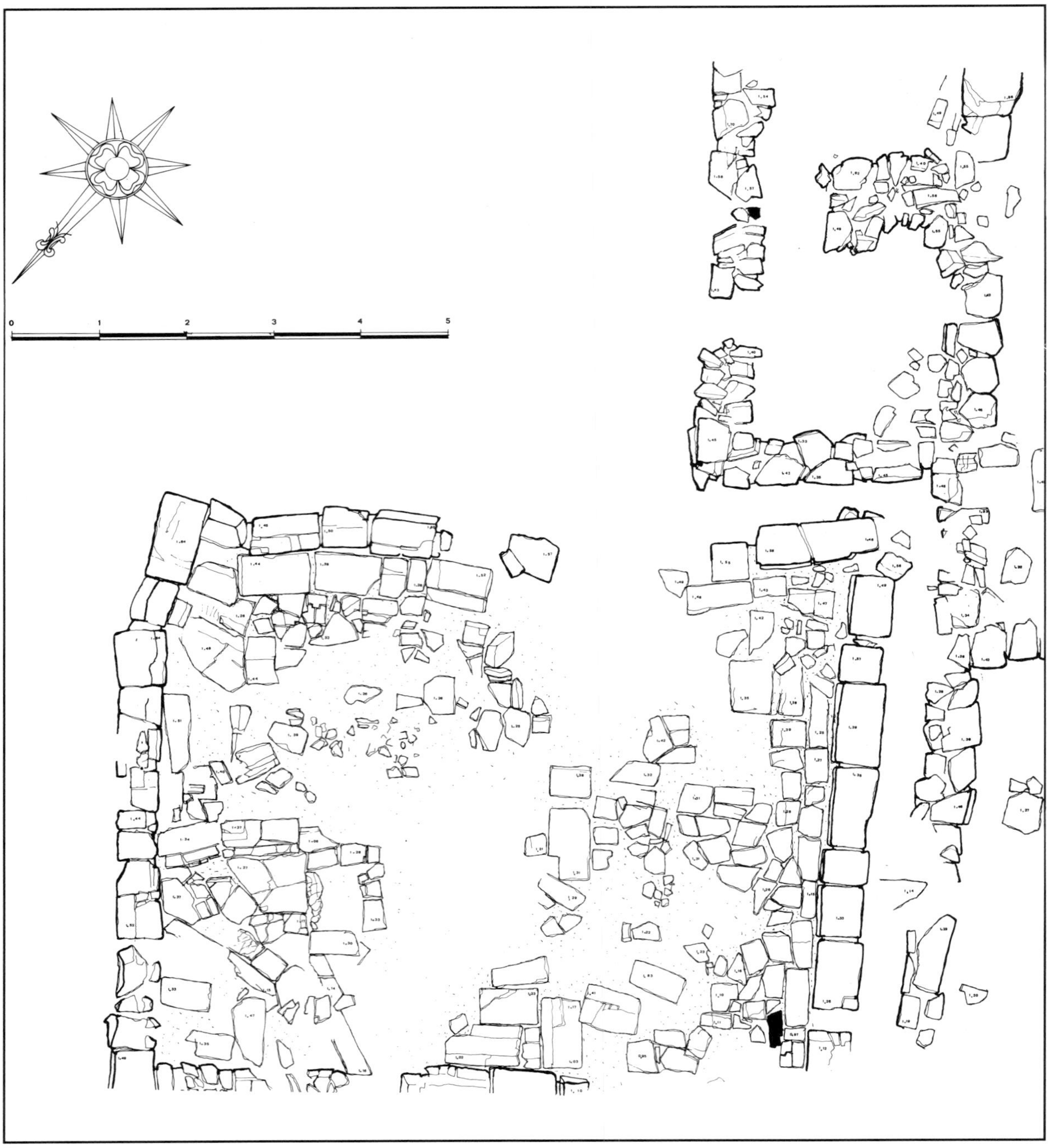

Fig. 137 Pianta dell'edificio scavato all'estremità nord dell'area DB.

dente la espansione dell'abitato di IV secolo a.C. e, a giudicare dalla cronologia della ceramica rinvenutavi all'interno, sono assimilabili alla fase I A-B identificata sul pianoro centrale (non è stato possibile in questo caso distinguere IA da IB). Pertanto, con la dovuta cautela richiesta dalla parzialità del dato, il saggio di scavo nell'area DB ci consente di postulare l'esistenza di una frequentazione tardo-arcaica (di fine VI-V secolo a.C.) anche su alcune delle aree ad ovest del pianoro centrale. In relazione a queste presenze sparse sui terrazzi inferiori, l'edificio arcaico di fase IB (V secolo a.C.) messo in luce sul pianoro centrale (*supra*, pp. 48-50) doveva già costituire un punto di riferimento 'monumentale' che ci permette di intravvedere, sia pure in maniera assai sfumata, una certa articolazione dell'abi-

Fig. 138 Veduta degli edifici scavati nell'area DB (da sud).

tato di V secolo a.C.

Probabilmente in connessione con questa frequentazione di V secolo a.C. dell'area DB, è da porsi il rinvenimento di due orli di anfora del tipo Corinzio A, NN. **356** e **358**.

II) Ricognizione intensiva di superficie

La ricognizione del vasto pianoro è stata effettuata seguendo due metodi congiunti[7]. La parte centrale dell'area che è perfettamente pianeggiante, è stata divisa in sedici file di quadrati di m. 10 x 10. Ciascun quadrato è stato successivamente suddiviso in quattro quadranti di m. 5 x 5 al momento della raccolta dei materiali di superficie. L'elenco dei materiali raccolti è stato effettuato per ciascun quadrante di m. 5 x 5, anche se i risultati qui presentati tengano conto, per brevità, solamente dei quadrati di 10 x 10. Le aree circostanti presentavano una superficie più accidentata ed erano separate dall'area centrale quadrettata mediante fosse, canali o declivi accentuati: queste ultime sono state esplorate mediante 'intensive field walking' con i membri della équipe disposti a 5 m. di distanza l'uno dall'altro. I reperti da queste aree circostanti sono stati suddivisi in più ampie concentrazioni, non riportate sulla carta di distribuzione (fig. 139). La superficie complessiva dell'area esplorata risulta pertanto di m. 180 x 80 per la zona centrale e m. 200 x 30 per le zone periferiche, per un totale di ca. 2 ha. Come accennato, i reperti erano stati portati in superficie da un'aratura profonda per coltivazioni arboree. Alcuni resti di grossi blocchi erano già parzialmente visibili in superficie prima dell'aratura profonda, ma l'esistenza di fitti cespugli (l'area era adibita a pascolo) rendeva impossibile effettuare una esplorazione di superficie.

Anche se la presenza di materiale ceramico in

---

[7] La ricognizione intensiva, entro quadrati di m. 5 x 5, è stata effettuata nel mese di giugno 1983 con la collaborazione di A. Keith, J. Plosz Gibson, J. Ravenhurst e R. Talman. Si ringrazia il sig. A. Finamore di Roccagloriosa per la liberalità con cui ha concesso l'accesso sul suo terreno, durante i lavori di rimboschimento e recinzione dell'area.

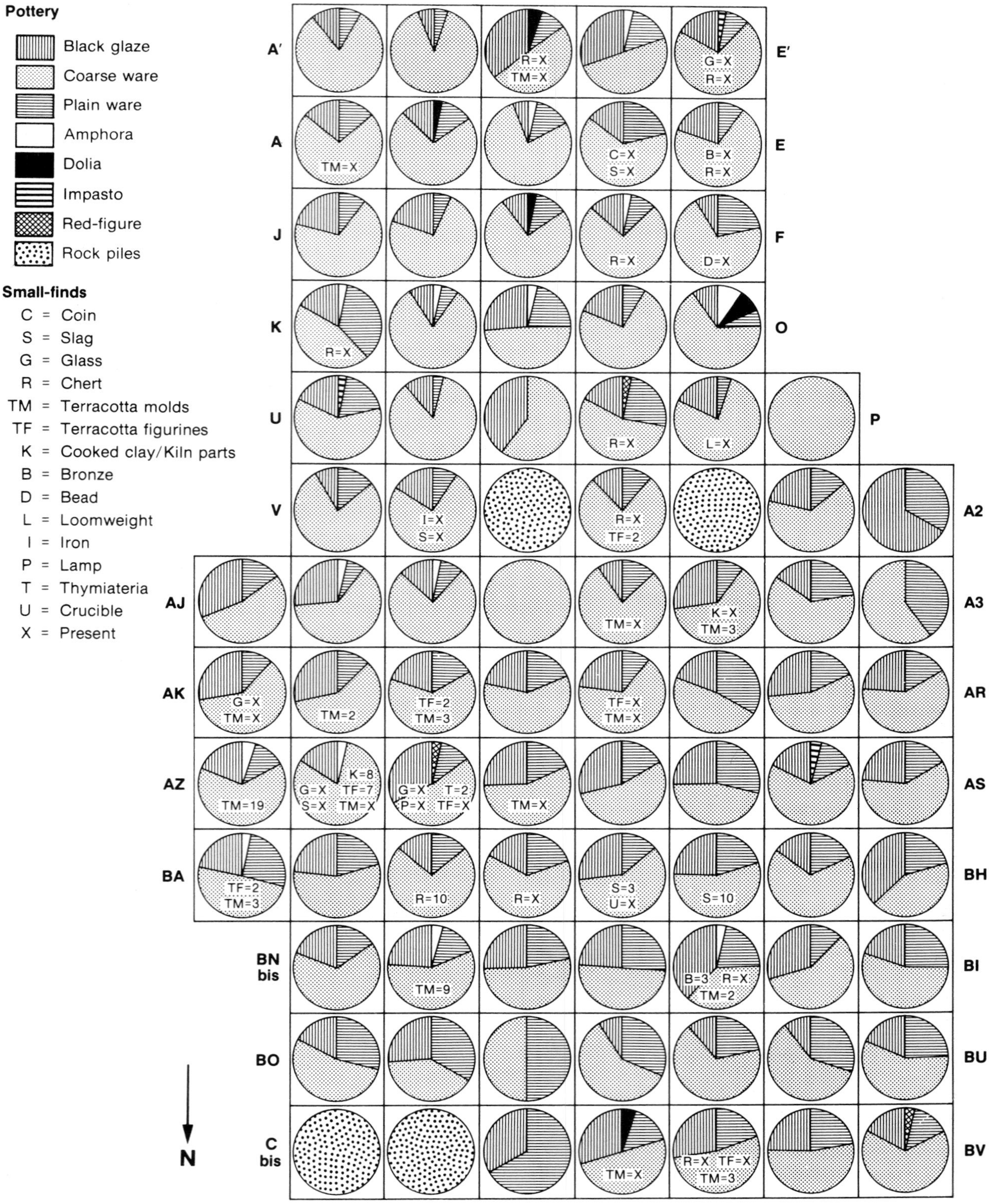

Fig. 139 Carta di distribuzione dei principali reperti raccolti nel corso della ricognizione dell'area DB (lato del quadrato= m. 10).

superficie era piuttosto uniforme su tutta l'area, dopo l'aratura profonda, alcune zone sono da menzionarsi per la presenza di maggiori concentrazioni di tipi specifici. Il settore sud-est della zona centrale (quadrettata) non sembra caratterizzato da alcuna concentrazione particolare ma fornisce un buon quadro generale di resti di materiale di abitazione, con inclusione di ceramica grezza, anfore e vasi a vernice nera. Da segnalare la presenza di frammenti di vasetti di vetro identici a quelli rinvenuti nel complesso A (NN. **596-599**).

Concentrazioni assai dense di materiale simile sono state rinvenute nel settore sud-ovest dell'area centrale, nelle prime tre file della quadrettatura. Una via poderale moderna costeggia quest'area e tali concentrazioni massicce possono essere dovute ad accumulo da parte dell'escavatore (fig. 140).

Tuttavia, una tale spiegazione, ancor valida per particolari concentrazioni ad evidenti punti di svolta del mezzo meccanico non può servire a spiegare la presenza di altre concentrazioni[8].

Un'area assai ricca di frammenti si trova nel settore centro-sud dell'area quadrettata, con presenza di grossi blocchi, frammenti di vetro, bronzo e due matrici di cui una quasi intera (N. **512**) per testa femminile, unitamente a numerosi altri frammenti di matrici, terrecotte ed argilla concotta. Tali resti sono particolarmente fitti nei quadrati AH, A7, A6, A5, AK, AL, AM, AX, AY, AZ. Quest'area centrale rappresenta la più vasta superficie pianeggiante e la presenza di frammenti di matrici si accompagna con presenza di resti di fornaci ed una notevole concentrazione di frammenti di anfore. Inoltre è da tenersi presente che è l'area più prossima alla sorgente perenne, già citata. Ulteriori frammenti di diverse parti di fornaci sono anche stati rinvenuti nelle aree circostanti.

Notevole è la presenza di una certa quantità di resti di riduzione di metallo, con abbondante ceramica grezza nelle aree BE, BF e BG (si segnala inoltre un frammento di spugna metallica saldato ad una parete di vaso grezzo, che potrebbe riferirsi ad un crogiuolo[9]).

In contrasto, è da far notare un'area di presenza sparsa di materiali, con concentrazione minima, nei quadrati lungo il margine occidentale dell'area quadrettata e, in direzione est-ovest, nei quadrati da BO a BY. Ad ambedue i lati di questa linea, i quadrati presentano dense concentrazioni di tipico materiale di abitazione, con presenza anche di frammenti di statuette e *thymiateria*, senza presenza di matrici, rinvenute invece concentrate nell'area sopra descritta (fig. 139).

La evidente differenza nella composizione delle concentrazioni di superficie, ci permette di avanzare l'ipotesi che la parte centrale dell'area quadrettata potesse costituire un 'quartiere artigianale' (sia per la produzione di terrecotte che bronzo)[10], separato dai complessi abitativi (includenti in alcuni casi probabili deposizioni votive) mediante una strada segnalata dalla quasi assoluta mancanza di rinvenimenti ceramici nei quadrati BO-BY.

L'area circostante il saggio di scavo sopra descritto presentava notevoli concentrazioni di cera-

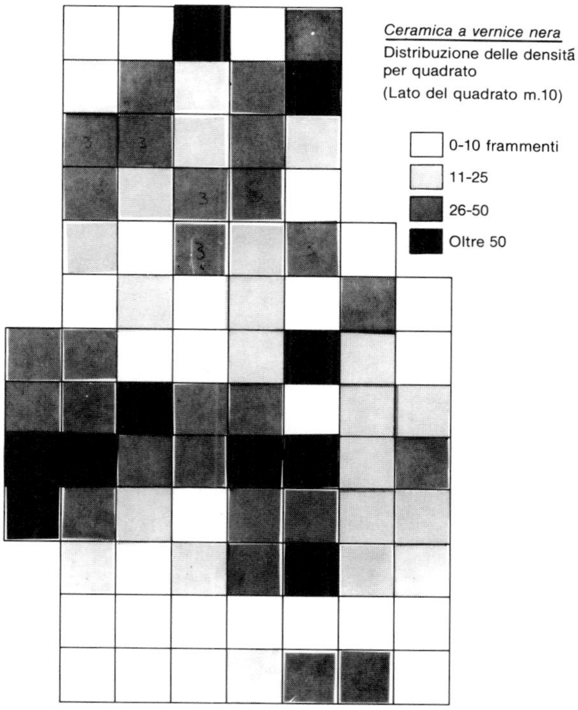

Fig. 140 Densità di distribuzione della ceramica a vernice nera raccolta in superficie nell'area DB (lato del quadrato = m. 10). Per la collocazione della quadrettatura della ricognizione si consulti la Tav. VII fuori testo.

[8] Si vedano le puntuali osservazioni di WALKER 1986, sulla distribuzione spaziale di concentrazioni di materiali rilevate dalla ricognizione intensiva di superficie, relative al sito de La Doganella in Etruria.

[9] È da segnalare altresì il rinvenimento di un probabile becco di 'tuyère' dal quadrato AY.

[10] Si veda la discussione dettagliata del problema presentata nel capitolo 8, *infra*, p. 213.

mica di ogni tipo, ivi inclusi vari frammenti di vasi a figure rosse. Il tipo di costruzione, come accennato, è simile a quello dei complessi rinvenuti nell'area fortificata e, con un ulteriore lavoro di ricostruzione ipotetica, si potrebbe intravvedere una analoga disposizione spaziale dei vari complessi. Le dimensioni ragguardevoli di questi ultimi potrebbero fra l'altro suggerire per la zona centrale dell'area quadrettata (dove si è ipotizzata la esistenza di un 'quartiere artigianale'), la presenza di impianti produttivi all'interno di uno o due grossi complessi di questo tipo.

La natura del materiale rinvenuto sull'area DB, con l'eccezione delle matrici per testa femminile, è assai simile a quella dei materiali rinvenuti nell'abitato fortificato: i tipi di argilla per la ceramica fine e quella grezza, i frammenti di vasi di pasta vitrea, i resti di metalli non differiscono sostanzialmente da quanto rinvenuto nella parte più elevata del sito. Anche dal punto di vista della cronologia, si nota una analoga presenza di ceramica inquadrabile in una fase anteriore al IV secolo a.C.

È da sottolineare, d'altra parte, che vi sono svariate tracce di continuità di frequentazione più tarda dell'area (sigillata italica, unguentari di tipo tardo, anfore tipo Greco-Italico transizionale/Dressel IA, N. **388**) che ben si raccordano cronologicamente con quanto documentato sugli altri tre nuclei extra-murani.

È da segnalare infine nell'area immediatamente a sud-est della quadrettatura, ad una quota leggermente più elevata e sulla via verso l'area Napoli 1971, il rinvenimento di un gocciolatoio a testa leonina (N. **527**), assai corroso e di una placca con mano che tiene uno specchio (N. **511**). Il rinvenimento congiunto dei due pezzi lascia pensare alla decorazione di un edificio, o edifici, con particolare abbellimento architettonico.

5. Considerazioni generali

Considerando le presenze insediative extramurane nel loro complesso, si configura l'esistenza di un abitato assai vasto con elevata concentrazione di edifici ed un notevole livello di organizzazione dei vari nuclei. Questi ultimi sembrano essere ben raccordati fra di loro, nei limiti imposti dalla topografia del terreno. Nonostante l'analogia di tipi architettonici e materiali d'uso con i meglio documentati nuclei abitativi all'interno del muro di fortificazione, vi sono tuttavia alcuni elementi di distinzione che sembra opportuno sottolineare.

I) Cronologia

La ceramica recuperata dai limitati saggi di scavo sinora effettuati si riferisce soprattutto alla seconda metà del IV secolo a.C. La scarsezza di dati di scavo puntuali, tuttavia, non ci permette di effettuare distinzioni cronologiche più precise circa la costruzione ed uso delle strutture messe in luce. In via generale, pertanto, sembra possibile ribadire l'ipotesi già avanzata che le strutture di IV secolo documentate sui pianori all'esterno del muro di fortificazione rappresentino una estensione del processo di monumentalizzazione dell'abitato fortificato, a cui si raccordano molto bene quanto a tipologia edilizia, uniformità di orientamento ed organizzazione spaziale. Nonostante la parzialità dei dati relativi alle aree extra-murane e la difficoltà di raffronti con quelli relativi all'abitato fortificato, sembrerebbe tuttavia di poter notare una presenza relativamente preponderante di materiali riferibili alla seconda metà del IV secolo e, soprattutto, una percentuale molto maggiore di materiali riferibili alla fase di III secolo avanzato, rispetto a quella riscontrata per l'abitato fortificato. Questo ultimo aspetto dell'evidenza ceramica caratterizza i cosiddetti siti 'transizionali' del territorio (*infra*, cap. 7) e non sembra pertanto fuori luogo supporre che alcuni settori dell'abitato extra-murano siano stati abitati continuativamente sino agli inizi del II secolo a.C. e fors'anche sino alla fine del periodo tardo-repubblicano[11].

II) Struttura dei nuclei abitativi

L'organizzazione in nuclei abitativi inframmezzati da spazi vuoti, che caratterizza l'abitato fortificato, è ricalcata, anche se su scala maggiore, nel vasto abitato extra-murano esistente sui pianori ad ovest della fortificazione. Vi sono indubbie analogie nei tipi di edifici utilizzati e, *a fortiori*, nelle tecniche costruttive. Si raffrontino ad esempio l'area basolata messa in luce nell'area DB con quella esistente sul pianoro sud-est, all'interno della fortificazione (cap. 3, fig. 100), anche per quanto riguar-

[11] Assai rilevanti, anche se sinora isolati, sono i rinvenimenti di due frammenti di un piatto di ceramica aretina liscia ed il collo di anfora tipo Dressel 2-4 (N. **399**) dal pianoro Napoli 1971.

da le dimensioni. La presenza di aree porticate è documentata dal rinvenimento di una colonna in calcare sul pianoro U. Balbi (N. **587**) e di un frammento simile sul pianoro C. Balbi (N. **588**) simili a quelle rinvenute all'interno alle aree basolate del pianoro centrale e pianoro sud-est dell'abitato fortificato. Un elemento di distinzione, significativamente, è rappresentato dalla maggiore estensione di alcuni dei nuclei sino a 5/6 ettari per l'area DB (quando si includano le estremità ovest e sud del pianoro, dove esistono in superficie resti di grossi muri appartenenti ad edifici consistenti) ed oltre 4 ettari per il pianoro C. Balbi. Altresì significative, quando si consideri la diversa situazione topografica, sono le differenze del 'sistema viario' attorno a cui sono organizzati gli edifici stessi. Nei due spezzoni di strade messe in luce sull'area Napoli 1971 si nota una larghezza assai maggiore (oltre 2 m.) e l'esistenza, in un caso, di un marciapiede accuratamente costruito in blocchi rettangolari (fig. 133). Infine, il lungo asse stradale evidenziato dalla prospezione elettrica sul pianoro C. Balbi è di una ampiezza che non trova raffronti nelle strade ed intercapedini rinvenute sul pianoro centrale, resa possibile dalla superficie regolare ed assai più vasta del pianoro stesso.

Un'ultima considerazione concerne la presenza, già menzionata, di una notevole concentrazione di resti di attività coroplastica nel settore centrale dell'area DB (*supra*, p. 163). Date le condizioni del rinvenimento e la mancanza di materiali paragonabili dallo scavo dell'abitato fortificato (nonostante l'ampiezza delle aree esplorate) è difficile sfuggire alla suggestione di vedervi un indizio della esistenza di un 'quartiere artigianale'. D'altra parte è da sottolineare il fatto che nulla è possibile dire, allo stato attuale della documentazione, circa il livello di concentrazione delle attività artigianali in specifiche aree del sito. La presenza di una officina per lavorazione di metalli (particolarmente bronzo) nell'area della porta nord (*supra*, pp. 38-39) ci induce ad una notevole cautela nel postulare una netta distinzione funzionale degli spazi fra i vari nuclei abitativi, a cui possa presumibilmente corrispondere una concentrazione di attività produttive specializzate nell'area DB[12].

III) Organizzazione generale dell'abitato extramurano

Nel complesso, l'abitato extra-murano si configura come un'area fondamentale, ed assai ampia, dell'insediamento agglomerato nel suo insieme, con caratteristiche organizzative e cronologia che in parte lo distinguono dall'abitato fortificato. Un aspetto particolare è costituito dalla possibile esistenza, appena discussa, di spazi adibiti a vere e proprie 'aree artigianali' e, ancor più, dalla ipotetica presenza di aree qualificate da una destinazione 'pubblica'. Il tipo di organizzazione degli edifici in nuclei sparsi, documentato in maniera esauriente per l'abitato fortificato, sembra costituire un elemento caratterizzante delle strutture sinora rinvenute nelle aree extra-murane, essendo in parte condizionato dalla topografia della zona. È' d'altra parte da sottolineare una (apparente) organizzazione dell'abitato assai rigorosa, e su scala più vasta, almeno per il nucleo Area Napoli 1971/Pianoro C. Balbi. È proprio su quest'ultimo che la prospezione elettrica e magnetica, effettuate di recente (*infra*, Appendice) hanno potuto evidenziare un vasto spazio aperto, approssimativamente quadrangolare, libero da costruzioni, in contrasto con una fitta presenza di edifici su almeno uno dei lati. Una simile evidenza potrebbe, in prima approssimazione interpretarsi quale area per uso collettivo.

È da tenere presente altresì la esistenza di probabili aree di necropoli che possano più specificamente riferirsi ad alcuni dei nuclei extra-murani, quali le tombe a camera scavate nell'area Sambuco/Stritani, ai limiti sud-est del pianoro C. Balbi (le tombe a camera 1, 26 ed A-B, tav. VII fuori testo) e la possibile evidenza di raggruppamenti di materiali da tombe osservati, nel corso della ricognizione di superficie, ai margini nord-ovest dell'area DB.

L'elemento indubbiamente più importante, che rimane da verificare con la esplorazione in corso nelle aree extra-murane, è tuttavia costituito dalla opinabile, ma ancora assai incerta, presenza di veri e propri edifici pubblici.

H. FRACCHIA
M. GUALTIERI

---

[12] Ipotesi che, parallelamente, porterebbe a postulare la esistenza di un'area prevalentemente residenziale, con 'case signorili' (almeno per il IV secolo a.C.), sul pianoro centrale. Si veda, a tal proposito, il modello di distinzione funzionale degli spazi abitativi formulato sulla base dell'evidenza fornita dall'*oppidum* di Mont Beuvray (Bibracte) in DRINKWATER 1989, p. 39 e fig. 17. Vi si distingue un 'quartiere aristocratico' nella parte alta, separato dal 'quartiere artigiano' situato in prossimità dell'entrata. Si vedano anche i commenti più generali di COLLIS (1984, pp. 132-133) sulla organizzazione dello spazio 'urbano' negli *oppida* dell'Europa centro-occidentale e la probabile esistenza di aree artigianali.

APPENDICE

L'esplorazione geo-archeologica sul Pianoro C. Balbi*

La ricognizione di superficie effettuata nella zona del pianoro C. Balbi, a sud dell'area Napoli 1971, dal gruppo di ricerca guidato dal prof. Maurizio Gualtieri ha restituito una notevole quantità di laterizio, di tegole, di terracotta e pietrame; inoltre esistono tracce di strutture sia in superficie che in una fossa scavata per utilizzarla come abbeveratoio (*supra*, pp. 154-157).

Per quanto esistano gli indizi che lo strato archeologico sia rimasto in buono stato di conservazione (*supra*, p. 157) purtuttavia si tratta sempre di una zona di ambiente collinare, dove esperienze acquisite in numerosi siti archeologici hanno mostrato che sia a causa dei lavori agricoli che per l'azione colluviale, la zona di interferenza antropica (Cucarzi 1985) subisce delle alterazioni talvolta significative rispetto a quelle originarie (Leonardi 1963). La distribuzione dei materiali di superficie, ad esempio, non sempre corrisponde ad una situazione *in situ*, ossia lo spazio occupato dai materiali distribuiti nello strato superficiale mostra talvolta uno spostamento laterale rispetto alle strutture *in situ* sottostanti.

Per questo motivo e per la necessità di delimitare le aree di interesse archeologico, nell'ambito della vasta zona oggetto di studio del gruppo dell'Università di Alberta, è stata decisa una esplorazione geoarcheologica con metodi geofisici e perforazioni con carotaggio (Cucarzi 1986). La zona, che si trova ad est del complesso carbonatico del Monte Bulgheria, dal punto di vista geologico presenta una alternanza di marne e argille siltose, calcareniti, flysch del Cilento che si appoggia sulla serie carbonatica, che talvolta affiora, come ai bordi del Pianoro C. Balbi. L'ambiente archeologico è rappresentato da strutture in parte costruite in blocchi di pietra locali, con tegole di terracotta, da resti di fornaci, da alcune tracce di assi viari.

È ben noto che la capacità della prospezione geofisica è direttamente proporzionale all'entità del contrasto della caratteristica fisica, misurata strumentalmente, tra l'evento archeologico e il terreno che lo accoglie (Weymouth 1986). Per questo motivo è stato utilizzato sia il metodo di rilevamento magnetico che quello elettrico.

Infatti, con le misure di intensità di campo magnetico si possono rilevare strutture in cotto, fornaci, accumuli di tegole, ossia tutte quelle zone e/o strutture che, costituite originariamente di argilla, non ferromagnetica, hanno acquisito una caratteristica ferromagnetica a causa di un forte riscaldamento (Tite e Mullins 1971).

Le misure di resistività elettrica effettuata lungo profili permettono di individuare le strutture in pietra in quanto maggiormente resistive del terreno circostante.

Complessivamente sono stati esplorati 10.000 mq. con entrambi i metodi, effettuando misure ogni metro su una maglia quadrata di un metro di lato. Grosso modo si tratta di un rettangolo di 140 x 80 metri, orientato con il lato più lungo verso il nord[1]) (tav. VII fuori testo).

Prospezione magnetica

Le misure geomagnetiche sono state raccolte con una coppia di magnetometri a protoni G 856AX in modo differenziale con lo scopo di eliminare l'ef-

---

* Mauro Cucarzi, Fondazione "Ing. C.M. Lerici".

[1] Ringrazio Dino Gabrielli per l'accuratezza delle misure in campagna, fatte talvolta in condizioni non del tutto agevoli.

fetto della variazione diurna del campo terrestre (WEYMOUTH e LESSARD 1986).

I dati sono stati elaborati e rappresentati per mezzo di un software sviluppato per la gestione di dati geofisici in forma matriciale.

Attraverso un filtraggio dei dati magnetici si è cercato di mettere maggiormente in evidenza le anomalie significative operando con un filtro di accentuazione delle alte frequenze (CUCARZI, in corso di stampa, a).

La tav. V fuori testo mostra le due mappe: la prima a) che rappresenta i dati di intensità di campo magnetico corretti solo dal contributo della variazione diurna del campo; la seconda b) dopo l'applicazione dell'operatore di passa banda.

Prestando attenzione alla seconda mappa (tav. VI fuori testo) sono state messe in evidenza alcune zone che sembravano essere significative:

a) Zona di modesta estensione ma di elevato valore di intensità di campo (45250-42270) la cui origine non è stata ancora stabilita ma che potrebbe essere causata da un particolare accumulo di materiale laterizio.

b) Quest'area in cui il valore dell'intensità di campo è mediamente alto (45200-45225) è ragionevolmente causato dalla presenza di strutture in cotto e/o resti di esse.

c) Questa zona di forma a fascia, di circa 7 metri di larghezza, con un valore mediamente elevato (45200-45225) potrebbe essere causata da una strada sepolta. A sud di questa fascia la zona interessata da valori medio alti si estende, forse per la presenza di strutture che affiancano la ipotizzata strada.

d) Questa zona, estesa circa 30 m. x 30 m. mostra i valori di campo più basso (45180-45200 nT) ed indica l'assenza di strutture in cotto consistenti.

Prospezione elettrica

Lungo profili orientati nord/sud, distanti 1 metro uno dall'altro sono state eseguite misure di resistività elettrica con una configurazione dipolo-dipolo con distanza interelettrodica di un metro, in modo da avere una profondità di penetrazione di 1.50 m. e conseguentemente esplorare una fascia di circa due metri di profondità.

Anche in questo caso le letture sono state elaborate e rappresentate con lo stesso software SMDP, precedentemente citato, ma le condizioni di particolare aridità del terreno (dovuta all'assenza di precipitazioni da molti mesi) hanno in un certo senso omogeneizzato i valori, impedendo di rilevare un contrasto sensibile tra le zone con strutture e altre prive di esse.

Infatti l'istogramma delle misure mostra che in un intervallo di 10 ohm si trovano l'81% delle misure. Questo fatto viene bene messo in evidenza dalla mappa di tav. VIa fuori testo, a sinistra.

Si vede infatti come solo alcune anomalie sono evidenti in alto a sinistra e una fascia in alto. In bleu sono indicate le zone di bassa resistività mentre in verde, giallo e rosso quelle via via con più elevato valore. In questo caso, più che in quello precedentemente citato, delle misure geomagnetiche, si è intervenuto sui dati con dei potenti operatori matematici in modo da mettere in evidenza anche piccoli contrasti di resistività.

Attraverso un particolare software (Filter Map System) elaborato dalla Fondazione Lerici per il filtraggio di dati geofisici, è stato possibile accentuare i contorni di certe zone applicando operatori di gradiente, di passa banda e sull'istogramma. In questo modo è stato possibile arrivare ad una rappresentazione come quella di tav. VIb fuori testo, ben diversa dalla "a" che rappresenta i dati prima del trattamento matematico. La mappa di tav. Vb fuori testo mette in evidenza questa serie di anomalie:

a) Zona di elevato valore di resistività probabilmente causato da un affioramento del substrato carbonatico.

b) Sul lato meridionale dell'area esplorata è visibile una anomalia di modesta entità prodotta verosimilmente da eventi naturali.

c) Sul lato nord-orientale dell'area viene messa in evidenza una anomalia lunga circa 20 metri e larga 5 metri che si interrompe quando incontra la zona scavata negli anni Settanta dal prof. Mario Napoli e certamente prodotta da una strada, almeno in parte lastricata. Tracciato che si segue verso sud con valori di resistività decisamente più bassi ma ancora ben distinguibili.

Interpretazione dei dati

Prima di analizzare i risultati della prospezione geofisica per poter formulare delle ipotesi interpretative è necessario ricordare che sono state effettuate 15 perforazioni con carotaggio[2] in punti dove era-

---

[2] Lo studio dei campionamenti stratigrafici ottenuti con le perforazioni con carotaggio sono state studiate dal punto di vista archeologico della dott.ssa L. Cavagnaro Vanoni della Fondazione "Ing. C.M. Lerici".

no state riscontrate delle anomalie geofisiche.

La pianta di fig. 141 mostra la posizione delle perforazioni e la fig. 142 mostra le colonne stratigrafiche rappresentate con un particolare software elaborato per la gestione delle sequenze stratigrafiche ottenute con carotaggi.

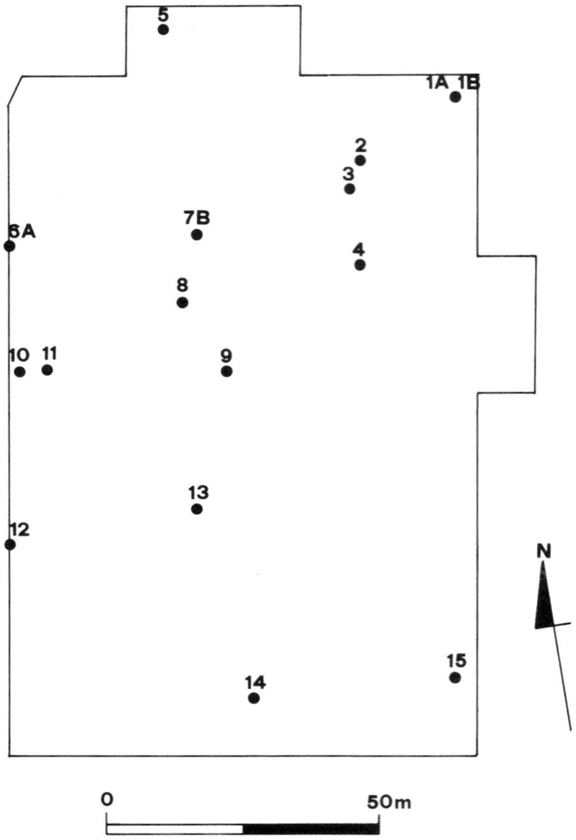

Fig. 141 Posizione delle perforazioni con carotaggio eseguite per controllare alcune anomalie geofisiche (intensità di campo magnetico e resistività apparente).

Sulla base quindi dei risultati della prospezione geofisica, qui sinteticamente presentati, e su quella dei dati delle perforazioni con carotaggio, si possono, in via preliminare, avanzare queste ipotesi interpretative:

La zona è attraversata da nord/est a sud/ovest da una strada indicata con "R" e rappresentata dall'anomalia in rosso che, nella parte nord, si trova ad una profondità di 50-60 cm. ed è certamente pavimentata in pietra come testimoniato dalle perforazioni 2 e 3. Anomalia assai chiara specie se si osserva la sezione fatta attraverso, fig. 143.

Nel tratto più meridionale sembra che si immerga maggiormente e non ci sia più traccia di lastricato come indicato dalla perforazione n. 9, che mostra uno strato antropico di notevole spessore (circa 60 cm.), costituito da pietrisco.

Le strutture in pietra con presenza anche di laterizio si trovano sul lato occidentale e sono state indicate con "S", mentre quasi all'angolo nord ovest sembra esistere una struttura con una notevole concentrazione di laterizio appoggiata al substrato calcareo.

In effetti dalla tav. VIb fuori testo dove in rosso-magenta sono indicate le zone di relativamente alta resistività si rileva che sul lato occidentale e meridionale esistono degli affioramenti di materiale più resistivo, che nel caso del versante ovest dell'area esplorata si tratta prevalentemente di affioramenti calcarei, come indicato dalle perforazioni 6A,

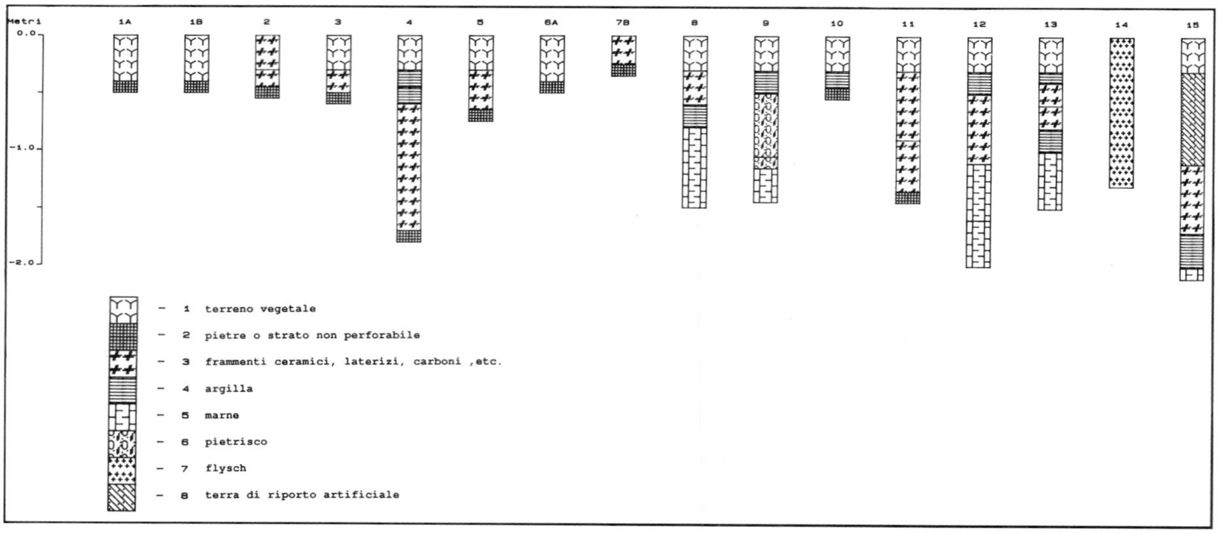

Fig. 142 Rappresentazione computerizzata delle colonne stratigrafiche delle 15 perforazioni con carotaggio. I numeri 3 e 6 rappresentano gli strati antropici, gli altri quelli naturali o antropici presumibilmente non *in situ*.

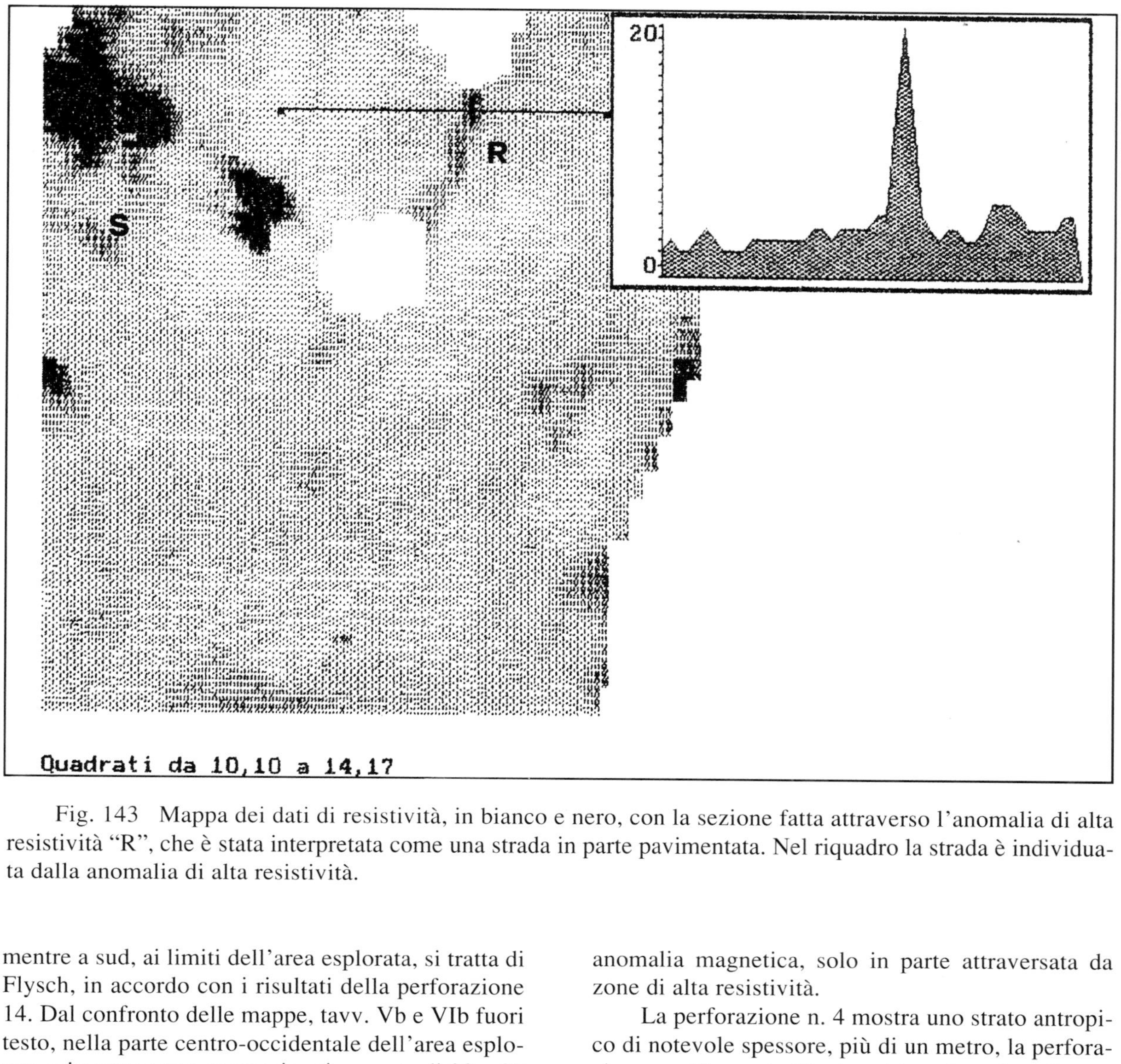

Fig. 143 Mappa dei dati di resistività, in bianco e nero, con la sezione fatta attraverso l'anomalia di alta resistività "R", che è stata interpretata come una strada in parte pavimentata. Nel riquadro la strada è individuata dalla anomalia di alta resistività.

mentre a sud, ai limiti dell'area esplorata, si tratta di Flysch, in accordo con i risultati della perforazione 14. Dal confronto delle mappe, tavv. Vb e VIb fuori testo, nella parte centro-occidentale dell'area esplorata esiste una zona approssimativamente di 30 x 30 metri, indicata in bleu nella mappa tav. V e in bleu e parte in giallo in quella VIb, di bassa resistività e basso valore magnetico che viene interpretata come uno spazio privo di strutture sia in laterizio che di pietra (fig. 144). La perforazione n. 8 d'altronde mostra solo uno strato antropico costituito da frammenti ceramici e carbone tra -0.30 e -0.60 dal piano di campagna senza indicazioni di strutture. Zona che, sul versante orientale, sembra essere delimitata proprio dalla strada "R".

Le perforazioni nn. 11 e 12 poi mostrano che l'area di interferenza antropica si estende verso i limiti occidentali dell'area con ulteriori possibili strutture, come d'altronde indicato dall'elevato valore magnetico ed in parte anche di resistività.

Il settore orientale è occupato da una diffusa anomalia magnetica, solo in parte attraversata da zone di alta resistività.

La perforazione n. 4 mostra uno strato antropico di notevole spessore, più di un metro, la perforazione n. 15 quasi all'estremità sud est ha rilevato uno strato antropico fino a quasi 1.50 dal piano di campagna attuale.

Conclusioni

Attraverso l'azione combinata di misure di intensità di campo magnetico, di resistività elettrica e di perforazioni con carotaggio è stato possibile mettere in evidenza numerosi elementi, utili a differenziare aree all'interno della zona esplorata.

La zona è attraversata da una strada, in parte lastricata, da nord-est a sud-ovest, sul suo lato occidentale appare uno spazio privo di strutture di circa 30 m. x 30 m., ma che sugli altri lati sembra essere circondato da strutture.

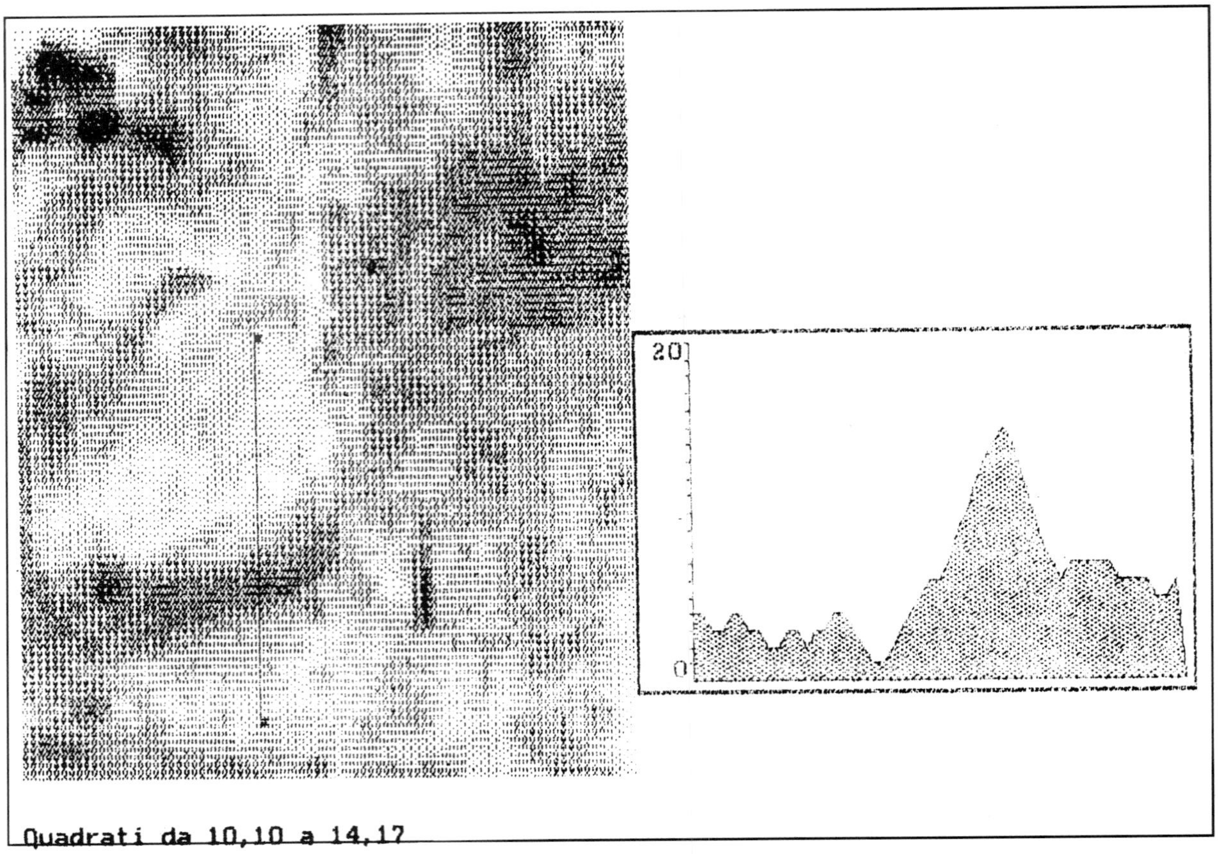

Fig. 144 Mappa in bianco e nero dei dati di intensità di campo magnetico con la sezione effettuata attraverso la zona di basso valore di intensità di campo e un'anomalia di alto valore che la limita a sud.

In tutto il settore orientale della zona sono presenti strutture e strati antropici anche di notevoli spessori, mentre la zona meridionale, occupata da un affioramento di flysch non mostra né strutture sepolte né strati antropici.

M. Cucarzi

CAPITOLO 7

SITI NEL TERRITORIO E VIE DI COMUNICAZIONE*

1. QUADRO GENERALE E IMPOSTAZIONE DELLA RICERCA

La lunga campagna del 1976-77 condotta dalla Soprintendenza Archeologica di Salerno si poneva come obbiettivo principale l'esplorazione dell'area fortificata a ridosso dei Capitenali mediante saggi di scavo sia al muro di fortificazione che nei vari nuclei abitativi identificati dallo scavo Napoli 1971 e dai sopralluoghi preliminari. Tuttavia, nel contesto di questo obbiettivo immediato è emersa ben presto la necessità di uno studio della relazione esistente fra il sito 'centrale', che gli scavi venivano mettendo alla luce, ed il territorio circostante (in particolare le medie valli del Mingardo e del Bussento). Scoperte dovute sia ad una esplorazione preliminare di zone campione (quali il circondario di Torre Orsaia, i terrazzi lungo la media valle del Bussento, l'area Tufolo/Castelruggero ed i terrazzi ad ovest dei Capitenali) sia a recuperi e segnalazioni accidentali[1], venivano evidenziando una notevole densità dell'abitato rurale, paragonabile a quella già rilevata per altre aree della Magna Grecia, che erano state oggetto di ricerca sistematica[2]. L'esplora-

---

* Capitolo redatto congiuntamente da H. Fracchia, M. Gualtieri e F. de Polignac. H. Fracchia ha curato l'analisi dei reperti ceramici raccolti nel corso delle ricognizioni topografiche, fornendo la datazione dei siti per le carte di distribuzione accluse al capitolo; ha inoltre compilato la sezione che riguarda la regione Mingardo/Bussento e le schede di presentazione dei siti relativi. M. Gualtieri ha curato l'impostazione generale del capitolo e l'introduzione sugli scopi e sviluppi della ricognizione topografica a Roccagloriosa, nonché le schede dei siti del territorio vicino esplorati mediante interventi di scavo. F. de Polignac ha curato l'analisi introduttiva alla sezione sul territorio vicino e le schede dei siti relativi esplorati negli anni 1982-1985.

[1] Per l'inizio della esplorazione topografica sono state assai utili le discussioni avute con l'architetto G. Cavaliere di Torre Orsaia, Ispettore Onorario dell'area. L'interesse mostrato nella ricerca intrapresa da parte dei Sindaci di Roccagloriosa (Dr. S. Prota) e di Torre Orsaia (Dr. L. Padulo), che in questa occasione mi è gradito ringraziare, è stato di fondamentale aiuto per lo svolgimento dell'indagine topografica.

Si coglie qui anche l'occasione per ringraziare le numerose persone che hanno contribuito alla ricognizione topografica con segnalazioni e sopralluoghi in compagnia degli autori. In particolare, il sito n. 4 (Mai) ci è stato segnalato dal sig. A. Perilli, che ci ha anche tempestivamente informati sulle operazioni di scasso profondo nell'area. Si ringrazia al proposito anche il sig. U. Balbi per aver voluto effettuare insieme a noi un sopralluogo a Mai durante lo scasso in corso e per i recuperi effettuati. Il sito n. 11 è stato segnalato e ripetutamente ispezionato da R. Mondelli, Assistente di scavo della Soprintendenza, che in questa occasione ringraziamo per tutte le notizie fornite. Il sito n. 12 (Le Chiaie) ci è stato segnalato da F. Bortone, che ringraziamo anche per le informazioni puntuali forniteci. La maggior parte dei materiali discussi provengono dal recupero da lui effettuato. Il sito n. 16 ci è stato segnalato da A. Balbi, che ha effettuato il recupero dei materiali presentati. L'escursione effettuata in sua compagnia lungo le pendici orientali dei Capitenali è stata di fondamentale aiuto per la successiva ricognizione di quella zona. Per la ricognizione topografica nella contrada di Fontana Scudiere (sito n. 30) siamo indebitati con varie persone di Roccagloriosa ed Acquavena che hanno segnalato il sito e gentilmente voluto discutere con noi le notizie dei rinvenimenti precedenti. In particolare è gradito ringraziare il Dott. Prota per le sue stimolanti osservazioni sull'archeologia della zona ed il sig. G. Balbi, guardia comunale, per averci voluto accompagnare di persona sul sito. Ci è gradito infine esprimere la nostra gratitudine a G. Greco e A. Maiuri per tanti suggerimenti su di un'area di cui hanno iniziato l'esplorazione archeologica.

[2] In particolare l'area pestana (GRECO E. 1979), le valli interne della Basilicata (NICKELS 1971) e la Val d'Agri (TOCCO 1980). Assai puntuali sono le considerazioni di BOTTINI A. (1982B) relative alla 'catchment area' del sito di Lavello preromana, in quel caso specifico assimilata al 'two-hour territory'. Significativi per il IV secolo a.C. sono anche i recenti dati raccolti dalla ricognizione del territorio circostante Oria, in Messapia (BOERSMA e YNTEMA 1982 e 1987).

zione della terrazza di Pedale, in agro di Torre Orsaia e della collina di Castelruggero, rientrano in questa campionatura preliminare di aree di un vasto comprensorio regionale (o micro-regionale) che sono di fondamentale importanza per una comprensione del sistema insediativo di IV secolo a.C., in cui è inserito il sito fortificato di Roccagloriosa.

La ripresa dello scavo sistematico ed estensivo dell'abitato fortificato nel 1982, da parte dell'Università dell'Alberta (Edmonton), ha pertanto fornito l'occasione per continuare in maniera più ampia la ricognizione di superficie del territorio circostante ed è fortunosamente coincisa con una serie di interventi di rimboschimento lungo la media Valle del Mingardo, i quali hanno drammaticamente messo in luce la consistenza di alcuni dei siti (ad esempio Mai e Calatripeda e, più recentemente, Serra Palombara). Si è deciso, per ragioni di opportunità della ricerca, di limitare, in un primo momento, l'esplorazione sistematica a due aree ben definite, di ca. 30 km^2., situate rispettivamente ad est e ad ovest del crinale dei Capitenali, contenute in quella che poteva presumersi come 'area di approvvigionamento' dell'insediamento fortificato[3]. Una tale scelta, pur limitando in maniera arbitraria ed artificiale un 'territorio' intorno al sito fortificato[4] aveva il vantaggio di permettere osservazioni sulla densità di distribuzione e sulla tipologia dei siti esistenti nell'area più direttamente collegata con l'insediamento agglomerato a ridosso dei Capitenali[5] (si veda, ad es., la fig. 145). Dopo una serie di sopralluoghi preliminari, effettuati nel 1982, la ricognizione delle due aree prescelte è stata effettuata negli anni 1983-85 sotto la supervisione (in ordine di partecipazione successiva) di F. de Polignac (CNRS, Paris), G. Ruffo (Soprintendenza Archeologica di Roma) e H. Fracchia, nell'ambito del progetto di ricerca dell'Università dell'Alberta[6]. A partire dal 1984, un contributo fondamentale alla ricognizione è stato dato da gruppi di studenti della Università dell'Alberta e di altre Università canadesi ed americane, partecipanti alla Scuola Estiva di Scavo dell'Università dell'Alberta[7]. Il sistema di schedatura dei reperti e l'analisi dei dati ceramici sono stati effettuati da H. Fracchia con l'aiuto prezioso di J. Hayes e P. Arthur, rispettivamente per la ceramica romana e la ceramica alto-medievale.

I risultati della ricognizione nelle aree prescelte, oltre a fornire dati di notevole interesse per la ricostruzione del modello insediativo territoriale corrispondente allo sviluppo di un notevole sito agglomerato a ridosso dei Capitenali nel corso del IV-III secolo a.C., hanno posto le basi per un più ampio studio diacronico dell'insediamento nell'entroterra del golfo di Policastro dalla protostoria al tardo-antico. Allo scopo di raccogliere dati più esaustivi su questo aspetto e, allo stesso tempo, inserire in un più ampio quadro regionale i dati relativi alle zone adiacenti la cresta dei Capitenali, la ricognizione di superficie è stata estesa a partire dal 1987 al bacino Mingardo/Bussento.

Molti dei dati, ancora preliminari, derivanti dall'esplorazione in corso, sono stati assai utili per la ricostruzione del paesaggio regionale e del sistema di comunicazioni in cui è da collocarsi lo sviluppo del sito di IV-III secolo a.C. Allo stesso tempo, il più ampio quadro regionale lascia intravvedere le trasformazioni del modello insediativo che hanno luogo successivamente alla devitalizzazione dell'agglomerato fortificato (si veda la fig. 161, *infra*).

La lettura del territorio in età romana (per

---

[3] Sulle premesse della ricerca territoriale e sull'approccio adottato, si veda la discussione in Fracchia *et al.* 1983, pp. 356-360. In via generale, lo scopo primario della ricognizione intrapresa nel 1983 può assimilarsi ad una 'catchment analysis' *a posteriori*, dato che l'esplorazione precedente aveva già fornito un quadro generale della funzione del sito (si veda a tal proposito, Flannery 1976).

[4] In conseguenza del carattere piuttosto schematico della 'catchment analysis' non sempre applicabile a situazioni diverse da quelle di un'economia di pura sussistenza. Discussione in Roper 1979, pp. 119-124.

[5] La presenza di siti nel territorio, pur sospettabile in via generale ed in parte documentata da rinvenimenti episodici, poteva lasciare dubbi sulla reale consistenza e densità di insediamento (si veda ad esempio Greco E. 1981, p. 141), in mancanza di dati specifici sulla utilizzazione antica del suolo.

[6] Si ringraziano il Social Sciences and Humanities Research Council of Canada ed il Dipartimento di Studi Classici della Università dell'Alberta (in particolare lo Endowment Fund for the Future, Faculty of Arts) per il sostegno finanziario del progetto. L'École Française di Roma ha voluto cortesemente rimborsare le spese di partecipazione del Dr. de Polignac e contribuire alle spese generali delle campagne 1982-85.

[7] È gradito ricordare in particolare l'aiuto di D. Sarrazin (Department of Archaeology, University of Calgary), incaricata della schedatura dei siti e dei materiali della ricognizione durante la lunga campagna 1985.

cui la documentazione si è accresciuta enormemente nel corso degli ultimi due anni)[8] esula dallo scopo di questa pubblicazione e dovrà far parte di uno studio separato.

Tuttavia, è apparso opportuno includere, a margine della discussione di questo capitolo, un breve cenno sulle successive trasformazioni dell'insediamento antico nel comprensorio Mingardo/Bussento, che i risultati della più recente esplorazione territoriale permettono di delineare e che dovranno costituire ipotesi di lavoro per la continuazione della ricognizione topografica in corso.

M. GUALTIERI

2. LA RICOGNIZIONE DEL TERRITORIO CIRCOSTANTE

Par leur densité et leur intérêt, les premiers résultats obtenus en 1982[9], en partie à la faveur d'importants travaux de déboisement et de labours profonds préalables à une exploitation forestière rationalisée, avaient montré la nécessité d'un examen attentif en même temps que pragmatique, adapté à l'extrême diversité des contextes.

a) Cadre et contours de l'étude

Cette diversité était en fait recherchée de façon à réunir sur une aire restreinte un échantillonnage aussi complet que possible des différentes combinaisons de sols, de relief, d'hydrographie, de végétation et de distance par rapport au site central que cette région peut présenter. À la différence de ce qui est à la rigueur envisageable en plaine, et même là non sans inconvénient, aucun critère aussi abstrait qu'un quadrillage cartographique, et moins encore le système très aléatoire des *transects* (bandes-tests)[10], ne pouvait servir à déterminer les contours de la zone à prospecter: leur emploi eût oblitéré le rôle des contraintes du relief et de l'hydrographie dans un cadre où elles pèsent lourdement sur les cheminements, donc sur l'exploitation du territoire. Il a paru plus avantageux de se laisser guider par leur logique propre. Encadrée par les deux vallées du Mingardo et du Bussento et dominée plus au sud par la haute barre du mont Bulgheria (fig. 145), la crête calcaire des Capitenali dressée au sommet de l'interfluve (*supra*, ch. 1) et à laquelle s'adossent le mur d'enceinte et l'habitat principal formait évidemment l'axe central de la prospection. À l'ouest, en contrebas du noyau central d'habitats, l'étude a porté sur les pentes "enfermées" entre le Mingardo et l'arc de cercle dessiné par la crête; et au sud-est, vers le Bussento, sur le bassin collecteur d'un affluent du fleuve, nettement délimité par des lignes de crête dessinant un triangle pointé sur les basses terres, opérant ainsi la jonction entre le piémont des Capitenali, celui du Bulgheria et la plaine littorale sur laquelle le vallon débouche par un seuil resserré entre deux collines escarpées (fig. 145, cotes 129 et 286). Les coupes topographiques illustrent les grandes lignes du relief de ces deux régions (et la distribution des sites sur les pentes): le passage assez régulier de la vallée du Bussento à la vallée du Mingardo d'est en ouest (fig. 147, AB) et la dissymétrie du profil transversal (nord-sud) du bassin oriental (fig. 147, AC).

b) Conditions et méthodes de la recherche

Plus marquée encore est l'extrême variété des formes actuelles d'exploitation du sol, dont la carte (fig. 146) ne peut rendre compte qu'imparfaitement en ramenant à un état localement dominant une mosaïque d'imbrications plus complexes encore. Le fait saillant est de toute évidence l'étendue des bois, taillis ou maquis parfois impénétrables, ainsi que celle des pâtures et friches rases, composantes principales du paysage sur ces terrains souvent très acides; mais la mise en culture épisodique de certaines parcelles ou des défrichements étroitement circonscrits y ménagent parfois des "fenêtres" ou clairières. La faible extension corrélative des champs régulièrement cultivés, aggravée par la nette régression

---

[8] Dati preliminari sono stati presentati in occasione del Colloquio Internazionale su 'La struttura agricola nel Mediterraneo: il contributo della ricognizione archeologica' tenuto a Roma (British School, École Française e Instituto Español de Arqueologia) nel gennaio 1988, i cui Atti sono in corso di pubblicazione sotto la cura di G. BARKER e J. Lloyd.

[9] Ils ont fait l'objet d'une présentation préliminaire dans les *MEFRA* (FRACCHIA *et al.* 1983). L'École Française de Rome ayant accordé un appui financier au projet de prospection, j'en remercie ici G. Vallet e Ch. Pietri, directeurs successifs et M. Gras et M. Lenoir, directeurs d'études.

[10] Méthodes dont les inconvénients sont clairement exposés par BINTLIFF et SNODGRASS 1985, p. 129.

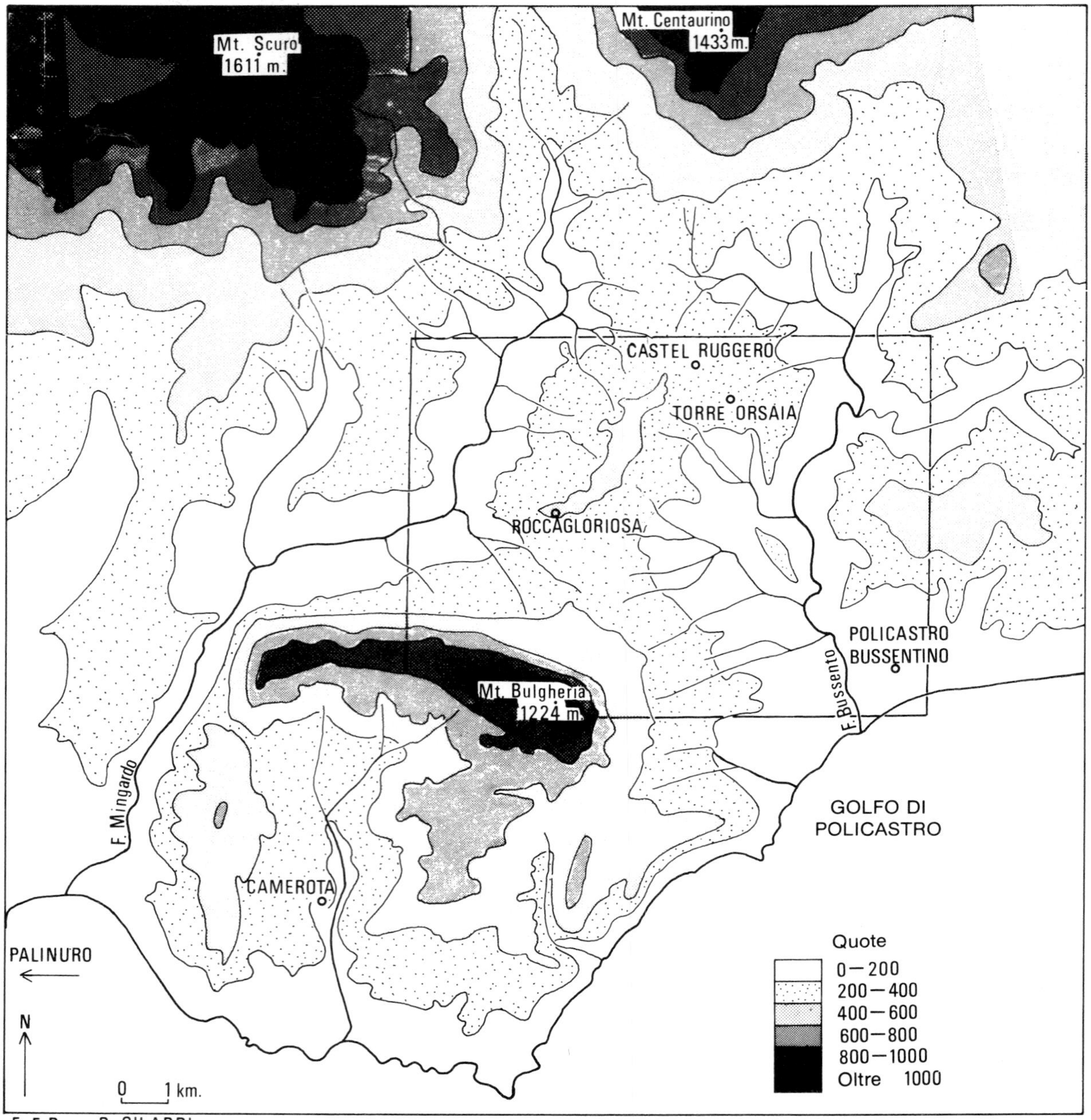

Fig. 145 La cresta dei Capitenali ed il territorio circostante nel contesto della regione Mingardo/Bussento (il rettangolo racchiude l'area denominata nel testo quale 'territorio circostante').

de l'activité agricole après l'exploitation maximale des années 1930-1950 dont de nombreux champs et fermes à l'abandon sont les témoins encore visibles, n'est qu'en partie compensée par la dissémination de petits jardins, de vignes et d'oliveraies entretenues piquetant les alentours des villages et s'égrenant le long des anciens chemins. Enfin la fraction nord-ouest du territoire est à mettre à part, ayant été la seule à présenter, au moment des défrichements et labours profonds à grande échelle, un caractère uniformément favorable à la prospection. En y restituant les friches et taillis qui y dominaient auparavant, sans doute de très longue date (la toponymie y évoque le pastoralisme, voire le brigandage), on obtient la carte de l'usage traditionnel du territoi-

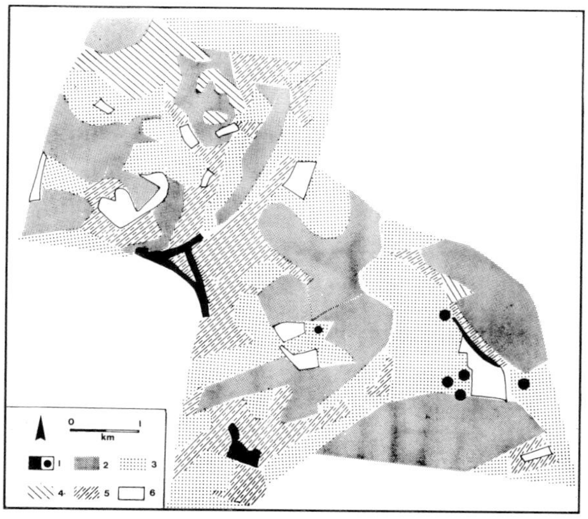

Fig. 146 État dominant du terrain: 1) surface bâtic (villages: les cercles représentent les lotissements touristiques récents); 2) bois, maquis; 3) pâtures, friches rases; 4) aires défrichées, sous-solées et reboisées (1982-83); 5) jardins, vignes, oliveraies entretenues; 6) labours réguliers ou intermittents.

re tel qu'il s'était mis en place par "rayonnement" à partir des villages médiévaux (dont celui de Castel Ruggero juste au delà de la limite nord), réservant les espaces intersticiels à l'exploitation pastorale extensive, forestière ou cynégétique. Du fait du passage des pôles d'habitat du centre de la crête, dans l'Antiquité, à ses deux extrémités au Moyen-Âge, ces "vides" modernes coïncident en fait avec les zones de plus forte implantation antique (fig. 146 et *infra*).

La diversité des situations ainsi rencontrées nécessitait une constante adaptation de la méthode de recherche. En même temps, l'accroissement des moyens et des effectifs conduisait à une plus grande systématisation. En 1984-85, la constitution d'équipes suffisamment étoffées permit de généraliser le recours à la méthode classique de marche en ligne à 5 ou 10 m d'intervalle, selon l'état du terrain, mais ce dispositif n'était évidemment applicable dans toute sa rigueur qu'en espace découvert et les obstacles naturels du relief et de la végétation imposaient parfois un "ratissage" plus lâche, voire le contournement de

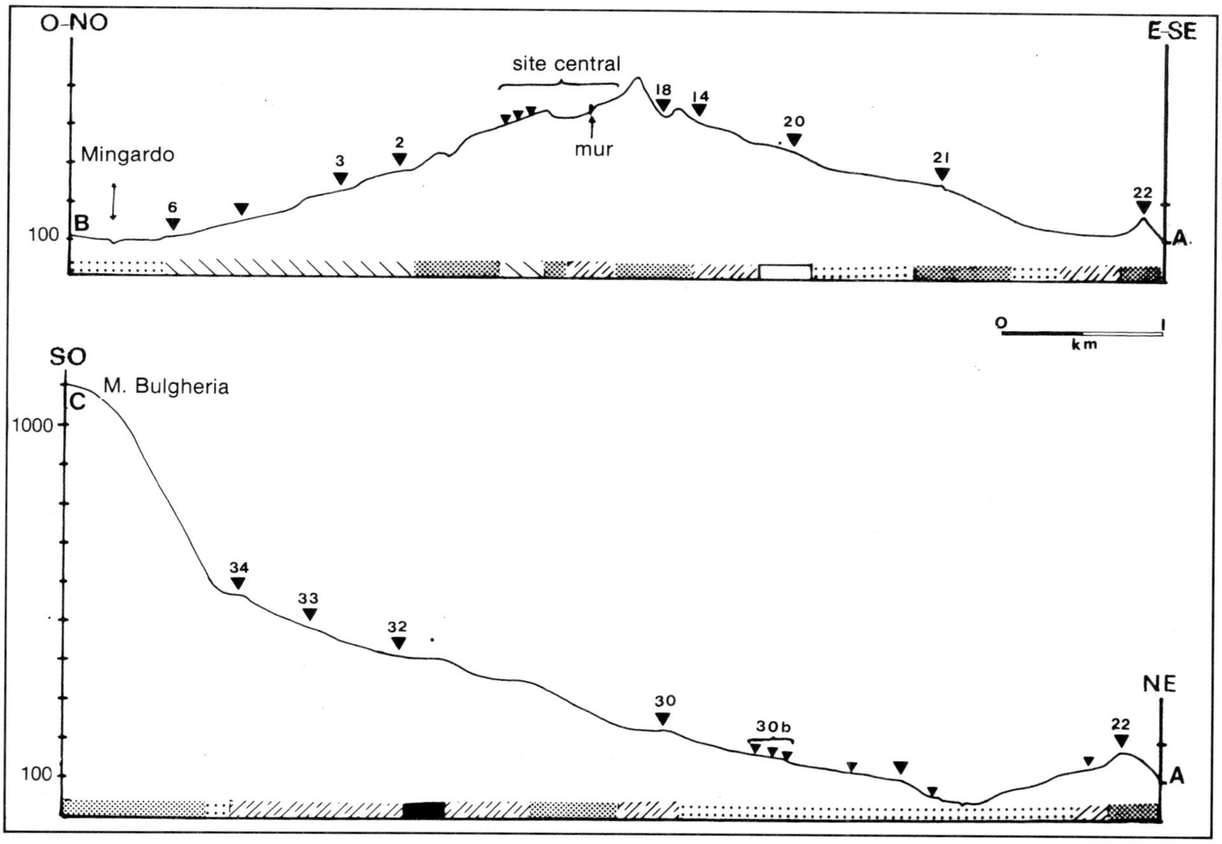

Fig. 147 Coupes topographiques: sites ou traces de fréquentation. Les symboles disposés en bande sous chaque coupe représentent l'état dominant du terrain pour la partie correspondante en reprenant les symboles de la fig. 146. Pour la position des points A, B, C et le tracé des sections, cf. fig. 148.

zones inaccessibles. Le mode d'examen de chaque site et de collection des données a évolué dans le même sens d'une plus grande précision: à la traversée par allers-retours successifs avec ramassage sélectif du matériel ("fossiles directeurs", formes identifiables de poterie commune, petits objets...) et estimation de la densité à partir de carrés tests, a pu se substituer la division des sites, après repérage, en bandes ou carrés attribués individuellement pour y opérer un ramassage exhaustif, le comptage pour l'évaluation des densités, des proportions et de la distribution du mobilier dans chaque secteur et la sélection des pièces à emporter s'effectuant alors sur place après coup. Cette méthode cependant ne valait que pour les affleurements "en place", sur terrain peu accidenté et présentant des conditions d'observation homogènes: aussi les données recueillies sont-elles loin d'être toujours aussi complètes. En revanche, la quasi totalité des sites a été visitée au moins deux fois, l'état du terrain changeant fréquemment d'une année sur l'autre dans de nombreuses parcelles, les labours réguliers faisant eux-mêmes évoluer le "faciès" des affleurements de matériel; cette habitude s'est avérée fructueuse.

c) Problèmes d'interprétation des résultats

Au total, le nombre de découvertes (soixante-six sur 30 km², en excluant les "sporadiques", toutes périodes confondues de la protohistoire au haut Moyen-*Age*[11]; soit, dans les zones de visibilité optimale, la densité maximale de trois à quatre véritables sites antiques au km², relevée dans la plupart des prospections méditerranéennes; voir fig. 148) et la minutie de certaines d'entre elles (concentrations réduites de un ou deux mètres carrés, tuiles ou tessons isolés...) laissent penser que l'inégalité des conditions d'étude gêne l'interprétation des vestiges plus qu'elle n'en masque la présence. La question qui se pose dans toute prospection est celle de la définition sur le terrain de la notion de "site", distinct des traces de fréquentation: l'introduction d'une variable supplémentaire du fait des grandes différences de visibilité la rend plus délicate encore. Quelques cas ont opportunément permis de juger dans quelles limites les critères d'interprétation pouvaient être adaptés aux variations de qualité de l'observation. Sur le site 2 par exemple, considéré en 1982 comme un habitat hypothétique et indatable au vu des pierres et des rares tuiles et tessons sans forme épars à la surface d'une pâture[12], un labour a ultérieurement porté à la lumière le mobilier abondant d'une *villa*. Ce cas de figure s'est répété à plusieurs reprises en confirmant à chaque fois l'hypothèse de départ[13] et a ainsi donné des bases plus solides à l'analyse des découvertes effectuées en sol non labouré en permettant d'y évaluer le rapport entre matériel visible en surface et matériel enfoui. Ainsi a-t-on pu classer dans la catégorie des sites des lieux où peu de mobilier apparaissait, mais où la combinaison sur une étendue moyenne (de 500 à 1000 m²) de tuiles et de tessons caractéristiques, ainsi que des fragments de grands récipients du type *dolium* plus susceptibles d'évoquer une installation stable qu'une fréquentation passagère, semblait un indice suffisant en considérant l'état du terrain (site 9 par exemple).

Paradoxalement, les problèmes d'interprétation les plus complexes concernent les "fenêtres" qu'ouvraient sur des sites possibles de nombreux affleurements fragmentaires décelés sur des parcelles cultivées restreintes et isolées au milieu de friches. Faute de pouvoir faire jouer les paramètres d'extension et de densité, il est aléatoire de décider si une concentration limitée (ainsi en 28, 30b ou 10) ou un éparpillement dans un champ entouré de pâtures ou de broussailles (en 30b encore, ainsi qu'en 34) représentent un fragment ou le "halo" d'un site dont l'essentiel resterait dissimulé[14]; seule la découverte d'indices complémentaires aux alentours permet d'avancer une hypothèse. Le site est alors parfois reconstitué à

[11] Le haut Moyen-*Age*, marquant l'apparition d'un tout autre mode de répartition de l'habitat et d'exploitation du territoire, constituait une limite commode (IXᵉ/Xᵉ siècles); l'examen complet du territoire aux époques successives nécessitant une prospection à part entière, seules quelques concentrations notables de poterie médiévale ont été examinées.

[12] Fracchia *et al.* 1983, p. 310.

[13] Sites 5, 20, et récemment 25.

[14] Sur l'effet de halo et des situations comparables, cf. Bintliff et Snodgrass 1985, pp. 131-133.

partir d'éléments qui semblent en dessiner la périphérie, sans que sa configuration exacte soit connue. À la limite, comme dans le cas des champs isolés du site 30b où tuiles et tessons étaient disséminés sur environ 1000 m^2 à raison d'une quinzaine par 100 m^2, l'insuffisance de tels indices (vestiges architecturaux, tuiles en quantité suffisante à proximité...) ne permet pas de trancher entre deux interprétations: halo d'un site enfoui en contrehaut ou trace de fréquentation intensive (avec installation légère ou simple mise en culture sur une longue période avec apport conséquent de débris de toutes sortes dans les fumures)[15]? L'option inférieure est alors retenue pour éviter toute surinterprétation.

Il en résulte que tous les sites retenus comme tels ne présentent pas nécessairement l'éventail complet des paramètres ordinairement combinés pour les analyser et les hiérarchiser: superficie et densité, présence ou non de vestiges architecturaux, types et répartition du mobilier... On notera même que dans un nombre assez élevé de cas (vingt, dont deux habitats tout à fait caractéristiques; voir fig. 148), le matériel recueilli, quoiqu'indubitablement antique (tuiles et poterie commune), n'a fourni aucun élément de datation, aussi approximative soit-elle. Pour un certain nombre de sites cependant, les critères énoncés ci-dessus permettent d'esquisser une typologie.

d) *Typologie des sites*

En prenant en compte l'ensemble des découvertes, on parvient à distinguer:

- quelques sites "majeurs" formés par une concentration ou plusieurs très proches l'une de l'autre, de densités élevées (3/4 à 10/12 au m^2), reconnaissables sur des étendues supérieures à 2000 m^2, indiquant un groupe probable d'habitats ("hameau" en 3). Outre une abondante moisson d'un mobilier très diversifié (tuiles, briques, et toutes les classes de poterie des grands récipients de stockage à la vaisselle fine, la poterie ordinaire représentant 85 à 90% de l'ensemble), ces sites ont fréquemment livré des vestiges architecturaux.
- une majorité de sites "moyens", signalés par des concentrations d'environ 500/600 m^2 (densités centrales variant de 1/2 à 6/7 au m^2), de faciès analogue aux précédentes mais comportant rarement des restes architecturaux notables (si l'on excepte les pierres non équarries mais parfaitement utilisables que l'on rencontre dans la plupart des cas). Il s'agit apparemment d'habitats simples, la majorité datant des IVe/IIIe siècles avant n.e. ("fermes" lucaniennes), certains d'entre eux étant également occupés ultérieurement.
- de petites concentrations de tuiles et de poterie (de 10 à 100 m^2), généralement avec une forte proportion de "vernis noir" (plus de 25% là où un comptage était possible), pourraient signaler des tombes des IVe/IIIe siècles soit à proximité d'habitats (à moins de 200 m de 3 bis, 5, 25, 33, 34, 10; voir aussi 30b et 13 bis), soit isolées sur des éminences (= 19 bis, 21, 22).
- des sites secondaires, de superficies très variables, mais de densité moindre ou de mobilier moins varié (pas de vaisselle fine ou pas de grands récipients, pas de vestiges architecturaux...) semblent correspondre à des formes d'exploitation du territoire malaisées à definir: habitats modestes ou temporaires, "bâtiments d'exploitation"? Appartiennent à cette catégorie, entre autres, de vastes jonchées de tuiles en grande quantité, mêlées à de rares tessons de poterie commune, indatable[16].

Cependant, faute de données assez complètes, bien des sites, même identifiés à des habitats, ne peuvent être classés dans une catégorie particulière, sans parler des simples traces de fréquentation (tuiles et tessons éparpillés sur une vaste étendue, ou affleurements de densité inférieure à 1/2 pour 10 m^2), et des découvertes sporadiques.

e) *Remarques sur la répartition spatiale des sites* (fig. 148-149)

Telle qu'elle ressort de la carte, la distribution des sites dans les environs du site fortifié semble privilégier certaines aires mais cette répartition est peut-être en partie plus apparente que réelle. La mise au jour, à la suite de défrichements et sous-solages, de sites antiques dans un milieu semi-forestier où leur existence était tota-

[15] L'effet du transport de fumures dans la dispersion du mobilier céramique est étudié par Bintliff et Snodgrass (1988, pp. 506-513).

[16] À comparer aux découvertes analogues signalées dans le Molise: Barker *et al.* 1978, p. 42. La hiérarchie des sites du Molise est plus élaborée et va plus loin que la nôtre: Lloyd e Barker 1981, p. 296.

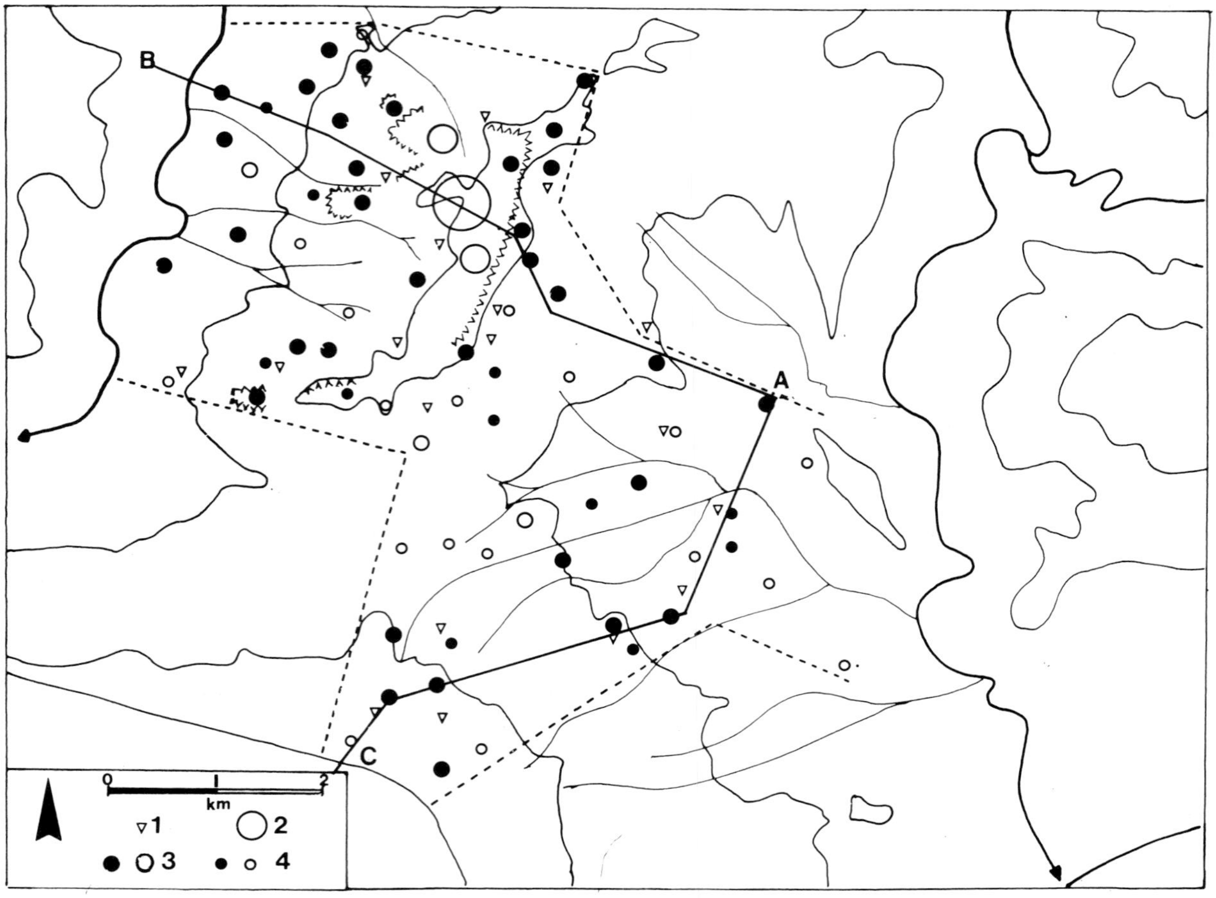

Fig. 148 Densité totale de découvertes (Antiquité seulement): 1) source; 2) éléments du site central; 3) site 4) trace de fréquentation en noir: datable; en blanc: indatable (Équidistance des courbes de niveau: 200 m).

lement insoupçonnée a confirmé, si besoin était, qu'on ne peut guère faire valoir d'argument *a silentio* sinon dans des conditions optimales de prospection, et que le paysage antique ne peut être déduit du paysage moderne. On ne saurait non plus confondre ce qui fait présentement obstacle à la recherche avec ce qui pouvait empêcher l'implantation d'habitats antiques, même si la coïncidence peut exister. Aussi les "vides" complets ou relatifs observés par exemple immédiatement au sud du piémont méridional des Capitenali ou entre le piémont du Bulgheria et les plateaux en contrebas au nord-est reflètent-ils peut-être surtout la médiocrité des conditions d'observation dans ces zones. Inversement, celui relevé dans l'angle sud-ouest des pentes vers le Mingardo (au nord-ouest de l'éperon de Roccagloriosa) correspond à une région de cultures et pourrait bien trahir une absence effective de site dont il faut rendre compte.

D'autres facteurs pourraient donc intervenir[17]: en effet la répartition des sites suit de près le réseau des sources. Les sites du pourtour du massif des Capitenali sont ainsi presque tous à proximité de la ligne de jonction géologique, au pied des bancs calcaires fortement diaclasés qui absorbent les eaux de pluie et les restituent au

[17] Fracchia *et al.* 1983, p. 365, n. 43. Les précisions que le géologue T. Chenoweth m'a communiquées sur les caractéristiques des différents sols m'ont été des plus utiles pour cette discussion. Sur la corrélation entre les sites et la géomorphologie du territoire, il faut se référer à l'analyse détaillée d'Ortolani et Pagliuca (*supra*, cap. 1).

contact des argiles et marnes imperméables en une série de sources de piémont (fig. 148). C'est peut-être pour des raisons identiques que l'habitat semble se grouper sur le piémont du Bulgheria, riche en sources abondantes, ou sur les plateaux inférieurs, ou encore que s'établit le contraste entre le regroupement de traces de présence antique autour de la source du piémont nord de l'éperon de Roccagloriosa et leur absence sur le plateau immédiatement au nord-ouest.

Ces données ne sauraient cependant fonder un quelconque déterminisme et dessinent seulement un cadre général où d'autres facteurs, davantage soumis aux variantes historiques, peuvent intervenir. On notera ainsi que sur les piémonts (à l'est des Capitenali, au nord du Bulgheria) les sites paraissent s'ordonner autour de lignes médianes d'altitude à peu près constante (350-400 m) correspondant à des couloirs de cheminement sans obstacle, actuellement suivis par de drailles et sentiers traditionnels (et parfois par des routes modernes). Mais l'intensité de fréquentation de ces axes, donc leur rôle dans la répartition de l'habitat, loin d'être une donnée constante, dépend des modifications historiques affectant l'organisation globale du territoire (voir *infra*, pp. 195-196).

F. DE POLIGNAC

3. CATALOGO DEI SITI[18]: IL TERRITORIO CIRCOSTANTE

a) Valle del Mingardo

1. Petroso grande RG 42,10 N/36,80 E. 1982, 1985

Promontoire calcaire (alt. 300) cerné de falaises au nord et à l'ouest (accès à l'est); terrain bouleversé par des travaux de terrassement.

Sur la partie orientale du sommet et de la pente vers le sud, abondant mobilier épars sur 20 x 50 m (est-ouest / nord-sud): tuiles, parois de grands récipients, poterie ordinaire et fine (vernis noir). 4/5 au m^2 près du sommet.

Voir FRACCHIA *et al.* 1983, p. 370.

À 200 m à l'est, au pied du mont, fragments d'*impasto* et de poterie commune, sporadiques.

Vernice nera: 2 frammenti di parete.
Ceramica grezza: 30 frammenti di parete, 1 beccuccio di mortaio (simile a tipo **289**), 1 orlo molto grosso, probabilmente di un dolio di media grandezza.

2. Monaci RG 42,45 N/37 E. 1982, 1984

Plateau d'env. 1 ha (alt. 270/280) en pente légère vers le nord-ouest, bordé au sud par une escarpe de 2 m dominant un terrain en faible déclivité vers un ruisseau situé à 100 m. Marnes et argiles. Ancienne pâture (jusqu'en 1983) défoncée en vue de plantations (à 0,60 m de profondeur).

Sur la moitié inférieure (ouest) du plateau et

---

[18] Les sites sont présentés par grands ensembles géographiques. Les notices comportent les indications suivantes: 1) n° de site / nom du lieu-dit / repères cartographiques / dates de passage.

En cas de groupe de sites sous un même numéro, repères cartographiques et dates sont données séparément pour chaque élément.

Les repères cartographiques se réfèrent au quadrillage kilométrique des cartes au 1: 25000 de l'Istituto Geografico Militare:

RG = Roccagloriosa (F° 209 II NE)
TO = Torre Orsaia (F° 210 III NO)
C = Camerota (F° 209 II SE)

Les côtés sud et ouest de chaque carré sont subdivisés en dix sections déterminant les abscisses et ordonnées de chaque site vers le nord et l'est. Exemple: RG 42,10 N / 36,80 E =

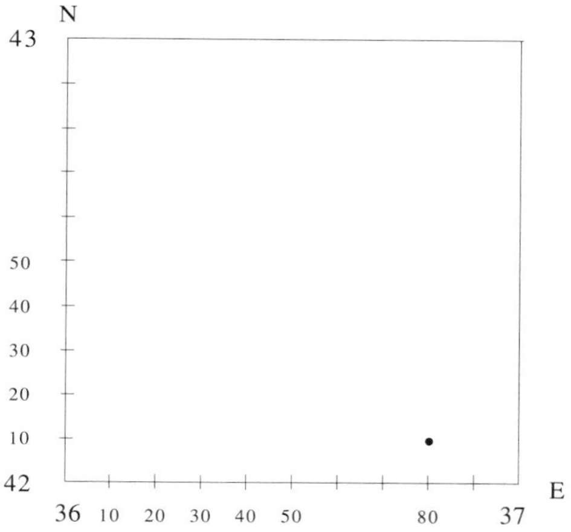

2) Description topographique (altitude), géologie, hydrographie; état du terrain.

3) Nature et extension du site; typologie du mobilier, densité "centrale" (: dans la partie de plus forte concentration). Vestiges architecturaux éventuels. Matériel céramique analysé.

4) Le cas échéant, découvertes proches non répertoriées comme sites ou non datées.

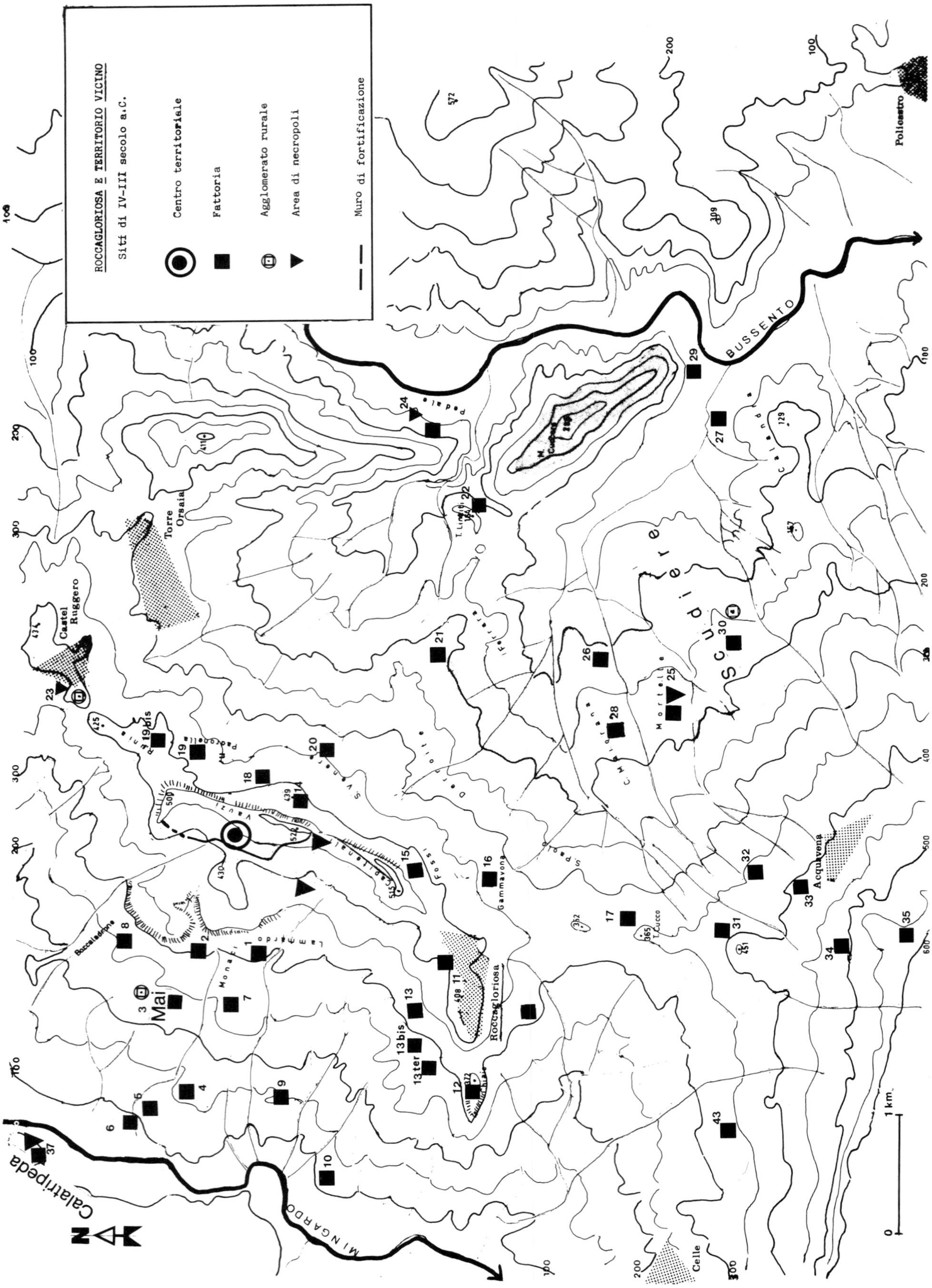

Fig. 149 Carta dei siti di IV-III secolo a.C. (per la localizzazione dell'area si veda la fig. 145); equidistanza delle curve di livello: 50 m.

le terrain en contrebas au sud, affleurement de 120 m de long (nord, nord-est/sud, sud-ouest) sur 20 (au sud) à 60 m (au nord) de large: tuiles, forte proportion (85%) de poterie domestique grossière et ordinaire (dont *dolia*, jarres, pots de cuissons...) 4/5 au m^2 vers le nord-ouest. Concentration de blocs de pierre déjetés vers le rebord nord (sections d'env. 0,20 x 0,30 m, longueurs de 0,60 à 0,80 m, sans finition ni surfaçage) et de fragments de béton de tuileau vers l'angle nord-ouest (où sont également apparus quelques tessons d'*impasto*). L'ampleur, la position et la nature des vestiges semblent signaler une *villa*.

Impasto: 2 frammenti di parete.

Ceramica grezza: 66 frammenti di parete, 2 orli (tipo **265**, **241**).

Presenza di ceramica romana.

3. Mai

Sur un replat (alt. 180/230 m) entre deux dénivellations escarpées (marnes et argiles schisteuses), déboisements et défoncement d'une zone en friche (pâtures et taillis) depuis très longtemps, comme l'atteste la toponymie, ont mis au jour en 1982 d'importants vestiges antiques qui pourraient constituer un ensemble d'exploitation unissant à un site principal (a, le "hameau") trois sites secondaires (b, c, d) plus restreints, au mobilier moins varié et parfois d'architecture apparemment plus légère (peu de pierres en b et c), disposés en couronne à 400/600 m du premier (voir Fracchia *et al.* 1983, pp. 370-380).

a) RG 42,85 N/36,30 E. 1982, 1984

Versant sud-ouest (alt. 220); sur un peu moins d'un hectare, un groupe d'affleurements déjà présentés en détail, Fracchia *et al.*, 1983, p. 370 (se reporter au schéma à la p. 371):

n° 4 à 7: quatre concentrations de 150 à 300 m^2 chacune (presque sans "halo", à environ 20/25 m de distance l'une de l'autre), trois d'entre elles (4/5/6) étant à peu près en ligne du nord au sud et la quatrième décalée à l'est: pierres, tuiles, grands récipients (*dolium* en 5, jarres...) et poterie commune; céramique à vernis noir abondante en 5, 6 et 7. 5/6 au m^2.

À douze ou quinze mètres au nord-est des concentrations centrale et orientale, de grands blocs de pierre soigneusement équarris (1 m de long, section carrée de 0,50 m) associés à de la céramique à vernis noir (SP **21-22** près de 7), voire à un vase à figures rouges (SP **20**, près de l'affleurement central): tombes?

n° 8 à 11: quatre concentrations de 2/3 m de large sur 7/8 m de long, flanquant les précédentes à 10 m au plus de distance et, dans trois cas (9, 10, 11), entièrement recouvertes de terre cuite orange ou rouge pulvérisée; très nombreux fragments de tuiles, de poterie grossière (trois rebords de *dolium* en 11) et ordinaire ; céramique à vernis noir en 8. Les densités varient de 10/12 à 20 au m^2. Les morceaux de tuyères trouvés en 8, 9 et 10 font penser à des fours de potier.

Per la ceramica, Fracchia *et al.* 1983, pp. 370-380.

A Mai ci sono tipi di vasi che non entrano nei ritrovamenti dello scavo: per questi frammenti presentiamo le schede.

Orlo sporgente e squadrato con due scanalature sul labbro. Vernice nera mal conservata. Orlo: tra 14.0-20-0, argilla 7.5YR 8/6 rossastro giallo. Datazione: cf. Morel F1637: verso il 200 a.C.

Base e tondo di una coppetta a vernice nera. Stampata nel tondo è una rosetta a 6 petali. Piede 5.5, argilla 5YR 7/4 rossa. Graffito di sotto tagliato prima della cottura.

L'argilla sia per colore che composizione, non sembra locale. Probabilmente importata dalla costa della Campania o Lucania. Prima metà del III sec. a.C..

Sei frammenti di ceramica Campana A. L'argilla 5YR 6/4 bruno-rossastro chiaro, le pareti pesanti, la vernice non lucida.

Oltre ai pezzi qui schedati si aggiunge:

Vernice nera: 4 frammenti parete, due con costolature sul corpo, un orlo (tipo **136**).

Ceramica grezza: frammenti di piatto (tipo **285**), frammenti di marmitte (tipo **243**), peso di telaio frammentario.

Ceramica comune: 1 frammento di base, argilla molto pallida sulla superficie, rosso chiaro nella frattura.

b) RG 42.45 M/37,05 E. 1982-1983

Replat (alt. 220) à 60 m au nord d'une source. À 50 m l'un de l'autre, deux affleurements d'environ 150 m^2. Tuiles, poterie commune; fragment de tuyère sur le site méridional, céramique à vernis noir sur l'autre. 2/3 au m^2.

3 bis. c) RG 43,55 N/36,75 E. 1982, 1983

Pente faible vers le nord-ouest (alt. 180). Sur 200 m^2, tuiles, poterie ordinaire et fine (à vernis noir en faible proportion); 3/4 au m^2. À 150 m à l'est, deux groupes de tuiles d'une dizaine de m^2

chacun (l'un associé à quelques tessons de poterie commune et à vernis noir).

Vernice nera: 2 basi, molto frammentarie (tipo **163a**), una base molto frammentaria, un orlo (tipo **117**).

d) RG 43,20 N/36,60 E. 1982, 1983

Promontoire terminal du plateau (alt. 200), surplombant une pente très abrupte vers l'ouest. Ruisseau encaissé à 50 m au nord.

Près du rebord, habitat signalé par un affleurement d'env. 30 m sur 15: pierres, tuiles, récipients de stockage, poterie ordinaire et petite proportion de vaisselle à vernis noir. 6/7 au m^2.

Vernice nera: 1 base (tipo **81**), 2 frammenti di parete.

Ceramica grezza: 1 ansa, 1 orlo (tipo **234**), 2 basi piatti, 3 frammenti di parete.

Nella ceramica trovata nella zona di Mai, tenendo presenti anche quegli esempi già presentati in FRACCHIA *et al.* 1983, si notano da una parte molti confronti con i vasi rinvenuti nello scavo e dall'altra la conferma della frequentazione della zona dopo che le abitazioni dentro la cinta furono abbandonate, anche se ancora frequentate per lavorazione sia artigianale che agricola. I frammenti di Campana A (FRACCHIA *et al.* 1983 e qui, sopra, Mai 3a) dimostrano la continuità di vita nelle aree a quote più basse nell'epoca successiva. Si considera Mai insieme con i siti 16, 30, 37, 43 'transizionale', nel senso che formano un ponte tra l'epoca preromana e quella romana.

4. Cerri Milano RG 42,75 N/35,90 E. 1982, 1983

Replat allongé vers le nord-ouest (alt. 125), dominant la dernière pente vers le fond de la vallée du Mingardo. Ancien labour laissé en pâture.

Affleurement de 25 m (nord-sud) sur 15 caractéristique d'un habitat: pierres, tuiles, vases de stockage (*dolia*...) et poterie domestique ordinaire, petite proportion de vaisselle à vernis noir. 4/5 au m^2.

À 500 m au sud-est (alt. 170), dans un labour, affleurement analogue mais de typologie plus restreinte, sans élément de datation. 2/3 au m^2.

Vernice nera: 2 frammenti parete.

Ceramica grezza: 1 ansa, 3 parete, 1 orlo (tipo **267**), 2 base.

Dolia: 1 frammento grosso di parete.

5. Terrasse du Mingardo RG 43,05 N/35,65 E. 1982, 1983

Terrasse argileuse en surplomb de 4 à 5 m au dessus du lit du fleuve (alt. 95). Anciennes friches défoncées pour plantations.

Affleurement de 250 m^2 dans l'angle nord-ouest de la terrasse, à proximité du rebord vers le fleuve: tuiles, vaisselle ordinaire et à vernis noir. 3/4 au m^2.

À 200 m au sud-est, petite concentration de tuiles; tessons de poterie commune épars à l'entour.

Vernice nera: 1 piede a vernice nera molto simile a Morel F 4115a, datata alla metà del terzo secolo, un'ansa, una base molto frammentaria.

Ceramica comune: 1 orlo (anfora?)

6. Isca della Fumiera / Pantani Cavalli RG 43,10 N/35,75 E. 1986 alt. 90

Un recupero effettuato nel 1986 a ca. 3-4 m. di profondità nel corso dello scavo di un pozzo e gentilmente segnalato dal Sig. V. Finamore di Roccagloriosa, ha restituito un fondo di coppa a v.n. Tipo **98**, nonché alcuni frammenti di ceramica grezza ed un frammento di oggetto in ferro. Nonostante l'esiguità del materiale recuperato, il livello di giacitura e la sua prossimità al letto del Mingardo sono elementi che conferiscono rilevanza al rinvenimento. L'appartenenza ad un livello abitativo di IV secolo a.C. ed il loro seppellimento sotto lo spesso strato alluvionale pongono vari interrogativi. Se corroborati da ulteriore analoga documentazione, essi potrebbero indicare un deposito alluvionale lungo le sponde della valle del Mingardo che è da mettere in relazione con il fenomeno di alluvione che modifica la situazione antica delle valli fluviali nel bacino Mediterraneo nel periodo tardo-romano, postulato da Vita-Finzi (JUDSON 1963; POTTER 1976-1977 e, da ultimi, BOERZI e LOIACONO 1989 e SABATO 1989).

Ceramica: come accennato, coppa a v.n. tipo **98**.

Data la vicinanza, è da considerare la possibilità che il materiale presentato si riferisca al sito n. 5 (denominato Terrasse du Mingardo), poco più in alto.

7. Vallone Cupo RG 42,20 N/36,50 E. 1983, 1985

Premières pentes au pied du promontoire de "Petroso grande" (angle nord-ouest de la falaise), sur la ligne de contact entre les bancs calcaires du massif rocheux et les terrains argilo-marneux sous-jacents. Alt. 425; source à 50 m à l'est. Pâtures et taillis, débroussaillage partiel au bulldozer. Nombreuses tuiles, tessons de poterie commune et à vernis noir très éparpillés. Concentration de tuiles dans un amas de déblais à 100 m au nord-est.

Impasto: 2 frammenti di parete.
Vernice nera: 1 frammento di parete.
Ceramica grezza: 17 frammenti di parete.
Dolia: frammento di orlo.

8. Boccaladrone RG 43,00 N/37,30 E. 1985

Replat (alt. 270) formant ensellement entre les falaises d'un haut massif le dominant à l'est et un monticule d'alt. 278 à l'ouest, bordé de pentes abruptes au nord-est et au sud-ouest. Avancée extrême des massifs calcaires vers le nord-ouest. Pâtures et friches.

Sur env. 500 m^2, pierres, tuiles, poterie commune et à vernis noir; 1/2 au m^2.

Autre affleurement abondant de tuiles et de poterie ordinaire à 150 m au sud-est, à l'amorce d'une montée vers le plateau supérieur.

Vernice nera: 1 base (tipo **179**).
Ceramica grezza: 2 frammenti di parete, 2 orli (tipi **263**, **266**).

9. Pagliara RG 41,75 N/35,95 E. 1985

Avancée de terrain (alt. 150) vers le nord, entre deux cours d'eau parallèles à 200 m au sud et au nord. Pâtures, taillis.

Nombreuses tuiles et pierres disséminées à l'ouest du replat et sur la pente en contrebas; poterie commune (rebord de *dolium*) et rares tessons à vernis noir.

Vernice nera: un frammento di parete.
Ceramica grezza: un frammento di parete.

10. Ferrara RG 41,50 N/32,25 E. 1985

Dernière pente vers le Mingardo (alt. 90/100), de profil peu accentué vers le nord, bordée à l'ouest par un escarpement s'amenuisant du sud au nord. Prairie sur la pente, bois, champ et jardin sur l'escarpement.

Plusieurs éléments constituent le site:

- sur un léger replat (alt. 95) à 180 m au sud du fleuve, quelques tuiles, tessons grossiers et pierres (dont une travaillée: 0,66 x 0,40 x 0,26 m);

- dans un champ en contrebas immédiatement à l'ouest, matériel identique et tessons à vernis noir (=a);

- dans un jardin à 80 m au nord, sur 300 m^2, tuiles, poterie ordinaire (3/4 au m^2) et fragments d'*impasto* (=b);

- à 250 m au sud-ouest, sur une terrasse fluviale à 2 m au dessus du lit du fleuve, concentration de tuiles (100 m^2) autour d'un bloc de pierre surfacé (0,67 x 0,45 hauteur non mesurable) (=c).

a) Vernice nera: 2 orli (tipo **74b** e tipo **107**).
Ceramica grezza: 7 frammenti di parete.
Presenza di ceramica medievale.
b) Impasto: 2 frammenti molto grossolani.
Ceramica grezza: 1 base, 18 frammenti di parete.
c) Ceramica grezza: 1 orlo (tipo **266a**), 3 frammenti di parete.

b) Cresta meridionale dei Capitenali e zona pedemontana a sud-ovest

11. Castello RG 40,30 N/36,50 E. 1983, 1985

Vers l'extrémité sud-ouest de la chaîne des Capitenali, éperon calcaire allongé d'est en ouest (env. 500 x 100 m), accessible par l'est, bordé d'à-pics au nord et à l'ouest et d'une forte pente au sud; château médiéval sur le rocher sommital (alt. 498) et village en contrebas.

a) Au nord-est du château, nombreux tessons épars sur une courte pente au pied des murs: *impasto*, poterie ordinaire et à vernis noir.

Impasto: 57 frammenti.
Vernice nera: 1 base sagomata (tipo **182**), graffito in tondo tagliato prima della cottura, 39 frammenti di parete.
Ceramica grezza: 67 frammenti di parete, 1 peso da telaio.

b) Répandus sur la pente nord-ouest de l'éperon ayant fait office de décharge pour les habitats anciens et modernes situés immédiatement en surplomb, des milliers de tessons témoignent des différentes phases d'occupation du site: rares fragments d'*impasto* et de céramique à vernis noir, petite proportion de poterie du haut Moyen-Âge, majorité de poterie vernissée médievale et moderne.

Impasto: 1 frammento.
Ceramica grezza: 29 frammenti di parete.

Dolia: 1 frammento di orlo.
Presenza medievale e post-medievale.

12. Le Chiaie RG 40,20 N/36,10 E. 1982, 1984, 1985

Éperon calcaire terminal au sud-ouest de la crête des Capitenali, allongé d'est en ouest dans le prolongement de celui de Roccagloriosa mais à une altitude inférieure (cote 372).

Le sommet triangulaire, bordé au nord et au sud de falaises à pic et accessible par la pente orientale, est constitué par un étroit plateau (env. 30 x 10 m) encaissé entre des affleurements rocheux (formant des parois de un à deux mètres de hauteur).

Dans l'angle sud-est du plateau, abondant matériel mis au jour accidentellement sur un peu moins de 2 m^2 et à moins de 0,40 de profondeur: fragments d'*impasto*, tessons à vernis noir, fragments de figurines de terre cuite; tuiles disséminées sur le plateau et les rochers avoisinants.

D'autres fragments d'*impasto* ont été trouvés nichés dans les rochers de la paroi nord et (avec des tessons de poterie commune) épars vers l'extrémité ouest du plateau.

Impasto: 12 frammenti, 1 'a steccato', 1 decorato con forellini.
Vernice nera: 11 frammenti di pareti.
Ceramica grezza: 9 frammenti.
Terracotta: numerosi frammenti di statuette femminili, alcuni con tracce di panneggio.
Presenza di ceramica post-medievale.

13. La Monaca RG 40,60 N/36,70 E. 1985

Replat (alt. 345) allongé du sud-ouest au nord-est, dominant une pente rapide vers le nord-ouest (ligne de faille entre deux substrats géologiques). Champ et oliveraie.

Sur 500 m^2, affleurement de tuiles, poterie commune et fine (à vernis noir). 2/3 au m^2.

Vernice nera: 23 frammenti.
Ceramica grezza: 2 orli (tipi **243**, **248**).
Presenza di ceramica romana.

13 bis. Iannace RG 40,60 N/36,50 E. 1985

Jardin sur les dernières pentes (alt. 290) avant l'amorce du plateau de Iannace. Mise au jour, par un labour profond, de deux petites concentrations (4/5 m^2 chacune) de tuiles et de poterie en majorité à vernis noir (env. les deux tiers).

Vernice nera: 6 orli (tipi **101, 110, 107, 120, 124, 136**), 5 basi (tipi **88, 92, 175, 179, 180**), 5 frammenti.
Ceramica grezza: 1 ansa, 6 frammenti.

13 ter. Scalelle RG 40,55 N/36,30 E. 1985

Vers 270/275 m d'altitude, ligne de jonction entre une zone de plateaux au nord-ouest et une forte pente montant vers le sud-est. Champs et jardins autour d'une abondante source de piémont ont livré des traces de fréquentation antique sous forme d'affleurements restreints et de faible densité (5/6 pour 10 m^2): à 30 et 80 m à l'est de la source et 150 m au nord/nord-ouest, tuiles, poterie commune et à vernis noir sur 150, 200 et 50 m^2.

Vernice nera: 3 orli (tipi **111, 115, 120**), 1 ansa, 5 frammenti.
Ceramica grezza: 3 orli (tipi **255, 237, 266**), 54 frammenti.
Presenza romana tardo-imperiale.

c) Zona pedemontana ad est dei Capitenali

14. Piémont est de la cote 519 RG 41,80 N/38,50 N. 1983, 1984

Premières pentes (alt. 420) au pied de la falaise, sur la ligne de contact entre les bancs calcaires de la crête et les terrains argilo-marneux sous-jacents. Pâtures, broussailles en partie défoncées par le passage d'un bulldozer. Mêlé aux déblais ou dispersé à l'entour, abondant mobilier d'habitat: tuiles, fragments d'amphore et de *dolium*, poterie commune et à vernis noir.

Vernice nera: 2 frammenti, uno a costolatura.
Ceramica grezza: 1 orlo (tipo **240**).
Ceramica comune: 1 piede anfora.

15. I Fossi

a) RG 40,70 N/37,90 E. 1983, 1985

Adossé à la falaise, replat (alt. 420) en surplomb de pentes accentuées vers l'est et le sud-est. Ligne de contact entre les bancs calcaires du mont et les terrains sous-jacents. Jardin.

Sur 600 m^2, tuiles, poterie commune et vaisselle à vernis noir (1 au m^2); nombreux blocs de dimensions régulières dans les tas d'épierrage.

Vernice nera: 1 base (tipo **91**).

b) RG 40,55 N/38,20 E. 1983, 1985

Avancée de terrain (alt. 375) vers le sud-est, à 200 m au sud d'une source. Jardin et vigne.

Sur 250 m², tuiles, poterie ordinaire et fine; 2/3 au m². Quelques tessons à vernis noir dans la poterie disséminée sur la pente en contrebas.

Vernice nera: 2 frammenti.

Ceramica grezza: 2 orli (tipi **265**, **239**), 25 frammenti.

Presenza di ceramica romana.

16. Gammavona RG 39.95 N/37.85 E. alt. m. 320 1977-78

In seguito a lavori di costruzione di un capannone industriale della Ditta Gerundo (1977), è stato recuperato da parte del geom. L. Marotta un gruppo di materiali che si riferiscono ad un insediamento rurale di una certa consistenza. Data la profondità del rinvenimento (oltre 3 m. sotto il piano di campagna) la ispezione del luogo non ha permesso di effettuare osservazioni sulla giacitura del materiale stesso. L'area del rinvenimento (concentrazione a) si trova ai margini di un accentuato declivio, ben provvisto di sorgenti poco più a monte. L'evidente azione di dilavamento ha creato un interro particolarmente profondo nell'area del rinvenimento. È molto probabile pertanto che le tracce di abitazione antica (concentrazione b) rinvenute poco più ad est (40,00 N. 38,15 E) nel 1983 e 1985 (frammenti di pareti di vasi includenti ceramica a vernice nera e orlo di dolio) siano da riferirsi allo stesso insediamento rurale.

a) Vernice nera: 1 base (tipo **179**), patera (tipo **134**), unguentarium (tipo **165a**).

Ceramica grezza: 1 orlo (tipo **266**).

b) Vernice nera: 1 orlo di patera (tipo **135**), 1 coppa (tipo **111**), 8 frammenti.

Ceramica grezza: 1 orlo (tipo **264**), 28 frammenti.

17. Timpa del Cucco RG 39,00 N/37,50 E. 1983

Sur la pente occidentale (alt. 325) de la dorsale reliant le piémont sud des Capitenali au piémont nord du Bulgheria, petite concentration isolée de fragments d'*impasto* (25 sur 2 m²).

À 250 m au sud-ouest, sur le replat (alt. 360) en contrebas du sommet de la "Timpa", nombreuses tuiles en surface sur 200 m², peu de poterie 'ordinaire'.

a) Impasto: 6 frammenti.

b) Ceramica grezza: 21 orli (tipo **275**), 25 frammenti.

18. TO 41,55 N/38,60 E. 1984

Piémont (alt. 400) d'un promontoire calcaire (cote 439) parallèle à la crête principale. Ligne de contact entre les strates calcaires et les sols argilo-marneux sous-jacents. Champ et jardins.

Affleurement de près de 1000 m²: tuiles, poterie commune, quelques tessons à vernis noir et de sigillées. 6/7 sur 10 m².

Vernice nera: un frammento di piatto di pesce, 4 frammenti.

Ceramica grezza: 38 frammenti.

Presenza romana repubblicana.

19. Padronella TO 42,40 N/38,80 E. 1984, 1986

Replat (alt. 375) à 200 m au nord d'une source. Labour et jardin.

Dans la partie sud, sur 500 m², concentration de tuiles et de poterie domestique. 3/4 au m². Le creusement d'un puits a entaillé le niveau archéologique (tessons et petites pierres) entre 0,60 et 0,80 m de profondeur.

Vernice nera: 1 frammento di unguentarium (tipo **165c**).

Ceramica grezza: 4 orli (tipi **241, 278, 250**), 1 base, 20 frammenti.

Presenza romana repubblicana.

19 bis. Rùnia

Ligne de crête prolongeant la chaîne des Capitenali vers le nord-est, à moindre hauteur (420 m). Terrains argilo-marneux; friches et pâtures, quelques jardins disséminés.

a) TO 42,75 N/39,00 E. 1984, 1986

À la racine d'un promontoire se détachant de la crête vers l'est, petite concentration (80 m²) de tuiles et tessons (vernis noir), groupe de pierres affleurant. 2/3 au m².

b) TO 42,70 N/38,80 E. 1984, 1986

Sur un replat sommital de la crête à 200 m à l'ouest du précédent, nombreuses pierres de dimensions régulières, quelques tuiles et tessons à vernis noir très épars.

c) TO 43,15 N/39,10 E. 1986

Sur une petite éminence (cote 425) à 450 m au

nord de a, quelques tuiles et tessons à vernis noir.

a) Vernice nera: 1 base (tipo **92**).

b) Vernice nera: 4 frammenti, 1 base (tipo **148**).

c) Vernice nera: 3 frammenti.

20. Santa Venere TO 41,05 N/38,90 E. 1983, 1985

Terrains en déclivité vers l'ouest (alt. 325) sur le flanc nord-ouest de la dorsale reliant le piémont de La Scala à la vallée du Bussento. Ruisseau à 150 m au nord. Champ cultivé par intermittences.

L'intérêt archéologique des lieux avait été signalé dès 1847 par N. Corcia évoquant les «amenissimi terreni di Santa Venere, ove scavandosi si scoprono avanzi di antiche costruzioni» (Corcia 1847, t. III, p. 60); les découvertes effectuées en prospection corroborent en partie et précisent son témoignage:

a) Quelques tuiles et tessons ainsi que de grands blocs de pierre équarris (de 0,80 à 1 m de long sur 0,40/0,50 m de large et 0,25/0,30 de haut) étaient repérables disséminés sur une aire d'environ 5000 m^2.

b) Vers l'extrémité nord de celle-ci, la couche archéologique a été ponctuellement touchée par un labour qui, sur une bande (est-ouest) de 10 m sur 60, a porté en surface un mobilier d'époque impériale très abondant: tuiles, amphores, poterie de cuisine; poids de tissage. Densité maximale 8/10 au m^2.

b) Ceramica grezza: 1 ansa, 14 frammenti
Peso da telaio
Presenza romana repubblicana e imperiale.

21. Somma TO 40,60 N/39,70 E. 1983

Étroit monticule (alt. 230) sur la ligne de crête descendant du col de La Scala et de Santa Venere à la vallée du Bussento. Taillis, broussailles.

Tuiles et tessons épars en surface ou enchassés en paroi au bord d'un chemin entaillant le monticule.

Vernice nera: 1 orlo (tipo **126**), 1 base (tipo **90**).

22. Timpa dei Linziti TO 40,25 N/40,90 E. 1986

Dans le prolongement de la dorsale entre La Scala et le Bussento, colline escarpée (cote 164) formant un croissant ouest/est/nord. Sommet cultivé.

Groupe de pierres isolé au sommet, au centre du croissant, tuiles et tessons échelonnés sur la pente en contrebas.

À 350 m au sud/sud-ouest, au pied de la colline, quelques tuiles et tessons (poterie commune et à vernis noir) dans une prairie.

Vernice nera: 8 frammenti parete.

Ceramica comune: frammento ansa (anfora?)

d) Territorio ad est dei Capitenali, verso la valle del Bussento

23. Castelruggero/Piazza S. Antonio TO 43,50 N/39,52 E alt. 415 1976-77

a) Il recupero di una certa quantità di frammenti di vasi a figure rosse di IV secolo a.C., custoditi dal Dott. L. Padulo di Torre Orsaia e cortesemente sottoposti all'attenzione dello scrivente, con puntuale indicazione del luogo di rinvenimento, ha portato alla scoperta di una tomba

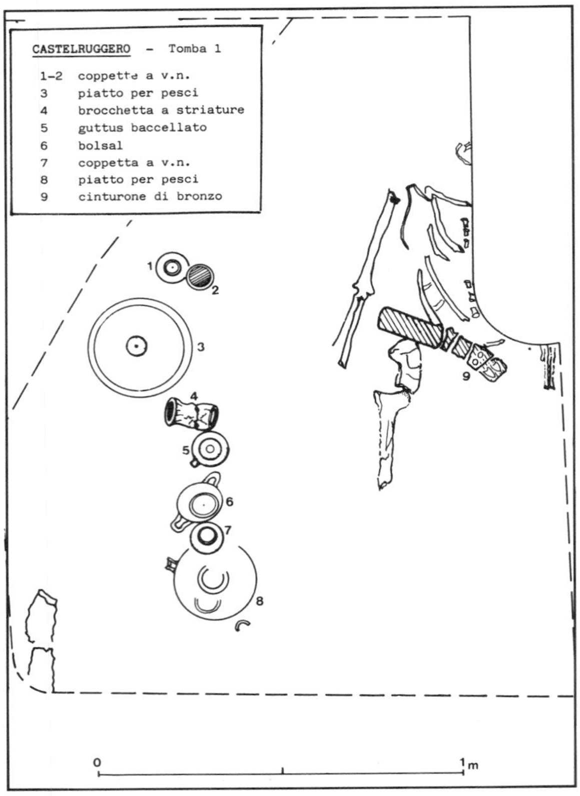

Fig. 150 Tomba di maschio adulto (metà IV sec. a.C.) scavata a Castelruggero (sito 23).

Fig. 151 a Veduta della tomba scavata a Castelruggero (da sud-est).

Fig. 151 b Veduta della tomba scavata a Castelruggero (da sud-est): parte centrale dello scheletro, con cinturone di bronzo.

al di sotto dell'angolo di una casa sul lato nord della piazza S. Antonio di Castelruggero. Il piano di posa era miracolosamente intatto ad eccezione dell'angolo nord-ovest, sconvolto dalla costruzione di una canaletta che aveva costituito l'occasione per il recupero citato. Nulla purtroppo è possibile dire sul tipo di costruzione della tomba. La sepoltura, evidentemente di maschio adulto, includeva oltre al cinturone in bronzo di tipo 'sannitico', indossato dal defunto (fig. 151b), i seguenti materiali rinvenuti sul piano di posa:

- 'bolsal' a vernice nera (databile nel secondo quarto del IV sec. a.C.)
- brocchetta a vernice nera con corpo a striature
- guttus baccellato (con coperchietto) a vernice nera
- due piatti da pesce (tipo **147**)
- almeno tre coppette a vernice nera (tipo **100**).

Nei limiti consentiti dallo stato di conservazione dei materiali, ancora in corso di restauro, la sepoltura è databile intorno alla metà del IV secolo a.C.

b) Un saggio effettuato ca. 15 m. più a nord ha portato al rinvenimento di una seconda sepoltura a cassa di tegole, probabilmente di bambino, a giudicare dalle dimensioni (m. 1,20 x 0,80). Non vi è stato rinvenuto alcun elemento di corredo. Rinvenimenti di ceramica a vernice nera dallo scavo del saggio e notizie riportate su rinvenimenti occorsi al momento della costruzione delle case sul lato nord della piazza lasciano pensare ad una piccola area di necropoli che potrebbe continuare nell'oliveto retrostante le case stesse. Data la vicinanza, è presumibile che l'area di necropoli in questione sia da riferirsi ad un insediamento rurale sulla collina dove si trova l'attuale nucleo abitato di Castelruggero. Tale insediamento è anche da considerarsi in relazione con le tracce d'abitato rinvenute in contrada Runia (sito n. 19bis) poco più ad ovest e quelle in contrada Viole (sito n. 42) a nord.

24. Pedale TO 40,70 N/41,80 E. alt. 60 1977

La zona della ricognizione, effettuata in seguito a segnalazione del Sig. D. Padulo di Torre Orsaia, include un'area pianeggiante, leggermente digradante da sud a nord (verso il letto del fiume Bussento) assai vicina al corso del fiume (sulla sua riva sinistra). Una tomba, parzialmente tagliata dall'escavatore era del tipo a cassa di tegole ed i resti sconvolti, includenti uno spezzone *in situ* si trovavano su di una lingua di terreno prossima alla curva del fiume. Circa 100 m. a sud-ovest, in un'area di fitta vegetazione arborea, il rinvenimento di abbondanti tegole in superficie e qualche coccio suggerivano la presenza di un edificio rurale (fig. 152) che, senza esitazione, venne messo in relazione con la vicina sepoltura. Nell'ambito della esplorazione topografica del territorio ad est del crinale (su cui era in corso lo scavo della fortificazione) iniziata dalla Soprintendenza nel 1976, fu pertanto effettuato un saggio di scavo nella zona quale 'test' delle ipotesi formulate sulla natura dei siti che si venivano evidenziando nel territorio (si vedano le considerazioni generali di Hope-Simpson 1984,

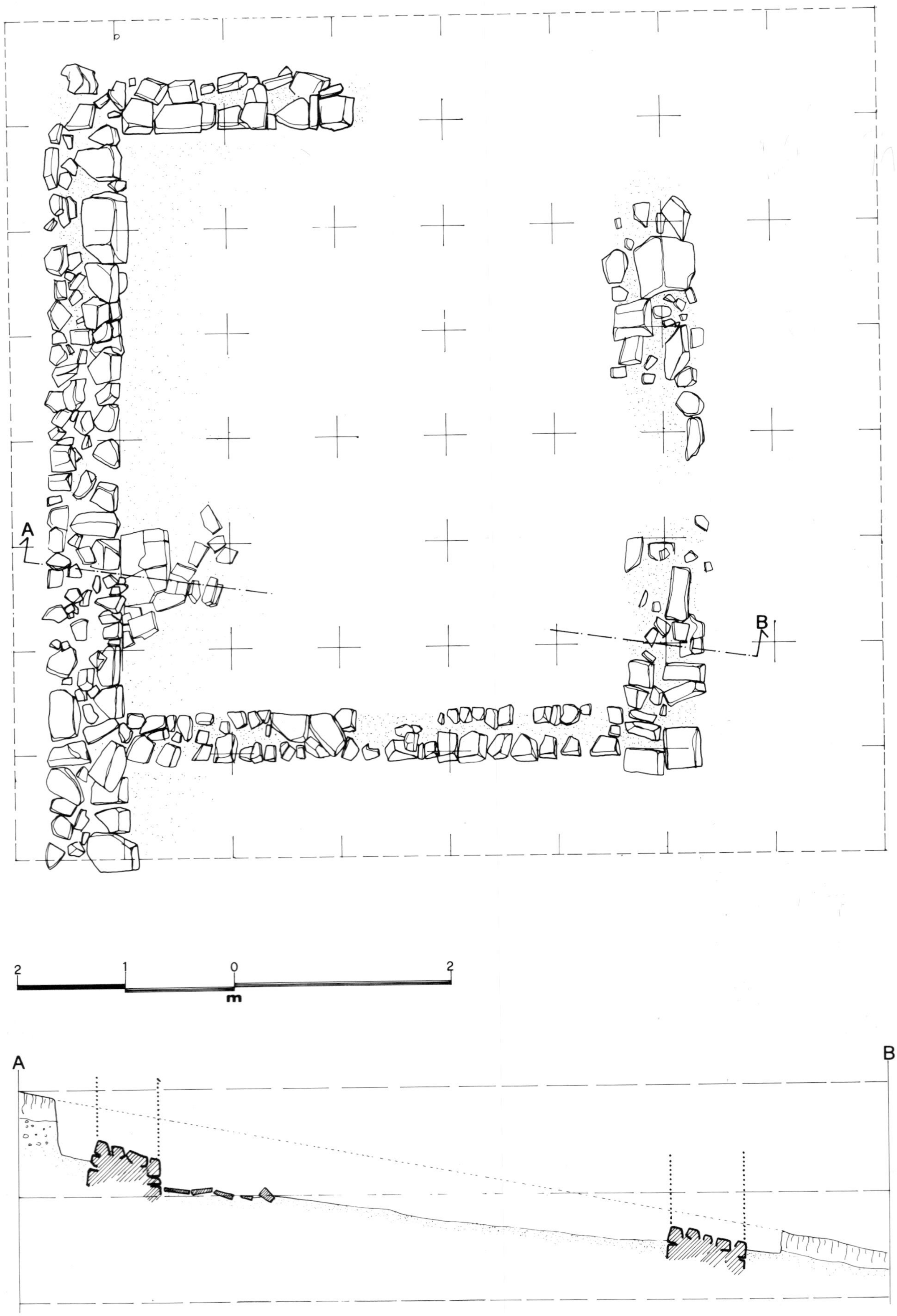

Fig. 152 Pianta e sezione dell'edificio rurale scavato in contrada Pedale (sito 24).

p. 117). Il saggio di m. 10 x 4 è stato successivamente esteso sulla base dei rinvenimenti di strutture. Al di sotto di uno strato di humus di ca. 25-35 cm. è stato rinvenuto uno strato archeologico non disturbato relativo al crollo di un edificio. Dopo la rimozione del crollo, non molto denso (fatto che lascerebbe pensare ad un elevato in mattoni crudi) sono stati rinvenuti i muri di un ambiente quadrangolare di ca. m. 6 x 5 appartenente ad un più vasto edificio, come indica la continuazione dei muri stessi nelle pareti nord ed est del saggio. I muri sono costruiti con doppia faccia di blocchi di calcare, con faccia vista ben squadrata (fig. 153) e riempimento di pietrame, per una larghezza media di m. 0,60. È stato possibile distinguere un solo livello di abitazione, anche se i materiali recuperati ricoprono un arco cronologico abbastanza ampio. L'unico elemento strutturale di rilievo è una base quadrangolare in tegole piane con orlo all'ingiù, lungo la parte centrale della parete ovest, che sembrerebbe riferirsi ad una 'base per armadietto' del tipo documentato nel sito fortificato di Roccagloriosa, o un focolare.

Ceramica del crollo: ceramica a v.n. dei tipi **75, 106, 113**.

Ceramica del livello di abitazione: ceramica grezza dei tipi **237, 238**; ceramica a v.n. tipo **122**.

Ceramica dalla tomba sconvolta: lekythos a figure rosse inquadrabile nella produzione pestana della seconda metà del IV secolo a.C.

Fig. 153 La fattoria in contrada Pedale in corso di scavo (da sud-est).

e) Terrazzi intermedi sulla valle del Bussento

25. Mortelle TO 38,60 N/38,90-39 E. 1985-1989 alt. 190

Su di un ampio terrazzo di frana delimitato da due solchi torrentizi, situato fra Casa Maiorana e Fontana Scudiere, erano stati precedentemente evidenziati i resti di un abitato rurale (TO 38,60 N/38,90 E) rappresentato da rinvenimenti superficiali di ceramica grezza (un orlo tipo **242** ed un orlo tipo **251**, nonché un frammento di anfora) e a vernice nera (una coppetta su alto piede tipo **98**). Un'aratura profonda della parte sud-est del terrazzo, effettuata nel maggio 1989, ha messo in luce un'area di necropoli ed ha costituito l'occasione per una esplorazione dell'area stessa mediante saggi di scavo. Sono state messe in luce tre tombe, di cui una a fossa con tetto di tegole (T. 2, fig. 154) ed un *ustrinum* in fossa profonda scavata nell'argilla con resti della deposizione sui resti del rogo (T. 3, fig. 155). Abbondanti resti di tombe sconvolte, fra cui una punta di lancia in ferro, resti di *ustrina* ed un vaso miniaturistico, rinvenuti entro un raggio di ca. 50 metri dalle tombe esplorate, lasciano pensare ad un'area di necropoli rurale di una certa estensione, significativamente collocata sul versante del terrazzo che digrada verso il vallone torrentizio. A circa 150-200 metri a nord-ovest della necropoli, sono

Fig. 154 Tomba 2, a fossa con tetto di tegole, da Mortelle (sito 25, foto Mondelli).

Fig. 155 Tomba 3, ad *ustrinum* in profonda fossa, da Mortelle (sito 25), da nord-ovest.

Fig. 156 Mortelle, tomba 3, da est.

state rinvenute in superficie varie concentrazioni di ceramica grezza associata con pareti di vasi a vernice nera, che sembrerebbero corrispondere topograficamente alle tracce rilevate nel 1983. Un saggio di scavo, nonché una linea di ricognizione geo-elettrica con connessi carotaggi (effettuati da D. Gabrielli, Fondazione Lerici, Roma) hanno confermato la presenza di strutture murarie appartenenti ad edifici rurali, la cui estensione e pianta rimangono da esplorare.

Di notevole rilievo, per chiarire natura e cronologia dei siti evidenziati dalla ricognizione di superficie del 'territorio vicino' è l'evidenza sinora fornita dallo scavo della necropoli.

La T. 2 ha restituito, fra l'altro, un grosso *skyphos* a figure rosse (fig. 157), inquadrabile nella produzione dello 'Intermediate Group' (*LCS*, pp. 62-63 e 83-90, tav. 43) e databile intorno al 375 a.C. (raffronti per la forma a Satriano, Holloway 1970, p. 77, n. 161, e a Metaponto, D'Andria 1983, p. 89). La punta di lancia in ferro (fig. 205 n. **670b**), sia pur da rinvenimento sporadico a circa quattro metri a sud-est della T. 2, attesta la presenza di tombe con armi (da inquadrare presumibilmente nell'ambito del IV secolo a.C., a giudicare dal resto della evidenza cronologica fornita dalla necropoli).

Gli *ustrina*, che includono sepolture individuali sui resti carbonizzati della pira (fig. 156), costituiscono un tipo di evidenza funeraria che si affianca a quella rinvenuta nella necropoli in Loc. La Scala (Gualtieri 1982), anche se di diversa entità e senza i caratteri 'monumentali' rilevati per le tombe a cremazione de La Scala. La presenza di vasi miniaturistici (è stato recuperato un piccolo bicchiere in ceramica grezza, molto probabilmente da una tomba sconvolta) costituisce un ulteriore elemento qualificante della necropoli di Mortelle.

È interessante osservare, in ogni caso, la varietà di aspetti del rituale funerario, soprattutto quando si consideri che dovrebbe trattarsi di una necropoli di limitata estensione, molto probabilmente appartenente ad un nucleo rurale.

Un aspetto di notevole importanza per la comprensione dei modi e tempi della occupazione del territorio, è senz'altro costituito dalla cronologia della T. 2, che deve farsi risalire alla prima metà, se non anche al primo quarto del IV secolo a.C. Unitamente al recente recupero di un'olpe di bronzo da Calatripeda (sito n. 37, *infra*), questo dato rappresenta una indicazione di rilievo per il c.d. fenomeno di 'occupazione della campagna' concomitante con il processo di sannitizzazione dell'area (discusso nel cap. 8, *infra*). Seppur rilevabile con massima intensità nella seconda metà del IV secolo a.C. sulla base dei dati raccolti in superficie, un tale fenomeno di occupazione territoriale è ora ben attestato, dai più recenti rinvenimenti di Mortelle e Calatripeda, nella prima metà del secolo.

Fig. 157 Skyphos a figure rosse dalla Tomba 2 di Mortelle.

26. Difesa Prode TO 39,30 N/39,65 E. 1983, 1984

Plan inférieur (alt. 115) d'une succession de plateaux s'étageant de l'ouest/sud-ouest à l'est/nord-est, recouvert d'un taillis dense à l'exception d'une clairière d'environ 60 x 80 m.

Là, sur 600 m^2, tuiles, céramique domestique commune et fine (à vernis noir); densité non discernable.

Vernice nera: 4 frammenti.

Ceramica grezza: 1 orlo (tipo **246**).

27. Calandra TO 38,10 N/41,50 E. 1986-1988

Bassa collina (90 m. ca.) digradante verso il Bussento. Reperti sporadici di ceramica a v.n. Rilevante presenza di materiali d'età romana.

28. Casa Maiorana TO 39,15 N/39,20 E. 1984, 1985

Plan médian (alt. 175) de la même succession de plateaux qu'en 26; friches, pâtures et groupe de bungalows d'un "village touristique" récemment édifié.

Dans une excavation artificielle de 10 x 10 m, de faible profondeur (0,30 m à 0,60 m) pratiquée à l'angle sud-ouest du "village", concentration de tuiles, poterie commune et à vernis noir (7/8 au m^2). Tuiles éparses en surface aux alentours sur environ 1500 m^2.

Vernice nera: 9 frammenti.

Ceramica grezza: 1 orlo (tipo **255**), 8 frammenti.

À 500 m au sud-ouest (alt. 215), un affleurement dense (7/8 au m^2 après labour) d'environ 600 m^2 révèle un habitat antique qui n'a cependant pu être daté avec précision: pierres, tuiles, poterie commune et fragments de grands récipients de stockage.

29. Vallone Pantana Policastro Bussentino 38,50 N/42,00 E 1984-1988

Area pianeggiante (ca. 60-70 m.) con spargimento superficiale di cocci di media densità.

Frammenti di statuette di terracotta.

Frammenti di ceramica a vernice nera di III e II sec. a.C.

Presenza di ceramica romana.

30. Scudiere

En contrebas des pentes menant au piémont du Bulgheria, une succession de plateaux s'étageant de 230 à 150 m d'altitude, entre deux sources abondantes, porte un ensemble de "sites" qui pourrait constituer un groupe analogue à celui que l'analyse propose de reconnaître à Mai (site 3): un habitat important, à Fontana Scudiere (= a), se détache nettement des autres (qu'il surplombe) par son ampleur, la quantité et la qualité du mobilier et des vestiges architecturaux. Cette différence est évidemment accentuée par la superposition en ce même lieu de plusieurs phases d'habitat, mais cette continuité ou réoccupation peut constituer un argument en faveur de la prépondérance originelle du site.

a) Fontana Scudiere TO 37,95 N/39,85 E. 1984, 1985

Replat (alt. 225) formé par une terrasse sommitale allongée du sud-ouest vers le nord-est (100 m de long sur 15 à 20 m de large) dominant deux autres terrasses plus petites à l'est et une pente régulière à l'ouest et au nord. Source à 40 m à l'est de la terrasse supérieure, au pied de la terrasse intermédiaire. Oliveraie, cultures et jardin. Ruines d'un hameau abandonné vraisemblablement au siècle dernier.

Le nom même du lieu (évoquant peut-être d'anciennes trouvailles monétaires), les légendes l'entourant et l'attestation de plusieurs découvertes fortuites d'objets de terre cuite et de métal attiraient l'attention sur cet endroit où plusieurs phases d'habitat antique se reflètent dans l'abondance et la diversité du matériel affleurant sur toute l'étendue de la terrasse sommitale: tuiles (env. 40 kgs), poterie commune (à 85%) et fine (à vernis noir et "sigillées"). La densité maximale (3/4 au m^2) a été observée sur la moitié sud-ouest de la terrasse où près de 4 kgs de béton de tuileau ont également été recueillis. Des tuiles et de la poterie ordinaire jonchent les alentours de la source et la terrasse inférieure.

Avec le béton de tuileau, le réemploi de plusieurs blocs de pierre de grande taille (0,80/1 m sur 0,40/0,50 m) dans les édifices voisins et celui d'un seuil (L = 1,15 m; l = 0,29 m; h = 0,15 m) en guise de margelle devant la source constituent les indices architecturaux les plus notables. Figure aussi, devant la source, la moitié préservée d'une demi-sphère en pierre (diamètre: 0,84 m), à la base parfaitement lisse et couverte en paroi d'un réseau d'incisions en "méridiens" et en zigzag: sans doute un reste de meule de pressoir (*trapetum?*), taillé dans une roche à conglomérats plus appropriée que le calcaire.

À 200 m au sud-est du précédent (alt. 200), champ et oliveraie. Épars sur environ 300 m^2, tuiles, poterie commune et à vernis noir.

b) TO 38,10 N/39,90 E.

Long plateau en légère déclivité vers le nord-est (alt. 170/150). Source au pied de l'extrémité nord. Quelques champs et jardins au milieu de friches et pâtures.

Dans un jardin sur le rebord nord du replat, concentration restreinte (150 m^2) de tuiles (8 kgs) et poterie, dont une forte proportion (21%) à vernis noir; 3/4 au m^2. Un fragment d'*impasto* témoigne d'une fréquentation antérieure. Nombreux tessons et morceaux de tuiles sporadiques aux alentours.

À 50 m au sud, tuiles et poterie ordinaire très éparses dans un champ de 1000 m^2-

À 150 m au sud-ouest, autre affleurement, sur 1300 m^2, comportant également de la céramique à vernis noir; densité faible (2 sur 10 m^2).

À 400 m au nord (alt. 125), autres fragments d'*impasto*, et tuiles (12 kgs) éparpillées dans une pâture d'env. 3000 m^2, sans poterie associée.

a) Vernice nera: 27 frammenti.
Ceramica grezza: 100 frammenti.
Ceramica comune: 1 frammento di parete di anfora.
Presenza romana repubblicana e imperiale.

b) Impasto: 2 frammenti, 1 'a cordone'.

Vernice nera: 26 frammenti.
Ceramica grezza: 57 frammenti.

f) Zona pedemontana a nord del M. Bulgheria

31. Monte Ruggi RG 38,05 N/37,45 E. 1985

Bas de pente (alt. 390) à l'est du mont, 60 m à l'ouest d'un torrent encaissé. Labour d'environ 40 x 70 m, entouré de friches et taillis.

Deux affleurements voisins ont livré des proportions identiques de tuiles (50%), de poterie commune (46%) et fine (4%) mais:

- le premier, sur 600 m^2, dans la partie sud-est du champ, parsemée de pierraille, était de densité assez faible (2/3 au m^2); présence de céramique à vernis noir;

- le second, 30 m au nord, formait une concentration de 6 x 25 m longeant la bordure du champ au delà duquel le site s'étend vraisemblablement (tuiles en surface). 9/10 au m^2. Faciès plus caractérisé:

a) Vernice nera: 1 base (probabilmente tipo **163c**), 6 frammenti.
Ceramica grezza: 6 frammenti.
b) Vernice nera: 31 frammenti.
Ceramica grezza: 3 orli (tipi **274, 278**).

32. Cardillo RG 37,80 N/37,90 E. 1985

Légère éminence (alt. 375) se détachant sur le rebord d'un plateau allongé (sud-est/nord-ouest); source en contrebas à 200 m au nord. Bosquet au sommet, vigne et prairies en contrebas.

Sur les pentes, vaste éparpillement de tuiles, poterie ordinaire et fine.

1 frammento di thymiaterion (tipo **222**).

33. Acquavena RG 37,50 N/37,85 E. 1985

Terrasse parfaitement plane (alt. 420) de 30 x 120 m (sud-est/nord-ouest), encadrée de pentes faisant face au nord-est. Source à 200 m au sud. Mise en culture partielle des extrémités et des pentes en contrebas.

Dans le champ de l'extrémité nord-ouest (600 m^2), concentration de tuiles (52%), poterie commune (45%, dont amphores) et fine (à vernis noir et sigillée italienne, 3%). 7/8 au m^2. Également quelques tuiles et tessons de poterie commune à l'autre extrémité.

Vernice nera: 1 orlo (tipo **127**), 3 frammenti.
Ceramica grezza: 4 orli (tipi **338-343**), 42 frammenti.
Presenza romana.

Plus haut sur la pente, à 150 m au sud-ouest, découverte sporadique de quelques tessons de poterie commune et à vernis noir.

34. Acqua del Salice C 37,25 N/37,80 E. 1985

Pentes et replats (alt. 470/490) en piémont d'un haut promontoire (alt. 566) se détachant du mont Bulgheria. Groupe de champs, jardins et oliveraies immédiatement en contrebas d'une source.

Mobilier éparpillé autour de la source, sur la pente en dessous et, à mi-hauteur, sur une terrasse s'allongeant vers l'est: tuiles, récipients (*dolium*), poterie domestique ordinaire et fine (à vernis noir).

Vernice nera: orlo (tipo **140**).
Ceramica comune: 7 frammenti parete di anfora.
Ceramica grezza: 2 orli (tipi **253, 228**), 46 frammenti.
Presenza romana.

D'autres découvertes isolées peuvent être associées à ce site: ainsi, à 250 m au nord de la source (alt. 450), tessons de la fin de l'époque républicaine:

Ceramica grezza: 3 frammenti.
Ceramica comune: 3 frammenti parete di anfora.

À 200 m au nord-ouest, petit groupe de tuiles, de tessons de poterie commune et à vernis noir, et un fragment d'*impasto*.

Impasto: 1 frammento.
Vernice nera: 1 frammento.
Ceramica grezza: 6 frammenti.
Ceramica grezza: 6 orli (tipi **261, 265, 267, 278, 282, 290**), 38 frammenti.

À 400 m au sud-ouest, sur un plateau au pied du Bulgheria (alt. 550), importante concentration de poterie du haut Moyen-âge.

35. Piémont de Bulgheria C 36,65 N/37,90 E. 1985

Pente orientale d'un promontoire (cote 529) se détachant vers le nord. Affleurements calcaires au sommet, oliveraie en contrebas.

Juste à la base des rochers, tuiles et poterie ordinaire sur 50 m² autour d'une étroite concentration de tessons à vernis noir (8 sur 1 m²):

Vernice nera: 1 base (tipo **87**), 6 frammenti.
Ceramica grezza: 10 frammenti.

Éparpillés sur un chemin à 60 m au sud, nombreux fragments de poterie commune:

Ceramica grezza: 1 orlo (tipo **236**), 16 frammenti.
Presenza romana.

H Fracchia
M. Gualtieri
F. de Polignac

4. La regione Mingardo/Bussento

a) Lo studio del paesaggio regionale

Precisiamo dall'inizio che il concetto di territorio è basato sulle aree che occupano il bacino del fiume Mingardo e l'alto bacino occidentale del fiume Bussento[19] (*supra*, cap. 1). Non intendiamo tuttavia implicare, con tale termine, che in antichità questa zona forse considerata 'il territorio' di Roccagloriosa. Attualmente, la ricognizione della zona delineata sopra è ancora in corso e i risultati qui presentati sono solo parziali e preliminari[20]. Dall'inizio della ricognizione, nel 1986, abbiamo impiegato due metodi per coprire il massimo possibile della zona. L'équipe consisteva della sottoscritta e cinque assistenti[21]. Ad eccezione di burroni, declivi accentuati, zone boscose e zone di macchia impenetrabile, una prima

---

[19] Ringrazio il Soprintendente Archeologo di Salerno, Dott.ssa G. Tocco per avermi concesso il permesso di effettuare questa indagine.

[20] Notizie preliminari sono state pubblicate Fracchia 1988 e sono incluse nella relazione.

[21] Sono molto lieta di ringraziare il Social Sciences and Humanities Research Council of Canada ed il Central Research Fund della Università dell'Alberta per aver finanziato la ricognizione in corso. Voglio particolarmente ringraziare i miei assistenti T. Chenoweth, Berkeley, California, A. Jansen, Univ. of Pennsylvania, E. MacDonald, Institute of Archaeology, London, A. Schmaltz, Univ. of Victoria and L. Stirling, Univ. of Michigan ed il mio collega, M. Gualtieri per tanti sopralluoghi effettuati insieme e per discussioni utilissime.

esplorazione della regione fu fatta in agosto e settembre 1985 (dopo il raccolto del grano) ed in aprile, maggio e giugno 1986. Sulla base di queste due esplorazioni preliminari, la ricognizione intensiva è stata effettuata sia per quadrati che secondo un metodo di 'intensive field walking' in settori più grandi, rettangolari, in luglio e agosto 1986 e maggio-agosto 1987 e 1988. Ogni luogo che veniva indicato come un 'sito' è stato visitato almeno una volta ogni anno e, nel 1988, con l'aiuto preziosissimo di J.W. Hayes. Abbiamo apprezzato moltissimo le segnalazioni di R. Mondelli e G. Canale, assistenti di scavo della Soprintendenza Archeologica di Salerno e del Sig. A. Perilli di Roccagloriosa. Ogni area è stata schedata con la scheda aggiunta alla fine della discussione (di nuovo grazie a J. Hayes), e poi la ceramica raccolta veniva catalogata sulle schede A e B per la ceramica. Nell'autunno 1988 e primavera 1989 abbiamo esplorato altre aree nuove. Una ricognizione più intensiva è programmata per l'estate 1989. L'uso del 'transect' è emerso in maniera del tutto casuale per il fatto che l'affioramento superficiale delle falde acquifere è piuttosto diffuso tra le quote 400-200 m. ed ovviamente è in questa zona che si trova la maggioranza dei campi arati e, quindi, più siti. Ovviamente, anche le aree al di fuori di queste quote sono state esplorate intensivamente impiegando tutti e due i metodi e sono state ripetutamente esaminate in modo da servire da controllo. Nelle schede dei siti seguiamo il sistema delle coordinate per la serie IGM 1:25000 delineata per le zone più vicine allo scavo (*supra*, n. 18). Per la discussione geologica della zona si vedano i commenti di F. Ortolani e S. Pagliuca (*supra*, cap. 1). Abbiamo aggiunto la denominazione del tipo di terreno in cui si trovano i vari siti.

b) Siti esplorati

36. Serra Palombara/Palombara 1988, 1989
RG 209 II NE N 42,70/E 33,20
Alt. 360-395.

Suolo: calcareniti e calcilutiti con intercalati sottili livelli di marne argillose.

Acqua: 2 sorgenti perenni distano rispettivamente 500 m. ad ovest e 750 m. ad est. Sono anche indicate sorgenti non perenni.

Terrazzamento per piantagione. Tutto il materiale trovato era stato sconvolto dall'escavatore e dai lavori di rimboschimento che hanno tagliato le pendici della collina 408 e arato il terreno tra le due colline. Il sito è in posizione dominante sulla valle del Mingardo e sul golfo di Policastro. Collegato per tratturo con Montano Antilia e per via di una discesa ripida e un guado di fronte con il Mingardo e la zona Ferrara (sito 10).

Vernice nera: 1 orlo (tipo **138**), 3 frammenti.
Ceramica grezza: 1 orlo (tipo **275**).
Tegole: 4.

37. Calatripeda 1987, 1988, 1989
RG 209 II NE N 43,70/E 35,20
Alt. 100-130.

Suolo: calcareniti e calcilutiti con intercalati sottili livelli di marne argillose.

Acqua: il fiume Mingardo si trova ad una distanza di 200 m. Il confine occidentale della zona è il corso perenne del Vallone Calanche, quello orientale è costituito da una fiumara perenne. Piantagione di eucalipto e pascolo; un ampio terrazzo sulla riva del Mingardo, esposto a sud-est.

Sul tratturo per Montano Antilia al guado fluviale, che collega la zona Calatripeda (n. 37) con Mai (sito n. 3).

Vernice nera: 2 orli (tipo **126-128**, uno molto grande), 3 frammenti (uno Campana A), 1 unguentarium (tipo **165a**).

Ceramica grezza: 1 orlo (tipo **232**), 3 orli non classificati di grossi recipienti.

Tegole: 12 frammenti con un esempio tondo e piatto.

Bronzo: olpe, (fig. 158) datata fra la fine del V e il primo quarto del IV sec. a.C. (si veda *Popoli Anellenici* 1971, p. 122 e tav. 50 da Melfi-Pisciolo; Sestieri 1958, per un esempio proveniente da una tomba a camera da Pæstum); per raffronti in area limitrofa si veda l'esemplare dalla T. 18 di Padula/Valle Pupina (La Genière 1968, p. 312, tav. 26,5). Più in generale, si consideri l'esemplare da *Ceglie Peuceta* 1982, tav. 5,16.

Presenza romana repubblicana.

Questo sito, come Mai (sito 3), Gammavona (sito 16), Scudiere (sito 30), Celle di Bulgheria (*infra*, sito 43) ed il Pianoro U. Balbi (*supra*, cap. 6), si può classificare come 'transizionale' nel senso che il materiale non mostra una rottura tra l'epoca preromana e quella romana. Siti di questo genere (spesso alle quote più basse) possono darci un quadro molto generale del livello di sviluppo della zona nel periodo immediatamente precedente e successivo alla colonizzazione di Buxentum. È un problema che la ricognizione in corso dovrà esaminare ripetutamente nei prossimi anni.

Fig. 158 Olpe di bronzo databile alla fine del V secolo a.C. da tomba sconvolta in località Calatripeda (sito 37).

38. Pruno/Rofrano 1987, 1988
Pruno 209 I NE; N 56,0-57,0/E 34,0-35,0

Alt. 570

Suolo: calcareniti e calcilutiti con intercalati sottili livelli di marne argillose.

Acqua: la fossa del Pruno al confine occidentale e meridionale, è sede di un corso perenne. Vi sono numerose sorgenti perenni nella montagna vicina che alimentano la fossa del Pruno.

Si tratta di un ampio terrazzo di frana, elevato ed esposto a sud-ovest, protetto verso nord e verso est dal monte Cervati. Ci sono i resti di un muro poligonale lungo tutta la base di questo terrazzo: più che questa osservazione di massima non si può dire al momento attuale.

Il sito è ubicato nell'unica parte dell'alta vallata coltivata oggi.

Il resto della vallata, dopo il passo tra Centaurino e Cervati, è molto esposto alla tramontana e, a giudicare dall'altezza del grano e delle erbacce, il suolo è molto povero. Nella vallata interna tra le pendici del Centaurino ed il paesino di Rofrano, la zona è molto collinosa e più coltivata, con vigne, grano e granoturco. Tuttavia, in questa zona non si è trovata documentazione antica - una situazione dovuta forse alla quantità di colluvio .

Vernice nera: 44 frammenti, 1 ansa (skyphoide).

Ceramica comune: 1 parete di anfora.

Ceramica grezza: 3 orli (tipi **231 - 236**), 2 anse, 86 frammenti.

Tegole: 22, 1 embrice.

Possibile presenza romana repubblicana e imperiale.

39. Caselle in Pittari/Laurelli-Lovito 1977, 1981-82, 1987-89
Sanza 210 IV NE N 48,60-49,50/E 43,50-44,20.

Alt. 275-400

Suolo: calcareniti e calcilutiti con intercalati sottili livelli di marne argillose.

Acqua: la zona è delimitata da due fiumare perenni dello Sciarapotamo, ed una di queste, il Vallone Grande, è alimentata alle quote più alte da sorgenti perenni.

Si trova su uno sperone del Centaurino. La zona si divide in due: una è l'abitato e l'altra la necropoli, dove è stata scavata una tomba a camera nel 1982 da W. Johannowsky (fig. 159).

La zona dell'abitato è attraversata da un muro a secco che è probabilmente antico (spessore m. 1.5) per la costruzione a doppia faccia in opera pseudo poligonale con *emplekton*. Ci sono, intorno al muro, abbondanti tegole di profili simili a quelle trovate nello scavo tuttavia non incluse nel muro. Il muro si può confrontare con uno simile rinvenuto a Rivello/Serra Città nell'area lagonegrese. I ritrovamenti sono numerosissimi e sparsi per tutta la zona precisata indicata quale abitato.

Vernice nera: 8 fondi (tipi **88, 90, 91, 179, 180**), uno con parte di uno stampo, numerosissimi frammenti di parete, 10 orli (tipi **78, 113, 117, 124, 126, 127, 138, 156**), 2 saliere su alto piede.

Ceramica comune: in realtà questa categoria sembra essere, sia per le forme che per la lavorazione dell'argilla, vernice nera malridotta. Più di 100 frammenti.

Ceramica grezza: 3 orli (tipi **233, 240, 263**), molti frammenti di fondi e pareti, 3 pesi da telaio.

Fig. 159 Tomba a camera da Laurelli/Caselle in Pittari (sito 39).

Le tegole includono 4 *kalypteres*. Sono stati identificati anche frammenti di bronzo ed una pietra sagomata di macina (conservata nel municipio di Caselle in Pittari), proveniente dall'area di Lovito. Nella strada di terra battuta che porta verso il nord, c'è una linea visibile di pietre squadrate. L'area della necropoli è conosciuta già da molto tempo. La collina della necropoli è, infatti, piena di tombe in gran parte disturbate. Un'altra tomba a camera si trova ca. 30 metri ad ovest di quella scavata e sulla collina vi sono sparse varie lastre per copertura di tomba. Frammenti di vernice nera sono visibili sulla superficie.

Questa zona sembra essere di notevole importanza topografica, poiché collega il vallo di Diano, sia con la valle del Mingardo che con quella del Bussento[22] ed è relativamente vicina al passo di Montesano. Praticamente, sia la densità che l'estensione dei reperti sono troppo elevate perchè li si possa attribuire ad una semplice fattoria, come del resto indica l'estensione della necropoli. Piuttosto, sembra probabile che possa trattarsi di un sito agglomerato nella regione intorno a Roccagloriosa. La posizione è significativa in quanto il sito si trova sul tratturo che collega Roccagloriosa con Piano Grande ed il vallo di Diano con la regione Mingardo/Bussento.

40. Piano Grande 1986, 1987-1989
Sanza 210 IV SE

a) N 47,50-48,0/E 39,20: Alt. 390-400.
b) N 48,25/E 39,25: Alt 520-540.
c) N 48,90/E 40,40: Alt. 650
d) N 48,60/E 39,90: Alt. 600

Suolo: calcareniti e calcilutiti con intercalati sottili livelli di marne argillose.

Acqua: 4 sorgenti perenni sparse nell'area complessiva; 3 sorgenti perenni entro 1 1/2 km.

Un grande pianoro disteso su un enorme terrazzo di frana. Oggi è ben coltivato con grano, orti e frutteti.

L'evidenza antica è sparsa sopra una zona distesa sui lati del tratturo che collega Roccagloriosa con il sito precedente e che prosegue sul Centaurino verso il sito dietro Rofrano che ovviamente si può collegare colla via per la valle del Calore e la pianura pestana.

a) Ceramica grezza: 3 frammenti, 1 orlo (tipo **266**)

Tegole: 15.

b) Ceramica grezza: 1 ansa non classificabile.

Tegole: 2 frammenti.

Dolio: 1 frammento.

c) numerosi piccoli frammenti di ceramica grezza.

d) Ceramica grezza: 1 orlo (tipo **267**).

Presenza romana tardo-repubblicana e imperiale.

È da notare inoltre che nella costruzione della via Comunale che collega i comuni di Rofrano e Roccagloriosa, sono state trovate tombe a camera che, secondo notizie raccolte da testimonianze locali, contenevano vasi di bronzo e vasi a figure rosse. La zona segnalata per le sepolture è da collocarsi tra N 48,0 e E 38, 60-39,0. Sulla superficie si trovavano 3 pezzi di terracotta, 8 frammenti di ceramica grezza, 2 tegole molto annerite. Se si può parlare di un agglomerato, sia pure sparso, di fattorie, quest'area sembra esserlo, essendo assai vasta; non esiste, tuttavia, una particolare zona di concentrazione, a giudicare dai risultati ottenuti finora. Interessante notare che le zone

[22] La Genière 1964.

circostanti mancano di acqua. Forse è opportuno considerare questa agglomerazione unitamente con il sito seguente.

41. Viggiano 1987, 1988
Rofrano 209 I SE, N 46,50/E 38,55.
Alt. 350-360.
Suolo: calcareniti e calcilutiti con intercalati sottili livelli di marne argillose.
Acqua: sorgente non perenne 250 m. ad ovest.
Piccolo terrazzo con granoturco molto corto. 11 blocchi grandi squadrati sparsi, più o meno in due linee sulla lunghezza dello spiazzo. È esposto verso il mare e sul lato orientale è limitato da burroni profondi e ripidi.

Ceramica grezza: 1 orlo (tipo **287**), 1 ansa, 3 frammenti.
Tegole: 9.

Questo sito è in posizione di comando sul fosso di Pruno (valle del Mingardo) e sull'intera vallata del Bussento. Lo spazio occupato si può confrontare per estensione con quello della torre sul Mingardo (sito 44). Le colline circostanti verso ovest sono coltivate: non si sono rinvenute tracce antiche nell'area.

42. Contrada Viole
TO 210 II NO 44,60 N/39,50 E.
Alt. 320.
Suolo: calcareniti e calcilutiti con intercalati sottili livelli di marne argillose.
Acqua: sorgenti perenni a ca. 700 m. e a 500 m. ad ovest. Varie piccole fiumare nella zona.
Orti e frutteti distesi lungo il terrazzo. Moltissimi pozzi e pozzetti moderni.

Vernice nera: 1 orlo (tipo non determinabile).
Ceramica grezza: 5 fondi, 3 orli (tipi **278, 282, 283**), 15 frammenti.
Presenza romana imperiale.

43. Celle di Bulgheria / c. da Morigialdo 1986-1989
RG 209 II NE N 38,25/E 35,50.
Alt. 310-325.
Suolo: alternanza di arenarie gialle e rossastre in strati e bianche, siltiti, marne, argilla, breccia e calcareniti.
Acqua: 2 sorgenti perenni, una 250 m. a nord, una ca. 600 m. a sud.
Una grande terrazza sui fianchi del Bulgheria. Fave, granoturco.

Vernice nera: 4 frammenti di vernice nera in argilla molto simile alla Campana A.
Ceramica grezza: moltissimi frammenti.
Presenza romana dal III secolo a.C. avanzato fino al V secolo d.C. Questo sito era assai più importante in epoca romana, anche se sembra essere un sito 'transizionale' come Calatripeda e Mai.

44. Torre sul Mingardo
(Scavi effettuati da R. Maffettone).
C 209 II SE, N 28,90/E 35,80.
Alt. 20
Suolo: Marne e marne argillose giallastre.
Acqua: sulle rive del Mingardo, fiumara ad ovest.
Al punto dove s'apre la gola del Mingardo, con una veduta fino allo sbocco del Mingardo e la collina di Palinuro/Molpe. Edificio parzialmente visibile, 4.70 x 5.90, doppia faccia di blocchi ben squadrati. Il terreno, che è molto roccioso, pieno di ciottoli, oggi è coperto da macchie e non sembra molto adatto ad una fattoria, sia per lo spazio disponibile, sia per la povertà del terreno.
Il materiale ritrovato include vernice nera, ceramica grezza e tegole (gentile comunicazione della dott.ssa Maffettone).
Probabilmente un punto di frontiera, prendendo in considerazione la posizione e l'isolamento del sito, e il fatto che, ove esistesse una via per il Mingardo, si sarebbe stati obbligati a passare su questa riva.

c) Gerarchia degli insediamenti e vie di comunicazione

Commenti. Si acclude qualche appunto, sia pur preliminare, sulla ricognizione in corso.
a) Nel contesto regionale troviamo un agglomerato che sembra costituire un sito minore in una regione di limitata estensione (sito 39).
b) Troviamo una zona che sembra costituire un agglomerato di fattorie (sito 40) approssimativamente situata su di una linea di comunicazione, tra un sito minore (sito 39) e quello maggiore di Roccagloriosa.
c) I siti che sono databili solo al IV/III secolo sono piuttosto alti relativamente alla topografia circostante, spesso alle quote tra 300-500.
d) I siti che rivelano una continuità sono a quota più bassa (100-350) fatto che di per se stes-

so indica un cambiamento nelle vie di comunicazione tra i periodi preromano e romano.

Le distanze in linea d'aria tra i vari siti nel IV/III secolo, senza riguardo alla loro funzione, sono:

sito 36 Serra Palombara/Palombara a Roccagloriosa 4.00 km.
sito 37 Calatripeda a Roccagloriosa 3.25 km.
sito 38 Pruno/Rofrano a Roccagloriosa 12.50 km.
sito 39 Laurelli/Lovito a Roccagloriosa 10.00 km.
sito 40 Piano Grande a Roccagloriosa 4.50 km.
sito 41 Viggiano a Roccagloriosa 3.00 km.
sito 42 Contrada Viole a Roccagloriosa 3.75 km.
sito 43 Celle di Bulgheria a Roccagloriosa 3.50 km.
sito 44 Torre sul Mingardo a Roccagloriosa 11.50 km.

Per i siti transizionali le distanze sono: Celle (sito 43) a Calatripeda (sito 37) 5.30 km. Calatripeda (sito 37) a Mai (sito 3) si trova a 1.25 km.

Queste distanze, per i siti del IV/III, si possono confrontare colle distanze tra i siti fortificati della Basilicata orientale[23]. Per la Basilicata orientale, nella zona di Croccia Cognato, si definisce quale ipotesi di lavoro un territorio composto di Croccia Cognato come sito maggiore con i siti satelliti di Garaguso, Oliveto Lucano e Tempa Cortaglia: Croccia Cognato è 3.00 km. da Oliveto Lucano che è a 4.00 km. da Garaguso, che è a 7.00 km. da Tempa Cortaglia, che è a 8.00 km. da Croccia Cognato.

Le distanze tra centri fortificati o siti rurali, sia della Basilicata orientale che occidentale (tenendo conto delle differenze topografiche) non sono dissimili (per lo più tra 3.00-4.00 km. tranne i siti ai confini dei bacini idrici). È da osservare, inoltre, che le distanze rilevate fra i siti maggiori (agglomerati o fortificati) molto verosimilmente ci danno l'idea della distanza considerata facilmente raggiungibile a piedi, cioè tra 8.00-11.00 km. Riguardando il terreno si vede che i siti del IV/III secolo sono collegati dai tratturi ancora esistenti e che si collocano (ad eccezione dell'area Pruno/Rofrano) spesso intorno alle quote di 300-500.

Si può ipotizzare che la via antica, da Roccagloriosa scendeva di fronte alla porta centrale e proseguiva per il fondovalle sul Mingardo. Andando verso il nord, si passava per il sito 41, Viggiano, si saliva verso Piano Grande, sito 40, dove si trovava un bivio sia per Laurelli/Lovito, sito 39, che per Pruno/Rofrano, sito 38. Da Pruno/Rofrano si arriva, attraverso un passo di ca. m. 1.000 di altezza, all'alta valle del Fiume Calore e poi a Poseidonia.

Da Laurelli/Lovito si proseguiva sia per il Vallo di Diano che, attraverso il passo di Montesano, per l'alta Val d'Agri[24].

H. Fracchia

5. L'assetto territoriale: considerazioni conclusive

È soprattutto per la seconda metà del IV secolo a.C. che si rileva una rete assai fitta di insediamenti rurali, almeno nel territorio vicino (entro un raggio di 4-5 km.). Si tratta di siti sostanzialmente omogenei, a giudicare dalle tracce di superficie, molto probabilmente riferibili a fattorie con annesse aree di necropoli. In un caso specifico (sito 24) lo scavo ha potuto documentare il tipo di insediamento (purtroppo con pianta ancora incompleta) e la sua stretta connessione con la vicina area di necropoli, esemplificata dalla tomba a cassa di tegole recuperata. La fattoria di Contrada Pedale s'inquadra molto bene nel tipo d'insediamento rurale assai meglio documentato in altre aree della Magna Grecia[25] durante il IV secolo a.C. (si veda ora anche l'evidenza da Mortelle, sito 25).

D'altra parte, in almeno due dei siti esplorati (siti 3 e 30), come già sottolineato, è da presumersi che i resti identificati si riferiscano ad un piccolo agglomerato di 'villaggio', sia pur a rischio di adoperare un termine ambiguo che non è

[23] Fracchia 1985.
[24] Il sistema di comunicazioni delineato per la regione Mingardo/Bussento è da raccordarsi con quello delineato per l'area adiacente del Lagonegrese, discusso in dettaglio da G. Greco (*Lagonegro* 1981, pp. 10-12 e tav. II).
[25] Si vedano soprattutto Adamesteanu 1973, pp. 57-59 (fattoria di Lago del lupo), Carter 1979, p. 56 (fattoria Stefàn), Guzzo 1982, pp. 322-325 (Montegiordano) e *Acquappesa* 1978.

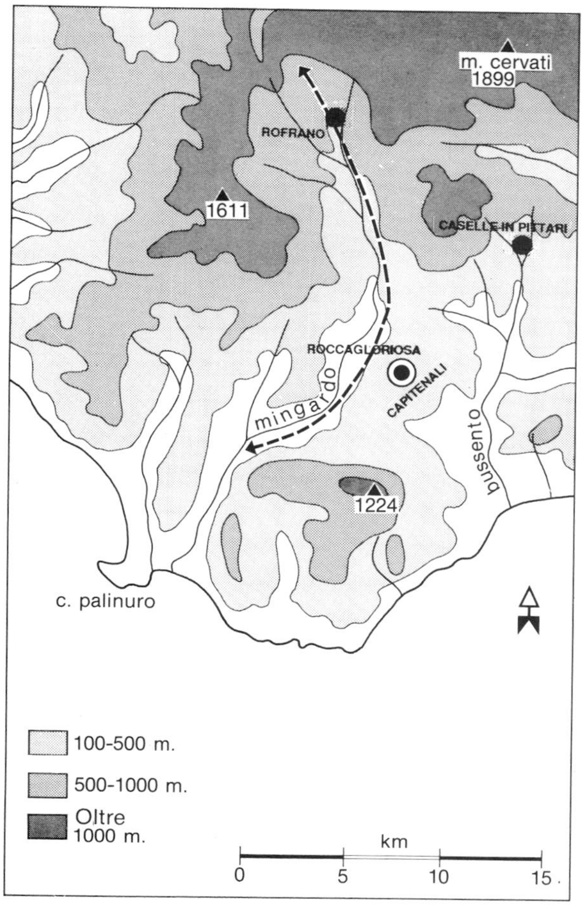

Fig. 160 Siti maggiori di IV secolo a.C. nella regione Mingardo/Bussento.

dato connettere con una specifica documentazione a livello di scavo. Si inquadrano in questa categoria il tipo di insediamento rilevato nei siti di Mai (3) e Scudiere (30), dove, a parte le dimensioni assai maggiori delle aree ricoperte da resti di superficie, si nota un sistema di organizzazione di tracce di abitato e 'attività', intorno ad un sito 'centrale', più vasto (3a e 30a negli esempi indicati).

Il tipo di organizzazione territoriale documentato è senza dubbio da porsi in relazione con una forma di sfruttamento intensivo della campagna basato su di un sistema di policoltura che includeva colture arboree e, in misura minore quella dei cereali[26]. A Roccagloriosa lo scavo sistematico di alcune delle principali aree abitative, ha potuto documentare la coltura della vite (prevalente), fico, olivo e diversi tipi di cereali, a cui corrisponde un tipo di allevamento 'stabile', con elevata percentuale di bovini e suini (si vedano le analisi dei dati archeobotanici e faunistici (*infra*, Cap. 10). È importante sottolineare altresì che lo sviluppo di un tale tipo di sfruttamento del suolo costituisce una importante trasformazione del paesaggio agrario della regione nel corso del IV secolo a.C. Nonostante la ricognizione intensiva di superficie effettuata nel territorio, scarsissime rimangono le tracce di insediamenti 'rurali' per il periodo precedente il IV secolo a.C. e, in particolare per i secoli VI e V a.C., per cui i resti di frequentazione sono assai scarsi e di natura incerta.

Per quanto riguarda il più ampio quadro regionale, e rimanendo nell'ambito del IV sec. a.C., i risultati, ancora in corso di studio, lasciano intravvedere l'esistenza di siti 'intermedi' quali Pruno/Rofrano (38) e Laurelli/Caselle in Pittari (39) (probabilmente anche fortificati, come sembra documentato per quest'ultimo sito), in punti strategici del sistema di comunicazioni nella regione. Nei limiti in cui è possibile parlare di gerarchia degli insediamenti allo stato attuale dell'analisi regionale, tali siti sembrerebbero essere 'gerarchicamente' disposti a servizio del centro maggiore (Roccagloriosa) secondo un modello già proposto per l'area Brezia[27].

Il sistema insediativo delineato per il IV e III secolo a.C. mostra segni di mutamento nella seconda metà del III secolo. In particolare, l'importazione (dalla Campania) di anfore del tipo transizionale Greco-Italico/Dressel IA (*infra*, cap. 9) documentata nei nuclei abitativi extramurani dell'insediamento agglomerato e la presenza di ceramica Campana A sia nell'insediamento agglome-

---

[26] Fondamentale per la connessione fra tipi di sfruttamento agricolo e sistemi d'insediamento rurale sono le considerazioni di Barker 1977 per l'area sannitica e Greco E. 1979 per la *chora* pestana. Barker (1982, pp. 217-218), delinea il panorama generale per l'Italia centro-meridionale preromana. Si vedano anche i commenti di Bottini A. 1982 a, p. 100) e le considerazioni di Frederiksen (1981, pp. 265-267) sulla stretta connessione fra popolamento decentrato ed arboricoltura.

[27] Per un caso di studio di gerarchia degl'insediamenti in un tipo di organizzazione 'proto-urbana', si veda Bonomi Ponzi 1985, p. 213; sul modello avanzato per l'area Brezia, si veda Guzzo 1986, p. 369.

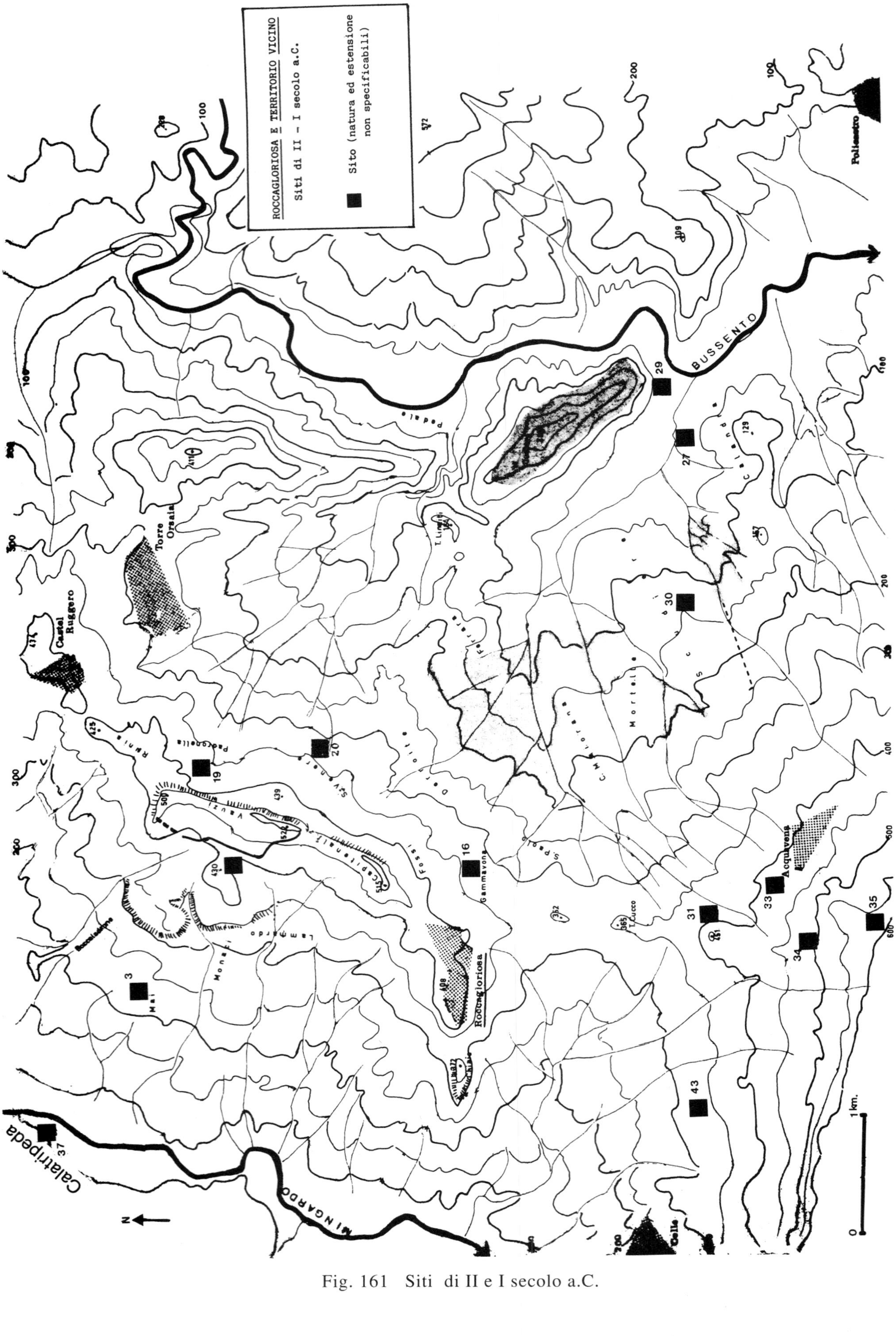

Fig. 161 Siti di II e I secolo a.C.

rato che in almeno tre siti del territorio (Mai, 3, Calatripeda, 37 e Celle di Bulgheria, 43), come pure la presenza di nuovi tipi di ceramica grezza (*infra*, p. 277), sottolineano l'inserimento della regione in una più ampia area commerciale Mediterraneo-occidentale, in cui non è difficile vedere la crescente presenza di Roma. Un fattore di cambiamento strettamente connesso con la incipiente romanizzazione è la devitalizzazione del sito agglomerato di Roccagloriosa a partire dalla metà del III secolo a.C., che senza dubbio deve aver profondamente modificato l'equilibrio economico del territorio circostante. La contrazione del numero di siti documentati per il II e I secolo a.C. (benché allo stato attuale della ricerca sia difficile precisarne la entità) è senz'altro una conseguenza di tali mutamenti. Nel presentare la carta di distribuzione dei siti relativi a questo periodo (fig. 161) è necessario tuttavia ribadire (come già sottolineato da altri studiosi)[28] che l'assenza di forme diagnostiche della ceramica fine per questo periodo costituisce spesso un fattore di distorsione nella identificazione di siti appartenenti a questo specifico arco cronologico, sulla sola base di rinvenimenti di superficie. D'altro canto l'esistenza di un certo numero di siti chiaramente identificati come 'transizionali', sopra menzionati, è di per sé sufficiente ad indicare elementi di continuità presenti nella regione fra il IV e III secolo a.C. ed il periodo romano-imperiale.

Quello che risulta più evidente da un primo raffronto delle due carte di distribuzione dei siti qui presentate (figg. 149 e 161) è il graduale spostamento degli insediamenti rurali dai terrazzi più elevati verso aree più basse e dal versante del Mingardo verso quello del Bussento/Golfo di Policastro. Sarà compito della ricognizione in corso chiarire i tempi e i modi di questo mutamento ed il ruolo della colonia marittima di Buxentum nell'improntare il nuovo sistema insediativo nella regione.

H. Fracchia
M. Gualtieri

---

[28] Dyson 1978; Wightman 1981.

CAPITOLO 8

ORGANIZZAZIONE GENERALE DELL'ABITATO

1. Sullo sfondo delle attuali conoscenze su insediamenti e modelli di occupazione territoriale della Lucania preromana, l'evidenza dell'abitato di Roccagloriosa, descritta nei capitoli precedenti, rappresenta indubbiamente un caso privilegiato. Nonostante la limitatezza dell'area sinora esplorata rispetto alla superficie totale del presunto insediamento agglomerato ad ovest dei Capitenali e nonostante la notevole eterogeneità del valore documentario dei dati raccolti in un arco di dieci anni di esplorazioni, il quadro che se ne può ricavare lascia intravvedere un insediamento ampio, su di una superficie complessiva di oltre 30 ettari, con un notevole livello di organizzazione ed un elevato grado di complessità funzionale. Quando si considerino i dati derivanti dallo scavo estensivo dell'abitato sullo sfondo del quadro socio-economico fornito dalla necropoli in località La Scala e del più ampio quadro regionale fornito dalla ricognizione di superficie, viene spontaneo osservare che troviamo qui riuniti, in un solo sito, elementi di notevole rilievo atti a qualificare aspetti fondamentali dell'organizzazione di una comunità lucana tra gl'inizi del IV secolo a.C. e la romanizzazione dell'area. Nell'ambito del quadro storico-culturale generale, che ovviamente si avvale delle informazioni che possono ricavarsi dalle fonti scritte[1], sono di particolare rilevanza i dati relativi al tipo di organizzazione insediativa e soprattutto la documentazione specifica su alcuni dei nuclei abitativi (quale il pianoro centrale), per cui

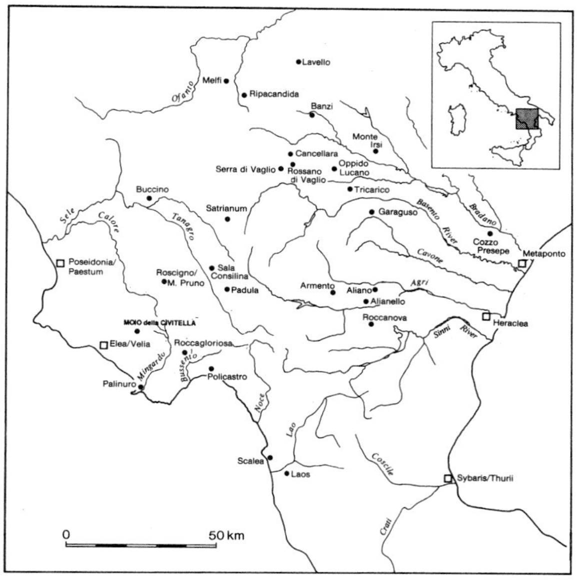

Fig. 162 Carta dei principali siti della Lucania menzionati nel testo.

[1] Per una sintesi degli sviluppi di IV secolo a.C. si veda Lepore 1972-1973 e Lepore 1975. I rapporti fra i vari *ethne* sono discussi da Pugliese Carratelli 1971, ed un quadro generale della storia regionale è delineato in Pugliese Carratelli 1980. Commenti sulle fonti integrati in un quadro archeologico della Lucania di IV secolo a.C. sono presentati da Bottini A. 1987 mentre una raccolta sistematica delle fonti scritte è stata effettuata da Cordano 1971. Di utile consultazione per un più ampio quadro diacronico è Pontrandolfo Greco 1982. Una recente disamina dettagliata delle fonti, sullo sfondo delle vicende magno-greche fra la metà del V secolo e la metà del IV è stata presentata in una tesi di Dottorato da Chiranky 1982. Il problema specifico dei contatti fra città magno-greche e le élites italiche è stato di recente messo a punto da Mele 1981 e D'Agostino 1981.

l'evidenza da altre aree della Lucania risulta ancora assai lacunosa[2]. Pertanto si è ritenuto opportuno, in queste note conclusive, formulare alcune considerazioni di carattere generale sull'abitato nel suo insieme, cercando di integrare nella discussione i dati emersi da un recente studio sulla organizzazione dell'area di necropoli in località La Scala, che, nonostante la estensione limitata dell'area sinora scavata, è già atta a delineare un quadro assai articolato del rituale funerario e della organizzazione sociale ad esso connessa. Il modello della organizzazione territoriale di IV secolo a.C. che emerge dai dati preliminari della ricognizione topografica è anche esso assai utile a fornire ulteriori elementi atti a qualificare il processo di sviluppo della regione nel periodo precedente l'intervento di Roma. È in questo più ampio quadro territoriale che bisogna inserire lo sviluppo dell'abitato agglomerato a ridosso dei Capitenali, il quale viene a costituire un punto nodale di un vasto comprensorio collinare nell'immediato entroterra del Golfo di Policastro (fig. 163).

2. Un primo dato rilevante che risulta dalla esplorazione sistematica dell'area fortificata è la esistenza di vari nuclei insediativi di IV secolo a.C. all'interno della fortificazione, che mostrano uniformità di orientamento ed una notevole omogeneità di tecniche costruttive, e presuppongono l'esistenza di un piano organizzativo prestabilito e ben raccordato alla impostazione del muro di fortificazione. È da sottolineare altresì che l'area fortificata include alcuni dei complessi abitativi (i complessi A, B e C sul pianoro centrale) e produttivi (l'impianto metallurgico all'interno della porta nord) di maggior rilievo nell'ambito dell'insediamento nel suo insieme.

Una tale constatazione è di per sé atta a qualificare in maniera assai specifica il cosiddetto 'fenomeno' delle fortificazioni lucane (se ne conoscono almeno 30 nella sola area della Basilicata[3] a cui sono da aggiungere almeno 4 per la Lucania occidentale ed altre 4 o 5 nella Calabria[4], alla estremità meridionale dell'area lucana). Il fatto che, certamente in più di un caso, la fortificazione abbia avuto la funzione di delimitare un vero e proprio spazio 'urbano'[5], anche se tale termine dev'essere ovviamente inteso in una accezione assai ampia[6], corre-

---

[2] Ad eccezione di Laos e Serra di Vaglio. A Laos (Lucana) (*Marcellina/Laos* 1986), i recenti scavi hanno evidenziato un imponente impianto di IV secolo a.C. che include 'isolati' costituiti da ampie case a cortile (modellate sul tipo della fattoria a cortile centrale) inserite nel sistema urbanistico (cortese comunicazione verbale di E. Greco; dati specifici in corso di pubblicazione in AA.VV., *Laos*, I, Istituto per la Storia e l'Archeologia della Magna Grecia, Taranto, in corso di stampa). A Serra di Vaglio (Greco G. 1980, Greco G. 1982, A. Bottini in *PCIA*, 8, 1986, pp. 199-201) un recente studio di Greco G. (1988) sottolinea l'esistenza di un impianto regolare, includente grandi 'case signorili' allineate lungo un asse stradale, già a partire dalla seconda metà del VI secolo a.C., che si sviluppa con continuità nel corso del V secolo e si ristruttura nel IV secolo a.C. Sembra che l'analisi più recente dell'impianto tenda a sottolineare gli aspetti di continuità (piuttosto che di rottura) dell'insediamento, al passaggio fra il V ed il IV secolo a.C. Nell'area di confine fra Lucania e Daunia, un sito che ha fornito dati fondamentali sugl'insediamenti di V e IV secolo a.C. è Lavello, su cui si veda Bottini A. 1982a e Bottini *et al.* 1989. Per l'area apula è di fondamentale importanza l'evidenza di Monte Sannace (*Gioia del Colle* 1962). Scarsi sono invece i dati dall'area brezia limitati fino a tempi recenti ad alcune case da Tiriolo (Ferri 1927; Spadea 1977, 1988). Le scoperte effettuate a Castiglione di Paludi negli ultimi anni hanno rivelato un abitato di notevole rilievo all'interno della cinta fortificata di IV secolo a.C. (Luppino, comunicazione verbale. Guzzo 1989, pp. 78-80) ma non sono stati ancora pubblicati in maniera esauriente. I recenti scavi ad Oppido Mamertina diretti da P. Visonà sono di rilievo per il III secolo a.C.

[3] Non esiste un elenco completo né una descrizione dettagliata delle cinte individuate in Basilicata, anche se sono stati pubblicati vari studi specifici sul problema (Cremonesi 1966; Adamesteanu 1970-1971, 1983; Nickels 1971). Per commenti di carattere generale sul problema dei centri fortificati sul più ampio sfondo del mondo indigeno della Magna Grecia si vedano D'Agostino 1974, pp. 225-226 e La Genière 1971, pp. 271-272. La indicazione del numero complessivo è di Bottini in *PCIA*, 8, 1986, p. 364. Recentemente, il problema delle fortificazioni di altura in relazione allo sviluppo di strutture insediative è stato discusso sullo sfondo più generale della tarda età del Ferro nell'Italia centro-meridionale da Gualtieri (1987). Un utile criterio generale di distinzione fra *Oppida* e *Castella* è quello formulato da Waldhauser 1984.

[4] Per una discussione complessiva dei siti in area Brezia si veda Guzzo 1987. I siti fortificati della Lucania occidentale sono discussi da D'Henry 1981.

[5] Per una qualifica del termine in relazione agl'insediamenti italici si veda Torelli 1978. Più in generale, si consideri la discussione in Gros e Torelli 1988, pp. 5-60. È da sottolineare che nel contesto di una realtà 'pseudo-urbana' spiccano casi che si muovono 'in direzione della urbanizzazione' (Torelli 1984, pp. 28-29), come ad esempio, quello specifico di Larino ai margini dello hinterland sannitico ed a contatto con l'area adriatica. Di rilievo, al proposito, le considerazioni più generali di Sereni 1955 e 1970.

[6] D'Agostino 1985 sottolinea le diverse valenze che il termine 'urbano' può assumere in ambiti diversi da quello delle società urbanizzate del mondo greco-romano, cercando in tal modo di considerare in maniera assai sfumata l'antinomia città/non città. Una visione del problema in termini di una netta antinomia può portare ad eccessive schematizzazioni quali la qualifica indiscriminata di 'centri urbani' per quelli 'più grandi', nel contesto del mondo indigeno della Magna Grecia (si veda, ad esempio, Adamesteanu 1983a, p. 162). Guzzo e Luppino 1980, pp. 864-866, giustamente sottolineano l'organizzazione 'più allentata' degli insediamenti italici rispetto al modello urbano dei centri della Magna Grecia costiera. Si vedano anche i commenti di Guzzo 1982, p. 130. Fondamentali sono, al riguardo, le osservazioni di La Regina 1981 su strutture sociali e sistema ideologico dei Sanniti e Lucani.

lata al tipo di organizzazione socio-economica di una comunità lucana, sottolinea la natura assai varia di queste fortificazioni e la necessità di considerarne funzione e caratteristiche caso per caso.

Nell'insediamento fortificato di Roccagloriosa, a partire dalla prima metà del IV secolo a.C., assistiamo alla costruzione di un imponente impianto di difesa di tipo greco che si svolge parallelamente ad un processo di monumentalizzazione delle strutture abitative (di cui il complesso A rappresenta l'espressione più vistosa), per cui sembra logico postulare la formulazione di un piano organizzativo generale. Il notevole livello di strutturazione del nucleo abitativo sul pianoro centrale è un evidente riflesso di un simile processo. L'orientamento regolare delle strutture, la griglia di intercapedini che serve a divi-

Fig. 163 La regione Mingardo/Bussento nel contesto della Lucania occidentale (il circolo nero indica l'abitato agglomerato a ridosso del M. Capitenali).

Fig. 164 Veduta obliqua dall'alto della strada di accesso al complesso A (da sud). È visibile l'angolo sud-ovest del complesso A (F 404) e parte del muro perimetrale ovest (F 401).

dere i vari 'isolati' e, allo stesso tempo a organizzarli in un sistema di comunicazioni[7], la evidente relazione topografica con una via principale di accesso attraverso la monumentale porta centrale (fig.164), sono tutti elementi che sottolineano il notevole livello organizzativo di questo abitato di altura. A ciò si possono aggiungere i dati (ancora parziali) sulla esistenza di analoghi complessi di strutture sia sul terrazzo immediatamente retrostante (si veda il muro di sostruzione/terrazzamento nel saggio Vauzi 1989, fig. 64, ad una quota più elevata di ca. 30 m.) che ai limiti settentrionali del pianoro centrale (area VA-XA 85-86), che sembrano ricalcare un orientamento analogo. Abbiamo dunque, nel complesso, la chiara documentazione di un vasto nucleo organizzato di ca. 3 ettari nell'area centrale dello spazio racchiuso dalla fortificazione. È da ribadire il fatto che l'orientamento generale riscontrato nella pianta dell'abitato sul pianoro centrale sembra raccordarsi con quello del nucleo sul pianoro sud-est (meno esteso del primo ma ad esso paragonabile nel tipo di organizzazione e pianta generale) e con le poche strutture murarie sinora rilevate nell'area di Carpineto, rafforzando pertanto l'impressione generale di un vasto spazio con abitazioni disposte in maniera regolare. Nonostante l'esiguità dei dati stratigrafici e cronologici disponibili per il pianoro sud-est e l'area di Carpineto sembrerebbe logico, sulla base dei dati puntuali derivanti dallo scavo del complesso A sul pianoro centrale, collocare questo processo di monumentalizzazione delle aree abitative, e quindi l'organizzazione generale del sito fortificato, nella prima metà del IV secolo a.C. I reperti ceramici ed i rinvenimenti monetali (sia pur scarsi) dall'area di porta nord/Carpineto e dal pianoro sud-est sono senz'altro compatibili con una simile cronologia per lo sviluppo dell'insediamento fortificato.

3. La cronologia proposta ed il processo di strutturazione dell'abitato fortificato vengono confermati ed ulteriormente qualificati dall'evidenza

[7] Per le intercapedini si confronti il piano urbanistico di Marzabotto, dove i *dromoi* o percorsi interni ad un'*insula* sono equiparabili a veri e propri *stenopoi* (*Marzabotto* 1978, p. 139).

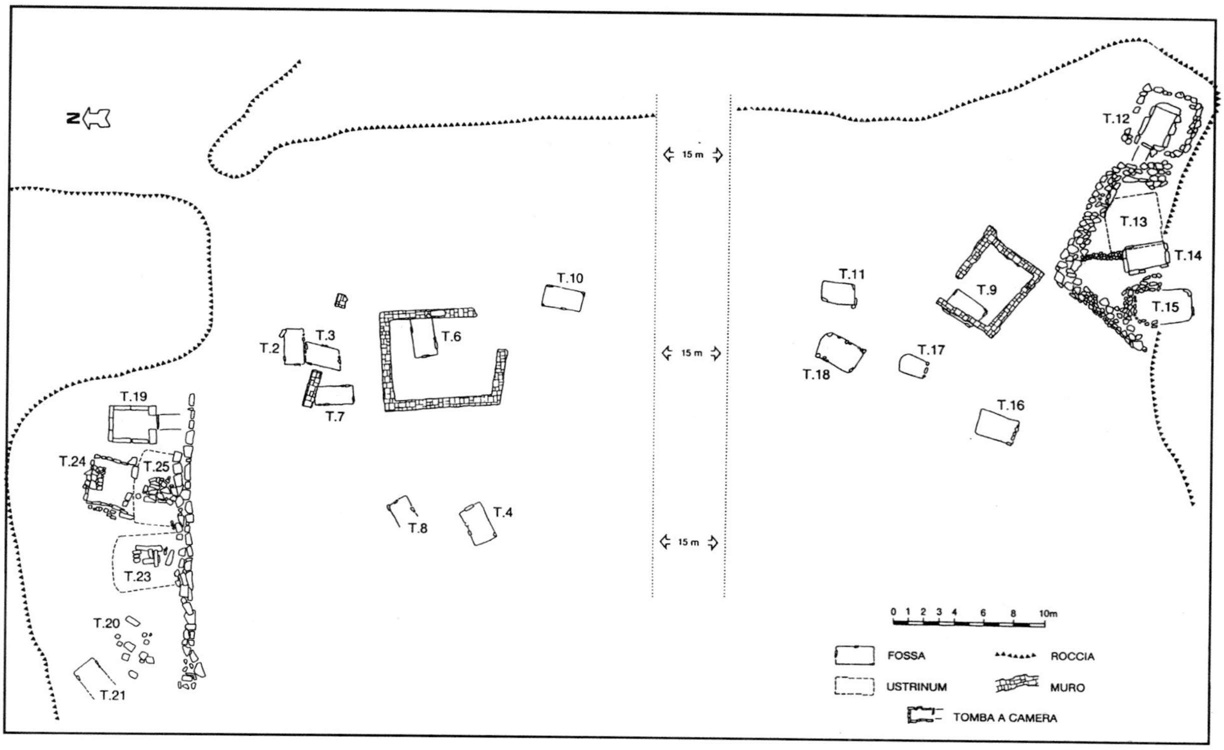

Fig. 165 Pianta della necropoli in loc. La Scala.

fornita da un'area di necropoli 'emergente', parzialmente esplorata, in località La Scala, che ad esso appare topograficamente connessa in maniera più diretta. Uno sguardo al settore della necropoli sinora scavato (un totale di 22 sepolture) fornisce la evidente impressione, pur nella esiguità del numero complessivo, di una concentrazione delle tombe in gruppi (fig. 165) e, soprattutto, di una distinzione in due nuclei separati, con una evidente organizzazione delle tombe a camera in recinti delimitati da muri in grossi blocchi di calcare, alle due estremità della sella che costituisce la parte più elevata dell'area cimiteriale.

Nel caso del recinto nord (fig. 166), il più monumentale dei due, il muro di recinzione/terrazzamento, costruito in tecnica pseudo-isodomica con faccia vista accuratamente squadrata, racchiudeva un vero e proprio spazio riservato a tre tombe a camera (19, 20 e 24) (fig.167), due cremazioni su resti di grosse pire con cassa di blocchi impostata nella parte centrale dei resti carbonizzati (T. 23 e T. 25) (fig.169) ed una tomba a fossa nell'angolo nord-ovest (T. 21). Uno studio generale dei corredi delle tombe sinora scavate (e relativi resti ossei) ha permesso di distinguere tre gruppi generazionali[8] nel periodo compreso fra il 375 ed il 300/290 a.C. che lasciano intravvedere la progressiva segmentazione in più gruppi gentilizi di un lignaggio originario rappresentato dalle tombe 6 e 10[9]. Queste ultime due, che cronologicamente si pongono a cavallo fra

[8] Gualtieri 1989b. Lo studio, ancora provvisorio, delle sepolture effettuato in base alle osservazioni di scavo, all'inventario dei corredi ed all'analisi degli oggetti meglio conservati ha permesso di dividere le sepolture in tre gruppi cronologicamente distinti. Un primo gruppo, databile fra il 375 ed il 360 a.C. include le tombe 2, 3, 9 e 12. Il secondo gruppo, il più numeroso, include le tombe 7, 8, 13, 14, 16, 18, 19, 21, 24 ed è databile nel terzo quarto del IV secolo a.C. o, più specificamente, fra il 340 ed il 330 a.C. per la maggior parte di esse. Un terzo gruppo include le rimanenti tombe 15, 17, 23 e 25, databili fra gli ultimi due decenni del IV secolo e gl'inizi del III. Gli aspetti fondamentali della struttura sociale della comunità, ricostruiti sulla base dei corredi tombali, risultano ora avvalorati dalla lettura del testo della laminetta presentata nel cap. 5 *(supra)*. È da sottolineare, al proposito, che l'apporto rilevante di elementi osci agli sviluppi di fine V-IV secolo a.C. riscontrati nella regione, è fuori dubbio.

[9] Le due tombe 6 e 10 includono, fra l'altro, alcuni vasi di bronzo di fattura etrusco-campana databili nel terzo quarto del V secolo a.C. che lasciano sospettare legami della éli-

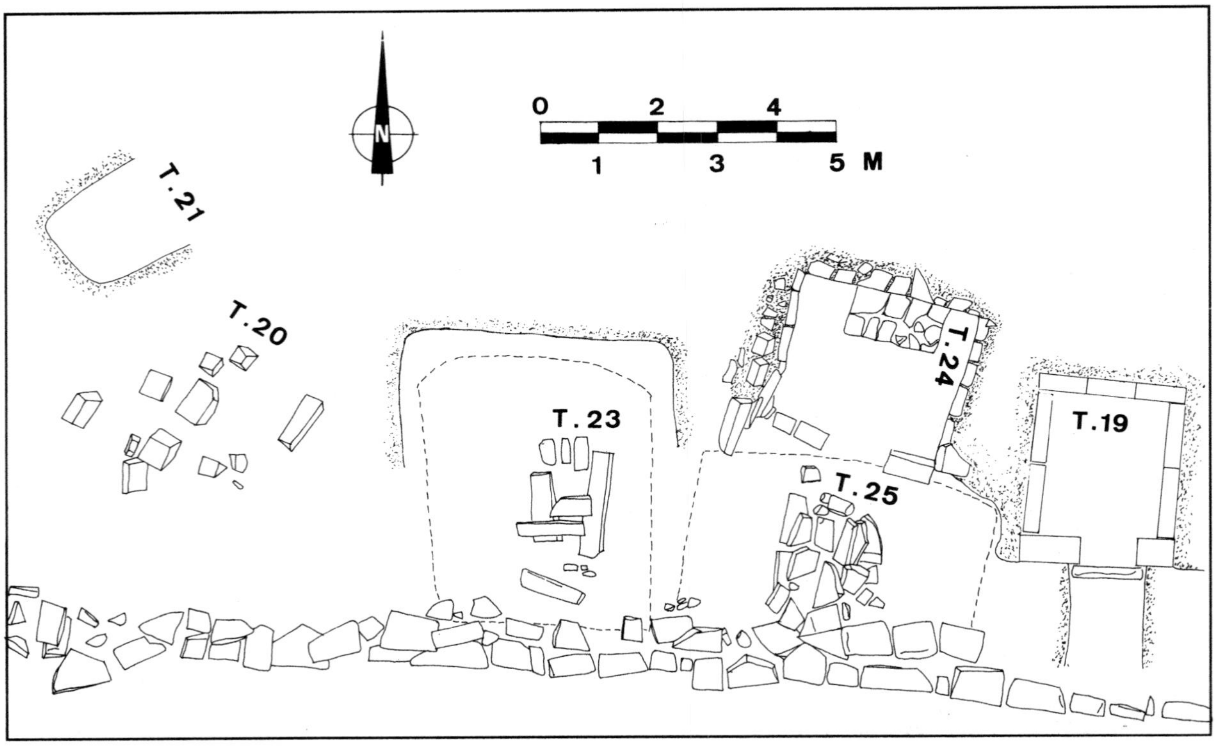

Fig. 166 Necropoli in loc. La Scala: pianta delle sepolture racchiuse nel recinto nord.

Fig. 167 Veduta del recinto nord della necropoli, in corso di scavo (da sud).

Fig. 168 Dettaglio della Tomba 24, con corredo *in situ* (da sud).

V e IV secolo, si distinguono topograficamente per la posizione 'centrale' nella sella, nella quale si dispongono successivamente i tre gruppi di tombe sopra menzionati, e per vari aspetti della ideologia funeraria che traspare dagli elementi del corredo[10]. Non appare casuale il fatto che le due sepolture appena menzionate siano da ricollegarsi cronologicamente alla fase abitativa di V secolo a.C., rappre-

te documentata dalle sepolture stesse con l'area campana più a nord. Per l'inquadramento storico di questa élite documentata a Roccagloriosa dalle tombe 6 e 10, è da tener presente una postulata omogeneità di comportamento delle élites di fine V secolo a.C. su di una vasta area della Lucania interna (Pontrandolfo Greco 1977, p. 67) che è stata giustamente sottolineata come espressione di importanti trasformazioni dalle aree interne della Magna Grecia nel corso del V secolo a.C.

[10] A parte la posizione topografica centrale nell'ambito della fascia superiore della necropoli, è da osservare, nel caso della T. 6, certamente maschile, l'assenza del cinturone che poi diviene un elemento caratterizzante delle sepolture maschili a partire dalla generazione successiva (le T. 2 e T. 12 databili fra il 375 ed il 360 a.C.).

Fig. 169 Veduta (da sud) della Tomba 23, ad *ustrinum*, in corso di scavo.

sentata in maniera vistosa dall'edificio a pianta rettangolare (F 178/297), a cui erano molto probabilmente associate terrecotte architettoniche di tipo greco[11]. Il processo di formazione ed organizzazione iniziale del sito è pertanto da considerarsi coevo con il fenomeno di emergenza di queste élites che affondano le loro radici nel mondo indigeno arcaico[12] con caratteri di notevole omogeneità su di una vasta area della Lucania. Il fenomeno di progressiva strutturazione di questa élite in una vera e propria aristocrazia «in grado di controllare processi politici ed i meccanismi economici»[13] corrisponde allo sviluppo dell'insediamento in direzione più decisamente 'urbana' e, in ogni caso, al di là del modello degli *oppida* o dei vari tipi di fortificazioni di altura con livelli assai ridotti di apprestamenti insediativi all'interno dell'area fortificata[14]. In margine a queste considerazioni sull'area cimiteriale rinvenuta in località La Scala, che indubbiamente ha sinora fornito i dati più rilevanti sul rituale funerario, organizzazione sociale ed altri importanti aspetti della cultura materiale della comunità di IV secolo a.C., è da sottolineare l'esistenza di altre aree di necropoli che ben si inseriscono nel quadro più generale della organizzazione topografica a nuclei separati dell'abitato agglomerato sopra discussa. Anche se la necropoli in località La Scala, solo parzialmente esplora-

Fig. 170 Tetto della tomba 18 con *kalypteres* (da nord).

---

[11] Anche se l'edificio di Roccagloriosa è di dimensioni inferiori, i raffronti già citati con gli edifici a forma allungata di Serra di Vaglio tardo-arcaica sono quelli più calzanti. Purtroppo, l'evidenza di V secolo a Roccagloriosa è piuttosto frammentaria, ma ciononostante non sembra fuori luogo ipotizzare per l'edificio maggiore di V secolo a.C. una funzione paragonabile, in parte 'pubblica o sacra' come definita da Greco G. 1982, p. 76. Ne risulterebbe un esempio tardo-arcaico di *anaktoron*, con una funzione cultuale (testimoniata dalla terracotta votiva siceliota di prima metà V sec. a.C., **V 20**, *supra*, cap. 4) non disgiunta da quella residenziale, che precede di oltre mezzo secolo il grande complesso A con area cerimoniale, corrispondente all'impianto monumentale di IV secolo a.C. Per quanto riguarda questo presunto *anaktoron* di V secolo a.C., è da sottolineare che gli esemplari più antichi di terrecotte architettoniche (Cap. 9, NN. **521-522**) sono stati rinvenuti in giacitura secondaria, non direttamente associati all'edificio stesso. Sembra tuttavia ragionevole proporne l'appartenenza all'edificio in questione o altro simile.

[12] Sul problema si veda una discussione più dettagliata in Gualtieri 1989b. Si veda anche, più in generale, Fracchia e Gualtieri 1989.

[13] Come formulato da A. Bottini in *PCIA*, 8, 1986, p. 357.

[14] Sul quadro generale della situazione insediativa in una vasta area dello hinterland tirrenico e la discussione dei fenomeni di trasformazione verso forme più dichiaratamente urbane, si veda Gros e Torelli 1988, pp. 48-49.

Fig. 171 Blocco di calcare con deposizione degli oggetti di oreficeria della Tomba 9 (da ovest).

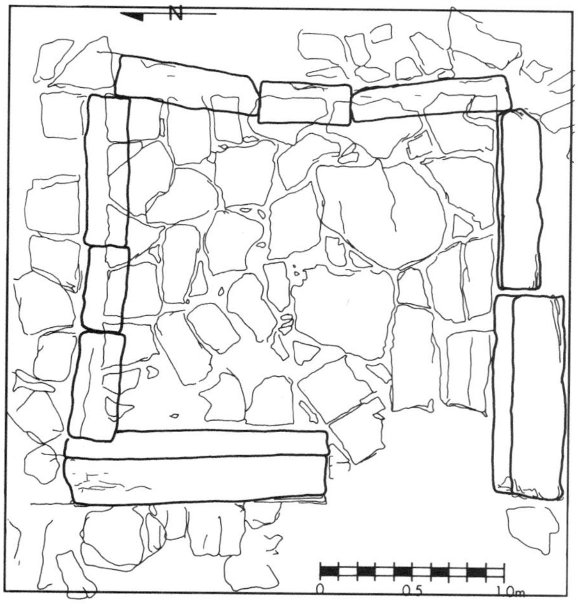

Fig. 172 Pianta della Tomba 26, rinvenuta in località Sambuco/Stritani (si veda la Tav. VII per la collocazione della tomba rispetto all'abitato).

ta, può configurarsi, sia per ragioni topografiche che per il livello delle sepolture, l'area cimiteriale principale dell'abitato agglomerato, sembra già evidente che alla organizzazione dell'abitato in diversi nuclei insediativi separati da spazi vuoti, corrisponda l'esistenza di altri agglomerati di sepolture in posizione topografica correlata. Un'altra area cimiteriale di una certa rilevanza, includente un certo numero di tombe a camera di vario tipo, è quella messa in luce nella zona Sambuco/Stritani (tav. VII fuori testo). Un gruppo di quattro tombe a camera sinora individuate, fra cui una con la caratteristica eccezionale di un pavimento in grossi basoli (figg. 172-173), risultano disposte lungo il versante est di un declivio ricco di sorgenti, al limite sud del vasto pianoro C. Balbi (Tav. VII fuori testo) lungo una ipotetica via di accesso al sito da sud. È assai probabile che esse facciano parte di una più vasta area cimiteriale, topograficamente connessa con l'area extra-murana sopra menzionata. L'individuazione di concentrazioni di materiale ceramico probabilmente attribuibili a tombe sconvolte ai margini nord ed ovest dell'area DB costituisce un altro indizio sulla esistenza di nuclei di sepolture topograficamente connesse con le aree extra-murane. Si viene pertanto configurando una pluralità di aree di necropoli parallelamente alla organizzazione dell'abitato in nuclei, fatto che trova riscontro in molti degli abitati indigeni della Magna Grecia, secondo una usanza che affonda le sue radici negli agglomerati dell'Età del Ferro. Tuttavia, a differenza di altri abitati coevi, soprattutto del versante adriatico, in cui è dato rinvenire assai spesso una commistione di abitazioni e tombe (in particolare Monte Sannace, Lavello e probabilmente Oppido Lucano)[15], a Roccagloriosa si osserva una distinzione piuttosto netta fra nuclei insediativi ed agglomerati di sepolture, particolarmente evidente nell'area di necropoli in località La Scala. In quest'ultima v'è una evidente volontà di destinare una zona topograficamente definita, al di fuori degli spazi abitativi centrali, alla funzione di necropoli monumentale. Un tale dato topografico ben s'inquadra nel piano organizzativo generale dell'abitato fortificato sopra menzionato.

4. Un problema che viene lasciato aperto dallo stato attuale della esplorazione dell'abitato riguarda il livello di organizzazione e la cronologia delle aree extra-murane. In un'area pianeggiante, situata ad una quota leggermente inferiore a quella dell'abitato fortificato e da esso separata da un ripido declivio, lo scavo e la ricognizione hanno evidenziato estesi nuclei insediativi intervallati da spazi vuoti, su di una superficie complessiva di ca. 20 ettari. La scarsa rilevanza dei materiali appartenenti alla prima metà del IV secolo a.C. sinora rinvenuti dallo scavo e ricognizione nell'area DB e sul pianoro Napoli 1971 e la apparente uniformità di organizzazione dei nuclei extra-murani con l'orientamento generale dell'abitato fortificato, lascerebbero pensare, in prima approssimazione, ad una graduale estensione al di fuori del muro di fortificazione del 'piano regolatore' adottato per l'abitato fortificato[16]. A tali considerazioni di carattere generale sono da aggiungere alcune osservazioni più specifiche sulla topografia e distribuzione dei vari nuclei.

Il nucleo esplorato sul pianoro U. Balbi/Area Napoli 1971, alla luce degli scavi più recenti, sembra distribuirsi lungo due assi perpendicolari (in direzione est-ovest nelle strutture del saggio E ed in direzione nord-sud nello scavo Napoli 1971) che appaiono essere in stretta relazione con l'ingresso monumentale della Porta Centrale (fig. 132). Questo nucleo di strutture, che include gli edifici più imponenti (purtroppo ancora di incerta destinazione) rinvenuti al di fuori della fortificazione, si è senz'altro sviluppato in maniera notevole fra la fine del IV ed il III secolo a.C., in un punto vitale di accesso

Fig. 173 Veduta della Tomba 26 (da ovest).

ed in posizione topografica di rilievo rispetto all'abitato fortificato. Parimenti, il vasto pianoro C. Balbi (benché in quest'ultimo caso i dati ceramici siano quasi inesistenti) sembrerebbe costituire una estensione della predetta area, ad essa strettamente connessa, come indicano l'orientamento dell'angolo di muro messo in luce all'estremità nord-est del pianoro (punto M2, Tav. VII fuori testo) e l'orientamento generale del lungo asse 'stradale' evidenziato dalla prospezione geo-elettrica (*supra*, cap. 6). È inoltre da sottolineare quanto già detto precedentemente sulla probabile presenza di una vasta area a cielo aperto, libera da costruzioni lungo l'asse stradale principale nella parte centrale del pianoro, che do-

[15] Una simile situazione è molto più evidente sul versante adriatico e nell'area apula in generale. Si considerino, ad esempio, il vasto abitato di Monte Sannace (*Gioia del Colle* 1962) e Lavello (Bottini A. 1982a). Incerta è la situazione ad Oppido Lucano, dove invece le tombe sembrano appartenere tutte ad una fase precedente quella dell'impianto 'regolare' delle case di IV secolo a.C. (Lissi Caronna 1984, pp. 208-210, fig. 5).

[16] Come giustamente osserva Torelli (Gros e Torelli 1988, p. 49) sulla base di considerazioni di carattere generale dell'urbanistica degl'insediamenti preromani.

vrà costituire oggetto di esplorazione più approfondita.

Qualora la predetta area risulti effettivamente una piazza o spazio di altra natura delimitato per uso collettivo, ci troveremmo di fronte ad un caso di presenza di un'area pubblica, nel senso pieno del termine, significativamente nella zona più bassa e pianeggiante del sito che verrebbe a qualificare in maniera notevole il livello di organizzazione dell'abitato nel suo insieme. Rimanendo sul piano delle ipotesi, è da presumere che un tale sviluppo possa essere occorso in un momento cronologicamente più avanzato, secondo i dati ceramici (purtroppo ancora assai scarsi e provvisori) sinora raccolti nelle aree extra-murane. Questi ultimi, con tutta la cautela che impongono la parzialità e provvisorietà dell'evidenza stessa, indurrebbero a porre il periodo di massimo sviluppo dell'abitato extra-murano nei primi decenni del III secolo a.C. (*supra*, p. 164)[17].

Infine per quanto riguarda l'area DB, i dati raccolti dalla ricognizione intensiva sembrano evidenziare un esteso agglomerato abitativo che presenta svariate analogie con quello più ampiamente documentato sul pianoro centrale, sia nell'impianto e tecniche costruttive (si veda l'area basolata messa in luce dal saggio di scavo, *supra*, p. 159-160) che per qualità e quantità dei reperti ceramici. Come già accennato, la presenza di materiali di V secolo a.C., (che lasciano pensare alla esistenza di piccoli agglomerati abitativi sparsi, precedenti il fenomeno di monumentalizzazione di IV secolo a.C.), si accompagna ad una notevole scarsezza o quasi assenza di materiali riferibili alla prima metà del IV secolo. Una tale constatazione lascerebbe pensare ad un abitato extramurano sviluppatosi prevalentemente nella seconda metà del IV secolo e la prima metà del secolo successivo, strutturandosi in maniera analoga a quella documentata per l'abitato fortificato. Un elemento degno di nota, e da sottolineare nel contesto di questa discussione, è la rilevante concentrazione di resti di fornaci e materiali connessi (matrici, scarti di cottura, tuyère) in un settore specifico dell'area DB. Una tale concentrazione (fig. 139) sembra essere anche quantitativamente più rilevante della evidenza relativa alle fornaci documentate sul pianoro centrale (*supra*, pp. 87-91) e sul pianoro sud-est (*supra*, p. 95). Mentre la documentazione di fornaci rinvenuta in queste ultime due aree sembrerebbe aderire piuttosto al modello di piccoli impianti artigianali inseriti in unità abitative, a conduzione familiare, come nella Heraklea di IV e III secolo a.C.[18], nel caso dell'area DB sembrerebbe possibile intravvedere, già nella seconda metà del IV secolo a.C., una forma di concentrazione di apprestamenti produttivi in veri e propri *ergasteria*, con la esistenza di una 'area artigiana' (sia pure allo stato embrionale) del tipo di quella documentata a Metaponto[19].

5. Il processo di concentrazione e strutturazione dell'abitato a ridosso del crinale dei Capitenali avviene in concomitanza con un più ampio fenomeno di crescita demografica (definibile a livello quantitativo solo in termini assai generici[20] ma messa a fuoco da vari aspetti della evidenza materiale riferibile a questo arco di tempo), a cui corrisponde, sul piano territoriale, un fenomeno di occupazione assai densa della campagna[21]. Un simile sviluppo, già sottolineato da altri studiosi per siti coevi sia della Lucania Occidentale[22] che della Lucania interna[23], come pure per altre zone della Magna Grecia più in generale[24], è stato, nel caso di Roccagloriosa,

---

[17] Tali sviluppi sembrerebbero cronologicamente coerenti con quanto riscontrato in siti paragonabili in altre aree della Magna Grecia. A Monte Sannace (*Gioia del Colle* 1962, p. 102) l'edificio sull'acropoli, formato da una *stoa* ed un ambiente decorato da *antepagmenta* fittili è datato intorno alla metà del III secolo a.C. A Castiglione dei Paludi (Guzzo 1989, pp. 78-80; *PCIA*, 8, 1986, pp. 369-370; Paoletti 1981), che rappresenta un centro principale dell'area Brettia, esiste un edificio per riunioni conformato a cavea la cui forma «deriva da quella di analoghe costruzioni italiote»; ma, nonostante gli scavi estensivi degli anni recenti, manca la pubblicazione di dati puntuali.

[18] Come documentato con chiarezza di dettagli nella Heraklea di IV e III secolo a.C. (si vedano i commenti in Greco e Torelli 1983, pp. 271-274) ed a Locri (Barra Bagnasco 1985, pp. 196-201). Rilevanti sono le considerazioni di Collis (1984, pp. 132-136) relative alle fornaci rinvenute in contesti abitativi negli *oppida* centro-europei.

[19] Sull'*ergasterion* di Metaponto, D'Andria 1980; D'Andria 1983, pp. 85-86; *Metaponto* 1975, pp. 362-370. Sul problema più generale della presenza di un 'quartiere artigiano' nelle città magno-greche, sia pur con riferimento ad un periodo precedente, si veda D'Agostino 1972.

[20] Una stima in termini numerici è assai rischiosa, soprattutto in mancanza di indizi ricavabili dalle fonti scritte. Si vedano le considerazioni di Sereni (1955, *passim* e 1970) che suggeriscono di mantenere la stima numerica della popolazione di un sito preromano al di sotto dei mille individui. In via generale, si considerino anche le osservazioni metodologiche di B. Arnold (in Blair Gibson e Geselowitz 1988, pp. 182-185) ed i calcoli di Wells (1984, pp. 116-117 e 164-166) per gli *oppida* centro-europei.

[21] Si vedano le considerazioni di Potter (1979, pp. 125-127) su di un fenomeno coevo in Italia Centrale, rilevato sulla base della ricognizione sistematica di superficie.

[22] Greco E. 1979, pp. 232-234.

[23] Bottini A. 1982a, pp. 98-102.

[24] Boersma e Yntema 1982, 1987.

evidenziato in maniera puntuale dalla ricognizione sistematica di superficie (*supra*, cap. 7), che ci ha permesso di fornire un quadro abbastanza dettagliato del tipo di organizzazione territoriale corrispondente al rapido e notevole sviluppo dell'insediamento agglomerato[25].

Nel 'territorio vicino'[26] compreso entro un raggio approssimativo di 5 km. intorno al sito agglomerato si è riscontrata una notevole densità dell'insediamento rurale con siti distribuiti ad intervalli regolari (distanze fra i 750 e 1500 m.) sui terrazzi maggiormente utilizzabili per lo sfruttamento agricolo. È da sottolineare che la distribuzione dei siti si attesta su terrazzi di frana e, più in generale, nelle aree di contatto fra le masse calcaree e gli strati di argilla e marne, in connessione con la presenza più frequente di sorgenti, ad una quota compresa fra i 300 e 200 m. s.l.m. In generale l'occupazione della campagna si spinge fino ai margini dei letti fluviali, come sembrerebbero indicare il sito di Pedale/Torre Orsaia sulla riva destra del Bussento (cap. 7, n. 24) e quello di Isca della Fumiera in prossimità del letto del Mingardo (cap. 7, n. 6). Non sembra opportuno, allo stato attuale della ricerca, proporre raffronti di densità di occupazione rurale fra quest'area esplorata in maniera intensiva ed il rimanente territorio delimitato dall'alta valle del Mingardo e del Bussento. Tuttavia, i dati sinora raccolti per alcune delle aree campione quali Rofrano, Piano Grande/Centaurino e l'area di Caselle in Pittari, lasciano pensare ad una densità rilevante dell'abitato rurale di IV secolo a.C. anche nel resto della regione considerata. Allo stesso tempo tali dati indicano la presenza di siti 'intermedi' di una certa consistenza, 'gerarchicamente' disposti a servizio del centro maggiore in punti nodali di comunicazione, ai limiti della regione considerata (*supra*, cap. 7)[27]. Pertanto è già possibile intravvedere una logica organizzativa del paesaggio agrario regionale nel suo complesso, con una occupazione assai densa della campagna che va senz'altro al di là di quella che si può definire l'area di approvvigionamento ('catchment area') del sito fortificato principale di Roccagloriosa[28] (secondo l'applicazione di un utile modello di analisi regionale)[29].

La natura degli insediamenti rurali più comunemente documentati dalla ricognizione di superficie, è stata chiarita dallo scavo di un sito identificato in contrada Pedale/Torre Orsaia, sulla riva destra del Bussento (*supra*, pp. 187-189), che ha rivelato una fattoria composta di vari ambienti di cui quello scavato interamente mostra dimensioni (m. 6 x 5) e tecnica edilizia raffrontabili con il tipo di insediamento rurale assai diffuso in Magna Grecia durante il IV sec. a.C.[30] (fig. 152).

La presenza di tombe associate con il predetto edificio rurale, di cui è stato possibile recuperarne una a cassa di tegole (parzialmente sconvolta), ha confermato che si trattava nei casi più comuni di edifici connessi con nuclei familiari che risiedevano nel territorio[31].

Tuttavia, in alcuni casi, ben documentati dalla ricognizione di superficie, non v'è dubbio che ci si trovi di fronte a gruppi di edifici distribuiti su di una superficie più ampia ('villaggio' o 'piccola borgata') che doveva costituire un piccolo agglomerato

---

25 Sulla connessione fra sviluppo di un impianto monumentale ed il rapporto con il territorio circostante, si vedano le considerazioni di Bottini in *PCIA*, 8, 1986, pp. 202-203 e p. 244.

26 Le distinzioni fra le varie aree esplorate dalla ricognizione topografica e le premesse metodologiche sono già state puntualizzate (*supra*, cap. 7). Considerazioni utili sulla occupazione dei versanti delle valli fluviali nel IV-III secolo a.C., in maniera piuttosto continua e al di là di specifiche 'aree di approvvigionamento' di siti fortificati o agglomerati sono incluse in NICKELS 1971 e TOCCO 1980. L'evidenza della Val d'Agri, in particolare, sembrerebbe indicare un fenomeno di occupazione abbastanza densa della campagna, pur nella apparente assenza di rilevanti fenomeni di aggregazione. Resta ancora da qualificare, sulla base di specifici dati di scavo, il ruolo di Armento e Roccanova nel corso del IV secolo a.C., in relazione alla densa distribuzione degli insediamenti rurali osservata.

27 Nonostante le caratteristiche regionali ben definite per l'area Mingardo/Bussento sopra considerata, ben delimitata a nord (dal monte Cervati), ad ovest (dal monte Sacro e monte Scuro) e ad est (dal passo di Sanza), sarebbe erroneo formulare per il IV sec. a.C. un sistema insediativo chiuso in se stesso senza tener conto della influenza esercitata da regioni confinanti quali, in particolare, l'area di Moio della Civitella/Velia (a nord-ovest) ed il Vallo di Diano (a nord-est).

28 Anche se, com'è da aspettarsi, si riscontra un massimo di densità di siti rurali sui terrazzi più direttamente collegati con il sito di altura.

29 Fondamentale è lo studio di CHISHOLM 1968.

30 I raffronti più immediati per un tale tipo di fattoria sono quelli scavati nella *chora* metapontina (ADAMESTEANU 1973, pp. 57-59, ADAMESTEANU 1974, pp. 82-83, CARTER 1979, p. 56), anche se si tratta di tipi generici di edifici rurali, largamente diffusi in vaste zone del mondo mediterraneo a partire dal IV secolo a.C. (si veda ad esempio quello dal territorio di Himera, presentato in *Himera, II* pp. 650-656, tav. 7). Leggermente diverso è il tipo di fattoria probabilmente 'fortificata', in posizione elevata, documentato a Montegiordano (LUPPINO 1981).

31 Sulla associazione tombe/fattoria, si vedano le considerazioni di GUZZO (1982, p. 143). Alcuni aspetti generali, di fondamentale importanza, sul paesaggio agrario dell'Italia medio e tardo-repubblicana sono discussi da GARNSEY 1979. La più recente esplorazione del sito di Mortelle (cap. 7, sito 25) aggiunge dati assai rilevanti al problema in questione.

rurale (l'esempio più chiaramente documentato è quello di Mai (*supra*, cap. 7, sito 3) intorno al quale potevano gravitare piccole fattorie, del tipo più comunemente documentato. Una simile situazione è stata ipotizzata per la vasta documentazione di reperti di superficie riscontrata in contrada Scudiere (*supra*, cap. 7, sito 30). È forse prematuro, a questo stadio della ricerca, tentare di delineare una vera e propria gerarchia di insediamenti ma, come sopra accennato, è chiaro che la occupazione assai densa della regione Mingardo/Bussento riscontrata per il IV secolo a.C. includeva senz'altro siti di dimensioni e funzioni assai diverse, per i quali l'abitato agglomerato a ridosso dei Capitenali doveva costituire un punto di riferimento 'centrale'[32]. Un tale fenomeno di «occupazione della campagna»[33] ha il suo momento di massima intensità nella seconda metà del IV secolo a.C. ed i primi decenni del III. È chiaro, tuttavia, dalla cronologia proposta per i siti rurali più estesi e meglio documentati (quali, ad esempio, Mai, *supra*, cap. 7, sito 3) e da un certo numero di siti qualificati quali 'transizionali' (*supra*, cap. 7), che l'occupazione del territorio continua al di là delle vicende di sviluppo del sito fortificato principale, anche se vari elementi del sistema insediativo instauratosi nella regione nel corso del IV secolo a.C. vengano sostanzialmente modificati[34].

6. Uno degli obbiettivi della più recente ricerca a Roccagloriosa ed una domanda che emerge spontanea dalla discussione appena fatta sul paesaggio regionale, concerne il tipo di sfruttamento del suolo che corrisponde a questo 'fenomeno' di densa occupazione della campagna. Come già accennato, un sistema di policoltura con l'introduzione di colture arboree (prevalentemente vite ed olivo) sulle aree collinari, ed un conseguente sfruttamento assai più intensivo dei terreni, è stato giustamente sottolineato in recenti studi quale importante fattore di trasformazione delle aree interne dell'Italia centromeridionale fra il V ed il IV secolo a.C. Nel caso di Roccagloriosa si è potuto documentare in maniera puntuale, per il IV secolo a.C. ed i primi decenni del III, un tipo di utilizzazione del suolo che, pur non trascurando le tradizionali colture cerealicole e l'uso di leguminose, include una presenza assai rilevante della vite (*infra*, cap. 10). Su circa 800 semi ed altri resti carbonizzati recuperati da un gran numero di campioni di terreno prelevati dai diversi contesti scavati sul pianoro centrale, quelli appartenenti a *vitis vinifera* rappresentano circa il 30% del totale. Si ricorda al proposito, la fama dell'*«(oinos) Buxentinos»* propagandata, sia pur in un'epoca assai più tarda, da Ateneo *Deipno.*, I, 27a (Tchernia 1986, pp. 334-335). È da notare altresì una significativa presenza di olivo e fico. Non v'è dubbio pertanto che al fenomeno di densa occupazione della campagna nella regione Mingardo/Bussento durante il IV secolo a.C. corrisponda uno sviluppo parallelo di colture specializzate, inserite in un sistema di policoltura tipico dell'area Mediterranea[35] (Tav. I, fuori testo). Parimenti, i dati estratti dall'analisi dei resti faunistici forniscono un quadro assai articolato delle risorse dell'allevamento, con una presenza rilevante di bovini (oltre il 35%) e suini (ca. 16%), su di un campione di circa 2000 ossa identificate provenienti da contesti di IV secolo a.C. Un simile processo di intensificazione dello sfruttamento del suolo nell'area in esame durante il IV secolo a.C. appare ancor più rilevante quando venga considerato sullo sfondo della situazione relativa al periodo arcaico, in cui l'assenza di siti di rilievo nell'entroterra ed il vuoto quasi totale di tracce di insediamenti rurali[36] forniscono un quadro privo di sviluppi socio-economici di rilievo. Sembra lecito richiamare l'attenzione sul fatto che in situazioni storiche paragonabili, per diverse aree della penisola italiana, e del Mediterraneo più in generale, fenomeni simili di sviluppo dell'insediamento e di strutturazione socio-politica sono stati giustamente collegati con tra-

---

[32] Anche nel senso di un 'central place' con controllo politico su di un territorio: si vedano al riguardo le considerazioni metodologiche sulla 'central place theory' in Crumley 1979. Si vedano anche i commenti di Bottini A.1980, p. 325, sulla articolazione delle forme di occupazione e sfruttamento del territorio durante il IV secolo a.C. nella Basilicata settentrionale.

[33] Secondo la dizione adoperata da Greco E. 1979, p. 234.

[34] È altresì chiaro, sulla base dei dati accumulati dalla più recente ricerca nel territorio che questo fenomeno di occupazione della campagna è già in atto all'inizio del IV secolo a.C., come dimostrano il recupero di un'olpe in bronzo da Calatripeda (sito n. 37, *supra*, cap. 7) e la tomba 2 scavata nel 1989 a Mortelle (sito n. 25, *supra*, cap. 7). La discussione delle trasformazioni ed elementi di continuità riscontrabili per il periodo tardo-repubblicano è stata presentata in Gualtieri e Polignac (in corso di stampa).

[35] Sul problema si veda A. Bottini in *PCIA*, 8, 1986, p. 377 e, più in generale, Barker 1977. Rilevanti commenti sulla trasformazione dell'economia agricola degli insediamenti dauni nel corso del III secolo a.C. sono presentati in Volpe 1988, pp. 88-90. Sulla connessione fra popolamento decentrato ed arboricoltura, si veda Frederiksen 1981, pp. 265-268.

[36] Si veda anche la messa a punto di W. Johannowsky in *Atti Taranto*, 20, 1982, pp. 144-145.

sformazioni del regime di utilizzazione del suolo di eguale natura[37].

7. Gli sviluppi accennati acquistano una dimensione più specifica quando vengano inquadrati nel più ampio quadro storico-culturale dell'area lucano-tirrenica fra V e III secolo a.C. La situazione riscontrata a Roccagloriosa per il periodo che precede la metà del V secolo a.C. sembra emblematica di un più vasto territorio interno, compreso fra il Vallo di Diano e il tratto di costa tirrenica fra Palinuro e Policastro, dove manca sinora documentazione di rilievo che sia riferibile al periodo arcaico. Culturalmente l'area apparteneva alla regione definita Enotria, secondo Erodoto (I, 167)[38], ma è solo sulla fascia costiera che possiamo cogliere aspetti della cultura di una comunità indigena arcaica[39], sia pure inserita in un più vasto circuito di scambi e contatti che tocca l'intera area del basso Tirreno[40] (fig. 174). A parte il caso di Palinuro e la evidenza numismatica arcaica su di un ancora evanescente sito di Pyxous[41], non esiste documentazione archeologica di rilievo sino al V secolo avanzato nella regione considerata[42]. D'altro canto, l'evidenza di Roccagloriosa sopra discussa lascia intravvedere importanti fenomeni aggregativi a partire dalla seconda metà del V secolo a.C. Ad un periodo immediatamente precedente si riferisce anche la notizia tramandata dalle fonti (Diod. XI,59,4) sulla colonizzazione reggina di 'Pyxous', per cui la più recente ricerca sul terreno ha fornito un quadro archeologico esauriente[43].

Gli sviluppi successivi sembrano mostrare, da un lato, un fenomeno di devitalizzazione dell'area costiera (nessun cenno viene più fatto su Pyxous sino alla deduzione della colonia marittima romana agl'inizi del II secolo a.C.[44]) e, dall'altro, a partire dal primo quarto del IV secolo a.C., un processo di monumentalizzazione e di notevole espansione dell'abitato a ridosso dei Capitenali, dato che non può non porsi in relazione con quanto tramandato dalle fonti circa la sannitizzazione di vaste aree dell'entroterra tirrenico[45]. Si è, fra l'altro, già sottolineato

---

[37] Si considerino i dati sulla "Agricoltura e paesaggio agrario" presentati da Ampolo (1980) al Seminario su "La formazione delle città nel Lazio" ed in particolare le sue osservazioni sulla viticoltura nel Lazio arcaico (Ampolo 1980, p. 62). Per le aree italiche dell'Italia centrale, sono assai eloquenti i dati preliminari presentati da Barker (1977), sull'argomento si vedano anche le considerazioni più generali formulate in Barker 1982, pp. 216-217. Per quanto riguarda le risorse dell'allevamento, si confrontino i dati riassuntivi forniti da Yntema (1980) per l'area apula. In via largamente indicativa sono fondamentali le osservazioni di Renfrew 1972 (pp. 476-504), sulla introduzione della policoltura nella Grecia dell'Età del bronzo.

[38] Si vedano, al riguardo, le osservazioni di Johannowsky (1985, pp. 84-85) sul quadro storico regionale fra VI e V secolo a.C. Commenti rilevanti sul passo erodoteo sono anche in Greco E. 1985, pp. 84-85. Fondamentale è il quadro generale delineato da P.G. Guzzo (*PCIA*, 8, 1986, pp. 164-166).

[39] Un recente articolo di sintesi sulla comunità arcaica di Palinuro è stato presentato da Fiammenghi 1985. Per l'area di Rivello, immediatamente confinante a sud-est, vi sono molti dati recenti per il periodo arcaico, assai utili a qualificare la 'facies' enotria dell'area lucano-tirrenica; si veda Bottini P. 1985, 1986, e Bottini P. (in corso di stampa).

[40] Guzzo (1981a, pp. 45-46, 1981b) intravvede un fenomeno di 'colonizzazione indigena' della costa nel corso del VI secolo a.C., ponendo in tal modo il caso di Palinuro sullo sfondo dell'evidenza da Scalea/Petrosa, sulla costa calabra immediatamente a sud del Golfo di Policastro. È interessante che, a giudicare dalla ceramica dipinta con decorazione geometrica, anche l'agglomerato della Petrosa è collegato con il Vallo di Diano. Giustamente Greco E. (1985, p. 84) sottolinea una dinamica interna al mondo indigeno arcaico, sia pur in qualche modo stimolata dalla frequentazione greca sulla costa, quale fattore principale di questi sviluppi nell'area. In tale quadro si inserisce assai bene la recente identificazione di ceramica geometrica del tipo Sala Consilina tra i materiali di un recupero effettuato nell'area di Sapri dal Gruppo Archeologico del Golfo di Policastro (cortese comunicazione della Dott.ssa A. Fiammenghi).

[41] Il problema è stato impostato da Zancani Montuoro 1949; si vedano anche le osservazioni topografiche di Greco E. 1975, pp. 94-108. Fondamentali, al riguardo, sono le considerazioni di Parise 1972. Una recente discussione analitica della monetazione SIRINOS-PYXOES è quella di Sternberg 1980; si vedano anche i più recenti commenti di Lattanzi 1985, pp. 67-68 e, più in generale su Sirino, Lattanzi 1980.

[42] Ad esclusione di alcuni elementi rinvenuti nella più recente ricerca a Policastro, diretta da W. Johannowsky, quale ad esempio la stele arcaica riadoperata nell'abitato di V secolo a.C. Nell'ambito della frequentazione arcaica è molto probabilmente da inserire l'evidenza della terracotta da matrice siceliota V **20** datata agl'inizi del V secolo a.C. Si vedano i commenti di M. Cipriani (*supra*, cap. 4, n. 47) sulla rilevanza del rinvenimento per i contatti del Golfo di Policastro con l'area reggina nel periodo tardo-arcaico. Per il quadro storico generale dell'area basso-tirrenica nel VI-V secolo a.C., si veda De Sensi Sestito 1984.

[43] Johannowsky 1985, p. 145. I dati provenienti dagli ultimi scavi (1988), nell'area della cinta muraria non sono ancora pubblicati. Dati preliminari sono stati presentati da W. Johannowsky alla Mostra dei Beni Culturali del Cilento a Vallo della Lucania (2-11 giugno 1989 - catalogo in corso di stampa) dove si descrivono le caratteristiche del *phrourion* reggino di Pixunte. Dati ceramici e stratigrafici per la fase di V secolo a.C., provenienti da uno scavo di m. 5 x 4 nell'area ovest delle mura sono stati presentati in Bencivenga Trillmich 1988. Per il quadro storico relativo alla fondazione di Pyxous, si veda Vallet 1978.

[44] Lepore 1972-1973; Salmon 1936.

[45] Quadro completo del periodo e discussione di casi specifici in Lepore 1972-1973. Il contenuto della iscrizione discussa nel cap. 5, indubbiamente apporta nuovi elementi per la discussione della sannitizzazione nell'area considerata.

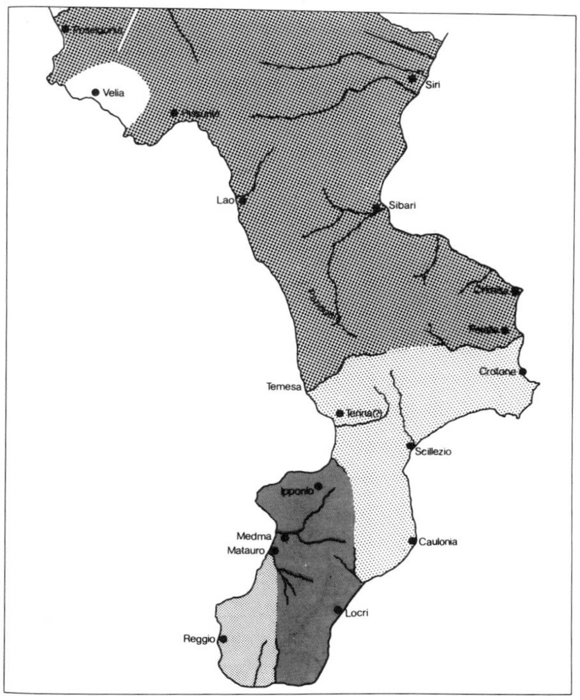

Fig. 174 Carta della Lucania occidentale in relazione con l'area di influenza sibaritica, prima della fine del VI secolo a.C. (da DE SENSI SESTITO 1984).

che allo sviluppo dell'agglomerato di Roccagloriosa, in un punto nodale dell'immediato entroterra, corrisponde un fenomeno di densa occupazione della campagna, rilevabile soprattutto nel medio ed alto bacino del Mingardo e del Bussento, secondo una logica organizzativa che non lascia dubbi sulla 'centralità' del sito a ridosso dei Capitenali. Conseguentemente, un problema strettamente connesso al quadro delineato per la situazione insediativa dello hinterland ed un quesito che pongono le considerazioni appena fatte sullo sviluppo di Roccagloriosa riguarda la funzione da assegnare alla Pyxous di IV secolo, per cui sinora la documentazione rimane assai labile[46].

La presenza di un 'centro' quale Roccagloriosa non esclude ovviamente l'esistenza di uno sbocco sul Golfo di Policastro ed un punto di raccordo con l'area tirrenica, anzi (sulla base delle relazioni esterne del centro[47]) lo presuppone. Quel che la futura ricerca, soprattutto nell'area costiera, dovrà verificare sono la entità e la natura di un tale punto di raccordo sulla costa, in un quadro territoriale profondamente mutato quale quello fornito dalla regione Mingardo/Bussento durante il IV secolo a.C. e la prima metà del III[48].

M. GUALTIERI

---

[46] I dati presentati in BENCIVENGA TRILLMICH 1988 includono una buona documentazione su materiali riferibili al IV e III secolo a.C. che inducono l'autore a sottolineare i rapporti con l'area velina. Nel complesso, tuttavia, essi non ci permettono di formulare ipotesi specifiche sulla natura e consistenza del sito di Pyxous (si tratta, in ogni caso, di materiali di scarico non associati a strutture). I legami con Velia notati da C. Bencivenga Trillmich s'inseriscono bene nel quadro storico generale già osservato da GRECO E. (1975, p. 108) in cui è inserita la Palinuro di IV secolo a.C. e, indubbiamente, sono alla base di un processo di ellenizzazione assai marcata, rilevabile in un'ampia fascia della Lucania occidentale, in cui Roccagloriosa occupava un ruolo preminente. Si coglie l'occasione per ringraziare C. Bencivenga Trillmich per aver gentilmente voluto mettere a disposizione dello scrivente le bozze dell'articolo citato. Sul problema dello scalo portuale di Pyxous (Strabone 6,1,1), si veda LA GENIÈRE 1964, p. 347; si veda anche la discussione del passo straboniano in LASSERRE 1967, p. 268.

[47] Si veda, in particolare, il quadro fornito dall'analisi delle anfore (*infra*, cap. 9) sui contatti di scambio dell'area di Roccagloriosa nell'ambito del Mediterraneo occidentale durante il IV e III secolo a.C.

[48] Sono da tener presente, da un lato, la 'centralità' ed il livello di strutturazione del sito, sopra discussi, e, dall'altro, il suo inserimento in una vasta rete di contatti, che includono, più specificamente, l'area dello stretto e la Sicilia nonché il litorale ionico. È anche da sottolineare il carattere 'cosmopolita' e profondamente ellenizzato della comunità indicato dal deposito votivo rinvenuto nell'abitato fortificato e dalla laminetta plumbea iscritta presentata nel cap. 5. Altrove (GROS e TORELLI 1988, p. 49; GUALTIERI 1989a) ne è stata proposta l'identificazione con la Pixunte lucana.

CAPITOLO 9*

CLASSI DI MATERIALI

1. Pottery

All pottery excavated after 1981 has been quantified by ware, form and weight. All sherds with some distinguishing characteristic in form, decoration or clay color have been drawn and photographed: it is from those pieces that the selected entries of the various wares have been derived. In general, the material is very fragmentary, often the form is not clearly ascertainable and usually the paint or glaze has not been well preserved. Exceptions are noted in the descriptions. Even though the pieces are extremely fragmentary and therefore for the black-glaze wares the Morel criteria of various proportions cannot be applied, we have referred to Morel series types if they seem pertinent or indicative of a general date or trend. In addition to the entries for known or recognized forms, additional documentation necessary for the dating of layers has been included for some of the wares such as the banded wares. We want to emphasize that in the local production at Roccagloriosa the same form was often produced in a variety of sizes and thus the entries for the individual forms include the range of dimensions in which that form is found at the site as well as the range of clay colors in which the form was produced. All measurements are in centimeters. The numbers in parentheses refer to some of the significant layers in which the form is found: a synoptic concordance at the end of each type lists the entry and a selection of inventory numbers for that form which are usually the best preserved examples.

The chronology of the Roccagloriosa pottery is obscured by the brief chronological arc of the settlement, by the geological situation at the site (see chap. 1), and by the inconsistencies in the local production especially in the last third of the 4th century B.C. and the early years of the 3rd century B.C.

Many people over the last decade have helped with the pottery processing, including the numerous students involved in the University of Alberta Summer Field School. To all of those students I am very grateful. My colleagues in the pot-shed, Lynda Salter Mancebo who devised the recording system for the site, Alison Keith and Robyn Thalman deserve special thanks. In particular Junko Ikuta (Institute of Archaeology, London) has provided substantial help in the analysis of the impasto. Others, among them Paul Arthur, Marina Cipriani, Giovanna Greco, Maurizio Gualtieri, John Hayes, Concetta Masseria, Marina Pierobon and Mario Torelli, have been very helpful in discussing the Roccagloriosa pottery.

---

* Il capitolo sui materiali è stato curato da H. Fracchia, che è anche l'autrice delle parti riguardanti la Ceramica (Impasto, Ceramica a Bande, Ceramica a Figure Rosse, Ceramica a Vernice Nera, Complessi vari e, Pesi da telaio). A. Keith (Department of Classics, University of Toronto) ha redatto, unitamente a H. Fracchia la sezione sulla Ceramica grezza.

P. Arthur (Direttore Scientifico, Progetto EUBEA, Napoli) ha curato lo studio delle anfore. M. Cipriani, Direttore, Soprintendenza Archeologica di Salerno, Ufficio Scavi di Pæstum, ha analizzato l'evidenza delle terrecotte figurate. R.R. Holloway (Brown University, Center for Old World Archæology and Art, Providence, R.I., USA) è l'autore dello studio sulla monetazione. L'analisi delle altre classi di materiali (Terrecotte Architettoniche, Louteria, Macine, Vetro, Oggetti di Metallo) è di M. Gualtieri.

Per quanto riguarda il catalogo, il cerchietto vuoto (°) accanto al numero progressivo indica la presenza del disegno; il cerchietto pieno (•) quella della fotografia. Le date si intendono a.C. quando non venga indicato diversamente.

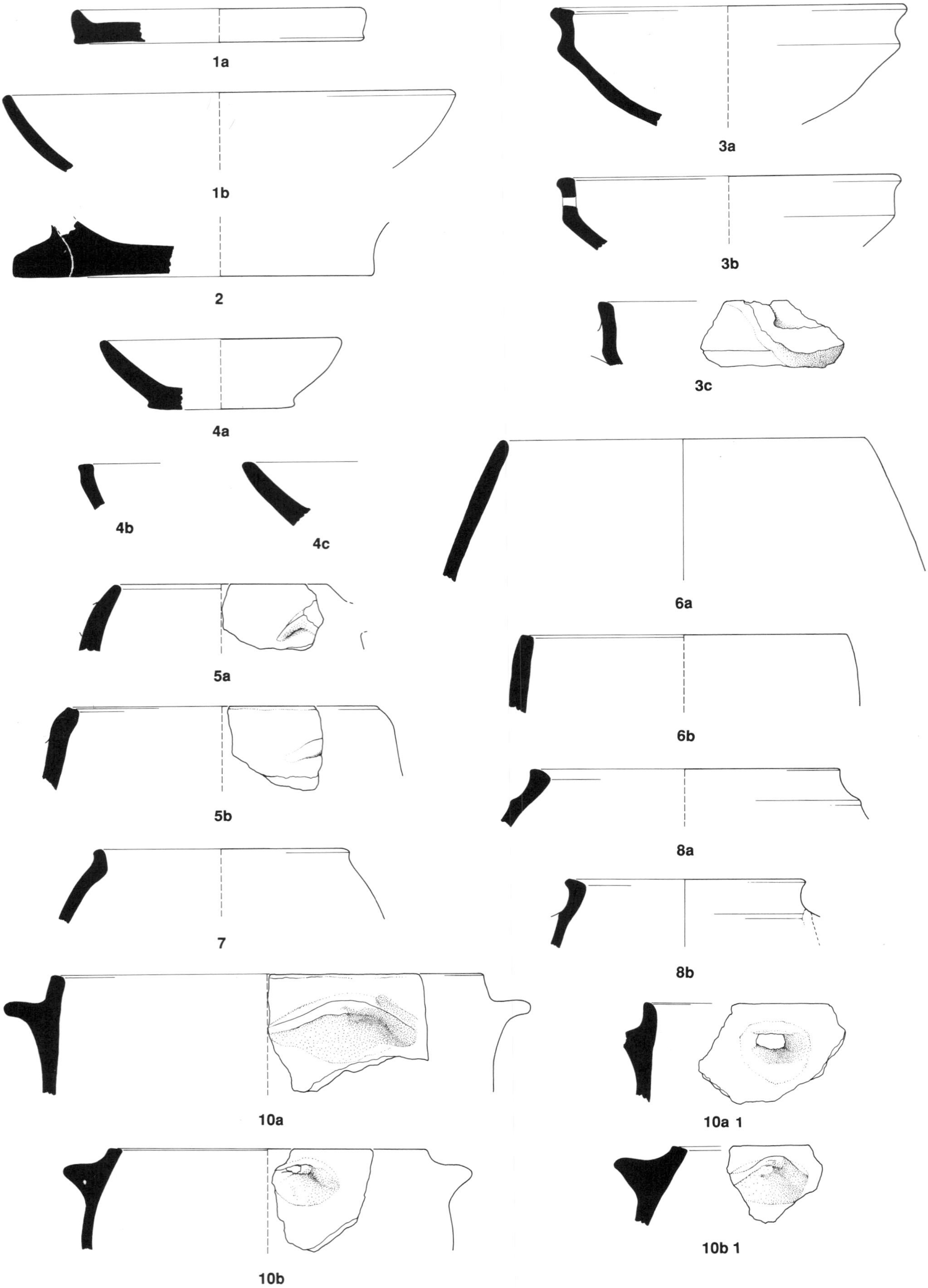

Fig. 175 Impasto profiles (scale 1/3).

Lastly it is a pleasure to acknowledge and thank both the Social Sciences and Humanities Research Council of Canada and the University of Alberta Central Research Fund for their support of several pottery projects pertaining to the site at Roccagloriosa.

Impasto

With the exception of some of the burnished forms we have not attempted to provide a chronological sequence or date for the impasto found at Roccagloriosa. A certain chronological evolution can be seen when forms produced originally in impasto are made in coarse ware but even that development cannot be dated except in the most general terms. The heavy utilitarian forms in impasto were probably always used in some way in the household.

1a.○ Burnished glossy shallow plate. Simple rounded rim.
rim ø 14.0-20.0, base ø 12.0-18.0, ht. 1.9-2.3
clay 7.5YR 3/2 dark brown
(US: 129, 134, 257, 333)
See *Greci Basento* 1986, tav. 27,9 and p. 65, defined 'rare'.

1b.○ Same form but coarse fabric, large inclusions, some mica. Surface wet-smoothed. Base slightly off-set.
rim ø 10.0-12.0, base ø 9.0-10.0, ht. 3.0
clay 7.5YR 5/3 brown, 6/4 light brown
(US: F232, 257, F 301, Saggio A ovest IV A)
See *Greci Basento* 1986, tav. 27,8.

2.○● Pans/Plates with handles at the base. Very fine impasto with small inclusions of mica. Burnt on the inside.
base ø 25.0 with handle, ht. 3.7
clay 5YR 4/6 reddish yellow
(US: F 27)
See also a coarse ware example from *Pontecagnano* 1988, p. 160-161, nos. 212-213, tav. XXXIII with similar clay and inclusions. The coarse ware example from Pontecagnano, derivative of the impasto type, is dated to the second half of the 6th-5th centuries B.C.

3a.○● Burnished, very glossy carinated bowls. Flattened rim.
rim. ø 8.0-15.0
clay 7.5YR 7/2 reddish yellow, 7/4 pinkish grey, 7/4 pink 10YR 5/3 brown
(US: 134, 172, 257, CB 172 III, ZA-XA 171 III).

3b.○● Same but less accentuated carination, less projecting rim. Suspension hole below rim. Very sandy clay with volcanic inclusions.
rim ø 15.0
clay 7.5YR 6/4 light brown
(US: YA 172)
See *Greci Basento* 1986, p. 72, no. 4. See the *Pontecagnano* 1988 kiln deposits F 3, F 7a (nos. 44, 233, 234, tav. V, XXXVI). The form is also found in plain and banded ware at *Pontecagnano* 1988 (p. 53-56). The form is especially common in Campania and dated from the early 6th until the first half of the 5th century B.C.

3c.○ As above but with handle stub attached.
rim ø 16.0
clay 5YR 6/6 reddish yellow
(US: XA-YA 172 III, ZA 172 III).

4a.○ Shallow bowl. Complete profile. Burnished, fine fabric.
rim ø 13.0, base ø 8.0, ht. 4.2
clay 7.5YR 5/4 brown
(US: 413).

4b.○ Same, with flattened rim.
rim ø not determinable
clay 5YR 5/2 reddish grey
(US: 257).

4c.○ Same but in a very coarse impasto, simple rims.
rim ø 12.0
clay 5YR 4/3-5/3 reddish brown
(US: XA-YA 172 III, XA 172 III, BB 171-172 III)
See *Greci Basento* 1986, tav. 27,9.

5a.○ Olla with rounded rim.
rim ø 9.0-15.0
clay 2.5YR 5/2 weak red, 5YE 4/1 dark grey, 5/2 reddish grey
(US: 333, ZA-YA 172 II-III, XA 172 I)
See *Greci Basento* 1986, tav. 27,1.

5b.○ Larger example, flattened rim. One (P 859) with graffito on exterior.
rim ø 16.0-24.0
clay 5YE 6/6 reddish yellow, 7.5YR 5/4 brown
(US: 253, 335, CB 172a III)
See *Greci Basento* 1986, tav. 27,5.

6a.○ Beaker. Burnished, slightly curved body, rounded rim.
rim ø not determinable
clay 5YR 5/2 reddish grey
(US: Saggio A ovest II).

6b.○ Same but unburnished. Possible graffito (cf.

no. 5b) on exterior.
rim ø 15.0
clay 5YR 5/3 reddish grey
(US: ZA 172 III).

7.○ Beaker with out-turned rim. Fabric is very like coarse ware but the exterior is burnished.
rim ø 12.0
clay 5YR 5/3 reddish brown
(US: 257, 391)
Greci Basento 1986, tav. 27,3.

8a.○● Beaker with off-set neck, slightly out-turned rim on a short neck. Grainy fabric.
rim ø 13.0-18.0
clay 5YR 5/3 reddish brown, 6/6 yellowish red, 7.5YR 5/4 brown
(US: all examples 333).

8b.○ Same but with a rounded projecting rim and a very triangular off-set handle below a short neck. Sandy, micaceous fabric.
rim ø 11.0
clay 5YR 4/2 dark reddish grey
(US: ZA 172 III).

8c. Same with high neck. Fabric resembles that of coarse ware (cf. no. 7)
rim ø 12.0
clay 5YR 5/3 reddish brown
(US: CB 172a III).

9. Tall casseroles with barely articulated handles or 'bugne'. Burnished, flat out-turned rim, tiny triangular 'bugna' on exterior.
rim ø 9.0-18.0
clay 5YR 4/4 reddish brown, 7.5YR 5/4 brown
(US: 257, 277, 413, area Napoli 1971)
See *Greci Basento* 1986: tav. 27,5.

10a.○● Tall casserole with lug handles, simple rounded rims, not burnished.
rim ø 13.0-18.0
clay 5YR 3/2, 5/2 dark reddish brown, red-

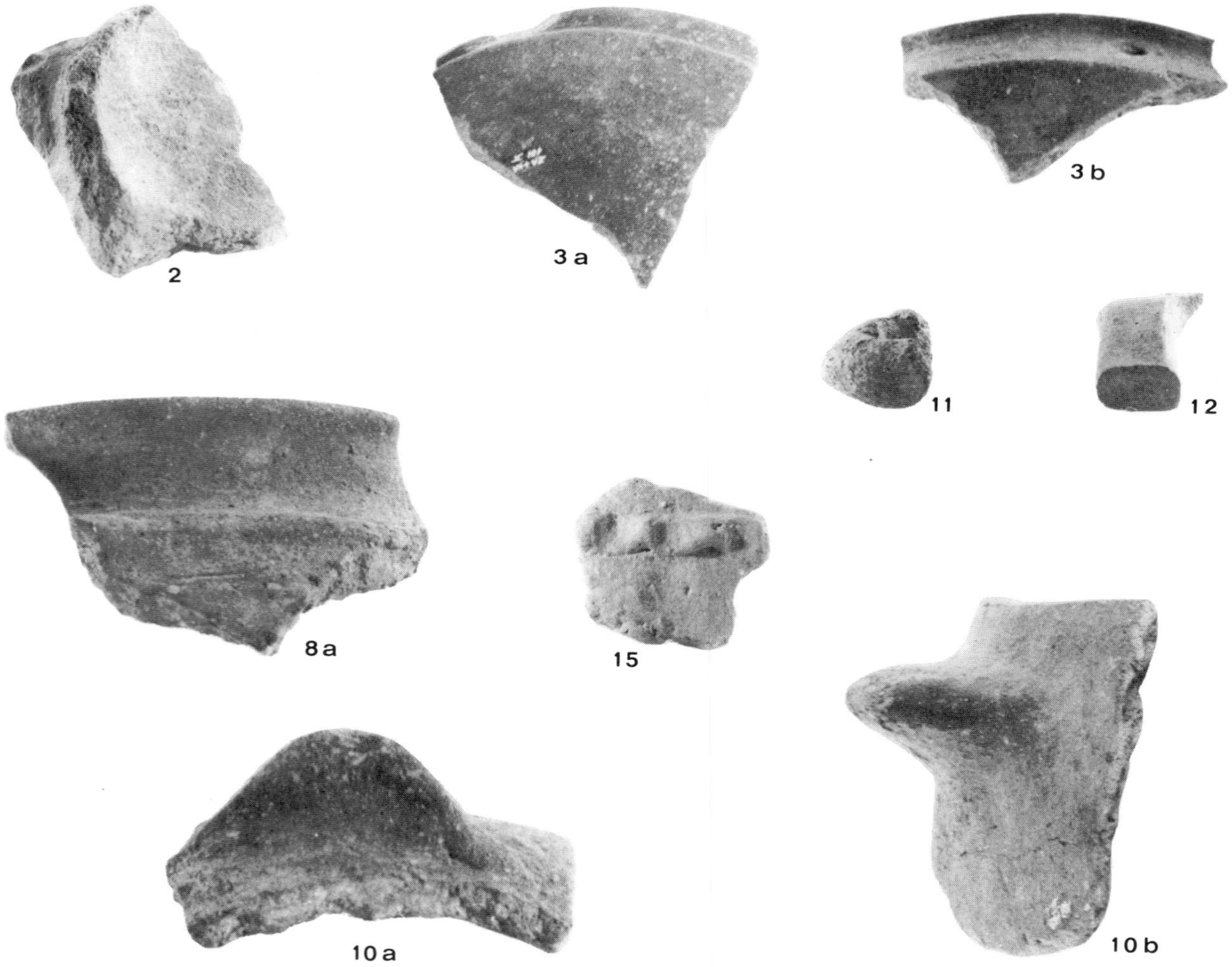

Fig. 176 Impasto (scale 1/3).

dish grey
(US: 257, ZA 172 III)
Greci Basento 1986, tav. 27,1; for one of the many Iron Age parallels see *Cairano* 1980, tav. 40, Tipo 53D.

10b.○● Same but with flattened rims and wet-smoothed exteriors. Possible impressed design on P871 (US ZA 171-172 III)
rim ø 9.0-17.0, most common 9.0-10.0
clay 5YR 4/1 dark grey, 4/3 reddish brown, 5/2 reddish grey, 6/6 reddish yellow, 2.5YR 5/8 red
(US: 129, 165, 253, 333, 395, Saggio A ovest III, AB 172 III, XA-YA 172 III, ZA 172 II, ZA 171-172 III)

10c.○ Same with projecting down-turned rims. Coarse unburnished fabric.
rim ø 6.5-13.0, most common 8.0-9.0
clay 2.5YR 5/2 weak red, 5YR 4/1 dark grey
(US: 129, 211, 333, Za 172 II, Saggio A-F-F1 spor.)
Greci Basento 1986, tav. 27,6. See also coarse ware nos. **226-230**.
The type in impasto is found at Tempa Cortaglia (Fracchia 1985, p. 249 and note 15), and *Oppido Lucano* 1980, fig. 229, nos. 27-28, and 1983, fig. 61, no. 5.

11.○● Burnished ovoid handle, carinated. Squarish section.
ht. 1.8, width 3.7
clay 5YR 4/3 reddish brown
(US: 195).

12.○● Burnished handle, long shaft, tanged attachment, flat sides, long central carination. Rectangular section.
length 5.0, thickness 2.0
clay 10YR 4/2 dark greyish brown
(US: 327)

13.○ Lid pommel and wall. Burnished, very coarse fabric.
knob ø 3.5
clay 5YR 7/2 pinkish grey
(US: VA-XA 116-117 IIA).

14a.● Burnished base, offset foot with a channel above the join of foot to body.
base ø 7.0
clay 5YR 5/2 reddish grey
(US: Saggio A ovest III).

14b.○ Simple variant of 14a, common at the site.
base ø 6.0-18.0
clay 5YR 5/2 reddish grey, 2.5YR 5/6 red, 7.5YR 4/6 strong brown
(US: 165, 257, 333, Saggio A ovest II).

15.○● Corded wall sherd, burnished with a reddish surface.
sherd size 3.5 x 4.0
clay 5YR 4/1 dark grey
(US: 57).

Entry n°		"P" Catalogue number
1.	a.	4257, 4866, 6041, 8041
	b.	850, 4872, 5141, 6007
2.		4114c
3.	a.	851, 852, 4121
	b.	853
	c.	854, 855
4.	a.	7159A
	b.	4872
	c.	254, 293, 856
5.	a.	269, 294, 857, 858, 6045
	b.	859, 4900b, 6126
6.	a.	860
	b.	861
7.		4873, 7026
8.	a.	862
	b.	863
	c.	864
9.		865, 4873, 4893, 5025
10.	a.	866, 7157
	b.	867, 868, 869, 870, 871, 4065, 4472, 4900f, 6039, 7037c
	c.	872, 873, 4776
11.		4752
12.		6011
13.		874
14.	a.	875
	b.	876, 4020a, 4736, 6044
15.		5006

Banded ware

Many of the painted banded wares from the Roccagloriosa site are made of very well-worked clays ranging in color from weak red to a variety of pale browns to whitish clays. The coarser wares are usually in a reddish brown clay. The clays are very similar to those found in vases from Padula and Sala Consilina on display in the Museo della Lucania Occidentale in the Certosa of Padula. The paint preservation of these wares is very poor with the exception of the holkion fragment (no. **30**) on which the quality of the paint is superior to any other piece of this ware found at the site. Many of the 'plain' or 'common' wares may have been originally painted,

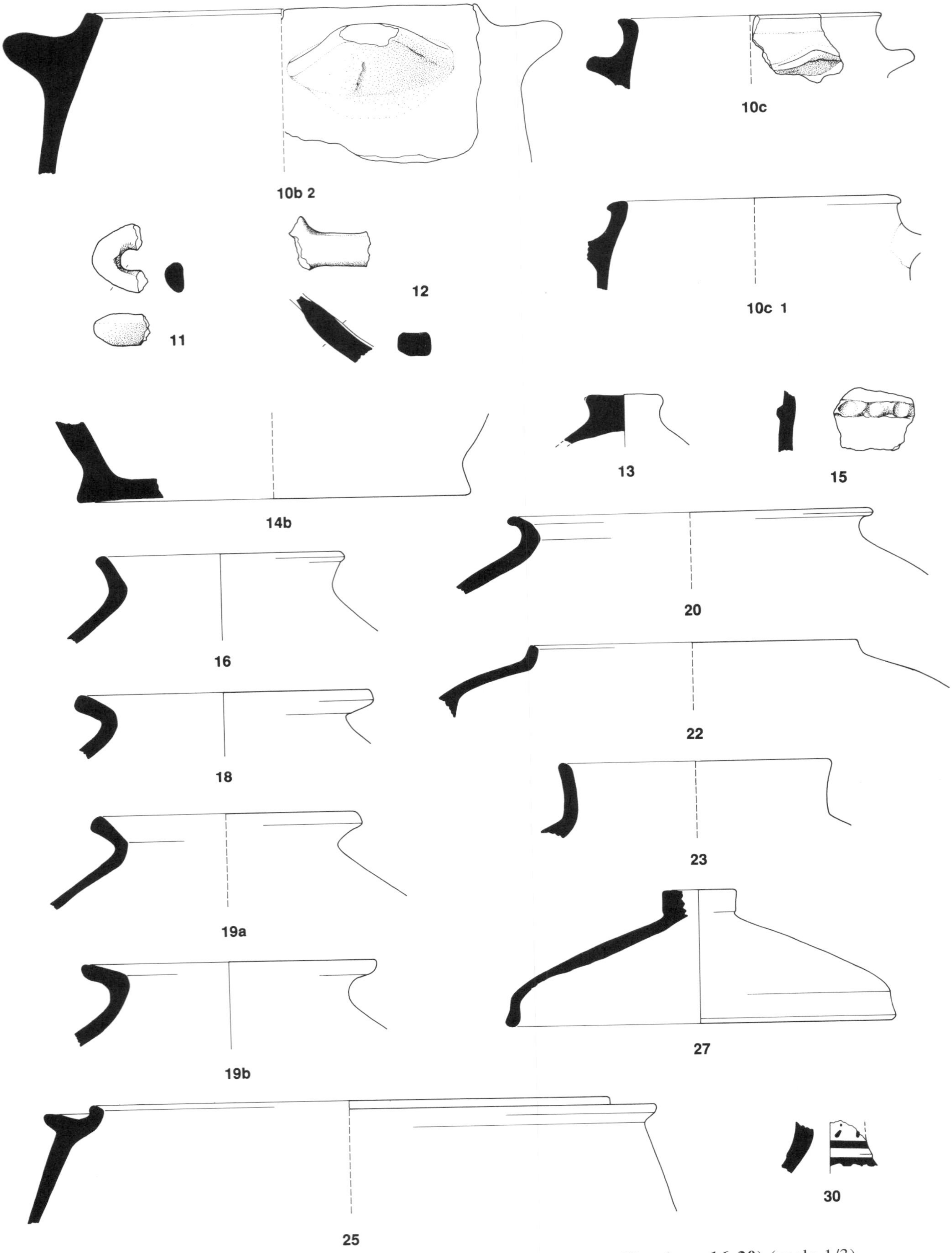

Fig. 177 Impasto profiles (nos. **10b-15**); banded ware profiles (nos. **16-30**) (scale 1/3).

see, for example, the 'Pozzo' deposit, nos. 250, 252 (FRACCHIA e GIRARDOT 1986).

The forms of the banded wares are very fragmentary and difficult to parallel except for the jar or brocca types. The Roccagloriosa examples may be near the end of the indigenous tradition although all the concentrations of the wares are in 'early' contexts. One of the most common forms (nos. **24**, **25**) seems to be a hybrid olla with an external collar below the rim to support a lid. It is very faintly reminiscent of the sub-geometric stamnoid ollas with lids found in Southern Etruria and elsewhere. In general, the Southern Etrurian examples do not have a collar and the lid just sits over the mouth, but one type (DE AGOSTINO 1963, p. 220, pl. LXXXVII,1) does have a collar at the base of the neck. A similar variety in forms is found at both Oppido Lucano and Sala Consilina/Padula. In any case, the attribution or designation of form should be taken as a possibility and not as a definite statement.

Many of the fragmentary decorative motifs, no. **46**, may also be the remains of 'metopal' decoration common in the area of Buccino (JOHANNOWSKY 1986, fig. 5 and *Volcei* 1978). Additionally the motif on the jug handle, no. **28a**, is very like the body design on both a kantharos and nestoris dated to the end of the VI century B.C. (JOHANNOWSKY 1986, figs. 2 and 4).

The chronological sequence of the banded wares at the site is not clear as many forms continue to be produced for a long time, for example, the one handled bowl (*Pontecagnano* 1988, pp. 56-59).

16.○ Out-turned rim, probably a jug.
rim ø 10.0-13.0
clay 10R 4/4 weak red, 5YR 7/6-6/6 reddish yellow
(US: 270, 82, 335, 391, XA85-86 II).
Very like jug rims on display from Sala Consilina/Padula in Padula and from HOLLOWAY 1970, fig. 129, no. 125: "mid-fifth".

17. Out-turned pointed rim. Small kalathos?
rim ø 12.0
clay 10YR 8/3 very pale brown
(US: F47, F54).
For a kalathos, see *Oppido Lucano* 1980, fig. 196, no. 4: "first half of 5th".

18.○ Large flaring rim, squared lip.
rim ø 14.0-18.0
clay 10YR 7/4 very pale brown, 7.5YR 7/6 reddish yellow
(US: 333, 348).
Jug? See HOLLOWAY 1970, fig. 138, no. 152 where a number of parallels in Lucania and the Salerno region are cited: "fifth-early fourth". Also the type is on display in Padula.

19a.○● Similar but with a rounded lip edge.

19b.○ Indent on underside.
rim ø 16.0-19.0
clay 5YR 5/6 reddish yellow, 10YR 6/3 pale brown
(US: 129, F301, DB 171 I).
See HOLLOWAY 1970, fig. 145, no. 174 and fig. 146, no. 175 with parallels at Atena Lucana and Gioia del Colle: «late fifth-early fourth».

20.○ Less flaring example of preceding. Traces of red paint.
rim ø 18.0
clay 5Y 8/2 white, 2.5Y 8/2 white
(US: 98, FB 109 III).
See HOLLOWAY 1970, fig. 133, no. 135.

21. Tall neck, projecting rim
rim ø 16.0
clay 7.5YR 8/4 pink
(US: 253).
Like HOLLOWAY 1970, fig. 135, no. 139: "second half of fifth" and very close in both form and fabric to examples from Sala Consilina on display in Padula.

22.○ Short, nearly vertical rim, thickened on the inside. Wide shoulder. Black paint on rim, red bands on shoulder. Jar?
rim ø 16.0-20.0
clay 7.5YR 6/6 reddish yellow
(US: F20, XA 172 I).
See HOLLOWAY 1970, fig. 141, no. 163 with parallels cited at Lipari and Conversano: «late fifth-early fourth». Also similar rim types are on display in Padula.

23.○ Thick, nearly vertical rim, possible lug handle attached to rim
rim ø 12.0
clay 10YR 8/4 very pale brown
(US: 321).

24. Lidded bowl? Flattened rim, large collar on exterior, curving walls.
rim ø 15.0-16.0
clay 10YR 7/4 very pale brown
(US: 1, 63, 195) also found in Piani di Mariosa.

25.○ Like the preceding but more globular and olla like with a larger collar.
rim ø 20.0
clay 10YE 7/3 very pale brown
(US: FB 109 IIIA, Saggio F1 II, Saggio A - F II).

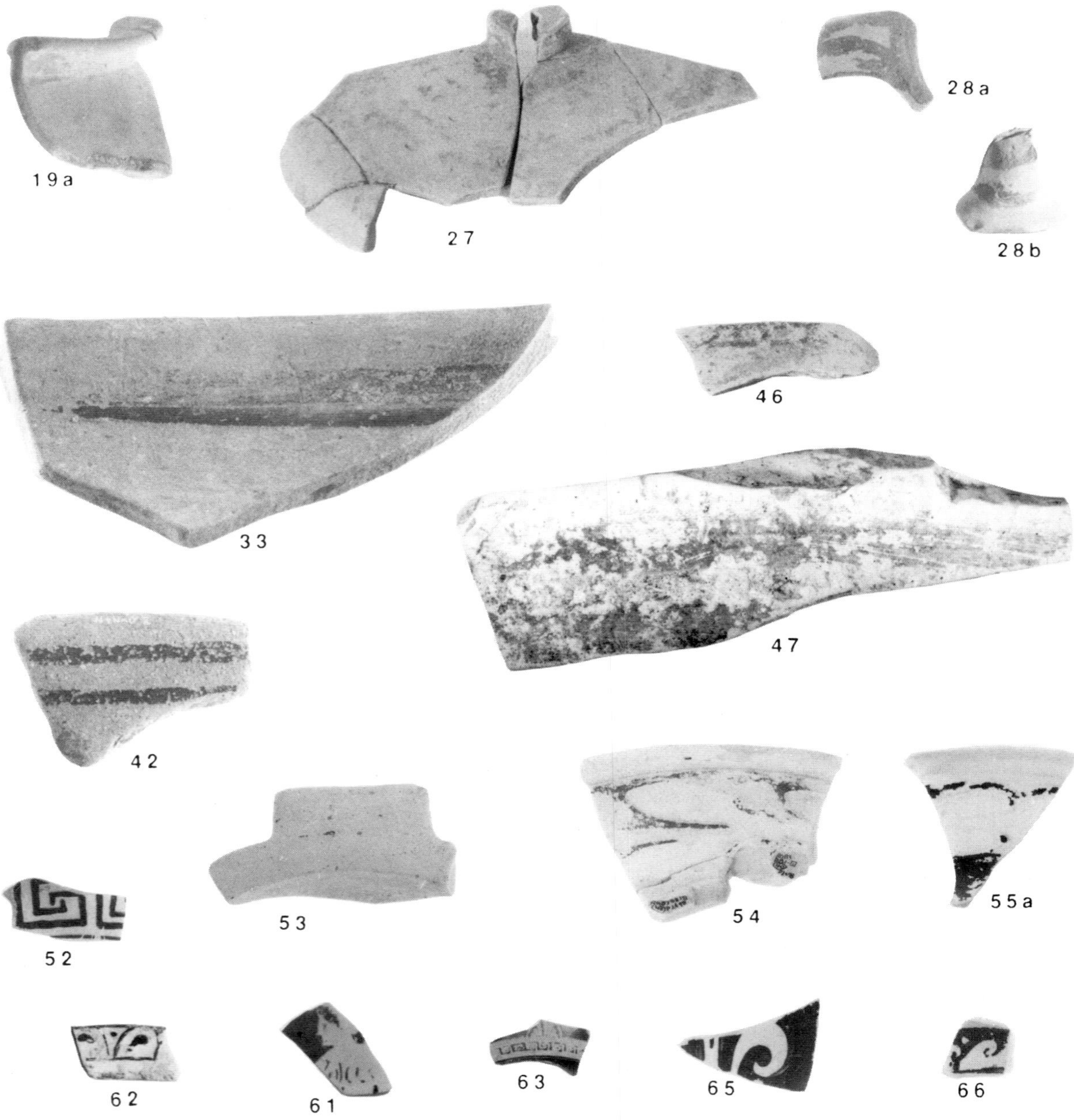

Fig.178 Banded ware (nos. **19-46**); red figure (nos. **52-66**) (scale 1/3).

26. Olla with a thickened rim.
rim ø 28.0
clay 7.5YR 7/6 reddish yellow
(US: 134, Saggio A Est II)

27.○● Lid? Fruit bowl? Vertical rim, solid pommel. Red paint on pommel, red bands on the walls.
rim ø 25.0
clay 7.5YR 8/4 pink, 5YR 7/6 reddish yellow
(US: 145, 284).
Possible lid to a form like no. 24 (or 25?).

28a.● Rim and handle of a jug. Simple rim, almond handle section. Well-preserved thick black bands along the rim and along the sides of the handle, reserved triangle on the handle.
rim ø 5.0?
clay 5Y 7/2 pale grey
(US: 390).

28b.• Handle with red-brown band. Round section.
ht. 6.2; thickness 5.5
clay 10YR 7/4 very pale brown
(US ZA 172 I-II).

29. Small projecting rim with red paint.
rim ø 11.0
clay 5YR 7/6 reddish yellow
(US: F46).
See *Cozzo Presepe* 1977, fig. 121, no. 266 also with red paint on the rim: «6th-5th centuries».

30.○ Fragmentary stand of a holkion. Thick black paint on lower surface, off-set ridge, then a black band and rosettes.
max. pres. ht. 2.9
clay 5YR 7/6 reddish yellow
(US: 150).
A similar type was found in a tomb at *Oppido Lucano* 1980, p. 150, fig. 44, no. 9: the tomb is dated to the «first half of the 4th». An earlier type is on display in Padula.

31. Base and wall of an open bowl. Two red bands around the base, black band on the body.
base ø 5.0, ht. 3.3
clay 5YR 6/4 light reddish brown
(US: FB 109 IIIB)

32. Base with two black bands on the foot.
base ø 6.0
clay 7.5YR 7/4 pink
(US: 333)

33.• Rim of a coarse ware bowl with a black band on the interior below the rim.
rim ø not determinable
clay 5YR 7/6 reddish yellow
(US: Saggio N P II).
Decorative scheme similar to a one handled bowl from Holloway 1970, fig. 106, no. 65: «early 5th» but these bowls are very long-lived. See also *Albanella* 1989, fig. 14, H16: «second quarter of 5th».

34. Rim and handle stub of a small bowl with a band of black paint on the interior. Coarse fabric.
rim ø 6.0
clay 10YR 6/3 pale brown
(US: 389)
The rim, but not the handle, is similar to *Albanella* 1989, fig. 17, H17: «second half of 5th». The Roccagloriosa handle is a flat section ribbon-like handle.

35. Flat base of a bowl in somewhat coarse fabric. Two circles of black paint on the interior walls.
base ø 4.0
clay 10YR 5/3 brown
(US: 147).
See Holloway 1970, fig. 135, no. 140: «late 5th-4th».

36. As the preceding example but with a band of red paint on the exterior.
base ø 6.0
clay 7.5YR 7/6 reddish yellow
(US: FB 109 IIIB).

There are evidently both painted and dipped examples of such bowls from *Cozzo Presepe* 1977 (pp. 333-336 and 365). The dipped examples seem to be earlier (late 7th-6th c. B.C.) while the painted examples are considered to be later (6th-4th c. B.C.). None of the Roccagloriosa examples are dipped and therefore should probably date to the second half of the 5th century. On the type and dating problems in general, see Bonghi Jovino 1982, pp. 116-117 and remarks on the *Pontecagnano* 1988 examples (pp. 56-59).

A number of painted wall-sherds provide further documentation for the distribution of this class of ware at the site.

37a. Coarse ware-wall-sherd with a solid band of black paint and below, a wavy line of black paint.
sherd size 4.5 x 3.8
clay 5YR 7/6 reddish yellow
(US: 166)

37b. Same but with a solid thin line of black paint below a solid black band.
sherd size 4.0 x 2.4
clay 10YR 5/3 brown
(US: YA 172 I).
Possibly a one handled bowl fragment, see *Monte Irsi* 1977, fig. 22, no. 72 for similar wave decoration which is dated to the late 5th. See also *Poseidonia-Pæstum I*, p. 142, fig. 68, no. 288 for a similar decorative motif dated provisorially from the second half of the 7th to the 6th c.B.C.

38. Wall-sherd with three bands of reddish brown paint.
sherd size 3.0 x 2.9
clay 5YR 6/8 reddish yellow
(US: F17)

39. Wall-sherd with three bands of brown paint.
sherd size 3.5 x 3.1
clay 5YR 6/8 reddish yellow
(US: room B9).

40. Wall sherd with a wide band of reddish paint.
sherd size 3.1 x 2.7
clay 7.5YR 4/2 dark brown
(US: FB 109 IIIB).

41. Wall sherd with three bands of reddish brown paint.
sherd size 4.9 x 3.6
clay 5YR 6/8 reddish yellow
(US: 335).

42.• Wall sherd with lines of black-brown paint.
3.5 x 2.5
clay 5YR 6/8 reddish yellow
(US: N+N-02).

43. Eight wall-sherds from the same pot, all with bands of matt brown paint.
clay 5YR 6/8 reddish yellow
(US: 98, 290).

44. Wall sherd with two bands of reddish paint.
sherd size 6.0 x 3.2
clay 7.5YR 7/4 pink
(US: CB - DB 171a III).

45. Wall sherd and part of neck of a closed form. Band of red paint below neck. Possibly same form as **no. 22**.
sherd size 8.5 x 8.0
clay 10 YR 8/4 very pale brown
(US: CB - DB 171 fossa 1).

46.• Wall sherd of seemingly closed form, to judge from the internal ridges. Traces of metopal pattern.
sherd size 9.2 x 4.3
clay 2.5Y 8/4 pale yellow
(US: 352).

47.• Wall sherd with two bands of maroon paint.
sherd size 8.5 x 2.5
clay 10YR 7/4 very pale brown
(US: 195).

48a. Base to a trozzella or nestoris? Large high foot with a thickened and squared resting surface. Black paint on exterior and black bands inside.
base ø 14.0, ht. 2.45
clay 10YR 7/3 very pale brown
(US: 190).

48b. Fragmentary moulded foot. Brown paint in bands.
base ø 14.0
clay 10YR 7/4 pale brown
(US: saggio D 'muro')

Entry no.	"P" Catalogue number
16.	7072, 299, 3090, 7012, 5047
17.	4302, 4246, 6072
18.	6030, 6156
19. a.	4082
b.	5146
20.	7063, 832
21.	4905
22.	530, 4056
23.	6016
24.	1003a, 5045, 5077
25.	2, 415, 358, 2050A
26.	4036, 127
27	4381, 5032
28. a.	7016
b.	985
29.	5011
30.	533
31.	854
32.	6029
33	374
34.	7086
35.	6083
37. a.	4822
b.	992
38.	6113
39.	6145
40.	856b
41.	6125
42.	6158
43.	6116a-d, 6136a-d
44.	900
45.	901
46.	902
47.	714
48. a.	4665.
b.	233

'Attic' or 'Ionic' imitation cups

These are two extremely fragmentary painted rims which resemble early Attic or Ionic cup rims. Early Attic or Ionic imitation by indigenous workshops is documented in a kiln deposit at Pontecagnano (*Pontecagnano* 1988, p. 27-40).

49.○ Offset lip. Straight wall of rim.
rim ø 16.0
clay 5YR 7/4 pink
(US: 163)

Very well preserved thick black glaze. Possibly from a squat stemless kylix. The squat stemless kylix starts ca. 475-450 in the Attic production but has a long life. See Holloway 1970, fig. 104, no. 59: «early 5th», and two examples from *Lipari* 1965, tav. 56, nos. 4d and 5c/e: «second quarter of the 5th».

50.○ Rim of a thin-walled cup.
rim ø 19.0
clay 5YR 7/8 reddish yellow
(US: 177)
See HOLLOWAY 1970, fig. 114, no. 88: «ca. 450».

Entry no.	"P" Catalogue number
49.	4356
50.	4441.

Red-figure pottery

The fragmentary red-figure from the habitation complexes at Roccagloriosa provides a partial overview of the forms found in settlement contexts and can also be put in conjunction with the forms and decorative motifs found in the tombs from the La Scala cemetery.

The standard range of red-figure forms popular in the South Italian production appears in the habitation debris. The bell-krater and column krater with laurel leaf decoration (types **53-55**) on the neck or lip, the lekanides (**52**, **67-68**) and fish plates (**59**, **60**) are common throughout Magna Grecia in the late fifth-fourth centuries. No volute kraters have been identified from the habitation complexes but the shape occurs in one or two of the tombs at the site (tombs 19 and possibly 26, GUALTIERI 1989b) and this may be a reflection of a more restricted and funerary usage of the volute krater. On the other hand the column krater (no. **53**) from the area of the portico in Complex A provides important evidence for kraters used in place of, or in conjunction with, votive or ritual depositions (BOTTINI *et al.* 1989).

No identifiable fragments of nestorides have come to light although they are popular at more hinterland indigenous sites[1]. The greater degree of hellenization and/or the Tyrrhenian position of the site may account for that absence. Possibly one large fragmentary splayed foot with a hollow interior in the pale clay typical of the 'indigenous wares' may have belonged to a nestoris (or possibly trozella) (no. **48**).

The lekanides knobs (nos. **67-68**, **186**) are also typical of the standard motifs with either cartwheel or palmette designs. The knobs seem to have belonged, however, to lekanides that were either smaller or larger than usual in that the average knob size for lekanides is 4.0-5.0 cm. while measurements of 3.0 and 8.0 are less common[2].

Although the red figure vases are fragmentary, several sherds indicate the high quality of the painting found in the habitation complex, e.g., the ovolo design on a rim fragment (**62**), the execution of the female head (**63**), the precision of the meander and palmette pattern (**61**).

It is difficult to judge how common red-figure vessels were in habitation complexes, but red-figure was found also in the habitation nuclei outside of the walls in the DB area. The majority of the red-figure comes from either the area around the portico in Complex A or in the dump associated with the collapse of the portico: the other surrounding rooms seem to have had continued use and the red-figure in those areas may have been cleaned out, if it ever was there. Both the individual find spots and the inclusion of the late 4th century red-figure epichysis in the F11 votive deposit indicate that the use of red-figure was largely tied to the ceremonial practices that took place in the portico area. Certainly no red-figure has been found in the more 'utilitarian' rooms, such as room A7/A8 with the hearth and room A1, the 'bath'. We note that the early Gnathia type epichysis (**219**) was also found at the very edge of the original portico and recall that the composition of the Serra di Vaglio pottery deposit included red-figure pyxides, skyphoi, lekythoi, plates and a large number of Gnathia type skyphoi and oinchoe as well as black-glaze pottery (GRECO G. 1982, p. 77).

51. Lekanis lid rim and wall with crested wave pattern.
rim ø 14.0
clay 5YR 7/6 reddish yellow
(US: 253)
The same type is found in Tomb 15, no. 11 (GUALTIERI 1989b and dated ca. 300-290).

52.• Wall sherd with meander pattern.
sherd size 4.3 x 7.7
clay 7.5YR 7/6 reddish yellow
(US: 98).

53.• Handle plate and rim of a column krater. Outline of design only.
rim ø 26.0

---

[1] See for example, HOLLOWAY 1970, nos. 41, 57, 74, 268; *Gravina di Puglia* forthcoming, P4024; numerous examples from Atena Lucana on display in Padula.

[2] ANDREASSI 1979, nos. 91-94 where the larger lekanides tend to date consistently near the end of the 4th century.

clay 7.5YR 7/6 reddish yellow
(US: EB-FB 110).

54.○● Rim and neck of a krater. Laurel band on dull black glaze
rim ø 24.0-25.0
clay 7.5YR 6/6 reddish yellow
(US: DB 40)
Date: end of 4th or ca. 300.

55a.● Overhanging rim and neck of a krater. Laurel band on dull black glaze.
rim ø 24.0
clay 7.5YR 6/6 reddish yellow
(US: 77, FB109)

55b. Similar but with larger designs, and larger overhanging rim.
rim ø not determinable
clay 7.5YR 6/6 reddish yellow
(US: saggio A Ovest III)
Date: end of 4th century.

56. Neck of a closed form with stripes, probably a lekythos.
sherd size 6.0 x 3.1
clay 5YR 6/6 reddish yellow
(US: FB 109 III).

57. Remains of stripes, two reserved lines and then part of a head on a closed form.
sherd size 6.7 x 5.8
clay 5YR 6/6 reddish yellow
(US: 82)

58. Wave pattern on wall sherd.
sherd size 2.8 x 3.5
clay 5YR 7/6 reddish yellow
(US: FB 109 IIIB)

59. Two joining wall sherds of a fish plate. One is part of the lower wall of the plate with reserved bands on the exterior, the other has the tail of a fish.
sherd size 7.6 x 5.4 and 4.8 x 6.0
clay 2.5YR 6/6 light red
(US: 98, 118).

60. Wall sherd of a fish plate. Eye and line above eye of fish preserved. Very good black glaze.
sherd size 3.9 x 3.0
clay 5YR 7/6 reddish yellow
(Piani di Mariosa)

61.● Open form. Excellent well preserved black glaze with meander pattern and palmette.
sherd size 4.2 x 2.3
clay 5YR 7/4 pink
(US: ZA - YA 172 II and III)
Suggested date: on the basis of the glaze and execution last quarter of the 5th century.

62.● Tiny out-turned rim. Red overpaint on buff clay. Ovolo design, relief dots between the ovules, black relief lines above and below the ovules.
sherd size 1.0 x 1.4
clay 5YR 7/4 pink
(US: VA-XA 116-117 III)
Dated as preceding on the same basis.

63.● Head and torso of a woman. Hair in brown wash, eye not quite in profile, relief lines for the drapery.
sherd size 5.5 x 3.0
clay 5YR 7/6 reddish yellow
(US: FB 109 IIIB)
Date: late 5th - early 4th century.

64. Large wall sherd of a closed form, indetermined red-figure design.
sherd size 5.8 x 3.3
clay 10YR 6/8 light red
(US: 254).

65.● Wall sherd with palmette from a large closed form.
sherd size 6.6 x 4.8
clay 2.5YR 6/6 light red
(US: F56 fill).

66.● Wave pattern from a closed form. Red-brown glaze.
sherd size 2.9 x 2.6
clay 5YR 6/6
(US: FB 109 IIIB).

67.○ Lekanis lid knob. Central depression. 'Plate' with palmette, two circles and a raised edge. Two bands of black-glaze on the stem.
knob ø 8.0
clay 5YR 7/6 reddish yellow
(US: saggio A Ovest IV).
See Tomb 15, no. 11 for the palmette type, dated ca. 300-290 (GUALTIERI 1989b).

68.○ Lekanis lid knob Central depression. Dots on the 'plate'. Raised edge.
knob ø 3.0
clay 5YR 7/6 reddish yellow
(US: saggio A Ovest IV).
See Tomb 15, no. 29 for similar 'dot' decoration (GUALTIERI 1989b).

Entry no.	"P" Catalogue number
51.	4880
52.	5049
53.	813
54.	269
55. a.	5130
b.	328
56.	839
57.	3127

58.	826
59.	5087
60.	Piani di Mariosa
61.	266
62.	903
63.	904
64.	4851
65.	6524
66.	905
67.	906
68.	907.

Black glaze pottery

The black glaze from the settlement tentatively dated to the first half of the 4th century is both very well made and better preserved than the black glaze of the following period. Four types of clay are commonly found at the site during this time: a reddish yellow clay, a pale whitish clay, a pale brown clay and a light red clay. During this early period there are a significant number of imported products, usually in the pale white or the pale brown clay. Amphorae dated to this period and imported from various areas are found at the site and it is possible that the vases in the less commonly occurring clays may also come from some of those contact areas (*infra*, "The Amphorae", *passim*). The open forms dated to this period, usually bowls and skyphoi, are very elegant thin walled forms with simple rims and an excellent lustrous even glaze which was brushed on. The most common imported forms are hemispherical bowls or bowls with the rims angled inwards, skyphoi or salt cellars. The flat salt cellars (no. 95) with thick rims are often found in the whitish or pale brown clay while the stemmed salt cellars are usually in the reddish yellow clay which we consider to be 'local' or, more accurately, regional. The infrequent examples of trefoil mouth oinochoe and black glaze pitchers found in the settlement date generally to the first half of the fourth century B.C. A number of early stamps, bolsal and ribbed bowl fragments are also found in the settlement during this time. They are comparable to several of the vases in tomb 6 (dated 400-390) and tomb 12 (dated 370-360) in the style, quality of the workmanship and in the consistency of the pale brown clay color (Gualtieri 1989b). The black glaze ceramic record of the first half of the fourth century at Roccagloriosa reflects the standard developments found throughout Southern Italy, i.e., a dependence on the imitation of Attic forms which were imported from various areas or produced regionally, a preference for moulded feet, thin walls of skyphoi with decorated undersides, with painted circles (this of course continues into the second half of the fourth as well). All are characteristics which reflect the prestige of Greek or Greek imitation products in the fine ware production.

The numismatic evidence from this period indicates contacts with Sicily and Velia: presumably some of the ceramic imports would also pertain to those areas. Certainly the inclusion of an early Sicilian type goddess (*supra*, chap. 4, **V. 20**) in a dump in Complex A is suggestive.

The period between ca. 340 and ca. 300-280 B.C. is one of seemingly great contrasts. The apparent economic growth evident in the population expansion outside the walls, the ceramic, terracotta and bronze production at the site and the occurrence of fewer imported products indicate the greater self-sufficiency of the site but this is accompanied by a contemporary reduction in the number of complex closed forms produced in either partially or fully black glazed vases and in the quality of the production. A variety of factors certainly contributed to the explosion in the number of local workshops testified to in the second half of the fourth century and those factors probably differed from site to site[3]. At Roccagloriosa during this period there is very little elegance to the vases found. The pateræ and one-handled bowls are exceptionally top-heavy and disproportionate with very small feet. Curiously this seems to be a 'regional' taste as the same lack of proportion in the height and diameter of the bowl to the height and diameter of the foot is also found at Pæstum and at Praia a Mare[4].

While it is true that many of the forms made in the second half of the fourth century continue to be made well into the third, the dating of pieces to the second half of the fourth has been aided by the discovery of several sealed deposits, especially the so-called Pozzo[5]. The Pozzo material included over

---

[3] Fabbricotti 1979, p. 408-409 and the existence of four kilns in the area of Roccagloriosa, the kiln at Rivello, at Marcellina and the local production of Gnathia at Pæstum document the argument.

[4] Cf. *Poseidonia-Pæstum II*, fig. 60, no. 120 and *Praia a Mare* 1972, fig. 13, no. 2/14. I thank J.-P. Morel for this observation.

[5] The material from the Pozzo deposit has been published in Fracchia e Girardot 1986 (109-112), 127-151. The material presented there is a selection of the more representative pieces. It is referred to in the text as 'Pozzo'.

600 black-glaze and coarse ware rims and bases as well as numerous wall-sherds. It was closed around ca. 300-280 B.C. (dated on the basis of drawings and photographs by J.-P. Morel) by the floor of a successive construction. In the light of the ten years of excavation since its discovery in 1977, the Pozzo has been shown to contain a representative sample of those forms in use in the second half of the fourth century[6] throughout all the habitation areas at the site. The Pozzo therefore provides a *terminus post quem* for many of the forms which appear at the site after ca. 300-280 B.C. and which are represented in the layers above both the Pozzo and the other deposits found throughout the habitation nuclei.

In the period from ca. 340 to 300-280 B.C. the qualitative reduction in the ceramic production is seen in the number of underfired pieces, the increase in sloppily trimmed and dipped pieces and the decadent quality of the very badly preserved black-glaze which did not fuse to the pot surface and thus chips off very easily. It has been suggested by Polish researchers that the glaze may actually only have been a paint which did not bond to the surface of the pot as the glaze did in the Attic and Apulian productions (Skomorowska e Swiecki 1977, pp. 37-47). They suggest that the vessels were fired before applying the slip which was a mixture of paint and possibly animal blood. The painted piece would then be reheated to a low temperature which would explain the lack of paint fusion to the clay which is found on many examples of hinterland black-glaze. Certainly this system allows for both quicker and cheaper production. For the Gnathia wares and other painted wares or pieces intended for tombs the traditional method may have been used and in fact those pieces, even in this period, seem to be imported (Gualtieri 1989b). The acidic soil at Roccagloriosa is very destructive to the pottery but the state of preservation definitely deteriorates on the pots made in 'local' clay during the second half of the fourth century. Another factor which may compound the problem is a fairly consistent underfiring of the pottery which is soft, powdery and chalky to the touch. It is noteworthy that in the second quarter of the third century, after ca. 300-280 B.C., the more common defect is overfiring, to judge from the quantity of wasters found.

The rim diameters of many of the bowl forms are standardized during the second half of the fourth century but there are innumerable minor variations in rim profiles as the example of one particular bowl with three distinct rim profiles (and thus, three different dates) illustrates. At Roccagloriosa as elsewhere in Southern Italy, the most common foot for bowls, plates, pateræ is rectilinear with a central bump on the underside of the vase. A spreading large foot or a simple ring foot was used for cup skyphoi. The same types of forms are found in either settlement or sanctuary contexts at Ordona, Gravina di Puglia, Metapontum, Cozzo Presepe, Locri, Sibaris, Torre Mordillo, Garaguso, Ruoti, Satrianum, the entire area of Rivello-Lagonegro, Marcellina/Laos, Acquappesa, Pæstum and Valle d'Ansanto i.e., the same geographical area over which the imitation Attic pieces of the earlier period could be found. With the possible exception of the Salentine peninsula there seems to be a general, if superficial, ceramic homogeneity over a large portion of inland Southern Italy[7].

After ca. 300-280 B.C. another change occurs. Skyphoi with Gnathia type decoration in 'local' clay are found at the site. They share the shape and decorative scheme as those skyphoi found in a kiln deposit at Rivello, dated to ca. 300 B.C. At Roccagloriosa the period after ca. 300-280 B.C. is one of increased contacts, renewed importation and imitation of new forms. These forms are not included in the Pozzo and other dump deposits but are found in the layers over those deposits throughout the entire inhabited area both inside and outside of the walls. Contact with Sicily is documented: a small terracotta disc with the imprint of a coin of Agathocles dated to ca. 290 B.C. has come to light on the Central Plateau (no. **518**). The light red, pale brown and pale whitish clays are also present on the site again. At this time there is also a qualitative leap in the local production. A series of thin-walled bowls with two grooves are made at the site (nos. **127** and **218 a-c**). Two misfired rim sherds of this bowl type were found stuck to the firing platform of the kiln in Complex A, and numerous wasters were found in the kiln room (pp. 91-92). The bowls may be either fully or partially black glazed or painted with a Gnathia type decoration consisting of white or gold dots on both sides of a reddish yellow line or a simplified guilloche pattern. The high quality of the

[6] *Supra*, n. 5. In conjunction with the material presented here.

[7] This may be due to a general directional gravitation towards the major indigenous population centres in this period, cf. *PCIA* 8, 1986, chap. 5.

type is seen in the precision and standardization of manufacture in the rim size, bowl depth, and in the placement of the grooves at 0.2 and 0.5 below the rim: the consistency of the production is such as to make one think that one potter was responsible for all of the bowls of this type found at the site and that they were produced in a short time-span. A similar but thicker walled type (Morel F 2155) is found at Canosa, and dated to the mid-third century B.C. In the first half of the third century the type is found at Laos, Cozzo Presepe, Gravina, Santa Maria del Cedro, Rivello and Pæstum. The thicker walled variant enjoys a long popularity and is found through the later third and second centuries at Luni, Pompeii, Settefinestre and in the Lilybæum wreck as well as at Roccagloriosa (*infra*, no. **128**, no. **336**).

In the first third of the third century, around the fall of Taranto, Morel has suggested that there may have been a diaspora of Tarentine artists to other smaller centres (Morel 1981a, p. 55). Regional workshops of Gnathia type decoration are relatively common at this time: they have been identified at Metaponto, near Pæstum, in Campania, in Sicily (Green J.R. 1976, pp. 14-16 and 1982, pp. 258-259) and now certainly at Rivello and in a limited scale, at Roccagloriosa[8]. Green notes that at Metaponto, in the early third century a series of decorated thin-walled bowls derived from Apulian prototypes was being produced[9]. The closest parallel in decoration for the Roccagloriosa examples comes from Gravina di Puglia[10].

The grooved bowl form is also common at Pæstum. They are generally dated to the early third century although some examples are found in tombs dated by the excavator to the end of the fourth[11]. The decorative scheme at Pæstum is more elaborate than that at Roccagloriosa. At Pæstum the two grooves on the exterior are often partially obscured by a band of laurel leaves (possibly a red-figure hold-over?). The inside of the bowls has a reserved band (found also in examples from Morgantina), and the tondo is emphasized by two white circles. Within the circles there are various motifs - women's heads, dolphins, rosettes etc. While it may be that the grooved bowls can be pushed back into the end of the fourth century at Pæstum, at Roccagloriosa their consistent absence in the various dumps and their consistent presence in the layers over the dumps necessitates a date after ca. 300-280 for their appearance at the site, if the closing date of the dumps is accepted. In fact, the more elaborate decorative scheme of the Paestan examples seems to derive from its well established red-figure and true Gnathia workshops. The simplicity of the line and dot decoration may only be a vestige of true Gnathia and the Gravina, Ruoti and Rivello parallels may indicate a closer connection to the Metapontine area via the inland river valleys, (Green J. R. 1976 and 1982, see, *supra* and note 9). A single example from Roccagloriosa (identified as a Paestan import by M. Cipriani) also carries the band of laurel leaves on the exterior (no. **218**).

At this same time, in the first third of the third century, both forms and stamps associated with the 'petites estampilles' production begin to appear at the site (**200, 206, 207**). Among the very few fully preserved tondos' only one carries the characteristic grouping of four stamps but the scanty evidence is by no means conclusive. Additionally, a central stamp is common and the scaraboid stamp associated with the workshop is found at the site (Morel 1973, p. 51, fig. 6, nos. 38, 40). The clay of the pieces with the scaraboid stamp is a light reddish color or more commonly the reddish yellow 'local/regional' clay. Quite possibly the stamp was copied and then re-used in 'local/regional' products[12]. The 'petites estampilles' stamps clearly made their way into the hinterland: the recent excavations at Satrianum brought an example of a 'petites estampilles' leaf to light[13]. The source of this new ceramic stimulus is most likely Pæstum or Velia or perhaps a

---

[8] The two misfired painted sherds stuck to the firing platform of the kiln and the entire kiln contents at Rivello provide clear evidence for these two new places of local production.

[9] Green J.R. 1982, p. 258 although no further reference is given.

[10] Forthcoming publication *PBSR* Supplement to Gravina di Puglia, ed. A.M. Small. I thank both A.M. Small and A.J.N.W. Prag for sharing the Gravina material with me prior to publication.

[11] The tombs, from various locations in the Pæstum area were excavated by A.Pontrandolfo Greco in the course of the 1970's.

[12] There are a variety of clay colors found in this production (Morel 1981a, F2981) and imitations were a characteristic of indigenous productions, Italian and others, cf. Morel 1981a, p. 516. Additionally, Morel 1969, p. 100 postulates the presence of workshops of 'petites estampilles' at Minturnæ, near Naples at Giugliano and at Pæstum.

[13] *Satriano* 1988, Tav. 11. Also found in the Pæstum museum deposit; Dott.ssa M. Cipriani was extremely helpful and generous in providing access to the material not on display

workshop a bit further away such as at Minturnæ or at Neapolis although a workshop in Pæstum seems quite likely (cf. note 12). Pæstum became a Latin colony in 273 B.C. thereby surely becoming a source of Roman produced or Roman inspired pottery. By that time, Velia was on reasonable terms with Rome and, as Greco has suggested, Velia may actually have taken over the old site of Palinuro to use as its port (Greco E. 1975, pp. 138-142). In that case, the distance between the possible port of Velia and Roccagloriosa through the Mingardo valley would have been very short. In any event either site could have provided the inspiration for local imitation of Roman pottery or the conduit for Roman pottery to arrive into the region as the 'petites estampilles' production was widely exported into hinterland areas in the first half of the third century (Hayes 1984, p. 85, note 1).

Another development at the site is the continued evolution of a pre-existing form (**117, 122**). The shallow bowl or plate with an overhanging lip and carination below the rim was popular earlier and the more rounded less angular versions are found in the various deposits. In the later habitation layers dated to the first half of the third century, however, the form becomes crisper and more 'metallic' in that the overhanging lip becomes both longer and larger, the upper surface is still rounded but the underside of the lip is flat and the carination on the wall becomes more pronounced. Some of the most angular examples of this form are found in the pale whitish clay. The Roccagloriosa bowls seem to be a hybrid of Morel forms F1314, which are dated variously from around 300 B.C. to the second half of the second century and form F1315, dated from 200 B.C. ± 50 to 150 ± 50.

Many of the late fourth century forms continue to be used and perhaps made at the site in the early years of the third century, for example the bowl forms, but the developments outlined above appear to reflect new models and sources of inspiration.

Late in the third century and in the early second century Campana A wares and amphora forms (nos. **387-388**) normally associated with Roman sites begin to appear in the area. Although the quantity of later material within the walls is limited, a substantial quantity has been found in a dump in the kiln assemblage (see kiln assemblage nos. **306-336**) as well as in various areas outside of the wall (see nos. **141-142**, **165a**, **166**), thereby underlining the decline of the nuclei on the central plateau and the change in function of the walls (*supra*, chap. 7) and site itself. The later material will be fully presented in another volume on the extra-mural areas. Possible numismatic evidence for Campanian contacts as early as the first half of the third century is provided by a coin from Cales with a cock on the reverse reputedly found in the 1971 excavations by M. Napoli in the extra-mural areas.

N.B. The actual black glaze at Roccagloriosa is very badly preserved. Any exceptions to that general rule are noted in the descriptions: otherwise the glaze is dull and flaking. Additionally, as there are usually numerous examples of each type, the rim, foot/base diameter ranges are given. "Morel" followed by a series or F number refers to the typology set out in Morel 1981a.

Skyphoi

69.○ Very thin-walled, simple or slightly turned out rim.
rim ø 10.0-12.0
clay 2.5YR 6/4 light brown, 7.5YR 8/4 pink
(US: 166, 195, Saggio A Est II [several examples])
Similar in shape to *Cozzo Presepe* 1977 (fig. 111, no. 178: «late 5th». At Roccagloriosa, this form should also extend into the 4th.

70.○ Slightly turned in rim, ovoid and swollen lip. High handle placement. Both large and small examples.
rim ø for smaller examples 7.0-8.0, larger 20.0
clay 5YR 8/4 pink, 7.5YR 7/6 reddish yellow
(US: 128, 147, 166, F20, Saggio F2, EB-FB 110 III).
The rim is similar to that of Morel F4385a1 from Ordona: «first half of the 4th»; *Cozzo Presepe* 1977, fig. 125, no. 295: «4th-3rd»; *Lagonegro* 1981, Tomb 4, fig. 13: «first quarter of 4th»; Holloway 1970, fig. 140, no. 162: «second half of the 5th». The Satrianum example has a less ovoid lip: the more developed lip should put the Roccagloriosa examples into the first half of the 4th century.

71.○ Slightly out-turned flattened rim, thick wall, high handles
rim ø 7.0-9.0
clay 5YR 7/4 pink, 6/6 reddish yellow, 10YR 7/4 pale brown
(US: Saggio F2 II, 163, F56, Saggio A Est IIa).
Like *Ordona I*, fig. 19-20, nos. 14, 18, 20, 22-23, and pl. XLIV: first half of the 4th;

Lagonegro 1981, Tomb 3, fig. 9: «end of 5th».

72.○ Skyphos rim. Flat rim, thin walled. Excellent glossy black glaze.
rim ø 9.0
clay 2.5YR 6/4 light reddish brown
(US: 195).
Close to *Oppido Lucano* 1980, fig. 74, no. 3: «5th». *Lipari* 1965, tav. b,7: «5th or first half of 4th». At Roccagloriosa, the type is also found in contexts of the first half of the 4th.

73.○ Simple rim, low handle placement. Short, thick handles.
rim ø 10.0
clay 5YR 6/6 reddish yellow
(US: 166)
The handle placement is odd. With the exception of the handle placement, the shape is like two examples from Nola and Bari (*CVA* Copenhagen 7, pl. 281, nos. 12 and 16) and Merzagora 1971, 4-5, no. 17. The simple rim treatment suggests an earlier rather than later date in the 4th century.

74a.○ Thin walled, straight sided skyphos with an out-turned rim. Excellent black-glaze, brush applied. The interior rim treatment is usually rounded although sometimes it looks slightly angular. Body swells slightly below the handles.
rim ø 8.0-11.0
clay misfired grey, 5YR 7/6 reddish yellow, 10YR 8/4 very pale brown, 7.5YR 7/4 pink
(US: 141, 154, 165)

74b.○ Same, but thicker walls, with rim slightly off-set.
rim ø not determinable
clay 5YR 7/6 reddish yellow
(US: ZA 171 I-II)
In the thicker walled version, *Cozzo Presepe* 1977, fig. 125, no. 291: «4th - early 3rd». The wall thinness and the excellence of the glaze probably place this piece into the early 4th century B.C. or earlier; see *Agora XII*, nos. 588, 593, 595 all dated to the last decades of the 5th century.

75a.○● Out-turned rim. Thick wall. Body swells below rim and handles are tilted upwards. Complete profile.
ht. 15.0, rim ø 12.0, base ø 7.0
clay blue-grey misfired, 5YR 7/6 reddish yellow
(US: 147, Room A1 'central baulk').
Resembles *Cozzo Presepe* 1977, fig. 111, no. 296: «375-300»; *Gravina III*, fig. 47, no. 219: «second half of the 4th». One example is smaller than might be expected but there are a number of known Campanian examples that are even smaller versions of the same type with rim diameters of 5.4, Hayes 1984, no. 133: «second half of the 4th or later». Date: middle - second half of 4th century.

75b. One very large example with a very thick rim and heavy strap handles.
rim ø ca. 18.0
clay 5YR 6/6
(US: Saggio F1, 119)
A parallel is found at Pæstum in an unpublished tomb dated «later 4th c.B.C.»

76.○● Simple thin rim, curving body with very thin up-lifted handles. Interior channel 2.2 below rim.
rim ø uncertain, probably ca. 10.0-12.0
clay 5YR 7/6 reddish yellow
(US: F262).
Squatter version of Morel F4264: «last third of 4th» with a similar example in Tomb 14 at Roccagloriosa which is dated to ca. 330 (Gualtieri 1989b). See also *Lipari* 1965, tav. d,7: «first two thirds of 4th c. B.C.»

77.○ Rounded body with a very slightly out-turned rim.
rim ø 8.0-10.0
clay 10YR 8/4 pale brown, 5YR 7/6 reddish yellow
(US: VA 86 III, XA-WA 86).
The body treatment is like Morel F2621h1: «beginning of the third» with a similar rim treatment found at *Cozzo Presepe* 1983, fig. 125, no. 298: «second half or late 4th»; *Lipari* 1965, tav. f,3: «last third of 4th c. B.C.». Suggested date at Roccagloriosa: late 4th-early 3rd century.

78.○ Swelling body with the rim inclined slightly inwards. Incised grooves at the handle zone.
rim ø 7.0
clay 10YR 7/4 pale brown
(US: 147).
The incised grooves immediately below or at the handle zone on the exterior are a characteristic of the Roccagloriosa skyphoi. In examples with Gnathia type decoration the two lines are replaced by a large channel below the decorative 'frieze'. No close parallels found although there are similarly incised bucchero and black glaze skyphoi from the pre-Roman cemetery at Nola dated

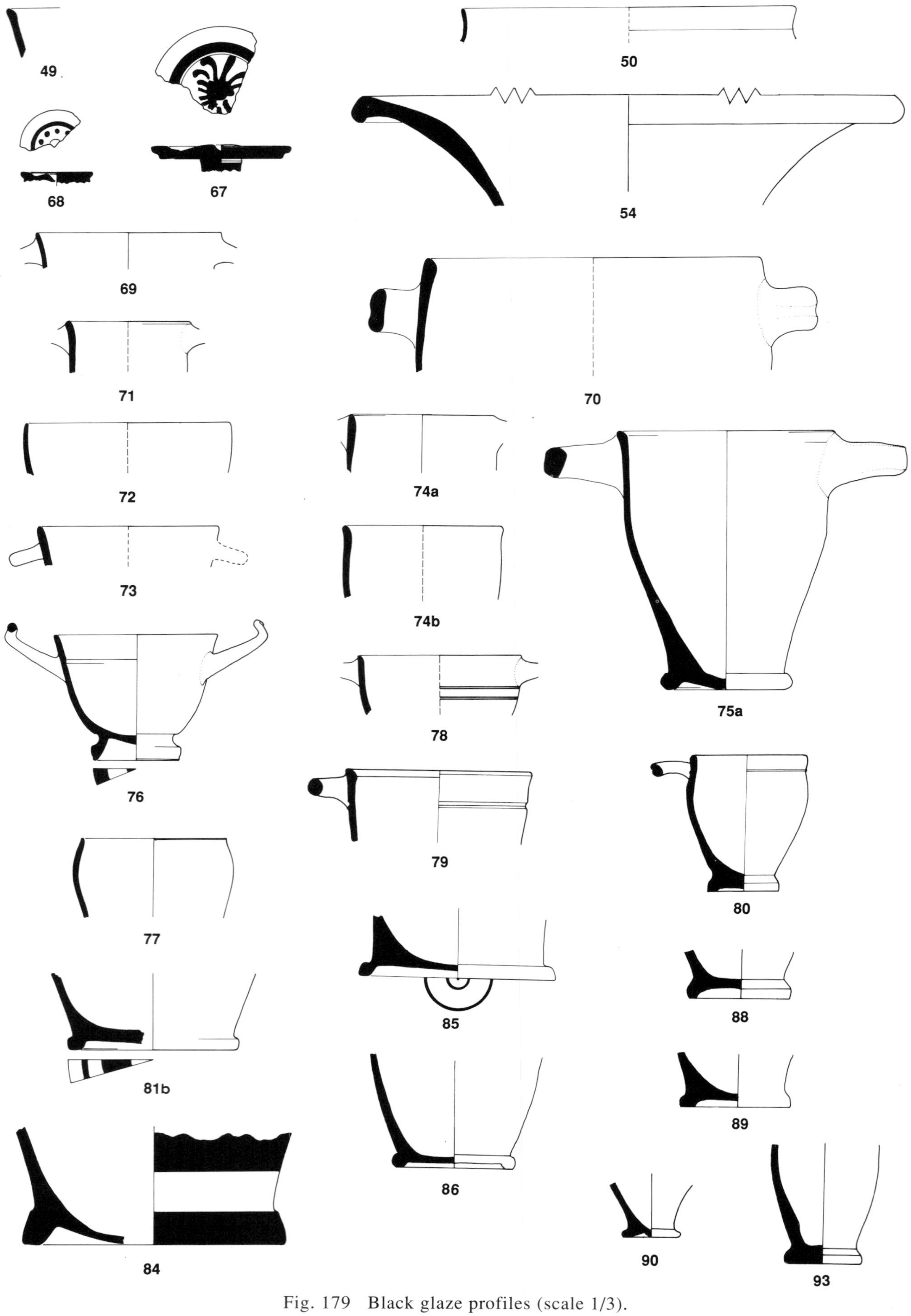

Fig. 179 Black glaze profiles (scale 1/3).

from the 6th to the late 4th (*Nola* 1969, Tomb XLII, 1 is closest). A partially glazed skyphos with an incised line on the exterior is on display in Padula and dated 4th-3rd. The form does not appear in the Pozzo deposit and the body shape is reminiscent of later Gnathia type skyphoi. Suggested date: early third century.

79.○ Straight sided thickened rim turned slightly outward. On exterior a deep groove 2.0-2.5 cms. below the rim. One example does not have the groove.
rim ø 10.0-12.0
clay 2.5YR 6/6 light red
(US: Room A1, 335, Saggio A and F II).
Dated as preceding example.

80.○ Complete profile "S" curved body, slightly turned out rim. Exterior groove 1.0-1.5 cm. below rim at handle zone. Carinated foot. Central bump on underside of foot.
rim ø 6.0, base ø 4.0, ht 8.0
clay 5YR 7/6 reddish yellow
(US: VA 85, pit al)
The form of the body is best paralleled by Morel F4364 which is typical of Central-Southern Italy from the early third to the second quarter of the third century. The examples listed come from Minturnæ, Chieti and Teano. See also *Locri* 1983, tav. VIII, no. 43: «3rd», and *Albanella* 1989, fig. 15, H35: «last decades-end of 4th». The date for the form at Roccagloriosa seems to be early third as it is absent in all the dump deposits.

The skyphoi fragments from Roccagloriosa which seem to be early in date (nos. **69-74**) are very well made, thin walled with a lustrous well-preserved glaze. They evidently come from three sources, one 'local' or regional with a color of 5YR 6/6-7.5YR 7/6 both reddish yellow, a second of 10YR 8/4 pale brown and a third of 7.5YR 7/4-8/4 or 5YR 7/4-8/4: this last group may be the result of a variation in firing of the 'local' or regional clay. In the examples dated to the second half of the fourth century the walls thicken, the rims are treated more elaborately (nos. **75-80**). The skyphos with the channel on the exterior is very popular at the site: on this particular type there is no trace of overpainting above the incised line. The type is not included in the Pozzo deposit and may be contemporaneous to the thin-walled grooved bowls which date to after ca. 300-280.

Skyphoi bases

81a. Ring base. Carination at lower third of body. Flat underside, rectilinear interior profile. Three painted circles on bottom, redwash on underside.
base ø 8.0-15.0
clay 5Y 5/1 dark grey 9 (misfired), 5YR 6/8 reddish yellow
(US: 128, EB+FB,110 IIIB)

81b.○● Same with painted circle beneath.
base ø 8.0
clay 5YR 6/8 reddish yellow
(US: Saggio A Est IIa, all examples)
This type of base, essentially an imitation of the classic Attic form (*Agora XII*, 342) has a very long life. See *Lagonegro* 1981, Tomb 1, fig: 6: «last quarter of 5th; *Ordona* 1973, Tomb L, figs. 125-126 and *Ordona I*, nos. 14, 18, 20, 22, 23: «first half of 4th». A similar example from Holloway 1970, fig. 138, no. 150 is dated to the 4th century.

82. Skyphos base. Off-set at join of foot to body, two sharp grooves on foot. Flat underside. Glossy black glaze,very well preserved. Foot totally glazed underneath.
base ø 10.0
clay 6YR 7/4 pink
(US: ZA-XA 172 III).

83.● Skyphos base. Ring foot, definite groove on underside of foot. Very well preserved black glaze.
base ø 6.0
clay 7.YR 7/6 pink
(US: YA + ZA 172 III).

84.○● Skyphos base. Very heavy base, angular foot ring foot. Off-set at body. Straight wall, partially glazed.
base ø 15.0
clay 5YR 6/6 reddish yellow
(US: Saggio N-P, spor.).

85.○ Ring base with an offset at join to body. Flat underneath, two circles and dot in black glaze underneath.
base ø 7.0-11.0
clay 7.5YR misfired grey, 2.5YR 6/4 light reddish brown, 2.5Y 8/2 white, 2.5YR 6/6 light red, 5YR 7/6 reddish yellow
(US: 86, 129, 166, 273, 338, Saggio F3 II, Saggio D_3 III).
The most popular skyphos base type found on the site. See parallels at *Lagonegro* 1981, Tomb 3, fig. 9: «last quarter of 5th»; *Poseidonia-Pæstum I*, fig. 40, no. 33: «second quarter of 4th». At Roccagloriosa the form, used with both fully and partially glazed pots, is common throughout the first three

quarters of the 4th century.

86.○ A more rounded version of the above without the offset. Flat underside. Generally used for smaller skyphoi.
base ø 7.0-9.0
clay 7.5YR N6 grey (misfired), 5YR 6/8 reddish yellow, 7.5YR 6/6 reddish yellow (US: 91, 129, 339, FB 109 IIIB).
Very common in the dump deposits at the site. This simple version seems to be used equally with several types of skyphoi bodies. Date: mid to late 4th century.

87.• Ring base with an offset and then ridge at the join of base and body.
base ø 8.0-9.0
clay 5YR 6/6 reddish yellow
(US: 395).
See *Valle d'Ansanto* 1976, no. 494 with a parallel cited at Pontecagnano dated to the second half of the 4th century.

88.○ Simple rectilinear foot with a slight carination at mid-point. Central projection on underside of pot.
base ø 5.5-8.0
clay 5YR 7/8 and 7.5YR 7/6 both reddish yellow
(US: 82, 119).
Resembles *Cozzo Presepe* 1977, fig. 125, no. 302: «beginning or first half of 3rd».

89.○• Angular exterior, carination near join of body and foot. Flat underside.
base ø 4.0-7.0 although most common ø is between 4.3-5.0
clay 5YR 7/6 reddish yellow, 5YR 7/4 pink, 10YR 8/3 very pale brown
(US: 80, 94, 98, 102, 145, 254, Saggio F2 III, F54)
Date: end of 4th, beginning of 3rd century.

90.○ Rounded spreading foot. Central bump on underside, sharp angle at join of foot to base on underside.
base ø 3.0-5.0, most common 4.0
clay 5YR 7/8 and 7.5YR 7/6 reddish yellow (US: 63, 80, 145, 147, 163, 190, FB 109 IIIB, Saggio F2 III).
Commonly dipped, with partially glazed bodies. See *Cozzo Presepe* 1977, fig. 125, no. 304.
Date: like the preceding example.

91. Disc-like large spreading foot. Bump on underside. Very thick bottom.
base ø 5.0-6.0
clay 5YR 7/6 reddish yellow, 5YR 6/4 light pink (this clay color is unusual and reminiscent of products from the Bay of Naples (US: 84, 147, FB 109 IIIB)
Very like *Cozzo Presepe* 1977, fig. 125, no. 306. Dated as preceding.

92. High rectilinear foot, central projection on underside.
base ø 3.3-4.7
clay 5YR 7/4 pink, 5YR 7/6 reddish yellow
(US: 109, 412).
Dated as preceding examples.

93.○ Solid foot, carination on exterior, partially glazed.
base ø 4.2
clay 7.5YR 7/6 reddish yellow
(US: VA 85 II).

94. Rounded exterior, very thin base at tondo.
base ø 3.3
clay 7.5YR 7/6 reddish yellow
(US: 211).

The early skyphoi bases have a very long life and the two painted circles underneath may appear well into the third quarter of the 4th century (no. **85** and see Morel F4382a) while nos. **86**-**88** are essentially simplifications of the earlier ring bases. Nos. **93** and **94** are peculiar in general and would seem to be more like feet for unguentaria.

Entry no.	"P" Catalogue number
69.	4465, 4466, 409, 1006
70.	809, 4494
71.	4275, 6203
72.	908
73.	4775
74. a.	4370, 4734, 4715
b.	518
75. a.	4244, 909
b.	852
76.	5085
77.	214, 307
78.	5033
79.	354, 465, 6132
80.	247
81. a.	4107, 4031
b.	612
82.	910
83.	911
84.	912
85.	602, 3128, 4139, 4810, 5006, 5023, 6028, 7006
86.	4139, 3134, 847, 7152
87.	7054
88.	3277, 3137
89.	577, 4854, 3238, 3207, 3152,

	4378, P4901
90.	4571, 3123, 3144, 3000, 3050, 4097, 4765, 576
91.	3233, 4211, 872
92	3245, 7057, 2029b
93.	209
94.	211.

Salt cellars

95.○● Stemless salt cellar. Complete profile. Solid base, depression at centre of base on underside. Raised black dot inside the depression and a black painted circle around the depression. On exterior, a groove at join of cup to base.
rim ø 7.0-8.0, base ø 5.5-5.6, ht. 2.5-3.0. These measurements are consistent over many examples.
clay 5YR 7/6 reddish yellow, 10YR 7/4 very pale brown (many examples)
(US: 108, 311, 335, Saggio F3 II (numerous examples), 352, 147, 134).
An extremely close parallel for this type, including 'buff' clay and dimensions is noted at Satrianum (HOLLOWAY 1970, fig. 142): late 5th. A larger example in Tomb 6 at La Scala is dated «ca. 390 B.C.» (GUALTIERI 1989b). See also *Poseidonia-Pæstum I,* fig. 42, no. 39: first half of the 4th and *Albanella* 1989, fig. 16, H39: «first half to third quarter of the 4th». The type, in the pale brown clay, is also found in Tomb 6 at Roccagloriosa dated to ca. 400-380 (GUALTIERI 1989b). The form seems to disappear after the third quarter of the 4th, cf. *Monte Irsi* 1977, fig. 23, no. 91 and remarks here to nos. 88 and 91.

96.○ Variant of the above type. Complete profile. Flat base, groove on exterior as above.
rim ø 6.0, base ø 4.0, ht. 2.9-3.0
clay 10YR 7/4 pale brown, 7.5YR 7/4 pink
(US: Saggio A Ovest II, Saggio C Ovest II)
No close parallels found for this slightly changed format. At Roccagloriosa the date of the two types seems to be the same although a larger example of this type from HOLLOWAY 1970, fig. 147, no. 179 is dated to just before 330 while another example from *Albanella* 1989, fig. 16, no. H40 is dated from the first half to the third quarter of the 4th century.

97.○ Salt cellar on a low foot, circle or dot painted on underside. Complete profile.
rim ø 6.5, base ø 4.4, ht. 3.2
clay 5YR 7/6 reddish yellow
(US: Saggio A Ovest II, VA-XA 116-117, IIIa)
See *Albanella* 1989, fig. 16, no. H41 for a close parallel, dated as the preceding example. Also *Lipari* 1965, tav. d,5: «first two thirds of 4th c. B.C.»

The salt cellar type with flat bases are often found in clays which are not local. The flat bases and very thick rim/cup part as well as the standardized and small dimensions are well-adapted to pieces that are imported or exported.

A similar evolution of form and wide dispersion can be seen in the Attic stemless cups which develop from the delicate stemmed kylikes: the more durable form (no stem, thickened rim) are found throughout the Mediterranean (I thank Dr. B. Shefton for drawing the Attic cup evolution to my attention). Perhaps the same rationale can be applied to the evolution from thin pre-Campana forms to the thick forms for the various widely exported Campanian products.

98.○● Stemmed salt cellars, slight differences in height and splay of foot but basically all the same. Complete profile. 98a: a small raised edge to the foot. Complete profile.
rim ø 4.8-7.0, most common diameter for the rim is 6.0, base ø 4.2-5.0, ht. 3.6-4.3
clay 5YR 6/6-6/8-7/6 reddish yellow, 5YR 7/3 pink, 7.5YR 6/4 light brown
(US: Saggio F_2 II, F54, 165, 190, PC86, 95, 298, 98: many examples in 190).
This is by far the most common type in Southern Italy. Given the numerous minor variations in local productions, it seems pointless to provide a large range of variations on fragmentary pieces. For a good range of types, see *Satriano* 1988, tav. 10; *Tolve* 1982, fig. 12, nos. 69903-5, 69964; *Monte Irsi* 1977, fig. 23; *Cozzo Presepe* 1977, fig. 128; *Poseidonia-Pæstum I*, fig. 41, no. 39; *Poseidonia-Pæstum II*, fig. 60, no. 135; *Albanella* 1989, fig. 16, no. H43. All the examples cited are dated in the second half of the 4th and into the 3rd. No. 98a is paralleled by a more elaborate ribbed version of the basic form included in Tomb 25 at Roccagloriosa which is dated to the last third of the 4th (GUALTIERI 1989). This stemmed type was made at the site, see wasters assemblage (*supra*, pp. 91-92).

Entry no.	"P" Catalogue number
95.	603, 3235, 4213, 4792, 6124
96.	536, 471
97.	915
98.	3229, 4663, 7000, 916, 552, 331, 6213, DB2026, 4735. 4767.

Small Hemispherical Bowls

99. Complete profile. Incurving rim, thickened interior lip. Flat base or ring base with a large circular depression underneath.
rim ø 8.0, base ø 5.0, ht. 2.7
clay 5YR 8/4 pink
(US: 333, Saggio DII)
See *Torre Mordillo* 1977, fig. 94, no. 3 and *Cozzo Presepe* 1977, fig. 127, no. 320: parallels cited range in date from ca. 450-350.

100.○ Complete profile. Simple rim, ring foot. One example has a carination on the ring base.
rim ø 7.3-8.0, base ø 4.0-6.8, ht. 2.4-2.9
clay 5YR 6/6 reddish yellow, 10YR 7/4 pale brown
(US: Saggio N II, Saggio O-N II, Saggio A Ovest IV, 232).
The two examples in pale brown clay are very precisely executed with a rim to base proportion of 2 to 1 and a shallow groove incised on the exterior 0.8 below the rim. On those two examples the ring foot is a bit more angular. Compare the clay color with that for the stemless salt cellars as well (nos. 95-97). Close to *Agora XII*, fig. 9, no. 870: 450-400.

101. Complete profile. Variant of the preceding type. Open simple rim, curving wall, ring foot. Very well preserved black glaze.
rim ø 7.0, base ø 6.0, ht. 2.0
clay 5YR 6/4 light reddish brown
(US: Saggio B Est III A, CB 172 II)
See *Cozzo Presepe* 1977, fig. 127, no. 322: «early part of the 4th».

102.○ Complete profile. Incurving rim. Slight wall carination below rim. High rectilinear foot. Central projection on underside.
rim ø 7.0, base ø 3.2, ht. 3.5
clay 2.5YR 6/6 light red
(US: PC86)
A good parallel is *Cozzo Presepe* 1977, fig. 127, no. 324: «320-270».

103. Complete profile. Small hemispherical bowl, thickened rim, simple foot.
rim ø 7.0, base ø 5.0, ht. 2.5
clay 5YR 7/8 reddish yellow
(US: Saggio A ovest III).
Date: as above.

104.○● Complete profile. Incurving thickened rim; slightly rounded foot, flat underside.
rim ø 7.0-8.0, base ø 4.0-5.0, ht. 2.5-3.0
clay misfired grey to 5YR 5/1-5/6 reddish yellow
(US: 118, Saggio A ovest II).
There is an interior ridge on the underside of the foot on one example which is probably a mistake in the trimming. See Greco e Guzzo 1978, fig. 37, no. 42 and fig. 44, no. 41, for close parallels, both dated to the second half of the 4th - early 3rd century B.C. Examples in La Scala, Tomb 15, dated ca. 300-290 B.C.

105.○ Complete profile. Taller less hemispherical bowl with maximum curve near the rim. Simple rectilinear foot. Very common type.
rim ø 5.0-7.0, base ø 3.3-3.8, ht. 3.0-3.6
clay 5YR 6/6 and 7/5YR both reddish yellow, 7.5YR 5/6 strong brown
(US: 171, 163, 166, 298, 190, Saggio F ovest II).
Date: as no. 104.

106.○ Complete profile. As the preceding example but more incurving and hemispherical. The deep incurving rim creates a 'shoulder' with a sharp carination. High rounded foot. Incised groove 1.7 cm. below rim on exterior.
rim ø 4.0-8.0, base 3.1, ht. 3.8
clay 5YR 6/6-7/6 reddish yellow, but the example with the incised groove on the exterior is 7.5YR 7/4 pink
(US: 163, 165, 166 VA-XA 85-86 II).
Wide date range: see *Locri* 1983, tav. VIII, no. 35: «third century and part of second»; *Acquappesa* 1978, fig. 4, no. 122: «end of 4th - first half of 3rd»; *Cozzo Presepe* 1977, fig. 127, no. 324: «320-270»; *Poseidonia-Pæstum II*, fig. 60, no. 134: «second half of 4th». At Roccagloriosa this form appears in the dump east of Complex B and in the layers above that dump so that it should be dated to the second half of the 4th - early 3rd century B.C. This form resembles very closely one of the forms linked to the "atelier des petites estampilles" production. Since workshops of that production have been postulated at Minturnæ, at Giugliano near Naples and at Pæstum the example in a pink clay color is noteworthy (Black glaze introduction, note no. 12).

107.○ Hemispherical body, incurving rounded rim.
rim ø 9.0-13.0
clay 5YR 7/6 reddish yellow, 10YR 6/3 pale brown, 5YR 7/4 pink
(US: 98, 141, 145 (numerous examples in 145) Saggio N-O II).
Several examples have a well-preserved metallic black-glaze. This type looks very much like (even in its fragmentary state) Morel F2783 series dated to the first half of the third century which is suitable also for the Roccagloriosa examples.

Entry no.	"P" Catalogue no.
99.	6131
100.	4815, 359, 355
101.	920
102.	5059
103.	921
104.	3292
105.	4667, 451, 4503, 5065, 4701, 4354, 6065
106.	4746, 4778, 4147, 4355, 219, 327
107.	375, 4099, 4382, 7004, 4341, 4385

Bowls

Some of these may actually be one-handled bowls but in the absence of handles they have been classified as simple bowls.

108. Thin-walled, glossy thick black glaze on a shallow bowl with a carinated wall.
rim ø 16.0
clay 5YR 7/4 pink
(US: Saggio A Est II).
Date: on the basis of the glaze and execution, first half of 4th (?) Resembles *Agora XII*, no. 605, dated ca. 375.

109.○ Complete profile. Thin-walled bowl. Moulded foot with a central bump on underside.
rim ø 10.0-12, base ø 4.0-4.4, ht. 6.0
clay 5Y 6/1 grey (misfired), 5YR 6/8 reddish yellow
(US: 111, 184, 249).
This derives originally from the Attic form *Agora XII* 515 dated 400-375. At Roccagloriosa this may date as early as the mid - 4th on the basis of the very thin walls, but the inclusion of the pot in both US 184 and 249 indicates continued use at the site in the second half of the 4th century and early 3rd.

110.○● Complete profile. Hemispherical bowl with a thickened rim, plain rectilinear foot with central projection underneath.
rim ø 6.0-16.0, base ø 3.0-5.5, ht. 9.0-10.0
clay 7.5YR 7/6 reddish yellow
(US: 98, 190, 232, 237, 375, VA 85 pit a IIB, Saggio A Ovest IV).
See Torre Mordillo 1977, fig. 94, no. 11; *Tolve* 1982, fig. 11, no. 70033: late 4th-3rd; *Valle d'Ansanto* 1976, 522 although our foot is higher and simpler in form. Suggested date: second half of 4th - early 3rd century.

111.○ Ovoid with a thick rim.
rim ø 8.0-16.0
clay 5YR 7/6 reddish yellow
(US: F356, F34, VA 85II).
Resembles Morel F2981d1: beginning of the 3rd. The Morel form is related to the "atelier des petites estampilles" production and imitations thereof.

Entry no.	"P" Catalogue number
108.	917
109.	3256, 4539, 5022
110.	326, 4770, 4788, 4812, 6060, 7046
111.	204, 6546, 4524

Bowls with handles

Many of these examples are only rims with the point of handle attachment evident. They are very popular at the site and have infinite minor variations in lip projection and curvature or carination.

112.● Complete profile. One handled "S" curved bowl. Simple foot, central bump on underside.
rim ø 11.5, base ø 4.8, ht. 9.5
clay 5YR 6/6 reddish yellow
(US: 195).
Very like Morel F6263 dated towards the second half of the 4th century.

113.○ Thin walled carinated bowls. Flat rim angled slightly outwards. Handle immediately below rim. All examples have a very well-preserved and lustrous black glaze which seems to be applied with a brush.
rim ø 7.0-9.0, base ø 4.0, ht 5.0
clay 5YR 7/6-6/6 and 7.5YR 7/6 all reddish yellow
(US: 2, 118, 191, 237).
Imitation of *Agora XII*, 483, 484, 487 all of

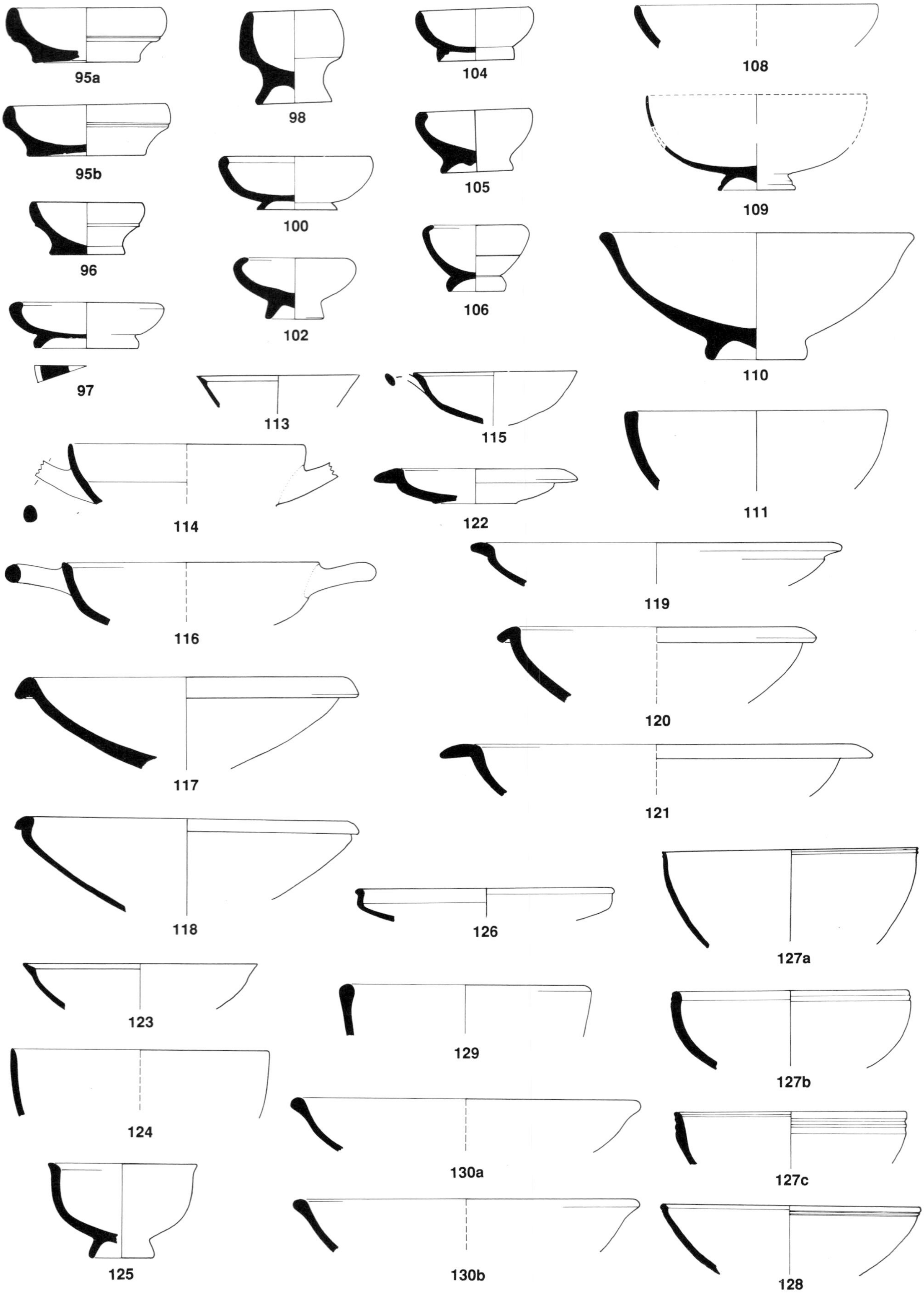

Fig. 180 Black glaze profiles (scale 1/3).

which are dated the period ca. 450-430 B.C. A similar thin-walled two handled bowl is shown from *Praia a Mare* 1972, fig. 13, no. 1 and dated to the 4th. At Satrianum, a stemless kylix (HOLLOWAY 1970, fig. 146, no. 177) is dated to just before 330 and parallels cited there refer to a piece from Padula (cat. no. 77) dated to the mid-fourth century. At Roccagloriosa a date of ca. mid-fourth century seems appropriate.

114.○ Slightly out-turned rim, ovoid body. Off-set on interior below rim. Well preserved black glaze.
rim ø 13.0
clay 2.5YR 6/6 light red
(US: 118, 195, 237, Saggio A Est II)
Suggested date: as preceding example.

115.○ Curving wall, rounded out-turned rim. Handle immediately below rim. Excellent well preserved black glaze.
rim ø 10.0
clay 2.5YR 6/6 light red
(US: 195)
Suggested date: as preceding example. See *Agora XII*, no. 605 dated to ca. 375.

116.○ Larger and slightly thicker walled than the preceding examples with a turned outward rim.
rim ø 12.0
clay 2.5YR 6/6 light red, 5YR 7/8 reddish yellow
(US: 91, 195, Saggio F2 II).
Suggested date: as above.

Variations of these bowls occur along the Tyrrhenian coast some with higher or lower curved bodies e.g., GRECO e GUZZO 1978, fig. 37, no. 47 and fig. 37, no. 49 for a more accentuated and larger curved wall as well as fig. 44, nos. 46-48 for other variants as well as *Praia a Mare* 1972, fig. 13, no. 2/14 and *Poseidonia-Pæstum II*, fig. 60, no. 120. This is a particularly common form in all of its variations in layer 195, the habitation debris from phase IIA of Room A5.

Entry no.	"P" Catalogue number.
112.	4850
113.	5092, 5093, 5094, 4783, 4017, 4755, 5010, 5091
114.	918
115.	919
116.	3139, 4756, 575.

Bowls or deep plates with curving walls and rilled or projecting rims.

This is one of the most common bowl types at the site. There are innumerable small variations in profile including one example composed of three joining rim sherds which presents three quite distinct degrees of rilling and undercutting (and consequently in theory each joining piece has a different date). All the variants are consistently found throughout Southern Italy, see *Tolve* 1982, fig. 11, no. 68076, *Locri* 1983, tav. VIII, no. 42, *Valle d'Ansanto* 1976, fig. 588-599, *Cozzo Presepe* 1977, fig. 129, nos. 331-337, *Monte Irsi* 1977, fig. 27, no. 143.

117.○ Deep hemispherical bowls with a thick knob-like projecting rim. Both fully and partially glazed examples. Considerable variation in projection and thickness of knobs.
rim ø 14.0-19.0
clay 5YR 7/6-6/6 reddish yellow, 10YR 5/1 grey (misfired)
(US: F42, 59, 80, 147 (numerous examples), 204, F356, FB 109, IIIB VA 85 III).
See FABBRICOTTI 1979, fig. 16, no. 30; *Acquappesa* 1978, fig. 44, no. 22; *Poseidonia-Pæstum I*, fig. 42, no. 44: beginning of 3rd; *Cozzo Presepe* 1970, fig. 24, no. 7: early 3rd and *Pompei* 1984, tav. 69, CE928. At Roccagloriosa they are also dated to the early third century.

118.○ Deep hemispherical bowl with a rilled or rolled rim to create a thick lip with a rounded profile. The lip is deeply undercut. The wall may be slightly carinated below the roll of the lip. Numerous variations in the tightness of the roll of the lip. Sometimes there is an interior projection on the rim as well but it is probably caused by the pressure of creating the undercutting of the rim when the wall of the pot would need to be supported on the inside by the potters hand.
rim ø 12.0-19.0 but the most common diameters are 14.0, 16.0, 18.0
clay 5YR 7/6-6/6 reddish yellow and a number of over-fired examples (see Wasters Assemblage, S. 2a, b, *supra*, p. 91)
(US: 63, 166, 190 (especially common in 190), 381, F211, FB 109 IIIB, Saggio A and F II (several examples), XA 85-86 IIa, VA 85-86 (very common).
The variation with the slight carination on the wall below the rim seems to be a combi-

nation of several Morel types and may be slightly later in date. In general terms, the form resembles the Morel F1552 series which ranges in date from the third quarter of the 4th to the mid - 3rd. See also FABBRICOTTI 1979, fig. 16, nos. 31, 64, 66; *Acquappesa* 1978, fig. 4, no. 9; *Cozzo Presepe* 1977, fig. 129, nos. 331, 332 and 336; *Tolve* 1982, fig. 11, no. 68076. In later versions the walls of this type become less curved, see for example *Pompei* 1984, tav. 69, no. 8, CE 2183 and no. 10, CE 337. At Roccagloriosa they have a long life and are found in contexts dated from the later fourth century onwards.

119.○ Deep curved bowls with projecting rims which are triangular in section. Larger than the previous type.
rim ø 16.0-20.0
clay 7.5YR 7/6, 5YR 6/8 reddish yellow, 5YR 6/2 pinkish grey, 2.5Y 8/2 white
(US: 2, 49, 273, 258, 337, FB 109 IIIB).
Especially close resemblance to Morel 15551b1 which is typical of central and central southern Italy in the third century. See also *Torre Mordillo* 1977, fig. 94, no. 20; *Acquappesa* 1978, fig. 4, no. 109; *Cozzo Presepe* 1977, fig. 129, no. 333; *Valle d'Ansanto* 1976, no. 587, *Poseidonia-Pæstum I*, fig. 42, no. 42: «beginning of the 3rd».

120.○ Deep or shallow bowls or plates with slightly curving walls, large overhanging rims which are rounded on the upper surface and triangular in section. The overhanging rim is much larger than the preceding example. Thickened interior edge.
rim ø 14.0-20.0 with one small example at 11.0 and one very large example with a rim diameter of 26.0
clay 5YR 6/6-7/6, 7.5YR 7/6 reddish yellow, 5YR 6/4 light reddish brown, 5Y1 6/1 N5 misfired grey
(US: 141, 167, 84, 117, 190, 201, 323, 327, F54, VA 85 pit al).
Parallels found at Ruoti (FABBRICOTTI 1979, fig. 16, nos. 71-86), *Cozzo Presepe* 1977, fig. 129, no. 337; *Valle d'Ansanto* 1976, no. 611 and 613 although the overhang is less pronounced; *Locri* 1983, tav. VIII, no. 40; *Poseidonia-Pæstum I*, fig. 42, no. 43: beginning of 3rd; *Pompei* 1984, tav. 70, no. CE2184: «mid-3rd».
This type seems to have evolved from the previous types and at Roccagloriosa seems to be later in date that the previous types as it is absent from all the dump deposits. The form seems to be a 'transitional' form or an 'ancestor' of the more developed Morel series F1312, 1313, 1314 forms which are often found in the Campanian A production and have straighter, thicker walls: those examples are dated to the 2nd century B.C. The same type of form is also very popular in grey glaze wares although in that production the walls also become less curved: see A.J.N.W. Prag in the forthcoming *PBSR* Supplement on Gravina di Puglia, *Grey Glaze Wares: dishes (plates with recurving rims).*
A good overview of the entire sequence with straight walls is found in *Pompei* 1984, tav. 70 and 71: all of those examples are carried well into the second century B.C. At Roccagloriosa this type of bowl seem not to date any earlier than the beginning of the 3rd century.

121.○ Shallow large bowl/plate with a large overhanging rim. Carinated wall. Dull black glaze.
rim ø 21.0
clay 5YR 6/4 light reddish yellow (a great deal of mica visible)
(US: Saggio A ovest IV).
A more developed form of no. 120 and very close to Morel F1315c1: 200 ± 50.

122. Shallow bowl with a very large overhanging rim. Carination on exterior wall, groove to delineate the base which is flat.
rim ø 9.0, base 4.2, ht. 1.7
clay 5YR 6/4 light reddish yellow (mica visible)
(US: Saggio A ovest IV).
No parallels found but the clay reading is very similar to no. **121**. This may be the product of a new area of production and importation, in which case a date similar to that of no. **121** may be appropriate.

Entry no.	"P" Catalogue number
117.	823, 6554, 4903, 238, 3201, 3017, 4398, 855, 414, 4693, 4396, 3151, 4225
118.	4680, 866, 3024, 613, 413, 411, 3058, 4668, 300, 336, 222, 4668b, 4766, 7092, 4083, 202, 244, 284, 201, DB 2013b, 328, 231, 305
119.	5040a, 846, 6515, 6172, 4867,

	2162a, 6180
120.	4377, 252, 828a, 4165, 3019, 412, 239, 4149, 4760, 3170, 6058, 4682, 4221, 4621, 6149, 6066
121.	922
122.	923.

Bowls with rims angled inwards

123.○ Very thin straight walled bowls with rims angled inward. Slight depression on exterior where interior rim elaboration ends. Well preserved black glaze.
rim ø 10.0-12.0
clay 5YR 7/6-7/8 reddish yellow and misfired grey
(US: 86, 100 (numerous examples in 100), 113).
The rim profile is very like that of an example from Fabbricotti 1979, fig. 16, no. 21 but the walls of our type are much thinner. Found in the Pozzo deposit and in the colluvium layers at Roccagloriosa but a date of ca. early to mid-4th is possible on the basis of the execution of the pieces and on comparison with *Agora XII*, no. 554 dated 425-400..

124.○ More hemispherical, thicker walled rim angled towards the interior of the bowl. Well preserved black glaze.
rim ø 10.0-18.0
clay 10YR 7/4 yellow (many examples), 5YR 6/6 reddish yellow and many underfired examples in a soft powdery 5YR 7/4 pink clay
(US: 98, 95, 163, 273, Saggio A Est II (several examples, all in pale clay), CB 172 II).
See *Cozzo Presepe* 1977, fig. 126, no. 309. Included in the Pozzo deposit. Suggested date: mid-to late fourth century.

Bowls with out-turned rims and carinated walls

125.○ Complete profile. Possibly a one-handled bowl type but no evidence of a handle is preserved. High rectilinear foot. “S” curve body with maximum curve near foot. Rim projects outward slightly.
rim ø 7.0-8.0, base 3.0, ht. 5.5
clay 5YR 7/6 reddish yellow
(US: 254, 416, XA 170-171 III, Saggio A Est I, XA 171 I)
Common form. One handled example from *Tolve* 1982, fig. 12, no. 69914: «fourth-third»; one handled type (the foot is different) from *Valle d'Ansanto* 1976 nos. 518-519; two handled type, *Locri* 1983, tav. VIII, no. 44: «4th - first half of 3rd». The foot on this type at Roccagloriosa is much like the patera foot, i.e., generally too high and disproportionately small for the vase it carries, see nos. **112**, **134** and comments in the general black glaze introduction.

126.○ Like the previous example except shallower with a carination near the rim. The rim projection remains small and in many examples knob-like, see pateræ, no. **138**.
rim ø 10.0-20.0 but like the rilled rim bowls, no. **118** the most common dimensions are 14.0, 16.0, 18.0
clay 5YR 7/4 and 7.5YR 7/4 pink, 5YR 7/6 reddish yellow, 2.5YR 6/0 and 10YR N6 grey, 2.5YR 6/6 light red, 2.5YR 5/6
(US: 86, 128, 134, 146, 195, VA 86 III, CB 168 Muro, Saggio F ovest II, VA 85 II, Saggio N + NO ovest III, XA 170 + 171 III).
A good parallel exists with *Poseidonia-Pæstum I*, fig. 38, nos. 26-28 all dated 3rd and 2nd centuries, which seems correct for our examples as well.

Entry no.	“P” Catalogue number
123.	3105, 3214, 3213, 3318
124.	6077, 6557, 5059, 3205, 5072
125.	7125, 4852, 404, DB2022,431,295
126.	3091, 4185,3129, 4673, 245, 323, 260, 450, 316, 384, 400, 217, 216, 410, 449, 251, 320, 4103, 4046, 380.

Grooved bowls

A series of thin-walled hemispherical bowls with two or three grooves immediately below the rim are fully or partially black-glazed or decorated with Gnathia type motifs (*infra* see **Gnathia type**). Fragments of this type of bowl were stuck to the firing platform of the kiln and wasters of the type are common in the area around the kiln. It was a very common type at the site and is found in all the habitation areas. The bowl was not included in the Pozzo deposit, the deposit east of wall Complex A, and the SE plateau deposits, all dated ca. 300-280 B.C. They are found in the layers above all of these deposits and thus their appearance at Roccagloriosa should date most probably to ca. the second quarter of the 3rd century B.C., or to after ca. 280, the closing date of the deposits mentioned above.

In general the Roccagloriosa form resembles Morel F2155, dated to the «second half of the third century (?)»; however, Roccagloriosa examples are much thinner walled and more delicate than the Morel types. The form is a very popular one and continues to be produced with variations, in a thicker walled version, throughout the later third and second centuries at various Roman sites such as *Luni* (1977, tav. 59), *Settefinestre* (v. 11, tav. 36,2) and Canosa (Morel F2155a). In its earlier thinner and sometimes over-painted form it is found at *Poseidonia-Pæstum I*, fig. 42, no. 37, Laos (GRECO E GUZZO 1978, fig. 37, no. 38 and fig. 44, no. 39), Rivello, unpublished, *Cozzo Presepe* 1977, fig. 130, no. 340, Gravina, unpublished: P4358, P575, P1719.

127.○ Hemispherical bowl with two grooves below the rim (at 0.2 and 0.5).
rim ø 10.0-16.0 although 10.0 and 14.0 are by far the most common diameters
clay 5YR 7/6, 6/8, 6/6, 7.5YR 7/6 all reddish yellow, 10YR 7/3 very pale brown, 10Y 6/8 light red. Many examples of wasters (see Wasters Assemblage pp. 91-92).
(US: Saggio B Est II, Saggio N + N-O II, Saggio C III, Saggio F II, 128, 190, 165, 33, 29, 35, 163, 327 (numerous examples), Room A8, 375, F356, F376, 98, 141, 425, 348, F46).
The bowls are illustrative of a trend, possibly connected to a diaspora of Tarentine artists after the fall of Taranto (MOREL 1981a, p. 55), to thinner walled products from local workshops. The same tendency has been noted at Metaponto and dated to the early third century (GREEN J. R. 1976, pp. 14-16 and 1982, pp. 258-259).

128.○ Thicker walled version of the preceding example.
rim ø 12.0-14.0
clay 5YR 6/6 reddish yellow
(US: 337, Saggio B Est II).
Morel F2155: «second half of the 3rd». This thicker variant, not overpainted, has a long life (see introductory remarks)
See also no. **336**.

Entry no.	"P" Catalogue number.
127.	221, 6536, 1128, 6555, 1102a, 1123, 4761, 4067, 6526, 6556, 4453, 4395, 7150, 357, 4208, 6068, 6003, 6057, 6067, 6228, 4034, 4473, 5011, 6155, 6070, 308, 379, 469, 4054, 448, 7093, 924, 925, 926.
128.	165a.

Miscellaneous rims

129.○ Straight walled, thickened rims. Rim is thickened on both the interior and exterior but the exterior thickening is larger.
rim ø 14.0-17.0
clay 5YR 7/6 reddish yellow and several overfired grey examples
(US: Saggio C2 I, 165, 269).
Very like *Cozzo Presepe* 1977, fig. 126, no. 311: 4th-3rd; FABBRICOTTI 1979, fig. 16, no. 3. The form resembles the rim treatment of Morel F2538 form which dates to the third quarter of the third, but the walls on the Roccagloriosa examples are much less curved. Not included in the Pozzo deposit, suggested date: early 3rd, probably second quarter.

130a.○ Curved walls, thick external rim. One example with a large knob for a rim.
rim ø 14.0-20.0
clay 5YR 8/4 pink, 7.5YR 7/8 reddish yellow, 5YR 7/6-7.5YR 7/4 pink, 7.5YR 6/N6 grey (misfired)
(US: 84, 165 (very common in 165, 286, 433), VA 85-86 II).
This type of bowl presents so many small variations that it is pointless to list exact parallels. The type is included in the Pozzo deposit and therefore appears in the 4th century at the site. As it also appears in the layers sealing the dump deposit it no doubt had a long life and was used well into the 3rd century.

130b.○ One example only. Like the preceding type but the rim has been emphasized and is more triangular than simply thickened.
rim ø 20.0
clay 5YR 7/6 reddish yellow
(US: 416).
Very close to *Tolve* 1982, fig. 11, no. 70033: «4th-3rd century». Not in the Pozzo deposit. Suggested date: early 3rd, probably second quarter.

131. More open form than previous examples. Very simple rim.
rim ø 8.0-14.0
clay 7.5YR 7/6 reddish yellow
(US: 168, 327).

Resembles Fabbricotti 1979, fig. 16, no. 54 and *Cozzo Presepe* 1970, fig. 14 and 16. Suggested date: first half of the 3rd century?

132.○ Open form, like the preceding but the rim has been flattened thickened and undercut. Larger forms than the preceding examples.
rim ø 15.0-19.0?
clay 7.5YR 5/4 brown
(US: 120, PC86).

133.○ Very squared rim, sharp undercut, straight sides. Very heavy form
rim ø 9.5?
clay totally misfired blue-grey
(US: XA 172 I).

Entry no.	"P" Catalogue number
129.	4614, 4741, 3189, 468, 4905
130.a.	5043, 3189, 4742, DB2006b, 334, 5021
b.	7121
131.	6060
132:	3303, 5001
133.	290.

Pateræ

There are numerous variations of both shallow and deep pateræ at Roccagloriosa. Most of the variations are the result of a lack of precision and many of the details are in reality 'accidents'. Many of the patera forms found at Roccagloriosa resemble the later heavier and much larger forms found in the Campana A production. The bulk of the pateræ were locally produced to judge from the quantity of wasters of the types and were especially common in the late fourth and well into the third century, but the dating of these pieces is very approximate.

134.○ Complete profile. Slight carination at join of plate to rim. Very short rim, slightly turned outward. High rectilinear foot carinated at mid-point. Foot appears both too small and too high for the body.
rim ø 10.0-20.0, base ø 4.0, ht. 2.0
clay 7.5YR N6 grey (several examples), 2.5YR 5/4 reddish brown, 5YR 6/6 - 6/8 reddish yellow, 10YR 6/3 pale brown, 5YR 8/4 pink
(US: XA 171 II, 114, 190, XA 170 + 171 III, 145, 128, 163, Saggio A + F II, Saggio A Ovest II).
See also *Torre Mordillo* 1977, fig. 94, no. 6, *Poseidonia-Pæstum I*, fig. 38, no. 26: 3rd-2nd century; *Valle d'Ansanto* 1976, no. 607. At Roccagloriosa this appears, with one exception at the bottom of a dump, in the colluvium layers and thus probably dates to the last years of the 4th-early 3rd century.

135.○● Complete profile. More sharply carinated wall, more vertical rim often quite angular. Both large and small versions.
rim ø 10.0-18.0, base ø 4.5
clay 7.5YR N7 grey (misfired), 5YR 7/6 (several examples), 5YR 6/8 pale brown, 10YR 6/4 pale light yellowish brown
(US: 163, 165, 141, VA 85 pit al, Saggio B Est II [several examples]).
Found consistently in the dump deposits and so is dated second half of 4th-early 3rd century.

136.○● Thickened and rounded simple rim, tilted slightly outwards. The outward slant is emphasized by a depression or channel on the exterior wall below the rim which creates a 'beaked' lip. Slight carination on the wall which is somewhat curved.
rim ø 9.0-16.0
clay 2.5YR 6/6 light red, 10YR 5/3 brown (both of these are present in numerous examples), 5YR 6/6-6/8 reddish yellow
(US: Room A8, 120, VA-XA 85-86 III, 416, VA 85 II, F46, 99, 113, 352, 2, 195, EB-FB 110 III, 131, 165, 128, WA 86 IIa, VA 85 pit al, 134, 352, 141).
For parallels, see *Poseidonia-Pæstum I*, fig. 38, no. 27: «3rd-2nd». At Roccagloriosa it is common in the dump deposits and probably begins in the second half of the 4th with long continuity into the 3rd. Many of these forms are like the later Campana A forms but the walls are much too thin and the examples are too small to be Campana A products or imitations.

137.○ Vertical rim, rather thinner walls than previous examples.
rim ø 12.0-20.0
clay 5YR 6/6-7/6 reddish yellow, 5YR 6/4 light reddish brown
(US: VA 85 pit b, 118).
Found in the Pozzo deposit: date as previous example.

138.○ Sharply carinated exterior wall, thickened 'beak' rim tilted slightly outwards, channels on interior and exterior below rim, straight body walls.
rim ø 12.0-18.0
clay 2.5YR 6/6 light red, 10R 6/8 light red, 10R 6/2 grey (misfired), 7.5YR 7/6 and

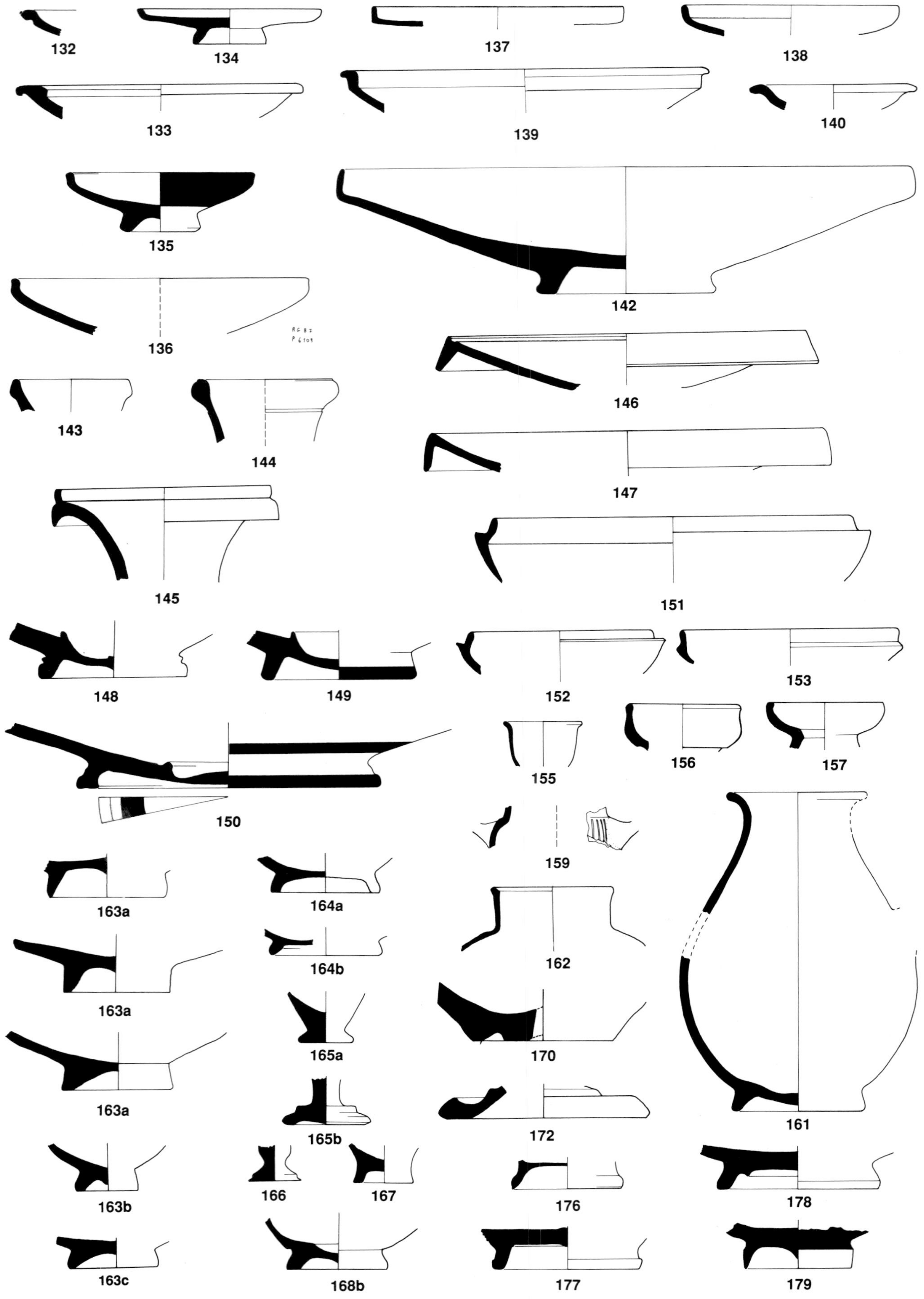

Fig. 181 Black glaze profiles (scale 1/3).

5YR 6/6-7/6 reddish yellow
(US: F42, 80, 134, 147, 327, 190, F252, 163).
For comparanda see *Poseidonia-Pæstum I*, fig. 38, no. 28: 3rd-2nd. In *Poseidonia-Pæstum II*, fig. 60, no. 121 the same rim appears on a bowl.
At Roccagloriosa this piece is in the layers above the habitation levels and does not appear in the dump deposits. It closely resembles a later pre-campanian type in the Morel F2275 series which originates in the Bay of Naples and is dated to the second half of the 3rd century.
The examples in the light red clays are interesting in light of that production centre. The type is consistently found in the areas associated with the later activity at the site so that after an initial appearance in the first half of the 3rd century at the site a long continued use would not be surprising.

Entry no.	"P" Catalogue number
134.	285, 3254, 4762, 403, 4384, 4104, 4644, 417
135.	4510, 4281, 6178, 418, 4413, 312, 4413, 4091, 3053
136.	6109, 3300, 223, 7139, 321, 5009, 5026, 6517, 6109, 3252, 6521, 4012, 4686, 819, 4093, 4733, 4712, 4206, 347, 250, 4179, 6207, 4090
137.	311, 3293, 6022, 6120, 6434
138.	3198, 3237, 6025, 4536, 4728, 4666, 5084, 3257, 4446, 4647, 408, 430.

Plates

Some of these may actually be shallow bowls or deep pateræ but in fact the basic rim treatments seem to be interchangeable.

In the absence of complete profiles it is impossible to be certain of the form.

139.○ Rounded walls, shallow projecting rims.
rim ø 10.0-20.0
clay 7.5YR 7/6 reddish yellow, 5YR 6/6 reddish yellow, 7.5YR 7/4 pink
(US: 152, 195, DB area survey Saggio B Est III).
No parallels found. Suggested date: in light of the previous entry and remarks there, as well as its inclusion in US 195, it should be dated first half of 4th to ca. 330.

140.○ Straight wall, carinated immediately below projecting rim.
rim ø 12.0-21.0
clay 5YR 7/4 reddish yellow, 5YR 6/6-7/6 also reddish yellow, 7.5YR 7/4-8/4 pink, 10YR 8/6 yellow and 11 misfired blue grey examples
(US: 116, VA 85 I-II, 63, 165, XA 171 I, XA 170 + 171 III, 141, 145, 134, 165).
The *Cozzo Presepe* 1977 plate sequence is useful here: fig. 129, especially nos. 333-335 all of which are dated to the early to late third which also is appropriate for the Roccagloriosa examples. This form seems to derive from the next entry as straight walls seem to follow the preference for curved forms.

141. One example only. Rounded walls, enlarge ment on inside of rim, very square projec ting lip.
rim ø 16.0
clay 10YR 6/3 pale brown
(US: 63)
Very close parallel at *Torre Mordillo* 1977, fig. 94, no. 1 and *Poseidonia-Pæstum I*, fig. 42, no. 43: early to late 3rd century.

142.○● Large plate with a vertical rim very sloppy painting near base.
rim ø 34.0, base ø 9.6
clay 2.5Y 8/4 pale yellow
(US: Saggio Napoli 1971)
This plate is extremely close to Morel F2286a1: 150 ± 35, which would fit very well with the other material from the Napoli 1971 excavations.

Entry no.	"P" Catalogue number
139.	4823, 227, 3063, 4612, 4611, 283, 407, 4338, 4325, 4376, 4198, 4616
140.	4673, 4239, 4685, DB 2058
141.	290
142.	930.

Miscellaneous rims to closed form

143.○ Thick, heavy rim with a carination on the exterior. Groove at join of rim to neck.
rim ø 6.0
clay 5YR 7/4 reddish yellow
(US: 446, Saggio A_1 II).
Much more like a coarse ware rim than a

black-glaze form.

144.○ Bulbous lip, quite thick which joins with a very thin neck. Groove 1.5 cm. below rim.
diameter not determinable
clay 7.5YR 7/6 reddish yellow
(US: 141, Saggio A Ovest III).

145a.○ Hydria neck? Rounded rim with a large channel separating the rim from the rounded overhanging lip.
rim ø 12.0?
clay 5YR 7/4 reddish yellow
(US: 59).
See Morel F4911 or F4933 for the basic type: both are dated to the late 4th or ca. 300.

145b. As above but very fine piece with excellent glaze. The lip is more pointed and the ridge above the lip is smaller.
rim ø 8.0
clay 5YR 7/4 reddish yellow
(US: Saggio A Est II)

Entry no.	"P" Catalogue number
143.	5148
144.	4337, 332
145.a.	3209, 963
b.	385.

Fish plate rims (?)

Some of the red-figure fragments found in the habitation areas may pertain to these plates. The state of preservation is dreadful.

Only the overhanging lip and occasionally part of the wall remains.

146.○ Large overhanging lip of the most simple type
rim diameter not ascertainable.
clay 7.5YR 7/4 pink, 5YR 7/6 reddish yellow, 10YR 6/2 light greyish brown (two examples)
(US: Saggio F II, 63, 98, 318, 327).

147.○ More pointed overhanging lip with a groove on the wall at join of wall and lip.
rim ø 18.0-20.0
clay 5YR 7/1 grey, 2.5YR 6/6 light red
(US: 98, 327, 318, 400, Saggio F II).

Fish plate feet (?)

148.○ Moulded foot flat undersurface with a central projection. Raised bump in tondo of cup, reserved circle on underside.
base ø 8.0
clay 5YR 7/6
(US: 119).

149.○ Simple foot with black glazed band near resting surface. Stacking ring around tondo.
base ø 8.0
clay misfired grey on inside mixed with 2.5YR 6/8 light red
(US: 63).

150.○• From the kiln. Very thin walled, with a moulded foot, black band near resting surface and reserved band bottom of wall followed by a black band 1.2 cm. Circle painted on underside of foot. Inside a shallow cup with a raised bump in tondo. Reserved band around the tondo.
base ø 16.0
clay 5YR 7/6 reddish yellow
(US: 54).

Entry no.	"P" Catalogue number
146.	3116, 3068
147.	6061, 452, 7134, 5048, 3080, 485, 7137
148.	3296
149.	5102
150.	3334.

Pyxides or lekanides (see also red figure nos. 67-68)

151.○ Shallow rounded body with a vertical rim, slightly thickened. Triangular section ledge on interior to hold lid on interior. Thin walled.
rim ø 13.0-20.0
clay 7.5YR 6/6-6/8 and 5YR 6/6 reddish yellow, 10YR 6/2 pale brownish grey
(US: 2, 183, XA 85 + 86a, XA 171 I, XA 171-172 II).
Like *Poseidonia-Pæstum I*, fig. 40, no. 45.
Suggested date: second half of 4th?

152.○ More rounded form, rim curves inward.
rim ø 10.0-24.0
clay 5YR 6/6 reddish yellow
(US: 129, east of wall B, XA 171 I)
Close resemblance to *Albanella* 1989, fig. 16, H144: «end of 4th - beginning of 3rd» which also seems the date of the Roccagloriosa examples.

153.○ Rim and collar of an open form. Very sharp rim, shallow bowl with a wide (2.5 cm.) collar 1.0 cm. below the rim on the exterior.

rim ø 10.0
clay 2.5YR 6/8 light red
• (US: 183).

Entry no.	"P" Catalogue number
151.	4689, 4037, 329
152.	286, 6153, 4136
153.	287, 4689, 5095.

Oinochoe

These forms are extremely fragmentary. See also ribbed wares.

154. Trefoil oinochoe. All examples have a groove and dropped lip which seems to be a characteristic copied from Attic examples which continued until the late 4th in Etruria (PIANU 1982, p. 91-95).
rims too fragmentary to determine diameter
clay 5YR 6/6 - 7.5YR 8/2 all reddish yellow
(US: Saggio A Est II, 393, 232).
Possibly first half of the 4th century?

Lekythoi

155.○ Tulip/bell-shaped mouth, very delicate and thin walled.
rim ø 4.0
clay 5YR 7/6 reddish yellow
(US: 269).
See HAYES 1984. p. 74: «Apulian imitation of Attic ca. 350».

156.○ Larger bell-shaped mouth with a thickened rim. Join of mouth to neck emphasized by a groove.
rim ø 6.0
clay 10YR 6/3 pale brown
(US: VA 85 III)
Date: on the basis of the heavier form and groove, later 4th century.

157.○• Thin walled more curved inward 'tulip' type mouths with a thickened interior lip.
rim ø 5.0-8.0, one small example of ø 3.8
clay 7.5YR 6/6 reddish yellow, 2.5YR 6/6 light red, 5YR 7/3 pink and several grey misfired examples
(US: 2. 119, 141, 170, 391, AB 172 II).
Date: ca. 300-290 on the basis of an example from T. 15, **157a,** fig. 184 (GUALTIERI 1989b).

158.• High mouth, turned out and thickened rim. Very dull black glaze.
rim ø inner 2.1, outer ø 2.9
clay 7.5YR 7/6 reddish yellow
(US: AB 172 III).
Same date, also on basis of another example in T. 15, **158a,** fig. 184(GUALTIERI 1989b).

Krateriskoi/Jugs

159.○ Black glaze off-set wall followed by curving shoulders with ribs.
rim not ascertainable, sherd size 3.5 x 4.0
clay 7.5YR 6/8 reddish yellow
(US: 337).

160. Rounded rims, slightly flared outwards. Short necks.
rim ø 7.0-10.0
clay 7.5YR 7/6 and 5YR 6/8 reddish yellow
(US: 98 + 393, 141, F364).

161.○• Complete profile. Projecting rims, curved-necks.
rim ø 8.0-12.0, base ø 7.5, ht 18.5
clay 5YR 7/8-6/6 reddish yellow
(US: 163 (numerous examples), 195, 327, XA 170 IIa, Saggio B Est II)
Date: early to mid - 4th century.

162.○ Straight necks, very simple, rounded rim.
neck ø 6.0-7.0
clay 5YR 7/6 reddish yellow
(US: 170, Saggio F est II, XA 172 I).
Date: early to mid - 4th century.

Entry no.	"P" Catalogue number
154.	7117, 1008, 1007, 4817
155.	4909
156.	224
157.	7127, 3275 6170, 5024, 4335
158.	931
159.	299, 3090, 7012
160.	6230, 7132, 4329
161.	2004b, 4672, 6018, 4645
162.	4542, 291, 440.

Feet/Bases

The feet/bases found at Roccagloriosa reflect numerous small variations on basic forms and there is a great deal of flexibility as to what type of foot/base can be used with what form.

This tendency to simplify elaborate feet was also noted in the necropolis (FRACCHIA 1984, p. 299, no. 23).

This preference for simple feet may derive

from the capacity of local potters although moulded feet were made at the site but they are one of the few types used consistently for smaller forms.

As noted previously, in the patera and one or two handled bowls the feet are often too small and too tall for the body of the vase itself.

163a.○ Tall rectilinear feet, angular both on the interior and the exterior, often with a central projection underneath.
base ø 4.0-6.0 with ø 6.0 the most common
clay 5YR 6/6-7/6-7/8 reddish yellow, 10R 6/1 grey (misfired)
(US: FB 109 IIIb, VA 85 II, 111, F33, 97, F301, 145, Saggio F ovest II, 102, 97).
Date: later 4th-early 3rd century.

163b.○ Rectilinear feet, very thick triangular section with a thick tondo.
base ø 3.4-4.25
clay 5YR 6/6-7/8, 7.5YR 6/8-7/8 all reddish yellow
(US: 1, 395, 163, VA 85 II, 97, 393, 177, 165).
Date: as above.

163c.○ Rectilinear interior with rounded exterior profile.
base ø 4.0-6.5
clay 5YR 6/6-7/6-7/8 reddish yellow, 5YR 5/8 yellowish red, 7.5YR 6/6-7/6 reddish yellow
(US: 166, 165, FB 109 IIIb, 110, 126, 184, 141, 194, 80/F40).
Date: late 4th - 3rd century.

163d. Basically rectilinear but with a small elaboration at resting surface to create an upturned foot.
base ø 3.0-7.0
clay 5YR 5/8, 7.5YR 6/6 + 6/8 reddish yellow; 5YR 7/4 pink
(US: 145, 201, 385, 166, 232, 128, 2, 98, FB 109 IIIb, 395, 134, Saggio A e Ovest IV)
Date: this type may be a bit earlier, from the middle of the 4th to the end of the 4th.

164a.○ Rounded exterior with concave interior profiles.
base ø 4.0-7.0
clay 5YR 7/6-6/6 reddish yellow, 7.5YR 7/4 pink
(US: 165 EB/FB 110 III, 80, 129, 165, 63, EB/FB 110 III, 163, 374).
Date: later 4th-3rd century.

164b.○ Very rounded interior and exterior profiles.
base ø 3.9-14.0 but the usual range is 4.0-5.5
clay 5YR 7/4 pink red, 2.5YR 6/6 light red, 10YR 8/6 yellow, 10YR 8/3 very pale brown, 7.5YR 7/6 reddish yellow
(US: 211, 262, 141, 134, 129, XA 171-172 IIIa, 333, 277).
Date: second half of 4th century.

165a.○ Unguentarium? Solid short stem on a flange foot.
base ø 3.0
clay 7.5YR 7/4 pink
(US: 1).
See Morel F7111 dated «190-130 or second century». This piece, from topsoil, may well have pertained to the later use of the site. The more usual unguentaria on high stems are found in the Napoli 1971 excavations.

165b.○•Thin stem, tallish, on a moulded flange foot. Possibly an unguentarium?
base ø 5.0
clay 7.5YR 7/6 reddish yellow
(US: 194).

165c.• Slender stem, ovoid body.
base ø 2.0
clay 7.5YR //4 pink
(US: Saggio Est II).

166○ Large simple hollow base, reserved band at join of foot to very short stem. Hollow stem.
base ø 16.0
clay 5YR 6/6 reddish yellow
(US: Saggio A Est IIa).

167.○ Very squared small foot with a very angular interior profile and a circle of string marks on the underside. This looks as though it began as a flat foot (and thus the string circle) and on second thought was attached to a foot.
base ø 3.5
clay 7.5YR 7/6 reddish yellow
(US: 327, FB 109 III B)

168a. Thick heavy foot with a deep channel on the underside to create a double resting surface.
base ø 7.0-11.0
clay 5YR 7/6 reddish yellow, 2.5YR 6/6 light red, very frequently misfired (see Wasters Assemblage, *supra* pp. 91-92))
(US: Room A1, 277, 177).

168b.○ Same as above except smaller and more delicate.
base ø 3.5-8.0
clay 5YR 7/6-6/6 reddish yellow
(US: 87, 134, F40, 98, F193).
Common form in Southern Italy, see *Sibari III* (Stombi), fig. 140, cat. no. 251 and cat. no. 4924.

169. Very short pedestal-like base with a large channel at join of foot to body.
base ø 2.0
clay 5YR 7/8 reddish yellow
(US: VA 85-86 II)

170.○ Large, heavy base, combination of no. **168a** and **169**. Pedestal emphasized by a sharp carination. On underside a wide, deep channel.
base ø 8.0
clay 5YR 7/8 reddish yellow
(US: YA 172 I).
Very close parallel with *Agrigento* 1980, p. 440, fig. 46, no. 58: «4th».

171. Pedestal base, flat, with a large spreading resting surface. Two reserved circles on spreading foot surface, black glazed walls incline inward.
base ø 11.0
clay 2.5YR 6/6 light red
(US: 395).

172.○ Possibly a chalice type vase? Very well preserved black glaze. Large ridge in centre over an up-turned foot.
base ø 14.0
clay 2.5YR 6/6 light red
(US: 118).
Date: middle-second half of 4th?

173. Elaborate foot for a large vase. Exterior: large convex flange, an angular ridge, a slight raised ridge and then an incised channel. Interior: flat but with a large channel.
base ø 11.0
clay 2.5YR 6/8 light red
(US: 337).

174. Foot for a large chalice or kantharos cup? Spreading foot with a ledge below a solid stem. Incised circle in centre of underside.
base ø 9.0
clay 5YR 6/8 reddish yellow
(US: 298).
Very close to the foot of Morel F3751c1 dated to «ca. 300?»

175. Carinated foot, solid circle of black glaze beneath. Excellent glossy glaze, well-preserved.
base ø 6.0
clay 5YR 6/8 reddish yellow
(US: XA 171-172 IIIa).

176.○ Delicate foot, very pointed resting surface. Interior: concave-convex profile and a very thin tondo.
base ø 6.0
clay 7.5YR 6/6
(US: 132).

177.○ Exterior: small ledge at resting surface. Interior: straight wall with another ledge at join of foot to body, central projection. Thick black glaze with many scratches.
base ø 8.0
clay 10YR 7/2 light grey
(US: 166).
See a similar foot from a tomb in Volterra dated «ca. 280-220», Morel F1171b2.

178.○ Simple foot with a carination above the resting surface. Interior: a large ridge at join of body and foot.
base ø 9.0
clay 2.5YR 6/6 light red
(US: 412).
The interior elaboration indicates a date in the third century for this piece.

179.○ Straight very rectilinear foot, large channel at join of body and foot. Pointed resting surface, central projection underneath.
base ø 6.0
clay 5YR 7/6 reddish yellow
(US: PC 86 III).
Date: first half to mid 3rd century?

180.○ Moulded feet with the moulding on the lower third of foot. The usual scheme is a tiny pointed resting surface, a large rounded projection and a thin tondo.
base ø 5.0-6.0
clay 5YR 7/6 - 7.5YR 6/6 reddish yellow
(US: 290, Saggio C II).
Date: second half of 4th century.

181.○● Moulded feet with the emphasis in the middle of the foot, usually concave-convex-concave profile.
base ø 3.7-5.0
clay 5YR 5/6-6/6 reddish yellow
(US: 393, VA 85 III, 165, 128, 63, Saggio F II).
Date: second half of 4th - early 3rd.

182.○ Moulded feet with emphasis at top third of foot. Same concave-convex-concave scheme as above but the placement of the larger element is different.
base ø 3.4-5.0
clay 5YR 7/6 reddish yellow and 7.5YR 6/8 reddish yellow
(US: 416, 191, 190, 128, 98, 77, 98/393, FB 109 IIIb Saggio F1 II).
Date as above.

Entry no.	"P" Catalogue number
163.a.	859, 203, 3255, 3241, 5147, 4361, 435, 3177, 3157

b.	4381a, 7040, 4357, 200, 3156, 7116, 4436, 4732
c.	4413a, 4731, 829, 3249, 4013, 4808, 4539, 4088, 4719, 858, 3192, 3236
d.	4383, 6527, 4777, 4816, 4205, 4018, 3316, 859, 7118, 852, 4145
164.a.	4610, 817, 3159, 4138, 4713, 3031, 807,4288, 7136
b.	5097, 4780, 4877, 4714, 4045a, 4045a, 4793, 4140, 282, 4008, 6033
165.a.	4380
b.	4718
c.	545
166.	3107
167.	6151, 861
168.a.	5098, 6089, 4435
b.	3220, 6142, 3330, 7062, 5107
169.	335
170.	277
171.	7051
172.	3307, 4860, 342
173.	6105
174.	6212
175.	282
176.	4750
177.	4824
178.	7056
179.	6232a-b
180.	5111, DB 2031b
181.	7115, 314, 4613, 4249, 3064, 426
182.	7123, 4753, 4769, 4204, 6112, 3134, 7129, 830, 436.

Lids

183. Tiny totally misfired lid with a knob.
rim ø 2.5, ht. 1.3
clay 7.5YR N6 grey, see Wasters Assemblage *supra*, pp. 91-92.
(US: room B8).

184.○ Tiny lid, very bad state of preservation. Modelled pommel.
rim ø 2.8, ht. 1.6
clay 7.5YR 7/4 pink
(US: 150).

The size of these indicates that they belonged to miniature vessels such as came from the votive pit in B8 or may have been included in the pit in front of the paved courtyard.

185. Simple lid, depression in centre of knob.
rim ø 10.0, ht. 2.0
clay 5YR 7/3 pink
(US: 358).

186. Lekanis lid knob. Central depression ridge and collar with moulded neck. Remains of a circle on 'plate'.
max. rim ø 7.5, ht. 4.0
clay 5YR 8/4 pink
(US: 82).
The simplicity of the design in the tondo and the complexity of the actual lid profile may put this in the first half of the 4th. Additionally, the size of the knob indicates that it accompanied a rather large lekanis. Tomb 15, no. 11 (Gualtieri 1989b) has an even larger knob, rim ø 11.0, which belonged to a lekanis with a rim ø of 20.5 and preserved height of 9.0. See also red-figure, nos. **67-68**.

Entry no.	"P" Catalogue number
183.	5005
184.	4190
185.	6163
186.	3194.

Ribbed forms

187.○● Large black glaze ribbed vase, seemingly meant to be suspended. Nearly vertical walls, with moulded rim. Ca. 1.8 cm. below the rim a projecting handle with two large holes pierced in it. Ribs begin 2.0 cm. below the rim.
rim ø 12.0
clay 10YR 7/6 yellow
(US: 393).
There is no trace of added paint in the 'frieze' between the rim and the ribbing. Very lustrous glaze. The delicate ribs which are quite thin and end in little arcs date earlier than ribs with rounded tops. No parallels found. On the basis of the quality of the production, the absence of painted decoration and parallels for the arcs, clay and glaze found in a ribbed oinochoe in Tomb 12 fig. 182, **187a**, dated 375-350 (Gualtieri 1989b), this piece should date to the first half of the 4th.

188.○ Ribbed bowl with a sharply angled overhanging rim. Ribs begin 1.9 cm. below the rim. Two incised lines above the ribs. Ribs

are very thin and end in impressed arcs. Interior: two incised lines 0.9 and 1.2 cms. below the rim. Lustrous well preserved black glaze.
rim ø 8.0
clay 10YR 7/6 yellow
(US: Saggio F ovest II).
No parallels found.
The grooves may have served as guide lines above the ribbing. See remarks to no. 187: for the same reasons the suggested date is the first half of the 4th century.

189. Larger version of the above piece. Ribs begin 3.0 cm. below the rim. Lustrous well preserved black glaze. Ribs end in arcs but it is generally heavier than the preceding types.
rim ø 11.0
clay 10YR 7/4 very pale brown
(US: Saggio B est II).
Date: on the basis of the heavier aspect, mid to second half of 4th century.

190.° Bowl which resembles the grooved bowls except that it is more ovoid in form and the grooves are larger and angular in appearance. Ribs ending in impressed arcs begin 2.0 cm. below the rim and there is one lightly incised line above the arcs. Well preserved glossy black glaze.
rim ø 10.0
clay 10YR 7/6 yellow
(US: Saggio F Ovest II)
Compare with preceding examples for remarks and date.
A much coarser and probably later version (larger ribs, no arcs, over-painted) was found at *Tolve* 1982, fig. 10, no. 70048.
In addition to the superior workmanship found on these pieces and on the trefoil oinochoe from Tomb 12, all the vases are in clay which gives a reading in the yellow or pale brown range with a base component of 10YR.
These pieces all appear to be imported from the same source as do many of the very high quality tomb goods.
This basic clay color was also found in the flat-bottomed salt cellars (nos. 95-96). It is not what is normally considered 'Pæstan' nor it is typical of the Bay of Naples.
More probably it originates from an Apulian site on the Ionic coast, where either the area of Taranto or Metaponto might be a possibility given the close communications that the site of Roccagloriosa enjoyed with that area. See also the comments to Amphora, Type P6012, nos. **371-373**.

191. Ribbed wall sherd of a lekythos?
Flaking black glaze
sherd size 5.0 x 3.0
clay 5YR N/6 grey
(US: 254).

192. Ribbed wall sherd of a lekythos? Very fat spreading ribs.
sherd size 4.7 x 7.0
clay 5YR 6/6 reddish yellow
(US: 63).

Entry no.	"P" Catalogue number
187.	7155
188.	447
189.	528
190.	448
191.	4853
192.	567c.

Askoi and Gutti

In general ribbed wallsherds of closed forms and spouts and 'duck tails' appear with some frequency in the habitation layers but they are very fragmentary. Several 'strainer' insets have been found as have the very worn remains of gutti with lion-head spouts.

193.• Large lion head spout for a guttus, very worn, and attached wall-sherd.
sherd size 5.0 x 6.0
clay 7.5YR 7/6 reddish yellow
(US: 109).
Date: To judge from the angle of the head and the attached sherd, this is probably most like Morel type F8184 dated «3rd (?)»

194.• Smaller lion head spout, extremely worn.
sherd size 4.2 x 4.6
clay 7.5YR 6/6 reddish yellow
(found in DB survey area).
Date: this most resembles Morel F8183, dated «300 ± 50 (?)»

195. Central strainer part of a large guttus (probably belongs to no. **193** since the wall thickness and clay color are identical and so is the layer in which they were found). Raised large rim, with a 'collar' at join of the body, deep strainer.
ø of strainer 5.4, ht. 1.8
clay 7.5YR 7/6 reddish yellow

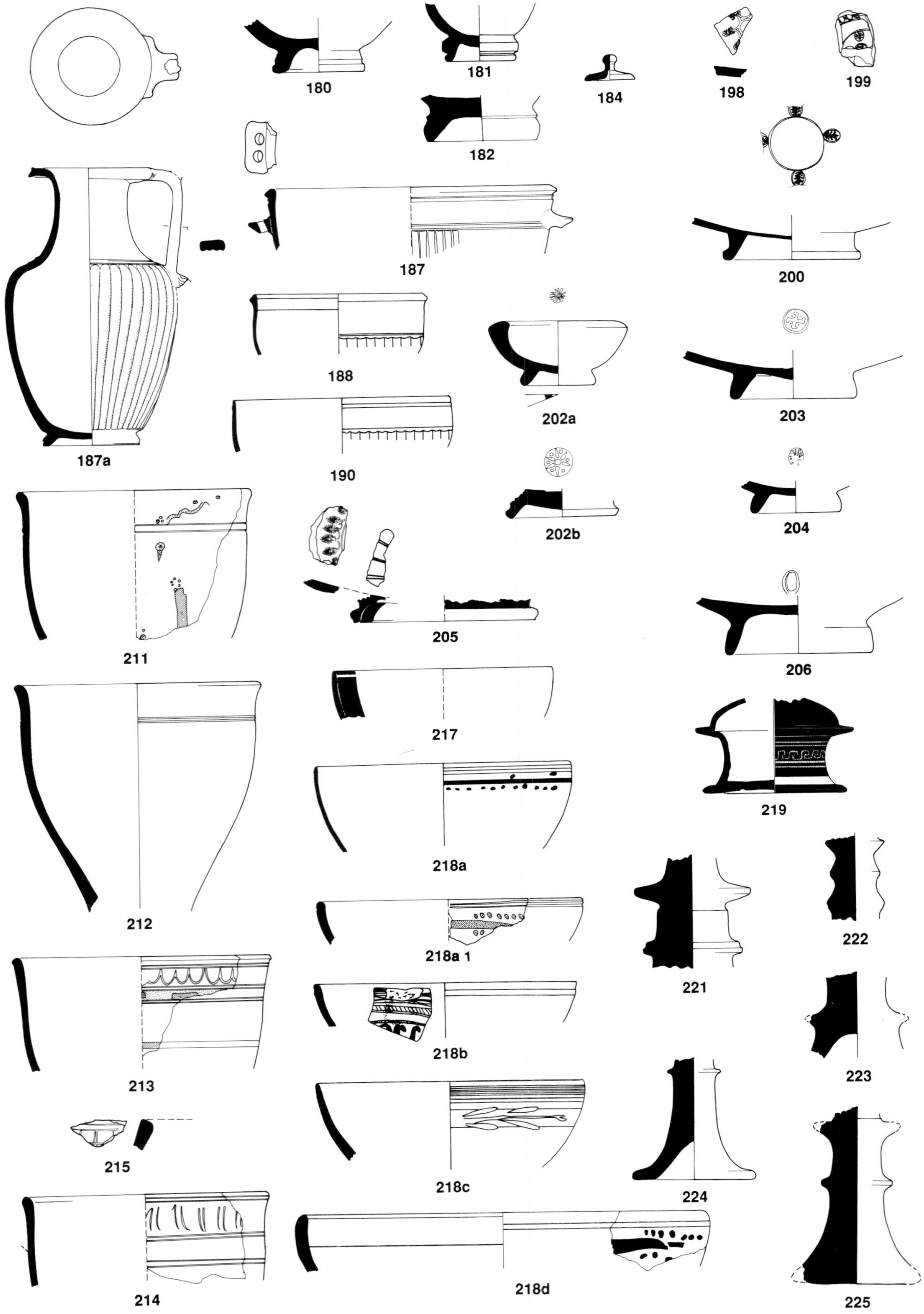

Fig. 182 Black glaze profiles (scale 1/3).

(US: 109).
Date: see no. **193**.

196. Very worn foot and wall sherd of a guttus. Ribbed body, 'X' between the ribs.
ht. 1.9, width 3.5
clay 2.5YR 6/8 light red
(US: CB + DB 171a).
Date: very close to Tomb 24, no. 17 bis, dated ca. 350.

Askoi

197. Misfired part of a duck-tail
length 4.5, width 4.2
clay 5YR 6/1 grey, see Wasters Assemblage, S. 16 (*supra*, p. 92)
(US: 109).

Entry no.	"P" Catalogue number
193.	3243
194.	2150
195.	3241
196.	934
197.	2003

Impressed Designs

198.○● Three compact palmettes linked by incised arcs on a flat sherd. Very glossy black glaze, very well preserved.
sherd size 3.0 x 4.5
clay 10YR 7/6 yellow
(US: 327).
The compactness of the palmettes and incised arcs should belong to the late 5th - early 4th: Corbett 1955, p. 181, no. 10, from a well deposit dated 380-350 B.C. (See also ribbed types nos. **187-190**).

199.○ Small sherd with a possible ovolo design, a reserved band two rings and then a palmette in a ovoid frame with the beginning of a stamp in the tondo. Very well preserved black glaze.
sherd size 5.1 x 4.4
clay 7.5YR 6/6 yellow
(US: 110).
The piece itself is very thick. Date: 4th, towards the middle? See Corbett 1955, p. 178, no. 3 in a dump closed in the late 4th c. B.C.

200.○ Foot and tondo of an open bowl. In tondo, 4 palmettes linked by a circle. Moulded foot. Excellent black-glaze.
sherd size 4.4 x 2.1
clay 5YR 7/6 reddish yellow
(US: 177).

201. Small base and tondo with two petals of a rosette stamp. Thick black glaze on inside of foot.
base ø 4.0, ht. 2.2
clay 7.5YR pink
(US: 98).

202a.○● Complete profile of a small hemispherical bowl with a large shoulder (see no. **106**) and simple foot. Partially glazed. Slightly off-centre: twelve petalled rosette.
rim ø 7.3, base ø 4.2, ht. 3.2
clay 5YR 7/6 reddish yellow
(found in DB survey area).

202b.○ Tondo and base of an open form. Six petalled rosette stamp with dots between petals.
base ø 6.0, ht. 1.8
clay 7.5YR 6/& reddish yellow
(US: Saggio B Est II)
Date: late 4th century.

203.○● Tondo and base of a large plate. Swastika impressed in centre. Very clear deep stamp. Metallic black glaze. Simple foot.
base ø 7.0, ht. 2.5
clay 5YR 8/3 pink
(US: XA 170 + 171 III).

204.○ Base and tondo of a small bowl. Central palmette stamp. Five fronds preserved, very thin, palmette ends in curls. Well-preserved black glaze.
base ø 4.8, ht. 1.8
clay 5YR 8/4 pink
(US: Saggio A ovest IV).

205.○● Three pieces, two joining, of the base and tondo of a bowl. Excellent and glossy black glaze. Six small palmettes linked by arcs.
base ø 6.5
clay 7.5YR reddish yellow with a core of 7.5YE 7/2
(US: 181).
Corbett 1955, p. 179, no. 5, from a foundry pit dated «375-350 B.C.». See also *Lipari* 1965, tav. K,5: «5th».

206.○ Large heavy base and tondo of an open form. Part of a scaraboid stamp preserved off-centre. The base is high and rectilinear. The stamp is a large blob inside of a raised line inside of the actual perimeter of the stamp.
base ø 8.0, ht. 3.0

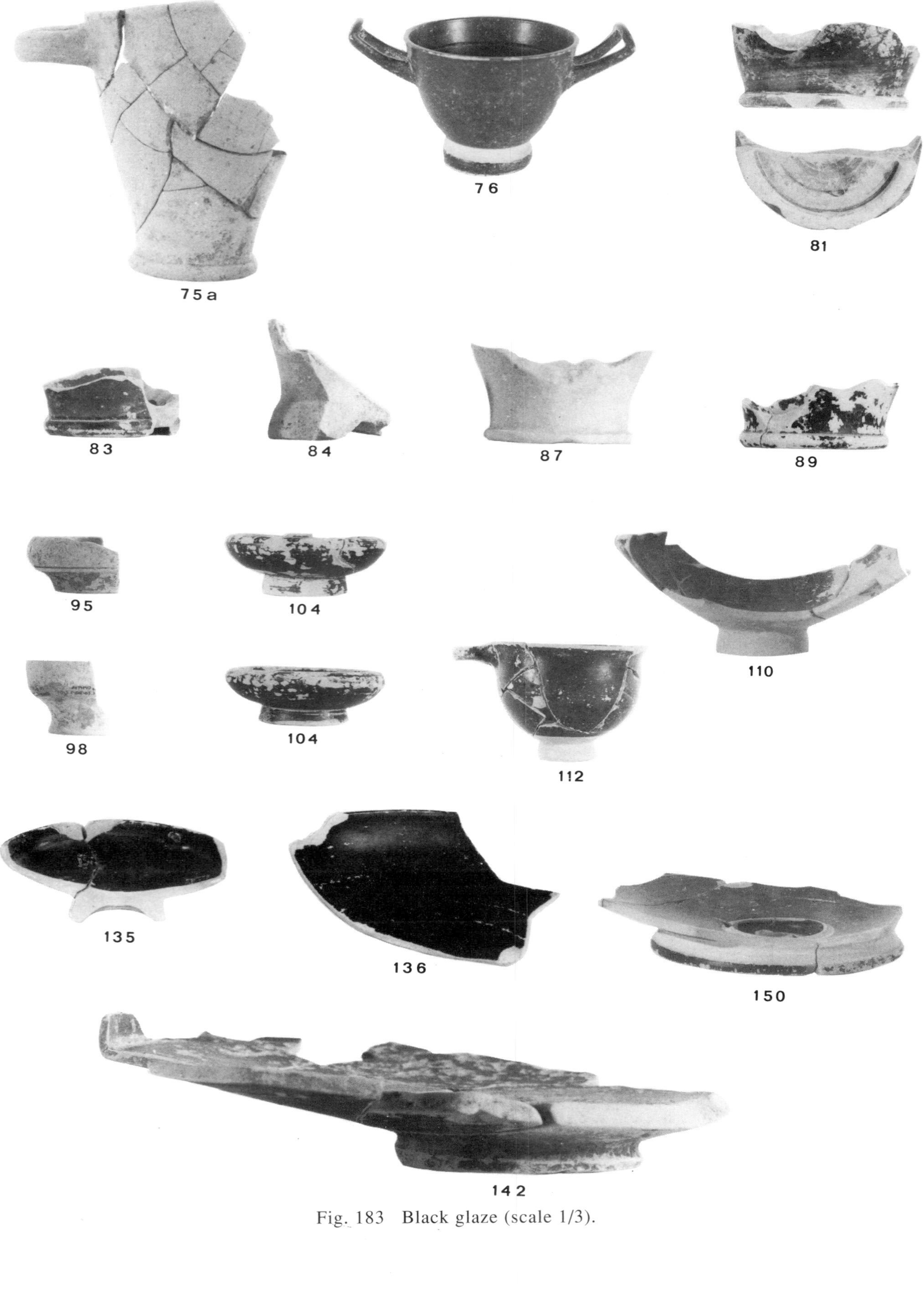

Fig. 183 Black glaze (scale 1/3).

clay 5YR 7/6 reddish yellow with a misfired core of 7.5YR 7/2
(US: F185).
The stamp is very close to that shown in Morel 1973: fig. 6, no. 38 or 39, "atelier des petites estampilles", ca. first half of the 3rd century.

207. Same as above with 'scaraboid' stamp off-centre.
base ø 4.0
clay 5YR 7/6 reddish yellow
(US: 216)
See remarks to no. 206.

208. Tiny wall sherd with the remains of a rosette or palmette stamp in centre. On underside, black glaze circles.
sherd size 2.0 x 2.4
clay 7.5YR 7/2 pinkish grey
(US: Room A6/99).

209. Wall sherd with three rows of rouletting.
sherd size 4.6 x 5.2
clay 10YR 6/1 grey
(US: 327).

Entry no.	"P" Catalogue number
198.	6700
199.	3287
200.	4525
201.	5096
202. a.	DB 1001a
b.	401
203.	935
204.	936
205.	4402
206.	4747
207.	4749
208.	5098
209.	6150

Gnathia type decoration

Skyphoi, cup kotyle, cup skyphoi, etc.

210. Slightly projecting rim, straight wall. Two grooves, ovoli, two red bands.
rim ø 12.0?
clay 5YR 7/3 pink
(US: Saggio A Ovest IV)
Date: early 3rd, motif also found in lekythoi from Tomb 15 (Gualtieri 1989b).

211.° Thickened out-turned rim. Incised groove 1.5 cm. below rim. Tendrils with dots on either side between rim and groove. On the incised skyphoi see no. 78.
rim ø 9.0
clay 5YR 7/3 pink
(US: 134).
Date: first third of 3rd.

212.° Large skyphos, turned out rim. Two incised lines at 1.4 and 1.8 cm. below rim. Purple 'squares' painted ever 1.5 cms.
rim ø 12.0
clay 2.5YR 6/4 light reddish brown
(US: 110).
See Hayes 1984, no. 134 for the rim and partial body parallel. Date: first quarter of 3rd century.

213.° Skyphos with a large thickened rim, slightly turned outward. Interwoven tendrils barely visible 0.7 cm. below rim.
rim ø 8.0
clay 5YR 7/6 reddish yellow
(US: 170).
Dated as the preceding examples. All of the above types are absent in the Pozzo deposit.

214.° Skyphos. Two incised lines at 0.3 and 0.6 below rim. Incised tongues with added white inside, two more incised lines followed by a space of 1.1 cms. and finally two more incised lines.
rim ø 14.0
clay 5YR 7/6 reddish yellow
(US: 335).
This is the most common decorative scheme on and shape of the skyphoi found in the kiln at Rivello which is dated to ca. 300. The same motif is found at *Oppido Lucano* 1980, p. 259, fig. 199. At Roccagloriosa a date of the early third century or ca. 300 also seems justified.

215.° Rim to an open form. Immediately below simple rim: incised line, triangles and two incised lines, with another incised line visible below.
rim not ascertainable
clay 5YR 7/6 reddish yellow
(US: XA 85).
No close parallels for the decoration although it resembles the cross-hatching found on Late Gnathia pieces of the early third century.

216. Rim to an open form. Very angular rim. On rim, two lines of white paint and then two lines of vertical paint.
rim ø 12.0

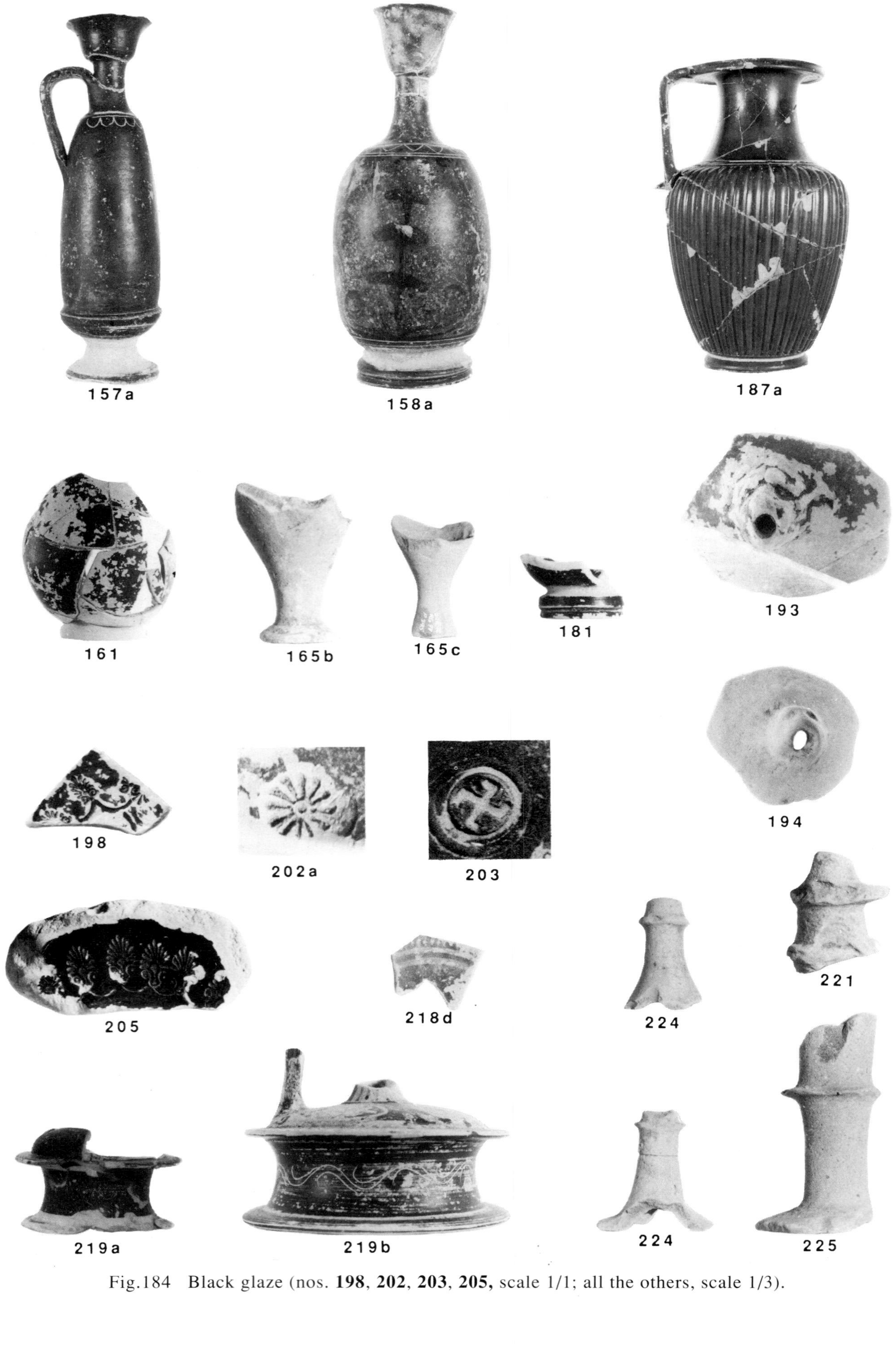

Fig.184 Black glaze (nos. **198**, **202**, **203**, **205**, scale 1/1; all the others, scale 1/3).

clay 5YR 7/6 reddish yellow
(US: PC 86).
No parallel for form or color, but associated with material of the early third century.

Bowls

217.○ Very precise piece. Thin walled bowl, single groove very close to rim. At 1.5 cms. below rim three very neat bands of purple exactly 0.5 cms. apart. The paint on this piece is of noteworthy quality.
rim ø 17.0
clay 5YR 6/8 reddish yellow
(US: 357).

218.○● Grooved hemispherical bowls. Two grooves below rim.
Decorative schemes:
- a. dots on both sides of two painted bands
- b. two painted bands and then 'hooks'
- c. ivy trails entwined below the grooves
- d. tondo of the same type of bowl with tondo emphasized by two red circles and then a white fat petal of a rosette. This example is imported from Pæstum (identified as Paestan by Dott.ssa M. Cipriani)

rim ø 10.0-15.0
clay 2.5YR 6/4 light reddish brown (compare with skyphos no. 212), 2.5YR 6/8 light red, 5YR 6/6 reddish yellow, 5R 6/1 reddish grey, and several grey wasters. No. 218 d gives a clay reading of 5YR 6/6. Dott.ssa M. Cipriani examined this bowl and identified it as a Paestan product, see her study of these bowls with the Paestan interior decoration (seemingly lacking on the examples produced at Roccagloriosa) in *Poseidonia-Pæstum II*, p. 106-107.
(US: VA 85 pit aI, 167, F54, VA 85 III, 249, 327, VA 86 II, 371).
The same bowl type (unpublished) with the 'dotted' decoration is found at Gravina di Puglia. There are similar examples in the kiln deposit at Rivello.
Date: first quarter-half of the 3rd century.

Miscellaneous Forms with Gnathia type decoration

219.○● Epichysis. Complete except for spout. High convex shoulder flange at join of dome to barrel. The flange is triangular in section although longer underneath than on top, concave barell, spreading base. Decoration: on shoulder, one white line, tendrils of grape bunches and grape leaves; on the collar, teeth in white; on the barrel, two white meander bands, white band and then a reserved band. Foot is black-glaze.
ht. 5.2, base ø 8.0
clay 5YR 7/6 reddish yellow
(US: 195).
The shape is best paralleled by examples dated to the second-third quarter of the 4th (Hayes 1984, no. 243). Compare also with the slightly larger and less domed piece (no. **219b**) from La Scala, Tomb 24, dated to ca. 350 B.C. The major part of the decoration is more exuberant than most late Gnathia vases.

220. Bowl? Open form on a moulded foot. Tondo with white 7 petalled rosette in centre. This may also be a Paestan imitation or import.
base 4.26, ht. 2.15
clay 2.5YR 6/8 light red
(US: VA 85 II).
See also *Poseidonia-Pæstum II*, p. 106-107.

Entry no.	"P" Catalogue number
210.	937a
211.	4141
212.	3248
213.	4541
214.	7089
215.	241
216.	5009a
217.	6227
218. a.	243, 253, 6148 a-c, 6530
b.	4526
c.	4897
d.	225
219. a.	4400
220.	205.

Thymiateria

The thymiateria from Roccagloriosa are not like those found at other sites with the exception of nos. 221-223. They resemble lamp supports more closely than anything else although they may have also been holkia or derived from that tradition which was still current in the first half of the 4th, although in tomb contexts (*Oppido Lucano* 1972, p.

524, fig. 44, no. 9, and on display in Padula from a necropolis at Sala Consilina). Nos. **221** and **223** are vaguely reminiscent of the *Valle d'Ansanto* 1976, p. 469, no. 472 and fig. 39, 'barrel' type of thymiateria. The thymiateria are included in the black-glaze section because their fabric is without exception extremely fine and all were probably painted.

221.○● Fragmentary thymiaterion. Large collar above a moulded 'barrel'. No black glaze preserved but the ware is so fine that it probably was glazed.
ht. 6.0, base ø 5.0
clay 5YR 6/8 reddish yellow
(US: 96).

222.○ Possible thymiaterion. Part of a solid stem with three concave-convex 'drums' or segments.
ht. 4.8, max ø 3.2
clay 7.5YR 6/6 reddish yellow
(US: EB + FB 109 IIId).
See *Lagonegro* 1981, tav. XXV, no. 3.

223.○ Possible thymiaterion. Solid stem, moulded barrel.
ht. 4.5, stem ø 2.6
clay 7.5YR 6/6 reddish yellow
(US: 91).

224.○● Very worn possible thymiaterion. Large spreading foot. In both hollow and solid stems. Stem has a collar.
ht. 7.2-11.0, base ø 6.6-9.0
clay 5YR 6/0 reddish yellow, 2.5YR 6/6 light red
(US: F 11 N/52).
These really resemble lamp supports more than actual thymiateria. See Greco e Guzzo 1978, p. 457, fig. 44, no. 45 and fig. 45, no. 45, but see also *Lagonegro* 1981, tav. XXV, no. 5.

225.○● Similar to preceding example. Not hollow inside. Much larger collar and moulded foot with a large channel above foot.
base ø 9.0, ht. 11.0
clay 2.5YR 6/6 light red
(US: F47/F48).

At Fontana Bona (Fabbricotti 1979, nos. 266, 268-269, 271, 273-275, 280-283) and *Valle d'Ansanto* (1976, p. 469, no. 471, and fig. 39) the thymiateria are much more elaborate but that may be due to the fact that those examples are found in a primarily ritual context and not part of a habitation complex. In the domestic context in which these were found, all were around the F11 votive deposit, and possibly even stemmed lamps may have served the same purpose as thymiateria as the repeated occurance of the simple types (nos. **224-225**) in the central courtyard near the shrine indicates.

Entry no.	"P" Catalogue number
221.	3124
222.	938
223.	3133
224.	3309, 937, 2090a, 4050
225.	4713

H. Fracchia

Coarse Ware

This section treats the domestic coarse ware pottery, the large quantity of which establishes the locations of the habitation areas of the site. While the site has produced a vast quantity of coarse and utilitarian ware pottery in terms of the number of sherds and their weight, the variety of forms is limited which of course indicates the relatively restricted chronological arc for the major habitation of the plateau within the fortification.

Finds from the ongoing Mingardo valley survey demonstrate that the same forms appear throughout the entire valley and many of the forms are found throughout Magna Graecia.

The majority of the domestic coarse ware pottery is of a distinctive gritty orange clay with numerous inclusions. This emphasis on the 'local' or regional fabric for cooking wares is interesting in light of the number of different fabrics found in the loomweights from the site. The pots are all wheelmade and appear to have been fired at a relatively low temperature because they have a soft powdery i.e., underfired, appearance. This characteristic is especially common in the jars and storage vessels (see the 'kiln assemblage').

Cooking Vessels

Tall Casseroles with lug handles

An impasto vessel of this form with the distinctive lug handles has been found in Iron Age contexts at Roccagloriosa as well as at other sites (nos. **9-10**). The retention and continuity of this form is indicative of the conservative tradition in utilitarian pottery. The evidence from the site suggests that the form was used in the 5th to 3rd centuries B.C. Traces of fire-darkening is common on the exterior surfaces of many of these vessels and indicates that they were cooking pots, but it is possible that they also may have functioned as storage jars as indeed may have all cooking pots in general. The pots have an average rim diameter of ca. 16.0 cms. and a wall thickness that varies from 0.4-1.3 cm. No complete profiles have been recovered and the their use at the site in coarse ware is concentrated in the 4th - possibly the second half - and first decades of the 3rd century B.C.

At Cozzo Presepe the form is found without lug handles and without being fire-darkened (*Cozzo Presepe* 1977, fig. 138 and remarks on p. 369). The type there is considered a storage jar and ranges in date from ca. 600/575 to ca. 300 B.C. At *Locri* (1983, tav. IX, no. 12) the type exists in a version with an elaborated rim with lug handles and was used as a cooking pot.

226.○ Flat rim with lug handle. Fire-darkened.
rim ø 8.0-16.0
clay 5YR 6/8 reddish yellow
(US: DB survey, 129, 128, 333, 166).

227.○● Flat topped rim with carinated neck and lug handle. Not fire darkened.
rim ø 16.0
clay 7.5YR 6/8 reddish yellow
(US: FB 109 IIIA).

228.○ Well-made flat topped rim with carinated neck and a lug handle. Wet-smoothed exterior.
rim ø 17.0
clay 5YR 6/6 reddish yellow
(US: Saggio A Est II B).

229.○ Inward sloping flat or rounded rim with lug handle.
rim ø 13.0-29.0, the ø is usually ca. 13.0-17.0
clay 5YR 6/6 reddish yellow, 10YR 5/1 grey
(US: DB survey, Saggio A Est I-II, 165, 333).

230○● Turned out rim with rounded lip, carinated neck and lug handle.
rim ø 11.0-24
clay 5YR 5/8 yellowish red
(US: EB FB 110 III, 132, 352).
Possibly like *Albanella* 1989, fig. 18, H96 but the lug handle - if that is what it is - is very different: «4th».

Lidded Cooking Pots

This form was introduced at Athens in the 6th century B.C. and is commonly found all over the Mediterranean from the 5th century onwards (*Agora XII*, p. 225). No lidded cooking pots were found with the handles attached so we cannot say whether the forms had ribbon or arched handles but at other sites the two handle types have been found together (see *Cozzo Presepe* 1977, pp. 374-375).

231.○ Everted rim with two sharply moulded edges bounding the internal hollow. Fire darkened inside and out
rim ø 15.5-24.0
clay 7.5YR 5/6 strong brown
(US: Saggio F, EB/FB 110 III (many), 191, 128)
Very common form in Southern Italy, see *Locri* 1983, tav. III, no. 4.2, *Cozzo Presepe* 1977, fig. 146, nos. 454-455.

232.○ Everted rim. Sharp ledge, hollowed rim. Slightly fire darkened.
rim ø 27.0
clay 5YR 6/8 reddish yellow
(US: DB survey)
See *Cozzo Presepe* 1977, fig. 146, no. 454.

233.○ Everted rim, rim profile nearly vertical and ledge not pronounced.
rim ø 19.0
clay 5YR 7/8 reddish yellow
(US: 129).

234.○ Sharply everted rim with sharply projecting inner ledge. Rim slightly burnt.
rim ø 24.0
clay 5YR 7/8 reddish yellow
(US: PC1/30).

235.○ Rounded rim with sharply projecting inner ledge. Exterior fire-darkened.
rim ø 13.0-24.0
clay 5YR 6/8 reddish yellow
(US: Saggio O-N II, DB survey).

236.○ Rim with blunted lip, small projecting internal ledge. Burnt exterior.
rim ø 15.0-21.0
clay 5YR 6/6 reddish yellow
(US: 163, 375).

Casseroles (Lopas)

Lidded casseroles with arched handles applied

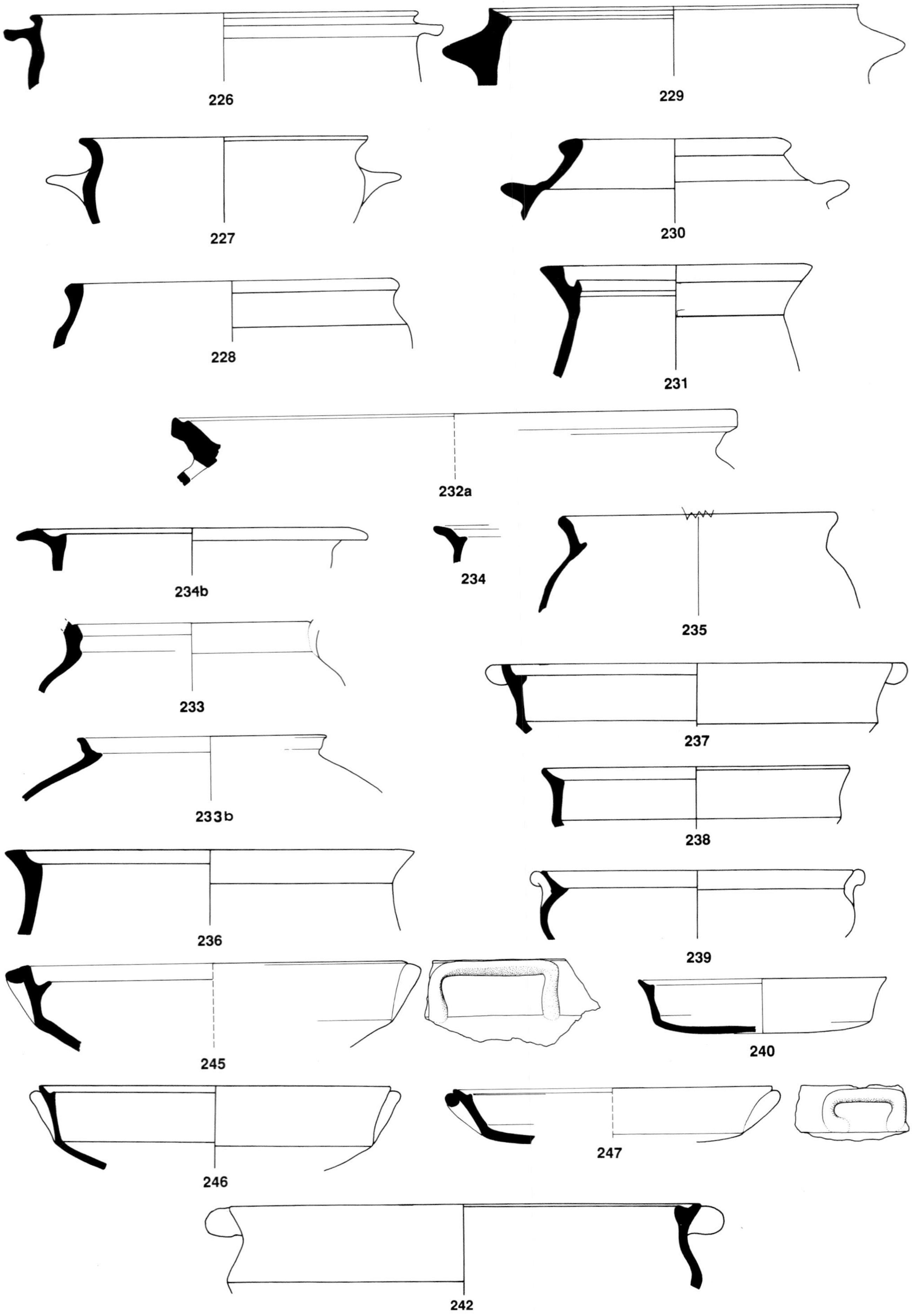

Fig. 185 Coarse ware profiles (scale 1/3).

against the rim are found at Hellenistic sites all over the Mediterranean. The casserole forms at Roccagloriosa are found in the habitation debris of the second half of the 4th century and seem to have no Iron Age precursors on the site. The casseroles in general have rim diameters of 14.0-26.0, are consistently of the 'local' gritty orange fabric and usually show traces of fire-darkening. These same types of vessels, in infinite slight variations, are found in habitation contexts at *Locri* (1983, tav. X, nos. 10-13), *Cozzo Presepe* (1977, fig. 147, all examples and in *Cozzo Presepe* 1970, fig. 60 268), *Tolve* (1982, fig. 15, no. 69748 and 70054), *Acquappesa* (1978, fig. 4, middle of page), Pæstum (*Poseidonia-Pæstum II*, fig. 66, nos. 183-185 but only the rims are similar, the bodies are larger and rounded), Sybaris (*Sibari I*, fig. 49, no. 27; *Sibari II*, fig. 205, no. 8421 and *Sibari III*, fig. 255, no. 154), Tempa Cortaglia (Fracchia 1984, p. 250, note 19), *Minturnæ* (1935, p. 105, type 2, pl. XVII, 2a-h), Santa Maria del Cedro (Greco e Guzzo 1978, fig. 38, no. 40), Oppido Lucano (*Oppido Lucano* 1983, fig. 123, no. 15 and fig. 144, no. 7), Taranto (*Museo Taranto* 1988, p. 436, no. 3412h and tav. XCII). The type is also on display in the material from Sipontum in the Foggia museum.

Many are also found in tombs at other sites: *Assoro* (1966, fig. 16f, 17, 60), *Gioia del Colle* (1961, col. 217 no. 4 and col. 273, no. 106), *Ordona* (1973, p. 389-390, fig. 138, 4), *Ceglie Peuceta* (1982, p. 182, tav. 30) and Arpi (Tiné Bertocchi 1985, fig. 425, no. 72).

Morel (*Assoro* 1966, p. 242-251) has attempted the only classification of the form, dividing into types with respect to the base treatment.

The rounded base types tend to be earlier, dated to the late 4th - early 3rd than the straight-walled flat-bottomed type which is dated from ca. 300 to the end of the third century: obviously the types overlap. This chronological division can be seen in the Pozzo deposit in which only the round bottomed types are included but in the hearth assemblage (no. **240**) the type is flat-bottomed. Is a change in brazier design linked to this evolution?

One last note: the cooking pots on the central plateau are uniformly of the carinated rounded and flat bottom types while those casseroles from the southeast plateau are the round very globular and large 'Paestan' type: here this last type is included in the discussion of 'miscellaneous cooking pots' (no. **261**).

NB: There are numerous specimens of each example: a selection of the best preserved catalogued pieces is given in the concordance.

237.○● Carinated form with forked rim, arched handle applied to body and rim.
rim ø 23.0-29.0
clay 5YR 7/8 reddish yellow
(US: DB survey, 63, 184).

238.○● Carinated form with forked rim. Fire darkened on rim.
rim ø 17.0-18.0
clay 2.5YR 5/8 red
(US: 119, 327).

239.○ Forked rim with arched handle applied on top of rim. Blackened on both sides.
rim ø 14.0-16.0
clay 5YR 6/6 reddish yellow
(US: PC1/52, 134, F 193).
This is a round-bottom form.

240.○ Carinated flat bottom form with forked rim and applied arched handle.
rim ø 19.0
clay 5YR 6/6 reddish yellow
(US: Saggio A ovest II).

241. Carinated form with forked rim, blunt lip and arched handle applied to rim.
rim ø 22.0-35.0 (exceptionally large)
clay 5YR 6/8 reddish yellow
(US: 166, 1, FB 109 III B).

242.○● Carinated form as previous examples. Exceptionally large handle.
rim ø 22.0
clay 5YR 6/8 reddish yellow
(US: Saggio F 2 II).
See also *Cozzo Presepe* 1977, fig. 147, no. 469 and *Locri* 1983, Tav. X, no. 13.

243. Carinated form with shallow forked rim.
rim ø 16.0-17.50
clay 5YR 6/8 reddish yellow
(US: 166, 165).
Comparable to *Cozzo Presepe* 1977, fig. 147, no. 462, *Locri* 1983, Tav. V, no. 10.

244. Forked rim, hollowed internally above ledge. Fire darkened on both sides.
rim ø 26.0
clay 2.5YR 5/8 red
(US: WA 86 I).
Close to *Cozzo Presepe* 1977, fig. 146, 457 and *Locri* 1983, Tav. X, no. 10.

245.○ Carinated form with forked rim and arched handle applied to rim.
rim ø 19.0
clay 5YR 6/6 reddish yellow
(US: Saggio O-N II).

246.○ Carinated form with forked rim and arched handle applied to rim.
rim ø 20.0

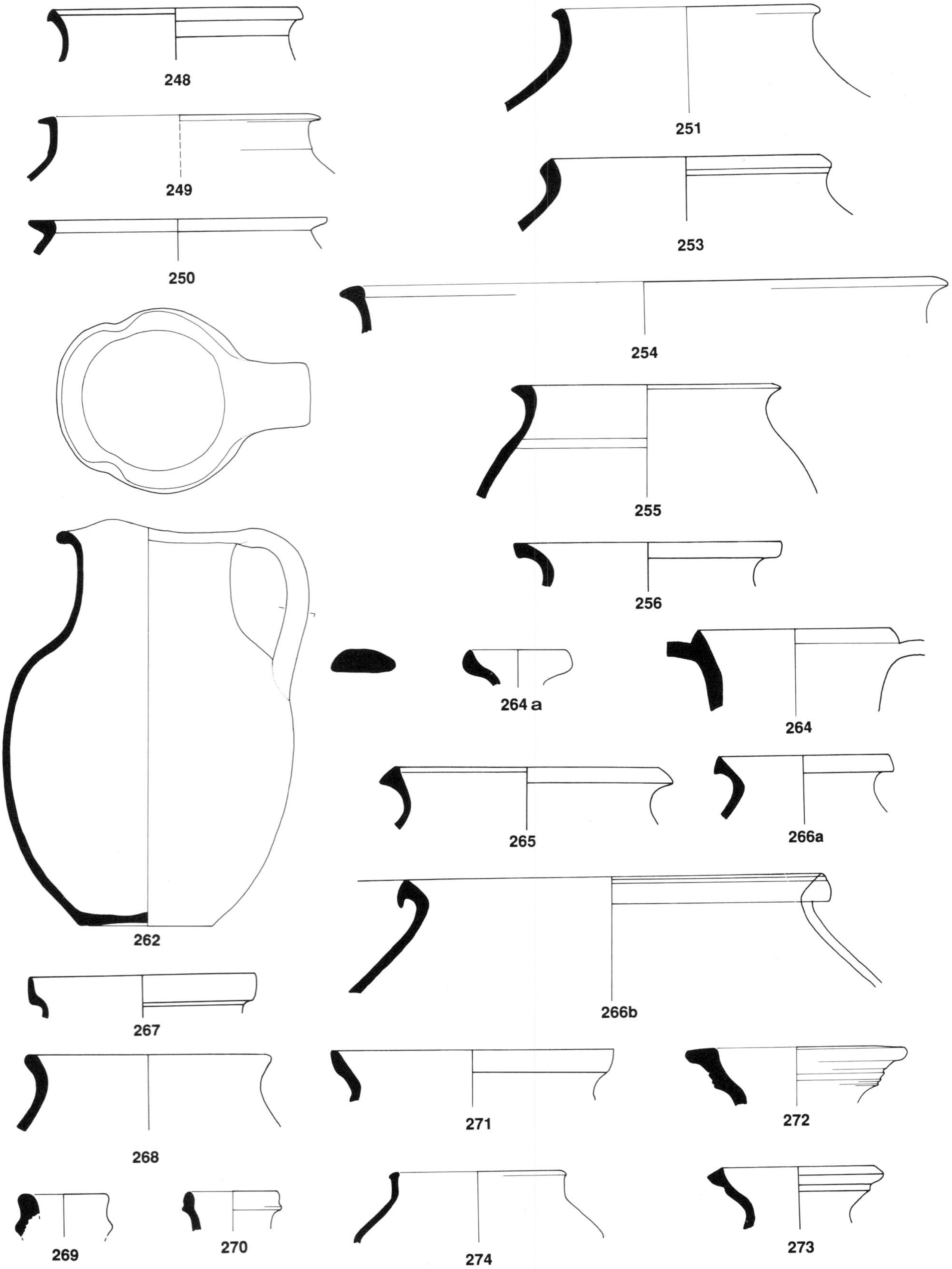

Fig. 186 Coarse ware profiles (scale 1/3).

clay 5YR 6/6 reddish yellow
(US: 165, many examples).

247.○ Carinated form with forked rim and arched handle applied to rim.
rim ø 21.0
clay 5YR 6/6 reddish yellow
(US: EB, FB 110 III).

Entry no.	"P" Catalogue number
226.	2567, 4462, 4065, 4058, 6039
227.	9
228.	939, 3013
229.	2557, 491, 4472, 6099
230.	620, 4053, 6219
231.	439, 810, 802, 4754, 4051
232.	940
233.	2628, 4041
234.	1116
235.	941, DB 20 II B
236.	2414, 4266, 7035
237.	2886, 3057, 4532
238.	6221, 3325, 6010
239.	2021a, 4301, 6152
240.	942
241.	364, 4461, 6090, 844
242.	606
243.	2012, 4807, 4711
244.	943
245.	373
246.	4479, 3219, 4708
247.	409.

Chytrai

This form of cooking vessel, with one or two ribbon handles, is common throughout the Mediterranean from ca. 500 B.C. onwards. The most common form at Roccagloriosa has a slightly down-turned almond-shaped rim and shows fire-darkening on the exterior surface, confirming its function as a cooking pot. Most specimens were not found with handles and no complete profiles have been recovered. The dimensions are standardized, with a rim diameter range of 8.0-14.0. All vessels are in a gritty orange fabric, most likely 'local'.

248.○ Rounded slightly inturned rim with two handles (handle springs remain) probably ribbon type.
rim ø 14.0
clay 5YR 7/8 reddish yellow
(US: 141, 163)
Close to *Cozzo Presepe* 1977, fig. 145, no. 442.

249.○ Out-turned almond shaped rim. Fire darkened on exterior.
rim ø 11.0-17.0
clay 5YR 6/8 reddish yellow
(US: 144, 128, 129, Saggio Fa II, Saggio A Est/parete, Saggio A + F).

250.○ Almond shaped rim with curved shoulder. Both surfaces blackened by fire.
rim ø 22.0-27.0
clay 7.5YR 5/6 strong brown
(US: 119 (many examples), EB-FB 110 III, 166, 111).

251.○ Turned down rim with rounded lip, short vertical neck and curved shoulder. Exterior is fire-darkened.
rim ø 22.0
(US: 191, Saggio A Est II, NAPOLI 1971).

252. Well-made "S" shaped profile of rim with curving shoulder. Rim and exterior are fire-blackened.
rim ø 19.0
clay 5YR 6/6 reddish yellow
(US: YA 172, 216).

253.○ Slightly down turned rim, "S" shaped profile of rim with curved shoulder. Fire darkened on exterior.
rim ø 12.0-14.0
clay 5YR 6/8 reddish yellow
(US: 163, 335, YA 172 I).

Miscellaneous Cooking Pots

254.○ Pots with large spreading rims and a channel (but not seemingly for a lid) on the rim.
rim ø 11.0-14.0
clay 5YR 7/8 reddish yellow, 5YR 473 dark reddish grey, 5YR yellowish red
(US: 119, 132, 147, 99, 183)
Included in the Pozzo deposit which also had a representative selection of types nos. **226-253**. More spreading but vaguely resembles *Cozzo Presepe* 1977, fig. 145, no. 440, called a chytra. The parallels noted there include *Agora XII*, pl. 93, fig. 18 dated ca. 600-575 as well as two other early examples from *Corinth VII*, 2, pl. 82, nos. 291, 303 dated ca. 625-600 and *Sibari III*, fig. 66, no. 91 which is also dated to the 6th century. In support of such an early date, no other similar examples are noted from the sites of Tolve, Locri, Acquappesa, Cosa, Sutri or Buccino. This piece actually re-

sembles most the finer textured banded wares although it is in a very coarse fabric in these examples under discussion. The context of US 147 is room A5 and it was found with earlier banded material but the form seems to continue for a long time.

255.○ Flat rim, triangular section, short neck.
rim ø 8.0-11.0
clay 5YR 6/8 reddish yellow, 2.5YR 6/6 light red
(US: 111, F54, 167, 147, 211, 128, 165, 134).
Also found in the Pozzo deposit.
See *Cozzo Presepe* 1977, fig. 145, no. 446 and *Albanella* 1989, fig. 18, H80: «4th». They were also in use at Roccagloriosa during the fourth century but it should be noted that they have a long life: see *Sutri* 1965, form 36a, dated 2nd-1st centuries B.C.

256.○ Squared rim.
rim ø 12.0-16.0
clay 5YR 3/1 very dark grey, 5YR 6/8 reddish yellow
(US: F54, F374)
Included in the Pozzo deposit. See also *Cozzo Presepe* 1977, fig. 145, no. 445: «ca. 300».

257. Everted squared off rim.
rim ø 8.0-13.0
clay 5YR 5/4 reddish brown and 5YR 5/6 reddish yellow
(US: 194, 232, 254).
Not in the Pozzo deposit, not at *Cozzo Presepe* 1977: perhaps later 3rd century?

258. High out-turned rim, rounded edge. Ledge for lid and curved shoulder.
rim ø 10.0
clay 7.5YR 7/8 reddish yellow
(US: CB 172 II, FB 109 III).

259 Slightly out-turned flaring rim, "S" profile to rim on exterior, very rounded body. Interior edge for a lid. Wet-smoothed surface, fire-darkened on exterior.
rim ø 13.0
clay 5YR 5/6 stong strong brown
(US: Saggio A est II, EB/FB 110 III, F54/167).
Very close to *Albanella* 1989, fig. 20, H127: «end of 4th».

260. Very heavy large cooking pot with a large collar elaborated by both a ledge and then a ridge for a lid at the join of collar and body, immediately below the collar there is a hole made before firing. Wet-smoothed surface.
rim ø 23.0
clay 7.5YR 7/6 reddish yellow
(US: 400).

261. Cooking pot with a very rounded body.
rim ø 12.0-22.0
clay 7.5YR 6/6 reddish yellow
(US: CB 168 I).
Very like examples from *Poseidonia-Pæstum II*, fig. 66, nos. 183-185 and *Albanella* 1989, fig. 20 H127.

Entry no.	"P" Catalogue number
248.	4387
249.	4328, 4040, 4140a, 2766, 508, 416
250.	3783, 800, 3279, 6509, 4635
251.	4080, 463a, 568
252.	876, 4748
253.	4270, 6130 a-b, 4886
254.	4470, 4794, 4470, 3281, 4918, 4816a, 5023a
255.	6509, 4118, 4060, 4534, 4738, 4519
256.	7082, 4772
257.	4720, 4795
258.	380, 843
259.	190, 811, 4446
260.	7138
261.	945.

Jugs

262.• Complete profile. Jug with a trefoil mouth, thickened lip slightly turned outward.
rim ø 10.0, ht. 22.0, base ø 6.6
clay 5YR 6/8 reddish yellow
(US: 167).
Best paralleled by an example from Tomb 15, dated ca. 300-290 (Gualtieri 1989b).

263. Similar to the preceding example but slightly thickened flat rim.
rim ø 9.0
clay 5YR 6/6
(US: F54, 167).
Both of these rim types have been found at *San Mango d'Aquino* (1988, site 40, nos. 159, 168, 178, 190 and site 41.

264a.○ Thickened large 'tulip' like mouth. Flat upper surface
rim ø 8.0
clay 2.5YR 6/8 light red
(US: PC86 II).

264b.○ Numerous small variants of the 'tulip' type

a mouth. Very sharp rim, rounded or somewhat squared and thickened outer lip
rim ø 5.0-16.0
clay 5YR 6/8 reddish yellow, 5YR 6/4 light reddish brown, 5YR 6/2 pink grey
(US: 93, F374, 333 (very frequent in 333), 358).

265.○ Rim very like bowl no. 277 but with a short neck above a swelling body
rim ø 8.0-14.0
clay 5YR 6/6-7/6 reddish yellow, 5YR 5/8 yellowish red, 5YR 6/2 pinkish grey
(US: 98, 163, 165, 118, 232, Saggio A Est I-II, EB-FB 110 III).
Found in the Pozzo deposit but has a long continuity into the 3rd century.

266a.○ Squared rim, very common form. Often quite thin walled and precise.
rim ø 8.0-18.0
clay 5YR 5/2 reddish grey, 5YR 6/6 reddish yellow, 2.5YR 6/8 light red
(US: 63, 118, 141, 163, 239, 254, FB 109 III).
Found in the Pozzo deposit. See also a close resemblance to *Albanella* 1989, fig. 18, H97 and H100: both dated «4th».

266b.○ As above but larger with an undercut under the lip. Very common form.
rim ø 8.0-24.0
clay 5YR 6/6-7/8 reddish yellow, and several examples in misfired grey blue
(US: 63, 154, 167, 237, F374).
This type has a very long life: it is found in the Pozzo deposit but continues into the Roman period, see the remarks in *Cosa* 1976, 24-25. Also found at Pompeii (unpublished) in the second and first centuries B.C.

267.○ Squared exterior rim profile as no. **266** but the interior rim profile is modelled to follow the exterior profile. Thin-walled and often wet-smoothed. Fewer quartzite inclusions.
rim ø 12.0-16.0
clay all varieties of reddish yellow
(US: 36, 63, 83, 113, 118, 381, 119, 84, 95, F40, 99, DB 2 II, WA-XA 86 II, YA 172 I).
The general impression of this type is of a high quality production. The most developed examples of this type do not appear in the Pozzo deposit. Suggested date: late 1st - early 2nd quarter of the 3rd century. The form is extremely common in 3rd-2nd century Roman colonial sites.

268.○ Simple out-turned rims, swelling bodies, short necks.
rim ø 8.0-12.0
clay 10YR 6/3 pale brown, 2.5Y 5/2 grey brown
(US: 163, 166, 168, 387, F193, XA 172 I, 194).
These resemble the *chytrai* types but the generally smaller rims seem to indicate jugs.

Miscellaneous Featured Rims

269.○ Thickened incurving rim with a ridge on the exterior 1.5 cm. below rim.
rim ø 7.0-12.0
clay 5YR 6/8 reddish yellow
(US: 340, 335, 327).
No parallels found although given the context it could belong to the later 3rd century.

270.○ Thickened rim with a ridge at join of rim and neck.
rim ø 4.0
clay 5YR 6/8 reddish yellow
(US: 395).
Date: probably second half of the 3rd century.

271.○ Squared rim with a ridge 5.3 cm. below rim.
rim ø 11.0
clay 5YR 6/8 reddish yellow
(US: EB FB 110 III, 314).
Date suggested is the second or at least the middle of the 3rd century.

272.○ Flat rim, spreading with a moulding underneath at beginning of neck.
rim ø 12.0
clay 5Y 6/1 grey
(US: F285).
Rather close parallel with *Cosa* 1976, Capitolium Fill, fig. 6, CF 76, dated to 275-150 B.C. and also found at *Nocera Terinese* 1988, site 6. Probably pertains to the third century phase at the site.

273.○ Rimless jug with a strap handle.
rim ø 11.0
clay 2.5YR 5/6 red
(US: 171).

274.○ Jug with a nearly vertical neck, slightly turned out rim.
rim ø 16.0-19.0
clay 7.5YR 6/6 reddish yellow
(US: 141, 333, 216, 391).

Entry no.	"P" Catalogue number
262.	946
263.	4469
264. a.	5081
b.	6050, 6053, 4268, 4704, 7078, 6009
265.	5084, 4353, 4737, 4800, 4351, 4346, 6135, 495, 815.
266. a.	4861, 4085, 5108, 6118, 4021, 9329, 4328, 4814, 841, 3312
b.	7084, 7076, 4785, 5105, 4624, 7083, 7085, 7147, 3096, 3097.
267.	7023, 2304, 625, 2142, 876, 3323, 3312, 3283, 3173, 3190, 3187, 3231, 3247, 3234
268.	4270, 7095, 4507, 4457, 6119, 875, 4720, 4507, 4457
269.	6550, 6128 a-b, 6001
270.	7039
271.	806, 6021
272.	5033
273.	3279
274.	4328, 6038, 4748, 4747, 7070.

Bowls

275.○ Projecting rims, slightly angled downwards and undercut. Curving walls, slight carination below rim.
rim ø 20.0
clay totally burnt black
(US: PC 86, 298, 333).
Not in the Pozzo deposit, possibly mid to later 3rd. Very like a form from *Nocera Terinese* 1988, site 18.

276. Similar to **275** but without the undercut and with straight walls.
rim ø 16.0-18.0
clay 7.5YR 6/4 light brown
(US: 134, 98, PC 86 II, 314, 333, F56).
Not in Pozzo deposit, suggested date as above.

277.○ Thickened rounded rim often with traces of red slip or paint.
rim ø 18.0-24.0
clay 5YR 7/8 reddish yellow, 2.5YR 5/6 red
(US: 129, 141 [many examples], 152, 164, 333 [many examples]).
Possibly quite early, may be a banded coarse ware phase, cf. no. **29**.

278.○ 'Hammer-head' rims, quite thick, with thick curving walls.
rim ø 22.0-24.0
clays 5YR 7/8 reddish yellow, 5YR 7/2 pinkish grey
(US: 35, PC1, 134, 3871, EB-FB 110 III, FB 109 III B).
See *Poseidonia-Pæstum II*, fig. 67, no. 279; *Nocera Terinese* 1988, site 18; *Albanella* 1989, fig. 17, H69: «mid-5th through 4th».

279.○ Angular rims, tilted downwards, carinated wall below rim.
rim ø usually 20.0-22 but one example 13.0
clay 7.5YR 6/2 pinkish grey, 2.5YR n/3 very dark grey, and exceptionally for the example with the small diameter, 5GY 5/1 greenish grey
(US: F19, 134).
Date: late 4th-early 3rd century.

280.○ Small projecting rim, tilted upwards, slight depression in middle of rim; slight carination below rim.
rim ø 20.0
clay 10YR 5/2 greyish brown
(US: 165).
Date: late 4th-early 3rd century.

281.○ Bowls with simple rims. One example has a channel on the wall surface.
rim ø 10.0-27.0
clay 2.5Y N7 light grey, 5YR 7/8 reddish yellow, 7.5YR 6/4 light brown
(US: 134, 145, F374, 254, 327, 333, 349).
Date: as above.

282.○ Rim and dropped collar.
rim ø 19.0-22.0
2.5YR 6/6 light red, 7.5YR 5N5 grey black, 7.5YR 6N6 grey 5YR 7/6 reddish yellow
(US: 119, VA-XA 86 II,2, Saggio F2 ovest II, 393).
Late form: see *Assoro* 1966, fig. 11, Tomb 7 bis, «end of 3rd», and *Sutri* 1964, fig. 5, no. 16. Date: mid-to late 3rd century.

283. Deep bowl with a projecting rim, deeply undercut lip and two grooves on rim.
rim ø 37.0
clay 7.5YR 7/6 reddish yellow
(US: DB survey).
Very close to *Albanella* 1989, fig. 17, H69: «mid 5th-4th».

Plates

284.○ Carinated plates with flat rims, derivative of the impasto types (nos. **3a-c**) found on the site.
rim ø 15.0-20.0

clay 7.5YR 7/6 reddish yellow
(US: Saggio ZA-YA172)
This type is especially common on the southeast plateau but rare on the central plateau.

285.○ Less pronounced carination, more rounded form, flat projecting rim.
rim ø 15.0-20.0
clay 7.5YR 7/6 reddish yellow
(US: XA-ZA 172 III).

286.○ Shallow plate with a projecting rim decorated with three grooved lines.
rim ø 24.0
clay 5YR 6/1 grey
(US: CB 169 I).

Olla?

287.○ Large almond rim and wall of a cooking pot, very fire-darkened. Sponge like fabric.
rim ø 17.0
clay 5YR 7/6 reddish yellow
(US: 119).
Found in Roman colonial sites from ca. 275 onwards, see *Sutri* 1965, form 38b; *Cosa* 1976, Forum Gate deposit, no. 34, dated 200-175 and *Cosa* 1976, Capitolium Fill deposit, no. 32, dated 275-150.

Large Bowls (Mortaria) and Large Basins

288. Flat topped rim, exterior wall decorated with grooves.
rim ø 20.0-33.0
clay 5YR 7/8 reddish yellow
(US: DB survey, I)

289.○ Thick rounded and projecting rim with carinations.
rim ø 26.0
clay 5YR 7/8 reddish yellow
(US: 91).

290.○ Thick rounded rim, two grooves on exterior surface.
rim ø 24.0-30.0
clay 5YR 5/8 yellowish red
(US: 129, 333).

291.○ Thick collar-like rim with grooves and a spout.
rim ø 32.0
clay 2.5YR 6/8 light red
(US: CB 168 I)

292.○ Pie-crust or crimped edge on rim of a large bowl.
rim ø 30.0
clay 7.5YR 6/4 light brown
(US: 128, 391).
Like examples from *Poseidonia-Pæstum II*, fig. 65, no. 188, *Monasterace Marina* 1972, figs. 26 and 175, *Oppido Lucano* 1983, fig. 96, no. 8. The motif has a long life, see *Sutri* 1965, form 50 where it reappears on a lid.

293.○ Basin with a scalloped decoration at midpoint of basin. Large projecting rim.
rim ø 43.0, ht. 6.6
clay 5YR 6/6 reddish yellow
(DB: Piani di Mariosa).

294. Large basin with a thick projecting 'serrated' handle.
rim ø 40.0-43.0?
clay 5YR 6/7 reddish yellow
(Piano di Palombi).

Entry no.	"P" Catalogue number
275.	5002, 6015, 6037
276.	4143, 6129, 6224, 6020, 6051, 6059, 6100
277.	4236, 4353a, 4064, 6052, 6054, 4142, 4047
278.	4181, 7003, 424, 1124, 816, 840, 853
279.	4168, 5015, 4035, 5003
280.	4916
281.	4856, 7077, 4375, 4257, 6137, 6073a, 6069
282.	2734, 2828, 344, 3320, 4001, 609, 4777, 7101
283.	2686
284.	970, 971
285.	980
286.	981
287.	3321
288.	2103, 6008
289.	3137
290.	4063, 6047
291.	990
292.	4210, 7028
293.	1018a
294.	4210, 2078a

Lids

All of the following lids are common throughout the Mediterranean between the second half of the 6th and the second century B.C.

295.○ Lid knob, circular depression on top.
knob ø 1.9-8.0

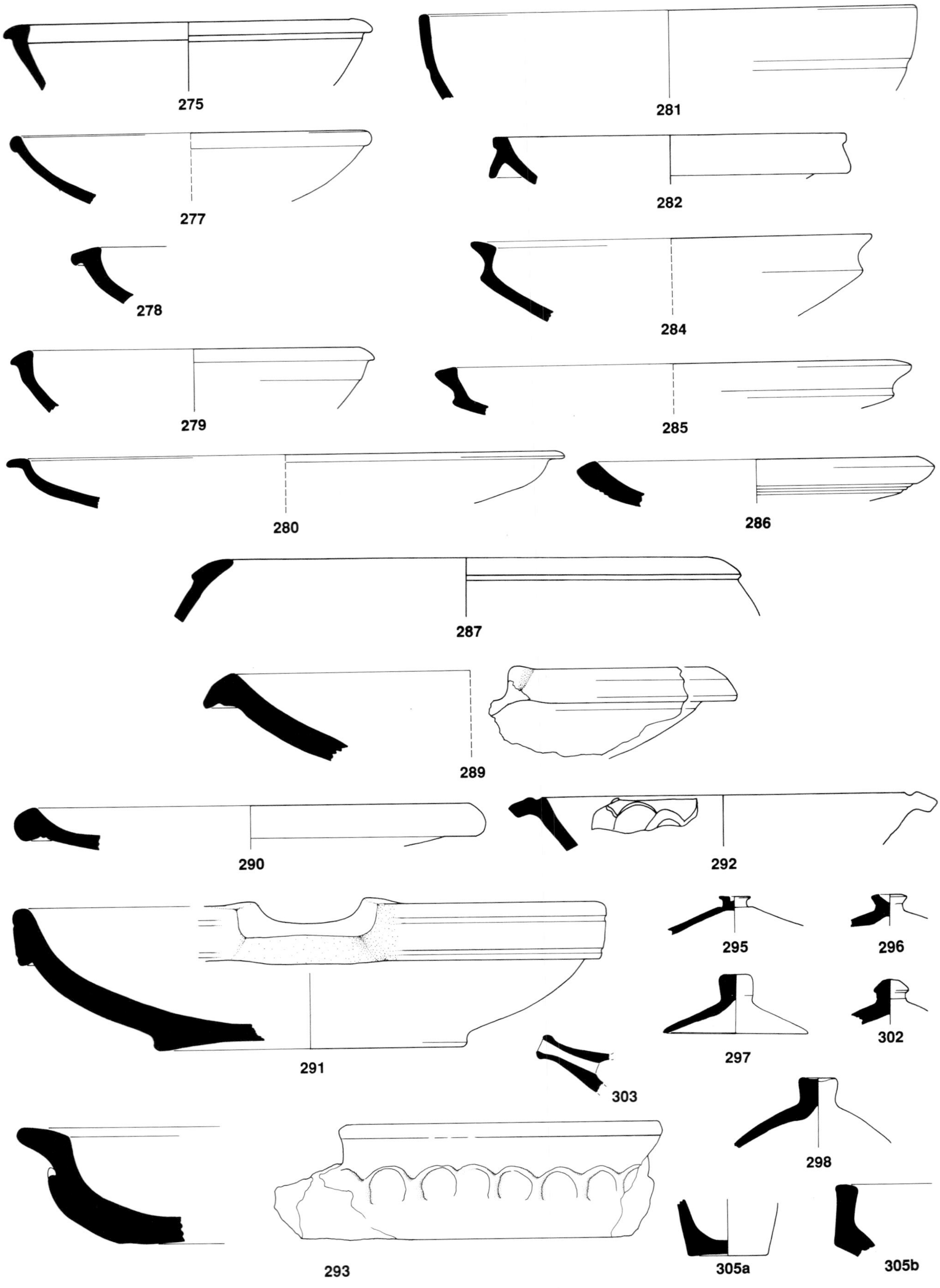

Fig. 187 Coarse ware profiles (scale 1/3).

clay 5YR 6/8 reddish yellow
(US: Saggio F2 II, 48, 147).

296.○ Same but larger and more modelled.
knob ø 2.0-5.2
clay 2.5YR 6/8 light red
(US: 166, 48)
Albanella 1989, fig. 22, H. 165-167.

297.○● Simple circular knob without depression.
knob ø 3.8
clay absolutely burnt black
(US: BB 172 IIIA).

298.○● Rough knob, central depression on top, indented underneath, curved wall.
knob ø 2.0
clay 5YR 7/8 reddish yellow
(DB survey, Room A1).

299. Large knob, well-finished. Fire darkened on both surfaces.
knob ø 3.0-5.0
clay 5YR 6/8 reddish yellow
(US: Saggio A Est II, 113).

300. Well made knob with central depression and indentation under lip of knob.
knob ø 2.5
clay 5YR 5/8 yellowish red
(US: Saggio F 1 II).

301. Well-made knob, wet-smoothed.
knob ø 4.3
clay 5YR 5/8 yellowish red
(DB survey).

302.○ Lid knob and part of wall. Elaborate knob with squared edges, short stem.
knob ø 3.5
clay 5YR 5/8 yellowish red
(US: 165).

Miscellaneous Coarse Wares

303.○ Coarse ware spouts which seem to come from the walls of vases rather than serve as a neck. Feeder bottles?
ht. 4.6, mouth and collar ø 2.8
clay 5YR 5/8 yellowish red
(US: 125, AB I + 2 III, YA-ZA 172 III).
See Infant burial-Saggio 6 in black-glaze (Gualtieri 1989b).

304. Part of a potter's wheel. At 9.0 cm. from edge, a line.
thickness 1.5
clay 5YR 5/6 yellowish red
(US: DB survey).

305.○ Crucibles? Flat bases, thick walls.
base ø 4.6-5.0
clay 5YR 6/8
(US: Saggio O I).

Entry no.	"P" Catalogue number
295.	6167, 882, 2028, 4700
296.	6166, 6095, 4496
297.	883
298.	2359
299.	1009a, 3317
300.	982
301.	2195
302.	4409
303.	7001, 983, 984
304.	264
305.	985, 986.

H. Fracchia
A. Keith

'Kiln assemblage'

A number of pottery finds (mostly coarse ware) found in the kiln (underneath the collapse of a lean-to roof) and in the immediately adjacent area appear to be a fairly homogeneous group, and are to be linked with the later use of the kiln as an oven or even a storage place. The careful filling of the holes in the firing plateform, some repairs of the dome (with a flat tile and using the lid no. **306**) and finally the presence of a cobbled area to the south (F85, *supra* ch. 4) all provide evidence for such a reuse of the kiln and the area immediately around it.

The pieces listed here will be treated more completely in "*Roccagloriosa II*" as they pertain to the later use of the central plateau.

Rims

306.○● (P6502) Coarse ware lid rim, slightly upturned, knob with a central depression.
rim ø 15.5
clay misfired grey

307.○● (PF54/jug) Jug with a turned back rim, ovoid swelling body on a short neck. Strap handle. Wet-smoothed, few large inclusions. Seems to have undergone a higher firing temperature as many of the quartzite inclusions have dissolved.
ht. 7.5, rim ø 7.5
clay 5YR 6/8 reddish yellow

308.○ (P3285) Jug rim and strap handle with a

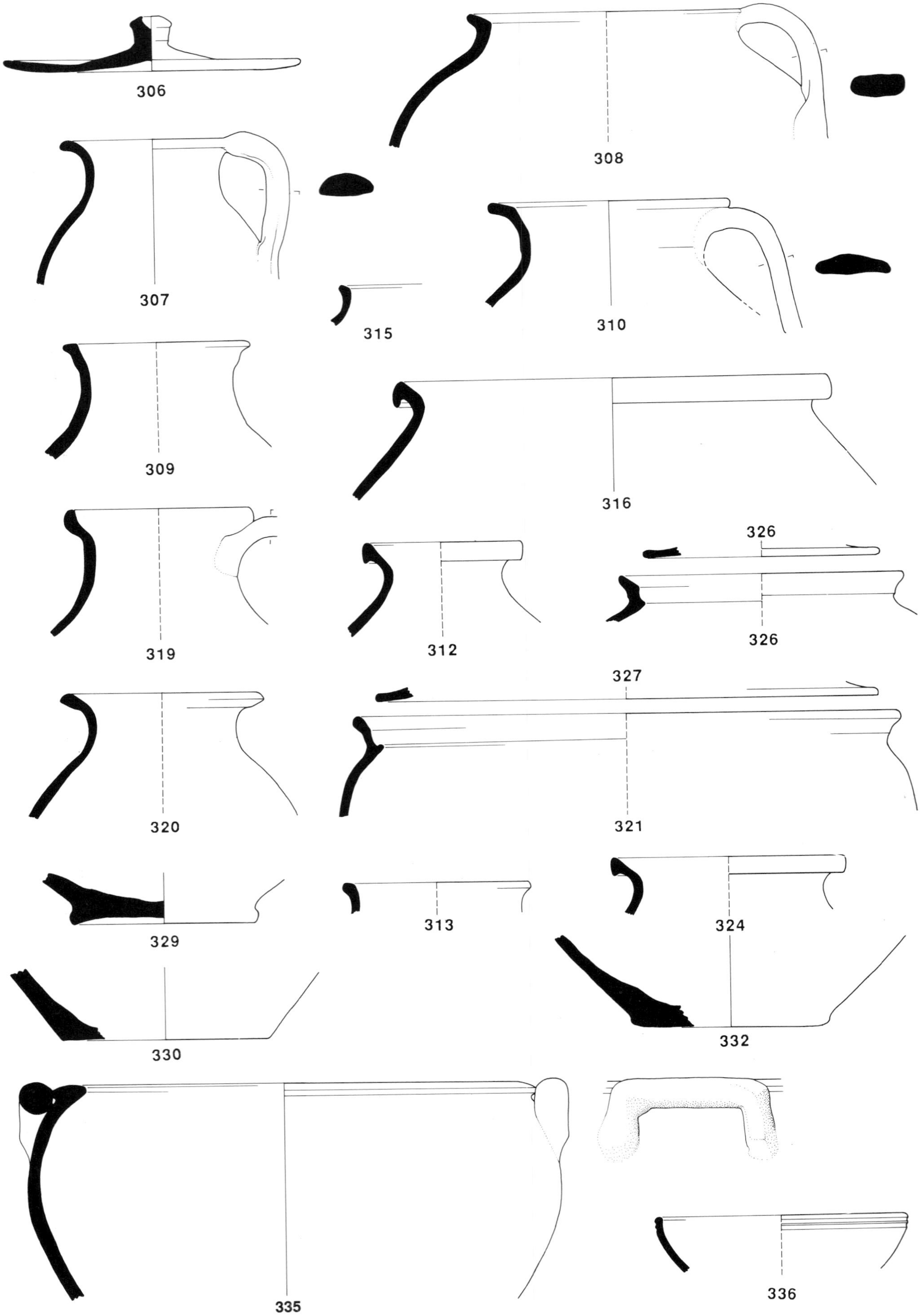

Fig. 188 Coarse ware profiles (scale 1/3).

central groove. Powdery surface.
rim ø 10.0
clay 7.5YR 7/6 reddish yellow

309.○ (P5034) Jug and many joining body sherds. Rim incomplete. Simple projecting rim, long neck, groove on body below neck. Many white inclusions, very powdery to the touch as is no. **308** whereas no. **307** is of a different firing and surface treatment, much like no. **335**.
rim ø 9.0
clay 7.5YR 7/6 reddish yellow

310.○ (P4275) Jug with simple projecting rim, long neck, ovoid body: very close to no. **307** for finishing and type.
rim ø 10.0
clay 5YR 6/8 reddish yellow.

311. (P4519) Rim like no. **309**. Powdery feeling to clay.
rim ø 11.0
clay 7.5YR 7/6 reddish yellow

312. ○ (P4472) Rim possibly same pot as no. **314**.
rim ø 10.0
clay 7.5YR 7/6 reddish yellow.

313.○ (P4387) Jug with a slightly back turned rim, rounded and with handle spring evident. Wet smoothed.
rim ø 10.0
clay 5YR 6/8 reddish yellow.

314. (P4268) Rim type like no. **316**.
rim ø 10.0
clay 5YR 6/8 reddish yellow

315.○ (P4653) Simple turned back rim. Very hard surface to pot. Neck not elaborated.
rim ø 8.0
clay 5YR 6/6 reddish yellow

316.○ (P4624) Turned back rim with a very sharp undercut lip, beginning of pouring spout, short neck. Very hard surface.
rim ø 22.0
clay 5YR 6/8 reddish yellow

317. (P4442) Possibly same pot as no. **319**.
rim ø 10.0
clay 5YR 6/8 reddish yellow.

318. (P4567) Possibly same pot as no. **316**.
rim ø 22.0
clay 5YR 6/6 reddish yellow.

319.○ (P4469) Jug with rounded rim, strap handle attached. Hard surface, virtually no inclusions.
rim ø 10.0
clay 5YR 6/8 reddish yellow.

320.○ (P4447) Jug with a large projecting rim. Very hard wet-smoothed surface. Few inclusions.
rim ø 6.0
clay 5YR 6/6 reddish yellow.

321.○ (P4658) Cooking pot identical to no. **235**. Soft surface, lots of white large inclusions.
rim ø not determinable
clay 7.5YR 6/6 reddish yellow.

322.○ (P4446) Larger overhanging rim. Seems a more evolved type than no. **324**. Slight carination to body. Smooth hard surface quite different from the grainy texture of the types listed nos. **237-247**.
rim ø 20.0
clay 5YR 6/6 reddish yellow.

323. (P4467) Identical to no. **316**.

324. (P4422) Jug.
rim ø 11.0
clay 2.5YR 6/6 light red.

325. (P4659) Possibly same vase as no. **315** to which it is identical.

326.○ (P4484) Fragment of a lid rim, smooth hard surface.
rim ø not determinable
clay 2.5YR 6/6 light red.

327.○ (P4625) Like preceding but thicker. Smooth hard surface.
rim ø 14.0
clay 5YR 6/6 reddish yellow.

Bases

328. (P4554) Flat base. Slight elaboration at join of base to body. Smooth hard surface.
base ø 8.0
clay 5YR 6/6 reddish yellow.

329.○ (P4655) Larger version of preceding.
base ø 9.0
clay 5YR 6/8 reddish yellow

330.○ (P4528) Larger version of preceding.
base ø 12.0
clay 5YR 6/6 reddish yellow

331. (P4630) Very fragmentary but surface treatment and clay as no. **329**.

332.○ (P4128) Flat base and body (12 joining sherds) of a coarse ware jug.
base ø 11.0
clay 7.5YR 7/6 reddish yellow.

Handles

333. (P4469) Flat handle. Wet-smoothed with few inclusions.

length 5.8
clay 5YR 6/8 reddish yellow.

334.○ (P4425) Identical to preceding example.

The following two pieces were found beside the kiln not in it, but the excavator associates them with the kiln dump (see Chap. 3).

335.○● (P 165) Coarse ware cooking pot. Very large and heavy. Large handles pushed up under rim which is turned back and flattened against the wall of the pot. Very rounded body. Wet-smoothed very hard surface. No visible inclusions.
rim ø 23.0
clay 5YR 5/6 yellowish red.

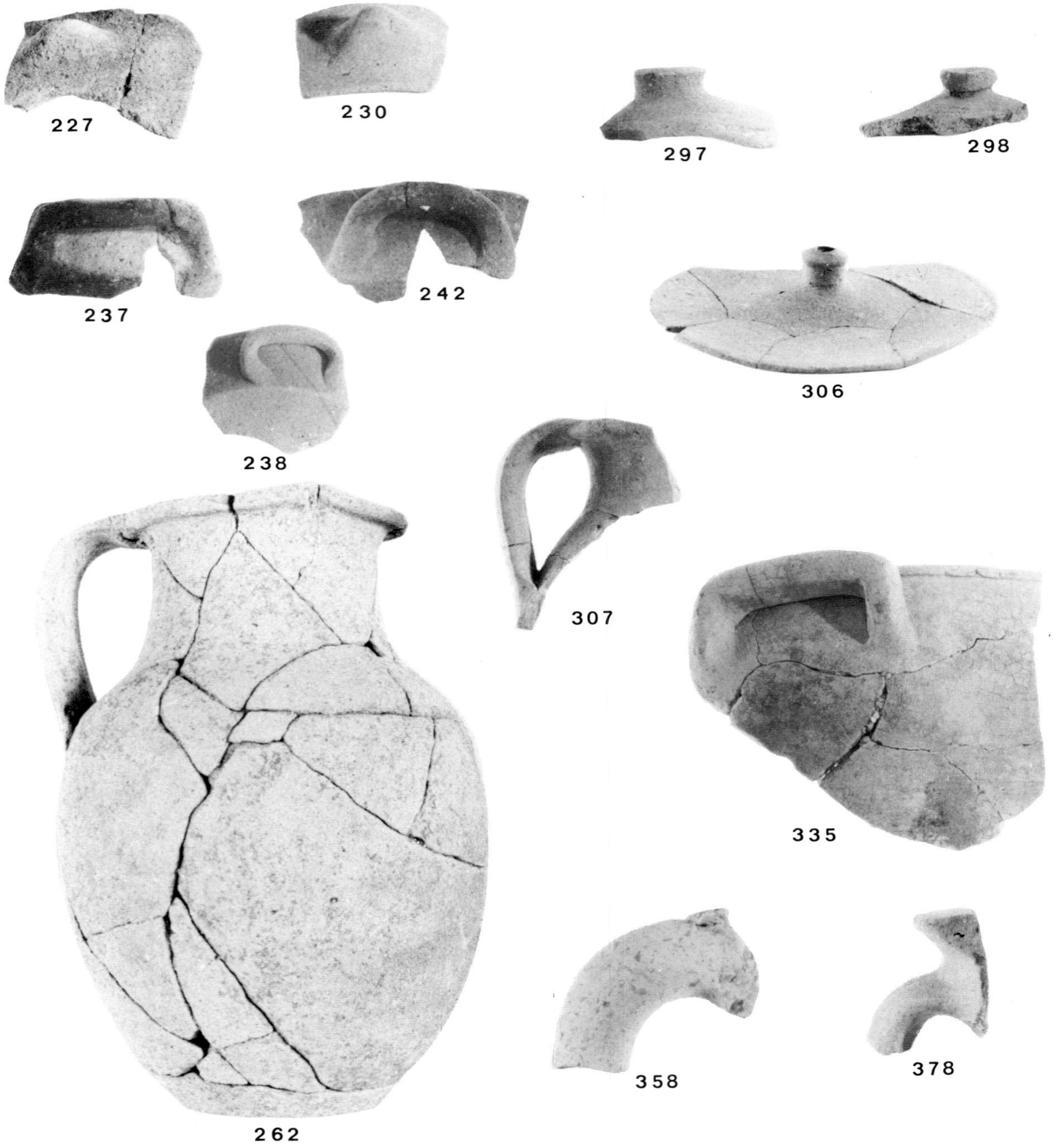

Fig. 189 Coarse ware (nos. **227**-**335**) and amphoræ (nos. **358** and **378**) (scale 1/3).

336.° (P 165a) Grooved black-glaze bowl. See entry no. **128**.

Some of the pottery in the kiln 'dump' deposit documents very clearly the later use of the complex. The more sophisticated surface treatment and the finer clay are in themselves indications of a different source for the pieces. A certain number of forms are paralleled by examples from Pompeii in form, dimensions and clay[14]. Those vases paralleled by forms from Pompeii are nos. **316**, **322**, **336**, **313**, **315**, **319**, **320**, **335**. All can be dated from the mid-third through the second centuries B.C.

H. Fracchia
A. Keith

Hearth Assemblage

These are all objects which came from the hearth in Room A7/A8. There appears to have been a shelf above the hearth which slid into it after it went out of use. Probably all the black-glaze material came from the self. The assemblage presents a good cross-section of the kitchen apparatus in the last decades of the 4th and first half of the 3rd centuries B.C.

Black Glaze

337. (P6537) Shallow dish, see no. **139**.
rim ø 14.0
clay 7.5YR 7/8 reddish yellow.

338. (P6554) Bowl with out turned rim, see no. **118**.
rim ø 16.0
clay misfired blue grey.

339. (P6546) Bowl or one handled cup. Raised bump (very worn stamp?) in tondo, see no. **107**.
rim ø 8.7, ht. 5.8, base ø 4.0
clay 7.5YR 7/6 reddish yellow.

340. (P6555) Grooved bowl fragment, see type **127**.
rim ø 12.0
clay 7.5YR 7/8 reddish yellow.

341. (P6536) Neck and shoulder of a closed form-jug? brocca?
sherd size 8.0x5.0
clay grey misfired.

Coarse Ware

342. (P6544) Elaborate rim of a 'bean-pot' with a carinated shoulder, a combination of nos. **230** and **244**. Wet-smoothed surface treatment. Exterior fire-darkened.
rim ø 13.0
clay 7.5YR 7/6 reddish yellow.

343. (P6534) Bean pot type no. **228**.
rim ø 14.50
clay 2.5YR 5/6 red.

344. (P6542) Lidded cooking pot, see no. 232. Fire blackened exterior.
rim ø 14.0
clay 5YR 6/6 reddish yellow.

345. (P6544) Flat bottom Casserole, see no. **240**.
rim ø 14.0, base ø 10.0, ht. 3.0
clay 2.5YR 5/6.

346. (P6539) Very large coarse ware jug handle with a large portion of ovoid body attached. Like no. **262**.
sherd size 14.0 x 9.0
clay 5YR 7/6 reddish yellow.

347. (P6543) Chytra? with a dark brown slip. See no. **252**.
rim ø 15.0
clay 5YR 7/6 reddish yellow.

348. (P6548) Shallow plate, see no. **286**.
rim ø 12.0
clay 10YR 7/4 very pale brown.

349. (P6531) Lid knob, see no. **297**. This piece is very soapy to the touch, possibly burnished or wet-smoothed.
ht. 2.2
clay 5YR 7/6 reddish yellow.

350. (P5547) Lid rim and wall. Possibly attached to no. **349**, although the clay is slightly different but they both have a very soapy feeling.
rim ø 20.0
Clay misfired blue grey on surface, 5YR 6/6 reddish yellow.

351. (P6547) Large strap handle, possibly attached to no. **346**.
clay misfired blue grey.

[14] Paul Arthur very kindly provided me with his drawings of the coarse ware found in the excavations which he conducted at Pompeii.

352. (P6538) Unidentified rim.

The hearth assemblage is significant for its association of the black-glaze and coarse ware forms, the evident standardization of sizes found in a kitchen complex and the continued use of the area. Both the misfired wasters and the slipped, burnished or wet-smoothed examples as well as the grooved bowl, no. **340**, indicate the continued use of the hearth in association with the working of the kiln area.

H. Fracchia

2. Amphorae

Introduction

The site and territory around Roccagloriosa have yielded 119 rim sherds identified as belonging to transport amphorae, excluding those from the tombs, datable from classical Greek times down to the later Roman Empire. Though republican and imperial vessels are scarce, the quantity of earlier amphorae present enable a preliminary pattern of commodity consumption and extra-territorial exchange to be defined, principally for the fourth and first half of the third century B.C. Internal chronological subdivisions are, unfortunately, unachievable given that the bulk of the material from the excavations derives from the thick colluvial deposits that were found to blanket the area.

An attempt has been made to assign vessels to production areas not only on form, which alone is unadvisable, but also on fabric characteristics noted on a macroscopic level. Further research should require petrological analyses. Some fabrics are fairly recognizable, whilst others bear similarities to other ceramic classes present in the area. Until more detailed work is carried out, which may confirm or refute the postulate, the latter fabrics will be termed 'regional'.

By 'regional' I mean fabrics for which I conjecture an origin lying somewhere to the south of the volcanic area around the Bay of Naples and Vesuvius, and to the north of the Calabria granitic massifs. In effect the area is that of southern Campania to the Calabro-Lucanian border, whose clay formations differ internally because of the diverse sedimentary episodes or the various geological terrains (principally from the "flysch of the Cilento" *(auct.)*, the carbonatic massifs and a calcareous-silico-marly succession (Lagonegro basin), which generated them. It is clear that in this area many local lithological distinctions may be made, which should, in future, help in the characterization and provenancing of locally-made ceramics through petrological analysis.

The soil around Roccagloriosa is particularly acidic. This, together with the fact that a large quantity of the pieces presented here were found in colluvial deposits and were thus subjected to a certain amount of weathering, has meant that the original surfaces of the sherds have not, normally, been preserved. This constraint, which will almost certainly have entailed the decay of slips or paint, must be kept in mind when attempting to identify the amphorae from the site.

Given the difficulty of recognizing the handles and stubs of certain vessel types, quantification is based on rim counts alone. Though the number is low, and absence is therefore unlikely to be particularly significant, even with this quantity the commonest types will probably emerge strongly.

The quantities of the various amphora types found at Roccagloriosa are presented in Table III, below, whilst the catalogue illustrates a selection of fragments which the writer considers to be particularly significant.

Corinthian A

These are possibly amongst the earliest amphorae attested at Roccagloriosa, and are assignable to a group produced at Corinth from the seventh to the third centuries B.C. and known as Corinthian A jars (Koehler 1981). They are already present in Italy in the seventh century B.C., as is demonstrated by finds at l'Incoronata, Metaponto (Panzeri Pozzetti 1986, pp.134-135). These vessels are generally held to have contained oil, though this has by no means been ascertained.

For the fabrics of Corinthian amphorae see, now, Whitbread 1986, pp.97-100.

353. US 232/285. One very heavy base sherd in classic mudstone fabric.

Corinthian A'

These vessels appear during the last quarter of the VIth century B.C. and continue down into the IVth century.

This type of amphora seems to have been produced principally at Corinth and on Corcyra and perhaps carried wine (Koehler 1981, pp. 452-454).

Its identification as a wine amphora may be reinforced by the ritual status accorded to the two vessels from Roccagloriosa which were found placed in tombs: it is generally accepted that wine was a complex and vital symbol within the funerary contexts of various cultures in Italy and beyond (see, for example, Cerchiai 1981, p. 48 and note 80; and the discussion of the cremation burials at Roccagloriosa in Gualtieri 1989b).

354.○ Tomb 13. Datable, by association, to around 330 B.C.

355.○ Tomb 25. Virtually whole vessel in a light grey fabric, overfired during cremation. Datable, by association, to around 300 B.C.

356.○ P2115A DB survey DI IV. Soft brownish-orange fabric (2.5YR 5/6) with calcareous reaction rims and occasional sub-angular to rounded quartz. Uncertain provenance.

357.○ P5 FB 109 IIIA. Stub in a soft and fine cream-yellow fabric (10YR 7.5/3) with occasional dark (volcanic?) inclusions.

358.○● P2812 DB E141? Handle and rim extremity in the 'classic' Corinthian mudstone fabric.

Corinthian B

This development of the Corinthian A amphora appears to have been produced from about the second quarter of the Vth century B.C. as is testified by finds from the "Punic Amphora Building" at Corinth (Koehler 1981, p. 454). It, again, was produced both at Corinth and Corcyra, if not elsewhere.

359.○ P6046. Soft, fine, cream-yellow (10YR 8/4) fabric, with few visible inclusions. Compare Cavalier, 1985, p. 63, pl. XVIII and fig. 16, no. 55, identified as Corinthian B and coming from a context at Lipari dated from the mid sixth to the second half of the fifth century B.C.

Chian

The development of this Greek container, produced on the island of Chios from the VIth to the Ist century B.C., is illustrated by Grace (1961, figs. 44-47). It probably contained the famous wine noted in the sources.

360.○ ZA+YA 172 II-III. Two rim fragments in a soft, medium beige fabric (7.5YR 6.5/6) with a light grey core (7.5YR 7.5/2), occasional minute lime specks, rare small angular crystals (quartz?) and rare minute mica. Presumably an early type (Vth-IVth century B.C.).

Knidian

Only one stub been recognized as belonging to a class of Hellenistic (Zeest 48; Berenice HA 4) and early Roman (Mau XXXVIII) amphorae generally acknowledged as coming from Knidos, and other areas, and probably containing wine, for which Knidos is remembered. The Roccagloriosa fragment belongs to the earlier series and the fabric appears to be true Knidian.

361. P2162. DB HIV. A very eroded stub fragment in a soft, fine, light brown fabric (5YR 5.5/6) with abundant minute mica.

Vessels of type Tomb 23

This vessel type is characterized by a flattened rim and absence of cordon. It is possibly a precursor to later, Græco-Italic type amphorae, and it is worth comparing to vessel no. **378** below, possibly datable slightly later, where the rim form starts to assume a disc-like appearance. The fabric is macroscopically similar to the pseudo-Chian series listed below, and a regional origin is suspected. It may be noted that the type, with a macroscopically similar fabric, is fairly frequent at Elea and in its hinterland. Slip was not noted on the exterior surfaces of the various examples, though this could be due to corrosion of the surfaces because of acidic soil conditions and, otherwise, it is worth noting the type's similarity to vessels from Ischia known by Di Sandro (1986, pl. 9, esp. sg109) as "imitations of Marseille amphorae". Furthermore, the type could be comparable to two vessels from Lipari, dated to the second half of the fourth century B.C. (Cavalier 1985, pp. 51-52, nos. 36-37).

On wine as possible contents, because of the discovery of example no. **362** in a tomb, see the remarks on Corinthian A' amphorae, above.

362.○ P2563+4 DB NE (DA). Two joining rim fragments in a medium orange fabric (2.5YR 7/8) with a grey core (2.5YR 6/0), abundant rounded to angular quartz-quartzite inclusions. (<1mm, with occasional

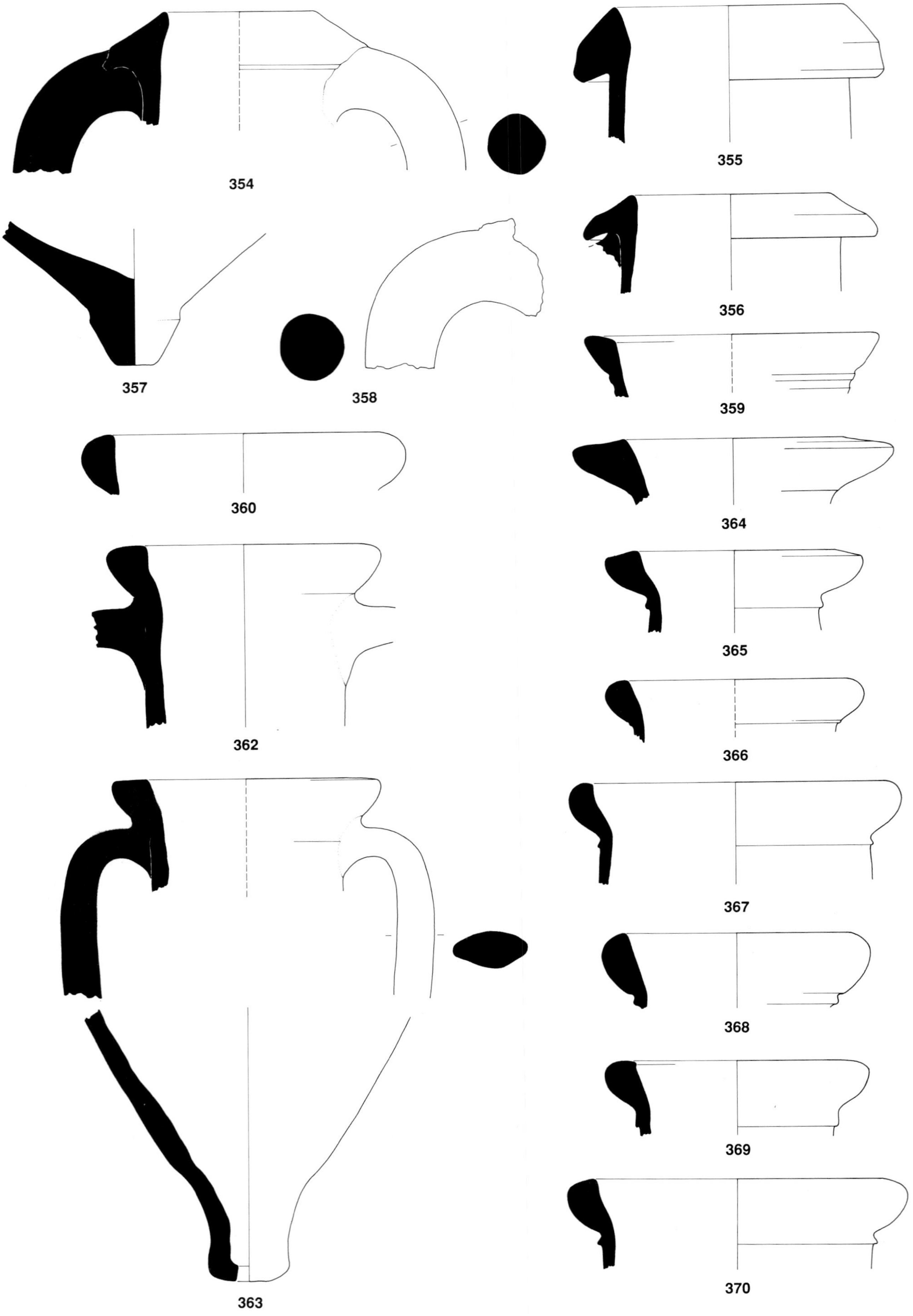

Fig. 190 Amphora profiles (scale 1/3).

pieces up to 5mm).

363.° Tomb 23 - Probably complete during cremation. Datable, by association, to around 325-300 B.C. Similar fabric to no. **362** above.

Vessels of type Tomb 19

This type is represented by an almost complete amphora from tomb 19, though two very similar rim sherds, both in fabric and form, were discovered in the DB area (nos. P2946 and P2367). This is possibly the same type as the vessel from tomb 23, *supra*, and the fabric appears similar.

On wine as possible contents, because of the discovery of example no. **364** in a tomb, see the remarks on Corinthian A' amphorae, above.

364.° Tomb 19 - Probably complete during inhumation. Datable, by association, to around 330 B.C.

Pseudo-Chian

These belong to the class of the so-called Chian amphorae (see, for example, Di Sandro, 1986, 59-68, from Ischia). They are, however, not from Chios, which yields a very fine, distinct, fabric, now known directly from kiln waste (Tsaravopoulos 1986). Similarities to the fabrics noted in other ceramic artifacts from Roccagloriosa and Elea suggest that a regional origin is quite possible.

Thougth none are closely dated, I suspect that they belong principally to the fourth century B.C., with little or no production in the succeeding century.

They possess macroscopically similar fabrics, a more or less pronounced cordon, and convex rims, sometimes assuming a sub-triangular shape.

365.° P362 SA Ovest IV. Soft, orange-red fabric (10R 5.5/8) with pale orange surfaces (5YR 7/8), angular to rounded inclusions of quartz, quartzite and occasional minute dark pebbles, limestone and red-brown grog (?)

366.° P2554 DB AM II(same fab. as no. 370?). Soft, medium orange fabric (2.5YR 7/8) with a light grey core (5YR 6.5/1), abundant sub-angular quartz/quartzite (<2mm) and occasional dark specks.

367.° AB 172 II. Soft, orange fabric (lighter 2.5YR 6/8), with a grey core (2.5YR 5.5/0), traces of a cream-coloured surface, angular limestone, quartz and reddish brown inclusions.

368.° P6076. BD106/BE107 (333). Dump canal NW of complex A. Soft, medium orange fabric (2.5YR 6/8) with minute quartz, quartzite, mica and other unidentified inclusions.

369.° P4326. BE115/BF116 (141). Colluvium. Soft, medium orange fabric (2.5YR) with a grey core (5YR 6/2), abundant inclusions of a minute angular quartz and quartzite, occasional limestone and red-brown lumps. The rim of the vessel was placed, inverted, on a sandy surface during drying in a leather-hard stage.

370.° P6225a. Same fab. as no. **369** above. Soft, reddish-orange fabric (2.5YR 6/8), with abundant minute sub-angular to angular quartz/quartzite, occasional limestone voids and unidentified dark inclusions.

Type P6012

This type, not yet provenanced, is characterized by an almond-shaped rim attaching, without a cordon, directly to the neck of the vessel. The fabric range is macroscopically similar to fabrics from Locri and other parts of Calabria, and amphorae with similar rims were certainly produced at Locri in the fourth and third century B.C. (Manzo 1983, p. 39, tav. XI, 12-13). It may thus be worthwhile searching for an origin of the type at the Greek colony or in other areas of similar clays, through petrological analysis. It is also worth noting that the same provenance has been suggested for comparable vessels such as those from the Porticello shipwreck, and elsewhere (Eiseman 1987, p. 50 and note 43). Claude Livadie remarks (pers. comm.) that she does not remember having seen vessels of this type at Poseidonia, Elea, or in other parts of Campania.

371.° P6012 P1. BG111/BH112 Topsoil complex A. Soft cream-brown fabric (7.5YR 8/4) with frequent biotite mica flecks (1<1mm), scattered angular and opaque white quartzite (?) (<1mm) and some angular black inclusions.

372.° P2686. Soft beige fabric (7.5YR 7/6) with large angular white quartzite (?) and black inclusions (<3mm) and minute mica.

373.° SA Est I-II. Soft, coarse, yellow-green fabric (10YR 8/4), with similar inclusions to no. **372** above, though not very micaceous.

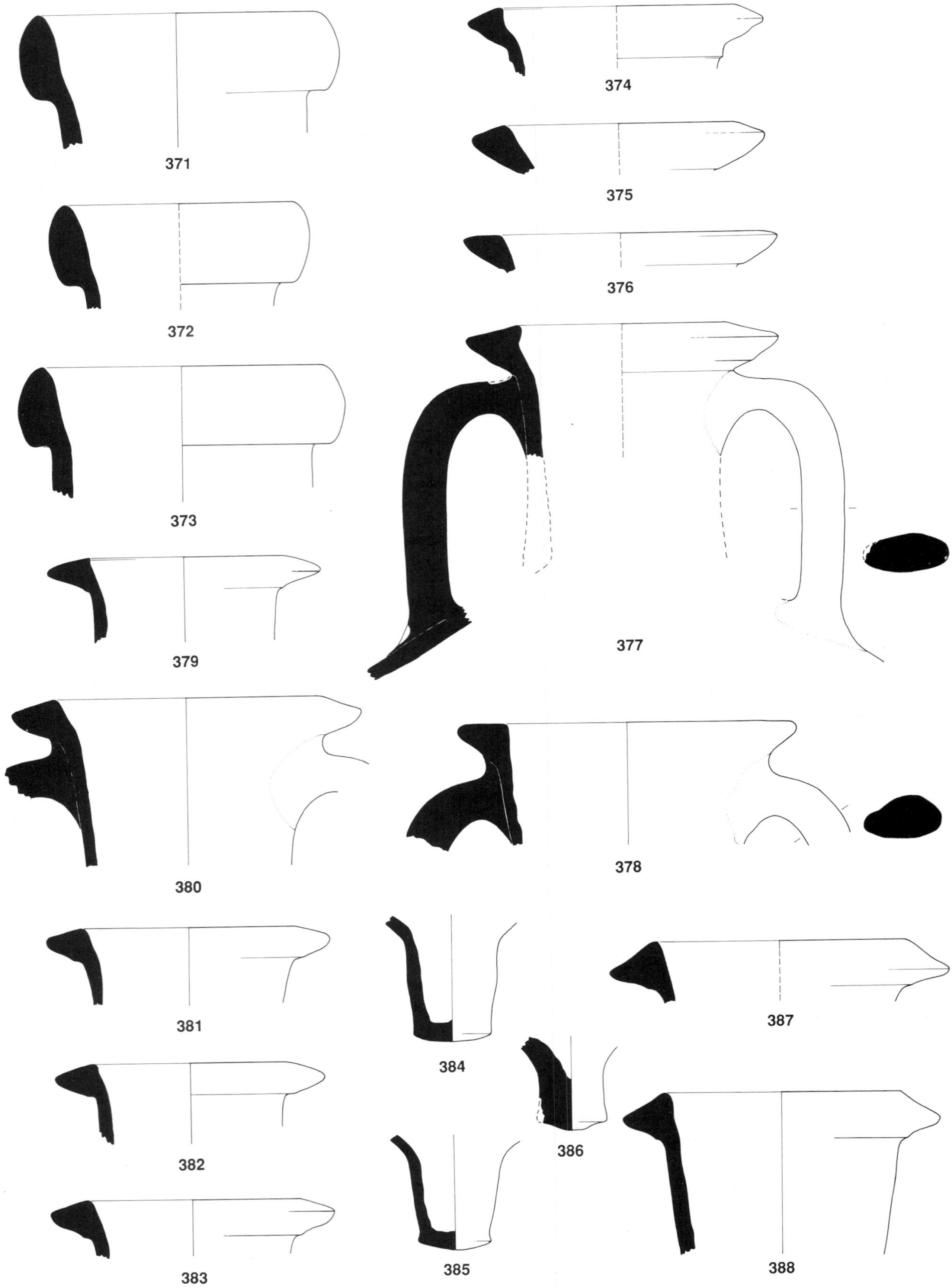

Fig. 191 Amphora profiles (scale 1/3).

Type P7178

374.○ P7178 (391). Two joining rim sherds in a soft orange fabric (5YR 7/8) with a grayish-brown core (5YR 6.5/3), abundant subangular to angular limestone, quartzite, a little mudstone/chert or similar and rare mica. Destruction W. of complex A. Possibly a 'regional' product.

Græco-Italic (and similar)

The class of wine amphorae known generically as Græco-Italic includes a large variety of containers, with certain common morphological traits, that cover a period extending from the later fourth to the first half of the second century B.C. Originally of Greek origin, they are fundamental to our understanding of changing economic regimes during Hellenistic times, with the progressive extension of Rome's hegemony over the Mediterranean. Though the subject of various studies (e.g. Lyding Will, 1982; Tchernia, 1986), problems of production and distribution are still far from settled. The internal chronology of the group is also unresolved and, although guidelines are available for whole vessels, the innumerable rim variants are difficult to classify and date by themselves. The examples from Roccagloriosa seem to be of 'Italic' origin, coming mainly from Sicily or from the coastal areas of Campania and Calabria (cf. Tchernia *et al.* 1989).

The first three vessels listed are not true Græco-Italic.

375.○ P2223. DB D III. Græco-Italic *similis*. Soft and fine pale orange-brown fabric (2.5YR 6/7) with a cream coloured exterior surface (7.5YR 7/5) and few visible inclusions.

376.○ P2636. DB AK 1. Græco-Italic *similis*. Soft, fairly fine dark orange-brown fabric (2.5YR 5/6) with scattered, minute angular quartz and limestone and occasional reaction rims (<0.5mm).

377.○ Tomb 23. Græco-Italic *similis*. Probably complete during cremation. Datable, by association, to around 325-300 B.C.

378.○● P3308 BG112/BH111 IV US 121 - Bottom of dump east of complex A, dating to the very early III century B.C. Hard, dark brown fabric (2.5YR 4/2) with orange-brown surfaces (5YR 6.5/6), abundant minute angular quartz, limestone and other inclusions (<1mm).

379.○ P4626 Kiln US 167. Five joining rim sherds. Medium hard orange fabric (5YR 6.5/8) with abundant small angular inclusions (<1mm), mainly of white and grey limestone, and rare minute mica. Perhaps assignable to Lyding Will's type A (1982), and datable to the later IV - early III century B.C. Regional production?

380.○ P3204. BF114/BG113 IV US 87 - Dump east of complex B. Soft, pale pink-orange fabric (5YR 8/6), with abundant pyroxene (<1mm), scattered minute mica, occasional calcareous lumps (<2mm), angular quartz and red-brown grits. Perhaps assignable to Lyding Will's type A (1982), and datable to the later IV - early III century B.C. Possibly Bay of Naples area.

381.○ P107. EB-FB 110 III - Dump east of complex A. Soft, medium pink-brown fabric (5YR 6/5) with scattered pyroxene crystals, occasional iron-oxide nodules, minute limestone and rare mica flecks. Looks similar to northern Campanian (Mondragone and Minturnæ area) fabrics.

382.○ FB 109 IIIB. Context dating to *ca.* 300 or earlier. Soft orange fabric (lighter 2.5YR 6/8) with abundant sub-angular white and grey limestone, scattered quartz and other inclusions (<5mm). Possibly regional. Note the similarity in form to the previous vessel.

383.○ P837. FB109 IIIB. Context dating to *ca* 300 or earlier. Dump east of complex A. Soft, pale pink fabric (7.5YR 8/5) with an orange core, scattered pyroxene crystals, minute calcareous specks and occasional minute mica. Possibly from the Bay of Naples area.

384.○ P2571. DB NE/DA. Possibly Græco-Italic type. Soft orange fabric (5YR 7/7), grayish-green exterior surface (10YR 6.5/3), abundant angular pyroxene (occasional evident green augite), a little rounded quartz, rare calcareous specks (all <0.5mm) and occasional reddish-brown grog lumps (?) (<2mm).

385.○ P619. EB-FB 110 III. Soft, light orange fabric (5YR 7/8) with abundant pyroxene inclusions (<1mm) and occasional minute limestone.

386.○ P2977. PC I east extension. Possibly Græco-Italic type. Orange-red fabric (2.5YR 6/6) with a mauve interior (2.5YR 6/4), scat-

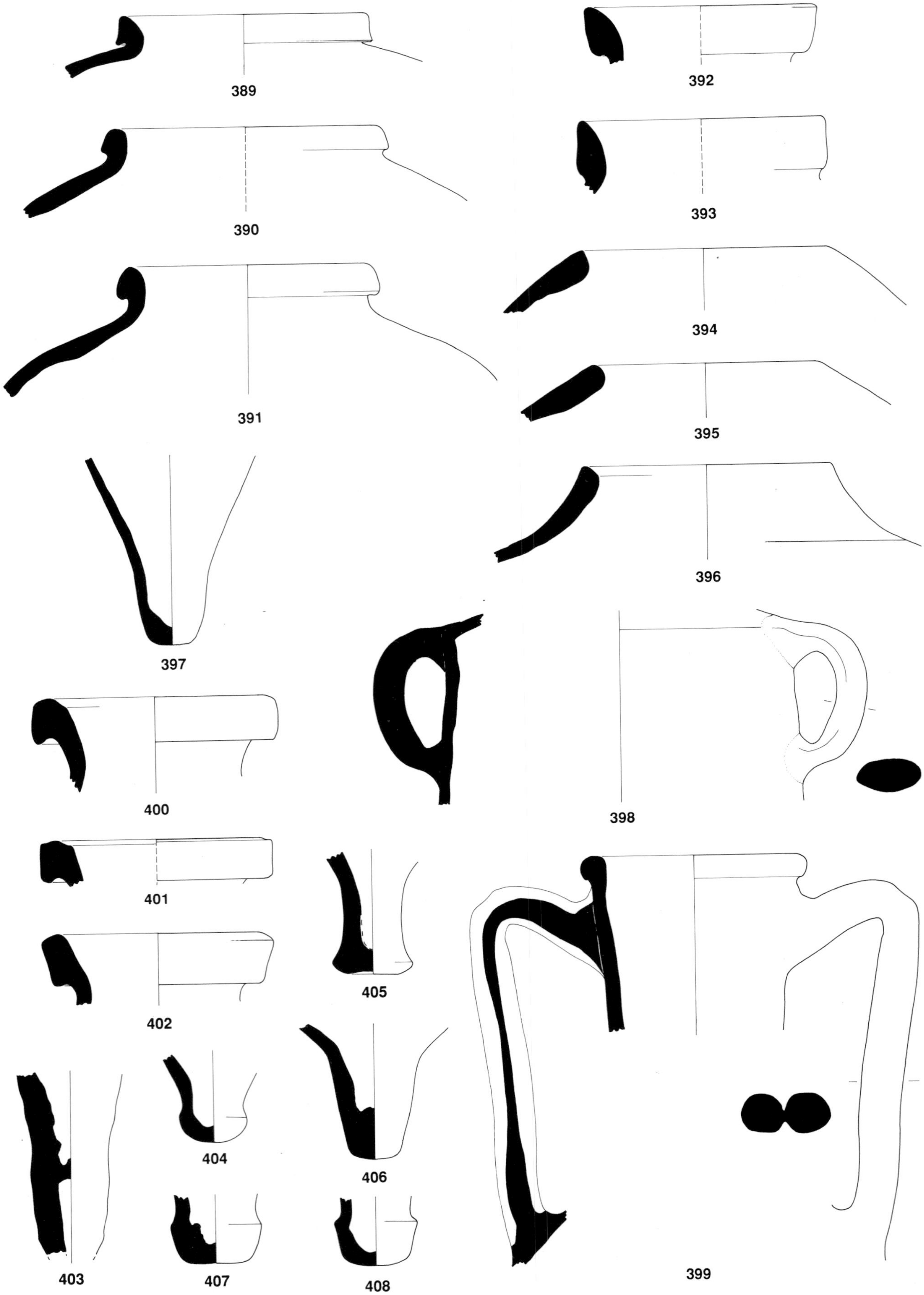

Fig. 192 Amphora profiles (scale 1/3).

tered small angular quartzite (?), reddish-brown lumps, rare minute calcareous inclusions and dark water-worn grits.

Dressel 1A

This is the principal late Republican Italian wine amphora, produced from about 130 to 10 B.C. on the western coast of the peninsula. Form 1A, with a triangular rim, was the successor to the Græco-Italic type and was produced until the mid first century B.C.

387.○ P455. SF Ovest II. Græco-Italic/Dressel 1A. Medium hard, orange-brown fabric (2.5YR 6/4) with pale orange surfaces (5YR 7/6), abundant pyroxene crystals (<1mm), occasional minute limestone, angular quartz and rare iron-oxide (?) nodules (<2mm). Perhaps datable to the first half or mid II century B.C. Quite possibly from the Bay of Naples area.

388.○ P2335. DB AW II. Dressel 1A or Græco-Italic/Dressel 1A transitional form in a soft light orange-brown fabric (5YR 6.5/6) with a paler core (5YR 7/3.5), abundant pyroxene, occasional angular limestone, volcanic glass (?) and mica (<1mm).

Punic Amphorae

These vessels from Roccagloriosa may be divided into three principal types, usually sharing the same fabric, within which variations are present:

I. Cylindrical vessel with a thickened and squat vertical rim rising directly from the oblique, almost horizontal, shoulder which, in turn, forms an angle of about 100° with the vertical walls of the vessel's body. The two vertical handles drop from the shoulder carination to lute onto the body. This is the most frequent of the three types, judging by the number of rim sherds found at Roccagloriosa. This also appears to be the most frequent 'Punic' amphora distributed on sites in Basilicata (Greco G. 1983). An example, in a different fabric, comes from Berenice (Riley 1979, 143, D91).

II. A very similar cylindrical vessel to type I above, though distinguished by a slightly taller rim, short neck and rounded, not angular, shoulder. The two handles are similarly placed to those on type I. A general parallel is to be found in Bartoloni's form G (1985), apparently produced in Sardinia, dated to the fourth century B.C.

III. The so-called hole-mouth jar. This type was certainly produced in North Africa, in Libya, Tunisia, or both, and probably elsewhere (cf. Bartoloni 1988). It was probably the precursor to form Cintas 315/Mana D, which is generally dated to fourth and third centuries B.C., and perhaps continued to be produced, at least, into the beginning of the second century B.C. (Cintas 1950; Dell'Amico 1986, pp. 128-129; see also Kenrick 1986, pl. 13). The general form is illustrated by vessels from the Porticello shipwreck (Eiseman 1987, fig. 4.5-4.9), dated to 415-385 B.C., although the vessels from Roccagloriosa possess a slightly different rim form and no Punic body sherds from the site appear to be ribbed. It bears closer similarities, perhaps, to hole-mouthed vessels, dated to the fourth century B.C., from Sardinia (Bartoloni 1985, p. 107, form F).

Although it is often claimed that later Punic vessels contained oil, it is possible that some types may have contained fish products and, in this context, it may be worth noting the difficulty involved in pouring liquid products from the hole-mouthed jars (type III) (see Eiseman 1987, p. 48).

Type I

389.○ P1 FB109 IIIA. Soft and fine orange fabric (5YR 7/8) with grey surfaces and scattered minute calcareous reaction rims.

390.○ P101 EB+FB 110 III. Very fine, soft orange fabric (5YR 7/8) with occasional minute mica.

Type II

391.○ P4269 Rim BF112/BG113 IV US 163, three stub fragments, (FB 109 IIIB), one handle P6 (F8 109 III A), and one body sherd (FB 109 IIIA) probably all from the same vessel. The rim, from the bottom of the dump east of complex B, may be dated on stratigraphic evidence to *c.* 300 B.C. or earlier. Medium hard, yellowish fabric (10YR 8/5) with a pale orange core (5YR 7/5) and abundant minute sub-angular to rounded quartz grits. This is a classic North African fabric, also encountered in later amphorae.

392.○ P2704 DB AW IV. Very fine soft orange fabric (5YR 7/8) with pale brown surfaces (5YR 6/4).

393.○ SP 5051. Fabric similar to above.

Type III

394.○ P599. SF_2 Ovest III. Fabric similar to above.

395.○ P2945. Fabric similar to above.

396.○ Punic hole-mouth vertical-rim type. EB-FB 109 IIIA Dump destruction/complex A. Soft and fine orange fabric (2.5YR 6/8) with pale brown surfaces (5YR 6/5) and a grey core.

Uncertain punic types

397.○ P821 FB109 II. Soft, fine, orange fabric (2.5YR 7/8), speckled with abundant minute calcareous reaction rims. African.

398.○ P330 XA 85-86a. Dump, buildings E. of postern gate B. Shoulder and handle of type A or B in a fine, medium orange fabric (2.5YR 7/8) with scattered minute calcareous inclusions, occasional quartz and dark grits.

Early Imperial Amphorae

These are limited to two Dressel 2-4 wine amphorae, one from the site outside the walls (*infra*) and a handle from field survey (SP 3005A). This is the classical early imperial Italian wine amphora, derived from a Koan prototype (*supra*), produced from the second half of the first century B.C. until, at least, the second half of the second century A.D. Its floruit seems, however, to have been around Augustan and Tiberio-Claudian times. The principal Italian kiln sites stretched from Etruria down to Calabria, though it was also produced in Apulia and even at Alessandria in Piemonte. Provincial production stretched far and wide, from Egypt to Britain, including southern and central France, Catalonia and Bætica in Spain and certainly elsewhere. For this reason studies cannot ignore the various clay fabrics involved. The bibliography is immense, though an orientation may be obtained from Tchernia 1986.

399.○ P558. L114 I (Area Napoli 1971 - Topsoil). Hard, light reddish (2.5YR 7/7) fabric, with lighter, perhaps slipped surfaces, and abundant inclusions of pyroxenes (<1mm), occasional limestone and angular quartz (?). Two slight finger impressions are visible on the elbow of the double-barreled handle. This is probably a Campanian fabric from the area of the Bay of Naples, although it is not exactly like the 'black-sand' fabric of the L.EVMACHIVS class (for this, see Peacock 1977).

Late Roman Amphorae

400.○ North Gate Scasso ruspa area porta N. Medium hard mauve fabric (10R 5/5) with a grayish-cream exterior surface. African. This is Keay type XXV (1984, 184-212), datable to the later fourth or fifth century A.D.

401.○ P2521 DB HI. Hard reddish-brown fabric (2.5YR 5/6) with pale orange-pink surfaces (2.5YR 7/6), hackly fracture, abundant calcareous reaction rims and scattered subangular to rounded quartz. African. Probably dating to the fifth-sixth century A.D.

402.○ P2181 DB AM. Hard brown fabric (5YR 6/4), darkish grey-brown towards the interior surface (5YR 6/2) and light cream-brown surfaces. Hackly fracture and abundant calcareous reaction rims. African. Though not typical, this is probably a variant of Keay type LXIIA (1984, pp. 309-350), datable from the later fifth to the mid sixth century A.D.

Unidentified Types

403.○ P303. VA-XA 86 II. Stub in an orange fabric (5YR 7/6) with a dark grey core, abundant angular to sub-angular grog or mudstone, minute angular quartz/quartzite and occasional calcareous inclusions.

404.○ P302 XA 170a. Soft orange fabric (5YR 7/3), frequent angular reddish-brown lumps (<4mm) and scattered angular calcareous inclusions and quartz/quartzite (<1mm).

405.○ P597. F2 est III. Medium hard orange-brown fabric (5YR 6/7) with bluish-grey surfaces (10YR 5/1), abundant angular quartz/quartzite inclusions (<1mm) and occasional minute reddish and dark specks.

406.○ P100. EB+FB 110 III. Stub in a soft, fine, light pink fabric (5YR 7.5/4) with abundant minute calcareous and angular dark specks.

407.○ P6231. Medium hard, coarse, light reddish-brown fabric (5YR 6/6), with abundant minute angular quartz and scattered black pyroxene crystals. Possibly the stub of a pseudo-Chian amphora, though in a different fabric to the group of pseudo-Chian rims described above.

408.○ CB 168 II. Similar to no. **407** above.

Discussion

It is unfortunately true to say that we are still at the beginning of a long journey in understanding the dynamics of trade in Magna Grecia. Amphorae should be able to contribute much to the issue in the future, though a general awareness of their potential in this field is in itself embryonic, and we are still far from the stage reached in like-studies of Roman material. Few finds are properly characterized, if and when published, typologies are virtually non-existent, production areas are still to be located, chronologies float, and the general tendency in many studies seems to be that of a chase for parallels amongst the far-better documented amphorae of the eastern Greeks. Indeed, very recent work reveals the tip of an iceberg: amphorae were produced as commercial containers for local surplus at Neapolis[15], Metapontum[16], Locri[17], Medma[18], at Pian della Tirrena[19], probably at Hipponion[20], possibly at Elea[21], in Sicily[22], and presumably in many other areas of *Megale Hellas*. However, despite the potentially rich information be gleaned from excavated material, as ALBORE LIVADIE rightly notes (1985, p. 127), much of what is published consists of virtually whole vessels from tomb-groups which, though interesting in their own right, cannot provide us with an accurate picture of what was really consumed.

Similar uncertainty seems to reign over the so-called Punic amphorae. Aside from the true levantine vessels, it is now established that Punic containers or derivatives were produced along most of the north African coast, in Spain, the Balearic islands, Sardinia and parts of Sicily (see, now, BARTOLONI 1988). The North African amphorae produced after the Second Punic War seems to be tolerably well understood, those earlier, obscure, on account of innumerable fabric and morphological variations, almost certainly revealing a more fractioned number of production areas.

Though I do not intend to be apologetic, it should be clear that whilst the careful publication of large groups such as that found at Roccagloriosa will help to lay the foundations for future studies, little of conclusive may be said at present. Nonetheless, one or two words may be spent.

The most striking general conclusion is that the Lucanian settlement of Roccagloriosa was supplied with a notable range of imported transport containers, presumably indicating commodity supply, particularly of wine and oil, and perhaps of salted fish or fish sauce in the case of the Punic vessels, from far and wide. A quantitative breakdown of the amphorae from the site gives the following results:

TYPES	Number	Percentage
Pseudo-Chian	27	23.1
Punic I + II	21	17.9
Græco-Italic	14	12.0
P6012	13	11.1
Miscellaneous	10	8.5
Punic III	8	6.8
Type tomb 23	6	5.1
Corinth. A'	4	3.4
Type tomb 19	4	3.4
Chian?	3	2.6
Corinth. A	2	1.7
Corinth. B	2	1.7
P7178	2	1.7
P7037	1	0.9
TOTAL	117	

Table I. Quantity of amphora types at Roccagloriosa based on rim counts. Late republican and imperial types are not calculated.

[15] LEPORE 1967, p. 252, on Græco-Italic at Ischia, in the territory of Neapolis. Cf. also TCHERNIA *et al.* 1989.

[16] The Metapontine amphorae were produced, at least, at Pizzica, in the colony's hinterland (BREHOB 1983). Some examples were stamped DAMOKRATES (in Greek characters) and, apparently, belong to the Græco-Italic series, although the misfired amphora illustrated by Brehob is of a different type. Cf. also D'ANDRIA 1980, fig. 71.

[17] MANZO 1983.

[18] VAN DER MERSCH 1986, p. 573.

[19] At Pian della Tirrena, according to Prof.ssa N. Valenza who has conducted the excavations, Græco-Italic amphorae were produced, at least, during the third century B.C.

[20] VAN DER MERSCH 1986, p. 573. Amphorae appear on the local coin-types.

[21] See text above on pseudo-Chian amphorae.

[22] VAN DER MERSCH 1986.

AREAS	Number	Percentage
Greek	11	9.4
Western Greek	67	57.3
Punic	29	24.8
Miscellaneous	10	8.5
TOTAL	117	

Table II. Quantity of amphorae from major cultural areas reaching Roccagloriosa, based on rim counts. Late republican and imperial amphorae are not calculated.

Present knowledge suggests a rarity of amphorae from Greece or from the oriental Greek world at the site, accounting for some 9.4% of the rim sherds. In addition, one fragmentary stub is almost certainly of Knidian origin, whilst three rim fragments could belong to true and not pseudo-Chian vessels.

Supposed Western Greek amphorae, instead, account for almost 60% of the amphorae found on site. Noticeably absent amongst this group is the series from the area of Massalia, which does appear in southern Italy, though perhaps more specifically in assemblages earlier than those that characterize Roccagloriosa.

The commonest Western Greek type from the site is represented by the varieties of Greek amphorae in a relatively coarse orange fabric with oval to triangular rims and cordon, here termed pseudo-Chian (23.1%), which appear related to the vessels of type Tomb 23. Their very number might be indicative of a regional origin, and their fabric range would seem to be in keeping with such a suggestion. I had wondered if one should not look for a provenance in sites such as Elea which, one might add, furnished the site with 2/3 of its coin finds (cf. Holloway, *infra*). Indeed, the forms and fabrics are present at Elea.

However, given certain geological similarities in the stretch of land from Poseidonia southwards to Roccagloriosa and beyond, other areas and multiple production sites are not to be excluded, including Roccagloriosa itself. In the absence of sufficient information regarding agricultural production capacities, types of cultivation, population estimates and the like, it is not, at present, possible to draw up estimates of relative surplus productions for the agricultural hinterland of sites such as Poseidonia, Elea, Pyxous and Laos, and thus to propose a scale of probabilities regarding the production and distribution of amphorae. Thus, for the moment, I will propose that the pseudo-Chian amphorae and the vessels of type Tomb 23 from Roccagloriosa may be regarded as probably originating from coastal areas in and around the present province of Salerno.

The commonest amphorae on site, after the pseudo-Chian, are the Punic I and II types (17.9%), whilst Punic amphorae as a whole represent 24.8% of finds. Whether they represent the importation of oil, fish-sauce, or both, types I and II are well-known in other contemporary indigenous settlements (cf. GRECO G. 1983). This abundance is, perhaps, remarkable and renders all the more urgent the identification of their exact provenance.

Although macroscopically, the principal fabric present could be North African, it is hard to find close parallels amongst the abundant and similar Punic amphorae published from North African sites. Perhaps amongst the closest morphological parallels for types II and III are the amphorae for which a Sardinian origin is claimed by BARTOLONI (1985). However, vessels no. **391** and **397**, in a slightly different fabric from the rest, are almost certainly from around the area of present-day Tunisia.

This strong Punic (and North African?) connection is of interest and perhaps represents the beginning of what was to become a relative flood of importation, particularly after the Second Punic War, represented above all by containers of type Mana C/Dressel 18.

The 'Græco-Italic' forms from the site (12%) are amongst the earliest in the 'Græco-Italic' series, though seem to cover a chronological span through the fourth century B.C. down to the later third. Whilst some are similar to examples from the Bay of Naples area, others may be Sicilian, and others again are lacking even hypothesized provenances. VAN DER MERSCH (1986) has outlined the difficulties involved in their study and the dangers of placing too much weight on typological variations at this preliminary stage of analysis, and it is perhaps to his work that we shall have to turn in the near-future.

The amphora types are distributed around the site of Roccagloriosa as in table III:

AREAS

TYPES	CENTRAL PLATEAU	S.E. PLATEAU	TOMBS	DB AREA	OTHERS
Corinth. A	2	-	-	-	-
Corinth. A'	-	-	2	2	-
Corinth. B	2	-	-	-	-
Chian?	1	2	-	-	-
Pseudo-Chian	11	10	-	4	2
Type tomb 23	1	-	2	3	-
Type tomb 19	-	-	1	3	-
P6012	9	-	-	3	1
P7178	2	-	-	-	-
P7037	1	-	-	-	-
Punic I + II	13	-	-	8	-
Punic III	4	-	-	2	2
Græco-Italic	10	-	1	2	1
Dressel 1A	-	-	-	1	-
Dressel 2-4	-	-	-	-	1
Late Afr.	-	-	-	4?	1
Misc.	6	1	-	3	-
TOTAL	62	13	5	35	9

Table III. Quantified amphora distribution by rim types.

S.E. plateau

The amphorae from the south-east plateau are, perhaps, remarkable in so far as 10 of the 14 rims recovered are assignable to the pseudo-Chian group. Furthermore, two of the three possible Chian rim sherds from Roccagloriosa come from this area. Perhaps the absence of Græco-Italic amphorae is due to chronological factors, as none from the central plateau are necessarily earlier than the later fourth-early third century B.C., whilst punic amphorae were present as body sherds.

DB area

The amphorae from the DB area seem to fall within the same chronological range as the vessels from the excavations on the central plateau and, as a group, are much the same, both in quality and in relative quantities. This presumably indicates contemporaneity of occupation and possibly coincidence in appointment, in so far as both areas seem to have been domestic, with related agrarian and 'industrial' functions.

In summing-up the results of the identification and quantification of the amphora types from Roccagloriosa, it appears evident that the site, in the fourth century B.C., looked south, with its only major point of reference to the north being possibly Elea, into whose economic sphere it seems to have fallen. Perhaps towards the end of the century, or in the first half of the third, with the ever-increasing involvement of Rome in the south, it consolidated commercial links with Campania, from Naples to *Latium Adiectum*.

Little may be deduced for the period following the abandonment of the *'oppidum'* in the later third century. Habitation continued, especially in the DB area, where a few later republican and early imperial amphorae have been found. However, the identification of 'late Roman' amphorae from surface survey between the DB area and the North gate, is probably indicative of the nearby presence of a rural site, possibly reusing earlier habitation debris, towards the later fifth or sixth century A.D.

Acknowledgements

This analysis has been improved by discussion with my friends and colleagues Helena Fracchia, Claude Livadie and Maurizio Gualtieri. Furthermore, I am grateful to Antonella Fiammenghi, Inspector of the Ufficio Scavi di Velia, and the excavation assistant, Elio De Magistris, for having illustrated to me current knowledge of the amphorae found at Velia.

P. Arthur

3. Vasi miniaturistici

Oltre al deposito nel complesso A, sono stati trovati in altri luoghi dello scavo altri vasi miniaturistici che elenchiamo qui, coi contesti.

409.○ (VA 85-86 II). Vaso miniaturistico, frammentario ma con quasi tutto il profilo tranne l'orlo. Alto piede, corpo svasato, un'ansa la cui forma non è chiara. Al punto di congiunzione tra l'alto piede e il corpo, presenta una accentuata carenatura
alt. (conservata) 3.8, ø piede 1.8, ø corpo 2.9.

Argilla 5YR 6/8 rossastro giallo. L'argilla è grezza e molto simile a quella dei vasi rinvenuti nel deposito F11. Si vedano i raffronti del santuario di Demetra ad Heraklea in PIANU 1989, tav. 15, n. 2.

410.○ (US 175). Vaso frammentario, fatto a mano. Corpo molto tondo su un piede basso. Il vaso ha pareti molto spesse e sembra essere una forma chiusa.
ø piede 2.0, ø corpo 4.0, alt. conservata 3.0, spess. delle pareti 0.9-1.2
argilla 7.5YR 6/6 rossastro giallo. L'argilla

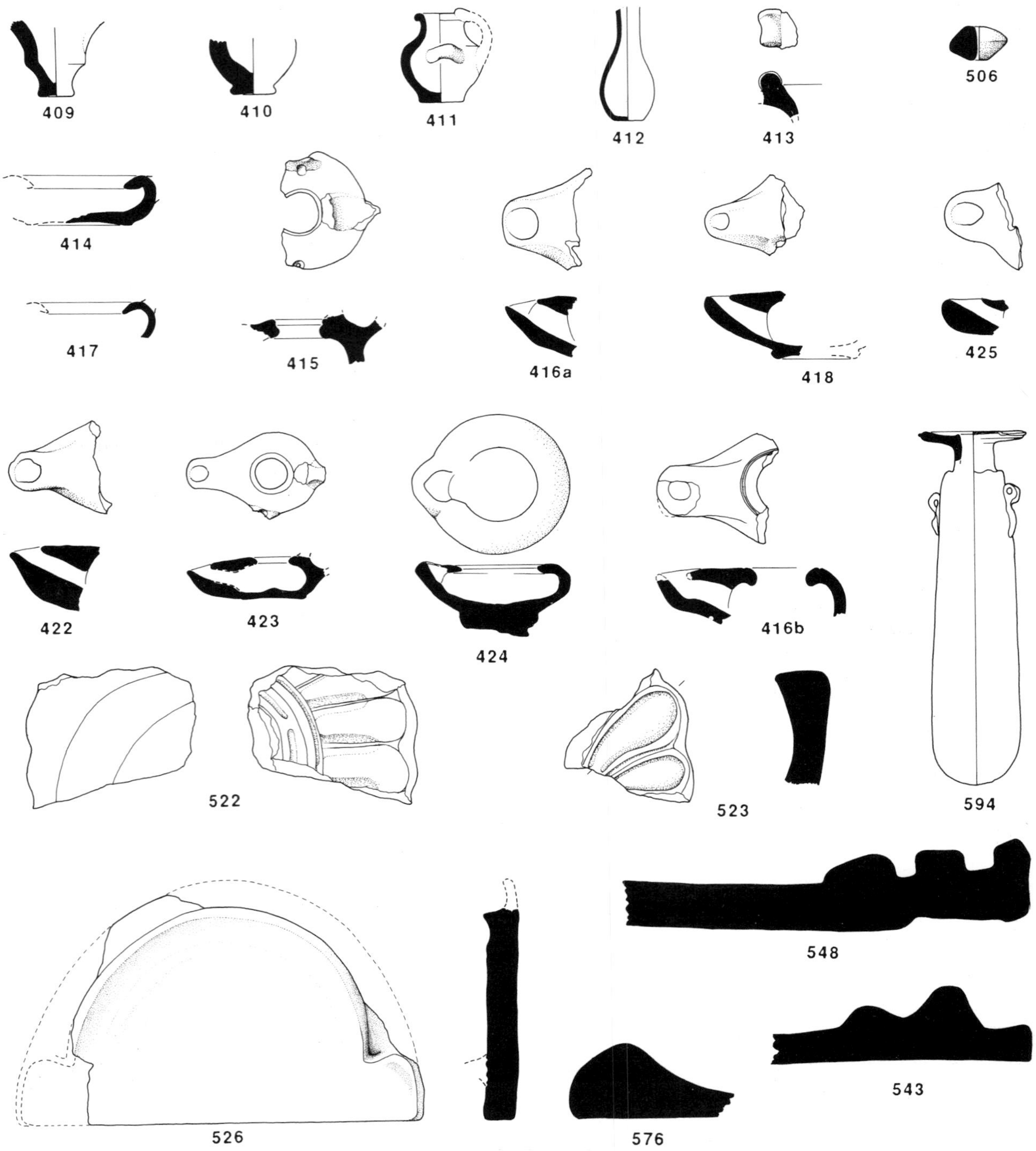

Fig. 193 Lucerne, terrecotte architettoniche, vetro (scala 1/3).

è molto ben lavorata, mancano inclusioni. Nessuna traccia di vernice nera.

411.○● (BD 117 BE118 III US 242). Vaso miniaturistico. Hydriska. Completa tranne l'ansa verticale.
alt. 4.5, ø orlo 2.8, ø piede 2.2, max ø del corpo senza anse 3.9. Argilla fine ma non verniciata 5YR 6/6 rossastro giallo.
Il corpo è carenato alle anse e vicino al piede.

412.○● (Pianoro Napoli 1971. Spor.) Balsamario acromo. Corpo ovoidale con un collo alto e sottile. Nell'aspetto della continuità della linea senza una 'rottura' chiara tra corpo e collo, la forma è più vicina agli esempi in vetro che ceramica.
base 1.5, alt. 5.7
argilla 7.5YR 7/4 rossa
Numerosissimi confronti in Taranto soprattutto nelle tombe del III secolo: si veda *Museo Taranto* 1988, p. 198 e 199, 17.8b-8c e Tav. XL.

413.○ (DB, superficie). Rotelle e parete di un vaso miniaturistico. Sotto le rotelle sporge la parte dell'attacco di un'ansa.
alt. conservata 2.6, largh. della rotella 1.0, lungh. della rotella 1.8
argilla grezza 5YR 6/8 rossastro giallo.

4. Lucerne

414.○● (BD 106/BE 107 IV US 333) Lucerna a corpo circolare e poco profondo, spalla arrotondata e largo foro circolare. Mancano il becco e l'ansa, a bastoncello orizzontale, impostata sul lato posteriore. V.n. quasi interamente corrosa.
argilla 5YR 7/4
ø 7.5; ø foro centrale 4.5; alt. 2.1
Molto vicina a un esemplare pubblicato da Hayes (1980, 6, n. 11, tav. 2) ritenuto l'equivalente magno-greco del tipo Howland 21 B-C, per cui «fabric suggests Apulian or Lucanian source» (*ibid.*) e datato alla fine del V secolo a.C.

415.○ (BG 109/BH 110 II US 327) Parte posteriore di lucerna a corpo circolare con probabile attacco di ansa a bastoncello verticale e foro di sospensione laterale. Tracce di vernice nera all'interno.
argilla 5YR 6/4
ø 6.0; alt. 2.5.

416a.○● (s. A ovest IV) Becco e frammento di parte anteriore di lucerna. Vernice nera conservata all'interno.
argilla 5YR 7/4
alt. 2.9.
Del tipo 'Apulo', più comune nella seconda metà del IV secolo a.C. Si veda Hayes 1980, 7, n. 16 e tav. 2,16.

416b. (CB DB 171) Parte anteriore di lucerna a corpo circolare, con becco allungato. Vernice nera conservata in chiazze.
argilla 5YR 6/6
ø 5.8; alt. 3.0
Probabilmente una variante del tipo 'Apulo' più diffuso nella seconda metà del IV secolo a.C. Si veda Hayes 1980, 7, n. 16 «standard Apulian type, late IV century B.C.» Si vedano anche gli esemplari nella Collezione Viola del Museo Nazionale di Taranto, datati da L. Masiello nella seconda metà del IV secolo a.C. (*Museo Taranto* 1988, p. 93, n. 101 h-i e Tav. 9-10). Per il tipo si veda anche Bailey 1975, p. 331, tavv. 128-129.

417.○ (s. A est III) Frammento di spalla di lucerna circolare e poco profonda. Vernice nera matta, conservata all'interno e all'esterno. Parete molto sottile.
argilla 5YR 7/4
ø 6.5; alt. 1.9.
Si veda l'esemplare Q663 in Bailey 1975, p. 329, tavv. 128-129, datato nella seconda metà del V sec. a.C.
Assimilabile al tipo Broneer IV, datato nel V secolo a.C. Si raffronti anche con il n. 1, che, tuttavia, ha il corpo assai più spesso. Si raffronti anche con l'esemplare nella Collezione Viola del Museo Nazionale di Taranto, datato da Masiello nella prima metà del V sec. a.C. (*Museo Taranto* 1988, p. 92, n. 101,c e tav. 16).

418.○ (Ambiente B8 - US 249) Becco e frammento della parte anteriore di lucerna a vernice nera, con attacco della base.
argilla 7.5 YR 55
alt. 3.3; lungh 5.4; largh. 3.6
Molto probabilmente simile al n. **416a**.

419. (BG 107/BH 108 I US 147) Becco di lucerna. Vernice nera matta all'interno e all'esterno.
argilla 7.5 YR 7/6
alt. 2.4; largh. 1.7
Assimilabile al n. **416a**.

420. (s. A2 I) Becco di lucerna a v.n. con frammento della parte anteriore a corpo appiattito. Chiazze di vernice nera visibili.
argilla 5YR 7/4
alt. 1.8; lungh. 3.0; largh. 4.1.
Assimilabile al n. **414**.

421. (s. A est I) Frammento di becco di lucerna.
argilla 5YR 7/4
lungh. 2.3; largh. 3.1

422.○ (s. F ovest II) Becco di lucerna con frammento della parte anteriore del corpo, piuttosto profondo. Chiazze di v. matta conservate all'interno e all'esterno.
argilla 5YR 7/4
alt. 3.5; lungh. 4.2; largh. 4.3
Raffrontabile con il tipo L2 da Torre Mordillo, datata agli inizi del IV secolo a.C. sulla base di raffronti con Olinto (*Torre Mordillo* 1977, p. 510-511, fig. 98).

423.○● (CB DB 171 - 'pozzo') Lucerna (miniaturistica?) intatta. Nessuna traccia di v.n.
argilla 5YR 7/4
alt. 2.3; lungh. 6.7; largh. 4.2.
Paragonabile ad una lucerna da Cozzo Presepe datata fra la fine del IV e l'inizio del III secolo a.C. (*Cozzo Presepe* 1977, p. 362-363, n. 362).

424.○● (US 303) Lucerna a corpo circolare in ceramica grezza. Intatta. Senza diaframma di divisione fra il foro centrale e il becco. Base piuttosto rozza; visibili i segni dei fili che l'hanno staccata dal tornio.
argilla 7.5 YR 7/6
ø 7.0 (ø foro centrale 3.5); alt. 3.2.
È raffrontabile con il tipo n. **414**, anche se ne differisce per la mancanza dell'ansa. Inizi IV secolo a.C. (?).

425.○ (BC 109/BD 110 US 435) Becco di lucerna a vernice nera, a corpo approssimativamente circolare e piuttosto profondo.
argilla 5 YR 7/4
alt. 2.2 (all'attaccatura con la spalla); lungh. 3.6; largh. 3.2.
Paragonabile con l'esemplare L3 da Torre Mordillo, datato intorno alla metà del IV secolo a.C. (*Torre Mordillo* 1977, p.510, fig. 98). Si veda anche *Gioia del Colle* 1961, p.290, Tomba 7 (datata nella seconda metà del IV secolo a.C.).

Nel complesso, la documentazione delle lucerne e le indicazioni cronologiche fornite dagli esemplari rinvenuti, coincidono con quanto già notato da altri studiosi sull'uso dell'olio a partire dalla seconda metà del V secolo a.C. in una vasta area dell'hinterland magno-greco (BOTTINI A.1982a, p. 100 e n. 27).

M. GUALTIERI

5. LOOMWEIGHTS

The numerous loomweights found at Roccagloriosa are in keeping with its function as a settlement. The same is true for other such sites as *Gioia del Colle* (1962, p. 161), *Monte Irsi* (1977, p. 203), Sybaris (*Sibari I*, p. 88 and *Sibari II*, p. 188), *Locri* (1983, p. 43). The most common form, as at the sites above named, is the pyramidal loomweight, usually with one suspension hole. A number of impressed designs on the top of the loomweights are found at Roccagloriosa: crosses (nos. **426**, **427**, **428**, **437**, **440**), a rosette (no. **441**), an ovoid stamp which seems to be empty (nos. **427**, **430**, **431**, **432**, **442**, **444**), circles (nos. **438**, **445**), and hexagonal designs (no. **434**). The same types of designs, particularly the cross, is also found at *Monte Irsi* (1977, pp. 203 ss) and *Cozzo Presepe* (1977, pp. 381-382). Another type of decoration on the sides, rather than on the top, is two lines composed of small holes or dots (nos. **426**, **428**) or an 'X' (no. **427**). At Roccagloriosa, conical topped loomweights are not frequent, which is also in keeping with other sites (*Monte Irsi* 1977, no. 344). Disc loomweights of various types are also found throughout Magna Græcia but they too are less frequent than the pyramidal type. The ones with pinched in sides and oval stamps (nos. **500-502**) found at Roccagloriosa are best paralleled by examples from *Locri* (1983, Tav. XIII, 1). The grey color of two of the 'disc' type is curious. There is considerable doubt that they are merely misfired. Another detail which appears infrequently are the pyramidal loomweights with two suspension holes (nos. **429**, **443**, **444**): it is considered an unusual feature at *Cozzo Presepe* (1977, fig. 151, no. 4 and p. 382).

Noteworthy at Roccagloriosa are the number of clays in which the loomweights are found. Many of these clays are also found in the fine wares or in tiles which are thought to be imported.

Pyramidal Loomweights

426. L1. Intact. On top circular stamp with a cross. On the side, two horizontal impressed lines of small dots. One

hole.
6.25
clay 5YR 6/8 reddish yellow
(US: Saggio A Est II).

427. L5. Intact. Single hole, ovoid depression on top. Cross on side.
ht. 6.2
clay 5YR 5/6 yellowish red
(US: Saggio A Est II).

428.• L7. Intact. Very well made, hard surface. Two impressed lines of dots (cf. no. **426** which was found in the same area). Cross inside of a circle on top. Single hole.
ht. 6.0
clay 5YR 6/6 reddish yellow
(US: Saggio F Est II).

429. L3005C. Nearly whole except for the corners. Two suspension holes.
ht. 4.8
clay 5YR 5/6 reddish yellow
(US: 92).

430. L4005. Intact. One suspension hole. Impressed oval on top, cf. **431** and **442** for the same design.
ht. 10.0
clay 5YR 6/6 reddish yellow
(US: 147).

431. L4007. Intact. One suspension hole. Impressed oval design on top. See **430** and **442** for the same design.
ht. 10.2
clay 5YR 6/6 reddish yellow
(US: 147).

432. L4011. Intact. One suspension hole. Small oval impression on top. See **430, 431, 442** or the same stamp.
ht. 7.9
clay 5YR 5/8 yellowish red
(US: 249).

433.• L6500. Complete. Impressed line on top. One suspension hole.
ht. 6.3
clay 5YR 6/6 reddish yellow
(US: Room A7/371).

434. L4000. Nearly intact. One hole. Impressed hexagonal design on top.
ht. 6.4
clay 5YR 5/6 yellowish red
(US: BE 106/BF 107).

435. L4008. Nearly intact except for one corner. Impressed circular design on top. One suspension hole.
ht. 8.3
clay 5YR 6/6 reddish yellow
(US: BH 108/BI 109).

436. L14. Intact. One suspension hole. This fabric is very like that found on tiles that are not common at the site with lots of mica and black volcanic inclusions.
ht. 7.6
clay 7.5YR 6/4 light brown
(Spor. Central plateau).

437.• L377. Intact except for lower corner. Cross made by string on top a 'Y' made by string on the side. One hole.
ht. 6.6
clay 5YR 6/6 reddish yellow
(Spor. Central plateau).

438. L11. Intact, larger than usual. Round circle impressed on the bottom. One suspension hole.
ht. 10.0
clay 7.5YR 6/6 reddish yellow
(US: CB 171 I).

439. L366. Very worn lower portion only. Damaged before fired, a large slash on one surface.
ht. 7.1
clay grey blue totally misfired
(US: Saggio O II).

440. L367. Almost intact. One hole. Partially preserved incised cross on top.
ht. 9.3
clay 5YR 6/6 reddish yellow
(US: Saggio O).

441.• L1002. Smaller than usual. Intact. Very well made, surface seems wet-smoothed. Stamp of a 12 petalled rosette on top.

Fig. 194 Gruppo di pesi da telaio.

ht. 6.5
clay 5YR 6/8 reddish yellow
(Contrada Carpineto, surface collection).

442. L2874. Almost intact. Single hole. Numerous volcanic and micaceous inclusions. Possible ovoid stamp on top, cf. nos. **430-431** for the same stamp.
ht. 7.9
clay 7.5YR 7/4 pink
(DB survey).

443. L2031. Very small loomweight with two suspension holes. Hard surface.
ht. 4.0
clay 2.5YR 4/8 red
(DB survey).

444. L15. Intact. Two suspension holes. Appears to have a faint ovoid impression over one of the holes.
ht. 7.3
clay 7.5YR 6/6 reddish yellow
(Survey Piano dei Palombi DB Area).

445. L2075a. Complete. Extremely coarse clay. Round impression stamped on top.
ht. 6.5
clay 5YR 6/6 reddish yellow
(Piano dei Palombi).

446-482• Thirty-seven loomweights of the plain pyramidal type from contexts on the Central Plateau.

483-487 Five loomweights of the plain pyramidal type from contexts on the SE Plateau.

488-489 Two loomweights of the plain pyramidal type from contexts in the north gate area.

490-497 Eight loomweights of the plain pyramidal type from the DB area.

Conical loomweights

498.• L7002. Upper portion only. Single hole seems to be quite low on the body.
ht. 5.2
clay 5YR 6/6 reddish yellow

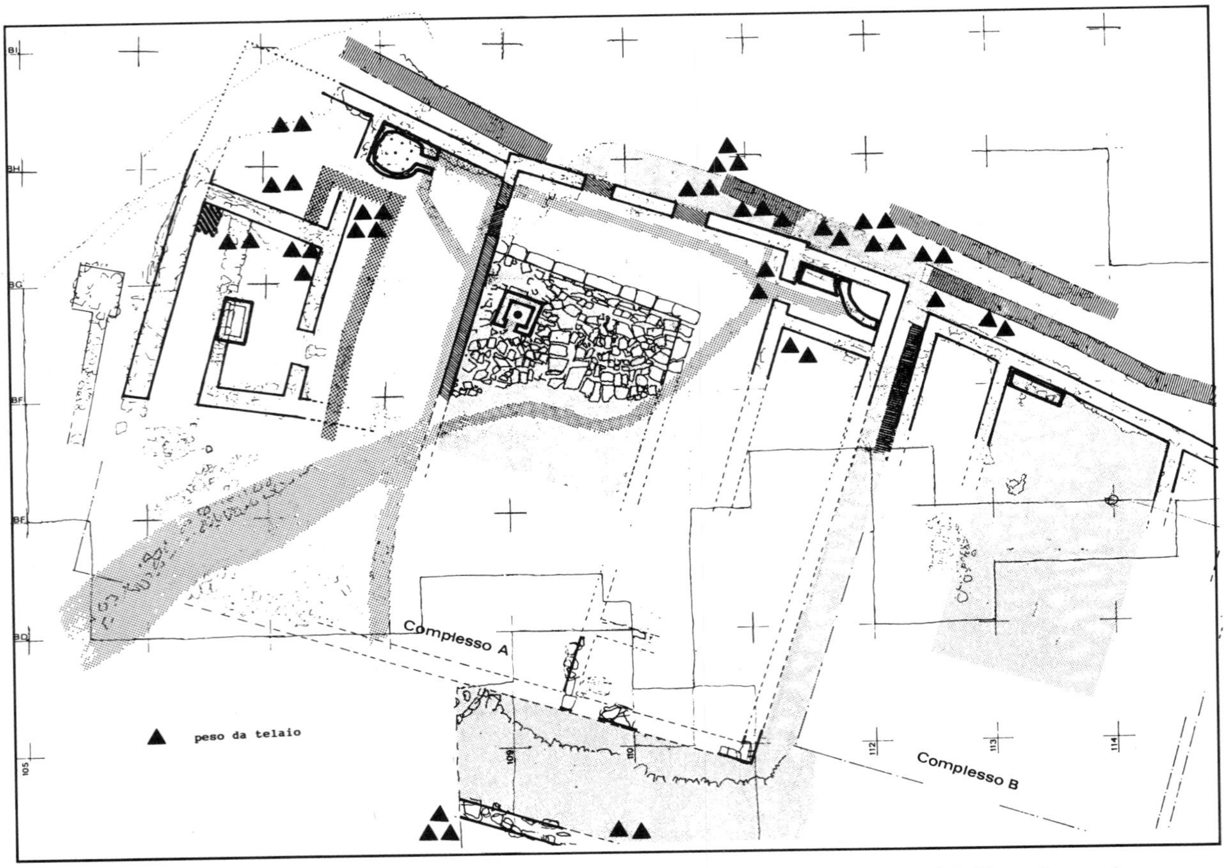

Fig.195 Cartina di distribuzione dei pesi da telaio rinvenuti nell'area del Complesso A.

(US: 429).
499.● L7003. Intact. Single hole.
ht. 7.9
clay 5YR 7/6 reddish yellow
(US: 443).

Round Loomweights

500. L20. Round loomweight with the sides pinched in and two oval impressions. Two suspension holes.
ø 6.0
clay grey 5YR 6/1 grey
(US: Saggio A + F2 + F3 IV).
501.● L20a. Round loomweight, two suspension holes, pinched in sides. Oval impressions on both sides.
ø 8.0
clay 5YR 6/1 grey
(US: Saggio A Est II).
502.● L22. Fragmentary round loomweight. Only one suspension hole and one oval impression preserved.
ø 8.0
clay 5YR reddish yellow
(US: Saggio A Est I-II).

In one of the test trenches opened in 1989 in the upper and previously unexplored area of the Central Plateau (Saggio Vauzi 1989), a large wall and a number of loomweights were uncovered. As they present additional evidence for the extent of habitation on the Central Plateau they are included here.

503. L8000. Pyramidal loomweight. Intact. Very large suspension hole. The fabric contains a great deal of grog and mica. Slightly fire darkened.
ht. 7.8
clay 7.5YR 6/4 light brown
(US: Vauzi 2).
504. L8005a. Pyramidal loomweight. Intact. Two holes. Very micacous fabric. Slightly fire-darkened.
ht. 7.0
clay 5YR 5/6 yellowish red
(US: Vauzi 2).
505. L8005. Conical loomweight. Missing lower portion. Single hole, volcanic inclusions in fabric. Partially burnt, extremely heavy for its size.
ht. 6.6
clay 5YR 5/6 yellowish red
(US: Vauzi 2).

H. Fracchia

6. Fusaiole

506.○ (VA-XA 116-117 III) Fusaiola d'impasto di forma biconica a superficie nero-lucida. Argilla stracotta.
argilla 7.5 YR 7/6
ø 2.8; alt. 1.9.
Forma di tradizione della seconda età del ferro. Si veda *Cairano* 1980, p. 117, n. 71, dall'abitato di Cairano.
507. (s. A est III) Fusaiola di ceramica grezza, assai corrosa, di forma approssimativamente biconica.
argilla 2.5 YE 5/6
ø ca. 4.0; alt. 1.8.
Simile alla precedente, ma di maggiori dimensioni e di fattura assai più grossolana.

M. Gualtieri

7. Terrecotte figurate

A parte i copiosi documenti restituiti dal deposito e da tutto il complesso e da qualche altra isolata testimonianza[23], i dati più significativi sulla produzione locale di terrecotte figurate vengono dai saggi, ancora poco estesi, effettuati sul cosiddetto pianoro sud-est entro la zona fortificata (fig. 110) e dalla ricognizione in area extramurana (fig. 139). In entrambi i casi si sono rinvenute tracce cospicue di impianti artigianali legati al funzionamento di fornaci per terrecotte, la cui attività pare riferibile ad un momento inoltrato del IV secolo coerentemente col massimo sviluppo degli impianti abitativi gentilizi e delle necropoli. Dai saggi sul pianoro SE vengono infatti tre grossi nuclei di argilla concotta

[23] È il frammento di immagine di divinità in trono di IV secolo, rinvenuta presso la Porta Centrale della cinta muraria.

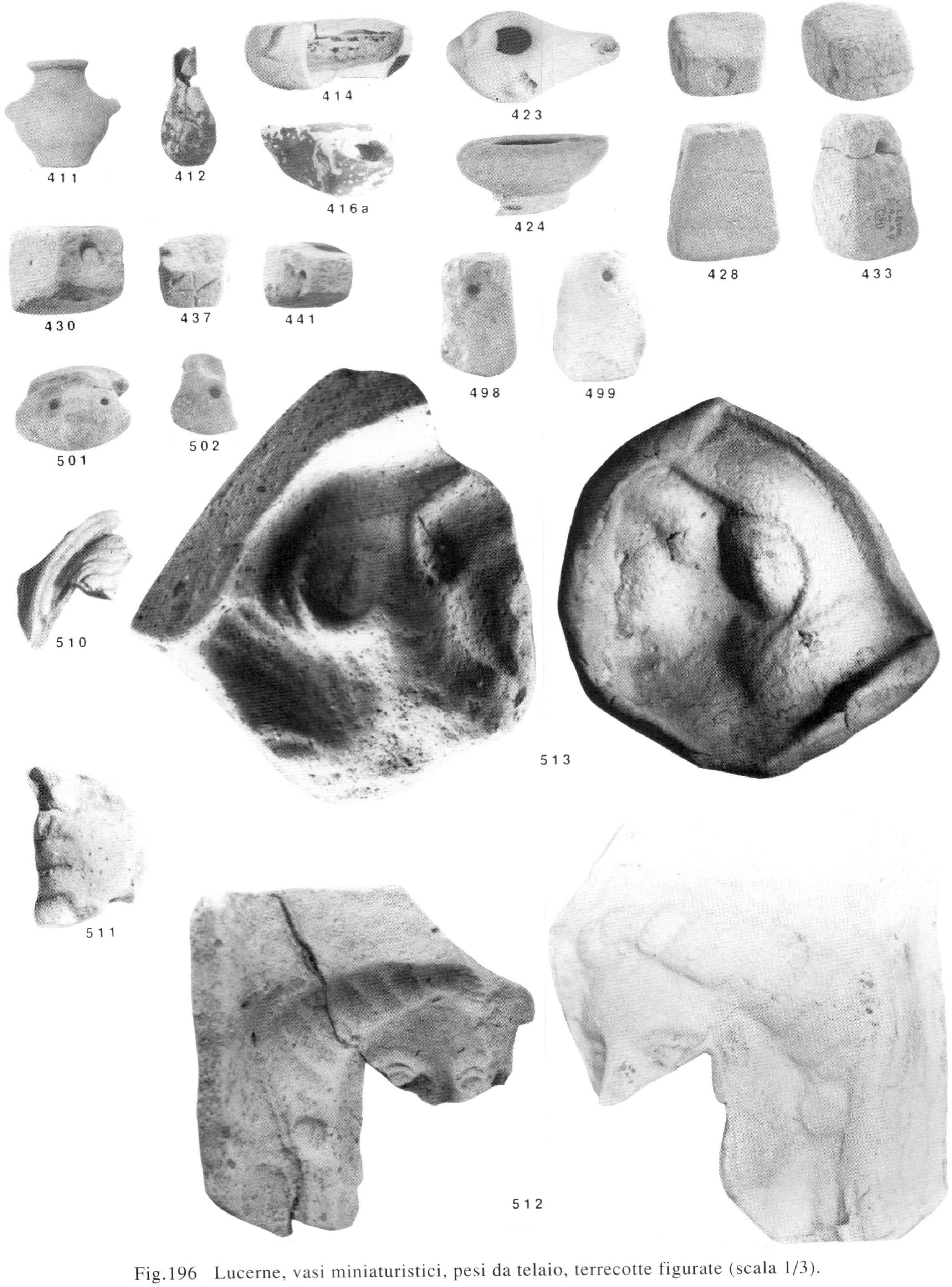

Fig.196 Lucerne, vasi miniaturistici, pesi da telaio, terrecotte figurate (scala 1/3).

(N. **509**) interpretabili come residui della lavorazione di una fornace. Le ricerche nella zona extramurana fanno intuire i segni di una attività figulina ancora più articolata e complessa. Oltre al rinvenimento di frammenti di pareti di fornaci (N. **514**) l'area si segnala per aver restituito terrecotte figurate e matrici di notevole impegno esecutivo prodotte nella argilla locale. Fra le prime è degno di nota il frammento di un *oscillum* (N. **511**) con busto di donna che tiene nella destra il manico di un ventaglio (fig. 196). Il pezzo si inserisce in una tradizione che, se rimanda all'ambiente campano, trovando confronti puntuali con esemplari di provenienza e forse di fabbricazione nolana della fine del IV secolo[24], si trova comunque documentata per lo stesso periodo in un orizzonte culturale assai più ampio che interessa la Lucania, dai contesti tombali pestani[25], alle offerte votive del santuario di Torre di Satriano[26].

A questo si affianca la matrice di una testa femminile di dimensioni reali, coperta da *polos* e velo (N. **512**, fig. 196), che fa parte di una produzione dai caratteri classicheggianti largamente diffusa fin dal V secolo inoltrato in Sicilia e in Italia Meridionale e si estende nei medesimi ambienti fino a tutto il secolo successivo[27]. L'esemplare, pur rientrando in questa vasta tradizione, si avvicina per stile e caratteristiche tecniche alla miglior produzione pestana di busti, come dimostra il confronto con un pezzo, derivato da matrice assai simile, proveniente dai depositi del santuario settentrionale[28]. Analoghi e stringenti confronti possono essere altresì istituiti con le matrici di teste e busti rinvenute nello scarico con cui i Romani obliterarono il Bouleuterion di Poseidonia nella prima metà del III secolo[29]. La derivazione da modelli di Poseidonia elaborati ancora nel corso del V sec. a.C. caratterizza anche un'altra matrice fittile, prodotta in argilla locale, raffigurante un celebre tipo di *kourotrophos* forse seduta in trono, che stringe a sé un bimbo avvolgendolo nel suo stesso mantello (N. **513**, fig. 196). Il prototipo, identificato come pestano già dal Gerhard e dal Panofka[30] è ampiamente diffuso per un arco di tempo quasi secolare attraverso numerose repliche provenienti dall'Heraion di Foce Sele[31] e dai santuari urbani di Poseidonia[32], oltre che da contesti tombali femminili dei decenni iniziali del IV secolo[33]. La sua irradiazione massiccia in ambiente indigeno, che avviene per tutto il IV secolo, è ben documentata, encora una volta, nei santuari di Colla di Rivello[34] e di Satriano[35]. In conclusione si può affermare che la produzione di terrecotte di Roccagloriosa, che nel IV secolo si organizza in modo complesso, facendo capo ad una serie di impianti artigianali distinti, di cui alcuni sono individuati, pur rifacendosi in maniera quasi integrale alla dominante tradizione culturale di Poseidonia-Pæstum, raggiunge un buon livello esecutivo che si traduce, non tanto nella piccola plastica votiva, di qualità molto modesta, quanto soprattutto nelle opere di maggiori dimensioni, come la matrice della testa di grandi dimensioni, che, seppure testimonianza ancora isolata, fa intuire l'esistenza di una produzione non economica, indirizzata agli strati abbienti del mercato locale.

Porta Centrale

Piccola Plastica

Frammenti di statuette di divinità in trono pertinenti a tipi non determinabili.

508. Frammento comprendente la gamba destra panneggiata fino al dorso del piede.
Matrice stanca. Argilla: 7.5YR 7/6
alt. 8.6; largh. 6.

Pianoro sud-est

Residui di lavorazione ed elementi pertinenti a fornaci.

509. (BB 172 II III) Tre grossi nuclei di argilla

---

24 Carettoni 1941, p. 85 ss.; Levi 1926, p. 114, n. 646.

25 Affine all'esemplare di Roccagloriosa è il frammento di *oscillum* appartenente al ricco corredo della tomba 1 della necropoli pestana di Laghetto (scavo 1954) databile tra la fine del IV e gli inizi del III sec. a.C.

Un altro *oscillum* simile proviene dalla seconda deposizione della tomba 58 di Spinazzo (scavo 1976) datata dalla Pontrandolfo al periodo 300-290 a.C., cfr. Pontrandolfo Greco 1983, pp. 69 e 75, tav. XI,1.

26 *Satriano* 1988, p. 51, tav. 14, al centro in basso.

27 Bedello 1975, p. 76. Cfr. anche *Heraion* 1937, p. 334, fig. 84.

28 Si tratta dell'ex n. 21046 conservato nei depositi del Museo di Pæstum.

29 M. Cipriani, in *Poseidonia-Pæstum II*, pp. 123-124, nn. 228-230, figg. 81-82 e pp. 132-133.

30 Panofka 1841, p. 143, Tav. LIV,1 da Pæstum.

31 Esemplari provenienti dall'Heraion di Foce Sele (scavo 1937), inediti.

32 Sono note circa 15 statuette dello stesso tipo inedite, rinvenute, in prevalenza, nell'area del santuario urbano meridionale.

33 Pontrandolfo Greco 1977, pp. 53-54 e 56, fig. 29,2 (erroneamente citata nell'articolo come a fig. 19,4)

34 *Lagonegro* 1981, p. 46, tav. XXI,3.

35 *Satriano* 1988, p. 50, tav. 13 (3ª fila, ultimo frammento a destra).

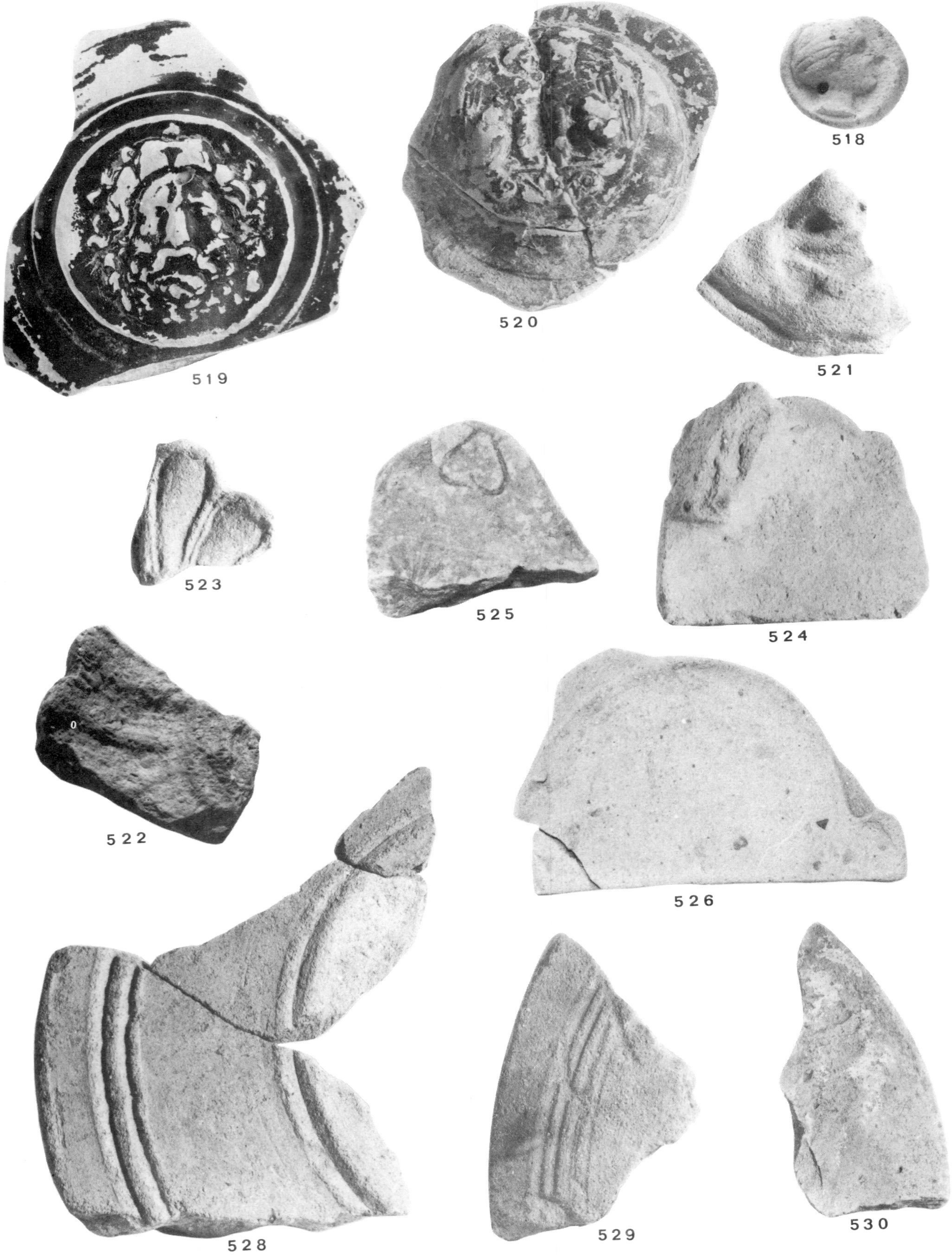

Fig. 197 Guttus, elementi architettonici (NN. **518-520**, scala 1/1; gli altri pezzi, scala 1/2).

concotta costituenti verosimilmente scarti di lavorazione di una fornace.
argilla 5YR 6/6
dimensioni del pezzo maggiore: alt. 6.3; largh. 10.

Area extramurana

Plastica di medie dimensioni

Gruppo D: Busti

510.• DI a1 (DB A1, superficie) Frammento comprendente la parte marginale destra di una testa femminile velata, con capigliatura pettinata in piccole ciocche fiammate.
matrice unica, abbastanza fresca, retro cavo, aperto
argilla: 2.5YR
alt. 7.5; largh. 8

Gruppo E: Oscilla

È presente un unico tipo EI che genera una sola variante:

511.• EI a1 (DB sud, superficie). Frammento pertinente a busto femminile di prospetto. Si conserva solo la mano destra chiusa a stringere il manico di un oggetto, verosimilmente un ventaglio.
matrice abbastanza fresca. Argilla: 2.5YR 6/6
alt. 6.9; largh. 4.6.

Matrici

512.• (DB, area centrale) Frammento comprendente la parte superiore sinistra di una testa femminile coperta dal *polos* e dal velo discendente sulla spalla. La capigliatura è bipartita ed acconciata nella pettinatura "a melone". La fronte è alta, convessa e gli occhi sono contornati da palpebre spesse e ben marginate. All'orecchio orecchino globulare di forma schiacciata.
argilla: 2.5YR 6/6
alt. 16; largh. 17.5.

513• (DB, BA III) Frammento comprendente la parte superiore sinistra di una *Kourotrophos*. Si conservano la metà del volto e parte della capigliatura bipartita coperta dal mantello, che scende ad avvolgere anche il capo ed il busto del bambino che la figura stringe a sé all'altezza del proprio volto.
argilla: 2.5YR 6/6
alt 5.7; largh. 6
inv. RG89 DB BA III TC 2681.

Elementi pertinenti a fornaci

514. (DB AY III) Frammento di argilla concotta pertinente a parete di fornace.
argilla: 2.5YR 6/6 - 5YR 7/6
alt. 6.5; largh. 3.2.

515. (DB E a nord della strada) Idem.
argilla: 5YR 6/6-6/8; 5YR 7/6-7/8
alt. 10; largh. 6.5.

516. (DB AY I) Idem.
argilla: 2.5YR 5/8-6/8/10/R 6/8. Il nucleo interno è grigio e varia tra 5YR 6/1-5YR 7/1
alt. 5; largh. 3.

516 bis (DB AY III) Idem.
argilla: 2.5YR 6/N6
alt. 5; largh. 3.

M. Cipriani

Placchette di rivestimento.

517. (BC 118/BD 119 US 249) Placchetta circolare con decorazione a rilievo. Foro di attacco per chiodino all'estremità inferiore.
argilla 5YR 7/4
ø 3.2.
La decorazione include una figura maschile con torso frontale e testa rivolta verso la sinistra. Le braccia in posizione di torsione sembrerebbero riferire il soggetto ad Ercole che strangola i serpenti di Hera. Per l'interpretazione specifica della iconografia e la funzionalità dell'oggetto si veda Fracchia 1987, pp. 86-88.

518.• (PC 86 II) Placchetta circolare o tondello con decorazione incisa, chiaramente ottenuta mediante calco da moneta o oggetto simile. Foro per chiodino nella parte inferiore (chiodino di bronzo rinvenuto associato).
argilla 7.5 YR 7/4
ø 2.1
La testa femminile, con acconciatura 'a melone' è tratta da un tipo di moneta siracusana riferibile al periodo di Agatocle (primo decennio del III sec. a.C.). Per l'iconografia e la funzionalità dell'oggetto ed i relativi raffronti nell'area Magno Greca si veda Fracchia 1987, pp. 87-88.

Medaglioni di gutti a rilievo

519.• (s. A Ovest IVA) Medaglione di guttus a v.n. con decorazione a sfingi contrapposte.
argilla 5Y 7/4
ø 6.8
Raffronti generali sul tipo e l'iconografia su PAGENSTECHER 1909, nn. 239-240. Per il motivo della sfinge nei gutti apuli si veda JENTEL 1976, p. 321.
Databile nella seconda metà del IV sec. a.C.

520.• (Area DB, superficie) Medaglione di guttus a v.n. con decorazione a testa barbata (Zeus o Dioniso).
argilla 2.5 YR 6/4 (stracotta)
ø 7.1
Identico ad un esemplare di guttus apulo da Cozzo Presepe, che è ritenuto riferirsi alla effigie di Zeus. Datato alla fine del IV secolo a.C. (*Cozzo Presepe* 1970, p. 104, fig. 27). Si veda anche l'esemplare da Rossano di Vaglio con effigie di "sileno", *Popoli Anellenici* 1971, p. 183.

M. GUALTIERI

8. TERRECOTTE ARCHITETTONICHE

A) *Antefisse*

521.• (BD 115/BE 116 I US 166) Frammento di *gorgoneion* del tipo 'orrido'. Conservata la parte immediatamente al di sotto del naso con bocca e lingua 'a smorfia'.
argilla 5YR 6/8
largh. 9.2; alt. 8.00
Assai vicino ad alcuni esemplari da Lavello classificati da GRECO G. (1977, 142, tav. 7-8) datati intorno alla metà del V secolo a.C.

522.○• (PC 1 US 27) Frammento di antefissa a nimbo. Conservate due foglie di palmetta del nimbo, a rilievo (invece che incavate) che si saldano ad un piccolo cordolo circolare che costituiva l'inquadratura della effigie e dell'antefissa.
argilla 2.5YR 6/6
largh. 7.3; alt. 4.5
Molto probabilmente da accostarsi al tipo di antefissa a nimbo di manifattura velina (databile nel corso del V secolo a.C.) cui è stato anche accostato l'esemplare rinvenuto a Napoli, nel lato ovest di via Duomo (si veda W. Johannowsky in *Napoli antica* 1985, p. 213; si vedano anche i commenti di J.-P. Morel in *Atti Taranto*, 25, 1985, p. 311 e tav. 17).
Un tipo paragonabile di antefissa a nimbo, con palmetta a rilievo piuttosto che incavata, proviene da Castrovillari (GUZZO 1976, 41, fig. 6, e 43, datata nella prima metà del V sec. a.C.).
Per il tipo in generale, si veda il recente studio di KNOOP (1987).

523.○• (EB-FB 110 III) Frammento di palmetta con petali incavati e margini rilevati con elementi divisori.
Conservati i tre petali della parte sommitale della palmetta.
argilla 2.5 YR 6/8
largh. 6.1; alt. 4.2
Potrebbe appartenere ad un embrice con decorazione a palmetta, quali quelli rinvenuti a Monte Sannace (*Gioia del Colle* 1962, fig. 201, datato nel corso del IV sec. a.C.) e Gela (*NSc* 1955-1956, p. 227). Si veda anche il tipo di tegola decorata con rosetta ad otto petali da Cuma (SCATOZZA HÖRICHT 1987, p. 109, tav. 23 RIa1) classificato come tardo-arcaico.

524.• (BG 111/BH 110 I US 119) Frammento di antefissa (?) o placca.
Conservato l'angolo inferiore sinistro e l'inizio della decorazione a rilievo.
argilla 5YR 5/4
lungh. 11.5; alt. 10.0.

B) *Placche di rivestimento*

525.• (BG 111/BH 110 I US 118) Frammento di placca di rivestimento rettangolare, con decorazione incisa a foglia d'edere a palmette. Conservato l'intero angolo superiore sinistro.
argilla 5YR 6/8
largh. 7.2; alt. 7.1; spess. 2.0
Il tipo di decorazione ricorda quello dei *pithoi* ad incisione e bacini di *louteria*.

526.○• (NW di F 11 US 52) Placca di rivestimento della parte frontale del *columen* del piccolo *oikos* votivo F 11. Visibili tracce di ingubbiatura chiara. Conservata intatta, eccetto l'angolo inferiore destro ed il bordo semicircolare.
argilla 5YR 7/8 (esterno); 5YR 5/6 (interno)
largh. 17.5; alt. 10.9
Si raffrontino gli esemplari da Gela (ADA-

MESTEANU 1953) con decorazione dipinta. Non è da escludere che anche questo esemplare fosse originariamente dipinto.

C) *Gocciolatoi*

527. (Area DB - superficie) Gocciolatoio a testa leonina. Conservata solo parte della protome leonina in stato di notevole corrosione.
argilla 5YR 7/6
largh. 4.2; alt. 3.5
Si veda il tipo di gocciolatoio a testa leonina rinvenuto ad Arpi (*Coroplastica Daunia* 1979, fig. 38), inquadrabile nell'ambito del IV secolo a.C.

D) *Acroteri* (?)

528.• (Ambiente A1 - sponda - US 335) Acroterio a disco con scanalature concentriche. Tracce di ingubbiatura chiara.
argilla 7.5 YR 6/4
largh. 14.8; alt. 17.0; ø (ricostruito) 55.0.

529.• (PC 86, ad ovest di F 349) Frammento di acroterio a disco con scanalature concentriche.
argilla 2.5 YR 6/6
largh. 10.8; alt. 16.0; ø (ricostruito) ca. 48.0.

530.• (BH 109/BG 110 III US 50) Frammento di acroterio a disco con tracce di ingubbiatura chiara.
argilla 7.5 YR 7/4
largh. 7.8; alt. 15.8; ø (ricostruito) ca. 35.0.

E) Elementi di rivestimento del tetto

Kalypteres (fig. 198)

I) *Tipo con costolatura larga al margine*

531.• (BG 111/BH 112 I-IV US 253) Frammento di parte terminale di coppo del culmine con costolatura marginale.
argilla 2.5 YR 5/8
largh. 10.5; alt. 22.1.

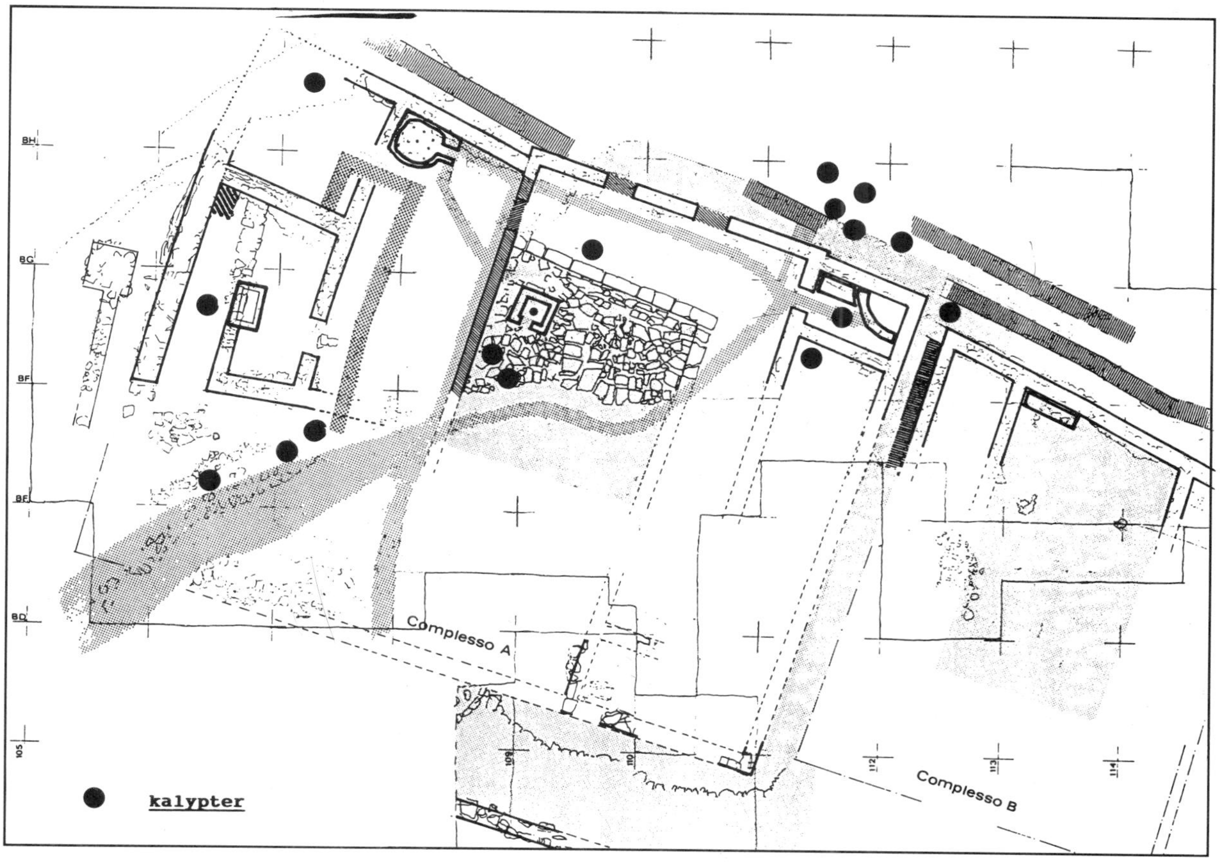

Fig.198 Cartina di distribuzione dei *kalypteres* rinvenuti nell'area del Complesso A.

532. (BH 109/BG 110 III US 50, ad est di F11) Frammento di coppo simile.
argilla 5YR 6/6
largh. 11.8; alt. 12.3.

533. (Crollo a NO di F11 US 50) Frammento di coppo simile, con costolatura leggermente più larga.
argilla 5YR 6/8
largh. 10.4; alt. 9.8.

534. (BF 109/BG 108 III F *52*) Frammento di coppo simile.
argilla 5YR 6/8
largh. 16.3; alt. 16.2.

535. (BE 107/BF 108 US 258) Grosso frammento di coppo del culmine con costolatura assai vicina al margine. Conservata la parete piatta del lato sinistro che permette di ricostruire l'intero arco del coppo, sagomato a ferro di cavallo.
argilla 5YR 6/8
largh. 24.6; alt. 25.4.

536.• (BE 106/BF 107 US 134) Frammento di coppo del culmine a singola costolatura marginale.
argilla 5YR 7/8
largh. 8.8; alt. 17.8.

537. (Ambiente A6, parete NE US 347) Due frammenti di coppo del culmine con costolatura assai prossima al margine.
a) argilla 5YR 6/6
largh. 9.1; alt. 11.2
b) argilla 5YR 6/6
largh. 9.8; lungh. 10.1.

538. (EB-FB 110 III) Frammento di coppo del culmine con singola costolatura, assai larga e prossima al margine.
argilla 5YR 6/8
largh. 13.1; alt. 16.5.

539. (EB-FB 110 III) Frammento di coppo del culmine simile, con costolatura leggermente più alta.
argilla 5YR 6/8
largh. 11.9; alt. 22.1.

540. (VA 85-86 II) Frammento di coppo del culmine con singola costolatura, assai larga e prossima al margine.
argilla 5YR 5/6
largh. 10.5; lungh. 12.2.

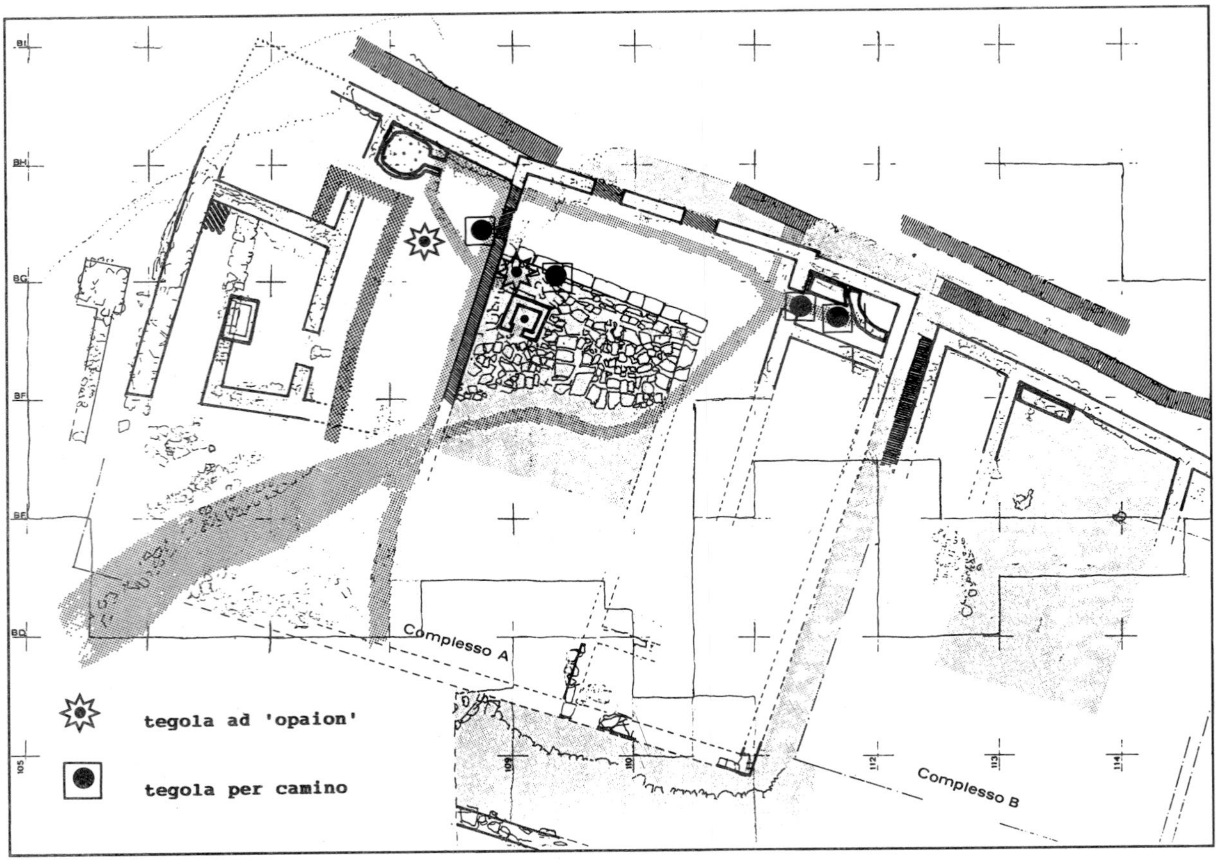

Fig.199 Cartina di distribuzione delle tegole ad 'opaion' e per camino rinvenute nell'area del Complesso A.

541. (Sporadico, pianoro centrale)
Frammento di coppo del culmine con costolatura larga ed alta e margine più spesso.
argilla 5YR 6/6
largh. 10.4; alt. 9.8.

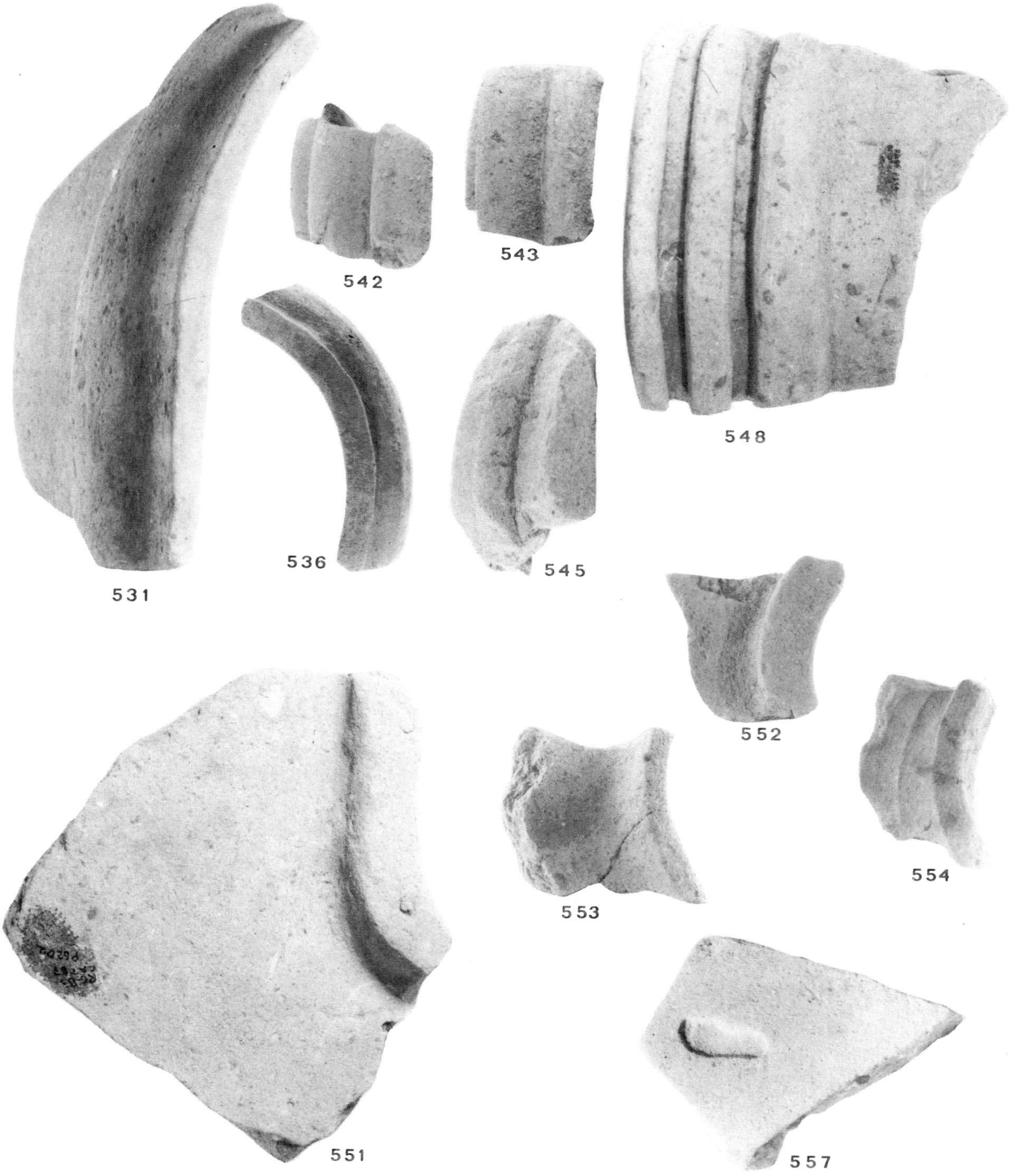

Fig. 200 Elementi architettonici (scala 1/3).

II) *Tipo con costolatura centrale, larga, fra due costolature laterali poco pronunciate*

542.• (VA 85 II)
argilla 5YR 6/8
largh. 8.8; alt. 11.2; ø (ricostruito) 38.0.

543.○• (FB 110 III)
argilla 10.YR 6/4
largh. 12.2; alt. 8.5; ø (ricostruito) 37.0.

544. (BG 113/BH 112 III-IV US 253)
argilla 5YR 6/8
largh. 9.5; alt. 10.2; ø (ricostruito) 38.0

II bis) *Tipo simile, a costolatura centrale più stretta e costolature laterali più accentuate*

545.• (FB 109 III)
argilla 7.5YR 6/6
largh. 13.2; alt. 15.8; ø (ricostruito) 35.0.

546. (Pianoro U. Balbi US 400)
argilla 5YR 6/8
largh. 11.2; alt. 15.1; ø (ricostruito) 34.0.

547. (DB 7 US 40)
argilla 2.5 YR 5/6
largh. 8.5; lungh. 12.6.

III) *Tipo a triplice costolatura con scanalature profonde*

548.○• (BE 107/BF 108 US *259*) Grosso frammento di coppo del culmine con costolature ben definite e squadrate
argilla 5YR 6/8
largh. 19.8; alt. 24.5.

549. (CB-DB 171, superficie del pozzo) Grosso frammento di coppo del culmine con costolature ben definite ed arrotondate
argilla 7.5 YR 6/6
largh. 18.6; alt. 14.8.

È un tipo diffuso nel corso del IV secolo d.C. anche per edifici di uso pubblico quali la stoa dell'-Heraion di Foce Sele (*Heraion* 1937, p. 288, fig. 58). Per la diffusione del tipo su di una vasta area geografica ed in un arco cronologico più ampio, si considerino i raffronti dalla grande *villa* repubblicana di Selvasecca (Blera), in ANDRÈN e BERGGREN 1969, p. 62, fig. 9.

IV) *Tipo con costolatura larga al margine e costolatura 'a scaletta' sul lato interno*

550. (BF 113/BG 112 II US 87)
argilla 5YR 6/8
largh. 11.8; alt. 16.8.

Tegole ad 'opaion' (fig. 199)

551.• (Crollo a NE di F11) Frammento di *keramìs opaia* con apertura ovale delineata da una costolatura a sezione rettangolare.
argilla 5YR 6/6
largh. 16.5; alt. 21.0.

552.• (Ambiente A5) Frammento di *keramis opaia* di tipo simile.
argilla 5YR 6/8
largh. 6.6; alt. 7.2.

Tegole per camino

553.• (Crollo ad est di F11, US 50) Frammento di tegola per camino o focolare con foro centrale a canale circolare (altezza del canale ca. 7.0; ø ca. 10.0).
argilla 5YR 6/6
largh. 8.3; lungh. 12.2.

554.• (BG 108/BH 109 II US 154) Frammento di tegola per camino di tipo identico dall'ambiente A5.
argilla 5YR 5/8
largh. 5.4
lungh. 9.5.

555. (Ambiente A1 US 335) Frammento di tipo simile; ø del canale 11.0.
argilla 10.YR 7/4
largh. 6.0; lungh. 14.4.

556. (Ambiente A1 US 335) Frammento di tipo identico al precedente.
argilla 10.YR 7/4
largh. 5.8; lungh. 11.6.

Tegole

557.• (Crollo intorno F 11) Frammento di tegola piana con stampo di *planta pedis*.
argilla 5YR 6/8
largh. 12.3; lungh. 19.2.
Sulle possibili implicazioni dell'uso di un marchio di tipo raffrontabile su di una tegola (quasi certamente di manifattura locale) si vedano le considerazioni di BOTTINI P. 1986, p. 91, che giustamente sottolineano il significato del bollo laterizio a forma di mano eseguito dai ceramisti di Rivello/Piani di Pignataro. Più in generale su stampi e marchi su terracotta, quale riflesso dell'organizzazione produttiva, si veda MOREL 1982, p. 198-199.

9. Louteria

Terracotta

a) Frammenti di basi sagomate

558.• (FB 109 III; FB 109 III; BH 110/BG
559.• 111 I US 49) Tre grossi frammenti di
560.• base di louterion (che attaccano). Ricostruibile il perimetro quadrato della base di cm. 38 x 38. Diametro della base circolare di ca. cm. 25. La base, come pure il fusto, della colonnina è scanalata e presenta una modanatura all'attacco con la base quadrata. Tracce di ingubbiatura chiara.
argilla 5 YR 7/4
Dimensioni: 558. 7.4 x 12.0
559. 11.0 x 18.2
560. 10.6 x 22.4

È il tipo di *louterion* più comune sul sito, come dimostrano i frammenti di *louteria* in pietra, di tipo analogo, rinvenuti sia sul pianoro centrale che nell'area DB. Si confronti il tipo in terracotta da Civita Castellana presentato in *StEtr*, 1967, p. 435, fig. 2,1 erroneamente ritenuto un frammento di decorazione architettonica. Si confrontino anche gli esemplari da Monte Sannace (*Gioia del Colle* 1962, p. 159).

A questo stesso *louterion*, dal complesso A, sembrerebbe appartenere il frammento di colonnina scanalata n. **567**.

561.• (Area DB, superficie) Frammento di base di *louterion* a tamburo con modanature. La superficie di appoggio è costituita dalla parte inferiore della parete del tamburo stesso, opportunamente ingrossata.
argilla 5YR 7/4
largh. 12.0; lungh. 20.0; alt. (del tamburo di base) 10.2; ø (ricostruito) ca. 40.0.
Si confronti il tipo da Civita Castellana presentato in *StEtr*, 1967, p. 435, fig. 2,1.

b) Frammenti di colonnine di sostegno della vasca

562. (FB 109 IIIB) Frammento di attacco della parte superiore della colonnina alla vasca. Si nota la parte terminale della scanalatura della colonnina ed una decorazione a cordolo intorno all'attacco della vasca stessa.
argilla 5YR 7/4
largh. 6.2; lungh. 10.1
Si veda il frammento di colonnina da Civita Castellana presentato in *StEtr*, 1967, 435, fig. 2,4 e quelli da Monte Sannace (*Gioia del Colle* 1962, p. 139).

563.• (BG 109/BH 110 IV US 98) Frammento di fusto di colonnina del tipo di colonna 'dorica' con scanalature; abbondanti tracce di ingubbiatura chiara.
argilla 5YR 7/4
largh. 8.2; alt. 9.2; spess. 2.5.

564.• (Area DB, superficie) Frammento di fusto di colonnina simile. Tracce di ingubbiatura sulla superficie.
argilla 5YR 6/6
largh. 11.2; alt. 13.6; spess. 3.1.

565. (BD 118/BE 117 US 201) Frammento di fusto di colonnina simile.
argilla 5YR 5/6
largh. 7.4; alt. 8.2; spess. 2.1.

566. (BG 110/BH 109 IV US 38') Frammento di fusto di colonnina con decorazione a striature che si restringono verso l'alto.
argilla 7.5 YR 7/4
largh. 6.0; alt. 6.5; spess. 2.1.

567. (BG 111/BH 110 III US 122) Frammento di fusto di colonnina simile.
argilla 5 YR 6/6
largh. 8.8; alt. 11.6; spess. 2.6.

568. (FB 109 III) Frammento di colonnina (?) a superficie liscia, con incisione a cerchi concentrici intorno al fusto.
argilla 5 YR 6/8
alt. 20.0; ø 22.0; spess. 2.9.
Non esistono raffronti specifici. Potrebbe trattarsi di un elemento di canalizzazione in terracotta, anche se il notevole spessore delle pareti rispetto al diametro del tubo rende una tale ipotesi assai incerta.

c) Frammenti di vasca

569.• (EB-FB 110 III) Grosso frammento di vasca a calotta sferica. Bordo ingrossato a superficie piatta con decorazione a solco inciso.
argilla 7.5 YR 6/6
largh. 15.0; lungh. 38.0; spessore (orlo) 5.0; ø (ricostruito) ca. 60 cm.
Si vedano gli esemplari da Reggio Calabria in Jozzo 1981, p. 158, fig. 2 da Caulonia.

570.• (BG 111/BH 112 IV US 254) Frammento di vasca simile alla precedente.

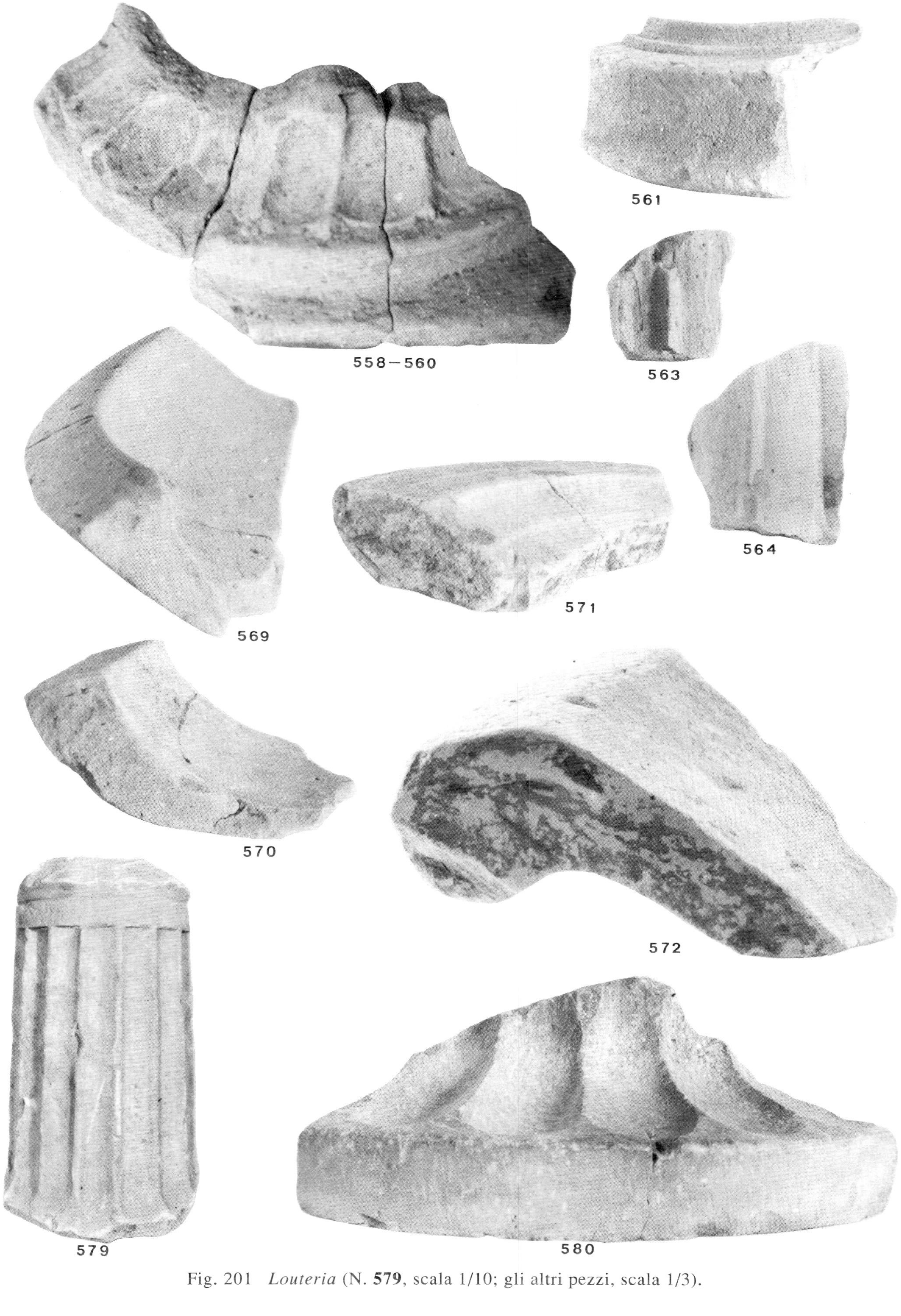

Fig. 201 *Louteria* (N. **579**, scala 1/10; gli altri pezzi, scala 1/3).

argilla 2.5 YR 6/6
largh. 20.0; lungh. 23.0; spess. (orlo) 4.0.

571.• (PC 86 III) Frammento di vasca poco profonda con orlo appiattito e decorato ad incisione (scanalature ai due margini).
argilla 10 YR 8/3
largh. 12.0; lungh. 34.0; spess. (orlo) 6.2.
Si vedano alcuni esemplari da Reggio Calabria in Jozzo 1981, pp. 170-172, nn. 30-34.

572.• (BE 115/BF 116 US 128) Frammento di orlo di vasca poco profonda. Decorazione a quattro solchi incisi lungo la faccia esterna dell'orlo ingrossato.
argilla 10 YR 8/3
largh. 16.6; lungh. 16.2; spess. (orlo) 4.8; alt. (orlo) 5.2.

573. (BD 116/BE 117 US 244) Frammento di vasca assai poco profonda, a base piana. Decorazione a quattro solchi incisi lungo la faccia esterna dell'orlo ingrossato.
argilla 5 YR 7/4
largh. 15.2; lungh. 16.1; spess. (orlo) 3.5; alt. (orlo) 4.3.

574. (BG 111/BH 110 I US 119) Frammento di vasca assai poco profonda con base appiattita. Faccia esterna dell'orlo bombata con scanalatura. Decorazione dell'interno a scanalature e 'pointillé'.
argilla 7.5 YR 7/4
largh. 12.2; lungh. 13.0; spess. (orlo) 4.0; alt. (orlo) 5.6.

575. (BG 111/BH 110 US 86) Frammento della parte interna di vasca simile alla precedente (decorazione incisa a 'pointillé').
argilla 7.5 YR 7/4
Parete piatta di forma approssimativamente triangolare di ca. 6.0 x 8.0. Probabilmente appartenente allo stesso *louterion.*

576. (BD 105/BE 106 I-II US 333) Frammento di vasca poco profonda ad orlo ingrossato e sagomato.
argilla 7.5 YR 7/4
largh. 4.8; lungh. 8.2.

577. (PC 86) Frammento di vasca approssimativamente a calotta sferica, con parete esterna dell'orlo sagomata
argilla 5 YR 7/4.
largh. 11.2; lungh. 11.4.

578. (BG 110/BH 109 II US 95) Frammento di vasca assai poco profonda a base piana, orlo ingrossato e faccia esterna dell'orlo sagomata, identica a quella del N. **574**.
argilla 7.5 YR 6/4
largh. 10.6; lungh. 11.2; spess. (orlo) 3.2; alt. (orlo) 5.5.

Anche i bacini da Monte Sannace, con orlo spesso e decorato sono in genere poco profondi e con un diametro compreso fra 40 e 60 centimetri (*Gioia del Colle* 1962, p. 159), inferiore a quello degli esemplari rinvenuti ad Olinto (*Olynthus VIII*, p. 319-320) e Gela (Orlandini 1957, p.64). Per una discussione generale dei tipi e della decorazione si veda Allegro 1982 e Jozzo 1981.

Calcare

579.• (Complesso A, sporadico) Colonna di *louterion* scanalata (16 scanalature). Rotta all'attacco con la base, dove si nota l'inizio dell'allargamento delle scanalature.
alt. 58.2; ø (sommità) 27.0; ø (base) 32.0.

580.• (Area DB, superficie) Base di *louterion* in calcare. A forma circolare con la parte terminale delle scanalature del fusto.
ø (ricostruito) 44.0; alt. (faccia esterna dell'orlo) 4.0; alt. (sino all'attacco della colonnina) 11.5.

Frammenti di *louteria* in calcare, di forma e dimensioni paragonabili, provengono dall'acropoli di Monte Sannace (*Gioia del Colle* 1962, p. 159). Più in generale, si vedano i *louteria* rappresentati sui *pinakes* locresi (Zancani Montuoro 1954).

Per il rinvenimento di *louteria* in contesti di edifici pubblici, si veda l'esemplare da Pæstum in *Poseidonia-Pæstum II*, p. 136, fig. 82, n. 253. È da osservare che i rinvenimenti di *louteria* sono localizzati quasi esclusivamente nell'area del complesso A e zone adiacenti, sul pianoro centrale. Non è chiara, allo stato attuale della ricerca, la distribuzione dei frammenti rinvenuti nell'area DB, dato che si tratta di rinvenimenti sporadici di superficie.

10. Elementi architettonici in pietra

A) *Pianoro Centrale*

581. (Parte di F 12, incorporata nella metà ovest del muro) Frammento di colonna di calcare
alt. ca. 36.0; ø 32.0.

582. (Crollo ad est di F 11) Due frammenti di colonna di calcare
alt. 23.5; ø 30.0.

583. (BG 107/BH 108 II - F 12) Frammento di colonna in calcare
ø 29.0.

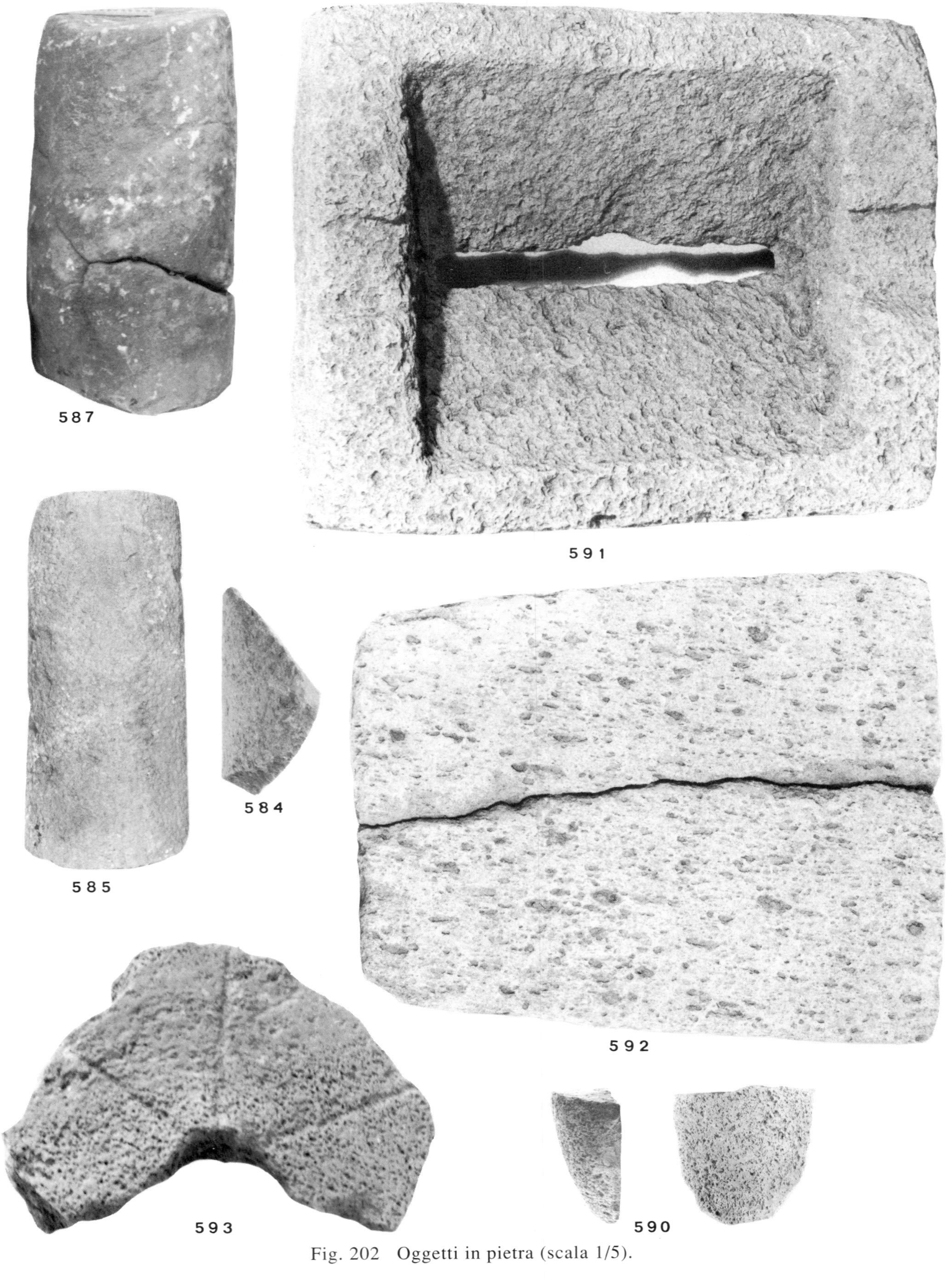

Fig. 202 Oggetti in pietra (scala 1/5).

584• (BF 106/BG 107 IV US 356) Frammento di colonna in calcare
alt. 24.0; ø 29.5.

585.• (Crollo, angolo nord-ovest dell'ambiente A7/A8) Rocchio di colonnina in calcare
alt. 51.0; ø (sommità) 20.0; ø (base) 22.0.

B) *Pianoro sud-est*

586. (Angolo esterno sud-est del cortile basolato) Frammento di colonna in calcare
alt. 20.0; ø ca. 32.0.

C) *Pianoro U. Balbi*

587.• (Sporadico, ca. 10 m. ad est del saggio E) Rocchio di colonna in calcare
alt. 55.0; ø (sommità) 26.5; ø (base) 28.5.

D) *Pianoro C. Balbi*

588. (Sporadico) Rocchio di colonna in calcare spaccato dallo escavatore
alt. (cons.) 50.0; ø ca. 33.0.

E) *Area DB / Piani di Mariosa*

589. (Sporadico) Blocco quadrato di calcare con protuberanza circolare, rastremata verso l'alto. Probabilmente base per colonna lignea. Appartenente ad edificio con lungo muro in grossi blocchi rettangolari, sconvolto
lato del blocco 60.0; ø base circolare 26.0.

11. Macine

590.• (VA-XA 116-17 IV) Parte (circa la metà) di 'macina a mano' di forma ovale, con superficie finemente lisciata. Pietra vulcanica (analisi petrologica in corso).
largh. 12.0; lungh. 12.2; alt. (centro) 5.0.

591.• (Ambiente A5, appoggiata alla US 28)
largh. 44.0; lungh. 50.0; alt. 12.0.
Macina del tipo 'hopper-rubber' secondo la classificazione proposta per le macine da Morgantina (White 1963). Intatta. Pietra vulcanica (analisi petrologica della provenienza in corso). Per il funzionamento si veda *Olynthus VIII*, p. 328, fig. 34.
Assai diffusa nella seconda metà del IV secolo a.C.: si veda *Gioia del Colle* 1962, fig. 136 per un altro esemplare rinvenuto *in situ* e *Gravina II*, pp. 147-148 (esemplare rinvenuto nella casa B). Si vedano anche i molti esemplari dal relitto del Sec a Palma di Maiorca, datato alla metà del IV secolo a.C. (Pallarès 1972) e quelli dal naufragio di Kyrenia (Cipro), datato all'ultimo terzo del IV secolo a.C. (*Expedition*, 11/2, 1969, p. 57). Si veda anche la discussione sul commercio di tali macine in Gianfrotta e Pomey 1981, p. 220. Per rinvenimenti di un tipo simile nell'area egea, si veda *Seuthopolis* 1978, fig. 35.

592.• (Ambiente A5, appoggiata alla US *28*) Piattaforma quadrangolare della macina stessa.
largh. 43.2; lungh. 51.0; spess. 5.5.

593.• (Area scavo Napoli 1971, superficie) Frammento di macina rotatoria. Conservata circa la metà della parte inferiore, circolare, con superficie tronco-conica scanalata (si contano 4 scanalature). Pietra vulcanica (analisi petrologica della provenienza in corso).
ø (ricostruito) ca. 25.0; alt. 12.0.
Appartiene ad un tipo tecnologicamente più evoluto del N. **591**, significativamente rinvenuto nell'area extra-murana. Moritz (1958, p. 52) colloca il passaggio dal tipo "hopper rubber" al tipo rotatorio nella seconda metà del III sec. a.C.

12. Vetro

594.○• (BG 109/BH 110 IV US 38) Frammento di parete di vaso allungato. Vetro blu con decorazione in bianco/azzurro.
alt. 2.2; largh. 1.4
Molto probabilmente si tratta di un frammento di *alabastron* del tipo rinvenuto, intatto, nella tomba 14 in contrada La Scala (ca. 330-320 a.C.) (fig. 193) e parzialmente conservato nella T. 15 (ca. 300-290 a.C.). Si tratta di vetro ottenuto a fusione su nucleo (di sabbia o materiale friabile refrattario). Per la tecnica si veda Goldstein 1979. Per il tipo si veda un esemplare identico in Hayes 1975, 6 e tav. 2, n. 25, datato nell'ultimo quarto del IV secolo a.C. Probabilmente di fattura magno-greca o, almeno, di atelier nell'area mediterranea occidentale. Hayes 1975, p. 6, ritiene che «an Aegean source is unlikely» per il tipo. Per un raf-

fronto puntuale in contesto paragonabile si veda l'*alabastron* dalla tomba 63 di Avella, presentata nel catalogo della Esposizione provvisoria nel Museo Irpino nel maggio 1977, curata dalla Soprintendenza Archeologica di Salerno.

595. (BG 108/BH 109 II US 195) Frammento di parete di vaso allungato. Vetro blu chiaro con decorazione in azzurro e giallo.
alt. 1.8; largh. 1.5
Molto probabilmente frammento di *alabastron*. Si veda N. **594**.

596. (DB survey 9-10-11) Frammento di vaso a corpo globulare, probabilmente appartenente a piccola *oinochoe* (paragonabile a quella rinvenuta nella T. 17 in contrada La Scala, datata nella seconda metà del IV secolo a.C.). Vetro blu con decorazione in giallo.
alt. 1.9; largh. 1.0.

597.• (DB survey BL III) Frammento di grosso vaso a corpo cilindrico. Vetro blu chiaro con decorazione in bianco
alt. 2.4; largh. 2.3.
Probabilmente appartenente ad una *oinochoe* ad alto corpo cilindrico del tipo rinvenuto nella necropoli rurale di S. Angelo di Ogliara (Salerno) (PONTRANDOLFO GRECO 1980, p. 98, n. 13, fig. 15) datata nell'ultimo quarto del IV secolo a.C. Per la forma, si veda HAYES 1975, 188, n. 22.

598. (DB survey D' IV) Frammento di spalla di vaso. Vetro blu, decorazione in azzurro e giallo. Molto probabilmente frammento di spalla di un *alabastron* del tipo N. **594**.
alt. 1.2; largh. 1.7

599.• (DB survey AY I) Frammento di orlo di vaso. Vetro blu con linea di marginatura gialla (cf. *alabastron* dalla T. 14)
lungh. 1.1; largh. 1.0.
Quasi certamente frammento di orlo di *alabastron*, come il N. **594**.

13. VAGHI DI COLLANA

600.• (BC 117/BD 118 US 1) Pendente cilindrico di osso.
ø 0.7; alt. 0.7.

601. (Saggio N-O II) Pendente cilindrico di osso
ø 1.5; alt. 0.6

602.• (DB FIV) Pendente sferoidale in terracotta, frammentario.
ø (ricostruito) 1.5.

603.• (DB a Sud-Ovest di A) Pendente a forma discoidale in pietra grigio-nera.
ø 1.1.

M. GUALTIERI

14. COINS

The coins from excavation and survey at Roccagloriosa provide an interesting view of monetary circulation in the area during the fourth century B.C. Taken together they are remarkably homogeneous and belong to the fourth century B.C. It is difficult to draw more precise chronological implications from the coins alone. The best dated piece is the Syracusan bronze of the reign of Dionysius I of Syracuse, 405-367 B.C., no. **633**[36]. The coin from Adranum in Sicily, no. **632**, is probably contemporary. The Siculo-Punic piece, no. **634**, was based on Carthaginian gold and electrum coins issued between 350 and 290 B.C.[37]. The two Velian staters, nos. **615-616**, belong to Kraay's Group VII, and so to the latter third of the fourth century[38]. Kraay did not deal with the bronze of Velia, but it is most likely that the issues which comprise the overwhelming majority of coins found at the site belong to the second half of the fourth century. MANGIERI (1986) believes (on the basis of unpublished excavation results from Velia) that the series with obverses head of Athena and head of Zeus is to be dated after the second quarter of the third century[39].

Plated coins of Velia, found in eleven of the bronze issues documented at Roccagloriosa, are of particular interest because they consist of a bronze envelope over a lead core. The ubiquity of this expedient makes it appear that the coins are actual issues of Velia, not forgeries, and that the use of the lead core was a device employed to extend short supplies of bronze. The use of lead cores may be related to the "tin" coins attributed to Dionysius I of Syracuse[40].

---

[36] BOEHRINGER 1978, p. 49, TUSA CUTRONI 1968, p. 220, GUZZETTA 1979, p. 141.

[37] JENKINS e LEWIS 1963, appendix 3.

[38] Kraay's arrangement is found in *SNG* Ashmolean Museum.

[39] MANGIERI 1986, pp. 75-76.

[40] Aristotle *Oikonomikos* 2, 20c = p. 1349a.

In citations *SNG* is used for *Sylloge Nummorum Græcorum* (ANS = American Numismatic Society, Cop. = Copenhagen) and *ANSMN* for *American Numismatic Society, Museum Notes.*

Calabria:

Tarentum

604.● obv., Head of Athena, r.
rev., Herakles r. strangling lion, above traces of legend, below E. AR diobol, gm. 1.03, *SNG* Ashmolean Museum, no. 74.
Layer 183, occupation of the 2nd half of the 4th century B.C.

Lucania

Metapontum

605.● obv., Head of Demeter veiled, r.
rev., Grain ear.
AR stater plated, pierced, gm. 6.36, S.P. Noe, *The Coinage of Metapontum* (*ANSMN* 32 and 54, 1927 and 1931, ed. 2, 1984) no. 322-323.
Layer 372, stratified below layer 371, the

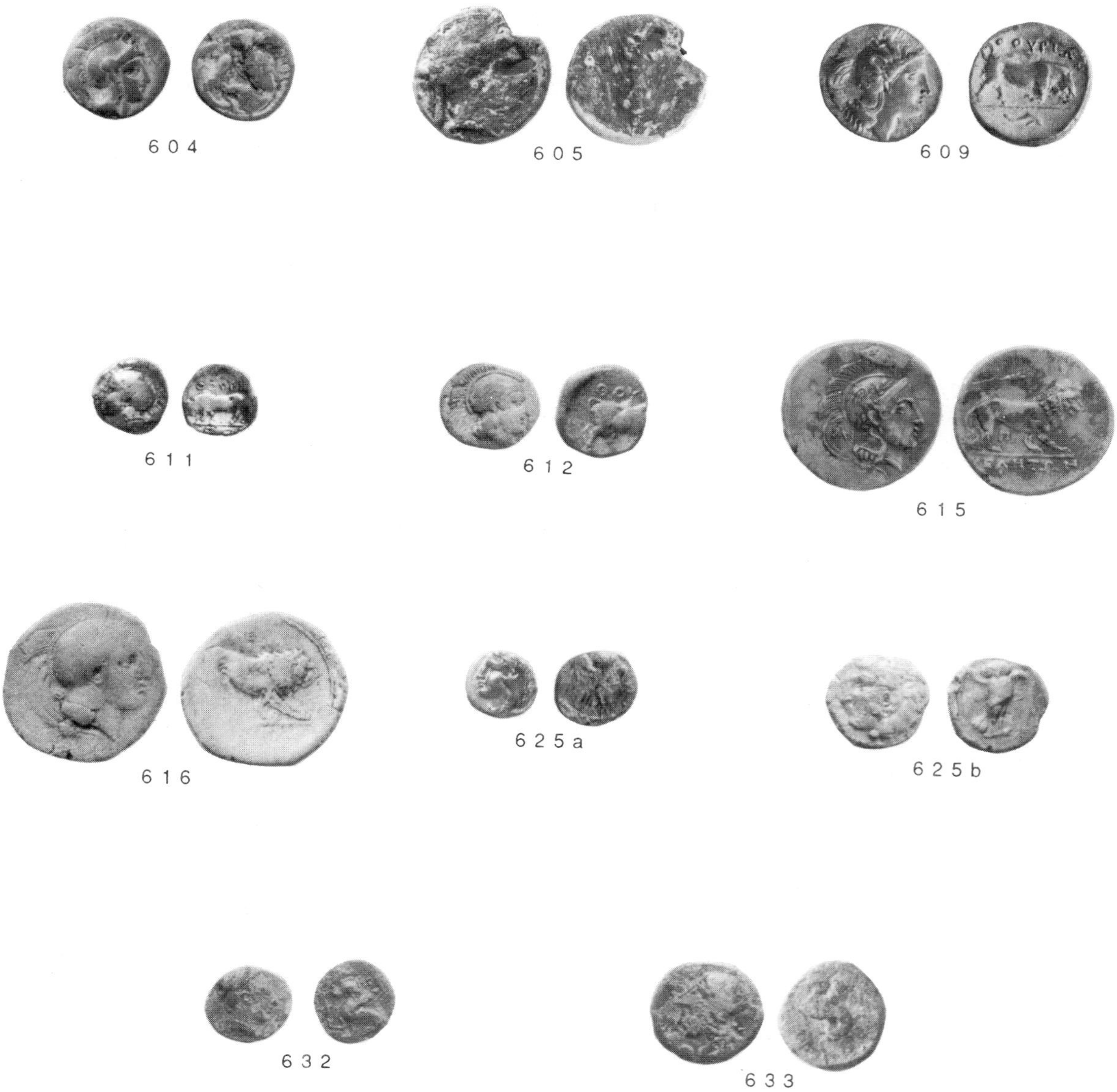

Fig. 203 Coins (scale 1/1).

latter consisting of occupation material in Room A8 of the 2nd half of the 4th century B.C.

606. obv., Head of Athena, r.
rev. META Grain ear, cornucopia
AR diobol, gm. 1.12, *SNG* Cop. no. 1232.

607. obv., Female Head, r.
rev., Grain ear.
AE, gm. 3.2, *SNG* Cop. no. 1245-1246.

Poseidonia

608. obv., Bull butting l.
rev., Poseidon r., to r. traces of letters.
AE, gm. 1.2, Sallusto 1971, no. 9-10.

Thurium

609. obv., Head of Athena r., Scylla on helmet.
rev., ΘΟΥΡΙΩΝ. Bull butting r., in exergue, dolphin.
AR stater. *SNG* ANS no. 1046-1047. Published in *NSc*, 1978, p. 406, fig. 39,1.

610. obv., similar.
rev., similar, in exergue EY owl Φ[P].
AR stater. *SNG* Ashmolean Museum no. 1063. Published in *NSc*, 1978, p. 406, fig. 39,r.

611. obv., Head of Athena l.
rev., ΘΟΥΡΙ Bull walking l., in exergue, a fish.
AR diobol, gm. 1.0, *SNG* Cop. no. 1474 (obv., type r.)

612.• obv., Head of Athena r.
rev., ΘΟΥ Bull walking r.
AR diobol, gm. 1.05, *SNG* Cop. no. 1475.

613. obv., Head of Athena r.
rev., Bull butting r., in exergue, a fish.
AE, gm. 6.2, *SNG* ANS no. 1190.

614. obv., illegible.
rev., Bull r.
AE, gm. 1.35, *SNG* Cop. no. 1495.

Velia

615.• obv., Head of Athena r. A-I.
rev., ΥΕΛΗΤΩΝ in exergue. Lion walking r. Above grain stalk, below, Π.
AR Stater, gm. 7,2, *SNG* Ashmolean Museum no. 1349 ff., Mangieri 1986, no. 172.

616. obv., similar.
rev., similar. Above, caduceus.
AR Stater, gm. 6.65, *SNG* Ashmolean Museum no. 1390.

617. obv., illegible.
rev., in exergue YE[]H[] lion l.
AE core of plated coin, gm. 1.2.

618. obv., Head of Athena r.
rev., Owl l.
AE, gm. 0.35, 0.6, (both plated) *SNG* Cop., 1607.

619. obv., Female head l.
rev., Owl l.
AE, gm. 1.3, *SNG* ANS no. 1416.
obv., illegible (probably similar).
rev.,]EΛ[Owl l.
Ae, gm. 1.2 (plated) *SNG* ANS no. 1415.
obv., illegible (probably similar).
rev., Owl l.
AE, gm., 1.7, 0.8, 0.7, 3.2, 1.2, 0.9, 0.7, (4 plated).

620. obv., Female head r.
rev., Owl r.
AE, gm. 1.2, 1.3, (1 plated) *SNG* Cop. no. 1599.
obv., illegible (probably similar).
rev., Owl r.
AE, gm. 0.9, 0.6, 1.15, (2 plated).

621. obv., Female head r.
rev., Owl to front.
AE, gm. 1.1, *SNG* Cop. no. 1600.

622. obv., Male head r.
rev., Owl to front.
AE, gm. 0.95, *SNG* ANS no. 1436.

623. obv., Head of Zeus r.
rev., Owl to front.
AE, gm. 1.4, 1.55, 0.85, 1.2, 0.8, (2 plated) *SNG* ANS no. 1422-1429.
One from interface of occupation/tile collapse in Portico A3, 2nd half of 4th century B.C. One from earlier phase of Portico A3, before 330 B.C.

624. obv., Head of Zeus l.
rev., Owl to front.
AE, gm. 3.9, (plated) *SNG* Cop. no. 1601.
obv., illegible (probably similar to no. **620** and **621**).
rev., Owl to front.
AE, gm. 1.6, 0.7, 0.3, 1.0, 1.1, 1.0, 1.25, (1 plated).
Two from EB-FB 109/10 III, dump ca. 300/280 B.C.

625.• obv., Head of Herakles l.
rev., Owl to front.
AE, gm. 2.4, 1.5, 3.5, 2.9, 1.0, (1 plated) *SNG* Cop. no. 1594.
One from main occupation of Room A6, 2nd half of 4th century B.C.

626. obv., Head of Herakles r.
rev., Owl to front in wreath.
AE, gm. 3.3, 2.55, 1.1, (2 plated) *SNG* Cop. no. 1595.

627. obv., similar.
rev., Owl r. in wreath.
AE, gm. 1.25, 1.75, 2.1, 1.7, 2.1, 1.6, 2.1, 3.75, *SNG* Cop. no. 1595 and 1597.
One from interface of roof collapse/occupation in Portico A3, second half of 4th century B.C.

628. obv., similar.
rev., Owl r.
AE, gm. 3.3, 3.9, 3.25, *SNG* Cop. 1598.

629. obv., Similar.
rev., Owl l.
AE, gm. 1.4, (plated) *SNG* ANS no. 1412-1413.

630. obv., Head of Herakles l.
rev. Owl.
AE, gm. 1.5, 0.8, 1.1, *SNG* ANS no. 1410.

Bruttium

Rhegium

631. obv., Lion's scalp.
rev., Male head r.
AE, gm. 1.3, *SNG* Cop. no. 1943.
Layer CB-DB 171, "pozzo"-dump ca. 300 B.C.

Sicily

Adranum

632.• obv., Female head r.
rev., Hippocamp r.
AE, gm. 1.8, Cahn *et al.* 1988, no. 247, Cammarata 1984, pl. III, no. 49, previously unrecorded specimen.

Syracuse

633.• obv., ΣΥ[Ρ]Α Head of Athena l.
rev., Hippocamp l.
AE, gm. 6.15, *SNG* Cop. no. 721-722.

Siculo Punic

634. obv., Head of Tanit l.
ev., Horse standing before palm.
AE, gm. 1.3, Arslan 1976, no. 1300 ff.

R. R. Holloway

15. Fibule

Bronzo

A) *Arco semplice*

635.° (BH 108/BI 107 III US 63) Arco leggermente ingrossato. Conservato l'arco con la molla e l'attaccatura della staffa, a lamina rettangolare (?)
lungh. 2.5; alt. 1.8.

636. a.°(BE 107/BF 108 I US 150) Conservato l'arco con molla ed attaccatura della staffa
lungh. 3.6; alt. 2.2.
L'arco presenta un lieve ingrossamento centrale. Il tipo è diffuso a Roccagloriosa almeno dagli inizi del IV secolo a.C., come mostrano gli esemplari rinvenuti nella Tomba 6. Si raffronti anche l'esemplare dalla tomba messapica di Ugento (Lo Porto 1970-1971, p. 145, n. 47). Sono altresì strettamente collegati a questo tipo di fibula gli esemplari in argento dalla Tomba 9, in contrada La Scala (**636 b**, **c**) i cui raffronti più stringenti sono da rinvenirsi nelle necropoli sannitiche di Cuma (Gabrici 1914, col. 707, fig. 44). È presente nella stipe di Colla/Rivello (*Lagonegro*, 1981, p. 52-53), considerata di tipo 'sannitico'.

637. (BH 109/BG 110 IV US 38') Di tipo assimilabile alla precedente. Conservata solo una parte dell'arco
largh. 1.8.
Del tipo ad arco semplice. Si veda l'esemplare dalla T. 25 di Satriano (Holloway 1970, p. 77, fig. 139, n. 155), datato alla fine del V secolo a.C.

B) *Arco a 'doppia gobba'*

638.a.° (s. A Est II) Conservato l'arco a doppia gobba
lungh. 3.2; alt. 1.6.

639. ('Pozzo' CB-DB 171) frammento di arco di fibula probabilmente di tipo simile (Fracchia e Girardot 1986, tav. 21 n. 263).

640. (VA-XA 116-17 III) Frammento di arco di fibula a doppia gobba. Arco ingrossato, più largo del tipo precedente
largh. 1.3.

641. (XA 170 IIa) Frammento di arco di fibula a doppia gobba
largh. 2.6.

Si confrontino gli esemplari in oro dalla Tom-

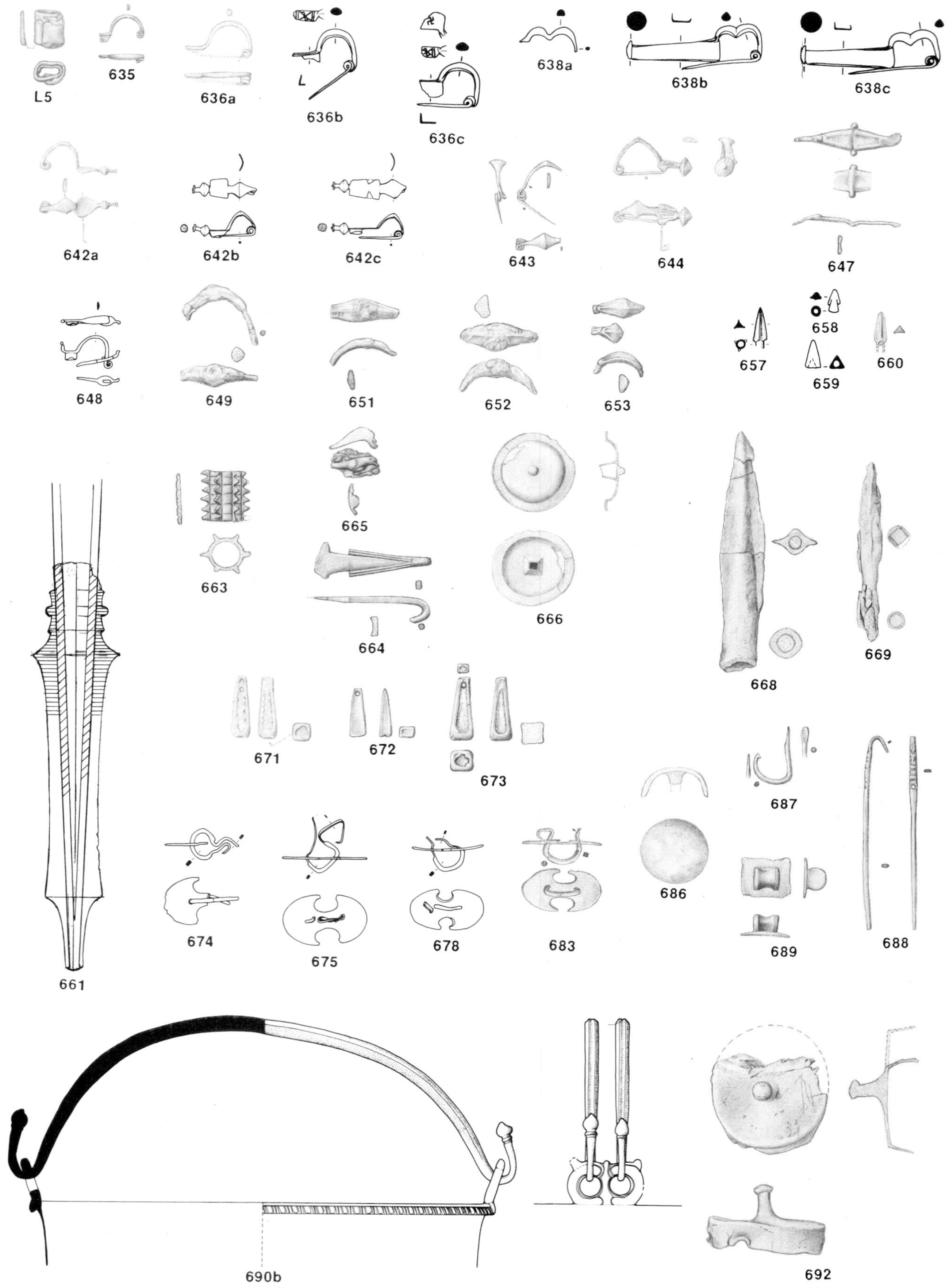

Fig. 204 Oggetti di metallo (scala 1/3).

ba 9 in contrada La Scala (**638 b, c**) (GUALTIERI 1989b). Probabilmente con staffa lunga, anche se non è possibile precisare data la frammentarietà degli esemplari rinvenuti. I raffronti più frequenti sono da rinvenirsi nell'area apula, dove è diffusa soprattutto nel periodo arcaico (GERVASIO 1921, p. 264), ma è presente anche in tombe di IV secolo (*Ceglie Peuceta* 1982, p. 82, tav. 5). A Pæstum è nota in argento in tombe degli inizi del IV secolo a.C. (PONTRANDOLFO GRECO 1977), ed è altresì presente nella stipe di Rivello Colla/Rivello. Si veda la discussione sulla distribuzione del tipo in *Lagonegro* 1981, p. 52. Il tipo in bronzo è presente in tombe della seconda metà del VI secolo a.C. nella necropoli di Palinuro (SESTIERI 1948, p. 345).

C) *Arco a losanga e staffa a lamina terminante a bottone*

642. a.○ (s. A ovest IV) Intatta, mancante di ardiglione
lungh. 4.3; alt. 1.9. (Si vedano i raffronti in argento dalla T. 15 in contrada La Scala: **642 b, c**)

643.○● (BG 107/BH 108 IV US 99) Arco intatto, con molla e ardiglione.
lungh. 2.7; alt. 2.4.

644.○ (BG 110/BH 111 II US 393) Intatta, con decorazione 'a spina di pesce' sulla staffa
lungh. 4.3; alt. 2.6.

645. (s. F1 ovest III) Staffa di fibula di tipo simile
lungh. 1.5; largh. 0.8.

646. (Pianoro sud-est, sporadico) Bottone della staffa di fibula di tipo simile
lungh. 1.2.

È il tipo di fibula più diffuso sul sito, come dimostra la sua presenza (in diverse varianti) nelle tombe 3, 14, 16 e 17 della necropoli in Loc. La Scala. In argento, è presente anche (almeno sei esemplari) nella tomba 15 (NN. **642 b, c**). Assai comune nell'area Magno-Greca durante la seconda metà del IV secolo a.C., come dimostrano i numerosi raffronti da vari siti. Si vedano, in particolare, Rivello (*Lagonegro* 1981, p. 52-54), *Praia a Mare* (1972, pp. 536-538), Strongoli (GUZZO e LUPPINO 1980, p. 907) e Cirò Marina (CAPANO 1979, fig. 18).

D) *Altri tipi*

647.○● (BC 118/BD 119 US 240) Arco doppio foliato (rinvenuto appiattito) con apofisi laterali. Decorazione incisa sull'arco.
lungh. 5.9; largh. 1.8 (con apofisi), 1.2 (senza apofisi).
Tipo di derivazione arcaica. Sembra rifarsi al tipo a navicella con apofisi laterali.
Si raffronti con gli esemplari dalla stipe di Colla/Rivello (*Lagonegro* 1981, p. 53-54).

648.○● (Ambiente A7/A8 US 40) Arco semplice, con piccola staffa quadrangolare terminante a pomello sagomato. Ardiglione mobile.
lungh. 3.0; alt. 1.8.
Vari esemplari, in bronzo, provengono dal santuario campestre di Albanella e sono datati alla seconda metà del IV secolo a.C. (*Albanella* 1989, p. 52 e fig. 13, H4). Un esemplare simile, in oro, è stato rinvenuto nel ripostiglio di Oppido Lucano (*Oppido Lucano* 1980, p. 248, fig. 184) della seconda metà del IV secolo a.C. Si confrontino anche gli esemplari in bronzo da Gravina di Puglia, in una tomba di IV secolo a.C. (*Gravina I*, tav. 29,b1, fig. 7,d) e da Buccino (DYSON 1983, p. 27, fig. 51). A Monte Irsi è stato rinvenuto lo stampo di una fibula di questo tipo su di un peso da telaio in terracotta (*Monte Irsi* 1977, p. 343, n. 347, fig. 37).

Ferro

649.○● (EB-FB 110 III) Fibula con arco ingrossato. Conservato l'arco con attacco dell'ardiglione. Sezione approssimativamente ovale
lungh. (arco) 3.4; alt. (arco) 2.2.

650. (s. A ovest II-III) Fibula ad arco ingrossato
lungh. 2.9; sezione (ovale) 0.9.
Di un tipo piuttosto generico, comune nella seconda età del Ferro (*Cairano* 1980, p. 39 e Tav. 76). In mancanza della staffa non è possibile darne una qualifica cronologica più precisa.

651.○ (WA 86) Fibula ad arco approssimativamente trapezoidale. Conservato solo l'arco
lungh. 3.7; alt. 1.3; largh. max (arco) 1.6.

652.○● (EB-FB 110 III) Fibula con arco a losanga. Conservato solo l'arco
lungh. 4.3; alt. 2.1.
Si vedano, anche in questo caso, alcuni prototipi della seconda età del Ferro dalla tomba 10 di Cairano (*Cairano* 1980, p. 39 e Tav. 80).

653.○ (s. A ovest II) Fibula ad arco a losanga con costolatura centrale. Conservato solo l'arco
lungh. 2.7; alt. 1.6; largh. max (arco) 1.3.
Può assimilarsi al ben noto tipo 'a navicel-

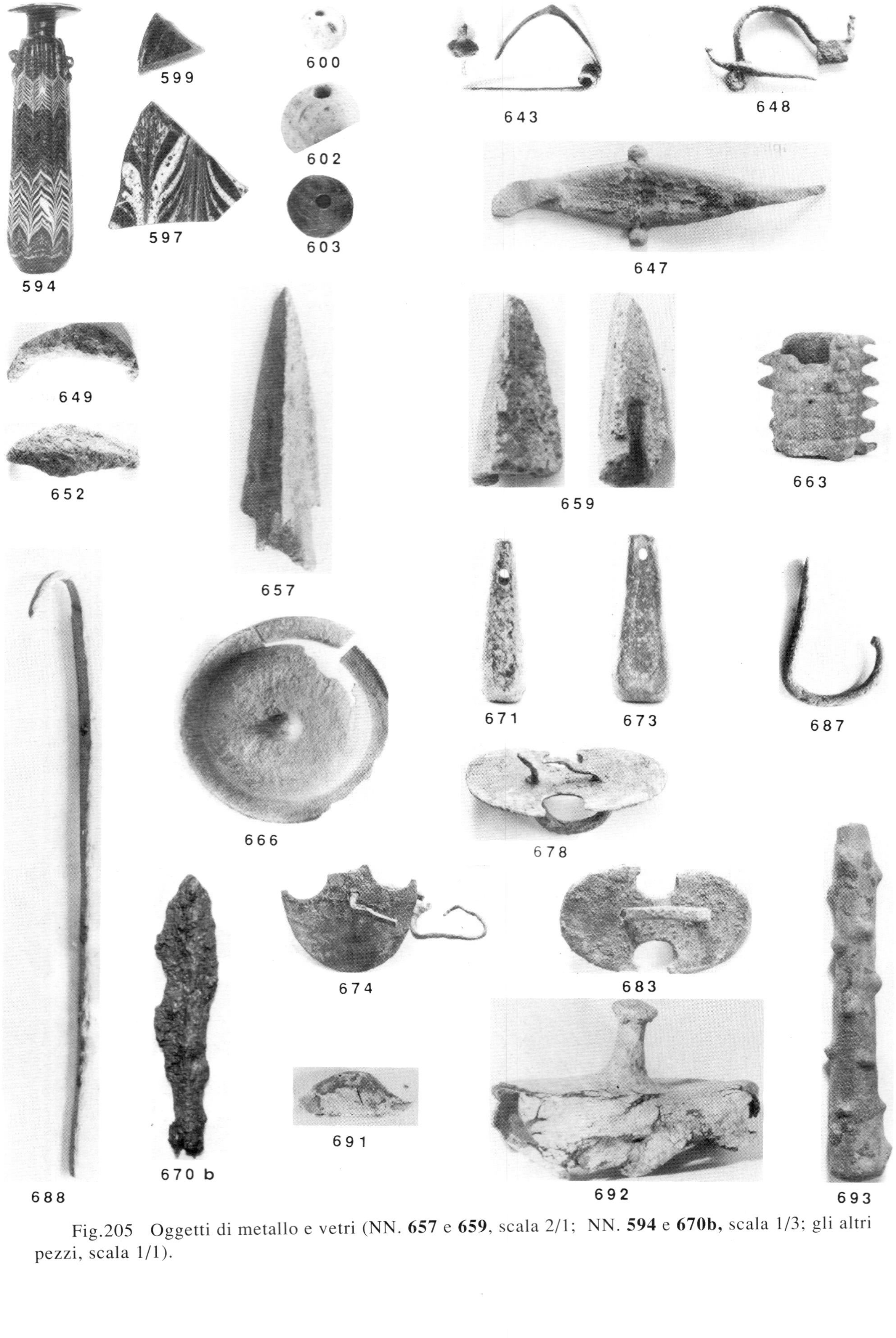

Fig.205 Oggetti di metallo e vetri (NN. **657** e **659**, scala 2/1; NN. **594** e **670b,** scala 1/3; gli altri pezzi, scala 1/1).

la'. Per la diffusione del tipo in contesti funerari di IV secolo a.C. si veda *Locri* 1917, p. 139).

654. (s. D ovest II) Arco di fibula ingrossato a losanga frammentario
lungh. 3.0; spess. 0.9.

655. (VA-XA 116-17 II) Arco di fibula ingrossato, a losanga
lungh. 3.5; largh. 1.2.

656. (BC 118/BD 119 US 212) Arco di fibula ingrossato, a losanga
lungh. 3.0; spesso. 0.9.

Per i tipi con arco ingrossato, lievemente a losanga, si vedano vari esemplari dalla stipe di Colla/Rivello (*Lagonegro* 1981, p. 54, fig. 26).

16. Armi

Bronzo

A) *Punte di freccia*

657.○● (s. N IIB) Tipo a tre alette. Attacco a cannone circolare
alt. 2.2.
I raffronti più prossimi sono quelli da Palinuro (Greco E. 1975, p. 135, fig. 44b).

658.○● (s. A ovest II-III) Tipo a tre alette. Attacco a cannone circolare
alt. 1.2.

659.○● (s. A ovest II) Tipo piramidale
alt. 1.6.

660.○ (BB 109/BC 110 IV US 435) a sezione triangolare (tipo piramidale?). Attacco mancante
alt. 1.9.

B) *Puntale*

661.○● (VA 86 II) *Sauroter* in bronzo con anima in ferro. Sagomato in maniera assai elaborata. Iscrizione incisa sul fondo, da leggersi orizzontalmente dalla base del puntale verso la sommità della lancia
alt. (della parte in bronzo) 21.0; alt. (con asta di ferro) 28.0; ø max 4.8; ø cannone in ferro 2.8.
Frammenti dell'asta in legno sono stati rinvenuti nel cannone in ferro con cui termina il puntale in bronzo. L'aspetto più interessante è costituito dalla iscrizione <H (molto probabilmente per *demosion*) con disposizione delle lettere identica a quella che si rinviene sui mattoni velini (si vedano i tipi presentati in Gallo 1966). Potrebbe, molto probabilmente, trattarsi di un oggetto di bottino proveniente da Velia stessa. È altresì di rilievo il suo rinvenimento nel complesso in VA-XA 85-86 (*supra*, p. 84) associato con altre punte di lancia, in ferro (NN. **669-670**), che costituiscono l'unico gruppo di armi di una certa consistenza rinvenute sul sito. Per il tipo di *sauroter* si veda Gabrici 1927, p. 364, fig. 157,f. Ardovino 1980, p. 64, sottolinea l'uso di un simile *sauroter* sagomato quale "arma da parata".

662. (VA 86 II) Frammento di *sauroter* sagomato, di tipo simile. Conservata la parte dell'attacco con l'anima in ferro
alt. 3.2; largh. 2.0; spess. 0.7; ø ca. 3.0.

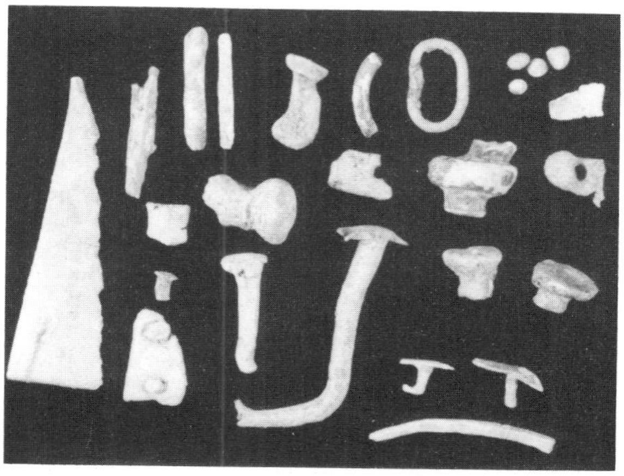

Fig. 206 Gruppo di oggetti in bronzo provenienti dal 'tesoretto di fonditore' rinvenuto nel saggio N-O II (si veda il N. **665** del catalogo).

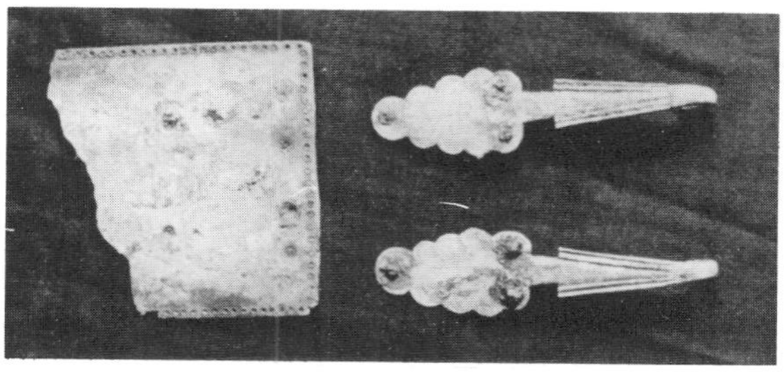

Fig. 207 Cinturone di bronzo dalla tomba 21 (si veda il N. **664** del catalogo) (scala 1/3).

Fig. 208 Sauroter N. **661**, *in situ*.

C) *'Testa di mazza'*

663.○● (s. F1 II) Elemento cilindrico a spessa lamina con sei file di denti simmetricamente disposti lungo la superficie esterna
alt. 2.9; ø 1.7 (2.8 con i denti).
Si vedano i raffronti da Tiriolo (FERRI 1927, p. 348, fig. 20: esemplare definito "ghiera di clava votiva") e dal santuario della dea Marica alle foci del Garigliano (MINGAZZINI 1938, col. 914, tav. 42, n. 9: oggetto presentato come elemento per cardare la lana). Vari esemplari sono in mostra al Museo Civico di Cortona, dove vengono etichettati quali "strumenti per bardatura di cavallo". Si vedano gli esemplari dell'area laziale in GUIDI 1980, p. 24, nn. 26-28, fig. 5 per cui Guidi giustamente sottolinea l'uso per la bardatura equina, citandone i prototipi dall'Asia Minore.

D) *Apprestamenti difensivi*

664.○ (s. 1985) Gancio di cinturone di bronzo a forma triangolare con incisione a linee. Conservato anche un frammento dell'attacco a lamina incisa
lungh. 6.4; largh. 1.7.
Per il tipo di gancio e la decorazione si vedano gli esemplari rinvenuti in alcune delle tombe della necropoli in loc. La Scala. Si raffronti in particolare, con i ganci del cinturone della T. 21 (fig. 207). Per i ganci di cinturoni di tipo 'sannitico', a cui l'esemplare appartiene, si veda REBUFFAT-EMMANUEL 1962.

665.○ (s. N-NO, dal 'tesoretto di fonditore') Frammento di lamina di bronzo con finissima decorazione zoomorfa
lungh. 2.6; largh. 2.6.
Per il cd. 'tesoretto di fonditore' (cioè un gruppo di oggetti in bronzo, frammentati, associati con vari chili di scorie, nel saggio N-O II), si veda la fig. 206.
Probabilmente appartenente a decorazione di elmo o corazza?

666.○● (s. F ovest II) Umbone di scudo, sagomato con protuberanza al centro. Attacco a sezione quadrangolare sulla superficie interna.
ø 4.6.

667. (VA 86 II) Cinque frammenti di lamina di bronzo con fori (da 1.5 a 3.55 mm.) sui margini ed un gancio in foro corrispondente (3.5 mm.) nella parte interna. Molto probabilmente appartenenti ad un pezzo di armatura (elmo o schinieri)
I) alt. 6.9; largh. 4.3
Con quattro fori piccoli sul margine esterno ed uno grande all'interno.
II) alt. 5.0; largh. 4.3
Con un piccolo gancio.
III) alt. 5.1; largh. 3.7.
IV) alt. 4.2; largh. 2.2
Un foro sul margine esterno.
V) alt. 2.3; largh. 2.1.

Ferro

Punte di lancia o giavellotto

668.○ (WA 86 II) Punta di lancia con immanicatura a cannone, punta romboidale e costolatura centrale
lungh. 14.8
Si confronti con l'esemplare della T. 43 di Melfi/Pisciolo, datata nella seconda metà del V sec. a.C. (*Popoli Anellenici* 1971, p. 121).

669.○ (VA 85 pit a1) Simile alla precedente, a punta più stretta e di dimensioni minori. Assai corrosa
lungh. 10.1.

670.● (WA 86 II) Punta romboidale con costolatura centrale. Conservata solo la parte superiore della punta
lungh. 6.2.
Un raffronto generico è fornito altresì dall'esemplare rinvenuto in una tomba sconvolta (di IV sec. a.C.?) dall'agglomerato rurale in località Mortelle (*supra*, cap. 7, p.189).

17. PICCOLI OGGETTI IN METALLO

A) *Pesetti di piombo*

671.○● (US 48) Pesetto piramidale a sezione quadrangolare. Reca decorazione incisa
alt. 3.5; largh. 1.0.

672.○ (US 246) Pesetto piramidale a sezione rettangolare.
alt. 2.7; largh. 0.8.

673.○● (Area DB/Piani di Mariosa, superficie) Pesetto piramidale a sezione quadrangolare. Decorazione incisa a punzone sulla faccia sommitale.
alt. 3.5; largh. 1.2.

Diffusi sia in contesti votivi (*Lagonegro* 1981, p. 56-57, dalla stipe di Colla/Rivello) che in contesti abitativi. A Monte Irsi (*Monte Irsi* 1977, p. 204, n. 354), un peso piramidale in piombo alto cm. 7.8 mostra che il piombo veniva adoperato anche per pesi da telaio.

B) *Appliques in bronzo*

674.○● (XA 85-86) Concentrazione di due appliques del tipo a scudo ovale con anello di attacco ovale. Include un esemplare conservato a metà con anello di attacco ed un attacco ovale, intatto
alt. 2.5; largh. 2.8.

675.○ (XA 86 22.IV.77) Applique di bronzo a forma di scudo ovale con anello di attacco. Intatta
alt. 4.0; largh. 2.4.

676. (XA 86) Applique simile. Placchetta intera ma corrosa; manca l'anello di attacco
lungh. 3.7; largh. 2.5.

677. (XA 86 II 12.IV.77) Applique simile. Anello di attacco completo; conservata solo una piccola parte della placca a scudo, inserita in esso
alt. 1.7; largh. 1.5.

678.○● (XA 86 III) Applique simile. Completa con anello di attacco, ma corrosa
alt. 4.0; largh. 2.4.

679. (WA 87) Concentrazione di due appliques simili
a) Conservata una metà della placchetta a scudo, con anello di attacco frammentario
alt. 2.2; largh. 2.8.
b) Conservata una metà della placchetta a scudo con anello di attacco
alt. 2.6; largh. (ricostr.) 4.6.

680. (FB 109 III B) Conservata solo metà placchetta senza anello di attacco
alt. 2.6; largh. 2.7.

681. (FB 109 III B) Parte della placchetta rotta; completo l'anello di attacco
alt. (ricostr.) 4.6; largh. 2.7.

682. (s. A ovest III) Conservata solo una metà della placchetta
alt. 2.9; largh. 2.6.

683.○● (BE 113/BF 114 IV US 84) Applique simile, intatta
alt. 4.3; largh. 2.5.

684. (BF 113/BG 112 III US 87) Applique simile. Conservata metà placchetta
alt. 2.3; largh. 2.9.

685. (BH 107/BI 108 US 99) Applique simile. Conservata metà placchetta
alt. 2.5; largh. 2.4.

Piccolo oggetto di bronzo assai diffuso sul sito, con concentrazione dei rinvenimenti sul pianoro centrale (complesso in VA-XA 85-86 e complesso A).

A giudicare dagli esemplari rinvenuti intatti, con una piccola grappa ovale ad estremità assottigliate ed allungate usata per agganciarlo, le placchette sembrerebbero piuttosto appartenere a decorazioni di tessuto o cuoio che ad oggetti di legno (quali, ad esempio, mobili). Le estremità della piccola grappa ovale, che avevano funzione di attacco, sono assai allungate e sottili e solo con difficoltà avrebbero potuto essere inchiodate su di una superficie lignea.

Non si conoscono raffronti coevi. Per l'iconografia della placchetta a scudo ovale «con due fenditure laterali che si allungano ad occhio» si veda l'anello d'oro dalla tomba D di Megara Hyblæa (Gentili 1954, p. 9O, figg. 12-13) e l'anello d'argento dalla tomba 25 di Scornavacche (Di Vita 1959, p.355).

C) *Varia*

686.○ (XA 171 III) Borchia di bronzo a calotta emisferica, con chiodo in ferro sulla superficie interna. Probabilmente per ricopertura di grossa porta in legno
ø 3.6.

687.○● (US 40) Amo in bronzo
alt. 3.1; largh. 2.0.

688.○● (VA 85 pit b) Uncinetto in bronzo con decorazione incisa sulla parte superiore
alt. 10.9.

689.○ (CB-BB 171 a8) Piastrina quadrangolare in bronzo con pomello da presa. Probabile sigillo (?).
largh. 2.2; lungh. 2.6.

690.○ (BD 106/BE 107 I-II US 340) Parte terminale di ansa di situla in bronzo. Include la parte terminale dell'asta con pomello ripiegato all'insù
lungh. 2.5.
Identica alla parte terminale delle anse della situla rinvenuta nella T. 10, datata intorno al 400 a.C. (fig. 204).

691.○● (AY 124/AZ 125 IV US 397) Parte terminale di ansa di mestolo o colino (?), conformata a testa di anatra
lungh. 2.2.
Raffronti puntuali con i mestolini dalla T. 6

e T. 10 in loc. La Scala, datate intorno al 400 a.C.

692.○● (Ambiente B8 US 249) Coperchio circolare di scatoletta (pisside) di piombo, con pomello.
alt. 3.6; ø 6.5.
Probabilmente appartenente a cofanetto adoperato per cosmetici o per gioielli, a giudicare dai raffronti esistenti. Si veda l'esemplare nel Museo Nazionale di Taranto (*Ori Taranto* 1984, p. 65), ritenuto contenere gioielli. L'esemplare nel Museo Archeologico di Bari (*Museo Bari* 1983, Tav. 90,4) è presentato come «pisside di piombo da toletta» (*ibid.*), su cui si veda anche Forti e Stazio 1983, p. 664, fig. 680. Un esemplare paragonabile proviene dalla necropoli di *Metaponto* (1966, fig. 78). Simile per dimensioni l'esemplare dalla necropoli ellenistica di Sciatbi/Alessandria (Breccia 1912, p. 174, n. 554, fig. 103).

18. Piccola plastica in bronzo

693.● (Ambiente B9 US 246/F 247) Clava in bronzo, a fusione piena.
alt. 8.0; ø (max) 1.2.

Forse derivante da statuetta di Ercole, appartenente ad un tipo del primo ellenismo. La sommità della clava mostra chiaramente il punto di frattura da un insieme più ampio. Sembra pertanto probabile la sua appartenenza ad una statuetta rappresentante l'eroe in riposo, o in atto di sacrificare, spesso rinvenuto con la clava mancante (si veda, ad esempio, *Sannio* 1980, pp. 237, 369 e Di Niro 1977, *passim*).

Si vedano i raffronti con il tipo di Ercole rappresentato in monete di Heraklea della seconda metà del IV secolo a.C. (Volkommer 1988, p. 59 e fig. 78-79). Più in generale, si veda *LIMC*, vol. IV,1, pp. 762-763, figg. 360-361, nn. 660-661. Una clava, di dimensioni maggiori, è stata rinvenuta nel santuario di Serra Lustrante/Armento (*Popoli Anellenici* 1971, p. 67); le sue dimensioni (alt. ca. 18 cm.) non sembrerebbero escludere una sua possibile appartenenza alla statuetta di culto, di cui sono illustrati altri frammenti (*ibid.*).

M. Gualtieri

CAPITOLO 10

DATI SULL'AGRICOLTURA E L'ALLEVAMENTO*

I. RESTI ARCHEOBOTANICI**

1. Introduzione

La possibilità d'interpretare le fonti classiche che descrivono l'agricoltura e il paesaggio di epoca romana ha spesso fatto passare in secondo piano lo studio delle evidenze dirette prodotte dagli scavi di età arcaica e romana. Però, mentre le fonti rappresentano un riferimento di carattere generale per il loro contenuto informativo, i resti vegetali estratti dagli scavi costituiscono gli elementi fondamentali per un'analisi corretta delle condizioni materiali della produzione primaria.

In alcuni casi le fonti sono risultate imprecise o sono state contraddette dai dati archeobotanici che hanno permesso così di migliorare il quadro delle nostre conoscenze (COSTANTINI 1983a).

L'uso appropriato delle due categorie d'informazione consente di effettuare significative valutazioni tra situazioni locali, relative al sito investigato, e il quadro generale del paesaggio naturale e dell'economia agricola.

Con questo intendimento la ricerca archeobotanica fu avviata a Roccagloriosa fino dal 1984 (FITT 1986), per produrre evidenze dirette che consentissero di caratterizzare meglio l'antica economia agricola del sito.

2. Ambiente geografico e vegetazione

L'area archeologica di Roccagloriosa (SA) occupa un vasto pianoro, a circa 500 m. slm, protetto da una ripida cresta rocciosa a est e a sud-est, mentre a ovest il versante scosceso della collina fu fortificato lungo tutta la linea di quota (GUALTIERI 1987). Situato nell'immediato entroterra del golfo di Policastro, tra le valli del Mingardo e del Bussento, l'insediamento è oggi circondato da una fitta vegetazione mediterranea della quale le querce rappresentano l'elemento caratterizzante.

Il confine nord-ovest dell'area dell'insediamento agglomerato è delimitato dalla Conca del Carpineto, con indubbio riferimento a quella che doveva essere un tempo la specie dominante. Oggi il carpino nero *(Ostrya carpinifolia)* e il carpino bianco *(Carpinus betulus)* insieme al frassino *(Fraxinus ornus)*, acero *(Acer campestre)*, pruno spinoso *(Prunus spinosa)* raggiungono il massimo sviluppo nei boschi misti di leccio *(Quercus ilex)*, roverella *(Quercus pubescens)* e cerro *(Quercus cerris)* che popolano le zone di transizione tra il piano basale e il piano montano dei Monti del Cilento.

---

* L. Costantini (Direttore, Laboratorio di Bioarcheologia, ISMEO e MNAO, Roma) e J. Fitt (Environmental Laboratory, British School at Rome e Institute of Archaeology, University of London) hanno curato congiuntamente la sezione sui reperti archeobotanici.

S. Bökönyi (Direttore, Archaeological Institute, Hungarian Academy of Sciences, Budapest) è l'autore dello studio sui resti faunistici.

** Gli autori colgono l'occasione per ringraziare il Prof. Maurizio Gualtieri per il sostegno dato alla ricerca e le proficue discussioni intrattenute. Il contributo finanziario è stato concesso dal Social Sciences and Humanities Research Council of Canada e dal Consiglio Nazionale delle Ricerche, Roma.

3. Criteri di campionatura

La strategia di raccolta dei campioni di suolo per la ricerca dei semi è stata determinata sia dai quesiti sulla passata economia agricola, ai quali dare una risposta, sia dalle vicende dello scavo. La campionatura ha seguito l'evolversi dello scavo ed è stata adattata, di volta in volta, alle aree che durante il lavoro si andavano definendo. Si è cercato di procedere secondo criteri di rappresentatività totale in modo da rendere confrontabili i risultati delle diverse aree tra loro e quindi i dati finali con quelli di altri siti. Campioni di terreno sono stati prelevati da tutti i contesti cercando di documentare tutti i periodi di occupazione del sito. Si è deciso di adottare, quale unità di prelievo, la quantità di circa 10 litri di terreno. Durante le quattro campagne di scavo sono stati trattati, con il metodo del flusso continuo di acqua (Badham e Jones 1985) 139 campioni prelevati da 53 contesti, ma solo 93 campioni, provenienti da 44 diversi contesti, contenevano resti vegetali. In totale sono stati recuperati 713 tra semi, noccioli di frutti e resti di paglia. Tutto il materiale è carbonizzato, con la sola eccezione dei semi di fico e di alcuni vinaccioli che si presentano mineralizzati (Green F.J. 1979). Lo stato di conservazione dei semi non può essere definito ottimale perché su di essi hanno agito due cause sfavorevoli: a) il calore del fuoco, che se da una parte ne ha consentito la conservazione attraverso la carbonizzazione, dall'altra ha provocato deformazioni e danni a volte consistenti; b) la natura del terreno, molto compatto e con una elevata acidità, che ha condizionato anche la conservazione delle ossa, delle conchiglie e della ceramica.

4. Risultati e commenti

Sebbene le caratteristiche del terreno fossero particolarmente sfavorevoli alla conservazione dei resti biologici, l'estensione delle indagini a un numero elevato di contesti (53) e il lavaggio di una quantità rilevante di terra (circa 1,5 tonnellate) ha consentito di recuperare una buona documentazione di resti vegetali.

I risultati conseguiti hanno quindi pienamente soddisfatto le aspettative consentendo di precisare quali furono i principali raccolti su cui si fondava l'economia agricola dell'insediamento durante le più importanti fasi di occupazione (4°-3° sec. a.C.). Per la fase più antica (6°-5° sec. a.C.), così come per quella più recente (fine 3° sec. a.C.), la documentazione archeobotanica è molto carente e puramente indicativa perché limitato è stato il numero di campioni prelevati dai pochi livelli attribuiti ai due periodi. Le specie riconosciute, raggruppate in quattro categorie, cereali, legumi, frutti e piante infestanti, sono elencate nella tab. n. 1 nella quale sono riportate le quantità di resti attribuiti a ciascuna specie, in relazione alla loro provenienza.

A) *Cereali*

I resti di cereali rappresentano il 27% della documentazione totale e comprendono semi e avanzi di paglia di monococco e dicocco, semi di grano tenero, orzo e panico/miglio, recuperati da 21 diversi contesti. Per alcuni semi di grano e di orzo è stato impossibile arrivare ad una classificazione completa a causa del loro cattivo stato di conservazione e sono stati attribuiti genericamente a *Triticum* sp. e *Hordeum* sp. Inoltre, un certo numero di avanzi di paglia di piccole dimensioni e privi di caratteri diagnostici sono stati raggruppati sotto la denominazione di *Graminaceæ* indet., non potendo esprimere alcun giudizio. L'assortimento delle specie presenti a Roccagloriosa comprende sia cereali invernali, sia cereali estivi, secondo la classificazione di Plinio (*NH* XVIII,10) che li suddivideva in due gruppi. I cereali invernali erano frumento, farro e orzo; gli estivi, miglio, panico, sesamo ecc.

Triticum monococcum

Un singolo seme di monococco è stato rinvenuto in un livello di abitazione datato alla prima metà del 4 sec. a.C. Si tratta di un piccolo seme deformato dal calore, con una evidente dilatazione della superficie ventrale. Il monococco è presente in Italia fino dal neolitico antico (Costantini 1981; Castelletti *et al.* 1987) con una più marcata diffusione tra Bronzo e Ferro come testimoniano i resti trovati a Luni sul Mignone, in Etruria (Helbaek 1967), a Roma, nel Foro Romano (Helbaek 1953) e nel Pozzo di Vesta (Helbaek 1956), a Cures Sabini, nel Lazio settentrionale (Costantini e Biasini 1985, 1987, 1988) ed anche nei livelli di occupazione del Periodo I (30 a.C. - 200 d.C.) di San Giovanni di Ruoti in Lucania (Costantini 1983b). Il monococco permane allo stato d'infestante o gregaria del dicocco e del frumento fino in epoca medievale (Costantini *et al.* 1983) e ancora oggi si trova sporadicamente mescolato al farro (Perrino 1982, Perrino *et al.* 1981). Nella terminologia usata dai principali Autori Classici per le varie specie di *Triticum,* non c'è un termine preciso che indichi il monococco ma secondo Billiard (1928, p. 107) sarebbe possibile riconoscere il *Triticum monococcum* nella *tiphex*, che Plinio (*NH* XVIII,19,20) include però tra i tipi di farro provenienti da oriente, insieme alla *zea* e *arinca*.

Triticum dicoccum

I resti di farro sono senza dubbio i più numerosi tra i cereali e comprendono sia semi, sia resti di paglia, distribuiti in numerosi contesti delle fasi centrali di occupazione. Gran parte dei resti di paglia provengono da due abitazioni di 4° sec. a.C. a testimonianza che una parte del trattamento delle spighe dei cereali veniva effettuato all'interno delle case. Anche il farro, come il monococco, è presente in Italia fino dal neolitico con una distribuzione geografica che interessa tutta la Penisola e anche la Sicilia (Costantini 1981; Castelletti *et al.* 1987). Ma il farro rivestì grande importanza anche nell'economia agricola eneolitica come testimoniano i numerosi ritrovamenti di semi carbonizzati. Resti di farro sono stati trovati anche a Luni sul Mignone (Helbaek 1967), a Roma (Helbaek 1953, 1957), a Cures Sabini (Costantini e Biasini 1985, 1987, 1988), a Pompei (Meyer 1980), a Monte Irsi (Hjelmqvist 1977), a San Giovanni di Ruoti (Costantini 1983b), a Pizzica Pantanello (Metaponto) (Costantini 1980, 1983c, 1983d; Carter *et al.* 1985), a Satrianum (Nickerson 1970) e Monte San Mauro di Caltagirone (Costantini 1979), solo per citare alcuni siti vicini geograficamente e cronologicamente a Roccagloriosa. La coltivazione del farro raggiunse la massima espansione in epoca romana e Columella (*Rust.* II,6) ricorda quattro diverse varietà: *far clusinum* (farro di Chiusi) bianco e brillante; *far vennuculum*, di questa varietà esistevano due razze, una bianca, l'altra rossa; *halicastrum*, o farro trimestrale, migliore per peso e qualità. Secondo Plinio (*NH* XVIII,19) il farro, poco esigente e idoneo per diversi tipi di terreno, fu il più importante cereale dei popoli Latini (*primus antiquis Latio cibus*) e rappresentò per un lungo periodo l'aspetto più tradizionale dell'alimentazione, come dimostra l'osservanza dell'istituto giuridico-religioso della *confarreatio*, durante i matrimoni tra patrizi. L'uso inoltre di premiare i soldati vittoriosi con una focaccia di farro *(adorea)* (Plin., *NH* XVIII,3), testimonia quale rilievo aveva il farro nella vita sociale, economica, religiosa e militare.

Triticum compactum

La presenza di grano tenero (grano nudo esaploide) è attestata da due semi trovati in due diversi contesti. I semi sono corti e la forma è abbastanza tipica: superficie ventrale piana, solco largo e ben marcato, dorso piano e fianchi scoscesi, impronta embrionale introflessa e subverticale.

Il grano tenero, sebbene presente in Italia dal neolitico (Castelletti *et al.* 1987), si affermò pienamente solo durante il Bronzo con una larga diffusione negli insediamenti palafitticoli dell'Italia padana e centrale (Goiran 1890; Tongiorgi 1947, 1956). Una progressiva diminuzione delle testimonianze archeobotaniche si nota invece per i siti del Ferro nei quali predomina il farro.

Tale è la situazione anche nei siti presi in considerazione nella breve discussione a proposito del monococco e del dicocco. Infatti non sono stati trovati resti di grano tenero né a Luni sul Mignone, né a Roma, né a Monte Irsi, mentre la presenza di grano tenero è scarsa o del tutto occasionale a Cures Sabini e a San Giovanni di Ruoti. Solo a Pizzica Pantanello (metà 4° - inizio 3°) i semi di *Triticum compactum* risultano dominanti sul farro. Gli scrittori latini indicavano il grano tenero con il termine generico di *Triticum* e secondo Columella (*Rust.* II,6) tre erano le varietà più diffuse: *robus*, di qualità superiore per peso e bianchezza, da preferirsi per le semine; *siliginis*, di ottima qualità per il pane; *trimenstre*, molto utile per le semine tardive. Questi grani teneri erano più idonei per i campi aperti, asciutti e soleggiati (Plin., *NH* XVIII,46; Col., *Rust.* II,6) e il loro rendimento era superiore a quello dei farri (Plin., *NH* XVIII,11).

Hordeum vulgare

Dai campioni di terra esaminati sono stati estratti 10 semi di orzo, con le caratteristiche dei semi vestiti, alcuni dei quali piegati lateralmente a testimonianza della loro appartenenza al tipo di orzo a sei file.

La presenza dell'orzo nel record archeologico italiano, inizia nel neolitico (Costantini 1981; Castelletti *et al.* 1987) e presenta una omogenea diffusione geografica e cronologica in tutta la penisola e in Sicilia. La documentazione archeobotanica dimostra una chiara relazione tra orzo e farro che compaiono sempre insieme fino all'epoca romana. Ma l'importanza alimentare dell'orzo è andata diminuendo con il passare dei secoli e il pane d'orzo, usato dalle antiche popolazioni italiche, in epoca romana era riservato agli animali (Plin., *NH* XVIII,13-15). L'orzo esastico era destinato ai terreni asciutti e sciolti di elevata fertilità, e veniva coltivato principalmente quale foraggio per il bestiame. Nell'alimentazione umana entrava solo sotto forma di polenta o per la preparazione di cibi destinati ai servi. Secondo Plinio (*NH* XXI,65-66), inoltre, l'orzo trovava largo impiego anche nella medicina e nella preparazione di bevande.

Panicum sp.

Due piccoli semi, trovati in un contesto della metà del 4° sec. a.C. completano il quadro dei cereali di Roccagloriosa. L'azione del fuoco ha alterato la forma e le dimensioni dei due semi rendendone impossibile la classificazione. Non si può quindi precisare se si tratta di miglio *(Panicum miliaceum)* o di panico *(Panicum italicum)*, ma le due specie hanno caratteristiche simili per cui non sempre è agevole distinguere i semi delle due specie.

La documentazione archeobotanica relativa alle due specie non è molto precisa e spesso l'assenza dal record archeologico dipende dai sistemi di lavaggio che prevedono l'uso di setacci con maglie troppo grandi per il recupero di semi così piccoli.

La presenza di *Panicum miliaceum* è stata accertata in numerosi insediamenti palafitticoli dell'Italia settentrionale (Goiran 1890) e in alcune grotte dell'Italia centrale (Tongiorgi 1947, 1956; Oliva 1939, 1946). È interessante notare che Plinio (*NH* XVIII,24-25) riporta una chiara separazione geografica tra la coltivazione del panico e del miglio. Il primo veniva coltivato nell'Italia circumpadana, il secondo era molto diffuso nell'Italia centro-meridionale e soprattutto in Campania.

B) *Legumi*

I semi di legumi sono l'11% del totale e comprendono semi di fava, con singole presenze di lenticchia e pisello. Mentre Plinio (*NH* XVIII,9) comprendeva nei *legumina* solo fava e cece, Columella (*Rust.* II,7) con il termine *leguminum* indicava, oltre a fava e cece, anche pisello, lenticchia, fagiolo, lupino, miglio, panico, sesamo, canapa e orzo. Questa scarsa chiarezza derivava principalmente dalla esigenza di voler separare i semi "nobili" panificabili, da tutti gli altri semi.

Lens culinaris

Un singolo seme di lenticchia non è certo una prova sufficiente, come d'altra parte non lo era il singolo seme di monococco, per sviluppare considerazioni di ordine agronomico. La sua presenza però è comunque un attestato di conoscenza che consente di fare alcune annotazioni sulle evidenze di *Lens culinaris* in giacimenti archeologici italiani. In generale la presenza di semi di lenticchia nei sedimenti degli scavi è molto limitata, sia nel numero dei siti che hanno restituito semi bruciati, sia nel numero totale di questi semi. Tracce della coltivazione della lenticchia sono state trovate in alcuni siti neolitici dell'Italia meridionale (Costantini 1981; Follieri 1982) e negli insediamenti su palafitte dei laghi alpini (Goiran 1890) mentre è assente nei depositi dell'Italia centrale. Per il periodo arcaico e romano si possono citare le evidenze trovate a Cures Sabini, a Pompei e a Pizzica Pantanello (Metaponto).

Cf. *Pisum* sp.

Un isolato seme sferoidale, privo della epidermide, è stato riferito a *Pisum* sp., ma si tratta di un riferimento solo indicativo, perché i caratteri conservati dal seme sono insufficienti per una corretta interpretazione. Le evidenze archeobotaniche di Satrianum, Pizzica Pantanello e San Giovanni di Ruoti dimostrano che *Pisum sativum* veniva coltivato al pari degli altri legumi, mentre Columella (*Rust.* II), nella sua trattazione sui legumi, ricorda che il pisello è tra i legumi che ingrassano la terra.

Vicia faba

La coltivazione della fava a Roccagloriosa è attestata da un seme intero e da numerosi frammenti, provenienti da diversi livelli di occupazione. Purtroppo l'elevata frammentarietà dei reperti non ha consentito di fare molte osservazioni ma, in un frammento, sono state trovate le tracce di predazione di una larva d'insetto. Di solito tali tracce sono prodotte dalle larve del *Brucus rufimanus*, un insetto che depone le uova sui baccelli per consentire alle larve di trovare cibo sufficiente per lo sviluppo.

Columella (*Rust.* II,10), parlando delle fave, riferisce di aver sperimentato positivamente un *medicamentum* per combattere tale insetto *(curculione)*. Nell'antichità classica le fave erano molto considerate sia per l'alimentazione umana, sia per l'alimentazione del bestiame. Plinio (*NH* XVIII,30) ricorda inoltre che la farina di fava *(lomentum)* veniva aggiunta alla farina di frumento destinata alla vendita, per aumentarne il peso. La fava fu senza dubbio il legume più coltivato dalle antiche popolazioni italiche ed è anche quella meglio documentata nel record archeologico. Senza voler allargare a dismisura l'elenco dei siti utilizzati per confronti e parallelismi, basta ricordare che semi di fava sono stati trovati a Luni sul Mignone, a Roma, a Cures Sabini, a Pompei, a Monte Irsi, a San Giovanni di Ruoti e a San Mauro di Caltagirone.

C) *Alberi da frutta*

Secondo Columella (*Arb.* 1,1) la coltivazione

degli alberi e dei cespugli è la parte principale della scienza agraria e nell'ambito delle piante da frutto coltivate, si possono distinguere tre categorie: gli alberi come il fico, l'olivo e il pero; i cespugli e gli arbusti quali viole, rose e canne; un terzo gruppo intermedio che comprende la sola vite, che non si può definire né albero né arbusto.

Tra i resti vegetali di Roccagloriosa sono stati trovati semi di fico, vinaccioli di vite e un nocciolo intero e alcuni frammenti di olivo. Si tratta delle più importanti piante da frutto che certamente avevano un ruolo non secondario nella gestione dei terreni agricoli e nell'alimentazione.

Ficus carica

I semi di fico sono dei piccoli acheni bianchi e resistenti che spesso si conservano mineralizzati nei depositi archeologici ricchi di sostanza organica. Sebbene un singolo frutto possa contenere oltre un migliaio di semi, la loro dispersione nel terreno è molto elevata e solo in contesti particolari, quali depositi di rifiuti o latrine, si registrano quantità rilevanti di questi semi.

A Roccagloriosa ne sono stati trovati 24 mineralizzati e 1 carbonizzato, in 12 diversi contesti.

Semi di fico sono stati trovati a Pizzica Pantanello (Metaponto) nel deposito votivo localizzato in prossimità di una sorgente (Costantini 1980, 1983).

Olea europæa

Sfortunatamente anche i noccioli di olivo hanno subito la stessa sorte, negativa, di gran parte degli altri resti vegetali. Solo un nocciolo è stato trovato quasi intero mentre otto sono i frammenti di noccioli più o meno conservati.

La presenza di questi resti offre la possibilità di ribadire che l'olivo non fu introdotto in Italia dai primi coloni greci come già abbiamo avuto modo di dire (Costantini 1983a).

La documentazione archeobotanica si arricchisce ogni anno di nuovi dati cha si vanno ad aggiungere a quelli già noti. Tali sono le evidenze di Cures Sabini, e quelle di Pizzica Pantanello (Metaponto).

Columella, oltre a descrivere i criteri per l'impianto di un uliveto, fornisce tutta una serie di ricette per il consumo delle olive (*Rust.* XII,49,50,51). Descrive inoltre (*Rust.* XII,52) alcuni modi per produrre olio per il consumo ordinario, per la preparazione di unguenti e per preparare medicamenti.

Vitis vinifera

La vite è la specie documentata dal maggior numero di resti che sono pari al 31% del totale. Anche per i vinaccioli le condizioni sfavorevoli che hanno influito sulla conservazione hanno prodotto effetti negativi. Infatti gran parte dei vinaccioli sono danneggiati e solo 19 sono rimasti interi. È stato recuperato inoltre un frammento carbonizzato di acino, che reca nel suo interno un vinacciolo.

Anche la vite, come l'olivo, è documentata in Italia fino dal neolitico (Costantini 1981; Castelletti *et al.* 1987) e anche per la vite ogni anno si aggiungono nuove informazioni sulla sua coltivazione nei diversi periodi e nelle diverse regioni. Vinaccioli sono stati trovati a San Giovanni di Ruoti, a Pizzica Pantanello (Metaponto), e a Cures Sabini.

D) *Piante infestanti*

Il 26% del totale dei resti vegetali è rappresentato da semi di piante infestanti che solitamente sono associati ai coltivi o crescono nelle aree marginali e in prossimità delle abitazioni.

La quantità di questi reperti può sembrare elevata se confrontata con quella delle altre categorie, ma è bene ricordare la diversa destinazione dei semi delle diverse specie. Inoltre tutte le specie identificate, possono essere cresciute all'interno dell'abitato cedendo i loro semi ai livelli di frequentazione.

5. Considerazioni finali

Gli elementi raccolti attraverso lo studio dei resti vegetali consentono di tracciare un quadro generale, anche se non certo definitivo, sullo stato dell'agricoltura e sullo sfruttamento del territorio.

I principali raccolti erano quelli tipici dell'epoca, farro, orzo, grano tenero e legumi, ma dai dati archeobotanici non si può stabilire il rilievo che avevano le singole specie nell'economia agricola dell'insediamento. Possiamo però renderci conto del loro diverso valore prendendo in considerazione i risultati conseguiti per il territorio di Metaponto (Carter 1987) e i dati riportati dalle Tavole di Eraclea (Uguzzoni e Ghinatti 1968).

L'orzo doveva certamente essere una coltivazione di primo piano perchè, secondo le tavole di Eraclea, tutti i canoni di affitto erano conteggiati in quantità d'orzo.

Non possiamo sapere se un simile sistema era in uso anche a Roccagloriosa, ma certo è che una organizzazione sociale complessa e articolata doveva necessariamente prevedere dei meccanismi di controllo dell'espansione delle coltivazioni più redditizie, quali l'olivo e la vite. La scelta dell'orzo quale mezzo di pagamento imponeva il mantenimento in coltura dei cereali panificabili che erano alla base della dieta umana. Questa necessità rappresentava un freno alla espansione della coltivazione della vite e dell'olivo che era probabilmente in forte aumento. Ma a frenare tale incremento contribuiva anche la natura del terreno, caratterizzato da rilievi e piccole valli irrigue, che non consentiva di estendere oltre un certo limite i confini dell'agricoltura. Il ritrovamento di numerose fattorie (GUALTIERI 1987), sparse in un ampio raggio, è la conferma dell'intenso sfruttamento agricolo che si fondava sull'equilibrio tra aree boscose, da cui prelevare il legname, per tutte le esigenze domestiche e tecniche, e i campi aperti destinati all'agricoltura e al pascolo del bestiame.

L. COSTANTINI
J. FITT

PIANTE	PERIODO (a.C.)						
	periodo arcaico	IV sec. I metà	IV sec. metà	IV sec. II metà	fine IV-inizi III	III sec. I metà	III sec. metà
Triticum monococcum		1					
Triticum dicoccum (semi)			2	2	1	4	
Triticum dicoccum (paglia)			89	4	6	1	
Triticum compactum		1			1		
Triticum sp.	1		1		4	2	
Hordeum vulgare		2		3	5		
Hordeum sp.				2	2		
Panicum sp.			2				
Gramineæ indet.		1	24	15	15	3	1
Lens culinaris					1		
cf. Pisum sp.				1			
Vicia faba		3		28	3	9	25
Leguminosæ indet.				1	1	5	
Ficus carica			9	7	6	1	2
Olea europæa				1	6	2	
Vitis vinifera	3	11	9	45	86	62	6
Framm. di noccioli, indet.				1	1	1	
cf. Avena sp.			1				
Bromus/Lolium					1		
Chenopodium album			1	1	1	1	2
Euphorbia elioscopia			1	1	1		
Galium aparine		1		1	2		
Lathyrus aphaca				1			
Lathyrus sativus/cicera				2			
Polygonum sp.		3		1	5	1	
Silene sp.					5	1	1
Piante infestanti, indet.			16	7	17	6	1

Tav. 1. Roccagloriosa: resti di piante identificate da campioni prelevati dallo scavo sul pianoro centrale.

II. The Fauna

The excavations at Roccagloriosa yielded a large amount of animal remains, ca. 5000 specimens from 4th century B.C. contexts. Unfortunately, they were in a very bad state of preservation due to the strongly clayish soil that severely damaged the bones. How bad the state of preservation of the bones was can be clearly demonstrated by two facts: i) out of the ca. 5000 animal bone remains 1799 specimens could only be identified by species, and ii) in the entire bone sample there only occurred one single whole long bone, a cattle metatarsal but even its distal epiphysis was badly damaged, and the number of the measurable bone fragments was extremely low. Nevertheless, the sample size was large enough to be above the "safety limit" and could therefore provide reliable data concerning both the animal husbandry and hunting of the inhabitants.

The occurring species and their frequencies can be seen in Table 2.

		specimen	percent
cattle: Bos taurus L.		610	35.17
sheep: Ovis aries L.	55		
goat: Capra hircus L.	5	807	45.77
sheep/goat: Ovis/Capra	747		
pig: Sus scrofa dom. L.		281	15.94
horse: Equus caballus L.		14	0.80
ass: Asinus asinus L.		13	0.76
dog: Canis familiaris L.		23	1.30
hen: Gallus domesticus L.		5	0.28
Domestic animals		1763	100.00
aurochs: Bos primigenius Boj.		4	
red deer: Cervus elaphus L.		11	
fallow deer: Dama dama L.		2	
red deer/fallow deer: Cervus/Dama		3	
wild swine: Sus scrofa fer. L.		7	
wolf: Canis lupus L.		1	
rodent: Rodentia		1	
wild bird: Avis sp.		3	
turtle: Chelonia sp.		4	
wild animals		36	
Total animals		1799	

Domestic to wild ratio: 98.00:2.00 percent.

Table 2: The fauna list (4th c.B.C.)

Besides the carefully collected animal bone sample listed above, there could be identified a few selected specimens from excavations prior to 1982. They come from the following specimens (the numbers of the specimens in brackets): cattle (18), sheep (1), sheep/goat (16), pig (5), horse (1), aurochs (2), for a total of 41.

As the fauna list expresses, the number of domestic animal species kept by the inhabitants was remarkably high. Out of the usual domestic animals of Greece and Magna Graecia only the cat was missing. Additionally, the number of the hunted animal species was very low: besides the aurochs, the wild form of domestic cattle, red deer, fallow deer (their distinction is extremely difficult in South Italy as red deers are very small and the fallow deers rather large), wild swine, wolf, and each a bird and turtle species are present.

These all mean that human population of the town lived a highly civilized, really urban life: they secured the great majority of their animal protein, fat and raw material needs through animal husbandry. Hunting was only a secondary source, however, and its main aim was meat (all but one of the hunted mammals were ungulated and bird and turtle meat was also eaten) but hunting also served as a source of raw material as is clearly demonstrated by a red deer antler fragment with marks of processing. The wolf, represented by a very worn lower canine that shows marks of caries in the open root canal, was probably killed in the protection of the livestock of the inhabitants.

The animal husbandry was undoubtedly of southeastern origin as is shown not only by the high ratio of the caprovines whose bones constitutes nearly half of the entire domestic sample (Bökönyi 1973, p. 167 ff; 1974, p. 51) and by the secondary importance of cattle and pig because they could represent the continuation of a trend that started already in the early Neolithic in the southern part of Italy (Bökönyi 1977-1982, p. 347 f; 1983, p. 238 ff; Sorrentino 1983, p. 157) but also by the occurrence of donkey and hen, species which also point to Greece if not to Egypt.

In fact, sheep and goat (their ratio was 55 to 5 for sheep in spite of the fact that the landscape was more suitable to goats, thus the reason of an overwhelming majority of sheep must be economic), cattle and pig made up 96.88 per cent of the bones of domestic animals, and if one adds the dog's bones to the total, too, the five species of neolithic origin will represent 98.48 percent in the domestic sample. This fact doesn't mean that the domestic fauna was a primitive one, it only stresses that the early domestic species had very good living conditions and consequently bred very well in southern Italy, and the newly introduced species (horse, donkey and hen) could only complete the picture, complying with special needs.

As the list of the wild species shows, there are no unexpected species among them. The red deer, fallow deer, wild swine and wolf were common wild animals in the early Postpleistocene of Italy and wild birds and turtles did not represent rarities there either. Most individuals of the occurring domestic species belong to small-size local forms, although large or even very large individuals also occurred. For example, a distal humerus fragment of cattle has about 90 mm distal width which is very close to that of the wild aurochs. KELLER (1909, p. 332) mentions that the Molossos cattle were particularly large and had huge horns. Maybe this find can be in some kind of connection with this breed because it is highly improbable that in this densely populated region cattle domestication producing so large individuals could have occurred. (Unfortunately, the rare horn-core finds of the site are so badly fragmented that they don't reveal anything about the horns of the local cattle).

Among the cattle astragali there is one specimen with 71 mm. greatest length that lies on the lower limit of the large cattle. The only complete long bone, a metatarsal, with its ca. 200 mm. greatest length, according to Matolcsi's method (Matolcsi 1970, p. 113), indicates an individual of 109.4 cm. withers height which is certainly small and stands very close to those primitive cattle which were sacrificed at the Niger Lapis of the Roman Forum in the course of the *suovetaurilia* (BLANC e BLANC 1958-1959, p. 21 ff, p. 46). This animal can easily originate from the primitive stock of the aboriginal population.

Among the sheep remains there occurred each a turbary type and a rudimentary type horn-core of the prehistoric sheep form. The extremity bones generally belonged to a small to medium size sheep, in two cases each a medium to large and a really large fragment also occurred. Particularly the latter one can originate from a Greek breed.

The only measurable goat remains, a distal metacarpal fragment and an astragalus, come from a small animal, and the case is the same with the donkey and hen fragments as well.

Most of the horse remains are also small, nevertheless an anterior first phalanx, with its 84 mm. sagittal length, certainly points to a large animal probably belonging to an improved breed. Out of the eleven measurable pig remains, some represent small and medium sized individuals. The case is different with the dogs: their measurable fragments originate from each a small, small to medium, medium and large individual. The wild animal's remains exclusively come from small animals. In fact, even the recent wild game of the area doesn't excel with its particularly large size. There are three groups among the domestic species: the cattle and sheep/goat group, the pig group and the horse+ass+dog group. The first group clearly shows the mixed exploitation with a special emphasis on the secondary product. This latter one is draught power and milk in cattle probably with the higher importance on the first one because cattle were the working animals of agriculture. In fact, the comparatively high ratio of adult and mature cattle undoubtedly implies a developed agriculture in the region. The milk of cows probably was also essential, nevertheless, it could easily be replaced by the milk of goats and sheep. Some of the cattle were kept to their old age as proved by the irregular wear of their molars.

The main product of sheep was their wool and that of goat its milk. Their meat was of only secondary importance, but the meat quantity of the above three species accounts for more than 90 per cent of all domestic meat. It is well-known that the domestic pig had no other use than its meat; however, the ratios of the adult and mature pigs are conspicuously high in the Roccagloriosa sample, in fact almost 60 per cent of the total. Such a large breeding stock is not necessary to keep the pig population on a given level; one must therefore suppose that a large part of the immature (juvenile and subadult) pigs was not consumed at the site but was exported either alive or in salted or smoked halves. There is clear proof for such a practice from two sites of the Roman Pannonia province, Tác-Gorsium (BÖKÖNYI 1984, p. 103) and Sophron-Scarbantia (BÖKÖNYI 1986, p. 414), where the ratios of the adult-mature pigs exceeded 27 and 58 per cent respectively.

The third group consists of three domestic animal species, the horse, the donkey and the dog. The first and the third are exclusively represented by adult individuals; among donkeys beside the adult ones a mature individual also occurred. The lack of immature individuals certainly suggests that the meat of these species was not consumed by the inhabitants. There can be supposed that these three species served as beasts of work: the horse was the riding or draught animal of highly-ranked persons and the draught animal of long-range transport, the donkey was the pack-animal probably playing an important part in the rough, mountainous terrain, and the dog was used as watch or herd dog or - on a smaller scale - as a hunting companion.

The hen was not important at the site and is represented by just five specimens. Additionally, the hen signalled a new era, the development of modern animal husbandry that made a large step forward in Roman Imperial times and completely transformed the whole of animal husbandry by the Middle Ages. As for the wild animals, the presence of the aurochs is evidenced by four fragments of an adult mandible, a distal epiphysis fragment of a humerus and a proximal one of a radius respectively (both latter ones show cut marks by an axe). In the red deer sample five skull fragments along with the proximal part of an antler and a shed antler fragment (with sawing marks) are interesting. The fallow deer is represented by a left lower praemolar tooth fragment and a third phalanx.

Among the wild swine remains there is a left mandible fragment of an adult sow, all other finds are lower male canines of comparatively small size. The bird bones - each a radius and ulna fragment and anterior first phalanx - belong to one individual of a small to medium size species. The turtle - probably Testudo hermanni - is represented by three carapace fragments and a plastron fragment. None of them show cut marks or burning, which means that they can easily be intrusive.

S. Bökönyi

ABBREVIAZIONI E BIBLIOGRAFIA*

Acquappesa 1978	P.G. GUZZO, *Acquappesa. Loc. Aria del Vento (Cosenza). Scavo di una struttura di epoca ellenistica*, in *NSc*, 1978, pp. 463-479.
ADAMESTEANU 1953	D. ADAMESTEANU, *Coppi con testate dipinte da Gela*, in *ArchCl*, 5, 1953, pp. 1-9.
ADAMESTEANU 1970-1971	D. ADAMESTEANU, *Origine e sviluppo dei centri abitati in Basilicata*, in *AttiCItRom*, 3, 1970-1971, pp. 115-143.
ADAMESTEANU 1973	D. ADAMESTEANU, *Le suddivisioni di terra nel Metapontino*, in M.I. Finley (a cura di), *Problèmes de la terre en Grèce ancienne*, Paris, 1973, pp. 50-61.
ADAMESTEANU 1974	D. ADAMESTEANU, *La Basilicata Antica*, Cava dei Tirreni, 1974.
ADAMESTEANU 1983a	D. ADAMESTEANU, *Urbanizzazione in Magna Grecia*, in *L'Adriatico fra Mediterraneo e penisola Balcanica nell'antichità* (Atti Convegno Lecce-Matera, 1975), Taranto, 1983, pp. 155-165.
ADAMESTEANU 1983b	D. ADAMESTEANU, *Tipi di fortificazioni in Italia Meridionale e Sicilia*, in *Modes de contact et processus de transformation dans les sociétés anciennes* (Atti Convegno Cortona, 1981), Pisa-Roma, 1983.
ADAMESTEANU e LEJEUNE 1971	D. ADAMESTEANU E M. LEJEUNE, *Il santuario di Macchia di Rossano di Vaglio*, in *MemLinc*, 16, 1971, pp. 3-83.
Agora XII	B.A. SPARKES e L. TALCOTT, *The Athenian Agora XII, Black and Plain Pottery of the 6th, 5th, and 4th Centuries B.C.*, Princeton, 1970, 2 vol.
Agrigento 1980	J. De WAELE e M.G. AMADASI GUZZO, *Agrigento: gli scavi sulla Rupe Atenea (1970-75)*, in *NSc*, 1980, pp. 395-453.
Akrai 1970	G. CURCIO e P. PELAGATTI, *Akrai (Siracusa). Ricerche nel territorio*, in *NSc*, 1970, pp. 435-523.
Albanella 1989	M. CIPRIANI, *S. Nicola di Albanella: scavo di un santuario campestre nel territorio di Poseidonia-Pæstum* (con introduzione di A.M. Ardovino), in *Corpus delle Stipi Votive in Italia*, IV, Regio III, 1, Roma, 1989.
ALBORE LIVADIE 1985	C. ALBORE LIVADIE, *La situazione in Campania*, in M. Cristofani *et al.* (a cura di), *Il commercio etrusco arcaico*, Roma (Centro Studi Archeologia Etrusco-Italica, CNR), 1985, pp. 127-154.
ALLEGRO 1982	N. ALLEGRO, *Louteria a rilievo da Himera* (*Quaderni Imeresi*, 2), Roma, 1982.
AMPOLO 1980	C. AMPOLO, *Le condizioni materiali della produzione: agricoltura e paesaggio agrario*, in *La formazione della città nel Lazio* (Atti del Seminario, Roma, giugno 1977), *DialArch*, 1980, pp. 15-46.
ANDREASSI 1979	G. ANDREASSI, *Ceramica a figure rosse della Collezione Cini del Museo Civico di Bassano del Grappa*, Roma, 1979.

* Le abbreviazioni dei periodici sono quelle usate dall'*American Journal of Archaeology*, "Notes for Contributors and Abbreviations", *AJA*, 90, 1986, pp. 384-394.

ANDRÈN e BERGGREN 1969 — A. ANDRÈN e E. BERGGREN, *Blera (Località Selvasecca). Villa rustica etrusco-romana con manifattura di terrecotte architettoniche*, in *NSc*, 1969, pp. 51-71.

ARDOVINO 1980 — A. ARDOVINO, *Nuovi oggetti sacri con iscrizioni in alfabeto acheo*, in *ArchCl*, 32, 1980, pp. 50-66.

ARSLAN 1976 — E. ARSLAN, *Le monete della Sicilia antica. Catalogo della Mostra*, Milano, 1976.

Assoro 1966 — J.-P. MOREL, *Assoro (Enna). Scavi nella necropoli*, in *NSc*, 1966, pp. 232-287.

Atti Taranto — *Atti del Convegno di Studi sulla Magna Grecia*, Taranto.

Attività archeologica — E. LATTANZI (a cura di), *Attività archeologica in Basilicata 1964-1977. Scritti in onore di Dinu Adamesteanu*, Matera, 1980.

AUDOLLENT 1904 — A. AUDOLLENT, *Defixionum Tabellæ*, Paris, 1904.

BADHAM e JONES 1985 — K. BADHAM e G. JONES, *An experiment in manual processing of soil samples for plant remains*, in *Circea*, 3, 1985, pp. 15-26.

BAILEY 1975 — D.M. BAILEY, *A catalogue of the Lamps in the British Museum*, vol. 1, *Greek, Hellenistic and early Roman pottery lamps*, London, 1975.

BARKER 1977 — G.W. BARKER, *The archaeology of Samnite settlement in Molise*, in *Antiquity*, 51, 1977, pp. 20-25.

BARKER 1982 — G.W. BARKER, *Landscape and Society: the prehistory of central Italy*, London-New York, 1982.

BARKER *et al.* 1978 — G.W. BARKER, J. LLOYD e D. WEBLEY, *A Classical landscape in Molise*, in *PBSR*, 48, 1978, pp. 35-57.

BARRA BAGNASCO 1985 — M. BARRA BAGNASCO, *Indagine archeologica su Locri Epizefiri 1976-79*, in *Quaderni della Ricerca Scientifica*, 112, Roma (CNR), 1985, pp. 181-216.

BARTOLONI 1985 — P. BARTOLONI, *Anfore fenicie e ceramiche etrusche in Sardegna*, in AA.VV., *Il Commercio Etrusco Arcaico*, 1985, pp. 103-118.

BARTOLONI 1988 — P. BARTOLONI, *La ceramica*, in AA.VV., *I Fenici*, Milano, 1988, pp. 492-510.

BATOVIC 1977 — S. BATOVIC, *Caractéristiques des agglomérations fortifiées dans la région des Liburniens*, in *Godisnjak* (Centar za Balkanoloska Ispitivanja), 15, 1977, pp. 201-225.

BECHTEL 1917 — F. BECHTEL, *Die historischen Personennamen des Griechischen*, Halle, 1917.

BEDELLO 1975 — M. BEDELLO, *Capua preromana. Terrecotte votive. III. Testine e busti*, Firenze, 1975.

BEHRENS 1964 — H. BEHRENS, *Die neolithisch-frühmetallzeitlichen Tierskelettfunde der Alten Welt*, Berlin, 1964.

BENCIVENGA TRILLMICH 1988 — C. BENCIVENGA TRILLMICH, *Pyxous-Buxentum*, in *MEFRA*, 100, 1988, pp. 701-729.

Beni Culturali, Catalogo — *Norme per la Redazione della Scheda del Saggio Stratigrafico*, Roma, Ministero per i Beni Culturali e Ambientali - Istituto Centrale per il Catalogo e la Documentazione, 1984.

BERNARDINI 1961 — M. BERNARDINI, *Vasi dello stile di Gnathia, vasi a vernice nera*, (Museo Provinciale "S. Castromediano" di Lecce), Bari,1961.

BILLIARD 1928 — R. BILLIARD, *L'agriculture dans l'Antiquité d'après les Géorgiques de Virgile*, Paris, 1928.

BINTLIFF 1984 — J.L. BINTLIFF, *Iron Age Europe in the context of social evolution from the Bronze Age through historic times*, in J. Bintliff ed., *European Social Evolution*, Bradford, 1984, pp. 157-215.

BINTLIFF e SNODGRASS 1985 — J.L. BINTLIFF e A. SNODGRASS, *The Cambridge-Bradford Boeotian Expedition: the first five years*, in *JFA*, 12, (1985), pp. 123-161.

BINTLIFF e SNODGRASS 1988 — J.L. BINTLIFF e A. SNODGRASS, *Off-site pottery distribution: a regional and interregional perspective*, in *Current Anthropology*, 29, 1988, pp. 506-513.

BLAIR GIBSON e GESELOWITZ 1988 — D. BLAIR GIBSON e M. GESELOWITZ (a cura di), *Tribe and Polity in Late Prehistoric Europe*, New York, 1988.

BLANC e BLANC 1958-1959 — G.A. BLANC e A.C. BLANC, *Il Bove della Stipe votiva del Niger Lapis nel Foro Romano*, in *BPI*, n.s., 12, 67-68, 1958-59, pp. 7-57.

BOEHRINGER 1978 — G. BOEHRINGER, *Bemerkungen zur Sizilischen Bronzeprägung im 5. Jahrhundert v. Chr.*, in *Schweizer Münzblätter*, 28, 1978, pp. 49-65.

BOERSMA e YNTEMA 1982 — J. BOERSMA e D. YNTEMA, *The Oria project: first interim report*, in *BABesch*, 57, 1982, pp. 213-215.

BOERSMA e YNTEMA 1987 — J. BOERSMA e D. YNTEMA, *The Oria project: second interim report*; in *BABesch*, 62, 1987, pp. 1-19.

BOERZI e LOIACONO 1989 — F. BOERZI e F. LOIACONO, *Osservazioni sugli ambienti fluviali olocenici della media e bassa valle di alcuni fiumi lucani fra VIII e III secolo d.C.*, in *Morfogenesi e stratigrafia dell'Olocene* (Atti Convegno Società Geologica Italiana, Bari, 1989, in corso di stampa).

BOESSNECK *et al.* 1968 — J. BOESSNECK, A. VON DEN DRIESCH-KARPF e N.-G. GEJVALL, *The archaeology of Skedemosse, III, Die Knochenfunde von Säugetieren und vom Menschen*, Stockholm, 1968.

BÖKÖNYI 1970 — S. BÖKÖNYI, *A new method for the determination of the number of individuals in animal bone material*, in *AJA*, 74, 1970, pp. 291-292.

BÖKÖNYI 1973 — S. BÖKÖNYI, *Stock breeding*, in D.R. THEOCHARIS, *Neolithic Greece*, Atene, 1973, pp. 165-178.

BÖKÖNYI 1974 — S. BÖKÖNYI, *History of domestic mammals in Central and Eastern Europe*, Budapest, 1974.

BÖKÖNYI 1977-1982 — S. BÖKÖNYI, *The early neolithic fauna of Rendina*, in *Origini*, 11, 1977-1982, pp. 345-352.

BÖKÖNYI 1979 — S. BÖKÖNYI, *Animal bone assemblages of sacrificial sites*, in M. Kubasiewicz (a cura di), *Archaeozoology*, 1, Szczecin, 1979, pp. 65-70.

BÖKÖNYI 1983 — S. BÖKÖNYI, *Animal bones from test excavations of early neolithic ditched villages on the Tavoliere, south Italy*, in S.M. CASSANO e A. MANFREDINI, *Studi sul neolitico del Tavoliere della Puglia. Indagine territoriale in un'area-campione*, (*BAR*, suppl. 160) Oxford, 1983, pp. 237-239.

BÖKÖNYI 1984 — S. BÖKÖNYI, *Animal husbandry and hunting in Tac-Gorsium. The vertebrate fauna of a Roman town in Pannonia*, in *StArch*, 8, Budapest, 1984.

BÖKÖNYI 1986 — S. BÖKÖNYI, *Animal remains from the Roman Forum of Sopron-Scarbantia*, in *ActaArchHung*, 38, 1986, pp. 397-422.

BONGHI JOVINO 1965 — M. BONGHI JOVINO, *Capua preromana. Terrecotte votive*, in *Catalogo del Museo Provinciale Campano*, vol. 1. *Teste isolate e mezzeteste*, Firenze, 1965.

BONGHI JOVINO 1982 — M. BONGHI JOVINO, *La necropoli preromana di Vico Equense*, Cava dei Tirreni, 1982.

BONOMI PONZI 1985 — L. BONOMI PONZI, *Topographic survey of the Colfiorito di Foligno plateau: a contribution towards the study of the population in the territory of the Plestini*, in C. MALONE e S. STODDART (a cura di), *Papers*, in *Italian Archaeology*, IV/1, (*BAR*, suppl. 243), Oxford, 1985, pp. 201-238.

BOTTINI A. 1979 — A. BOTTINI, *Una nuova necropoli nel Melfese ed alcuni problemi del mondo indigeno in età arcaica*, in *AIONArchStAnt*, 1, 1979, pp. 77-94.

BOTTINI A. 1980 — A. BOTTINI, *L'area Melfese dall'età arcaica alla romanizzazione*, in *Attività Archeologica*, pp. 315-345.

BOTTINI A. 1982a — A. BOTTINI, *Principi guerrieri nella Daunia di VII secolo*, Bari, 1982.

BOTTINI A. 1982b — A. BOTTINI, *Il Melfese fra VII e V sec. a.C.*, in *DialArch*, 1982, 2, pp. 152-160.

BOTTINI A. 1987 — A. BOTTINI, *I Lucani*, in G. PUGLIESE CARRATELLI (a cura di), *Magna Grecia: Politica, Società, Economia*, Milano, 1987, pp. 259-280.

BOTTINI A. 1988 — A. BOTTINI, *La religione delle genti indigene*, in G. PUGLIESE CARRATELLI (a cura di), *Magna Grecia: Religione e Culti*, Milano, 1988, pp. 55-90.

BOTTINI e GRECO 1974-1975 — A. BOTTINI e E. GRECO, *Tomba a camera dal territorio pestano*, *DialArch*, 8, 1974-75, pp. 231-274.

BOTTINI e GUZZO 1986 — A. BOTTINI e P.G. GUZZO, *Greci e indigeni in Magna Grecia dall'VIII al III secolo a.C.*, in C. AMPOLO, A. BOTTINI, P.G. GUZZO, *PCIA*, vol. 8, 1986, pp. 11-390.

BOTTINI *et al.* 1989 — A. BOTTINI, M.P. FRESA e M. TAGLIENTE, *L'evoluzione delle strutture di un centro daunio fra VII e III secolo a.C.*, in, *Italici*, Venosa, 1989, in corso di stampa.

BOTTINI P. 1984 — P. BOTTINI, *Rivello*, in G. COLONNA (a cura di), *Scavi e Scoperte*, in *StEtr*, 52, 1984, pp. 481-482.

BOTTINI P. 1985 — P. BOTTINI, *Il Lagonegrese in età arcaica*, in *Siris-Polieion*, 1985, pp. 199-203.

BOTTINI P. 1986 — P. BOTTINI, *Rivello, Castelluccio, Maratea. Tre poli dell'archeologia nel Lagonegrese*, in AA.VV., *La ricerca archeologica nel Potentino: stato e prospettive* (Regione Basilicata, Documentazione Regione, 9/86), Potenza, 1986, pp. 87-94.

BOTTINI P. (in corso di stampa) — P. BOTTINI, *Da Lagonegro all'alta Valle del Lao*, in AA.VV., *A Sud di Velia*, Taranto, Istituto per la Storia e l'Archeologia della Magna Grecia, in corso di stampa.

BRECCIA 1912 — E. BRECCIA, *Catalogue général des Antiquités Égyptiennes. La nécropole de Sciatbi*, vol. I, Il Cairo (Institut Français d'Archéologie), 1912.

BREHOB 1983 — J. BREHOB, *A note on the amphorae*, in J. CARTER (a cura di), *The territory of Metaponto 1981-1982*, Austin, 1983.

BRONEER 1930 — O. BRONEER, *Terracotta Lamps*, in *Excavations at Corinth*, Cambridge, Mass., 1930, vol. 4, parte II.

Buccino 1983 — S.L. DYSON, *The Roman Villas of Buccino (BAR*, suppl. 187), Oxford, 1983

BUONOCORE 1985 — M. BUONOCORE, *Iscrizioni inedite da Corfinium*, in *AntCl*, 54, 1985, pp. 291-299.

CABANISS 1983 — B. CABANISS, *Preliminary faunal report, kiln deposit. Pizzica-Pantanello. 1981*, in J.C. CARTER, *The territory of Metaponto. 1981-1982*, Austin, Texas, 1983, pp. 42-44.

CAHN *et al.* 1988 — H.A. CAHN *et al.*, *Griechische Münzen aus Grossgriechenland und Sizilien*, Basel, 1988.

Cairano 1980 — G. BAILO MODESTI, *Cairano nell'età arcaica. L'abitato e la necropoli, in AIONArchStAnt*, Quad. 1, Napoli, 1980.

Caivano 1931 — O. ELIA, *Caivano. Necropoli preromana*, in *NSc*, 1931, pp. 577-614.

CAMMARATA 1984 — E. CAMMARATA, *Da Dionisio a Timoleonte*, Sciacca, 1984.

CAPANO 1979 — A. CAPANO, *Scavo di tombe ellenistiche in località Ceramidio di Cirò Marina (CS)*, in *Klearchos*, 81-84, 1979, pp. 55-82.

CARETTONI 1941 — G. CARETTONI, *San Paolo Belsito (Nola). Tombe in loc. Campo Stella*, in *NSc*, 1941, pp. 85-92.

CARTER 1979 — J.C. CARTER, *Rural architecture and ceramic industry at Metaponto*, in A. MCWHIRR (a cura di), *Roman brick and tile*, in *BAR*, suppl. 65, Oxford, 1979, pp. 45-64.

CARTER 1987 — J.C. CARTER, *Agricoltura e pastorizia in Magna Grecia (tra Bradano e Basento)*, in G. PUGLIESE CARRATELLI (a cura di), *Magna Grecia: politica, società, economia*, Milano, 1987, pp. 173-212.

CARTER *et al.* 1985 — J.C. CARTER, L. COSTANTINI, C. D'ANNIBALE, J.R. JONES, R.L. FOLK, D. SULLIVAN, H.E. REED, *Population and Agriculture: Magna Grecia in the fourth century B.C.*, *Papers in Italian Archaeology, IV, part I: The Human Landscape (BAR*, suppl. 243), Oxford, 1987, pp. 281-312

CASTELLETTI *et al* 1987 — L. CASTELLETTI, L. COSTANTINI, C. TOZZI, *Considerazioni sull'economia e l'ambiente durante il neolitico*, in *Atti XXVI Riunione Scientifica dell'I.I.P.P.*, Firenze, 1987, pp. 37-55.

CASTRÉN 1975 — P. CASTRÉN, *Ordo Populusque Pompeianus. Polity and Society in Roman Pompeii* (*Acta Inst. Rom. Finlandiæ*, VIII), Roma, 1975.

CAVALIER 1985 — M. CAVALIER, *Les amphores du VIe au IVe siècle dans les fouilles de Lipari (Cahiers du Centre Jean Bérard*, XI), Naples, 1985.

Ceglie Peuceta 1982 — M. MIROSLAV MARIN *et al.*, *Ceglie Peuceta* (*Studi sull'Antico*, 4), Bari, 1982.

CERCHIAI 1981 — L. CERCHIAI, *Un corredo arcaico da Pontecagnano*, in *AIONArchStAnt*, 3, 1981, pp. 29-48.

CESANO 1910 — L. CESANO, *Diz. Ep.*, vol. II, 1910, s.v. *Defixio*, pp. 1558-1591 ss.

CHIRANKY 1982 — G. CHIRANKY, *Southern Italy before the Romans: Sabellians, Sicilians and Italian Greeks in Lucania and Bruttium, ca. 460-367 B.C.* (Ph.D. Diss. Berkeley: Ann Arbor), 1982.

CHISHOLM 1968 — M. CHISHOLM, *Rural settlement and land use: an essay in location*, Chicago, 1968.

CINTAS 1950 — P. CINTAS, *Céramique punique*, Paris, 1950.

CIPRIANI 1986 — M. CIPRIANI, *Le necropoli di V secolo a.C.*, in *Il Museo di Pæstum*, Agropoli (Soprintendenza Archeologica di Salerno), 1986, pp. 103-108.

COARELLI 1971 — F. COARELLI, *Dibattito*, in *Atti Taranto*, 11, 1971, pp. 330-331.

COLDSTREAM 1984 — J.N. COLDSTREAM, *The formation of the Greek polis: Aristotle and archaeology*, in *Rheinisch Westfalische Akademie der Wissenschaften*, Vortrage G 272, Dusseldorf, 1984.

COLLIS 1984 — J. COLLIS, *Oppida: earliest towns north of the Alps*, Sheffield, 1984.

COLONNA 1977 — G. COLONNA, *Appendice*, in DI NIRO 1977, pp. 79-86.

COLONNA 1980-1981 — G. COLONNA, *La Sicilia e il Tirreno nel V e IV secolo a.C.*, in *Kokalos*, 26-27, 1980-1981, pp. 153-183.

COLONNA 1985 — G. COLONNA (a cura di), *Santuari d'Etruria*, Milano, 1985.

COMELLA 1981 — A. COMELLA, *Complessi votivi in Italia in epoca medio e tardo-repubblicana*, in *MEFRA*, 93, 1981, pp. 717-803.

CORBETT 1955 — P.E. CORBETT, *Palmette stamps from an Attic Black Glaze Workshop*, in *Hesperia*, 24, 1955, pp. 172-186, tavv. 66-71.

CORCHIA *et al.* 1982 — R. CORCHIA, O. PANCRAZZI e M. TAGLIENTE, *Cavallino: Fondo Aiera vecchia*, in *Studi di Antichità*, 3, Lecce, 1982, pp. 5-61.

CORCIA 1847 — N. CORCIA, *Storia delle due Sicilie*, vol. III, Napoli, 1847.

CORDANO 1971 — F. CORDANO, *Fonti greche e latine per lo studio di Lucani, Brezi ed altre genti indigene della Magna Grecia*, Potenza, 1971.

Corinth VII — G.R. EDWARDS, *Corinthian Hellenistic Pottery*, in *Excavations at Corinth*, vol. VII, 3, Princeton, 1975.

Corinth XIII — C.W. BLEGEN, R.S. YOUNG e H. PALMER, *Corinth XIII: The North Cemetery*, Princeton, 1974.

Coroplastica Daunia 1979 — M. MAZZA e G. FAZIA (a cura di), *Testimonianze coroplastiche nella Daunia antica al Museo di Foggia*, Foggia, 1979.

Cosa 1976 — S.L. DYSON, *Cosa: The Utilitarian Pottery*, in *MAAR*, 33, Roma, 1976.

COSTANTINI 1979 — L. COSTANTINI, *Monte San Mauro di Caltagirone. Analisi paleoetnobotaniche dei semi contenuti nei pithoi 4 e 6*, in *BdA*, 4, 1979, pp. 43-44.

COSTANTINI 1980 — L. COSTANTINI, *The Evidence for Metapontine Agriculture (Seeds and Bones)*, in AA.VV., *Excavations in the Territory. Metaponto 1980*, Austin, (University of Texas at Austin), 1980, pp. 10-13.

COSTANTINI 1981 — L. COSTANTINI, *Semi e carboni del mesolitico e neolitico della Grotta dell'Uzzo, Trapani*, in *Quaternaria*, XXIII, 1981, pp. 233-247.

COSTANTINI 1983a — L. COSTANTINI, *Analisi paleoetnobotaniche nel comprensorio di Camarina*, in *BdA*, 17, 1983, pp. 49-56.

COSTANTINI 1983b — L. COSTANTINI, *Piante coltivate e piante spontanee a S. Giovanni di Ruoti (Potenza)*, in M. GUALTIERI, M. SALVATORE, A.M. SMALL (a cura di), *Lo scavo di S. Giovanni di Ruoti ed il periodo tardoantico in Basilicata*, Bari, 1983, pp. 85-90.

COSTANTINI 1983c — L. COSTANTINI, *Indagini bioarcheologiche nel sito di Pizzica Pantanello*, in *Magna Grecia e Mondo Miceneo* (*Atti Taranto*, 12, 1982), 1983, pp. 487-492, tav. XXXVIII.

COSTANTINI 1983d — L. COSTANTINI, *Bioarchaeological Research at Pizzica Pantanello*, in AA.VV., *The Territory of Metaponto 1981-1982*, Austin (The University of Texas at Austin), 1983, pp. 32-36.

COSTANTINI 1989 — L. COSTANTINI, *Plant Exploitation at Grotta dell'Uzzo, Sicily*, in D.R. HARRIS and G.C. HILLMAN (a cura di), *Foraging and Farming: the Evolution of Plant Exploitation,* London *1989, pp. 197 - 206.*

COSTANTINI *et al.* 1983 — L. COSTANTINI, G. NAPOLITANO, D. WHITEHOUSE, *Cereali e legumi medievali dalle mura di S. Stefano, Anguillara Sabazia (Roma)*, in *Archeologia Medievale*, X, 1983, pp. 393, 414.

COSTANTINI E BIASINI 1985 — L. COSTANTINI e L. COSTANTINI BIASINI, *Paleoetnobotanica. Nota preliminare*, in A. GUIDI *et al.*, *Cures Sabini*, in *Archeologia Laziale*, VII, Roma, 1985, pp. 86-88.

COSTANTINI E BIASINI 1987 — L. COSTANTINI e L. COSTANTINI BIASINI, *Paleoetnobotanica. Nota preliminare*, in A. GUIDI *et al.*, *Cures Sabini*, in *Archeologia Laziale*, VIII, Roma, 1987, p. 331.

COSTANTINI E BIASINI 1988 — L. COSTANTINI e L. COSTANTINI BIASINI, *Paleoetnobotanica. Nota preliminare*, in A. GUIDI *et al.*, *Cures Sabini*, in *Archeologia Laziale*, IX, Roma, 1988, pp. 331-332.

COUILLOUD 1967 — M.T. COUILLOUD, *Deux tablettes d'imprécation*, in *BCH*, 91, 1967, pp. 513-517.

Cozzo Presepe 1970 — J.-P. MOREL, *Fouilles à Cozzo Presepe, près de Métaponte*, in *NSc*, 1970, pp. 73-116.

Cozzo Presepe 1977 — AA.VV., *The Excavations at Cozzo Presepe (1969-1972)*, in *NSc*, 1977, Suppl., pp. 191-406.

CREMONESI 1966 — G. CREMONESI, *Note sulle cinte murarie esistenti in Lucania*, in *Atti della Società Toscana di Scienze Naturali*, 73, 1966, pp. 133-147.

CRISTOFANI 1987 — M. CRISTOFANI, *Il banchetto in Etruria*, in P. PELAGATTI (a cura di), *L'alimentazione nel mondo antico: gli Etruschi*, Roma, 1987, pp. 123-132.

CRUMLEY 1979 — C. CRUMLEY, *Three locational models: an epistemological assessment for anthropology and archaeology*, in M. SCHIFFER (a cura di), *Advances in Archaeological Method and Theory*, vol. 2, New York, 1979, pp. 141-173.

CUCARZI 1986 — M. CUCARZI, *A Methodology for Geophysical Prospecting in Archaeology. An Example: Mohenjo-Daro*, in *South Asian Archaeology*, 1983, 23, pp. 279-295.

CUCARZI (in corso di stampa)a, — M. CUCARZI, *Esplorazione Geoarcheologica in aree urbane. Rumori e procedure per ridurne l'effetto: i casi di Padova, Roma e Adrano*, in *Geofisica per l'Archeologia* (Atti del Convegno)

CUCARZI (in corso di stampa)b, — M. CUCARZI, *Esplorazione Geoarcheologica in aree urbane: metodologie e finalità*, in *Valorizzazione dei Beni Culturali attraverso la Progettazione Urbanistica e la Pianificazione Territoriale* (Atti del Convegno di Studio, Reggio Calabria, 1987).

CUNLIFFE 1976 — B. CUNLIFFE, *Hillforts and Oppida in Britain*, in I.H. LONGWORTH, G. DE G. SIEVEKING e K.E. WILSON (a cura di), *Problems in Economic and Social Archaeology*, London, 1976, pp. 345-357.

CUNLIFFE 1978 — B. CUNLIFFE, *Iron Age Communities in Britain*, 2, London, 1978.

CUOMO DI CAPRIO 1972 — N. CUOMO DI CAPRIO, *Proposta di classificazione delle fornaci per ceramica e laterizi nell'area italiana. Dalla preistoria a tutta l'epoca romana*, in *Sibrium*, 11, 1971-72, pp. 371-461.

CUOMO DI CAPRIO 1979 — N. CUOMO DI CAPRIO, *Pottery and tile kilns in South Italy and Sicily*, in A. MCWHIRR (a cura di), *Roman Brick and Tile*, (*BAR*, sippl. 68), Oxford, 1979.

CUOMO DI CAPRIO 1984 — N. CUOMO DI CAPRIO, *Pottery kilns on pinakes from Corinth*, in H.A.J. BRIJDER (a cura di), *Ancient Greek and Related Pottery*, (Allard Pierson Series, 5), Amsterdam, 1984, pp. 72-82.

CVA — *Corpus Vasorum Antiquorum.*

D'AGOSTINO 1972 — B. D'AGOSTINO, *Appunti sulla funzione dell'artigianato nell'occidente greco dall'VIII al VI secolo a.C.*, in *Economia e società nella Magna Grecia* (*Atti Taranto*, 12, 1972), pp. 207-236.

D'AGOSTINO 1974 — B. D'AGOSTINO, *Il mondo periferico della Magna Grecia*, in *PCIA*, 2, 1974, pp. 177-227.

D'AGOSTINO 1981 — B. D'AGOSTINO, *Voluptas e virtus: il mito politico della ingenuità italica*, in *AIONArchStAnt*, 3, 1981, pp. 117-127.

D'AGOSTINO 1985 — B. D'AGOSTINO, *Le strutture antiche del territorio*, in C. DE SETA (a cura di), *Insediamenti e Territorio*, *Storia d'Italia*, *Annali*, 8, Torino, 1985, pp. 30-45.

D'ANDRIA 1980 — F. D'ANDRIA, *I materiali del V secolo a.C. nel ceramico di Metaponto e alcuni risultati delle analisi sulle argille*, in *Attività Archeologica*, 1980, pp. 117-135.

D'ANDRIA 1983 — F. D'ANDRIA, *La nuova archeologia della Magna Grecia*, in *Le Scienze/Scientific American*, 173, gennaio 1983, pp. 76-89.

D'ANDRIA 1988 — F. D'ANDRIA, *Messapi e Peuceti*, in G. PUGLIESE CARRATELLI (a cura di), *Italia: omnium terrarum alumna*, Milano, 1988, pp. 670-695.

D'ARGENIO *et al.* 1973 — B. D'ARGENIO, T. PESCATORE, P. SCANDONE, *Schema geologico dell'Appennino meridionale (Campania e Lucania)*, (Accademia Nazionale dei Lincei, Quaderno 183), Roma 1973.

D'ARGENIO *et al.* 1987 — B. D'ARGENIO, F. ORTOLANI, T. PESCATORE, *Geology of the Southern Apennines. A brief outline*, I.A.E.G. in. Sym., Bari, 1987.

DE AGOSTINO 1963 — A. DE AGOSTINO, *La Tomba delle Anatre a Veio*, in *ArchCl*, 15, 1963, pp. 219-222.

DE BENEDITTIS 1978 — G. DE BENEDITTIS, *Monte Vairano*, in L. FRANCHI DELL'ORTO e A. LA REGINA, *Civiltà Adriatiche Antiche di Abruzzo e Molise*, Roma, 1978, pp. 429-437.

DE BENEDITTIS 1980 — G. DE BENEDITTIS, *L'*oppidum *di Monte Vairano ovvero Aquilonia*, in *Sannio*, 1980, pp. 321-349.

De Boe 1975 — G. De Boe, *Villa romana in località Posta Crusta. Rapporto provvisorio sulle campagne di scavo 1972 e 1973*, in *NSc*, 1975 pp. 516-530.

De Juliis 1988 — E. De Juliis, *Gli Japigi*, Milano, 1988.

Dell'Amico 1986 — P. Dell'Amico, *Le anfore del Porto di Olbia*, in *BdA*, suppl., *Archeologia Subacquea*, 3, 1986, pp. 125-134.

Della Torre e Ciaghi 1983 — O. Della Torre e S. Ciaghi, *Terrecotte figurate ed architettoniche del Museo Nazionale di Napoli*, I. *Terrecotte figurate da Capua*, Napoli, 1983.

Delli Ponti 1973 — G. Delli Ponti, *I bronzi del Museo Provinciale di Lecce*, Galatina, 1973.

De Miro 1980 — E. De Miro, *La casa greca in Sicilia*, in *Miscellanea Manni*, Roma, 1980, pp. 707-737.

D'Errico e Moigne 1985 — F. D'Errico e A.M. Moigne, *La faune classique-hellénistique de Locres: écologie, élevage, dépeçage*, in *MEFRA*, 97, 1985, pp. 719-750.

D'Henry 1981 — G. D'Henry, *Il Vallo di Diano nel IV sec. a.C.*, in *Vallo di Diano*, 1981, pp. 181-197.

De Sensi Sestito 1984 — G. De Sensi Sestito, *La Calabria in età arcaica e classica*, Roma-Reggio Calabria, 1984.

Dilthey 1980 — H. Dilthey, *Sorgenti, acque e luoghi sacri in Basilicata*, in E. Lattanzi (a cura di), *L'Attività Archeologica in Basilicata*, Matera, 1980, pp. 539-560.

Di Niro 1977 — A. Di Niro, *Il culto di Ercole tra i Sanniti Pentri e Frentani. Nuove testimonianze* (*DAIR*, vol. 9), Salerno, 1977.

Di Sandro 1986 — N. Di Sandro, *Le anfore arcaiche dallo scarico Gosetti, Pithecusa* (*Cahiers du Centre Jean Bérard*, XII), Napoli, 1986.

Di Vita 1959 — A. Di Vita, *Breve rassegna degli scavi archeologici condotti in provincia di Ragusa nel quadriennio 1955-1959*, in *BdA*, 44, 1959, pp. 347-363.

Drinkwater 1989 — J. Drinkwater, *L'urbanizzazione in Italia e nelle regioni occidentali*, in J. Wacher (a cura di), *Il Mondo di Roma Imperiale: vita urbana e rurale*, Bari, 1989, pp. 24-69.

Dyson 1978 — S.L. Dyson, *Settlement patterns in the* Ager Cosanus, in *JFA*, 5, 1978, pp. 257-268.

Dyson 1983 — S.L. Dyson,*The roman villas of Buccino, BAR*,suppl. 187, Oxford, 1983

Edlund 1987 — I.E.M. Edlund, *The Gods and the Place: Location and Function of Sanctuaries in the Countryside of Etruria and Magna Græcia*, Stockholm, 1987.

Eiseman 1987 — C.J. Eiseman, *Transport amphoras*, in C.J. Eiseman and B.S. Ridgway, *The Porticello Shipwreck. A Mediterranean Merchant Vessel of 415-385 B.C.*, College Station, Texas, 1987, pp. 37-53.

Evans (in corso di stampa) — M.E. Evans, *An archaeomagnetic investigation of the pottery kiln at Roccagloriosa*, in M. Gualtieri (a cura di), *Fourth century B.C. Magna Græcia: a case study in Western Lucania* (in corso di stampa).

Fabbricotti 1976 — E. Fabbricotti, *Cancellara (Potenza). Scavi 1972*, in *NSc*, 1976, pp. 327-358.

Fabbricotti 1979 — E. Fabbricotti, *Fontana Bona-Ruoti*, in *NSc*, 33, 1979, pp. 347-413.

Ferri 1927 — S. Ferri, *Tiriolo: Trovamenti fortuiti e saggi di scavo*, in *NSc*, 1927, pp. 336-358.

Fiammenghi 1985 — A. Fiammenghi, *La Necropoli di Palinuro: Ricostruzione di una comunità indigena del VI sec. a.C.*, in *DialArch*, 1985, 2, pp. 7-16.

FITT 1986 — J. FITT, *A preliminary analysis of the archaeobotanical remains from Roccagloriosa. 1984-85*, Unpublished report for the Social Sciences and Humanities Research Council of Canada, Ottawa, 1986.

FLANNERY 1976 — K.V. FLANNERY, *Analysis on the regional level*, in K.V. FLANNERY (a cura di), *The Early Mesoamerican Village*, Londra-New York, 1976, pp. 161-194.

FOLLIERI 1982 — M. FOLLIERI, *Le più antiche testimonianze dell'agricoltura neolitica nell'Italia meridionale*, in *Origini*, 11, 1982, pp. 337-344.

FORTI e STAZIO 1983 — L. FORTI e A. STAZIO, *La vita quotidiana dei Greci di Magna Grecia*, in G. PUGLIESE CARRATELLI (a cura di), *Magna Grecia*, Milano, 1983, pp. 643-713.

FRACCHIA 1984 — H. FRACCHIA, *Two new mythological scenes from Western Lucania*, in T. HACKENS e R.R. HOLLOWAY (a cura di), *Crossroads of the Mediterranean*, Louvain-la-Neuve/Providence, 1984, pp. 291-300.

FRACCHIA 1985 — H. FRACCHIA, *The Tempa Cortaglia Survey Project*, in *EchCl*, 29, 1985, pp. 243-256.

FRACCHIA 1987 — H. FRACCHIA, *Small terracotta discs: an emerging class of artifact from Southern Italy*, in *BABesch*, 62, 1987, pp. 85-91.

FRACCHIA 1988 — H. FRACCHIA, *The Mingardo Valley Survey Project: preliminary results*, in *Old World Archaeology Newsletter*, 12/1, 1988, pp. 9-12.

FRACCHIA e GIRARDOT 1986 — H. FRACCHIA e D. GIRARDOT, *Roccagloriosa (SA): materiali da un pozzo di scarico sigillato*, in *Klearchos*, 109/112, 1986, pp. 127-156.

FRACCHIA e GUALTIERI 1989 — H. FRACCHIA e M. GUALTIERI, *The Social Context of Cult Practices in pre-Roman Lucania*, in *AJA*, 92, 1989, pp. 217-232.

FRACCHIA *et al.* 1983 — H. FRACCHIA, M. GUALTIERI, F. DE POLIGNAC, *Il territorio di Roccagloriosa in Lucania (Provincia di Salerno)*, in *MEFRA*, 95, 1983, pp. 345-380.

FRASER e MATTHEWS 1987 — P.M. FRASER e E. MATTHEWS, *A Lexicon of Greek Personal Names*, vol. I, Oxford, 1987.

FREDERIKSEN 1981 — M.W. FREDERIKSEN, *I cambiamenti delle strutture agrarie nella tarda repubblica: la Campania*, in A. GIARDINA e A. SCHIAVONE (a cura di), *Società Romana e Produzione Schiavistica*, vol. I, Bari, 1981, pp. 265-287.

FRIEDL 1984 — M. FRIEDL, *Tierknochenfunde aus Kassope/Griechenland 4.-1. Jh. v. Chr.*, Inaug.-Diss., München, 1984.

GABRICI 1914 — E. GABRICI, *Cuma. Dal VI secolo a.C. fino all'età romana imperiale*, in *MonAnt*, 22, 1914, col. 450-871.

GABRICI 1927 — E. GABRICI, *Il santuario della Malophoros a Selinunte*, in *MonAnt*, 32, 1927.

GALLO 1966 — G. GALLO, *I bolli sui mattoni di Velia*, in *PP*, 21, 1966, pp. 366-377.

GANGEMI 1987 — G. GANGEMI, *Velia: Le terme ellenistiche*, in M.R. BORRIELLO, L. CERCHIAI, W. JOHANNOWSKY e G. GANGEMI, *La Magna Grecia, (Itinerari turistico-culturali in Campania*, 4), Napoli, 1987, pp. 83-88.

Garaguso 1971 — M. HANO, R. HANOUNE e J.-P. MOREL, *Garaguso (Matera). Relazione preliminare sugli scavi del 1970*, in *NSc*, 1971, pp. 424-438.

GARLAN 1974 — Y. GARLAN, *Recherches sur la poliorcétique grecque*, Paris, 1974.

GARLAN 1984 — Y. GARLAN, *Les fortifications grecques dans la seconde moitié de l'époque hellénistique* (Seminario sulle fortificazioni in Italia Centro-Meridionale, Napoli, 1984), copia ciclostilata.

GARNSEY 1979 — P. GARNSEY, *Where did the Italian peasants live?*, in *Proceedings of the Cambridge Philological Society*, 25, 1979, pp. 1-42.

GENTILI 1954 — G.V. GENTILI, *Megara Hyblæa*, in *NSc*, 1954, pp. 80-95.

GERVASIO 1921 — M. GERVASIO, *Bronzi arcaici e ceramica geometrica nel Museo di Bari*, Bari, 1921.

Ghiaccio Forte 1976 — M.A. Del Chiaro, *Etruscan Ghiaccio Forte: Excavations in Tuscany 1972-1973, Catalogo della Mostra*, Santa Barbara (University of California), 1976.

Gianfrotta e Pomey 1981 — P.A. Gianfrotta e P. Pomey, *Archeologia subacquea. Storia, scoperte e relitti*, Milano, 1981.

Gioia del Colle 1961 — B.M. Scarfì, *Gioia del Colle. Le tombe rinvenute nel 1957*, in *MonAnt*, 45, 1961, pp. 154-331.

Gioia del Colle 1962 — B.M. Scarfì, *Gioia del Colle. L'abitato peucetico di Monte Sannace*, in *NSc*, 1962, pp. 3-286.

Giudice 1979 — F. Giudice, *La stipe di Persefone a Camarina,* in *MAL*, S. Misc., II, 1979, pp. 277-356.

Goiran 1890 — A. Goiran, *Alcune notizie veronesi di botanica archeologica,* in *Nuovo Giornale Botanico Italiano*, 22, 1890 , pp. 19-31.

Goldstein 1979 — S.M. Goldstein, *Pre-Roman and early Roman glass in the Corning Museum of glass*, New York, 1979.

Grace 1961 — V. Grace, *Amphoras and the Ancient Wine Trade*, Princeton, 1961.

Graham *et al.* 1973 — A.J. Graham, J.E. Jones e L.H. Sackett, *An Attic country house below the cave of Pan at Vari*, in *BSA*, 68, 1973, pp. 355-452.

Gravina I — R.T. Brooks, A.M. Small e J.B. Ward-Perkins, *Trial excavations at the site of Botromagno, Gravina di Puglia*, in *PBSR*, 34, 1966, pp. 131-150.

Gravina II — J.B. Ward-Perkins, J. du Plat Taylor e E. Macnamara, *Excavations at Botromagno, Gravina di Puglia: Second interim report*, in *PBSR*, 37, 1969, pp. 100-157.

Gravina III — J. du Plat Taylor, P.G. Dorrel, A.M. Small, *Gravina di Puglia. III. Houses and a cemetery of the Iron Age and Classical periods*, in *PBSR*, 45, 1977, pp. 69-137.

Greci Basento 1986 — AA.VV., *I Greci sul Basento. Mostra degli scavi archeologici all'Incoronata di Metaponto. 1971-1984*, Como, 1986.

Greco E. 1975 — E. Greco, *Velia e Palinuro: problemi di topografia antica*, in *MEFRA*, 87, 1975, pp. 94-108.

Greco E. 1979 — E. Greco, *Poseidonia entre le VIe et le IVe siècle avant J.-C.: quelques problèmes de topographie historique*, in *RA*, 1979, pp. 219-234.

Greco E. 1981 — E. Greco, *Problemi topografici nel Vallo di Diano tra VI e IV secolo a.C.*, in *Vallo di Diano* 1981, pp. 125-148.

Greco E. 1985 — E. Greco, *Documentazione storiografica nella Valle del Lao,* in *Atti Convegno Nazionale di Archeologia, Maratea, maggio 1983*, Lagonegro, 1985, pp. 81-90.

Greco E. 1988 — E. Greco, *Tra Bruzi e Lucani: alla ricerca di una definizione di abitato*, in P. Poccetti (a cura di), *Per una identità culturale dei Bretti*, Napoli, 1988, pp. 161-169.

Greco e Guzzo 1978 — E. Greco e P.G. Guzzo, *Santa Maria del Cedro*, in *NSc*, 1978, pp. 429-460.

Greco e Schnapp 1983 — E. Greco e A. Schnapp, *Moio della Civitella et le territoire de Vélia*, in *MEFRA*, 95, 1983, pp. 381-415.

Greco e Schnapp 1987 — E. Greco e A. Schnapp, *Fortifications et emprise du territoire*, in *La fortification dans l'histoire du monde grec* (Colloque CNRS 614), Paris, 1987, pp. 209-212.

Greco e Torelli 1983 — E. Greco e M. Torelli, *Storia dell'Urbanistica: il Mondo Greco*, Roma-Bari, 1983.

Greco G. 1977 — G. Greco, *Antefisse gorgoniche da Lavello*, in *RendNap*, 52, 1977, pp. 131-146.

Greco G. 1980 — G. Greco,*Le fasi cronologiche dell'abitato di Serra di Vaglio,* in *Attività Archeologica*, pp. 367-404.

GRECO G. 1982 — G. GRECO, *Lo sviluppo di Serra di Vaglio nel V e IV sec. a.C.*, in *MEFRA*, 94, 1982, pp. 67-89.

GRECO G. 1983 — G. GRECO, *Anfore di tipo punico della Basilicata*, in *RStLig*, XLV, 14, 1983, pp. 7-26.

GRECO G. 1988 — G. GRECO, *Bilan critique des fouilles de Serra di Vaglio, Lucanie*, in *RA*, 1988, pp. 263-290.

GREEN F.J. 1979 — F.J. GREEN, *Phosphatic mineralisation of seeds from archaeological sites*, in *JFA*, 6, 1979, pp. 279-284.

GREEN J.R. 1976 — J.R. GREEN, *Gnathia Pottery in the Akademisches Kunstmuseum Bonn*, Mainz, 1976.

GREEN J.R. 1982 — J.R. GREEN, *The Gnathia Pottery of Apulia*, in AA.VV., *The Art of South Italy: Vases from Magna Græcia*, Richmond, 1982, pp. 252-259.

GROS e TORELLI 1988 — P. GROS e M. TORELLI, *Urbanistica Antica: il Mondo Romano*, Bari, 1988.

GUALTIERI 1980 — M. GUALTIERI, *Excavation at the site of a Greek colony in south Italy*, in *Expedition*, 22/2, 1980, pp. 34-42.

GUALTIERI 1982 — M. GUALTIERI, *Cremation among the Lucanians*, in *AJA*, 86, 1982, pp. 475-481.

GUALTIERI 1984 — M. GUALTIERI, *Two Lucanian Burials from Roccagloriosa*, in T. HACKENS e R.R. HOLLOWAY (a cura di), *Crossroads of the Mediterranean*, Louvain-la-Neuve - Providence, 1984, pp. 301-332.

GUALTIERI 1987 — M. GUALTIERI, *Fortifications and settlement organization: an example from pre-Roman Italy*, in *World Archaeology*, 19, 1987, pp. 30-46.

GUALTIERI 1989a — M. GUALTIERI, *Strutture insediative di una comunità lucana di IV secolo a.C.*, in *Italici*, Venosa, 1989 (in corso di stampa).

GUALTIERI 1989b — M. GUALTIERI, *Rituale funerario di un'aristocrazia lucana: fine V - inizio III secolo a.C.*, in *Italici*, Venosa, 1989 (in corso di stampa).

GUALTIERI e POLIGNAC (in corso di stampa) — M. GUALTIERI e F. DE POLIGNAC, *A rural landscape in Western Lucania between coast and hinterland*, in G. BARKER e J. LLOYD (a cura di), *Roman Agrarian Structure: the contribution of archaeological survey*, in *PBSR*, suppl. London.

GUARDUCCI 1976 — M. GUARDUCCI, *Epigrafia greca*, IV, Roma, 1976.

GUIDA *et al.* 1980 — AA.VV., *Il bacino del F. Mingardo (Cilento); evoluzione geomorfologica, fenomeni franosi e rischio a franare*, in *Geol. Appl. e Idrogeol.*, 15, 1980.

GUIDA *et al.* 1988 — D. GUIDA, G. IACCARINO, V. PERRONE, *La successione del Flysch del Cilento nell'area del M. Centaurino: relazioni tra unità litostratigrafiche, unità litotecniche e principali sistemi franosi*, in *Atti 74° Congr. Soc. Geol. It.*, Sorrento, 1988.

GUIDI 1980 — A. GUIDI, *Subiaco. La Collezione Ceselli nel Monastero di Santa Scolastica*, Roma (Comitato per l'Archeologia Laziale), 1980.

GUZZETTA 1979 — G. GUZZETTA, *Intervento*, in *Le origini della monetazione di bronzo in Sicilia e in Magna Grecia*, in *AIIN*, suppl., 25, 1979, pp. 141-143.

GUZZO 1976 — P. G. GUZZO, *Fra Sibari e Thurii*, in *Klearchos*, 69-72, 1976, pp. 27-64.

GUZZO 1981a — P.G. GUZZO, *Vie istmiche della Sibaritide e commercio tirrenico*, in *Il Commercio Greco nel Tirreno in Età Arcaica* (Atti del Seminario in memoria di Mario Napoli, Università degli Studi, Salerno, 1981), Salerno, 1981, pp. 35-46.

GUZZO 1981b — P. G. GUZZO, *Scalea (Cosenza), loc. Petrosa. Scavo di una stratificazione di epoca alto-arcaica*, in *NSc*, 35, 1981, pp. 393-440.

GUZZO 1982 — P.G. GUZZO, *Le città scomparse della Magna Grecia*, Roma, 1982.

GUZZO 1984 — P.G. GUZZO, *Lucanians, Brettians and Italiote Greeks in the fourth and third centuries B.C.*, in T. HACKENS e R.R. HOLLOWAY (a cura di), *Crossroads of the Mediterranean*, Louvain-la-Neuve - Providence, 1984, pp. 191-246.

GUZZO 1987 — P.G. GUZZO, *Fortificazioni nella Calabria settentrionale*, in *La fortification dans l'histoire du monde grec* (Colloque CNRS 614), Paris, 1987, pp. 201-208.

GUZZO 1989 — P.G. GUZZO, *I Brettii. Storia e Archeologia della Calabria Preromana*, Milano, 1989.

GUZZO e LUPPINO 1980 — P.G. GUZZO e S. LUPPINO, *Per l'archeologia dei Brezi*, in *MEFRA*, 92, 1980, pp. 821-914.

HAYES 1975 — J.W. HAYES, *Roman and pre-Roman Glass in the Royal Ontario Museum*, Toronto, 1975.

HAYES 1980 — J.W. HAYES, *Ancient Lamps in the Royal Ontario Museum, I: Greek and Roman clay lamps*, Toronto, 1980.

HAYES 1984 — J.W. HAYES, *Greek and Italian Black-Gloss wares and related wares in the Royal Ontario Museum*, Toronto, 1984.

HAYNES 1967 — S. HAYNES, *Etruscan Bronze Utensils*, London, 1967.

HELBAEK 1953 — H. HELBAEK, *Appendix I*, in E. GJERSTAD, *Early Rome*, I, Lund, 1953, pp. 155-157.

HELBAEK 1956 — H. HELBAEK, *Vegetables in the funeral meals of pre-urban Rome*, in E. GJERSTAD, *Early Rome*, II, *The Tombs*, Lund, 1956, pp. 287-294.

HELBAEK 1967 — H. HELBAEK, *Agricoltura preistorica a Luni sul Mignone in Etruria*, in C.E. ÖSTENBERG, *Luni sul Mignone e problemi della preistoria d'Italia*, Lund, 1967, pp. 279-282.

HEMPHILL e JUDSON 1981 — P. HEMPHILL e S. JUDSON, *Sizes of settlements in southern Etruria in the 6th and 5th centuries B.C.*, in *StEtr*, 49, 1981, pp. 193-202.

Heraion 1937 — P. ZANCANI MONTUORO, U. ZANOTTI-BIANCO, *Capaccio*, in *NSc*, 1937, pp. 207-354.

Heraion 1966 — P. ZANCANI MONTUORO *et al.*, *L'edificio quadrato nello Heraion alla foce del Sele*, in *AttiMGrecia*, 7, 1966, pp. 23-171.

HEURGON 1971 — J. HEURGON, *I culti non greci della Magna Grecia*, in *Atti Taranto* 11, 1971, pp. 55-75.

HIGGINS 1954 — R.A. HIGGINS, *Catalogue of the terracottas, British Museum*, London, 1954.

HIGGINS 1967 — R.A. HIGGINS, *Greek Terracottas*, London, 1967.

Himera II — *AA.VV. Himera*, II, Roma (Istituto di Archeologia dell'Università di Palermo), 1976.

HJELMQVIST 1977 — H. HJELMQVIST, *Economic plants of the Italian Iron Age from Monte Irsi*, in *Monte Irsi* 1977, pp. 274-281.

HOLLOWAY 1970 — R.R. HOLLOWAY, *Satrianum. The Archaeological Investigations conducted by Brown University in 1966 and 1967*, Providence, 1970.

HOLLOWAY 1971 — R.R. HOLLOWAY, *Excavations at Buccino*, in *AJA*, 75, 1971, pp. 200-201.

HOLLOWAY e NABERS 1982 — R.R. HOLLOWAY e N. NABERS, *The princely burial of Roscigno (Monte Pruno, Salerno)*, in *Revue des Archéologues et Historiens d'Art de Louvain*, 15, 1982, pp. 97-163.

HÖLSCHER 1979 — T. HÖLSCHER, *La crisi dell'arte classica*, in AA.VV., *Storia e Civiltà dei Greci*, 6, *La crisi della polis*, Milano, 1979, pp. 382 ss., tavv. 9-10.

HOPE-SIMPSON 1984 — R. HOPE-SIMPSON, *The analysis of data from surface surveys*, in *JFA*, 11, 1984, pp. 115-117.

Italici — A. BOTTINI e M. TAGLIENTE (a cura di), *Italici in Magna Grecia: Lingua, insediamenti, strutture*, Venosa, 1989 (in corso di stampa).

JAMESON 1988 — M.H. JAMESON, *Sacrifice and animal husbandry in classical Greece*, in C.R. WHITTAKER (a cura di), *Pastoral economies in classical antiquity*, in *The Cambridge Philological Society*, suppl., 14, 1988, pp. 87-119.

JEFFERY 1955 — L.H. JEFFERY, *Further Comments on Archaic Greek Inscriptions*, in *BSA*, 50, 1955, pp. 69-76.

JENKINS e LEWIS 1963 — J.K. JENKINS e R.B. LEWIS, *Carthaginian Gold and Electrum Coins*, London, 1963.

JENTEL 1976 — M.O. JENTEL, *Les gutti et les askoi à relief étrusques et apuliens. Essai de classification et de typologie*, Leiden, 1976.

JENTOFT-NILSSEN 1980 — M. JENTOFT-NILSSEN, *A Lead Curse Tablet*, in *GettyMusJ*, 8, 1980, pp. 199-201.

JOHANNOWSKY 1961 — W. JOHANNOWSKY, *Neapolis. Scavi e scoperte*, in *FA*, 16, 1961, p. 148.

JOHANNOWSKY 1971 — W. JOHANNOWSKY, *Dibattito*, in *Atti Taranto*, 11, 1971, pp. 524-525.

JOHANNOWSKY 1981 — W. JOHANNOWSKY, *Roccagloriosa*, in G. COLONNA (a cura di), *Scavi e Scoperte*, in *StEtr*, 49, 1981, pp. 514-515.

JOHANNOWSKY 1985 — W. JOHANNOWSKY, *Problemi relativi a Velia e Pixunte*, in *Atti Convegno Nazionale di Archeologia. Maratea, 1983*, Lagonegro, 1985, pp. 141-146.

JOHANNOWSKY 1986 — W. JOHANNOWSKY, *Nuove scoperte a Volcei e nel suo territorio*, in *Rassegna Storica Salernitana*, n.s. 3, 1986, pp. 237-243.

JORDAN 1980 — D. JORDAN, *Two Inscribed Lead Tablets from a Well in the Athenian Kerameikos*, in *AM*, 95, 1980, pp. 225-239.

JORDAN 1985 — D. JORDAN, *Defixiones from a Well Near the Southwest Corner of the Athenian Agora*, in *Hesperia*, 54, 1985, pp. 205-255.

JOZZO 1981 — M. JOZZO, *Louteria fittili in Calabria*, in *ArchCl*, 33, 1981, pp. 143-193.

JUDSON 1963 — S. JUDSON, *Erosion and deposition of Italian stream valleys during historic time*, in *Science*, 140, 1963, pp. 898-899.

KAGAROW 1922 — E. KAGAROW, *Form und Stil der griechischen Fluchtafeln*, in *ArchRW*, 21, 1922, pp. 494-497.

KEANEY 1982 — A.M. KEANEY, *Kaporoinna*, in *Glotta*, 60, 1982, p. 246.

KEAY 1984 — S.J. KEAY, *Late Roman amphorae in the western Mediterranean. A typology and economic study: the Catalan evidence*, in *BAR IntS* 196, Oxford, 1984.

KELLER 1909 — O. KELLER, *Die antike Tierwelt*, I, Leipzig, 1909.

KENRICK 1986 — P.M. KENRICK, *Excavations at Sabratha 1948-1951*, London, 1986.

KNOBLOCH 1978 — J. KNOBLOCH, *Neueszur oskischen Fluchtafel (Vetter 7) im akademischen Kunstmuseum in Bonn*, in *RhM*, 121, 1978, pp. 164-166.

KNOOP 1987 — R.R. KNOOP, *Antefixa Satricana*, Leiden, 1987.

KOEHLER 1981 — C.G. KOEHLER, *Corinthian developments in the study of trade in the fifth century*, in *Hesperia*, 50, 1981, pp. 449-458.

KRUMMREY e PANCIERA 1980 — H. KRUMMREY e S. PANCIERA, *Criteri di edizione e segni diacritici*, in *Miscellanea* (*Tituli*, 2), Roma, 1980, pp. 205-215.

LA GENIÈRE 1964 — J. DE LA GENIÈRE, *Alla ricerca di abitati antichi in Lucania, in AttiMGrecia*, 5, 1964, pp. 129-138.

LA GENIÈRE 1968 — J. DE LA GENIÈRE, *Recherches sur l'age du fer en Italie méridionale, Sala Consilina* (*Bibliothèque de l'Institut Français de Naples, IIe série. Publications du Centre Jean Bérard*, 1), Naples, 1968.

LA GENIÈRE 1971 — J. DE LA GENIÈRE, *Aspetti e problemi dell'archeologia del mondo indigeno*, in *Atti Taranto*, 11, 1971, pp. 225-272.

LAGONA 1985 — S. LAGONA, *Problemi archeologici e topografici della Calabria settentrionale*, in *APARCHAI. Studi in onore di P.E. Arias*, Pisa, 1985, pp. 155-170.

Lagonegro 1981 — *L'evidenza archeologica nel Lagonegrese*, Catalogo della Mostra a cura di G. GRECO, Matera (Soprintendenza Archeologica della Basilicata), 1981.

LAMBRECHTS e FONTAINE 1983 — R. LAMBRECHTS e P. FONTAINE, *Artena (Roma). Rapporto sommario sugli scavi effettuati dalla missione belga sul Piano della Civita (campagne 1979, 1980 e 1981)*, in *NSc*, 1983, pp. 183-213.

LANGHER-CONSOLO 1966 — S. LANGHER-CONSOLO, *Contributo alla storia della moneta bronzea in Sicilia*, Milano, 1966.

LA REGINA 1970 — A. LA REGINA, *Note sulla formazione dei centri urbani in area sabellica*, in *Studi sulla città antica* (Atti Convegno di Studi sulla Città Etrusca e Italica pre-romana), Bologna, 1970, pp. 191-207.

LA REGINA 1975 — A. LA REGINA, *Centri fortificati pre-Romani nei territori sabellici dell'Italia centrale adriatica*, in *Agglomérations fortifiées Illyriennes (Pozebna Izdanja Akad. Nauka i Umjetn. Bosne i Hercegovine*, 24), Sarajevo, 1975, pp. 271-282.

LA REGINA 1976 — A. LA REGINA, *Il Sannio*, in P. ZANKER (a cura di), *Hellenismus in Mittelitalien*, Göttingen, 1976, pp. 219-248.

LA REGINA 1978 — A. LA REGINA, *Centri fortificati sannitici*, in V. CIANFARANI e L. FRANCHI DELL'ORTO (a cura di), *Culture Adriatiche Antiche di Abruzzo e Molise,* Roma, 1978, pp. 401-447.

LA REGINA 1981 — A. LA REGINA, *Appunti su entità etniche ed istituzionali nel Sannio antico*, in *AIONArchStAnt*, 3, 1981, pp. 129-137.

LASSERRE 1967 — F. LASSERRE (a cura di), *Strabon, Géographie*, Tome III, (Collection des Universités de France), Paris, 1967.

LATTANZI 1980 — E. LATTANZI, *Il problema storico di Sirino*, in *Atti Taranto*, 20, 1980, pp. 115-122.

LATTANZI 1985 — E. LATTANZI, *Attività nella Valle del Noce*, in *Atti Convegno Nazionale di Archeologia. Maratea, 1983*, Lagonegro, 1985, pp. 65-71.

LATTANZI 1987 — E. LATTANZI (a cura di), *Il Museo Nazionale di Reggio Calabria*, Roma-Reggio Calabria, 1987.

LAZZERONI 1983 — R. LAZZERONI, *Contatti di lingue e culture nell'Italia antica. Modelli egemoni e modelli subordinati nelle iscrizioni osche in grafia greca*, in *AIONLing*, 5, 1983, pp. 171-182.

LAZZERONI 1985 — R. LAZZERONI, *Varianti grafiche e varianti fonetiche nelle iscrizioni osche. Una questione di metodo*, in E. CAMPANILE (a cura di), *Lingua e cultura degli Oschi*, Pisa, 1985, pp. 47-53.

LCS — A.D. TRENDALL, *The red-figured vases of Lucania, Campania and Sicily*, Oxford, 1967.

LCS suppl. 1983 — A.D. TRENDALL, *The red-figured vases of Lucania, Campania and Sicily*, third suppl. (consolidated), in *BICS* suppl. 41, London, 1983.

LEJEUNE 1967 — M. LEJEUNE, *Notes de linguistique italique*, in *REL*, 45, 1967, pp. 194-231.

LEJEUNE 1969 — M. LEJEUNE, *Seconde note sur le sanctuaire Lucanien de Rossano di Vaglio,* in *PP*. 127, 1969, pp. 281-302

LEJEUNE 1975 — M. LEJEUNE, *Inscriptions de Rossano di Vaglio 1973-74*, in *RendLinc*, s. 8, 30, 1975, pp. 319-339.

LEJEUNE 1976 — M. LEJEUNE, *L'anthroponymie osque*, Paris, 1976.

LEJEUNE 1982 — M. LEJEUNE, *Noms grecs et noms indigènes dans l'épigraphie hellénistique d'Entella*, in *AnnPisa*, s. III, 12, 1982, pp. 787-799.

LEONARDI 1963 — M. LEONARDI, *Territorio e dinamica del popolamento: proposte metodologiche e spunti per un'analisi dell'informazione archeologica*, in *AttiMusCivTrieste*, 12/1, 1963, pp. 169-179.

LEPORE 1967 — E. LEPORE, *La vita politica e sociale*, in AA.VV., *Storia di Napoli*, vol. I, Napoli, 1967, pp. 141-371.

LEPORE 1971 — E. LEPORE, *Dibattito*, in *Atti Taranto*, 11, 1971, pp. 525-527.

LEPORE 1972-1973 — E. LEPORE, *Lucania*, in E. DE RUGGIERO (a cura di), *Dizionario Epigrafico di Antichità Romane*, vol. 4, Roma, 1972-73, pp. 1881-1890.

LEPORE 1975 — E. LEPORE, *La tradizione antica sui Lucani e le origini dell'entità regionale*, in *Antiche civiltà Lucane*, Galatina, 1975, pp. 43-58.

LEPORE 1981 — E. LEPORE, *L' "ellenizzazione" nell'Italia preromana*, in *Storia della Società Italiana*, vol. 1, Milano, 1981, pp. 261-268.

LÉVÊQUE 1969 — P. LÉVÊQUE, *Problèmes historiques de l'époque hellénistique en Grande-Grèce*, in *Atti Taranto*, 9, 1969, pp. 54-55.

LÉVÊQUE 1987 — P. LÉVÊQUE, *La Méditerranée Occidentale. Discussion*, in *La fortification dans l'histoire du monde grec* (Colloque CNRS 614), Paris, 1987, pp. 421-422.

LEVI 1926 — A. LEVI, *Le terrecotte figurate del Museo Nazionale di Napoli*, Firenze, 1926.

Lilybæum 1972 — H. FROST *et al.*, *Marsala (Trapani). Relitto di una nave punica del III secolo a.C. al largo dell'Isola Lunga: la prima campagna di scavi, 1971*, in *NSc*, 1972 pp. 651-673.

LIMC — *Lexicon Iconographicum Mythologiæ Classicæ*, Zürich e München.

Lipari 1965 — L. BERNABÒ-BREA e M. CAVALIER, *Meligunìs-Lipára*, vol. 2, *La necropoli greca e romana in contrada Diana*, Palermo, 1965.

LIPPMANN-PROVANSAL 1987 — M. LIPPMANN-PROVANSAL, *L'Apennin méridional (Italie): étude géomorphologique* Thèse de Doctorat d'État en Géographie Physique, Marseille (Université d'Aix), 1987.

LISSI CARONNA 1984 — E. LISSI CARONNA, *Oppido Lucano: quattro case di IV-III sec. a.C.*, in *AttiMGrecia*, 24-25, 1983-84, pp. 193-212.

LLOYD e BARKER 1981 — J. LLOYD e G.W. BARKER, *Rural settlements in Roman Molise: Problems in Archaeological Survey*, in G. Barker e R. Hodges (a cura di), *Archaeology and Italian Society* (*BAR*, suppl. 102), Oxford, 1981, pp. 289-304.

Locri 1913 — P. ORSI, *Scavi di Calabria nel 1913. Locri Epizefirii*, in *NSc*, 1913, suppl., pp. 3-54.

Locri 1917 — P. ORSI, *Locri Epizefirii. Campagna di scavo nella necropoli Lucifero negli anni 1914 e 1915*, in *NSc*, 1917, pp. 101-167.

Locri 1980 — M. BARRA BAGNASCO, *Locri Epizefiri: campagna di scavo 1980*, in *Atti Taranto*, 20, 1980, pp. 317-327.

Locri 1983 — *Locri Epizefiri. Ricerche archeologiche su un abitato della Magna Grecia*, Reggio Calabria (Soprintendenza Archeologica della Calabria e Università di Torino, Istituto di Archeologia), 1983.

LO PORTO 1970-1971 — F.G. LO PORTO, *Una tomba messapica da Ugento*, in *AttiMGrecia*, 11-12, 1970-71, pp. 99-152.

Luni 1973 — AA.VV., *Scavi di Luni. Relazione preliminare delle campagne di scavo 1970-1971*, Roma, 1973.

Luni 1977 — AA.VV., *Scavi di Luni. Relazione preliminare delle campagne di scavo 1972-1974*, Roma, 1977.

LUPPINO 1980 — S. LUPPINO, *Strabone VI, 1, 3. I Lucani a Petelia*, in *ArchStorCalLuc*, 47, 1980, pp. 37-48.

LUPPINO 1981 — S. LUPPINO, *Montegiordano (Cosenza)*, in G. COLONNA (a cura di), *Scavi e scoperte*, in *StEtr*, 49, 1981, p. 495-496.

LYDING WILL 1982 — E. LYDING WILL, *Græco-Italic Amphoras*, in *Hesperia*, 51, 1982, pp. 338-356.

MACCHIORO 1981 — S. MACCHIORO, *Dati storico-archeologici sul territorio di Pomarico in Basilicata durante l'età preromana*, in *ACME*, 34, 1981, pp. 513-533.

MADDOLI 1981 — G. MADDOLI, *Megale Hellas: genesi di un concetto e realtà storico-politiche*, in *Atti Taranto*, 21, 1981, pp. 9-32.

MANGIERI 1986 — L. MANGIERI, *Velia e la sua monetazione*, Lugano, 1986.

MANNI 1966 — E. MANNI, *Agatocle e la politica estera di Siracusa*, in *Kokalos*, 12, 1966, pp. 144-162.

MANZO 1983 — L. MANZO, *Anfore*, in E. LATTANZI (a cura di), *Locri Epizefiri. Ricerche archeologiche su un abitato della Magna Grecia*, 1983, pp. 39-40.

Marcellina/Laos 1986 — AA.VV., *Marcellina (Laos). Dix ans de recherches: un bilan préliminaire*, in *MEFRA*, 98, 1986, pp. 101-128.

MARCILLET-JAUBERT 1979 — J. MARCILLET-JAUBERT, *Tabella Defixionis Augustodunensis*, in *ZPE*, 33, 1979, pp. 185-186.

MARIANI 1901 — L. MARIANI, *Scavi nell'acropoli di Aufidena*, in *NSc*, 1901, pp. 440-451.

MARIANI 1902 — L. MARIANI, *Alfedena. Scavi nell'acropoli dell'antica Aufidena*, in *NSc*, 1902, pp. 516-520.

MARIN 1977 — M.D. MARIN, *Altamura antica nella tipologia degli insediamenti apuli in generale e peuceti in particolare*, in *Archivio Storico Pugliese*, 30, 1977, pp. 35-104.

Marzabotto 1978 — F.H. PAIRAULT-MASSA, *Marzabotto (Bologna). Rapport préliminaire sur six ans de recherches (1971-1976) dans l'*Insula *VIII*, in *NSc*, 1978, pp. 131-157.

MATOLCSI 1970 — J. MATOLCSI, *Historische Erforschung der Körpergrösse des Rindes auf Grund von Ungarischem Knochenmaterial*, in *Zeitschrif. Tierzüchtg. u. Züchtgsbiol.*, 87, 1970, 2, pp. 89-137.

MATTIOCCO 1981 — E. MATTIOCCO, *Centri fortificati preromani nella conca di Sulmona*, Chieti, 1981.

MATTIOCCO 1989 — E. MATTIOCCO, *Note sulle fortificazioni sannitiche del territorio aufidenate*, in *Almanacco del Molise*, 2, 1989, pp. 27-40.

MAZZEI 1984 — M. MAZZEI, *IV e III secolo a.C.: il panorama storico archeologico*, in AA.VV., *La Daunia Antica*, Milano, 1984, pp. 185-211.

Medio Ofanto 1976 — G. TOCCO (a cura di), *Civiltà Antiche del Medio Ofanto*, Potenza, 1976.

Medma 1981 — M. PAOLETTI e S. SETTIS (a cura di), *Medma e il suo territorio*, Bari, 1981.

MELE 1981 — A. MELE, *Il Pitagorismo e le popolazioni anelleniche d'Italia*, in *AIONArchStAnt*, 3, 1981, pp. 61-96.

MERZAGORA 1971 — L. MERZAGORA, *I vasi a vernice nera della Collezione H.A. di Milano*, Milano, 1971.

Messina 1969 — G. SCIBONA, *Ritrovamenti archeologici in via F. Faranda*, in *NSc*, 1969, pp. 198-209.

Metaponto 1966 — F.G. LO PORTO, *Scavi e ricerche archeologiche*, in *NSc*, 1966, pp. 136-231.

Metaponto 1975 — D. ADAMESTEANU *et al.*, *Metaponto* I, in *NSc*, suppl., 1975.

Metaponto 1977 — AA.VV., *Metaponto*, in *NSc*, suppl., 1977, pp. 1-190.

Metaponto 1981 — F.G. LO PORTO, *Nuovi scavi nella città e nella sua necropoli*, in *NSc*, 1981, pp. 289-391.

MEYER 1980 — F.G. MEYER, *Carbonized Food Plants of Pompeii, Herculaneum, and the Villa at Torre Annunziata*, in *Economic Botany*, 34, 1980, pp. 401-437.

MILANESE 1987 — M. MILANESE, *Scavi nell'* oppidum *preromano di Genova*, in *Studia Archæologica*, 48, Roma, 1987.

MINGAZZINI 1938 — P. MINGAZZINI, *Il santuario della dea Marica alle foci del Garigliano*, in *MonAnt*, 37, 1938, pp. 685-976.

MINGAZZINI 1954 — P. MINGAZZINI, *Velia, Scavi 1927. Fornace di mattoni ed antichità varie*, in *AttiMGrecia*, n.s. 1, 1954, pp. 21-60.

Minturnæ 1935 — A. KIRSOPP LAKE, *Campana Supplex (the pottery deposit at Minturnæ)*, in *Boll. dell'Assoc. Intern. di Studi Mediterranei*, 5, 1934-1935, 4-5, pp. 97-114.

MOLLARD-BESQUES 1954 — S. MOLLARD-BESQUES, *Catalogue raisonné des figurines et des reliefs en terre cuite grecs, étrusques et romains*, I, Paris, 1954.

Monasterace Marina 1972 — E. Tomasello, *Monasterace Marina (Reggio Calabria). Scavi presso il tempio dorico di Punta Stilo*, in *NSc*, 1972, pp. 561-643.

Monte Irsi 1977 — A.M. Small (a cura di), *Monte Irsi, Southern Italy*, in *BAR*, suppl. 20, Oxford, 1977.

Monte Sannace 1989 — AA.VV., *Monte Sannace. Gli scavi dell'Acropoli (1978-1983)*, Galatina, 1989.

Morel 1969 — J.-P. Morel, *Études de céramique campanienne. L'atelier des petites estampilles*, in *MelRome*, 81, 1969, pp. 59-117.

Morel 1973 — J.-P. Morel, *La ceramica di Roma nei secoli IV e III a.C.*, in *Roma Medio-Repubblicana. Aspetti culturali di Roma e del Lazio nel IV e III secolo a.C., Catalogo della Mostra*, Roma, 1973, pp. 43-50.

Morel 1978 — J.-P. Morel, *Observations sur les céramiques à vernis noir de France et d'Espagne*, in *Archéologie en Languedoc*, 1978, pp. 149-168.

Morel 1981a — J.-P. Morel, *Céramique campanienne: les formes*, Rome, 1981.

Morel 1981b — J.-P. Morel, *La produzione della ceramica campana: Aspetti economici e sociali*, in *Società Romana e Produzione Schiavistica*, Roma, 1981, pp. 81-97.

Morel 1982 — J.-P. Morel, *Marchandises, marchés, échanges dans le monde romain*, in *AIONArchStAnt*, 4, 1982, pp. 193-214.

Moritz 1958 — L.A. Moritz, *Grain-mills and Flour in Classical Antiquity*, Oxford, 1958.

Moscati 1983 — S. Moscati, *Gli Italici*, Milano, 1983.

Murray Threipland e Torelli 1970 — L. Murray Threipland e M. Torelli, *A semi-subterranean Etruscan building in the Casale a Piano Roseto (Veii)*, in *PBSR*, 38, 1970, pp. 67-86.

Museo Bari 1983 — E.M. de Juliis (a cura di), *Il Museo Archeologico di Bari*, Bari, 1983.

Museo Ridola 1976 — *Il Museo Nazionale Ridola di Matera*, Matera (Soprintendenza Archeologica della Basilicata), 1976.

Museo Taranto 1988 — AA.VV., *Il Museo di Taranto: cento anni di archeologia*, Taranto, 1988.

Musti 1980 — D. Musti, *Il commercio degli schiavi e del grano: il caso di Puteoli. Sui rapporti tra l'economia italiana della tarda repubblica e le economie ellenistiche*, in *Roman Seaborn Commerce*, *MAAR*, 36, 1980, pp. 186-205.

Napoli 1971 — M. Napoli, *La documentazione archeologica in Campania*, in *Atti Taranto*, 11, 1971, pp. 400-403.

Napoli Antica 1985 — *Napoli Antica. Catalogo della Mostra*, Napoli (Soprintendenza Archeologica per le Province di Napoli e Caserta), 1985.

Natella e Peduto 1973 — P. Natella e P. Peduto, *Pixous-Policastro*, in *L'Universo*, 53, 1973, pp. 483-522.

Nickels 1971 — A. Nickels, *L'occupation des vallées de la Basilicate à l'époque hellénistique*, Tesi di Maîtrise (Université de Strasbourg), Strasbourg, 1971.

Nickerson 1970 — N.H. Nickerson, *An Analysis of Vegetal Remains*, in Holloway 1970, pp. 124-125.

Nocera Terinese 1988 — S. Paoli, *Ricognizione territoriale nella valle del Savuto: Nocera Terinese*, Tesi di Laurea, Napoli (Facoltà di Lettere e Filosofia - Università degli Studi di Napoli), 1987-1988.

Nola 1969 — M. Bonghi Jovino e R. Donceel, *La necropoli di Nola preromana*, Napoli, 1969.

Oliva 1939 — A. Oliva, *I frumenti, le leguminose da granella e gli altri semi repertati a Belverde*, in *StEtr*. 13, 1939, pp. 343-349.

Oliva 1946 — A. Oliva, *Il significato dei reperti vegetali preistorici. I nuovi reperti di Solferino, Belverde e Tebe*, in *Humus*, 4, 1946, pp. 22-25.

Olynthus VIII — D.M. Robinson e J.W. Graham, *Excavations at Olynthus. Part VIII. The Hellenic House*, Baltimora, 1938.

Oppido Lucano 1972 — E. Lissi Caronna, *Oppido Lucano (Potenza). Rapporto preliminare sulla prima campagna di scavo (1967)*, in *NSc*, 1972, pp. 488-534.

Oppido Lucano 1980 — E. Lissi Caronna, *Oppido Lucano (Potenza). Rapporto preliminare. Seconda campagna di scavo (1968)*, in *NSc*, 1980, pp. 119-297.

Oppido Lucano 1983 — E. Lissi Caronna, *Oppido Lucano (Potenza). Rapporto preliminare sulla terza campagna di scavo (1969)*, in *NSc*, 1983, pp. 215-352.

Ordona I — J. Mertens *et al.*, *Ordona*, I, Roma-Bruxelles, 1965.

Ordona III — J. Mertens *et al.*, *Ordona*, III, Roma-Bruxelles, 1971.

Ordona 1973 — E. De Juliis, *Ordona (Foggia). Scavi nella necropoli*, in *NSc*, 1973, pp. 285-399.

Ori Taranto 1984 — *Gli ori di Taranto in età Ellenistica. Catalogo della Mostra*, Milano (Soprintendenza Archeologica della Puglia), 1984.

Orlandini 1957 — P. Orlandini, *Tipologia e cronologia del materiale archeologico di Gela*, in *ArchCl*, 9, 1957, pp. 44-75.

Ortolani e Pagliuca 1984 — F. Ortolani e S. Pagliuca, *Geologia, struttura e macrozonazione sismica dell'Appennino meridionale (Molise, Campania e Basilicata)*, in *Atti 5° Congr. Naz. Geol.*, Palermo, 1984.

Ortolani e Pagliuca 1986 — F. Ortolani e S. Pagliuca, *Relazioni tra struttura profonda ed aspetti morfologici e strutturali della fascia tirrenica dell'Appennino campano, in Atti Conv. Naz. Geomorf.*, Amalfi, 1986

Pagano 1986 — M. Pagano, *Una proposta di identificazione del centro fortificato di Castiglione dei Paludi*, in *MEFRA*, 98, 1986, pp. 91-99.

Pagenstecher 1909 — R. Pagenstecher, *Die Calenische Reliefkeramik*, in *DAI*, Erganzungsheft 8, Berlin, 1909.

Pagliuca 1987 — S. Pagliuca, *Ricerca sul potenziamento della pratica irrigua nelle aree interne per lo sviluppo agricolo del Cilento (Campania)*, in *Irrigazione e drenaggio*, 3, 1987, luglio-settembre.

Palinuro 1 — R. Naumann, *Palinuro 1: Topographie und Architektur*, in *RM*, suppl. 3, Roma 1958.

Palinuro 2 — R. Naumann e B. Neutsch, *Palinuro 2: Die Grabungen in der Nekropole*, in *RM*, suppl. 4, Roma, 1960.

Pallarès 1972 — F. Pallarès, *La primera exploraciòn sistematica del barco del Sec (Palma de Mallorca)*, in *RStLig*, 38, 1972, pp. 3-28.

Pallottino 1979 — M. Pallottino, *Genti e culture dell'Italia preromana*, Roma, 1979.

Panofka 1841 — Th. Panofka, *Terrakotten des königlichen Museums Zu Berlin*, Berlino, 1841.

Panzeri-Pozzetti 1986 — P. Panzeri-Pozzetti, *Anfore commerciali*, in *Greci Basento* 1986, pp. 134-143.

Paoletti 1981 — M. Paoletti, *Paludi (Cosenza)*, in G. Colonna (a cura di), *Scavi e Scoperte, in StEtr*, 49, 1981, pp. 497-498.

Parise 1972 — N.F. Parise, *Struttura e funzione delle monetazioni arcaiche di Magna Grecia*, in *Atti Taranto*, 12, 1972, pp. 87-124.

Patroni 1897a — G. Patroni, *Atena Lucana. Avanzi dell'antico recinto ed iscrizioni latine*, in *NSc*, 1897, pp. 112-120.

Patroni 1897b — G. Patroni, *Tortora. Ricerche intorno alla ubicazione dell'antica Blanda*, in *NSc*, 1897, pp. 176-177.

PCIA — *Popoli e Civiltà dell'Italia Antica*, Roma.

Peacock 1977 — D.P.S. Peacock, *Pompeian Red Ware*, in D.P.S. Peacock (a cura di), *Pottery and Early Commerce*, London, 1977, pp. 147-162.

Peacock 1986 — D.P.S. Peacock, *The production of Roman millstones near Orvieto*, in *Antiquaries Journal*, 66, 1986, pp. 45-51.

PERRINO 1982	P. PERRINO, *Nomenclatura relativa a* Triticum monococcum L. e Triticum dicoccum *Schübler (sin. di* Triticum dicoccum *Schrank) ancora coltivati in Italia*, in *Rivista di Agronomia*, 16, 1982, pp. 134-137.
PERRINO *et al.* 1981	P. PERRINO, K. HAMMER, P. HANELT, *Report of Travels to South Italy 1980 for the Collection of Indigenous Material of Cultivated Plants*, in *Kulturpflanze*, 29, 1981, pp. 433-442.
PIANU 1982	G. PIANU, *Ceramiche etrusche sovradipinte* (*Materiali del Museo Archeologico Nazionale di Tarquinia*), Roma, 1982.
PIANU 1989	G. PIANU, *Scavi al santuario di Demetra a Policoro*, in AA.VV., *Studi su Siris-Eraclea*, (*Archaeologia Perusina*, 8), Roma, 1989, pp. 95-112.
POCCETTI 1979	P. POCCETTI, *Nuovi documenti italici*, Pisa, 1979.
POCCETTI 1982	P. POCCETTI, *Mefitis*, in *AIONLing*, 4, 1982, pp. 237-266.
POCCETTI 1984	P. POCCETTI, *Su due laminette plumbee iscritte nel Museo di Reggio Calabria*, in *Klearchos*, 101-104, 1984, pp. 73-86.
POCCETTI 1988	P. POCCETTI (a cura di), *Per un'identità culturale dei Brettii*, Napoli, 1988.
POCCETTI (in corso di stampa)	P. POCCETTI, "Discussione", in Atti del Convegno sulla Romanizzazione della Basilicata, Venosa (in corso di stampa).
Pompei 1984	M. BONGHI JOVINO (a cura di), *Ricerche a Pompei*, Roma, 1984.
Pontecagnano 1988	E. CHIOSI, *La ceramica tardo-arcaica e classica dalle fornaci del Quartiere Artigianale di S. Antonio a Pontecagnano*, Tesi di Laurea, Napoli (Facoltà di Lettere e Filosofia - Università degli Studi di Napoli), 1987-1988.
PONTRANDOLFO GRECO 1977	A. PONTRANDOLFO GRECO, *Su alcune tombe pestane: proposta di una lettura*, in *MEFRA*, 89, 1977, pp. 31-98.
PONTRANDOLFO GRECO 1979	A. PONTRANDOLFO GRECO, *Segni di trasformazioni sociali a Poseidonia fra fine quinto e inizi del terzo secolo a.C.*, in *DialArch*, 2, 1979, pp. 27-50.
PONTRANDOLFO GRECO 1980	A. PONTRANDOLFO GRECO, *Un gruppo di tombe di un insediamento rurale del IV sec. a.C. da S. Angelo di Ogliara (Salerno)*, in *AIONArchStAnt*, 2, 1980, pp. 93-111.
PONTRANDOLFO GRECO 1982	A. PONTRANDOLFO GRECO, *I Lucani: etnografia e archeologia di una regione antica*, Milano, 1982.
PONTRANDOLFO GRECO 1983	A. PONTRANDOLFO GRECO, *Per una puntualizzazione della cronologia delle monete a leggenda PAISTANO*, in *AIIN*, 30, 1983, pp. 63-81.
Popoli Anellenici 1971	D. ADAMESTEANU (a cura di), *Popoli Anellenici della Basilicata. Catalogo della Mostra*, Potenza, 1971.
Poseidonia-Pæstum I	E. GRECO e D. THEODORESCU, *Poseidonia-Pæstum. I. La "Curia"*,(CEFR, 42) Roma, 1980.
Poseidonia-Pæstum II	E. GRECO e D. THEODORESCU, *Poseidonia-Pæstum. II. L'agora*, (CEFR, 42) Roma, 1983.
POTTER 1976-1977	T.W. POTTER, *Valleys and settlements: some new evidence, in World Archaeology*, 8, 1976-1977, pp. 207-219.
POTTER 1979	T.W. POTTER, *The Changing Landscape of Southern Etruria*, London 1979.
Praia a Mare 1972	P.G. GUZZO, *Praia a Mare (Cosenza). Loc. Dorcara. Scavo di una necropoli del IV secolo*, in *NSc*, 1972, pp. 535-548.
PREISENDANZ 1972	K. PREISENDANZ, *Fluchtafel (Defixio)*, in *Reallexikon für Antike und Christentum*, vol. VIII (fasc. 57), 1972, pp. 1-29.
PROSDOCIMI 1978	A.L. PROSDOCIMI, *Contatti e conflitti di lingue nell'Italia antica, in PCIA*, 6, 1978, pp. 1029-1088.
PUGLIESE CARRATELLI 1971	G. PUGLIESE CARRATELLI, *Sanniti, Lucani, Brettii e Italioti dal IV secolo a.C.*, in *Atti Taranto*, 11, 1971, pp. 37-54.

PUGLIESE CARRATELLI 1980 — G. PUGLIESE CARRATELLI, *Nuovi orizzonti della Storia Lucana*, in E. LATTANZI (a cura di), *L'Attività Archeologica nella Basilicata Antica: Studi in onore di Dinu Adamesteanu*, Matera, 1980, pp. 511-583.

QUILICI 1967 — L. QUILICI, *Siris-Heraklea*, in *Forma Italiæ, Regio 3*, vol. 1, Roma, 1967.

RAININI 1985 — I. RAININI, *Il santuario di Mefite in Valle d'Ansanto*, in *Studia Archæologica*, 43, Roma, 1985.

Rasenna 1986 — M. PALLOTTINO *et al.*, *Rasenna. Storia e Civiltà degli Etruschi*, Milano, 1986.

REBUFFAT-EMMANUEL 1962 — E.D. REBUFFAT-EMMANUEL, *Ceinturons italiques*, in *MelRome*, 74, 1962, pp. 335-367.

RENFREW 1972 — C. RENFREW, *The Emergence of Civilization: The Cyclades and the Ægean in the Third Millennium B.C.*, London, 1972.

RILEY 1979 — J. A. RILEY *Coarse Pottery* in J. A. LLOYD (a cura di) *Excavations at Sidi Khrebish, Benghazi (Berenice)*, vol. II, SPLAJ, Tripoli, 1979, pp. 91-467.

Roccagloriosa 1978 — M. GUALTIERI, *Roccagloriosa: relazione preliminare della campagna di scavo 1976-77*, in *NSc*, 32, 1978, pp. 383-421.

Roccagloriosa 1980 — M. GUALTIERI e D. GIRARDOT, *Roccagloriosa (Salerno): relazione preliminare della campagna di scavo 1978*, in *NSc*, 34, 1980, pp. 103-109.

Roccagloriosa 1988 — M. GUALTIERI, *Roccagloriosa and Lucanian Settlements: Third Interim Report*, in *EchCl*, 32, 1988, pp. 211-228.

ROPER 1979 — D.C. ROPER, *The method and theory of site catchment analysis: a review*, in M. SCHIFFER (a cura di), *Advances in Archæological Method and Theory*, vol. 2, New York, 1979, pp. 119-140.

Rosarno 1913 — P. ORSI, *Rosarno (Medma). Esplorazione di un grande deposito di terrecotte ieratiche*, in *NSc*, suppl., 1913, pp. 55-144.

RYSTEDT 1984 — E. RYSTEDT, *Architectural terracottas as an aristocratic display*, in *Opus*, 3, 1984, pp. 365-375.

SABATO 1989 — L. SABATO, *Sedimentazione attuale in alcuni fiumi a breve corso fra le piane di Metaponto e Sibari (confine calabro-lucano)*, in *Morfogenesi e Stratigrafia dell'Olocene* (Atti Convegno della Società Geologica Italiana), Bari, 1989 (in corso di stampa).

SALLUSTO 1971 — F. SALLUSTO, *Le monete di bronzo di Poseidonia-Pæstum nella Collezione Sallusto*, Napoli, 1971.

SALMON 1936 — E.T. SALMON, *Roman colonization from the second Punic war to the Gracchi*, in *JRS*, 26, 1936, pp. 51-64.

SALOMIES 1987 — O. SALOMIES, *Die römischen Vornamen. Studien zur römischen Namengebung*, (*Comm.Human.Litt.*, 82), Helsinki, 1987.

San Mango d'Aquino 1988 — L. ANNUNZIATA, *Ricognizione territoriale nella valle del Savuto: il territorio di S. Mango d'Aquino*, Tesi di Laurea (Facoltà di Lettere e Filosofia Filosofia - Università degli Studi di Napoli), Napoli, 1987-1988.

Sannio 1980 — *Sannio: Pentri e Frentani dal VI al I secolo a.C. Catalogo della Mostra*, Roma (Soprintendenza Archeologica del Molise), 1980.

Santa Maria d'Anglona 1967 — U. RUDIGER, *Santa Maria d'Anglona*, in *NSc*, 1967, pp. 331-353.

Satriano 1988 — AA.VV., *Satriano 1987-1988. Un biennio di ricerche archeologiche*, Potenza (Soprintendenza Archeologica della Basilicata), 1988.

SCATOZZA HÖRICHT 1987 — L. SCATOZZA HÖRICHT, *Le terrecotte figurate di Cuma*, (*Studia Archaeologica*, 49), Roma, 1987.

SCALI 1983 — S. SCALI, *Observations on the faunal remains from the territory of Metaponto*, in J.C. CARTER, *The territory of Metaponto 1981-1982*, Austin, Texas, 1983, pp. 45-48.

SCHMIEDT 1970 — G. SCHMIEDT, *Atlante Aerofotografico delle sedi umane in Italia*, parte II, Note introduttive, Firenze, 1970.

SCHNEIDER-HERRMANN 1970 — G. SCHNEIDER-HERRMANN, *Some South-Italian terracotta reliefs and their relationship to bronze vessels*, in *BABesch*, 45, 1970, pp. 38-49.

SERENI 1955 — E. SERENI, *Comunità rurali dell'Italia antica*, Roma, 1955.

SERENI 1970 — E. SERENI, *Città e campagna nell'Italia preromana*, in *Studi sulla città antica* (Atti del Convegno di Studi sulla città Etrusca e Italica preromana), Bologna, 1970, pp. 109-128.

SESTIERI 1948 — P.C. SESTIERI, *Necropoli arcaica di Palinuro*, in *BdA*, 33, 1948, pp. 339-345.

SESTIERI 1952 — P.C. SESTIERI, *Salerno. Scoperte archeologiche in località Fratte*, in *NSc*, 1952, pp. 86 ss.

SESTIERI 1955a — P.C. SESTIERI, *Ricerche Poseidoniati*, in *MelRome*, 67, 1955, pp. 35-48.

SESTIERI 1955b — P.C. SESTIERI, *Iconographie et culte de Héra à Pæstum*, in *Revue des Arts*, 1955, pp. 149 ss.

SESTIERI 1958 — P.C. SESTIERI, *Tomba a camera di età lucana*, in *BdA*, 43, 1958, pp. 46-63.

SESTIERI BERTARELLI 1958 — M. SESTIERI BERTARELLI, *Il tempietto e la stipe votiva di Garaguso, in AttiMGrecia*, 2, 1958, pp. 67-78.

Settefinestre 1985 — A. CARANDINI *et al.*, *Settefinestre. Una villa schiavistica nell'Etruria Romana,* Modena, 1985.

Seuthopolis 1978 — D.P. DIMITROV e M. ČIČIKOVA, *The Thracian City of Seuthopolis*, (*BAR*, suppl. 38), Oxford, 1978.

SGROSSO e TORRE 1967 — I. SGROSSO e M. TORRE, *La successione stratigrafica Maastrichtiano-eocenica di Roccagloriosa (Cilento)*, in *Boll. Soc. Natur.*, 76, Napoli, 1967.

Sibari I — AA.VV., *Sibari. Saggi di scavo al Parco del Cavallo*, I, in *NSc*, suppl., 1969.

Sibari II — AA.VV. *Sibari*, II, in *NSc*, suppl., 1970.

Sibari III — AA.VV., *Sibari*, III, in *NSc*, suppl., 1972.

Siracusa 1955 — G.V. GENTILI, *Saggio di scavo a sud del Viale P. Orsi, in predio Salerno Aletta*, in *NSc*, 1955, pp. 302-334.

Siris-Polieion 1986 — *Siris-Polieion: Fonti letterarie e nuova documentazione archeologica. Incontro di Studi, Policoro, 1984*, Galatina (Istituto per la Storia e l'Archeologia della Magna Grecia - Soprintendenza Archeologica della Basilicata), 1986.

SIRONEN 1983 — T. SIRONEN, *Un nuovo documento osco-lucano di IV sec. a.C. da Pisticci*, in *Arctos*, 17, 1983, pp. 79-86.

SKOMOROWSKA e SWIECKI 1977 — J. SKOMOROWSKA e Z. SWIECKI, *Research in the reconstruction of antique black vase-painting*, in *ArchaeologiaWar*, 28, 1977, pp. 37-47.

SOLIN 1983 — H. SOLIN, *Lucani e Romani nella Valle del Tanagro*, in *Les 'bourgeoisies' municipales italiennes aux IIe et Ier siècles av. J.-C.* (Coll. Int. CNRS 609, Naples, Centre Jean Bérard, 1981), Naples, 1983, pp. 411-414.

SORRENTINO 1983 — C. SORRENTINO, *La fauna di Passo di Corvo*, in S. Tiné, *Passo di Corvo e la civiltà neolitica del Tavoliere*, Genova, 1983, pp. 49-157.

SPADEA 1977 — R. SPADEA, *Nuove ricerche sul territorio dell'* Ager Teuranus, in *Klearchos*, 19, 1977, pp. 123-159.

SPADEA 1988 — R. SPADEA, *I Brettii e l'* Ager Teuranus, in P. POCCETTI (a cura di), *Per un'identità culturale dei Brettii*, Napoli, 1988, pp. 203-210.

R. STACCIOLI 1986 — R. STACCIOLI, *Considerazioni sui complessi monumentali di Murlo e Acquarossa* in *Mélanges Heurgon* (*CEFR*, 27), Roma, 1976, pp. 961-972

STAZIO 1974 — A. STAZIO, *Dibattito*, in *Atti Taranto*, 14, 1974, pp. 361-362.

STERNBERG 1980 — H.R. STERNBERG, *Der Silberpragung von Siris und Pixus*, in *Atti Taranto*, 20, 1980, pp. 123-140.

STOPPONI 1985 — S. STOPPONI (a cura di), *Case e Palazzi d'Etruria*, Milano, 1985.

SULLIVAN 1983 — D. SULLIVAN, *Preliminary results of pollen analysis Pizzica-Pantanello*, in J.C. CARTER, *The territory of Metaponto 1981-1982*, Austin, Texas, 1983, p. 36.

Sutri 1964 — G.L. DUNCAN, *A Roman Pottery near Sutri*, in *PBSR*, 32, 1964, pp. 38-88.

Sutri 1965 — G.L. DUNCAN, *Roman Republican Pottery from the vicinity of Sutri (Sutrium)*, in *PBSR*, 33, 1965, pp. 134-176.

SWAN 1984 — V.G. SWAN, *The pottery kilns of Roman Britain, (HMSO)*, London, 1984.

TAGLIENTE e CORCHIA 1984 — M. TAGLIENTE e R. CORCHIA, *Cavallino e Rudiæ: modi e momenti della presenza greca nella Japigia meridionale*, in *ArchCl*, 36, 1984, pp. 1-18.

Taranto-Dibattito 1986 — *Le necropoli ellenistiche di Taranto* (Convegno-Dibattito. Taranto. Istituto per la Storia e l'Archeologia della Magna Grecia, luglio 1986), copia ciclostilata degli interventi.

TCHERNIA 1986 — A. TCHERNIA, *Le vin de l'Italie Romaine*, Paris, 1986.

TCHERNIA *et al.* 1989 — A. TCHERNIA *et al.*, *Aires de production des Gréco-Italiques et des Dr. 1*, in *Anfore romane e storia economica: Un decennio di ricerche* (Atti della Conferenza, Siena, 1986) (*CEFR*, 114), Roma, 1989, pp. 21-65.

TINÉ BERTOCCHI 1985 — F. TINÉ BERTOCCHI, *Le necropoli Daunie di Ascoli Satriano e Arpi*, Genova, 1985.

TITE e MULLINS 1970 — M.S. TITE e C. MULLINS, *Electromagnetic prospecting on archaeological sites using a soil conductivity meter*, in *Archaeometry*, 12, 1970, pp. 97-104.

TITE e MULLINS 1971 — M.S. TITE e C. MULLINS, *Enhancement of the magnetic susceptibility of soils on archaeological sites*, in *Archaeometry*, 13, 1971, pp. 209-219.

TITE *et al.* 1982 — M.S. TITE, M. BRIMSON, I.C. FREESTONE, *An examination of the high gloss surface finishes on Greek Attic and Roman Samian wares*, in *Archaeometry*, 24, 1982, pp. 117-216.

Tivoli 1927 — S.L. CESANO, *Tivoli - Fossa votiva di età romana, repubblicana e con materiali arcaici, scoperta in contrada 'Acquoria'*, in *NSc*, 1927, pp. 215-256.

TOCCO 1973 — G. TOCCO, *Scavi a Tolve*, in *Atti Taranto*, 13, 1973, pp. 463-472.

TOCCO 1974 — G. TOCCO, *Lavello*, in *Atti Taranto*, 14, 1974, pp. 285-288.

TOCCO 1980 — G. TOCCO, *Il Val d'Agri nel V e IV sec. a.C.*, in *Définition des rapports entre la Lucanie interne et la côte Tyrrhénienne*, Colloque Centre Jean Bérard, Napoli, Giugno 1980 (non pubblicato).

Tolve 1982 — *Testimonianze archeologiche dal territorio di Tolve*, Matera (Soprintendenza Archeologica della Basilicata), 1982.

TONGIORGI 1947 — E. TONGIORGI, *Grano, miglio e fave in un focolare dell'età del Bronzo a Grotta Misa (Bassa Valle della Fiora)*, in *Nuovo Giornale Botanico Italiano*, LIV, 1947, pp. 804-806.

TONGIORGI 1956 — E. TONGIORGI, *Osservazioni paleontologiche nella Grotta del Mezzogiorno*, in *BPI*, 65, 1956, pp. 535-540.

TORELLI 1977 — M. TORELLI, *Greci e indigeni in Magna Grecia: ideologia religiosa e rapporti di classe*, in *Studi Storici*, 18, 1977, pp. 45-61.

TORELLI 1978 — M. TORELLI, *La romanizzazione dei territori italici: il contributo della documentazione archeologica*, in *La cultura italica* (Atti Convegno della Società Italiana di Glottologia), Pisa, 1978, pp. 75-89.

TORELLI 1984 — M. TORELLI, *Il Sannio fra IV e I secolo a.C.*, in *Sannio. Pentri e Frentani dal VI al I secolo a.C.* (Atti del Convegno, Campobasso, 1980), Campobasso (Soprintendenza Archeologica del Molise), 1984, pp. 27-34.

TORELLI 1986 — M. TORELLI, *La storia*, in *Rasenna* 1986, pp. 159-237.

TORELLI 1987 — M. TORELLI, *I Culti*, in *Storia della Calabria Antica*, Roma-Reggio Calabria, 1987, pp. 589-612.

Torre Mordillo 1977 — O.C. COLBURN, *Torre del Mordillo (Cosenza): Scavi degli anni 1963, 1966 e 1967*, in *NSc*, 1977, pp. 423-526.

TRAMONTI 1984 — A. TRAMONTI, *Croccia Cognato - Garaguso*, in G. COLONNA, *Scavi e scoperte*, in *StEtr*, 52, 1984, pp. 469-472.

Treglia 1930 — A. MAIURI, *Treglia - Ricognizione nell'Agro Trebulano*, in *NSc*, 1930, pp. 214-228.

TRENDALL 1962 — A.D. TRENDALL, *Head vases in Padula*, in *Apollo*, 2, 1962, pp. 11-34.

TRENDALL 1987 — A.D. TRENDALL, *The red figured vases of Pæstum*, Hertford, 1987.

TRÉZINY 1983 — H. TRÉZINY, *Main d'oeuvre indigène et Hellénisation: le problème des fortifications Lucaniennes*, in *Architecture et société de l'archaïsme grec à la fin de la République Romaine* (*CEFR*, 66), Rome, 1983, pp. 105-118.

TRÉZINY 1987 — H. TRÉZINY, *Les techniques grecques de fortification et leur diffusion à la périphérie du monde grec*, in *La fortification dans l'histoire du monde grec* (Colloque CNRS 614), Paris, 1987, pp. 185-200.

TSAKIRGIS 1983 — B. TSAKIRGIS, *The domestic architecture of Morgantina in the Hellenistic period* (Ph.D. Diss, Princeton), Ann Arbor, 1983.

TSARAVOPOULOS 1986 — A. TSARAVOPOULOS, *The Ancient City of Khios. A contribution to the topography of the city from the results of rescue excavations*, in *Horos*, 4, 1986, pp. 124-144.

TUSA-CUTRONI 1968 — A. TUSA-CUTRONI, *Vita dei Medaglieri - Soprintendenza alle Antichità per le Province di Palermo e Trapani*, in *AIIN*, 15, 1968, pp. 190-225.

UGUZZONI e GHINATTI 1968 — A. UGUZZONI e F. GHINATTI, *Le tavole greche di Eraclea*, Roma, 1968.

Valle d'Ansanto 1976 — A. BOTTINI *et al.*, *Rocca San Felice. Il deposito votivo del santuario di Mefite*, in *NSc*, 1976, pp. 359-524.

VALLET 1978 — G. VALLET, *Les cités chalcidiennes du détroit de Sicile*, in *Atti Taranto*, 18, 1978, pp. 83-143.

VALLET *et al.* 1983 — G. VALLET, F. VILLARD e P. AUBERSON, *Megara Hyblæa: Guida agli Scavi*, Roma, 1983.

Vallo di Diano 1981 — B. D'AGOSTINO (a cura di), *Storia del Vallo di Diano*, I, Salerno, 1981.

VAN DER MERSCH 1986 — C. VAN DER MERSCH, *Productions Magno-Grecques et Siciliotes du IVe s. av. J.-C.*, in *BCH*, suppl., XIII, 1986, pp. 567-580.

VITALI 1985 — D. VITALI, *Elementi per un'articolazione in fasi del complesso archeologico di Monte Bibele: considerazioni preliminari*, in *La Romagna fra VI e IV secolo a.C.*, Bologna, 1985, pp. 197-213.

VITALI *et al.* 1981 — D. VITALI *et al.*, *Monte Bibele. Aspetti archeologici, antropologici e storici dell'insediamento preromano*, in *MEFRA*, 93, 1981, pp. 155-182.

Volcei 1978 — V. BRACCO, *Volcei*, in *Forma Italiæ*, *Regio III*, vol. IV, Firenze, 1978.

VOLKOMMER 1988 — R. VOLKOMMER, *Herakles in the Art of Greece*, Oxford, 1988.

VOLPE 1988 — G. VOLPE, *Primi dati sulla circolazione delle anfore repubblicane nella Puglia settentrionale*, in G. Marangio (a cura di), *Atti del I Convegno di Studi sulla Puglia Romana, Mesagne, 1986*, Galatina, 1988, pp. 77-90.

WALDHAUSER 1984 — J. WALDHAUSER, *Les fortifications celtiques de la période La Tène C-D1 en Bohème. Oppida et Castella*, in *Les Celtes en Belgique et dans le Nord de la France: Les fortifications de l'Âge du Fer* (Atti del Colloquio tenuto a Bavais et Mons), *Revue du Nord*, suppl., 1984, pp. 265-270.

WALKER 1986 — L. WALKER, *The site at Doganella in the Albegna Valley: spatial patterns in an Etruscan landscape*, in S. Stoddart e C. Malone (a cura di), *Papers in Italian Archaeology*, 4, vol. 3, (*BAR*, suppl. 245), Oxford, 1986, pp. 243-254.

WALTERS 1915 — H.B. WALTERS, *Select Bronzes in the British Museum*, Londra, 1915.

WAYMAN *et al.* 1988 — M.L. WAYMAN, M. GUALTIERI e R.A. KONZLUK, *Bronze Metallurgy at Roccagloriosa*, in *Proocedings of the 26th International Archaeometry Symposium*, Toronto, 1988, pp. 128-132.

WELLS 1984 — P. WELLS, *Farms, Villages and Cities: Commerce and Urban Origins in Temperate Europe*, Ithaca, 1984.

WEYMOUTH 1986 — J.W. WEYMOUTH, *Archaeological site surveying program at the Univ. of Nebraska*, in *Geophysics*, 51, 1986, pp. 538-552.

WEYMOUTH e LESSARD 1986 — J.W. WEYMOUTH e Y.A. LESSARD, *Simulation Studies of Diurnal Corrections for Magnetic Prospection*, in *Prospezioni Archeologiche*, 10, 1986, pp. 37-47.

WHITBREAD 1986 — I.K. WHITBREAD, *The application of ceramic petrology to the study of ancient Greek amphorae*, in *BCH*, suppl. XIII, 1986, pp. 95-101.

WHITE 1963 — D. WHITE, *A survey of millstones from Morgantina*, in *AJA*, 67, 1963, pp. 199-206.

WIGHTMAN 1981 — E. WIGHTMAN, *The lower Liri valley: problems, trends and peculiarities*, in G. BARKER e R. HODGES (a cura di), *Archæology and Italian Society*, (*BAR*, suppl. 102), Oxford, 1981, pp. 275-288.

WILL 1972 — E. WILL, *La Grande Grèce, milieu d'échanges: réflexions méthodologiques*, in *Atti Taranto*, 12, 1972, pp. 1-20.

WILLIAMS 1981 — C. K. WILLIAMS 3rd, *City of Corinth and its domestic religion*, in *Hesperia*, 50, 1981, pp. 408-420.

WINTER 1971 — F.E. WINTER, *Greek fortifications*, Toronto, 1971.

WÜNSCH 1897 — R. WÜNSCH, *Defixionum Tabellæ*, in *IG*, III, 3, Appendix, Berlin, 1897.

YNTEMA 1980 — D. YNTEMA, *Leuca, bones and Messapian pottery: a review article*, in *BABesch*, 55, 1980, pp. 250-255.

ZANCANI-MONTUORO 1931 — P. ZANCANI-MONTUORO, *La 'Persephone' di Taranto. Miti, leggende e storia*, in *AttiMGrecia*, 1930-1931, pp. 159-174.

ZANCANI-MONTUORO 1949 — P. ZANCANI-MONTUORO, *Siri, Sirino, Pixunte*, in *ArchStorCalLuc*, 18, 1949, pp. 5-20.

ZANCANI-MONTUORO 1954 — P. ZANCANI-MONTUORO, *Note sui soggetti e sulla tecnica delle tabelle di Locri*, in *AttiMGrecia*, n.s. 1, 1954, pp. 71-106.

ZANCANI-MONTUORO 1958 — P. ZANCANI-MONTUORO, *Dossenno a Poseidonia*, in *AttiMGrecia*, 1958, pp. 78-94.

ZANCANI-MONTUORO 1964 — P. ZANCANI-MONTUORO, *Piccola statua di Hera*, in *Festschrift Eugen V. Mercklin*, 1964, p. 174.

ZANCANI-MONTUORO 1965 — P. ZANCANI-MONTUORO, *Pixunte*, s.v. in *EAA*, vol. 5, 1965,

ZIEBARTH 1899 — E. ZIEBARTH, *Neue Attische Fluchtafeln*, in *NakG.*, 1899, pp. 106-115.

ZIEBARTH 1934 — E. ZIEBARTH, *Neue Verfluchungstafeln aus Attika, Boiotien und Euboia*, in *Sitz. Ber. Pruss. Akad. Wiss.*, 33, 1934, pp. 1022-1050.

INDICE

Finito di stampare nel mese di Ottobre 1990 dalla Newprint S.p.A.
Via Cristoforo Colombo, 53 - Napoli

TAVOLE FUORI TESTO

Tav. I. Veduta dei terrazzi collinari a sud-est del M. Capitenali. Sullo sfondo il M. Bulgheria. Si noti il paesaggio agrario con policoltura di tipo mediterraneo, in vari aspetti analogo a quello ricostruito per il IV secolo a.C.

Tav. II. L'interno di F11 (si veda il cap. 4) dopo la rimozione del tetto crollato all'interno (da ovest). Si notino le statuette in terracotta sistemate lungo la parete di fondo, l'*epichysis* (V31a) nell'angolo a destra, i resti di ossa delle offerte sacrificali nella fascia centrale.

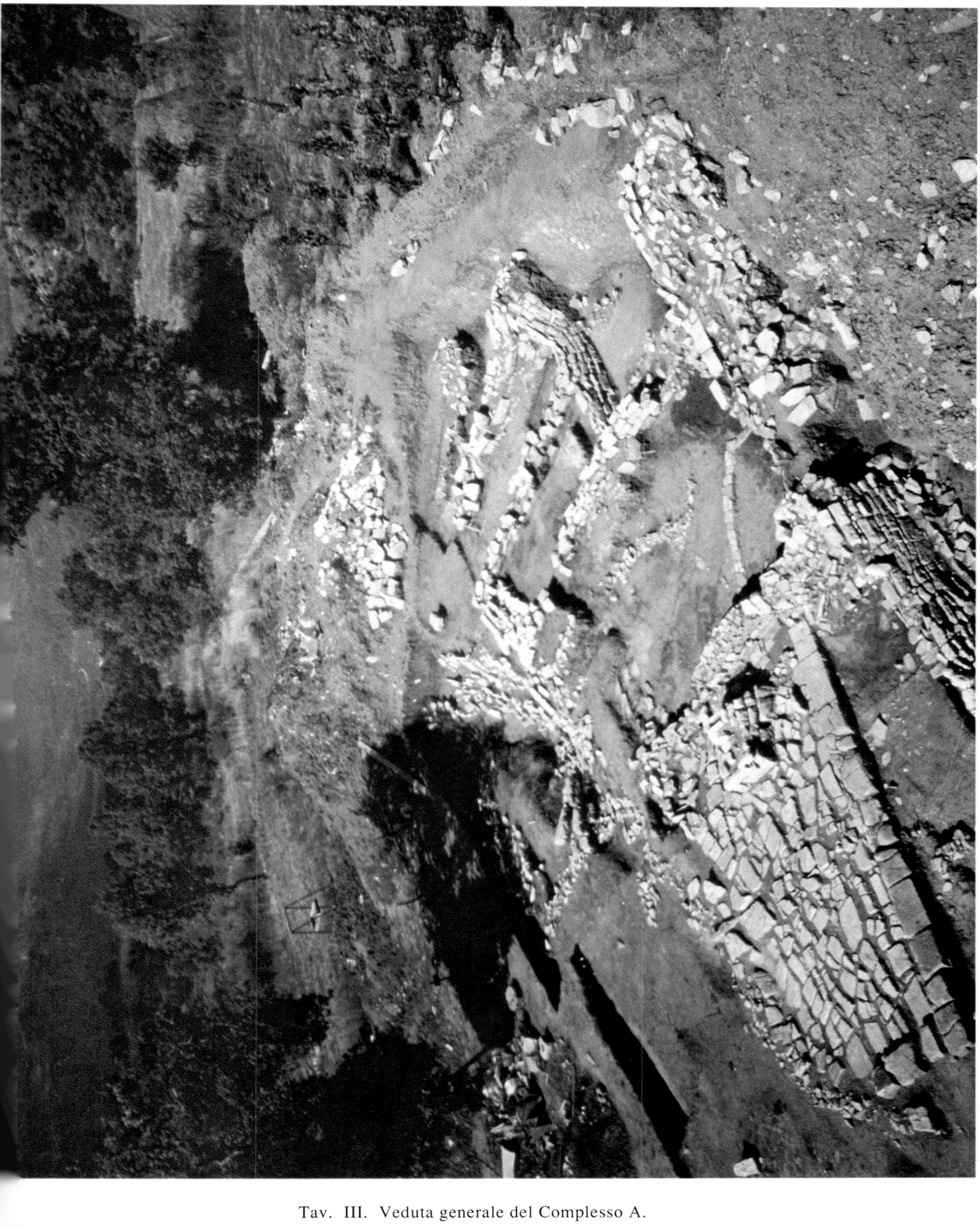

Tav. III. Veduta generale del Complesso A.

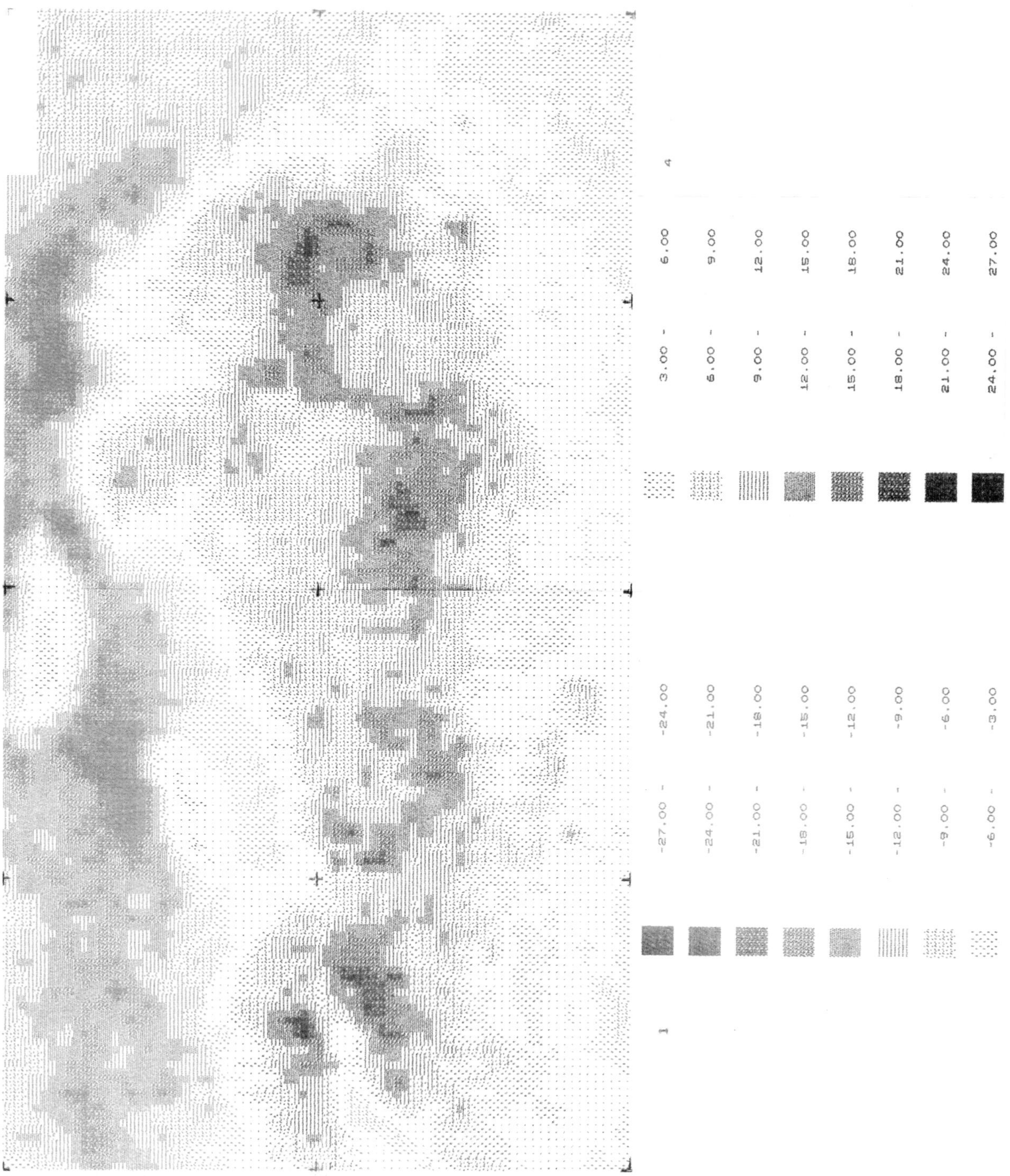

Tav. IV. Pianta (ottenuta al computer) delle anomalie rilevate sul pianoro di Carpineto, all'interno del muro di fortificazione (pp. 96-97). Le anomalie di alto magnetismo, cioè quelle che indicano l'esistenza di un maggiore accumulo di terra o zone soggette in antichità a riscaldamento, come focolari, sono allineate lungo una fascia quasi al centro della zona, mentre verso monte e verso valle sono presenti solo aree di basso magnetismo (in rosso), che dovrebbero indicare le zone con poca terra, presumibilmente in larga parte sterili (R. Linington).

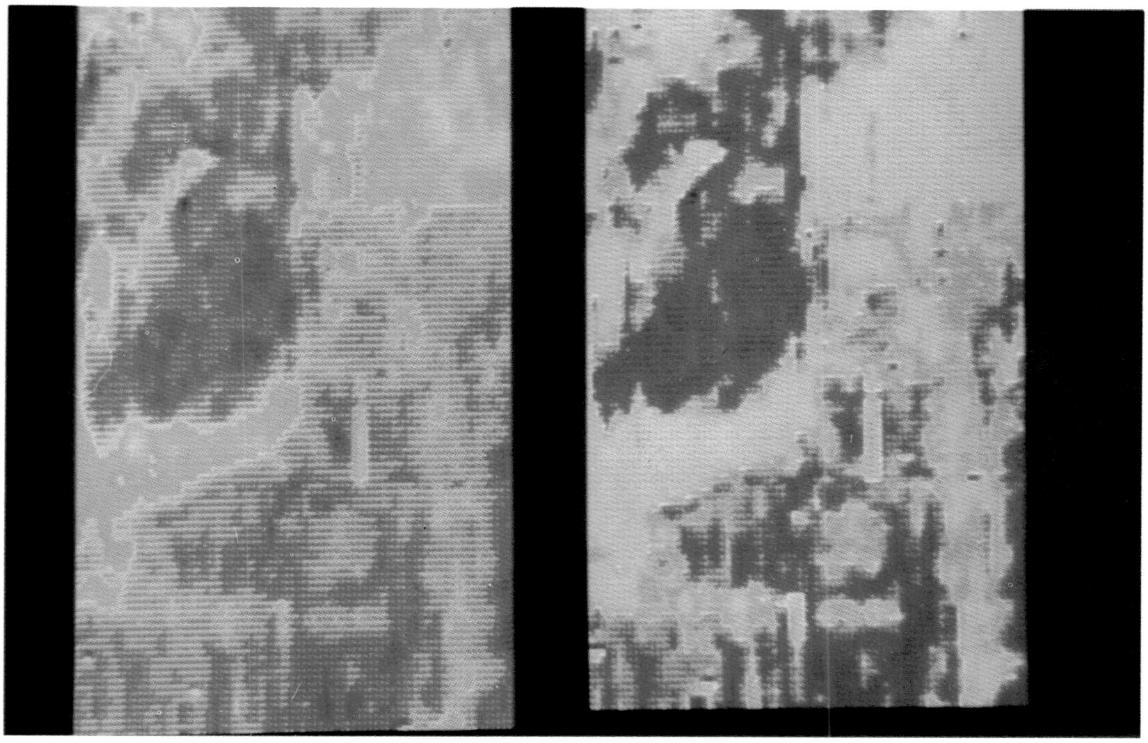

Tav. V. a) Ricognizione geofisica extramurana: mappa a falsi colori dei dati di intensità di campo magnetico originali. In bleu i valori più bassi, in verde, giallo e rosso, nell'ordine, quelli più alti.

b) Ricognizione geofisica extramurana: mappa a falsi colori dei dati di intensità di campo magnetico dopo l'intervento con operatori di filtraggio. Anche in questo caso in bleu sono indicati i valori più bassi mentre in verde, giallo e rosso, nell'ordine, quelli più alti.

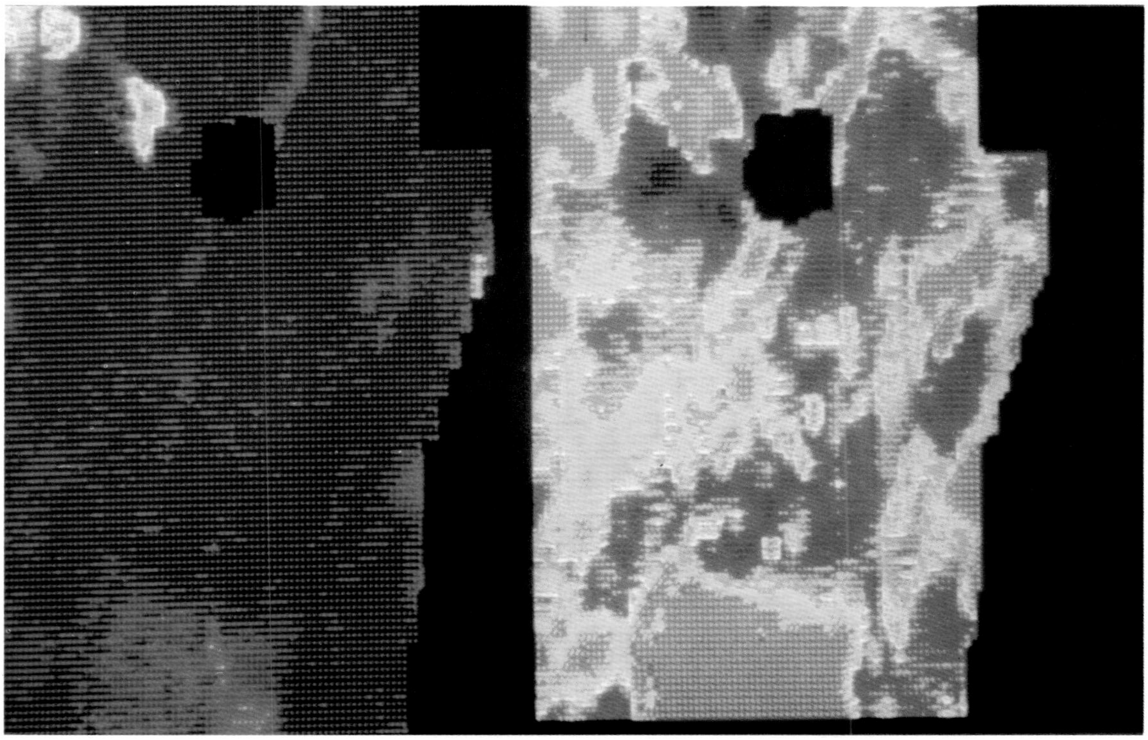

Tav. VI. a) Rappresentazione a falsi colori dei dati di resistività apparente: in bleu i valori più bassi, in verde, giallo e rosso quelli più alti.

b) Mappa a falsi colori dei dati di resistività apparente dopo il trattamento matematico dei dati originali con operatori di filtraggio.